2012:
Marduk'la Randevu
(2012: Ejderhanın Yılı)

2012: Marduk'la Randevu (2012: Ejderhanın Yılı)

© 2003, Burak Eldem
© 2003, *İnkılâp Kitabevi*
Yayın Sanayi ve Ticaret A.Ş.

Kapak Tasarım: Aret Demirkaynak

Dizgi: Şahabettin Saykaloğlu
Düzelti: Buket Öktülmüş

ISBN 975-10-1999-0

04 05 06 07   10 9 8 7

Baskı:
ANKA BASIM
Matbaacılar Sitesi, No: 38
Bağcılar-İstanbul

İNKILÂP
Ankara Caddesi, No: 95
Sirkeci 34410 İSTANBUL
Tel: (0212) 514 06 10 - 11 (Pbx)
Fax: (0212) 514 06 12
e-posta: posta@inkilap.com

www.inkilap.com

BURAK ELDEM

2012:
Marduk'la Randevu
(2012: Ejderhanın Yılı)

 İNKILÂP

İÇİNDEKİLER

Vallahi geliyor galiba!

Böyle amansız bir "literatür" var, biliyor musunuz? Aydın geçinen çok kişinin görmezden geldiği, "solcu molcu" geçinen çok kişinin burun kıvırdığı, birçok okuryazarın alay konusu olmamak için "cıs" dediği, belki yüzlerce kitap ve araştırmadan oluşan bir çeşit yan kültür ("alt kültür" deyip ayıp etmemek için öyle dedim)...

Uzaylılar binlerce yıl önce dünyamızı ziyaret ettiler mi? Atlantis derler kayıp bir uygarlık gerçekten var mıydı? Piramitleri kimler ve nasıl yaptı? Bunların firavun mezarı olmadıkları kanıtlandı ya, acaba bir çeşit enerji santralı falan mıydılar? Hint mitolojisinde geçen "uçan araba vimanalar", aslında bildiğimiz tayyare mi yoksa? Mitolojinin "tanrıları" aslında başka bir gezegenden gelmiş üstün yaratıklar mı? O gezegen aslında sandığımız kadar uzakta değil de, bizim güneş sistemimizde mi?

Onların bir yılı bizim 3661 yılımıza "tekabül" ettiği için mi bu hergeleler dedelerimize "ölümsüz" görünmüşler? O eski ve kayıp uygarlığı onlar mı kurdular? O uygarlık bilimde ve teknolojide bizim bugünkü düzeyimizden daha mı ilerideydi? Bütün bunlar şu ünlü tufanla mı yok oldu? Mitoloji deyip geçtiğimiz, bu "eski ve güzel günlerden" söylence sekline dönüşmüş bilgi ve anı kırıntıları mı? Yoksa tanrılar eski uygarlığın düpedüz insanlarıydı da, dünyanın daha geri bölgelerinde yaşayanlara mı tanrı gibi görünüyorlardı? Soruları istediğin kadar çoğalt. Yaz, üstüne sabaha kadar konuş!...

Hatta daha da ileri, en ileri giderek, Zecharia Sitchin'in Sümer, Akad ve Asur tabletlerinden elde ettiği bulgulara dayanıp ortaya attığı şu müthiş soru: İnsanı, maymunlar üzerinde genetik mühendislik "oynamaları" yaparak uzaylılar mı yarattılar?

Ve de, gene gelecekler mi?

Yoksa, uzaylı muzaylı yok da, gelecek olan bir gezegen mi? Ve çekim alanının etkisiyle buraları duman edecek, belki de hayatı söndürecek olan "zararlı" bir gökcismi mi?

Kutsal metinlerde hep "kıyamet" olarak geçen, bu mu? Ulan yoksa "Hazret-i İsa'nın ikinci gelişinden" kasıt da bu olmasın?

Bütün bunlara kesin bir kanıt, kesin bir yanıt bulunamadı. Ancak, "açık fikirli" insanların görmezden gelemeyecekleri bir sürü soru işareti de karşımızda kapı gibi duruyor. Yeter ki kendinizi dini inançlarınızın, okulda almış olduğunuz eğitimin, şartlanmaların etkisinden kurtarın ve düşünmekten de, soru sormaktan da korkmayın. Günaha girmezsiniz canım, merak etmeyin.

Hemen aklınıza gelmiştir: Bu mesele, İsviçreli araştırmacı ve "bizim Saadettin Teksoy" misali "gezgin ve macera adamı" ünlü Erich von Däniken'in "kalemi"... Ama konu, onun boyunu çoktan aştı, geçti.

John Anthony West, Robert Temple, Robert Bauval, Graham Hancock, Alan Alford ve daha birçokları, birbiri üstüne konuya eğildiler. Fakat kimileri de "new age" (hani şu gizemli mizemli, dingin ve çoğu zaman da sıkıcı müziği hatırlayın!) kültürünün, çağdaş zibidiliğin ve kıllığın yan ürünleri deyip geçtiler bütün bu eserleri.

Eh, ipini kıran zırtapoz Amerikalı da elinden gelen "katkı"yı yaptı tabii... Eli kalem tutan ne kadar marihuanacı manyak varsa "ben aslında uzaylıyım!", "yüce tanrıça İştar beş bin yıl önce bir gün bana dedi ki," falan gibi, kargaları bile güldürecek saçmalıklar üretmeye koyuldu...

Bir kere bu araştırma çığrının babası, İngiliz yazar, Tom Lethbridge... Onunla ilgili bir kitap yazan ve araştırmalarını da ölümünden sonra derleyip toplayarak yayınlayan yakın dostu

Marduk'la Randevu 11

Colin Wilson'un anlattığına göre, Tevrat'ta geçen "elohim", "nefilim" ("tanrılar" ve "tanrı oğulları", ya da "gökten yere inenler", ya da "melekler") tanımlarının ne anlama geldiği ilk onun kafasını kurcalamış... Tam bu konuyu yazıp yayınlamak üzereyken, biliyorsunuz, Däniken "Tanrıların Arabaları" isimli ünlü bombasını patlatıyor!... Yıl 1967... (Yaşlılar ve bencileyin orta yaşlılar hatırlayacaklardır, 1973'te dilimize çevrildiğinde bir ufak bomba da bizim burada patlamıştı...) Lethbridge de küsüyor, konuyu kapatıyor ve üç yıl sonra da (sanırım) kahrından ölüp gidiyor...

Daha sonra, paranın ve şöhretin tadını alan Däniken, kitap üstüne kitap yazarak, dönüp dönüp aynı temcit pilavını ısıtıp ısıtıp önümüze sürdüğü gibi, bir de işin içine azıcık palavra karıştırınca, bu son derece ilginç, önemli ve bir o kadar da keyifli konu, sulandı, ucuzladı.

Daha da kötüsü, kabaca "metafizik ve parapsikoloji" ana başlığı altında toplanan ruhlar, hayaletler, medyumlar, kısaca "öbür dünya" alanı ve insan beyninin bilinmeyen, gizemli birtakım yetenekleri de (durugörü, telepati, bedenden çıkıp "astral gezi" yapıp dönmek falan gibi), Osmanlıca bir deyim kullanacağım için bağışlayın, "bu fasileden mütalaa edilerek" işin içine katıldı; aydınların konudan büsbütün soğumalarına çanak tutuldu.

Kısacası, at izi it izine karıştı. Bütün bunlar çorbaya döndüler. "Hadi canım" denilip geçilen, ciddiye alınmayan bir çorba, ilgi gösterenler de alınlarına "kafayı yemiş" etiketi yapıştırılacak diye ürküyorlar.

Ezcümle: Bu vahim mesele, bu son derece, ama son derece önemli mesele, az okuyan yarı-aydınların, serüven romanları seven kolej mezunu hanımların, hatta birçok nevrotik bayanın, bunalımlı kızların, çizgi-roman kültürüyle yetişen ve Amerikan ucuzluklarının etkisinde kalmış yeniyetme çocukların, bu işten elbette para kokusu alan uyanık ve marjinal yayıncıların eline bırakıldı!

Üniversite çevresi (establishment) şiddetle karşı çıktı: Anlatılanlar kanıtlanırsa bütün arkeoloji ve tarih diplomaları çöp sepetine gidecek, kürsüler mürsüler yıkılacaktı! (Profesör Carl Sagan açıkça alay, Profesör Mark Lehner düpedüz hakaret etti...)

Dinciler için konu, küfürden beterdi.

Marksistler hiç mi hiç ilgi göstermediler. Çünkü "kara kaplıda" (pardon, kızıl kaplıda!) bunlara değinilmemişti...

İste Burak Eldem, tam burada devreye giriyor.

Çünkü neyi başarmış biliyor musunuz?

Bir kere, yukarıda değindiğim "literatürü" baştan sona elden geçirmiş, çok ustaca derleyip toparlamış. Konuya ilgi duyan ama yabancı dil bilmeyen Türk okurunun, çevirisi yapılmadığı için henüz ulaşamadığı temel eserlerden de "haberdar" olmasını sağlamış.

Fakat daha da önemlisi, konuyu gerçekçi, akılcı bir temele, "tarihi materyalizm" temeline oturtmuş. Metot kullanmış! Belli başlı hiçbir yönteme dayanmayan, çoğunlukla el yordamıyla yürütülen bu araştırmaları belli bir dünya görüşünün süzgecinden geçirmiş.

Yani bizim "devrimci arkadaşlar" adam olsalar, Eldem'in elini öpmeleri gerekir!

Hani derler ya, "Karl Marx, Hegel'de başaşağı duran diyalektiği ayakları üstüne dikmiştir," diye; işte Burak Eldem de, Zecharia Sitchin'de tepeüstü duran konuyu alıp düz dikiyor... Sitchin'i bazı abartılarından, saptırmalarından arındırıyor.

Üstelik, hani şu korku filmlerinin başlıca esin kaynaklarından biri olan "şeytanın numarası 666" meselesine de, aslında gözönünde durup duran, o kadar basit, o kadar akıllı bir çözüm bulmuş, öyle bir açıklama getirmiş ki –önsözde açıklayacak değilim, kitabın tadı kaçmasın- okuduğum zaman, "ben bunu nasıl düşünemedim, ben bunu nasıl göremedim..." diye hayıflandım dövündüm...

Burak Eldem'in kitabını yutar gibi okuyacağınızı adım gibi biliyorum. Bunu ve bütün övgüleri fazlasıyla hak ediyor.

Eğer "geçer akçe" dillere (tabii önce İngilizce) çevirilip yayınlanırsa, yurt dışında da en az o adını andığımız "gâvur" yazarlar kadar ilgi toplayacağından eminim. Futboldan sonra bu alanda da batıya, bizden ummadığı ve beklemediği büyüklükte bir başarı sunmuş olacağız!

"Peki sonuç?" diyeceksiniz... "İyi güzel de, ne malum?"
Ölmez sağ kalırsak, 2012 yılında anlayacağız.
İpuçları gerçekse, 2012'de "bu iş bitiyor".
Biz bilemiyoruz, akıl yürütme yoluyla sezebiliyoruz ya, bazıları biliyorlar.
Kimler mi? Çok üst düzeyde Amerikan yetkilileri biliyorlar ve gizli tutuyorlar. "Aşırı sağcı" kabul edilen bazı gizli örgütler de, kuşaktan kuşağa, müritten mürite aktardıkları gelenekle biliyorlar. Alt derecelerde değilse bile, üst derecelerdeki masonlar da biliyorlar. Elbette, "havassın" tekelindeki gerçeği "avama" açıklamıyorlar. Tıpkı, eski Babil ve Mısır rahipleri gibi. Eh, demek ki binlerce yıldır bu dünyada bu açıdan değişen bir şey yok!
Hadi ben de sizlere şu kadarını çıtlatayım: 1972 yılında bazı Amerikan astronomlarının kâğıt üzerinde yaptıkları matematik hesaplar doğrulandı... 1984 yılında, NASA "Plüton dolaylarında gözlenen ve sistemimize girmekte olan iri -dünyamızdan çok daha büyük- bir gökcismini" teşhis etti! "Gezegen X" adı verilen bu cisim, spektral çözümlemede koyu kırmızı renk veriyor.
Fakat bunu çiviyazısı Sümer tabletleri de söylüyorlar! Buyurunuz buradan yakınız.
Yok, Eldem ve bendeniz ve daha yüzlerce araştırmacı yanılıyorsak, o zaman sizlerden özür dileriz.
Ama... On yıl kadar sonra, bir yandan depremler, sel baskınları, volkan patlamaları artarsa, siz de güney yönünde, hızla yaklaşan iri ve ve kızıl renkli bir gezegen görürseniz, eh, "bu fakirleri" de belki hatırlarsınız!...
Bugüne kadar hep öyle oldu da... Politikada, sanatta, kültürde "aaa, Engin bey haklıymış" lafını çok işittim.
Umarım Burak Bey de Engin Bey'in yüzünü kara çıkartmaz.

ENGİN ARDIÇ

Yazarın Notu

Bilim adamları, kendi uzmanlık alanları içine pervasızca girip yeni ve sıradışı teoriler ortaya atanları pek de hoşgörüyle karşılamazlar. Carl Sagan gibi, olgunluğu ve açık fikirliliğiyle tanınan, esnek ve anlayışlı bir bilim adamı bile, "genel kabul gören" teorinin uzağında kalan düşüncelere ve bu düşünceleri üretenlere kimi zaman biraz sertçe tepki göstermekten kendini alamamıştı. Özellikle, eskiçağ tarihi, arkeoloji, astronomi ya da uzay bilimleri konusunda yirminci yüzyılda örneklerine çok rastladığımız bu tür sıradışı teorilerle ortaya çıkan araştırmacılar, genellikle "outsider" olarak düşünülürler bilim dünyasında. "Dışarıdaki" anlamına gelen bu sözcük, kendi uzmanlık alanına girmeyen konularda tezler üreten "amatörler" için hoşnutsuz ve belki biraz da alaycı bir ifadeyle kullanılır; tıpkı, Türkçe'deki "hariçten gazel atma" deyişinde olduğu gibi. Dolayısıyla, kendi alanlarında bilime yıllarını vermiş, kılı kırk yaran uzmanlar için bu insanların ileri sürdüğü her sav, "sahte bilim" ("pseudo-science") damgasını yemeye ve ciddiye bile alınmaksızın pop kültüre mal edilmeye mahkûmdur.

Bütün bunları bilip, üstelik "Onuncu Gezegen" ve "Maya Takvimi'ndeki 2012" gibi fazlasıyla ateşli tartışmaların yaşandığı bir alanda araştırma yapmaya kalkınca, "sahte bilim" suçlamalarını daha işin başında göze almak ve "outsider" olmayı da kabullenmek durumundasınız. Ama "hariçten gazel atmaya" geçmeden önce, hemen belirteyim: Bu kitap, bir "bilimsel araştırma" falan değil; yalnızca eskiçağ tarihindeki soru işaretleri üzerine otuz yıldır kafa yoran, 18 yıllık bir gazeteci-yazar tarafından, yine "outsider"larca okunması için kaleme alınmış alternatif tezleri içeriyor. Eğer dünyanın uzak geçmişiyle ilgili olduğu kadar, çok yakın geleceğini de etkileyeceğini düşündüğünüz böylesi bir "alternatif teori" bir kez kafanızda oluştuysa, onu kendinize saklayamazsınız artık; yüksek sesle yinelemek ve ilgileneceğini düşündüğünüz insanlarla paylaşmak durumundasınız.

Orta Amerika uygarlıkları, özellikle de bunlar arasında "şeytana papucunu ters giydirecek" astronomi bilgileriyle sivrilip öne çıkan Mayalar, içinde bulunduğumuz çağın (bizim takvimimizle) 2012 yılında büyük doğal afetlerle birlikte sona ereceğine, hatta belki insan soyunun dünya üzerinden silineceğine inanıyorlardı. Bu yalnızca "kafayı takvimle bozmuş" bir halkın ezoterik teorileriyle beslenen batıl inancı mıydı, yoksa gerçekten korkuyla bekledikleri kıyametin kozmik bir dayanağı var mıydı? Geçmişi 5000 yıl öncesine dayanan La Venta kültüründen Olmeklere ve Mayalara aktarılan, onların da takvimleri üzerine işaretledikleri, "eski ve unutulmuş" bir bilgi mi söz konusuydu burada? Mezopotamya ve Yakındoğu'nun antik uygarlıklarınca varlığı bilinen; bizimse henüz izini bulmayı başaramadığımız efsanevi Onuncu Gezegen, Maya takvimindeki "bitiş günü"nün kahramanı olabilir miydi? Aziz Yuhanna'nın İncil'in son bölümünde sözünü ettiği "Mahşer Günü", gökyüzünde yaşanması olası bir astronomik olayı simgeler aracılığıyla mı haber veriyordu bize?

Neredeyse bütün inanç sistemlerinde bir biçimde yaşayan "kıyamet günü" ya da "dünyanın sonu" gibi mitlere, farklı bir noktadan bakmaya çalışarak yazıldı bu kitap. Yola çıkarken temel aldığı bir tek varsayım vardı: Mitolojilerin ve dinlerin bilinen en eski köklerinde batıl inancın değil, göklerde ve yeryüzünde yaşanan gerçek doğal olayların bulunduğu düşüncesi. Zaman içinde toplumsal yapı, sınıf farklılıklarını ve "iktidar" olgusunu yaşamın merkezine yerleştirince; en eski, en çıplak haliyle "bilimin çekirdeği" olarak adlandırabileceğimiz dünya ve evrene ilişkin gözlem ve kayıtlarla biriktirilen bilgi, "rahip"ler tarafından okült dönüşümlere uğratılmış ve "kurumsal inanç sistemleri" çıkmıştı ortaya. Sahip oldukları bilgiyle, askeri gücü elinde bulunduran "kral"ın iktidarına ortak olan ilk astronom bilgeler, böylece onlara bu konumlarını sağlayan bilgiyi kitlelerle paylaşmayı değil, gizleyerek kendilerine saklamayı seçen rahiplere dönüştüler. "Çıplak bilgi"yi simgesel kodlarla giderek artan oranda "örtülü", yani "okült" hale getiren bu insanlar, biçimlendirdikleri inanç sistemiyle hem kralın iktidarını koruyor ve ona "tanrısal düzeyde meşruluk" sağlıyorlardı, hem de çok daha önemlisi, kendi konumlarını güvence altına alıyorlardı. Onları içinde bulundukları toplumda "ayrıcalıklı" hale getiren ve artıüründen büyük pay almalarını sağlayan tek şey, sahip oldukları "bilgi"ydi; o halde bu çok özel hazinelerini kimseyle paylaşmamaları ve büyük bir kıskançlıkla saklamaları gerekiyordu. Göklerle ve yeryüzüyle ilgili "şifreler", yalnızca onların uzmanlık alanıydı artık. Kitlelereyse, gözlem birikimine dayanan bu çıplak bilginin, yoğun simgelerle üzeri örtülmüş "okült" hali sunuldu: Yalnızca tapınmayı ve ritüelleri yerine getirmeyi sağlayan; itaat ve bağlılık isteyen din. Bundan böyle gözlemevleri "tapınak"; astronom bilgeler de ayrıcalıklı "rahipler" olacaktı.

Bu yöntem o denli hızlı biçimde kabul gördü ki sınıflı toplumlar dünyasında, her gelen yeni inanç sistemi, var olan öğretiyi bir doz daha "okült" hale getirerek dünya ve evrenle ilgili bilgileri iyice içinden çıkılması güç bir mistik simgeler yığınına dönüştürdü. Bunun en büyük ve en son örneği, Roma İmparatorluğunun elinde merkezi bir kurumsallık kazanan ve Eski Dünya'nın çok büyük bölümüne hükmeden Hıristiyanlıktır. Yeni dinin ayrıntılarının belirlendiği İ.S. 325'teki İznik Konseyi'nden sonra eskiçağa ilişkin bütün bilgilerin sistematik biçimde yok edilmesi, son olarak da beşinci yüzyılda ünlü İskenderiye Kütüphanesi'nin yakılmasıyla, dünyayı neredeyse 1500 yıl süren bir karanlığa itmiştir Hıristiyanlık. Rönesans'a, yani "Eski Roma'nın yeniden doğuşu"na dek insanlığı derinden etkileyen ve son dört yüz yıldır etkisinden kurtulmaya uğraştığımız bu karabasanın merkezinde, evren ve dünyayla ilgili her türlü bilgi ve düşünceyi Kilise'nin tekeline bırakan bir siyasi sistem ve onun insanlara sunduğu inancın dışına çıkan herkesi karanlık zindanlarda işkenceyle öldüren ya da meydanlarda "cadı" suçlamasıyla yakan Engizisyon vardır.

Bu kitap boyunca, son 5000 yıl içinde aşama aşama üzeri örtülen, evrene ilişkin antik bilginin üzerindeki okültizm kabuğunu kırmaya ve altında yatan "çıplak bilgi"yi deşifre etmeye çalıştım. Bu, yalnızca uzak geçmişimize farklı bir gözle bakmamızı sağlayacak bir kronoloji çalışmasını değil, yakın geleceğimizde yaşanması olası "sıradışı" olaylara dikkatleri çekme amacı taşıyan bir "alternatif açıklama"yı ortaya çıkardı.

İki kişiye teşekkür borçluyum. Birincisi, bu alanda yalnızca Türkiye'de değil, dünyada da en donanımlı, literatürü en iyi bilen ve izleyen birkaç kişiden biri olan Engin Ardıç. Onca işi arasında bu uzun metnin ilk halini okumakla ve kitaba önsöz yazmakla kalmadı, çalışmalarım sırasında bulmakta güçlük çektiğim kimi kitapları da kendi kütüphanesinden sağlayarak yayına hazırlık aşamasında "ince ayar" yapmama yardımcı oldu. Hepsinden önemlisi, tam da bu kitabın ilk tasarılarını karalamaya başladığım 1999 yılında, Star'daki köşesinde yazdığı yazılarla, Zecharia Sitchin'i keşfetmemi sağladı. Ardıç'a birçok anlamda teşekkür borçluyum.

İkinci teşekkür de, Türk okurunun henüz tanışma fırsatı bulamadığı, "Breaking The Godspell" ve "God Games" adlı iki önemli kitabın yazarı, Amerikalı araştırmacı Neil Freer'e. Kitabın kısa bir İngilizce özetini okuyan Freer, uzun yazışmalarımız sırasında tezlerimle ilgili olarak ta Santa Fe'den yüreklendirici rüzgârlar estirdi "mailbox"ıma; dahası, kendi arşivinden kimi dokümanları da kullanımıma sundu.

2012'de neler olacak? Gerçekten "kozmik bir kıyamet" kapıda mı? Depremler mi olacak, ortalığı seller mi götürecek? Bu ve benzeri "kestirme" sorulara yanıt arayan ve sansasyonel bir "kehanet kitabı"nın beklentisi içinde olanlar, düş kırıklığına uğrayacaklar, baştan uyarımı yapayım. Bu kitap, insan soyunun bu gezegen üzerindeki varlığı ve oluşturduğu uygarlığın tarihiyle ilgili, kimileri toz duman arasında yitirilmiş, kimileriyse "bir bilen" ya da "bilenler" tarafından bizden özenle saklanmış gizlerin izini sürmeye ilgi duyan, "okuryazar okur" için yazıldı; kehanetin ya da kutsal kitaplara ilahi güçlerce konmuş birtakım "şifre"lerin peşinde koşanlar için değil.

Mayaların "Çağ Bitişi"ne yönelik astronomik hesapları; Mezopotamya kozmolojisinin temel direği olan "Onuncu Gezegen" ya da Eski Mısır'ın "ezoterik" metinleri içindeki İsis-Osiris-Seth-Horus mitlerine ilişkin bugüne dek çok yazıldı çizildi, çok araştırma yapıldı. Ama bunların tümünü tek bir eksende birleştiren; üstelik Eski ve Yeni Ahit'teki "muamma"lara da aynı perspektif içinde yanıt getiren ilk kapsamlı teoriyi, bu kitapta okuyacaksınız. Eski Sümer'den Maya Takvimi'ne; Mısır'ın gizemlerinden İndüs kıyılarındaki kentlere; Eski Ahit'ten hıristiyanlığın doğuşuna dek uzanacak bu yolculuğun, her şey bir yana, okuyucuyu sıkmayacağını düşünüyorum.

BURAK ELDEM
Ekim 2002

1

Mitler, Gizemler ve Katastrof

Batı'da popüler kültürün klasikleri arasında kabul edilen ve hepimizin çocukluğunda tanıştığı macera romanları arasında, üzerimde en çok iz bırakanın, Daniel Defoe'nun unutulmaz yapıtı "Robinson Crusoe" olduğunu söyleyebilirim. Dünyanın keşfinin bütünüyle tamamlanmadığı ve deniz yolculuklarının hâlâ ciddi ve heyecan verici maceralara kapı açabildiği büyülü yıllarda, denizciliğe sevdalı bir gencin başından geçenleri anlatır Defoe, o muhteşem romanında. Ne var ki bu heyecanlı, yürekli ve serüven meraklısı genç, okyanus tutkusunun bedelini, dünyanın en garip ve en kendine özgü "mahkûmiyet"lerinden biriyle ödeyecektir. Yolculuklarından birinde, içinde bulunduğu gemi fırtına sonucu kayalara bindirerek batar ve bir süre dalgalarla boğuştuktan sonra mucize eseri bu kazadan sağ kurtulan Robinson, kendini bir "ıssız ada"da bulur. Haritada yerini bile gösteremeyeceği, daha önce varlığından bile haberdar olmadığı bu bakir ada, artık onun yeni yurdu olacaktır. Bir gün bir gemi tarafından kurtarılma umudunu sürekli olarak içinde yaşatan Robinson, bir yandan kendine bir barınak inşa edip günlük yaşamını sürdürmeye çalışırken, bir yandan da "geçen zamanı" izlemek ve bir yerlere kaydetmek ihtiyacını duyar. Bu amaçla, adaya çıktığı ilk günden itibaren, bir tahta parçası üzerine her gün çentikler atarak günleri, haftaları, ayları saymaya başlar sabırla. Bu tahta, onun takvimi olacaktır artık.

Romanda beni en çok etkileyen olaylardan birinin, kent yaşamında takvim kullanmaya alışık olmasını hiç yadırgamayacağımız Robinson'ın, bir "kazazede" olarak çıktığı ıssız adada da bu alışkanlığını sürdürmesi olduğunu söyleyebilirim. Çalışma, işyeri, toplumsal düzen, okul ya da zamanı izlemeyi gerektirecek herhangi başka bir unsurun olmadığı; üstelik tarımla sistemli biçimde uğraşmayıp yalnızca "avcı-toplayıcı" olmakla yetineceği bomboş, tropikal bir adada bunu niçin yapmıştı genç serüvenci? Elbette, acı gerçeği, yani belirsiz bir süre bu adada yaşamak zorunda olduğunu sezdiği için. Dolayısıyla, engelleyemediği merakı ve kaygılarıyla, bu zorunlu mahkûmiyetinin ne kadar süreceğini bilmek ve zamanı sürekli denetimi altında tutmak istedi. Eğer bunu yapmasaydı, kazadan itibaren ne kadar zaman geçtiğini unutabilir; mevsimleri izlemeyi başaramayabilir ve sözgelimi ona can yoldaşı olan yerliyi bulduğu günün Cuma olduğunu bilemeyebilirdi. Daha da önemlisi, eğer o adadan hiç kurtulamasaydı, günün birinde buraya ayak basanlar ondan geriye kalan tahta parçası sayesinde öğrenebilirlerdi ancak, Karayiplerdeki o ıssız adada Robinson adlı birinin yıllarca yaşadığını.

Eskiçağ tarihi ve arkeoloji üzerine düşündüğümde, ister istemez aklıma Robinson Crusoe geliyor hemen. Atalarımız bu gezegene aniden, bir "deniz kazası" sonucunda, gelmediler; dünyamız da bir ıssız ada değildi. Ama onların varlıkları ve yaptıklarıyla ilgili bilgilerimiz, ancak, bize bıraktıkları çok özel birtakım işaretlerle netleşmeye başladı zihinlerimizde: Bu, en genel anlamıyla, tıpkı Robinson'ın yaptığı gibi, üzerine çentikler atılmış bir taş parçası ya da aynı işlevi görecek herhangi başka bir işaretti. Onu bulanlara, yani bize, bu topraklar üzerinde, bu gökyüzüne bakarak yaşamış ve ölmüş insanların varlığını ve geçirdikleri zamanı anlatan bu taş parçaları, kimi zaman basit işaretler içerecek biçimde belirdi, kimi zaman da en yalınından en karmaşığına dek "yazı" ile birlikte. Ama atalarımız ve bu gezegendeki geçmişimiz üzerine bildiklerimiz, ancak "üzerine çentik atılan taşların" ortaya çıkmasından itibaren derli toplu hale gelmeye başladı diyebiliriz. Onun öncesiyse, bir hayli bulanık. İlk insan topluluklarının zamanı ölçmeyi ve bir yerlere işaretler koymayı, sonrasındaysa "yazılı iletişimi" akıl etmelerinden önce olanların, çok çok azını biliyoruz bugün. Buna rağmen, yüzyıllar içinde sabırlı çalışmalar sonucu elde ettiğimiz bulgular, bize en azından "makul senaryolar" üretme hakkını tanıyor.

"Harvard'dan biyolog Stephen Jay Gould'un yazdığı gibi," diyor, arkeolojinin tarihini yazan Paul Bahn, "Bilimin o kadar büyük kısmı hikâyelere dayanıyor ki! Hikâyeyi iyi bir anlamda kullanıyorum, ancak yine de hikâye işte. İnsanoğlunun evrimine dair geleneksel senaryoları düşünün; av ateşi, kamp ateşi, karanlık mağaralar, ayinler, alet yapımı, yaşlanma, mücadele ve ölümle ilgili hikâyeleri. Ne kadarı kemik ve kalıntılara, ne kadarı edebiyat ölçülerine dayanır?"[1]

İnsanlığın ortak geçmişini aramaya yönelik çalışmaların belli bir noktadan itibaren ister istemez içine girdiği durum bundan iyi anlatılamaz herhalde. Gerçekten de, "kemik ve kalıntılardan çok edebiyat ölçüleriyle ilgili" hikâyeler olduklarını hepimiz bilsek de, belirsizliklerin yoğunlaştığı noktalarda onlara şiddetle ihtiyacımız olduğunu kabul etmek durumundayız. Verilerin giderek artan hızda seyrekleşmeye başladığı "tarih öncesi" devirlere ilişkin çalışmalarda arkeolog ve antropologlar kimi zaman dikkati çekmeyecek kadar küçük izlerden yola çıkıp, şaşırtıcı ayrıntılar yakalayarak boşlukları doldurmayı başarıyorlar. Ama buna rağmen bazen yollar öylesine tıkanıyor ki, "düşgücü" dediğimiz yeteneğimizi kullanmaya gerek duyuyor ve mümkün olduğunca ayağımızı yere basarak, o hikâyelerden üretmek durumunda kalıyoruz. "İnsan, yiyeceklerini pişirerek yemeyi ne zaman ve nasıl öğrendi?" gibi bir soruya somut verilerden yola çıkarak nasıl yanıt verebilirsiniz ki? Eskitaş çağındaki atalarımızın bize bıraktıkları bir yemek tarifleri kitabına ya da "Cilalı Taş Devri Mutfağının Tarihi" gibi bir dokümana günün birinde bir kazı sırasında rastlamak gibi, bir beklentimiz olamayacağına gö-

[2] Paul Bahn, "Arkeolojinin ABC'si", s. 16

re, verileri önümüze koyar ve senaryolar üretmeye başlarız: "Bir gün bir orman yangınında kavrularak ölmüş hayvanlardan birini yiyen bir insan grubu, bu etin daha lezzetli olduğuna karar verip o günden itibaren eti ateşte pişirmeyi yeğlemiştir." Çok makul bir hikâye. Ama, görece çok daha düşük bir olasılığa sahip olmakla birlikte günün birinde gökyüzünden uzay gemisiyle inen birilerinin, "Bakın, yemeklerinizi ateşte pişirirseniz hem daha lezzetli, hem de daha sağlıklı olduğunu göreceksiniz." demiş olması da elbette mümkündür. Her iki durum için de elimizde kanıt yok. O halde, daha makul olan senaryoyu bir anda ders kitaplarına girecek oranda, "bilimsel gerçek" statüsüne yükseltebiliyoruz. "İnsan buğday ekmeyi ve tohum ıslâh etmeyi nereden öğrendi?" ya da "Niçin birbirinden son derece uzak coğrafi bölgelerde, birbirleriyle hiçbir iletişim kurmadan yaşayan insan grupları, ok ve yay gibi, tarih öncesi çağlara göre biraz sofistike sayılabilecek bir silahı, aynı biçimde geliştirip kullandılar?" gibi sorulara yanıt getirirken de yine hikâyeler uydurmak durumundayız. Ama işler buralarda bitmiyor: Evrenin ve güneş sisteminin nasıl oluştuğuna, yeryüzünde yaşamın nasıl başladığına ilişkin sorulara da, yine küçücük verilerden yola çıkarak "Big Bang" benzeri hikâyeler uyduruyoruz, uydurmaya da devam edeceğiz uzun süre. Bunların ne kadarının gerçek olduğunuysa, belki hiçbir zaman öğrenemeyeceğiz.

Arkeoloji, yirminci yüzyıl boyunca bir grup heyecanlı ve idealist araştırmacının çabalarıyla bir hayli yol alırken, zaman içinde diğer bilimlerden de giderek artan oranda destek gördü. Bugün jeoloji ve botanik bilimlerinin yardımlarıyla, akıllara durgunluk verecek denli eski buluntuların ait oldukları dönemleri hesaplayabiliyoruz. Karbon-14 adı verilen yöntem sayesinde, organik kalıntıların yaşlarını oldukça hassas aralıklarla tahmin edebiliyoruz. Ağaç gövdelerindeki halkaların sayımıyla, bazen kazı alanlarında şaşırtıcı kesinlikte zaman ölçümlerine ulaşıyoruz. Eskiçağ tapınaklarının yönlendirildikleri yıldızları ve gök cisimlerini araştıran arkeoastronomi, bu bilgiler sayesinde söz konusu yapıların yaşını belirleme olanağı sağlıyor bize. Bir yandan da, kürekler ve malalar dünyanın dört yanında sürekli çalışıyor, yeni kazı alanlarında her gün yeni izler ve yeni kalıntılar bulunuyor. Dilbilimci ve tarihçiler, eskiçağ toplumlarının yazılarını her geçen yıl biraz daha derinlemesine deşifre ediyorlar. Ama bütün bunlara karşın, bu gezegendeki geçmişimiz hâlâ soru işaretleriyle dolu.

Popüler kültürün güçlü rüzgârının da etkisiyle, "arkeoloji" kavramı kentli insanların düşüncelerinde büyülü, heyecan verici yolculukları ve egzotik ülkelerin balta girmemiş ormanlarındaki gizemli araştırmaları çağrıştırıyor. George Lucas'ın Hollwood'a armağan ettiği ünlü arkeolog Indiana Jones ya da İtalyan çizgi romanının sevilen kahramanı Martin Mystere, arkeolojiyle ilgili imgelerin serüven duygusuyla bu denli iç içe geçmesini sağlayan en bildik pop kültür figürleri. Değişik güdüler ve tutkularla arkeolojiyi meslek olarak seçen gerçek profesyonellerse, acı gerçeğin pop kültür düşlerinden epey farklı olduğunu çok iyi biliyorlar; ya da en azından, daha üniversite sıralarındayken arkeolojinin "rutin yüzüyle" tanışmaya başlıyorlar. Ne yazık ki "gerçek yaşam" Lucas'ın filmleri ya da Bonelli'nin çizgi romanlarından çok farklı. Arkeolojiye gönül verip akademik eğitimin ardından "arazi çalışmasına" gidenler için ne keşfedilecek gizli tapınaklar ve bunların içindeki tuzaklarla dolu dehlizler var, ne de binlerce yıldır el değmeden, kahraman arkeoloğun kendilerini bulmasını bekleyen kutsal hazineler. Bütün bir yaşam, cımbızla pirinç taneleri toplamayı çağrıştıran biçimde, geniş bir alandaki toprak yığınları arasından bıkıp usanmadan kırık çömlek parçacıkları, küçük taş baltalar ya da obsidyen mızrak uçları bulmakla geçiyor. İşin "heyecan" yönüyse, bu son derece rutin çalışmanın içine kendilerini gönüllü olarak bırakmış profesörlerin bir toprak kap üzerindeki minik bir kabartmayı fark ettikleri anda duydukları coşkuyla sınırlı. Tarihi değiştirmek, binlerce yılın gizemlerini çözmek, dünyayı altüst edecek yeni bir buluş yapmak gibi düşleriniz varsa, akademik arkeolojinin sınırları içinde bunları elde etme olasılığınızın çok düşük olduğunu bilmenizde yarar var.

Bunun nedenleri çok çeşitli. Her şeyden önce, yeni keşfettiğiniz bir "site"de kazı yaparken bile, bulduğunuz mezar, tapınak ya da evin, sizden önce çok sayıda meraklı ziyaretçisi olduğunu ve "bakir" bir alanda bulunmadığınızı biliyorsunuz. Biraz esprili bir dille "tarihin ilk arkeologları" denen mezar hırsızları, çok büyük bir ihtimalle sizin kazmakta olduğunuz alana yüzlerce, hatta binlerce yıl içinde defalarca girmiş ve "ele gelir" ne varsa yağmalayıp götürmüş oluyorlar. Bu gerçekten, mesleki motivasyonu büyük oranda kıran, ciddi bir sorun. Ama ne yapalım ki, sandığımızın aksine çok da "ahlâklı" ve erdemli bir tür değiliz hayvanlar aleminde. Kutsal alan hırsızlığını da beş bin yıldır varlığını sürdüren, dünyanın en köklü geleneklerinden biri haline getirmişiz. On dokuzuncu yüzyılın sonları ve yirminci yüzyılın başlarında Mısır ve Mezopotamya'da kazı yapan ünlü arkeologlar, buldukları her ören yerinin, kazdıkları ve girdikleri her kutsal mekânın mutlaka yağmalanmış olduğu gerçeğine kendilerini alıştırdılar. Bunun belki de tek istisnası, Howard Carter'ın neredeyse "el değmemiş" bir halde bulduğu, Tutankamon'un mezarı oldu.

Diğer yandan, geniş alan çalışmalarında, insanların verdiği zararlardan kurtulmak mümkün olsa bile, bu kez doğanın verdiği çok ciddi zararlar işleri iyice güçleştiriyor. Eskiçağ uygarlıklarının ve tarih öncesi yerleşim yerlerinin izlerinin bulunduğu kazı alanları, genellikle "höyük" adı verilen tepecikler oluştururlar. Bu tepecikler, yüzyıllar, hatta bin yıllar boyunca aynı bölgede birbirinin üstüne kurulmuş yerleşimlerin, iç içe geçmiş kalıntılarını içeren karmakarışık yığınlardır. Arkeologlar, ilkin farklı katmanları birbirinden ayırmaya ve bunların ait oldukları dönemlerin sınırlarını çizmeye çalışırlar. Ardından, her katmana, yani her döneme ait, çoğu parça parça olmuş buluntular sabırla sınıflanmaya ve fırçalarla temizlenmeye çalışılır. Bazı durumlarda, topraktan çıkarılan objeler havayla temas eder etmez bozulup dağılırlar; bu nedenle onlara özel bir yöntemle yaklaşmak ve hemen korumaya almak gerekir. Çoğu kez, bu katmanlar yalnızca depremler ya da sellerle altüst edilmekle kalmamış, bitki örtüsü de çağlar içinde kalıntıların üzerlerini iyice kapatarak arkeoloğun işini biraz daha zorlaştırmaya çalışmıştır. Bu nedenle, küçücük bir alandaki çalışmalar (iklimin etkisiyle verilen

2012: Marduk'la Randevu 27

zorunlu araları da hesaba katarsak) bazen yıllarca sürebilir. Onca emeğin sonunda, elinizde yalnızca isimsiz birkaç seramik parçası, belki birkaç süs eşyası ve el aletleri kalmıştır; o da, eğer şanslıysanız. Bazen de elleriniz boş olarak ayrılırsınız kazı alanlarından.

Her şey bittikten sonra, bulunanların ayıklanması, sınıflanması ve kataloglanması alır sırayı. Eğer, sözgelimi, yüzlerce kırık kil tablet parçacığı varsa elinizde ve yazılı bulgularla uğraşıyorsanız, bu parçacıkları düzenlemeniz ve gruplamanız çok uzun yıllarınızı alabilir ve bir "ofis çalışması" içinde masa başında birkaç küçük ayrıntı yakalamakla uğraşabilirsiniz. Diyelim ki çok şanslısınız ve hem antik diller ve yazılardan birini çok iyi biliyorsunuz, hem de elinizde parçaları tamamlanmış birkaç kil tablet ya da az zararla kurtarılmış papirüsler var. Yine diyelim ki, bunları çözdüğünüzde, ciddi sansasyon yaratacağını düşündüğünüz birtakım sonuçlara erişiyorsunuz. Sakın elinizdeki verilerle dünyayı sarsıp birkaç ay içinde kahraman olacağınızı falan düşünmeyin. Öyle bir bürokratik düzen içinde tezinizi ve bulgularınızı rapor etmek zorundasınız ki, adım adım izleyeceğiniz prosedür bitip buluşunuz "Akademik Olimpos" tarafından onaylandığında, saçlarınıza ak düşmüş bile olabilir. Hele bulduğunuz şey, var olan ve genel kabul görmüş teorilerle radikal bir uyuşmazlık içindeyse, sakın takdir görmeyi beklemeyin; büyük ihtimalle baltalanacak ve engelleneceksiniz. Hatta iş "akademik aforoz"a dek varabilir. Yine Paul Bahn'ın sözünü ettiği çarpıcı bir örneği aktaralım: Antik Ege'den günümüze kalan iki yazı tipi vardır ve bunlar "Lineer A" ve "Lineer B" olarak adlandırılırlar. Bugüne dek, bulguların azlığı ve eldeki örneklerin karmaşıklığı nedeniyle Lineer A deşifre edilememiştir. Bu alanda araştırmalarını sürdüren dilbilimci Michael Ventris, uzun çalışmalardan sonra, "Lineer B" adıyla bilinen sistemi çözmeyi başarmış ve bulgularını bilim dünyasıyla paylaşmak istemiştir:

"Ventris de öncülerin birçoğu gibi kutlamalarla değil, meslektaşlarının itirazlarıyla karşılaştı. Bu, arkeolojinin bütün dallarındaki ilerlemeler için geçerlidir. Kısa bir süre sonra Yunanistan'daki kazılarda Ventris'in iddialarını tamamen doğrulayan çizgi yazısı B [Lineer B] tabletlerinin bulunduğu eksiksiz bir kütüphane ortaya çıkarılınca uzmanların başka seçeneği kalmadı: Kazıyı yapan kişiyi ve Ventris'i sahtekârlıkla suçladılar!"[2]

Görüldüğü gibi, "meşakkatli" olduğu kadar nankör de bir alan arkeoloji. Belki de en talihsiz yanıysa, değeri yirminci yüzyılda keşfedilen bir endüstrinin, "turizm"in "ürün paketi" içinde değerlendirilen bir bileşen haline getirilmesi. Bugün hükümetler arkeolojiye, insanoğlunun geçmişiyle ilgili sırları çözmeye çalışan bir bilim dalı olmaktan çok, "turizmi geliştirecek tarihi zenginlikleri derleyen bir disiplin" gözüyle bakıyorlar. Özellikle doksanlı yılların ortalarından itibaren Mısır'da görülen eğilim, bunun en tipik örneklerinden biri. Bugün Mısır Eski Eserler Dairesi'nin yönetimini elinde bulunduran Dr. Zahi Hawass ve "ekürisi" Arkeolog Mark Lehner, egemen düşünce ve ortodoks teori dışında kalabilecek her düşünceye "Mısır'ın tarihi mirasına hakaret" gözüyle bakan; bu doğrultuda araştırma yapmak isteyenleri ören alanlarına bile sokmayan yasakçı ve bürokratik bir politika izliyorlar. Bütün amaçlarıysa, Mısır için Yeni Krallık döneminden başlayan bir "turistik imaj" yaratmak ve bunun merkezine "Büyük Ramses" figürünü yerleştirmek; bu arada ortodoks ejiptolojinin genel kabul gören tezlerine ters düşen iddiaları susturmak. 1993 yılının Mart ayında, Giza'daki Büyük Piramit'in Kraliçe Odası'nın güney havalandırma şaftında, Alman mühendis Rudolf Gantenbrink tarafından bulunan "gizli kapı", yaklaşık on yıl boyunca inatla açtırılmadı ve ardında neler sakladığının insanlarca bilinmesine izin verilmediği gibi konunun üzeri de örtüldü.[3] Dahası, Gantenbrink'in Giza'da araştırma yapması yasaklandı. Hawass yönetimi aynı tavrı, Büyük Sfenks'in sanılandan çok daha yaşlı olduğunu jeolojik bulgularla kanıtlayan Dr Robert Schoch ve araştırmacı John Anthony West'i de "istenmeyen adamlar" listesine dahil ederek sür-

---

[2] Paul Bahn, a.g.e., s. 69
[3] Bu kitabın düzelti işlemlerinin yapıldığı sıralarda, Eylül 2002'de Hawass nihayet televizyon kameraları önünde şov yaparak kapının ötesini inceleyecek bir mini robotu şaftın içine yolladı; ancak bu kez ikinci bir kapı daha çıktı ortaya. Onun açılması için en az 2004 başlarına dek beklenmesi gerekeceği düşünülüyor.

dürdü. Yönetime geldiğinden beri Hawass'ın bütün yaptığı, "Piramitlerin 4. Hanedan firavunları tarafından inşa ettirildiğini ve yalnızca gösterişli birer kral mezarı olduklarını," kanıtlamak için çırpınmak. Aksi yöndeki en küçük bir belirtinin bile Mısır için uygun gördükleri "turistik profil"e ters düşeceğini bildikleri için, zorlama şovlar, National Geographic dergisi gibi ortodoks muhafazakâr yayınların tek yönlü desteği ve sözde "piramit işçilerinin mezarları" gibi kanıtlarla, aykırı tezleri ve imajı zedeleyebilecek teorileri Mısır'dan uzak tutmaya çalışıyorlar. Eğer şu ünlü Martin Mystere çizgi romanında anlatıldığı gibi, gerçek bulguları gizlemeye yeminli uluslararası düzeyde örgütlenmiş bir "Kara Adamlar" örgütü varsa, Zahi Hawass'ın yöneticilerden biri, hatta "Mısır Bölge Sorumlusu" olduğuna kesin gözüyle bakıyorum!

Ortodoks arkeolojinin inanılmaz tutuculuğunun yanı sıra, bir de çok daha yakından tanıdığımız dinsel tutuculuk var işleri zorlaştıran. Bu eğilim, araştırmacıların karşısına bazen dinsel kurumların doğrudan ya da dolaylı müdahalesiyle çıkıyor, bazen de bizzat araştırma yapılan yerdeki yerel halkın tepkileriyle. Üstelik, "alan çalışması"yla ilgili güçlükleri bir yana bırakalım, kuramsal arkeoloji için de oldukça sıkıntı verici engeller oluşturabiliyor bu dinsel tutuculuk. Batı'da bilim ve araştırmanın merkezleri olan üniversiteler, yıllarca Kilise'nin himayesinde ve doğal olarak etki alanında bulundular. Bugün hâlâ dini kurumların dolaylı etkisi altında bulunan yüzlerce eğitim kurumu var. Daha da ciddisi, üniversiteler birer "kamu kuruluşu" çoğu ülkede. Dolayısıyla, ne denli "özerk" oldukları iddia edilirse edilsin, toplumun tutucu olduğu ülke ve kentlerde, maaşları bu insanlar tarafından ödenen araştırmacıların, "inanç dünyası"na aykırı tezlerden ince eskivlerle sıyrılmaya ve mümkün olduğunca uzak durmaya çalışacağını tahmin etmek hiç zor değil. İki bin üç yüz yıl öncesinin fundementalist Yahudi inancıyla kaleme alınmış Eski Ahit'te anlatılanlara bugün dünyanın üçte ikisinin bütün kalbiyle inandığı düşünülürse, görünürde net bir baskı yönlendirilmese bile, araştırmacıların üzerinde oluşacak manevi baskının ağırlığı hiç küçümsenmemeli. Bu yüzdendir ki kendilerini "kuşkucu" olarak tanımlayan ve bilimsel çerçeveden ayrılmama iddiasında bulunan bazı bilim adamları, sıradışı düşüncelere, sözgelimi "uzaylıların ziyareti" ya da efsanevi Atlantis kıtasının varlığı gibi iddialara olanca ironileri ve tepkileriyle yaklaşırlarken, aynı "bilimsel titizliği" egemen dini inançlara karşı da uygulamayı akıllarından bile geçirmezler. Bu da "bilimsel kuşkuculuk" iddiasına gölge düşürmek bir yana, açıkçası son derece ikiyüzlü bir tavır oluşturur. Erich Von Däniken'i yerden yere vurmak için kalemlerini sivrilten bilim adamlarının, Eski Ahit'teki çoğu hikâyenin ve dolayısıyla bunlara dayalı inançların "uydurma" olduğunu söylediklerine ya da Kilise'yi alaya aldıklarına tanık oldunuz mu hiç?

Arkeoloji, son iki yüz yıl içinde "kemikleştirilmiş" bir teoriden sapmamaya yeminli bir akademisyenler çekirdeği tarafından, giderek rutinleşmiş bir çalışma biçimi içinde insanlığın tarihiyle ilgili kronoloji yaratma çalışmalarını sürdürüyor. Ancak bir yandan da, oluşturulan kronolojiyi başta Eski Ahit olmak üzere kutsal metinlerle uyumlu hale getirme çabaları var ki, bu da epey çetin bir iş. Bir yandan, hiçbir antik metnin bütünüyle "uydurulmuş" olmadığını ve çok az da olsa gerçek olaylardan izleri içinde barındırdığını unutmadan çalışmak gerekiyor. Bir yandan da, bu metinlerde adı verilen kişiliklerin ve olayların çoğunun birden fazla kaynaktan beslenerek "kompozit" karakterler ve olaylar yarattığını akıldan çıkarmamak. Ne yazık ki, bunun tam anlamıyla uygulandığını söyleyebilmek çok zor. "Bilimsel kuşkucu" çevre, Eski Ahit'le var olan kronoloji arasında küçücük bir köprü bulduğunda, tarihleri birbirine uydurmanın sevinciyle her şeyi bir yana bırakıp, metinlerdeki kişiliklerin yaşam sürelerini ya da anlatılan olayları bu kronolojide işaretleme gayretkeşliği içine giriyor; sanki sözü edilen kişi, gerçekten yaşamış "belirli bir tek kişi"ymiş ya da anlatılan olay bire bir gerçek tanıklıklara dayanıyormuş gibi. Dolayısıyla, arkeolog ve tarihçilerin, bir tek bağlantının verdiği heyecanla "Mısır'dan çıkışı" (Exodus) bütünüyle tarihsel bir gerçeklik olarak düşünüp onun zamanını belirlediklerine ya da İbrahim'in ne zaman yaşadığına ilişkin sonuçlara ulaştıklarına tanık oluyoruz. Bu kitap boyunca, Eski Ahit'te ve ondan çok önce kaleme alınmış kutsal metinlerde anlatılanların "saf gerçek" olmamakla birlikte, gerçek olaylardan esinlenmiş hikâyeler bütünü olduğunu aklımızdan çıkarmadan, doğru iz sürmeye çalışacağız. Sık kullandığım bir deyişle, basketboldaki hücum oyuncusunun "pivot ayağının" sabit kalması ve uygun şut açısını diğer ayağıyla dönerek araması gibi, biz de pivot ayağımızı bilimselliğe yerleştirecek; ama diğer ayağımızla "maceraperest şut açıları" aramaktan, sözgelimi beklenmedik "hook shot"lar denemekten çekinmeyeceğiz.

Bir yanda eski kent kalıntıları, objeler, çözülmüş yazılar ve bunlarla kaleme alınmış dokümanlar sayesinde netleşmiş bilgiler var elimizde; bir yanda da henüz doğrulayacak kanıt bulmakta çok fazla yol alamadığımız, dünyanın üçte ikisine egemen olan bir inanç sisteminin kutsal yazıları. Tarihimizi, elden geldiğince düzgün bir çizelge üzerine oturtmaya, başka bir deyişle insan uygarlığının "kronoloji"sini oluşturmaya çalışıyoruz. Ancak ne denli uğraşırsak uğraşalım, "her şeyin başladığı" döneme, yani Eski Ahit'in "Başlangıçta Tanrı gökleri ve yeri yarattı" dediği noktaya dek geri gidebilen bir kronoloji oluşturmak bugün için olanaksız ya da en azından çok çok zor görünüyor. Bu nedenle, hem evrenin varlığı hem de bizim bu gezegen üzerindeki geçmişimizle ilgili birbirine karşıt iki kamp çıkıyor ortaya: Somut verilerle evrenin sırrını çözmeye ve insanın bu gezegen üzerindeki varoluşuna açıklama getirmeye çalışan bilimsel yöntemleri savunanlarla, bütün sorulara tepeden inme yanıtlar sunan ve sorgulama değil "bağlılık" isteyen tektanrıcı inanç sistemini kayıtsız şartsız benimseyenler.

Bugün dünyadaki üç büyük tektanrılı dinin ilk çıkış noktası olan en eski kutsal metin durumundaki Eski Ahit (tam doğru olmamakla birlikte Tevrat diyebiliriz buna), insanın yaratılışından başlayan ve soyları, kuşakları, krallıkları anlatan; geçerliliği kendinden menkul bir "tarih" sunuyor. Bol miktarda mucizeyle, kehanet ve doğaüstü olayla dolu, efsanelere yaslanmış bir tarih bu. Hiçbir zaman görünmeyen ve yalnızca sayıları iki elin parmaklarını geçmeyen "seçilmişler" aracılığıyla insanlarla iletişim kuran bir Tanrı'nın, evreni, dünyayı ve nihayet insanlığı nasıl yarattığını; kızdığı zaman muhteşem öfkesiyle halkları nasıl cezalandırdığını ve onlardan koşulsuz inanç beklediğini anlatan bir tarih. İlginç bir biçimde, bugün yeryüzünde yaşayan insanların ezici bir çoğunluğu, evrenin sahibi Tanrı'nın dünyayı ve insanı altı gün içinde yarattığına; öfkesiyle günahkâr insanları cezalandırdığında bütün dünyayı sularla boğduğuna ve yalnızca onun seçtiği birkaç insanın bir gemiye binerek kurtulduğuna; dünyadaki bütün insan soyunun bu birkaç kişiyle yeniden başladığına; Musa'nın elindeki asasıyla Kızıldeniz'in sularını yardığına; Nâsıralı İsa'nın bir bakireden doğduğuna ve çarmıha gerildikten sonra göklere yükseldiğine inanıyor. Daha azınlıkta kalan bir grup, bilimden bütünüyle uzaklaşmamaya çalışsa da, "inanç" kavramından bir türlü vazgeçemiyor ve Kutsal Kitap'ta yazılı olanlardan "efsaneleri" ayıklayarak sözde "rasyonel" bir çözüme ulaşmaya uğraşıyor. İyice küçük bir azınlık içinse evrenin ve dünyanın yapısını, geçmişini öğrenmenin tek yolu, bilim. Bu yolda ilerlerken, her türlü olasılığı dikkate alıp, kutsal yazıların içinde gizlenmiş olabilecek gerçek olgular da dahil, bütün verilerden yararlanmak gerekli. Ne var ki bu noktada da, kurumsal yapısı içinde iyice kemikleşmiş; bürokratik mekanizmalar içinde dinamikliği azalmış; teknolojinin hizmetine verildiği için kapitalist sistemle göbek bağları alabildiğine sağlamlaşmış bir "bilimsel tutuculuk" dikilebiliyor insanların karşısına.

Bundan üç yüz yıl öncesine dek Kutsal Kitap'ta anlatılanların, dünyanın tek ve en geçerli tarihini oluşturduğu düşünülüyordu Batı dünyasında. Yüz yıldan biraz fazla bir zaman öncesine kadar da, piskopos James Ussher'ın 17. yüzyılda yaptığı hesaba uygun olarak dünyanın İsa'dan Önce 4004 yılında yaratıldığına inanılıyordu. (İşin garibi, buna hâlâ gönülden inanan çok sayıda insan var dünyada.) Dünyanın ve evrenin yaşına ilişkin telaffuz ettiğimiz rakamlar, bilimin yüksek ivmeli hızı sonucu elde edilen verilerle, yirminci yüzyıl başlarında milyarlarca yıla erişmeye başladı. Ne ilginçtir ki, günümüzden dört bin yıl önce yaşayan antik Hint uygarlığının bilgeleri de evrenin yaşının 4 milyar 320 milyon yıl olduğunu ileri sürmüşlerdi. Bundan üç bin yıla yakın bir süre önce Orta Amerika halkları, en az dört farklı takvim kullanarak mümkün olabilecek en hassas zaman hesaplarına ulaşmayı başarmışlardı. Beş bin yıl kadar önceyse, Mezopotamya'nın güneyindeki Sümer halkının astronomları, bugün modern bilimin henüz izini bulamadığı gizemli "Gezegen X" de dahil olmak üzere, güneş sistemimizin ve göklerin eksiksiz bir haritasını çıkarabiliyorlardı. Peki ne olmuş, nasıl olmuştu da aradan binlerce yıl geçtikten sonra bilgi ve birikimimizin çok daha ileri bir düzeye erişmiş olması gerekirken, on yedinci yüzyıl sonunda bile yaratılışın İ.Ö. 4004'te olduğunu kabul edebilecek denli gerilere gitmiştik? Bunun yanıtı, tarihin çok kritik bir evresinde, "inanç" sistemlerinin ani ve radikal değişiminde saklı. Roma'nın Hıristiyanlığı kabul edip devlet dini haline getirmesiyle başlayan "antik bilginin kaybı" süreci, 5. yüzyılda İskenderiye Kütüphanesi'nin yakılmasıyla birlikte son kırıntıların da ortadan yok olmasını sağladı. Dünyaya çok pahalıya mal olacak, yaklaşık bin beş yüz yıllık bir dönemi karanlığa boğacak bir değişimdi bu. Bedeliyse, halen ödenmeye devam ediyor.

İnançla bilgi arasındaki uzlaşmaz karşıtlık, elbette Hıristiyanlığın çok öncesinden beri varlığını sürdürüyor bu gezegen üzerinde. Bugün genel bir tanımla "çoktanrılı" olarak adlandırılan antik toplumların dinleri, bilimle inancın birbirinden kesin biçimde kopmaya başlamasıyla, bundan beş bin yıl kadar önce biçimlenmeye başladı. Bütünüyle doğanın ve gökyüzünün izlenmesi sonucu elde edilen bilgilerle oluşan antik kozmolojiler, yavaş yavaş dinsel bir yapıya doğru yönlenirken, eskiçağın bilge astronomları da tapınak rahipleri haline geldiler. Bu evrensel dönüşümün bir tek temel nedeni vardı aslında: Sınıf mücadelesi ve iktidar savaşı. Askeri gücü elinde tutan ve yaratılan artı ürünün aslan payına el koyan "savaşçı kral"lar, doğayı ve evreni açıklamakta, bilge astronomların engin bilgisine muhtaçtılar. Güneşin, ayın ve yıldızların hareketini bilen; tutulmaların zamanını büyük bir kesinlikle tahmin edebilen; tarımın verimliliğiyle ilgili sırlara vakıf bu özel insanlar, toplum içinde de belli bir saygınlığa sahipti ve bu nedenle ilk krallıklarla birlikte iktidarlar, bilgelerle paylaşıldı. Astronomlar, "rahip"lere dönüşürken, gözlem ve ritüel merkezleri de "tapınak"lar haline gelmeye başlıyordu. Ve elbette Kral, aynı zamanda baş rahipti.

"Tapınağın simgeselliği ve mitosun atmosferi, bu anlamda esrarlı olan için katalizördür ve güçlerinin sırrı da buradadır. Fakat simgelerin özellikleri ve mitosların öğeleri ilişki yoluyla kendi başlarına güç kazanma eğilimindedirler. Bunun sonucu olarak *esrarlı olanın kendisine ulaşmayı engelleyebilirler*. Ve imgeler kendi içlerinde nihai terimlermiş gibi sunulduklarında gerçekten de engellenmiş olur. Dogmatik bir amentüde, örnek olarak, olan budur."[4]

İşte bu noktadan itibaren, astronomlar için sahip oldukları bilginin bütün halkla paylaşımı da tarihe karışacaktı artık: Sınıfsal üstünlüklerinin tek güvencesi, bu bilgiydi ve bu nedenle korunmalı, yalnızca onlara özgü olmalıydı. Başlangıçtan beri "göksel" olaylar ve gök cisimlerinin hareketleri üzerine kurulu zaman hesaplarını içeren bilgiler, yalnızca bu sisteme "inisiye olmuş" rahiplerce anlaşılabilecek biçimde şifrelendi. Ortaya, "okült" hale getirilmiş astronomi bilgisine dayanan bir inanç sistemi çıkıyordu böylece. Zaman içinde rahip kültleri iyice sofistike hale gelirken, ritüeller ve kutsal metinler de giderek asıl kökenleri olan göksel olaylardan ve doğal süreçlerden koptular.

Bu kitap boyunca, bu sürecin izlerini en eski toplumlarda adım adım sürmeye çalışacağız. Yolculuğumuz bizi Eski Mısır'dan İndüs Vadisi'ne; Orta Amerika'dan Mezopotamya'ya; Orta Asya'dan Anadolu'ya dek götürecek. Binlerce yıl öncesinin astronomilerinde ve mitolojilerinde gezinirken, üzerinde duracağımız ilkeyse hep aynı olacak: Kutsal metinlerde anlatılanlar bir efsane yığını haline dönüştükçe, aralarından olası gerçek parçalarını ayıklamanın ve bunları elimizdeki kronolojilerle kıyaslamanın bir tek yolu vardır, o da insanların değil, "doğanın tarihi"nin izini sürmek. Birçok metinde olaylar gerçeği iyice gölgede bırakacak biçimde abartmalarla süslenebilir, hatta tümüyle uydurulabilir. Kral adları, ülke adları, anlatılan savaşlar, düpedüz "yalan" olabilir. Efsane ve mitlerde sözü edilen olay-

---

⁴Joseph Campbell, "Tanrının Maskeleri: Doğu Mitolojisi", s. 62 – italikler bana ait.

ların ayrıntıları aradan geçen uzun zaman içinde unutuldukla-
rından, bambaşka görünümlere bürünebilirler. Ancak hem in-
san belleği, hem de toplumsal bellek, bir tek noktada yanılgıya
pek zor düşer: İz bırakan, büyük doğal afetler. Bu nedenle, ta-
rihsel verilerle kutsal metinlerde anlatılan olaylar arasında kro-
nolojik bağlantılar kurmaya çalışarak, dünyanın son beş bin yı-
lına ve yakın geleceğine farklı bir gözle bakmaya çalışacağımız
bu yolculukta, hep "doğanın tarihi"ni önde tutmaya; göklerde
ya da yeryüzünde meydana gelmiş büyük afetlerin izlerini sür-
meye dikkat edeceğiz. Sümer mitlerini gözden geçirirken de
böyle olacak bu, Eski Ahit'in anlattıkları arasında ipucu yakala-
maya çalışırken de.

Kutsal Metinler ve Tarih

Yakındoğu'ya ilişkin arkeolojik veriler ve sınıflanmış dokü-
mantasyonla, Eski Ahit'te sözü edilen olayların akışı arasında
"tutarlı" sayılabilecek bir bağlantı oluşturabilmek, iki yüz yılı
aşkın bir süredir bilim adamlarını uğraştıran çetrefil bir sorun.
Salt bu amaca yönelik olarak hem akademik çevreler hem de di-
ni merkezler, yoğun araştırmalar sürdürüyorlar. Kutsal Kitap
Arkeolojisi (Biblical Archaeology) adı verilen bilim, Batı'nın
egemen ideolojisinin "manevi" kanadı ile "bilimsel" kanadı ara-
sındaki köprüyü oluşturabilmek amacıyla ve çok büyük beklen-
tilerle yaratıldı denebilir. Yirminci yüzyılın ortalarında beklen-
medik, sürpriz bulguların (Ölü Deniz Yazıtları, Nag-Hammadi
Külliyatı[5]) ortaya çıkması bu alandaki istek ve heyecanı artırdıy-
sa da, izleyen yıllarda yeni ve olağanüstü sonuçlara ulaşma yo-
lundaki beklentiler boşa çıkınca, heves ve istek de yerini rutin
çalışmalara bıraktı.

Kutsal Kitap ile Mısır, Babil, Asur, Hitit ve Kenan uygar-
lıklarına ilişkin verileri uyumlu ve tutarlı bir şablona, üst üste

---

[5]1947'de Kumran'da bulunan yazmalarla, yaklaşık aynı tarihlerde Mısır'da Nag
Hammadi adıyla bilinen bölgedeki kazılarda ele geçirilen ve Gnostik Hıristiyanlara ait
olduğu bilinen antik dokümanlar.

çakışabilecek biçimde oturtmak gerçekten çok zordur. Her iki yanda da, yani eskiçağ arkeolojisinde de, Kutsal Kitap arkeologlarının araştırmalarında da veriler çok eksik, çoğu kez bulanık; kronolojilerse, deyiş yerindeyse "delik deşik"tir. Dahası, Kutsal Kitap'ta belirtilen olay ve sözü edilen zaman periyotlarının geçerliliğini ortaya koyacak yeterince somut ve inandırıcı kanıtlara hemen hemen hiç rastlayamazsınız. Bu durumda, Batı merkezli uygarlıklara egemen olan Judeo-hıristiyan ideolojinin de baskısıyla, bilim ve din adamlarının "kimseyi incitmeyecek" kolaycı orta yollara başvurmayı bir kaçış yöntemi olarak gördüğü söylenebilir. Kutsal Kitap'ta sözü edilen birkaç hükümdar ve birkaç olayın eskiçağ arkeolojisine ait belgelerde karşılıklarının bulunması, bu noktalar "referans" kabul edilerek kronolojilerin yapay zorlamalarla oluşturulmalarını sağlamıştır. Veri eksikliği ve buna rağmen toplumdaki dini inançlar nedeniyle ortaya çıkan beklenti artışı, bu kolaycı çözümün bir biçimde sessizce kabul görmesi sonucunu doğurmuştur diyebiliriz. Buna göre, sözgelimi Eski Ahit'te Süleyman'ın oğlu Rehoboam'ın tahta çıkışını izleyen ilk birkaç yıl içinde "Mısır kralı Şişak'ın bölgeye sefer düzenlemesi"nden söz edilmesi, tarihçiler için üzerine atlanacak oranda güçlü bir referans noktası olabilmektedir; çünkü 22. Hanedan'ın ilk kralı "Şoşenk" ile Eski Ahit'teki "Şişak" eşleşince, Mısır için elde edilmiş bulunan (ve kısmen "sağlam" olduğu düşünülen) tarihleme, Eski Ahit'teki Süleyman ve Rehoboam için de geçerli hale gelir. Buna, yine Eski Ahit'te yer alan "Süleyman'ın krallığının dördüncü yılıyla Mısır'dan çıkış arasında 480 yıl olduğu" yolundaki ifade de eklenince, yavaş yavaş Exodus'u de içerecek bir "şişirme" kronolojiye adım atılır. Oysa bırakın o 480 yılın geçerliliğini, Mısır hanedanlar kronolojisinin bile hassasiyeti ve doğruluğu çoğu kez fena halde tartışılır haldedir.

Yahudilerin Babil Sürgünü dönemine denk gelen olaylara ilişkin Eski Ahit metinlerinde tarihsel tutarlılığın birden belirgin biçimde artması, bu el yordamıyla oluşturulmuş kronolojiyi bir miktar yüreklendirmiştir. Tiglat-Pileser, Salmaneser, Nabukadnezar gibi iyi bilinen ve haklarında dokümantasyon bulunan "tanıdık" hükümdarlara ilişkin Eski Ahit hikâyeleri, arkeoloji ve eskiçağ tarihi uzmanlarının kronolojileriyle aniden örtüşmeye başlar. Bu durumda ortodoks akademisyenler, Süleyman'dan sonrasına ilişkin "kısmen tutarlı" verilere yaslanarak, daha eski dönemlere ait birçok soru işareti ve kuşkulu noktayı "feda etme" yolunu seçmişlerdir.

Çerçevesini çizdiğimiz bu anlayış, Exodus olayını Yeni Krallık döneminin güçlü firavunlarıyla eşzamanlı olarak değerlendirmeye çalışırken, bir dizi irili ufaklı sorun da yaratmaktadır aslında. Her şeyden önce, bilinen hiçbir Mısır firavunu, Eski Ahit'te sözü edilen "Yusuf'u bilmeyen firavun" profiline bire bir uygun düşmemektedir. Aslına bakılırsa, "Yusuf'u bilen firavun" için de yeterince ipucu yoktur. Çünkü Eski Ahit'in ilk kitabı Genesis'in (Tekvin) bitişiyle Exodus'un başlangıcı arasında kronolojik anlamda oldukça muğlak bir geçiş ve birtakım belirsizlikler söz konusudur. Bu durum, Eski Ahit'in değişik bölümlerinde rastlanan ve Mısır'da geçirilen dönemi 400 yıl (bazen de 430 yıl) olarak belirten ifadelerle kısmen aşılmaya çalışılmıştır. Buna rağmen, son 200 yıl içinde Eski Mısır'a ilişkin olarak elde edilen sınıflanmış bilgilerin yüreklendirmesiyle netleştirilmeye çalışılan kronoloji, Eski Ahit kaynaklı İbrani tarihiyle birçok noktada belirgin tutarsızlıklara sahiptir. Zaman çizgisi üzerinde geriye doğru gidildikçe, özellikle İbrahim dönemi ya da "Tufan" ile ilgili tarihlemelerde, bu uyumsuzluklar ve doğal olarak tartışmalar da artar.

Başta da belirttiğimiz gibi, eğer kutsal metinlerdeki anlatıların içinde "gerçekten yaşanmış" olayların izlerini bulmak istiyorsak, tarihin belki de en güvenilir verileri olan "doğal afetler"in izini sürme yönteminden vazgeçmemekte yarar var. Bu anlamda, hem Eski Ahit'in yazıya geçirilen ilk metinlerini oluşturduğu düşüncesi genel kabul gören, hem de gerçekten izleri rahatlıkla sürülebilecek doğal afetlerin ipuçlarını sergileyen Exodus, yani İsrailoğullarının Mısır'dan çıkışını anlatan metinler, bizim de yola çıkış noktamız olacak.

Exodus: Kıyametten Kaçış

Aslında dünyanın en popüler hikâyesidir, Exodus kitabının başlarında anlatılan. Adı verilmeyen firavun döneminde Mısır toprakları üzerinde yaşayan İbranilerin sayıları giderek artmış ve bu insanlar ülkedeki en büyük etnik grup haline gelmişlerdir. Eski statülerini çoktan yitirip inşaat işlerinde ve tarım alanlarında köle olarak çalıştırılan bu yabancı işçilerin yaşadığı nüfus patlaması, Mısır yönetimini de düşündürmektedir. Sonunda, herhangi bir savaş durumunda düşmanlarıyla birlik olacaklarından korktuğu bu insanların çoğalmasının önüne bir set çekmek isteyen firavun, çareyi yayımladığı bir fermanda bulur: Yeni doğan İbrani erkek çocuklarının hepsi, öldürülecektir. Bu dehşet verici uygulamadan, bebeklerin yalnızca biri kurtulabilir: Anne ve babasınca bir sepete yerleştirilip Nil nehrine bırakılan bir erkek çocuğu, firavunun kızı tarafından bulunacak ve evlat edinilerek sarayda büyütülecektir. Adı "sudan çekip çıkarmak" fiil kökünden esinlenerek "Musa" konulan bu çocuk, Mısır kültürü içinde büyür; zekâsı ve bilgeliğiyle herkese parmak ısırtır. Ancak günün birinde, sarayın en önemli mevkilerinden birindeyken, geleceğini değiştiren bir olay gerçekleşir: Bir Mısırlı, İbrani kölelerden birine eziyet etmektedir. Araya giren Musa, Mısırlıyı öldürür ve aslında egemen sınıfın "krema tabakası"na mensupken, bir anda bu ülkede bir "kanun kaçağı" haline gelir. Artık Mısır topraklarında kalamayacağını bildiği için de, doğuya, Sina çöllerine doğru, Midyan adıyla söz edilen bölgeye kaçar.

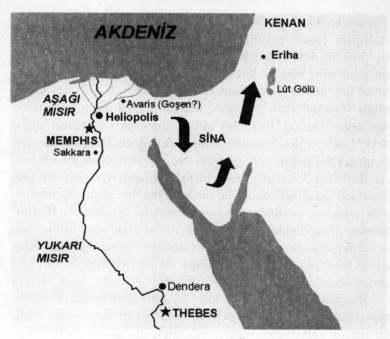

Harita 1: Exodus - İ.Ö. 1650

Bu ıssız topraklardaki "münzevi"liği sırasında, yaşamını değiştiren son derece önemli bir tanışıklık gerçekleşecektir: Atalarının tanrısı, çölde Musa'nın karşısına çıkar ve Mısır'daki halkını oradan çıkarıp, kendilerine vatan olarak bağışladığı Kenan'a götürmesini ister. Bunun için Musa'nın, firavunla yüz yüze görüşmesi gerekecektir. İşlediği cinayetin üzerinden zaman geçmiş, ölen firavunun yerine Mısır tahtında yeni birinin oturduğunu öğrenmiştir Musa. Mısır'a geri dönüp, ilkin halkına atalarının tanrısınca verilen müjdeyi iletir: Yeni bir vatanları olacaktır artık. Ardından da, firavunun huzuruna çıkıp, halkını serbest bırakmasını ister. Mısır'da İbranilerin varlığından çok rahatsız olduğu halde firavun, bu "köle kavmin" ülkeden çıkmasına izin vermeye de yanaşmamaktadır. Bunun üzerine, belli aralıklarla Tanrı, Mısır'ın başına dehşet verici felaketler getirir: Nehirler kıpkırmızı kana dönüşür; Mısır'da üç gün güneş görünmez ve ülke karanlıklara gömülür; kentleri ve kırsal alanları çekirgeler basar; gökyüzünden ilkin kurbağalar, ardından da korkunç bir dolu yağar; hayvanların ve ekinlerin hepsi ölür, sular zehirlenir, ateş ve kükürt yağmuru yaşanır. Bütün bunlar, Mısır firavununa gücünü gösteren İbranilerin Tanrı'sınca yaratılmış "mucize"lerdir. Sonuçta, ülkenin başına gelen felaketlerden ürken firavun, İbranilere gitme iznini verir ve bütün ülkedeki "köleler", dev bir kafile halinde Tanrı'nın onlara gösterdiği topraklara doğru yola çıkarlar. Ne var ki firavun aniden karar değiştirecek ve ordusuyla birlikte İbranileri Kızıldeniz yakınlarında yakalayacaktır. Bir yanda deniz, bir yanda da firavunun askerleri tarafından kıskaca alınmıştır göçmenler. Bunun üzerine Musa elindeki asasını Tanrı'nın emriyle göğe kaldırır ve deniz ikiye yarılır. İbranilerin sonuncusu da karşı kıyıya ulaştıktan sonra, deniz yeniden kapanır ve peşlerindeki Mısırlı askerler azgın dalgalar altında boğulurlar.

Bundan sonra İbraniler kırk yıl Sina çöllerinde ve Doğu topraklarında amaçsızca dolaşacaklar; Tanrı'nın onları yeni yurtlarına götürmesini bekleyeceklerdir. Bu süre içinde Tanrı'nın talimatları da Musa tarafından halkına iletilir: Bunlar, üzerinde "10 Emir"in yazılı bulunduğu kutsal tabletlerdir. Artık başka tanrılara tapılmayacak, yalnızca Yahve'ye, İbranilerin Tanrı'sına kulluk edilecektir. Kırk yılın sonunda İbraniler, onlara söz verilen Kenan topraklarına girer ve yeni yurtlarına yerleşmeye başlarlar.

Büyük oranda "mit" izleri taşıyan bu hikâyeyle ilgili olarak tarihçilerin birçok haklı kuşkusu vardır. Her şeyden önce, bir "Çıkış"ın gerçekleşebilmesi için Mısır topraklarında bu insanların kalıcı bir yerleşimlerinin söz konusu olması gerekir ki, döneme ilişkin bunu doğrulayacak hiçbir bulgu elde edilememiştir. Musa adında birinin yaşadığına ilişkin de hiçbir kayıt yoktur Mısır belgelerinde. Sarayda bir prens gibi büyütülen; zekâsı ve yetenekleriyle insanları kendine hayran bırakan; beklenmedik biçimde bir cinayet işleyerek "yasa dışı" duruma düşen; ardından büyük bir halkı Mısır'dan firavunun itirazlarına rağmen çıkaran bir liderden hiçbir iz kalmaması, Mısır gibi kayıt tutmaya meraklı bir toplumda rastlanılacak bir durum değildir. En azından merkezi iktidarın güdümünde maksatlı olarak kaleme alınmış birtakım taraflı belgelerde Musa diye bir "hain"den ve onun Mısır firavununa ihanetinden söz eden resmi kayıtlara ulaşılmış olması gerekirdi.

Diğer yandan, Musa kişiliği bütünüyle "mitolojik" görüntülere sahiptir: Çoğu eski Yakındoğu efsanesinde görüldüğü üzere, bütün erkek çocuklar öldürülürken bir sepetle nehre bırakılıp kurtulmuştur örneğin. Üstelik onu herhangi birisi değil, "firavunun kızı" bulmuş ve Musa adını vermiştir. Gerald Messadie gibi bilirkişiler, itiraz ederler[6]: Bir Mısır prensesi, hikâyede anlatıldığı gibi, nedimeleriyle birlikte Nil nehrine "yıkanmaya" gitmez; hijyen konusunda çok titiz olan Mısırlılar, hatta sıradan halk bile, banyosunu filtre edilmiş suyla, hamamlarda alır. Diğer yandan, prensesin ona "Seni sudan çıkarıp aldım, senin adın Musa olsun" demesi de anlamlı değildir. Bir Mısırlı prenses niçin nehir kıyısında bulduğu bebeğe İbranice "sudan çıkarmak" fiilinden gelen bir isim koysun ki? Musa'nın, hikâyenin sonlarına doğru, firavunla yüz yüze yaptığı pazarlıklar ve tehditler de inandırıcı olmaktan çok uzaktır. Çok iyi bilinir ki, bir Mısır firavununun yanına, vezirler, hatta ailesi bile izin alamadan giremez; dolayısıyla cinayet işleyip "kanun kaçağı" durumuna düşmüş bir İbrani liderinin istediği an saraya girip firavunla tartışması, hele tehditkâr bir üslup kullanıp ultimatom vermesi mümkün değildir. Çok iyi biliyoruz ki bunun onda birine bile cüret edenin o dakikada kafası kesilirdi Mısır'da. Kalabalık kafilenin yolunun niçin Kızıldeniz'e düştüğü noktasında da soru işaretleri çok fazladır ki, bunun aslında bir çeviri hatası olduğu ve bugünkü Süveyş Kanalı'nın bulunduğu yerde bir zamanlar varolan "Sazlıklar Denizi" adlı bataklığın kast edildiği sonradan anlaşılmıştır. Dolayısıyla, "Asayı yukarı kaldırarak denizi yarmak" da elbette bir masaldan ibarettir.

Bütün bunlara karşın, Eski Ahit'in ilk yazılan bölümü olan ve İbrani tarihinin kilit noktasına yerleşen Exodus kitabındaki

---

[6] Gerald Messadie, "Musa: Mısır Prensi"

mitleri bütünüyle "düş ürünü" olarak değerlendirip dikkate almamak gibi bir lüksümüz de yok bana göre. Her şeyden önce, Mısır tarihindeki son derece "karanlık" bir döneme ilişkin, ilginç bilgileri içeriyor bu efsane. Yahve'nin Mısır'ın başına getirdiği söylenen karabasan benzeri doğal afetlerin, bir biçimde mit unsurlarıyla süslenmiş gerçek olayları maskelediği konusunda bugün birçok tarihçi ve araştırmacı, fikir birliği içinde. Bu ürkütücü olaylar o denli çarpıcı ki, efsanenin oluşturduğu yaldızı kazıyarak ardında yatan gerçekleri bulup çıkarmak, yalnız uzak geçmişe değil, çok yakın geleceğimize de ışık tutmaya yardımcı olacak. Bu nedenle, eskiçağ tarihiyle kutsal metinler arasındaki olası köprüler üzerinde çıktığımız gezintimize, bir tür "kıyametten kaçış"ı çağrıştıran, "Mısır'dan Çıkış" günlerini analiz ederek başlıyoruz.

Mısır'ın gördüğü en büyük karabasan

İbranilerin Mısır'daki "yerleşik" varlıklarıyla ilgili olarak eskiçağ tarihçilerinin elinde sağlam kabul edilebilecek fazla bilgi bulunmuyor. Eldekilerin bir kısmı, Yahudi tarihçi Josephus'a dayanıyor ki bunların objektif olduğu ya da edinilen arkeolojik ve tarihsel bilgilerle tutarlılık içerdiği söylenemez. Bu konudaki sorunlar arasında, Mısır hanedanlarıyla ilgili kronoloji çalışması yapan, Hellenistik Ptolemaios Dönemi sırasında Aşağı Mısır'da yaşamış tarihçi Manethon'un yazmalarının orijinalinin bulunamamış olması sayılabilir. Manethon'un ve bir Babilli tarihçi olan Berossus'un yazdıklarını, yine Josephus'un ve Africanus, Eusebius gibi hıristiyan yazarların aktardıklarından, kısmen izleyebiliyoruz. Bu "yabancı" tarihçilerin anlattıklarının birbiriyle tam olarak uyuşmaması ve onların aktardıklarına dayanarak çıkarılmaya çalışılan Manethon kronolojisinin eldeki diğer bilgilerle, sözgelimi Torino Papirüsü, Palermo Taşı ya da diğer arkeolojik buluntularla birçok noktada belirgin boşluklara ya da farklılıklara sahip olması, Mısır'daki olası İbrani varlığıyla ilgili Eski Ahit'teki bilgilerin doğrulanamamasına, bu nedenle de yoğun tartışmalar yaşanmasına neden oluyor.

Hanedanlara ya da tek tek firavunlara ilişkin elde edilmiş belge ve metinler bir yana bırakılırsa, Mısır'ın başlangıcına dek dayandırılan ayrıntılı kronoloji çalışmalarının en ünlüsü ve en kapsamlısı, Manethon'un "Mısır Tarihi" adlı yapıtı. İsa'dan Önce 4. yüzyılın sonlarında yaşayan ve Mısır tarihiyle Grek kültürü arasında bir köprü oluşturmaya da çalışan bu ünlü tarihçi, Heliopolis (Annu) kentindeki Ra tapınağının yüksek rahiplerinden biriydi. Mısır'ın Hellenistik hanedanlarca yönetildiği dönemde, Grek kültürünü iyi tanıyan, Mısır doğumlu bir rahibin sahip olduğu bütün avantajları kullanarak, ülkesinin köklü tarihini düzenli bir kronoloji haline getirmeye çalıştı. Bu yapıta yoğunlaşmasının en büyük nedenlerinden biri, İ.Ö. 6. yüzyılda Halikarnaslı Herodot'un "Tarih" adlı kitabında Mısır'la ilgili anlattıklarının büyük oranda gerçek dışı olmasına duyduğu tepkiydi. Bu nedenle, "Mısır Tarihi"nin yanı sıra, "Herodot'a Karşı" adlı bir kitap da yazmış ve doğruları dile getirmeye çalışmıştı. Ne yazık ki Manethon'un bu çalışmalarının orijinal kopyaları, tıpkı çağdaşı Babilli tarihçi Berossus'un yapıtları gibi, kayıp. Her iki tarihçinin yazdıklarını, objektiflikleri fena halde tartışılır durumdaki Yahudi ve Hıristiyan yazarlardan öğreniyoruz. Bunların başında da, Manethon ve Berossus'a duyduğu nefreti saklamaya pek de gerek görmeyen Josephus geliyor.

Manethon'un "Mısır Tarihi" adlı kitabı, kapsamlı ve ayrıntılı bir kronoloji olmasının dışında, sonraki yüzyıllarda Mısırlılarla Yahudiler arasında derin polemikler yaratmasıyla biliniyor daha çok. Bu polemik geleneği, Yahudi tarihçilerce Hıristiyanlığa taşındı ve Eusebius, Africanus, Syncellus gibi sonraki yüzyıllarda doğan tarihçiler, Manethon'un kitabını "görmezden gelinemeyecek bir meydan okuma" gibi algılamayı yeğlediler; çünkü daha evrenin yaratılışını anlatan bölümlerden itibaren bu kronoloji, Kutsal Yazmalar'la açıkça ters düşüyordu.[7] Ancak asıl büyük tartışma, Yahudilerin Mısır'daki varlığı ve "Exodus" üzerinde yoğunlaştı.

Bunca tepkiye karşın, birinci yüzyılda Josephus'un da Manethon'un kitabının orijinalini değil, büyük oranda tahrif edil-

[7] Gerald P. Verbrugghe - John M. Wickersham, "Berossos and Manetho", s. 119

miş biçimde ona ulaşabilen kopyalarını okuduğunu biliyoruz. Michigan Üniversitesi'nden Gerald Verbrugghe ve John Wickersham'a göre, Manethon'un kitabı kaleme aldığı İ.Ö. üçüncü yüzyıldan kısa bir süre sonra orijinaller kaybolmuş ve iki karşıt "kamp" tarafından büyük oranda değiştirilmiş ve bozulmuş versiyonlar ortada dolaşmaya başlamıştı: Bir yandan Yahudi karşıtları, bir yandan da Yahudi din adamları, ünlü tarihçinin metinlerini kendi aralarındaki polemikler için malzeme yapmak uğruna tahrif etmişlerdi. Dönem, gerçekten de böylesi bir "inanç ve felsefe savaşı"na elverişli bir dönemdi; bir yandan Yahudi fundementalizmi Roma'ya karşı son bir başkaldırıyla varlığını korumaya ve kabul ettirmeye hazırlanıyordu, bir yandan da ilk filizleri belirmekte olan Hıristiyanlık, bağrından çıktığı Yahudi kültürüyle nihai kopuşunu yaşamak üzereydi. Hepsi bir yana, Mısır topraklarında ve düşünce ikliminde de Yahudi karşıtı bir eğilim giderek yükselmekteydi. Bu karmaşa içinde, Manethon'un yazdıkları iki karşıt kutupta yer alanlarca, işlerine geldiği biçimde değiştirildi. Josephus, Manethon'un önce "Yahudilerin Mısır'daki varlığını kabul edip onları Hiksos Hanedanları sırasında ülkeye gelenler," olarak değerlendirdiğini; ancak daha sonraki metinlerinde bunu yadsıdığını söyleyerek ünlü tarihçiyi "zırvalamakla" suçluyordu. Yahudi karşıtlarına göreyse Manethon, Exodus kitabında anlatılanları doğrulayacak hiçbir şey söylememiş; tersine, Mısır'dan "hijyenik ve dinsel amaçlarla" sürgün edilen, kovulan cüzzamlıların ve salgın hastalık mikrobu taşıyanların, sonradan Filistin'e yerleştiklerini ve bunların "çobanlarla" birlikte orada bir krallık kurduklarını ileri sürmüştü.

Yahudilerle antisemitik Mısırlılar arasındaki alevli tartışmanın temelinde, İsa'dan önce dördüncü yüzyılda her iki ülkeye de egemen olan Hellenistik uygarlığa karşı verilen "benlik koruma" güdüsü yatıyor. Büyük İskender'in fetihlerini izleyen dönemde, İran'dan Mezopotamya'ya; Mısır'dan Anadolu'ya dek çoğu ülkede, yerel halkların, Yunan uygarlığından daha eski ve daha köklü bir kültüre sahip olduklarını kanıtlama çabası içine girdiklerini görmek mümkün. Filistin'deki Yahudilere göre Manethon (ve çağdaşı Babilli Berossus) kendi uygarlıklarını çok eskiye aitmiş gibi gösterme çabası içine girerken, Mısır'daki Yahudi varlığını yok sayıyorlardı. Yahudi karşıtlarıysa, kibirli ve etnosantrik olduğunu düşündükleri bu halkı, toplumdan tecrit edilen ve Mısır'dan kovulan "uyumsuzlar" ile özdeşleştirme çabası içindeydiler. Verbrugghe ve Wickersham'a göre, her iki kamp tarafından Manethon'a atfedilen alıntı ve metinlere, eşit uzaklıkta durmak ve kuşkuyla yaklaşmak gerekiyor:

"Josephus'un karşı-polemiği 'Apion'a Karşı'da aktarılanlar aslında Manethon'un yapıtının tamamından değil, değiştirilmiş ve tahrif edilmiş parçalardan seçilen alıntılardır. (...) Öğrenciler, Yahudi karşıtı malzemeyi de Manethon'un yazdıkları olarak kabul etmekte aceleci olmamalıdırlar. Benzeri malzemeye (cüzzamlılar ve uyumsuzlarla ilgili) İskenderiyeli Lysimakhos gibi diğer yazarlarda da rastlanmaktadır ve bunlar Manethon'a dışarıdan enjekte edilmiş olabilirler. Mısır Tarihi'ni İ.Ö. üçüncü yüzyılın başlarında yazan Manethon belki de yükselen polemik dalgası için fazla erken bir döneme rastlamaktadır. Yahudilerden ve Exodus'tan söz etmiş olabilir de, olmayabilir de; eğer ettiyse de, bunun kendi görüşleri olduğundan emin olamayız."[8]

Josephus, temel olarak iki ana noktadan Manethon'un yazdıklarına saldırır: Birincisi, Mısırlı tarihçinin, evrenin yaratılışı ve dünyada yaşamın başlangıcıyla ilgili Eski Ahit teziyle bütünüyle uyumsuz olan ve Mısır'ın (dolayısıyla dünyanın) tarihini, binlerce yıl daha geriye götüren bir tez ileri sürmesidir. Yaratılışı İ.Ö. 3760'a tarihleyen Yahudi takvimine karşı Manethon'un kronolojisi, Mısır'da hanedanların başlangıcını, yani "insan krallar"ın tahta geçmesini bile, bundan en az iki bin yıl önceye dayandırmaktadır. İkinci saldırı noktasıysa elbette Mısır'daki yerleşik Yahudi varlığı ve bunların ülkeyi kendi istekleriyle terk etmeleri üzerine kurulu Exodus hikâyesi ekseninedir. Josephus, Manethon'un iki tür kaynak kullandığından söz eder: Rahiplerin yazıtları ve sözlü gelenek. Değerlendirmesini yaparken, yazılı kaynakları onaylayan Josephus, Manethon'u sözlü geleneği kayda geçirirken olayları bütünüyle uydurmak ve çarpıtmakla

---

[8]Gerald P. Verbrugghe - John M. Wickersham, a.g.e., s. 116

suçlar. Verbrugghe ve Wickersham'a göre, bunun belirgin nedeni, Manethon'un sözlü gelenekten aktardıklarının Josephus'un inançlarına ters düşmesi ve bu nedenle "işine gelmemesidir". Eğer Exodus hikâyesine ters düşen veriler, Manethon'un yazılı kaynaklarına dayanmış olsaydı, bu durumda Josephus büyük olasılıkla sözlü gelenekten hoşnut olacak ama Manethon'u "rahip yazıtlarını çarpıtmakla" suçlayacaktı.

"Modern tarihçilerin sözlü geleneği desteksiz dedikodu gibi görüp, kaçınma alışkanlıklarından uzak durmamız gerekiyor. Eskiçağ tarihçilerinin birinci görevleri arasında, toplumdaki gelenekleri kaydederek koruma altına almak geliyordu. Bir bilginin salt yazılı olduğu için daha inandırıcı olması ya da yazılı bir masalın sözel aktarımdan daha gerçek sayılması gibi, bir dertleri yoktu. Tam tersine, eskiliği ve geleneksel statüsü, bir hikâyeye daha çok inandırıcılık verirdi, daha az değil. Onu yazıya geçirmek daha kolay taşınabilir hale getirir, ama içerdiği gerçeği değiştirmezdi."[9]

Sonuçta Manethon'un kayıtları, ister yazılı kaynaktan gelsin, ister sözlü gelenekten; Exodus hikâyesini Josephus'un ve Yahudi din adamlarının hoşlanacağı biçimde ele almaktan çok uzaktır. Polemikler de bu nedenle büyümüştür zaten. Diğer yandan, Manethon'un yapıtı dışında, Mısır tarihi üzerine gerçekleştirilmiş bir başka eskiçağ kaynağı da yoktur. II. Ramses döneminden kalma, "Torino Papirüsü" adıyla bilinen belgede ya da Sakkara ve Abidos'taki, önemli olayların dökümünü de içeren kral listelerinde, Yahudi varlığından hiçbir iz bulamayız. Akhenaten adını alan IV. Amenofis'ten kalma ünlü "Amarna Mektupları" da, Yusuf zamanında Mısır'a yerleşen ve 400 yıl sonra Musa önderliğinde ülkeyi terk eden bir Yahudi topluluğuyla ilgili destekleyici hiçbir bilgi sunmaz. Aynı kanıt eksikliği, Yeni Krallık kayıtlarının tümü için de geçerlidir.

Kısacası, Eski Mısır belgelerinde ve resmi yazışmalarda, ülkenin kuzeyinde, delta yöresinde kalıcı ve kalabalık bir İbrani yerleşimi olduğu iddiasını destekleyecek hiçbir bulgu yok dene-

[9]Gerald P. Verbrugghe - John M. Wickersham, a.g.e., s. 107

bilir. Aksine, gerek Orta Krallık gerekse Yeni Krallık verilerine dayanarak, bedevi göçmen kabilelerin Mısır'a girmesine bile izin verilmediği ve onlarla yalnızca hayvan alım satımı ya da geçici dönemsel işçilik biçiminde, yerleşikliğe dayanmayan bir ekonomik ilişki yaşandığını düşünmemize yol açacak çok sayıda gösterge var. Bu durumda, Eski Ahit'te Yusuf'un vezirliğiyle başlayan "Mısır'a sığınma" ve bunun 400 yıl sonrasında Musa öncülüğünde yaşanan "Exodus" arasındaki dönemi Mısır kronolojilerinde yerli yerine oturtmak çok zor.

Eski Ahit'in "Genesis" (Tekvin) kitabında, Yusuf'un çağrısı üzerine Mısır'a gelip yerleşen İbranilerin, ismi verilmeyen firavun tarafından deltanın doğusuna yakın bölgelere, ağırlıklı olarak da "Ramses dolaylarına" yerleştirildiği yolundaki bilgiler, fazlasıyla kafa karıştırıcıdır:

"Ve Yusuf babasını ve kardeşlerini yerleştirdi, ve firavunun emrettiği gibi Mısır diyarında, memleketin en iyi yerinde, *Ramses civarında* onlara mülk verdi" (Tekvin 47:11, italikler benim.)

Bu ismi taşıyan firavun sülalesinin Yeni Krallık döneminde 18. Hanedan ile başlaması, Eski Ahit'teki tarihi sıralamaya bakıldığında mantıksız sonuçlar yaratıyor. Ramses adında bir kent (muhtemelen Pi-Ramses) ancak 1. Seti'nin oğlu Büyük Ramses zamanında kurulmuştu. Ama Seti ve Ramses'i Eski Ahit'teki Yusuf ile eşzamanlı ele almanın getirdiği kronolojik sorunlar o denli büyük ki, böyle bir olasılığı hiç düşünmeden elemek mümkün. Çünkü, Genesis ve Exodus kitaplarına göre Yahudiler Mısır'da 400 yıl yaşıyorlar. Eğer başlangıç, 14. yüzyıl sonlarına, Seti dönemine yerleştirilir ve Yusuf o dönemin veziri kabul edilirse, bu kez Exodus'un 10. yüzyıla denk düşmesi gerekiyor. Yine Eski Ahit'teki Yahudi tarihinden hareketle, "Süleyman tapınağının Mısır'dan çıkışın 480. yılında inşa edildiği" bilgisi bu kronolojiye uygulandığındaysa, tapınağın yapımı 6. yüzyıla dek sarkıyor. Oysa bu tarihin, güneydeki Yahuda krallığının Babil hükümdarı II. Nabukadnezar tarafından işgal edilmesiyle başlayan "Babil Sürgünü"ne rastladığını net olarak biliyoruz. Bu uçuruma varan farklılık, çıkış noktamızı, yani "sığınmayı" (Sojourn) I. Seti ya da II. Ramses dönemlerine yerleştirmemizi, bir başka deyişle Eski Ahit'teki "Ramses dolayları" ifadesini ciddiye almamızı olanaksız kılıyor.

Tekvin'in sonlarında, bu kez Yakup'un yaşadığı yer olarak Goşen ili, yeni bir coğrafi veri olarak çıkıyor karşımıza. Somut olarak doğrulanmamakla birlikte yaygın kanıya göre Goşen denen bölge, deltanın en doğu ucundan itibaren Sina'nın kuzeyine doğru uzanan bir alanı içeriyor; yani en iyimser tahminle, Mısır'ın taşrasının en uç noktalarından söz ediyoruz.

Büyük bir olasılıkla ele aldığı tarihlerden yüzyıllarca sonra yazılan belgeleri kaleme alanlar, o günlerde var olduğunu bildikleri Pi-Ramses kentinin çok daha eski olduğunu sanmak gibi bir yanılgıya düşmüşlerdi. Ama ejiptologlar "Ramses şehri dolayları" gibi, bir referansı ciddiye almaksızın elerken bile, Eski Ahit'in kendi içinde tutarlılık taşıyabileceği varsayımından hareket ettikleri için, kent adı yanlış verilse de sözü edilen olayları "anlatıldıkları biçimiyle" yaşanmış gibi düşünerek kronolojide yer bulmaya çalıştılar. Bu kez, Exodus kitabının başlarındaki referanslardan yararlanılarak "esir" kavmin yaşadığı ve çalıştırıldığı bölge bir kez daha belirlenmeye çalışıldı:

"Ve firavun için Pitom ve Raamses ambar şehirlerini yaptılar." (Çıkış 1:11)

Aynı kent adı, kafa karıştırıcı biçimde ve farklı bir yazılışla, Exodus içinde karşımıza çıkıyor böylece. Raamses'in (eğer "Pi-Ramses" adıyla bilinen, II. Ramses'in başkenti ise bu kent) ne zaman inşa edildiğini biliyoruz. Bu bilgi de, tarihçiler arasında bir başka eğilimi ortaya çıkarıyor: İbranilerin Mısır'dan çıkışının, Yeni Krallık döneminin güçlü hükümdarları dönemine rastlamış olabileceği gibi, kronolojik açıdan daha makul görünen ve ekonomik/coğrafi verilerle daha uyumlu izlenimi veren bir teoriye yönelme eğilimi. Bu süre içinde Seti'nin, Ramses'in, Tutmosis'in, Kraliçe Hatşepsut'un adları, "Exodus'un muhtemel firavunları" olarak ağızlarda dolaşıyor. Hatta sonradan Akhenaten adını alıp Güneş Tanrı Aten tapınımını tek din haline getiren IV. Amenofis bile monoteist düşünceleri Musa'dan almış olabileceği düşüncesiyle bu "seri" içinde ele alınıp inceleniyor. Ne var ki, Yeni Krallık döneminin anılan devreleri içinde

2012: Marduk'la Randevu 49

de, Mısır'da kitlesel halde bulunan bir İbrani varlığına ve bu varlığın yine kitlesel halde (firavunun muhalefetine rağmen) ülkeden ayrıldığına dair izler taşıyan hiçbir belge çıkmıyor ortaya. Eldeki tek "veri", o dönem Mısır'ın değişik bölgelerinde fethedilen ülkelerden getirilen esir işçilerin çalıştırılmış olabileceğini gösteren (ima eden) kimi kayıtlar ve Akhenaten dönemine ait Amarna Mektupları'nda geçen "Habiru" ya da "Apiru" nitelemesinin, "İbrani" (Hebrew) sözcüğüyle dolaylı benzeşim göstermesi.

"Habiru sözcüğünü İbranilerle ilişkilendirelim ya da ilişkilendirmeyelim, bu topluluğun akınlarının karakteri Tell-El-Amarna Mektupları'nın bazılarında çarpıcı biçimde anlatılır. Yerleşik topluluklara baskı yapan ve orada burada ayağını yerleştirecek yer bulan göçebe bir halkı görürüz burada."[10]

Ancak, Amarna Mektupları'nın varlığı, herhangi bir dönemde bir biçimde Mısır'da yerleşik olan bir göçebe kavmin kanıtı değildir. Aksine, bu belgelerde Orta Doğu'da küçük kral ve vasalların Firavun'a "Habiru"lardan şikâyet eden mektuplarını okumamız, bize bir tek şeyi kanıtlar: Akhenaten zamanında, yani İ.Ö. 14. yüzyılın sonlarında, İbraniler çoktan Kenan dolaylarında yerleşmiştir ve bu kavmin daha önceden Mısır'da bulunduğuna ve kraliyet tebalarından biri olarak yakından tanındığına ilişkin elle tutulur hiçbir işaret yoktur.

Mısır'da "yabancı" varlığıyla ilgili veriler ve bunlara ilişkin tartışmalar, farklı kategorilerde etnik ya da sosyal grupların Mısır devletiyle ilişkileri ve Mısır toprakları üzerindeki konumlarının analiz edilmesiyle kısmen daha somut platformlara taşınmıştır diyebiliriz. Bu noktada, Mısır devletinin sınıfsal ve politik yapısını doğru anlamak önem kazanır. Geleneksel anlayış, büyük oranda Herodot'un yazdıklarından yola çıkarak ve Roma dönemi tarihçilerinin gözlükleriyle meseleye bakarak, "Piramitler Çağı" olarak adlandırılan Eski Krallık döneminden itibaren (yaklaşık İ.Ö. 28. yüzyıl sonrası) Mısır'ın kurumlaşmış bir "köleci devlet" olduğunu varsaymıştır uzun süre. Batılı tarihçilerin oryantalist önyargılarıyla beslenen bu klişe, ne yazık ki marksist

---

[10]Leonard W. King, "Legends Of Babylon And Egypt In Relation To Hebrew Tradition", s. 12

tarihçilerce de izlenmiş ve neredeyse aynen uygulanmış; dolayı-
sıyla Eski Mısır, klasik metinlerde "ilk köleci devletlerden biri"
olarak değerlendirilir olmuştur:

"Mısır'da ilk iktisadi ve toplumsal birimler, köle sahipleri
tarafından acımasız biçimde sömürülen kır topluluklarıydı. Da-
ha sonra tapınaklara ait olan tarım işletmeleri hızla yayıldılar.
Tıpkı Mezopotamya'da olduğu gibi, kır topluluğu, kesin olarak
sınıflara bölünerek ve köle sahiplerinin, rahiplerin ve tefecilerin,
bu topluluğun topraklarına el koymaları sonunda dağılıp parça-
lanmaya başladı. Yoksullaşmış özgür köylülerin durumu, köle-
lerin durumundan hiç de farklı değildi."[11]

Bu çözümleme, uygarlık tarihinin sınıflı toplumlarla birlik-
te başladığı ya da en azından hızlandığı gibi belli oranda doğru
bir saptama üzerine kurulu olmakla birlikte, bu saptamanın bir-
takım klişeleri beraberinde getirmesi sonucu, eskiçağ tarihine
ilişkin kimi yanılgıların yerleşik hale gelmesi gibi bir sorun da
yaratmıştır. Eğer "devlet" diye bir şey varsa, farklı sınıflar ve
bu sınıfların üretim araçları üzerindeki mülkiyetleri de söz ko-
nusudur elbette. İlk ortaya çıktığı andan itibaren devlet, "görü-
len lüzum üzerine" kurulmuş bir sosyal örgütlenme olmaktan
çok, sınıflar arası çelişkilerin, bu sınıflardan biri ("egemen" ola-
nı) lehine çözülmesi amacına hizmet eden bir iktidar mekaniz-
ması niteliğiyle boy gösterir. Ne var ki bu "jenerik gerçekler",
Eski Mısır'da krallığın oluşması dönemine, yani Eski Krallık
evresine uygulanmaya çalışıldığında, gerçeklerle hazırdaki şab-
lonlar arasında ciddi bir uyum sorunu çıkar ortaya.

Her şeyden önce, "çağın tipik ekonomik modeli" içinde, ya-
ni üretim ilişkilerinin merkezinde, "köleler ve köle sahipleri" gi-
bi bir temel çelişmenin izlerine rastlamak çok zordur. Böylesi
bir modelin, üretimin itici gücü olarak "köle emeği"ni gerektir-
diği ve yerleşik tarım toplumunda, ekilebilir topraklar üzerinde
yaygın biçimde kölelerin kullanılması üzerine kurulu olduğu
açıktır. Ne var ki Mısır'da Eski Krallık dönemine ilişkin bulgu-

---

[11]Y. Zubritski - D. Mitropolski - V. Kerov, "İlkel Topluluk, Köleci Toplum, Feodal
Toplum", s. 95-96

larımız, var olan şablonun epey dışında, "atipik" bir devlet biçiminin varlığına işaret ediyor. Nil deltasında kurulan krallığın merkezinde, ekonomik gücün temel dayanağı olarak tarımsal üretim vardır elbette. Ancak geleneksel yaklaşım ve bunu olduğu gibi kabul eden marksist çözümlemede ileri sürüldüğü biçimiyle "köleleştirmeye dayalı emek stratejisi", en azından Orta Krallık dönemine dek (yaklaşık İ.Ö. 22. yüzyıl) söz konusu değildir. Verimli tarım alanlarının bütünüyle kralın mülkiyeti altında olduğu ve bu mülkiyetin toplumsal örgütlenme içinde tapınaklarla paylaşılan bir "artı-ürün" yarattığı doğru olmakla birlikte, üretici gücün "köleleştirilmiş köylüler" değil, bu ekonomik sistem içinde "özgür" oldukları söylenebilecek Mısır halkı olduğunu, son bulgularla rahatça söyleyebiliyoruz. Bu, Herodot'un empoze ettiği "Eski Krallık döneminin despotik yönetim modeli," olgusunun da neredeyse bir "şehir efsanesi" niteliği taşıdığını koyuyor ortaya. Büyük anıtlar ve görkemli tapınaklar, (doksanlardaki arkeolojik bulgularla da kanıtlandığı gibi) kırbaç altında inleyen köle bir halk tarafından değil, bunu "kendi iradesiyle ve seve seve" kabullenen Mısırlılar tarafından inşa edilmişti. Firavunun mutlak egemenliği, bir köleci devletin iktidar aygıtlarının caydırıcı etkisiyle değil, o iktidarın ardındaki "gizemli bir saygınlık"la ayakta tutuluyordu. Bu "saygınlık unsuru"nun, "evrenle ilgili ilahi bilgi" olduğu, yani tapınak rahiplerince oluşturulup halka sunulduğu bugün sır değil. Evrenle, dünyayla ve "tanrılarla" ilişki konusunda bilgeliği tescil edilenlerin sınıfsal gücü söz konusuydu Eski Krallık döneminde; askeri ve polisiye örgütlenmenin sağladığı "silah gölgesi" değil. Kral, yani firavun da işin başından beri "Başrahip"ti zaten. Dolayısıyla, tarım alanlarındaki üretimin rahiplerin ve firavunun denetiminde olması, despotik yönetim ilkeleriyle açıklanamazdı; Nil'in sağladığı yüksek verimlilik sayesinde açlık ve yoksulluk tehlikesini çok sık yaşamayan Eski Krallık dönemi insanları için "artı-ürün"ün tapınaklar ve "Büyük Ev" ("Pero" – Firavun) tarafından denetlenmesi uzun süre büyük bir sorun yaratmadı.

Ancak uzun dönemde, geleneksel yaklaşımın ve marksist çözümlemenin doğru olduğunu belirtmeliyiz: Hızlı nüfus artışı;

Yakındoğu'da göç hareketlerinin hızlanması sonucu sınırların korunması gereksiniminin artması; bunun bir adım sonrasında da "sınır ötesi operasyonlar" aracılığıyla çevredeki zenginliklere ticaret dışı yöntemlerle sahip olma güdüsü, yalnızca Mısır'da değil, bütün eskiçağ toplumlarında iktidar mekanizmasının "köleci devlet" tanımına uyacak biçimde değişmesi sonucunu doğurdu. Kendi sınırlarını ve topraklarını tanıma, ona sahip çıkma dönemi geride kalırken, "fetihler dönemi"ne uzanılıyordu artık. Kapalı ekonominin yerini ürün çeşitliliğinin iyice arttığı bir "market" alırken, toplumun üretim ve değişim dağarcığından alınacak aslan payının mülkiyeti de, tapınak-rahip-rahip kral olarak somutlaşan iktidar çekirdeğini, "hegemonya mekanizması" ile ilgili radikal dönüşümlere yöneltiyordu.

Rahiplerin ve tapınakların "iktidar gücü" ile ilgili, ilerideki bölümlerde ayrıntılı çözümlemeler yapacağız. Ancak şu aşamada, Mısır'da çağın tipik devlet biçimi olarak düşünülen "köleci iktidar" olgusunun Eski Krallık çağında değil, Birinci Ara Dönem ile birlikte ortaya çıktığını ve Orta Krallık döneminde kemikleştiğini belirtmekle yetinelim. Aynı dönüşüm, Mezopotamya'da da fazlasıyla geçerlidir ve neredeyse Mısır'la eşzamanlıdır. Bu anlamda devletin egemen sınıf aracılığıyla kendi iktidarını somut biçimde, "yazılı" olarak tanımlamasının "yasalar" sistemiyle birlikte ortaya çıktığını ve bunun da İ.Ö. 18. yüzyıla rastladığını anımsamakta yarar var. Hammurrabi'nin Babil'de gerçekleştirdiği köklü revizyon, her ne kadar tam anlamıyla hukuksal bir sistemin oluşturulmasını sağlayacak işleve sahip olmasa da, en azından metinlerin içerdiği ifadelerdeki "consensus" izleriyle köleciliği tanımlamaktadır.

Mısır'da sistematik bir "köleci" yapının ortaya çıkış dönemi ve biçiminin doğru çözümlenmesi, ülke toprakları içinde yabancıların ve kölelerin varlığıyla ilgili tezlere yönelebilmek için de ön koşuldur. Yukarıda çok kabaca çizdiğimiz çerçeve içinde, Nil vadisi içinde "Mısırlı olmayan" unsurların varlığını, ancak Birinci Ara Dönem sonrasında elle tutulur hale gelmiş bir olgu olarak değerlendirebiliriz. Kendi halklarının "tanrısallığı" ile ilgili oldukça mağrur önyargılara sahip olan bu toplumda dış etnik unsurlar da iki ana kategori altında yer bulabilir kendilerine: Köleleştirilen kabileler ve imparatorluk tarafından sınırların güvenliği için kullanılan paralı askerler.

Tapınak ve "mastaba" (anıt mezar) yapımı için gerekli temel malzeme olan kireçtaşı, kumtaşı ve granitin elde edildiği ocak ve madenlerde, esir alınan göçebe kabile mensuplarının kullanıldığına ilişkin izler, Eski Krallık döneminde de karşımıza çıkıyor. Ama bu yöntemin kurumlaşması ve madenlerde Mısır halkı yerine kölelerin çalıştırılmasının, yoğun olarak Orta Krallık'ta uygulanan bir strateji olduğunu söyleyebiliriz. Bu amaçla askeri birliklerin sefer düzenlediği birkaç belli başlı bölge var ki bunların başında, devletin batı sınırının ötesinde yer alan Libya çölleri geliyor. Askeri operasyonların Libya cephesinde yoğunlaşması, hem çevredeki ilkel kabilelere Mısır'ın gücünü hissettirecek gözdağı verme ve sindirme amacını taşıyor, hem de kimi zaman "köle emeği" için kaynak oluşturuyor. Benzeri biçimde, imparatorluğun güneyinde yer alan Nubya'ya da (bugünkü Sudan) seferler düzenliyor Mısır ordusu. Burada fetihten çok, bir "etki alanı" kaygısı söz konusu; çünkü güneyde yer alan topraklar, imparatorluk için değer taşıyan doğal zenginlikler ve hammaddeler için önemli kaynaklara sahip. Bu zenginliklerin ülkeye getirilmesi için nehir taşımacılığını kullanan krallar, doğal olarak güvenliği sağlama alma kaygısı duyuyor ve askeri güç kullanımına yöneliyorlar. Diğer yandan, Nubya'da esir alınanlar da madenlerde çalıştırılıyor. Nihayet, askeri seferler düzenlenen kritik sınır komşuları arasında üçüncü bölge olarak Nil deltasının doğusunda yer alan topraklar alıyor sırayı. Sina'nın doğusu, hem Asyalı kabileleri deltadan uzak tutmak, hem de kimi zaman "ekstra köle emeği" sağlamak gibi kaygılarla Mısır ordusunun operasyonlarına sahne oluyor.

İkinci "yabancı" kategorisinde yer alan "paralı askerler", biraz daha karışık bir konu olarak nitelenebilir. Devlet stratejisinin fetih güdüsüne yönelmesiyle birlikte daha sık karşı karşıya gelinen "komşu düşman"lara karşı sınırların korunmasında, Mısır yönetiminin yine Orta Krallık'tan itibaren sistematik biçimde, oldukça "pragmatik" bir yöntem kullandığını söyleyebiliriz.

Sınırlarda sorun yaratacak denli savaşçı ve saldırgan olan kimi kabileleri imparatorluğun şemsiyesi altına çekerek onlardan bizzat yararlanma üzerine kuruludur bu yöntem. En tipik örneğine, Nubya çöllerinin savaşçı kabilesi "Mecey"lerin (Medjay) kralın resmi polisleri haline getirilmelerinde rastlıyoruz. Burada, karşılıklı bir çıkar ilişkisinden yararlanarak, "sorun yaratanı sorun çözmekte kullanmak" gibi bir manevra söz konusudur. Eski Krallık döneminden itibaren imparatorluğun "ehlileştirmekte" zorluk çektiği Nubyalı Meceylerin bazıları, Mısır devletinin kanatları altına alınarak, kralın hesabına sınırları, tarım alanlarını ve anıtları korumakla görevlendirilmiştir İ.Ö. 2300' lerden itibaren. Güneydeki Nubya ve Kuş bölgelerinin Mısır egemenliği altında tutulmalarında, paralı asker olarak çalıştırılan Meceylerin büyük katkıları olduğunu söyleyebiliriz. Ancak bu kabilelerin "görev alanları" kendi yaşadıkları bölgeyle sınırlı kalmamış, kimi Mecey birlikleri Libya çöllerinde ya da deltanın doğusunda, Sina'dan antik Biblos'a uzanan alanda da sınır jandarmalığında kullanılmıştır. Daha az sistematik olmakla birlikte, yine doğu sınırının güvenliğinde yararlanılmak üzere genel olarak "Asyalılar" olarak tanımlanan kimi savaşçı gruplardan da paralı asker birlikleri oluşturulduğunu biliyoruz.

Bütün bunlar, bize Mısır'da "yabancı" varlığının, çok dikkatli bir devlet politikası olarak epey sınırlı tutulduğunu gösteriyor. Köleler ya da paralı askerlerinse ülkenin gözde kentlerinde yerleşik yaşam sürmeleri, hatta etnik bir grup, bir sosyokültürel azınlık olarak dikkat çekici bir nüfusa sahip olmaları, elimizdeki veriler ışığında neredeyse olanaksız diyebiliriz. Ejiptolog Bruce Williams, Orta Krallık ve İkinci Ara Dönem (Hiksos Dönemi) üzerine gerçekleştirdiği araştırmasında, "Asyalı paralı askerler, tüccarlar ve kölelere ilişkin kayıtlara 12. Hanedan belgelerinde rastlandığından" söz ediyor.[12] Orta Krallık evresinin doruğu diyebileceğimiz bu hanedan, aynı zamanda devletin ikincil büyük hegemonik aygıtı olan bürokrasinin de Mısır'da

---

[12]Bruce Williams, "Archaeology and Historical Problems of the Second Intermediate Period", s. 1227

yaşadığı ani büyümeyle eşzamanlılık taşımaktadır. Kısmen yerel yöneticilere devredilerek onlar eliyle uygulanmaya çalışılan resmi politika, artı-üründen giderek daha fazla pay alan bir bürokratlar kesimini de İ.Ö. 20. yüzyıldan itibaren palazlandırmaya başlar. Bu anlamda, merkeze uzak bölgelerde, sözgelimi deltanın doğusundaki yerleşimlerde yabancı paralı asker kullanımının firavunun inisiyatifinden çok, yerel bürokrasinin başındakilere ait tercihler olduğunu söyleyebiliriz. Williams'ın sözünü ettiği bulgular, izleyen dönemde, 13. ve 14. Hanedanlar sırasında (İkinci Ara Dönem) doğu sınırında Asya ve Filistin kökenli paralı askerlere ilişkin izler olduğuna dikkat çekiyor. Bunlara (görece) sık rastlanan alan da, bugün Tell ed-Dabaa adıyla bildiğimiz, deltanın hemen doğusundaki yerleşim yeri. Ancak az sayıdaki kimi mezarda Asyalı karakteristikler taşıyan savaş baltaları ve hançerlere rastlanması, bölgede yoğun bir "Asyalı yabancı" varlığına da hiçbir biçimde dayanak oluşturmuyor. Kaldı ki, çok genel bir tanımlamayla "Asyalı" yelpazesi içinde değerlendirilen bu insanlar, etnik olarak da oldukça farklı kimliklere sahip: Kimileri Filistin bölgesinden olsa bile, aralarında çok farklı Sami kabilelerden, Amoritlerden, hatta Hint-Avrupa kökenli topluluklardan gelenler var.

İbrani mitiyle aradaki çelişkiyi olanca çarpıcılığıyla sergilemek için, Exodus kitabında, Mısır'da yerleşik altı yüz bin İsrailliden söz edildiğini anımsatmak yeterli olacaktır. Dönemin Mısır'ının nüfusu dikkate alındığında, bu rakamın yüzde onu bile inandırıcılıktan çok uzak olduğu gibi, böylesi bir kitlenin sınırlar içinde yerleşikliğine "göz yumulmuş" olma olasılığı neredeyse sıfıra yakındır. Buna karşılık, deltanın doğusuna Nil'in taze suyundan ve otlaklarından yararlanmak için hayvanlarını otlatmaya gelen ve bu arada ticaret de yapan göçebe çoban kabilelerin varlığını neredeyse kesin olarak biliyoruz. Ne var ki, bunlar Eski Ahit'te Yusuf'un babasına belirttiği gibi, Mısırlılarca hor görülen ve yerleşmelerine sıcak bakılmayan bir grubu oluşturuyorlar:

"Ve olur ki sizi firavun çağırır, ve İşiniz nedir der; siz de Çocukluktan şimdiye kadar hem biz hem babalarımız, kulların, davar adamlarıdır deyin ki Goşen vilayetinde oturasınız; çünkü Mısırlılar için her çoban mekruhtur." (Tekvin 46:33-34)

Buradan neyi anlamalıyız? Mısırlıların göçebe çobanları "mekruh", yani "tiksindirici" buldukları net biçimde Yusuf'un ağzından dile getiriliyor ve bu nedenle onlara ancak Goşen'de yerleşme izni veriliyor. Yani, Mısır halkının yaşadığı yerleşim birimlerine sokulmaları bile söz konusu değil. Bu durumda Goşen'in Tell ed-Dabaa çevresi olduğunu ve buralara ancak firavunun özel izniyle yabancıların yerleşebileceğini söylememiz mümkün. Eski Ahit'te anlatılanlarla da, Bruce Williams'ın sözünü ettiği "yabancı izleri"ni bağdaştırmak çok zor görünüyor. Çünkü burada deltanın doğusuna yerleşen az sayıdaki paralı askerlerden değil, sığınmalarına firavunca (ve Yusuf'un "torpiliyle") izin verilen göçebe çobanlardan söz ediyoruz. Kısacası, Eski Ahit'te sunulduğu biçimiyle, Mısır'a yerleşip zaman içinde kalabalık bir etnik azınlık haline gelen bir Yahudi varlığını, tarihsel ve arkeolojik verilerle doğrulamak mümkün değil.

Bütün bunlar, on dokuzuncu yüzyıl sonlarından itibaren Mısır'da elde edilen tarihsel bulguları ve derme çatma da olsa iskeleti kurulan kronolojiyi ille de "kitaba uydurma" güdüsüne sahip olan Batılı araştırmacıları ve "inançlı" ejiptologları, başka seçenekler aramaya zorluyor. Eski ve Orta Krallık, İbrani yerleşimi için uygun olmayınca, eğilim İkinci Ara Dönem üzerinde yoğunlaşıyor bu kez; yani, "Hiksos işgali", sığınmanın tarihsel açıklayıcısı olarak kabul edilir hale geliyor.

Eğer Mısır'a Asyalı ve Filistinli göçebe çoban kabilelerin yerleşmesine, Eski ve Orta Krallık dönemlerinin imparatorluk politikası ve Mısır gelenekleri izin vermediyse, böylesi bir göç Asyalı Hiksos gruplarının Aşağı Mısır'ı işgal edip ele geçirdiği döneme rastlayabilir mi? Kutsal Kitap inancından sıyrılamayan ejiptologlar için bu bulanık, hakkında çok az şey bilinen dönem, uzun süreden beri çekici bir kaçış noktası durumunda. Mısır'ın otoritesinin sarsıldığı; deltadan başlayarak ülkenin savaşçı Asyalı göçebelerce işgal edildiği; tarihsel kayıtların çok çok az olduğu böylesi bir evreyi "sığınma"yı açıklamakta kullanmak, bir taşla iki kuş vurmayı sağlayarak, sonrasındaki Exodus için "ker-teriz" bulmayı da kolaylaştırıyor.

Senaryo kabaca şöyle: Mısır'ın bilinmeyen bir nedenle güçsüz düşüp, direnç bile gösteremeden Hiksos işgaline uğraması sonrasında, Avaris kentini merkez alan ve bütün aşağı Mısır'a egemen olan bir "Asyalı krallık" kurulur. Böylesi bir durumda Asyalı yöneticiler için Mısır'ın etnik yapısını göçebeleri getirerek "dengelemek" makul görünmektedir. Dolayısıyla, bir Hiksos firavunu (belki de I. Apophis) İbrani kabilelerin Mısır'a yerleşmelerine izin verir ve bu insanlar zaman içinde Mısır'da çoğalırlar. Yüz yıla yakın bir süre sonra Thebes prensleri Hiksosları kovup ülkede bütünlüğü yeniden sağladığında, Mısır yönetimi, işgalciler döneminde yerleşen İbranilere düşmanca davranmaya başlar. Nihayet, Yeni Krallık despotizmi sırasında baskılara dayanamayan bu halk, toplu halde ülkeyi terk eder ve atalarının topraklarına doğru büyük bir göç hareketi başlatır.

Akla yakın görünmekle birlikte, doğrulayacak en küçük bir kanıtı bile içermeyen bu senaryonun en büyük avantajı, "kurt dumanlı havayı sever" deyişinde olduğu gibi, içinden çıkılamayan bir sorunu tarihin belirsizliklerle dolu bir dönemine taşıyarak "inanç sistemi"ni olgularla uzlaştırmaya çalışmasıdır. Ancak bizzat o "dumanlı hava", yeni sorunları da birlikte getirmektedir aslında: Kimdir bu Hiksoslar? Nereden, nasıl gelmişler; Mısır'ı ne zaman, hangi güçle ve en önemlisi hangi "fırsattan" yararlanarak işgal etmişlerdir? Eskiçağ tarihi uzmanları arasında yüz yılı aşkın bir süredir tartışılan bu sorun, belge eksiklikleri ve kronolojik uyuşmazlıklar nedeniyle net ve eksiksiz biçimde yanıtlanamıyor bir türlü. Aslına bakılırsa yaşananın bir işgal mi, yoksa bir iç isyanlar zinciri ve kargaşa mı olduğu konusunda bile bilim adamları arasında fikir birliğinden söz edilemez. İlk yanıtlanması gereken soru da gerçek anlamda Hiksosların kimliği üzerinde yoğunlaşır.

Mısır tarihinde İkinci Ara Dönem olarak adlandırılan kargaşa, yaklaşık İ.Ö. 17. yüzyılın ortalarında başlıyor. Merkezi yönetimin ciddi biçimde sarsıldığını ve aynı anda iki farklı hanedanın yönetimi elinde tutmaya çalıştığını görüyoruz. Bir başka deyişle, 13. Hanedan'ın sonlarına rastlayan bu olumsuz görüntü sırasında, Memphis'ten ayrı, deltada merkezlenen bir de 14. Hanedan çıkıyor ortaya. Ancak bu "karanlık dönem" o denli büyük çalkantılar yaratıyor ve Mısır'ın birliğini öylesine bir erozyona uğratıyor ki, Sina'dan Batı'ya geçmeyi daha önce hayal bile edemeyen kimi yağmacı kabileler, dirençle karşılaşmaksızın Memphis'e dek girerek Aşağı Mısır'ı işgal etme cüretinde bulunabiliyorlar. Daha da şaşırtıcısı, işgal bir yağmayla son bulmuyor ve deltanın doğusunda 14. Hanedan firavunlarından Nehsi tarafından bir anıt kompleksi olarak inşa edilen kent, Hiksoslarca Avaris adıyla başkent ilan ediliyor. Hemen ardından, 15. Hanedan olarak Hiksos krallarını Mısır'ın egemenleri olarak görüyoruz ve bu dönem yaklaşık yüz yıl kadar sürüyor.

Sözcüğün anlamı üzerinde uzunca bir süre tartışmalar yaşandığını söyleyebiliriz. İlkin, Manethon'un metinlerindeki tanımlardan yola çıkılarak, Hiksos'un "Çoban Krallar" anlamına geldiği kabul edildi. Ancak yirminci yüzyılda yaygınlaşan genel görüş, "Yabancı Krallar" karşılığını kabul etmektedir. Ayrıntı gibi görünen bu fark, aslında önemli bir nüansı koyar ortaya: "Çoban Krallar" deyişi doğrudan Sami kabilelerle (dolayısıyla İbranilerin "akrabalarıyla") ilişkilendirilebilirken, "Yabancı Krallar" çok daha geniş ve belirsiz bir kavramdır ki, Hiksos kimliği de bu çerçeve içinde tartışılmalıdır.

"Manethon'un 'Hiksos' kelimesi için verdiği izah şekli tamamen doğru olmasa gerektir. Çünkü kelimenin ek kısmı 'shasu=göçebe, çoban' olmayıp, yine Mısır dilinde 'Khasut=Yabancı ülke' olduğu daha kuvvetli bir ihtimal dahilindedir. Hatta bu kelime XII. Sülale zamanında 'Yabancıların reisi' anlamında Beni-Hasan'da gösterilen yabancı reislerin getirdikleri hediyeleri tasvir sahnesinde kullanılmıştır."[13]

Söz konusu "Yabancı Kral"ların, Mısır'da çok da yabancılık çekmediklerine ve işgal ettikleri kentleri çok kısa süre içinde benimseyerek yerleşikliğe geçtiklerine ilişkin bilgiler, Hiksos sorununu daha da karmaşık hale getiriyor. O denli ileri gidiyor

---

[13]Afet İnan, "Mısır Tarihi ve Medeniyeti", s. 92

ki bu "sahiplenme" duygusu, 15. Hanedan kralları kendilerinin Mısırlı olduğunu bile öne sürüyorlar! Dahası, Mısır'ı, yani işgal ettikleri toprakları, doğudan gelebilecek tehlikelere karşı korumak üzere büyük çaplı askeri önlemler aldıklarını da biliyoruz. Demek ki, başkalarının da kendi geldikleri yönden Mısır'a yaklaşıp aynı saldırıyı onlara karşı gerçekleştirmelerinden çekiniyorlar:

"Bu noktada, yabancıların güçlü bir garnizonla desteklenmiş Avaris adlı bir kent kurduklarını —sonradan Mısırlılarca yıkılmıştır— ve burada 'Mısır'ı işgal etmelerinden endişe duyulan' Asurluların saldırılarına karşı güvence olarak 240,000 askerden oluşan bir birlik bulundurduklarını belirten Manethon'un anlattıklarından net bir fikir elde edemiyoruz."[14]

Hiksos işgaline denk gelen İ.Ö. 1640 ve sonrası dönemde ne Asur ne de Babil böylesi bir tehdit oluşturabilirdi Mısır için. Çünkü, aynı sıralarda söz konusu bu iki güçlü devlet de zor günler yaşıyordu: Anadolu'da ansızın büyük bir askeri güç olarak ortaya çıkan Hitit devleti, Asur'un 200 yıl boyunca bölgede ticareti elinde tutmasını sağlayan kolonilerin (Karum) dağılmasına neden olmuş; dahası, bu ülkeyi topraklarının Hitit işgaline uğraması tehlikesiyle yüz yüze bırakmıştı. Aynı durum, Babil için de geçerliydi. Sonuçta, Mezopotamya'nın bu iki "süper devlet"inin korktukları başlarına geldi ve aynı tarihlerde Hitit saldırılarına maruz kaldılar zaten. Peki Hiksos yönetimini korkutan güç, Hititler olabilir miydi? Bu da oldukça zayıf bir olasılık, çünkü Hitit orduları Asur ve Babil'de bile kalıcı bir işgal gerçekleştiremeyip kendi topraklarına çekilmek zorunda kaldılar İ.Ö. 1600 dolaylarında. Kuzey Suriye'ye inmeleriyse çok daha sonra gerçekleşti. Bu durumda geriye yalnızca iki aday kalıyor: Güneydoğu Anadolu'yu kontrolü altına alan Hint-Avrupa kökenli bir başka halk, Hurriler; ya da Levant, Filistin ve kuzeyinde yaşayan Sami kabileleri. Böylece, bilmece iyice içinden çıkılmaz hale geliyor: Hiksoslar "kendilerinden" mi korkuyorlardı?

[14]Donald McKenzie, "Egyptian Myth and Legend", s. 257

Etnik kimlikleri üzerinde çok farklı görüşler olsa da, Hiksos topluluğunu oluşturan göçebe kabilelere ilişkin görüş ve değerlendirmeleri, birkaç grupta toplamak mümkün:

1. Hiksoslar, Filistin ve Lübnan'da yaşayan ve Proto-Kenan olarak tanımlanan Sami kabilelerdir.

2. Hiksoslar, Asur ve Babil'de kendilerine yer bulamayan göçebe Amorit kabilelerinin oluşturduğu bir topluluktur.

3. Hiksoslar, Ege adalarından Filistin bölgesine deniz akınlarıyla gelen ve sonrasında güçsüz durumdaki Mısır'a doğru yürüyen Minos kökenli savaşçı gruplardır.

4. Hiksoslar, Hurri ailesine mensup Hint-Avrupa kökenli göçmen kollarından biridir ve yollarının üzerindeki her yeri yağmalayarak sonunda Mısır'a dek gelmişlerdir.

Birbirinden son derece farklı bu görüşlerin her birini ayrı ayrı destekleyecek küçük izlerin Yakındoğu'nun değişik yerlerinde, bu arada Mısır'da da bulunması, işleri çok karıştırıyormuş gibi görünebilir. Ama iyi biliyoruz ki tarih, tek seçenekli düz ve net yanıtlarla açıklanamayacak denli girift ve çoğu zaman anlaşılması güç ayrıntılar üzerine kuruludur. Bu nedenle, Hiksos sözcüğünün, İ.Ö. 17. yüzyılda bütün Yakındoğu'da yaşanan yoğun karmaşa sırasında, söz konusu dört seçenekteki etnik grupların tümü için de kullanılabilecek genel bir ad olduğunu kabullenmek, en makul çözüm olarak çıkıyor karşımıza. Yani o yoğun karmaşa günleri sırasında, Yakındoğu'nun her yerinde (ve panik havası içinde) göçler, akınlar ve yağma hareketleri yaşandı. Bu sürecin kahramanları arasında Sami kabileler de vardı, Hint-Avrupalı göçmenler de, Egeli savaşçılar da. Mısır da diğer tüm komşuları gibi bu karmaşadan nasibini almış görünüyor. Ama bizi asıl ilgilendiren, "Hiksos Hanedanı"nın nasıl oluştuğu.

Altı çizilmesi gereken oldukça hassas bir nokta var: Genel karakter olarak Hiksos akınları, yağma ve talan üzerine kuruluydu. Manethon, bu toplulukları "Tanrı korkusu olmayan saldırgan zorbalar," olarak tanımlıyor. Yani tapınakları ve sarayları yıkmışlar; depoları yağmalamışlar; evleri yakmışlar ve kadınlara tecavüz etmişler. Bütün bu göstergeler, Mısır'a giren akıncıların bir "işgali" değil, en kaba görüntüsüyle bir "yağma ve talan" harekâtını gerçekleştirdiklerini ortaya koyuyor. Daha da çarpıcısı, izleyen dönemde kentlerin onarılması, askeri garnizonların kurulması ve Avaris'te 15. Hanedan'ın, Mısırlı kral adları da kullanılarak başlatılmasının yarattığı derin çelişki. Aniden saldırıp taş üstünde taş bırakmayan yağmacıların, sonradan bir anda karakter değiştirip imar çalışmalarına girmelerini; sanki kırk yıldır Mısır'da yerleşikmiş gibi sınır bölgelerinin kritik noktalarına savunma hatları çekmelerini; bir önceki hanedan sırasında kurulmuş basit bir anıtlar kompleksi çevresinde sıfırdan yeni bir başkent yaratmalarını; hükümdarların tahta çıkarken bir de Mısırlı adı almalarını ve hepsinden önemlisi bu insanların kendilerini "Mısırlı" olarak adlandırmalarını mantıklı bir açıklamaya sığdırmak mümkün değildir. O halde, varacağımız bir tek makul nokta var:

15. Hanedan'ı kuranlar, Hiksoslar değildi!

Mısır'ın, bu kargaşa sırasında iki farklı evre yaşadığını söyleyebiliriz: Birincisi, güçsüz düşen merkezi yönetimin acizliğini fırsat bilen ve Hiksos adı altında değerlendirilen kabilelerin, görece daha kısa bir zaman dilimine yayılmış yağma ve talanları. İkincisi de, yağmacılar işlerini bitirip gittikten sonra, o güne dek Mısırlılarca dışlanmış, ikinci sınıf olarak görülmüş, farklı etnik kimliklere ve inançlara sahip, deyiş yerindeyse "varoş insanları"nın, oluşan iktidar boşluğunu fırsat bilerek deltada yönetime el koymaları. Aslına bakılacak olursa, çoğu Mısır tarihi uzmanı için de, söz konusu dönemi açıklamanın en makul yolu, 1640 sonrasında Avaris'te yeni hanedanı kuranların "Mısırlı unsurlar" olduğunu kabul etmekten geçiyor ki, delta doğusunda yapılan kazılarda ortaya çıkan bulgular da bunu desteklemekte. Sir William Flinders Petrie, "Goşen" olduğu düşünülen bölgede ve "Hiksos yerleşimi" diye düşünülen alanlarda yaptığı araştırmalarda hem Asyalı izlerine rastlamıştı, hem de bütünüyle Mısırlı olmakla birlikte "taklit" niteliği taşıyan, düşük kaliteli, ikinci sınıf takı ve objelere. Ne var ki Petrie aynı zamanda bunların önemli bir kısmının Hiksos öncesi döneme ait olduğunu da koymuştu ortaya. Yani, bir bakıma Aşağı Mısır'da yönetimi, "eskiden beri oralarda olan" ama bir biçimde Memphis yönetimi tarafından dışlanan insanlar ele geçirmişlerdi. Bunların içinde Asya kökenli eski paralı askerler de vardı, Fenike dolaylarından gelen göçebeler de.[15]

Bir başka deyişle, yıllar boyu Mısırlı sayılmayan ve hor görülenlerin "intikamı" söz konusu burada. Gelişmelerin örgütlülüğü, Meceyler benzeri, önceki dönemin paralı askerlerinin, yağma rüzgârı dindikten sonra askeri disiplin içinde yeni oluşuma öncülük ettiğini düşündürüyor. Böylece, yağma ve talandan kaçan eski düzenin soyluları, rahipleri ve yöneticileri Thebes'e çekilirken, Aşağı Mısır'ın yeni sahipleri de "eskinin çobanları" oldu diyebiliriz. Kısacası, bir bakıma Hiksos adı hem "yabancı kral" anlamını içeriyor, hem de "çoban kral"ı; her ikisi de farklı insan topluluklarına işaret etmek koşuluyla.

İşgalcilerce kurulmuş olduğu varsayılan kentin adı bile, 15. Hanedan yöneticilerinin, kendilerini Mısırlı ve Mısır'ın sahibi gördüklerine ilişkin ipuçlarını gizliyor içinde:

"[John] Van Seters, Avaris adını Aşağı Mısır'ın yönetimiyle bağdaştırmak istedi; hwt-haart [kentin Mısır dilindeki adı] adı, 'Bölüm Yönetimi' ya da belki 'Yönetim Ofisi' anlamına geliyordu.[16]

Bu durumda siyasi anlamda Mısır'da yaşanan "Hiksos Devri"nin, aslında devletin Orta Krallık'tan itibaren içine girdiği yeni despotik/bürokratik yapıya tepki olarak, uygun fırsat bulduğunda yönetime el koyan "ikincil Mısırlı unsurlar"ın yönetimini simgelediği söylenmelidir. Yaklaşık yüz yıl süren bir saltanattır bu ve 17. Hanedan'ın Thebes prensleri tarafından, yıpratıcı bir iç savaş sonunda yıkılacak, Mısır eski bütünlüğü altında Yeni Krallık dönemine adım atacaktır.

Eğer baştan beri çevresinde dolaştığımız konuya dönersek, Mısır'daki yerleşik İbrani varlığına ilişkin kanıt eksikliğini, Hik-

[15]W. M. Flinders Petrie, "Hyksos and Israelite Cities", Chapter I, VI ve XI
[16]Bruce Williams, a.g.e., s. 1228, köşeli parantezler bana ait.

sos işgaliyle ilgili herhangi bir açıklamanın da gideremeyeceğini görürüz. Çerçevesini çizdiğimiz resim içinde "Hiksos öncesi Mısır"; "yağma ve 'işgal' sırasındaki Mısır"; "Hiksosların kovulmasından sonra, Yeni Krallık dönemindeki Mısır" manzaralarından hiçbiri, Eski Ahit'te anlatılan yaygın ve kalıcı İbrani yerleşimini olası kılacak ipuçları sergilemez. Bazı "inanç sahibi" ejiptologların yaptığı gibi hem tarihsel verileri hem de Genesis anlatılarını fazlasıyla eğip bükerek, Avaris'teki 15. Hanedan dönemini "Sığınma" için uygun görme eğilimini kabullensek bile, bu kez başka bir sorun çıkar karşımıza: Eski Ahit'te, Yakup ve oğullarının ülkeye yerleşmelerini anlatan bölümlerde çizilen Mısır resmiyle, tarihte olup bitenler arasında hiçbir benzerlik ve ortak nokta yoktur. Sürekli olarak, Mısır kayıtlarında İbrani varlığından ya da Exodus olayından söz eden belgelere rastlanmadığını, kanıt bulunamadığını söylüyoruz. Buna karşılık, kimilerinin "Eski Yakındoğu tarihini, peygamberlerin tanıklıklarıyla anlattığını," ileri sürdükleri Genesis ve Exodus kitaplarında da, Hiksos işgali, Avaris'teki hanedanlar ya da Thebes prensleriyle yaşanan savaşlara ilişkin tek bir satır yoktur. Ne yağmalar anlatılır, ne iç savaş ne de sonrasında gelen misillemeler. Mısır tarihindeki bu denli kritik ve önemli bir evreye ilişkin hiçbir bilgi olmaması bir yana, Genesis'in üslubunda daha çok Orta Krallık döneminin Mısır'ını çağrıştıran izler yer alır. Exodus kitabındaysa, yine firavun adı verilmediği gibi, coğrafi veriler de anlatılanları bilinen kronoloji üzerinde bir yerlere oturtmayı zorlaştırır.

"Ve RAB onları ateşle vurdu"

Diğer yandan, gerek Mısır'a yerleşme, gerekse Mısır'dan çıkışla ilgili olarak, üzerinde yeterince durulmadığına inandığımız, "mit" ya da "masal" izlenimi veren bazı Eski Ahit verileriyse, belirleyici olabilecek sıradışı *doğal olaylardan* söz ettikleri için, belki de en gerçekçi ipuçlarını sergiliyorlar aslında. Bunlar, Yusuf'un Mısır'a vezir olduğu sıralarda yaşanan ve yedi yıl sürdüğü belirtilen büyük bir kıtlık ile İbranilerin Mısır'dan çı kışı öncesinde gerçekleştiği anlatılan bir dizi tüyler ürpertici doğal felaket. Ayrıntı ve çeşitlilik açısından daha fazla veri içermesi dolayısıyla, Exodus arifesine rastlayan "Tanrı mucizeleri"nden, yani Musa'nın sözü aracılığıyla Tanrı'nın Mısır'ın başına getirdiği felaketlerden yola çıkmanın çok daha sağlam bir çaba olacağını düşünüyorum. Bunlar, Exodus'un 7-12. Bölümlerinde uzun uzun anlatılan, oldukça şaşırtıcı ve sıradışı afetlerdir. Bunca dehşet verici olayın Mısır kayıtlarına bir biçimde girmemiş olabileceğini düşünmek (çünkü üzerinde ısrarla durulan Yeni Krallık ve II. Ramses dönemlerinde bu felaketlerin en küçük bir izine bile rastlamayız) ancak iki olasılığı akla getirebilir: Birincisi, Yahudi yazarlar bu olayları Tanrılarının gücünü abartarak göstermek ve bir "resmi tarih" yaratmak için bütünüyle uydurmuşlardır. İkincisiyse, bu felaketler Mısır üzerinde öylesine yoğun bir karmaşa dönemine rastlamış (hatta o karmaşayı bizzat yaratmış) olabilir ki, yazılı kayıt bulmak olanaksızlaşmıştır. Birinci seçenek kabul edildiği taktirde, Exodus için bir kronolojik "kerteriz" bulma çabaları büyük oranda anlamsızlaşır: Eğer o doğal afetler uydurulmuşsa, devamının da uydurma olmayacağına dair hiçbir garanti yoktur çünkü. Daha zor ve yorucu olansa, ikinci seçenektir: Abartılar büyük oranda elense bile sözü edilen olaylar zincirinin az da olsa gerçek olaylardan oluşan bir "çekirdeğe" yaslanma ihtimali, Mısır tarihinin ve eldeki bütün dokümanların titizlikle incelenmesini gerektirir.

Mısır tarihinde, gerçekten de bu denli büyük ve yoğun bir karmaşa dönemi yaşandığını biliyoruz: Yukarıda uzun uzun üzerinde durduğumuz Hiksos yağmalarının hemen öncesine rastlayan birkaç yılı içerir bu dönem. Söz konusu yıllara ilişkin neredeyse hiçbir resmi belge bulunamadığı; çünkü Thebes prenslerinin İ.Ö. 1550 dolaylarında Hiksosları ülkeden kovmasının ardından bu dönemi bir "aşağılanma" olarak gören Yeni Krallık yöneticileri tarafından, belgelerin çoğunun yok edilip, izlerin silindiği artık bir sır değil. Bununla birlikte, çok az sayıda olsa ve belirsizlikler içerse de, söz konusu karmaşa yıllarını anlattığını düşündüğümüz bazı antik dokümanlar, ejiptologların elinde mevcuttur. Bunların en ilginci ve çarpıcısı diyebileceğimiz "Ipuwer Papirüsü" adıyla anılan bir belge, Mısırlı bir dervişin ülkede olan bitene ilişkin tuttuğu kayıtları ve endişeli gözlemlerini içerir. Eldeki belge (Papyrus Leiden 334), daha eski tarihli olan orijinalin Yeni Krallık döneminde çıkarılmış bir kopyasıdır. Ejiptologlar, orijini ve yazılma tarihi net olarak saptanamayan belgenin Orta Krallık yıllarına ilişkin olayları anlattığını savunurlar inatla; çünkü böylesi, onların yıllarca uğraşıp oluşturduğu kronolojiyi zedelemeyecektir! Ne var ki Ipuwer adlı yazarımızın karamsar bir dille ayrıntılarını verdiği karabasan, neredeyse bire bir Eski Ahit'te "Mısır'ın başına gelen felaketler" olarak anlatılan ve İbranilerin Tanrısı Yahve'ye bağlanan olaylarla özdeştir: Nehirlerde "kan" görülmekte; tarlalar kurumakta; hayvanlar ölmekte; ülkede açlık hüküm sürmekte; doğal afetler birbirini izlemekte ve güçsüz düşen Mısır "yabancıların" işgaline uğramaktadır:

"Felaket bütün ülkede kol geziyor. Her yerde kan var...

Nehir kan içinde. İnsanlar yine de su içiyorlar ve içtikçe insanlıklarından çıkıyorlar...

Ne sebze var artık, ne meyve...

Buğday yok oldu... Nil taşıyor ama toprağı işleyecek hiç kimse yok ortada...

Duvarları, kapıları ve sütunları, ateş yok ediyor... Ülkeyi karanlık kapladı...

Bütün ülke çöle döndü, yabancı barbarlar topraklarımızı işgal etmeye geliyorlar..."[17]

Hiksos işgalinin hemen öncesindeki olayları, Exodus'taki afetlere bu denli benzer biçimde, böylesine çarpıcı bir anlatımla ortaya serebilecek bir ikinci belge daha olabilir mi? Ama ejiptologlar, bu papirüsü görmemeyi ya da en azından Exodus kitabında anlatılanlarla Ipuwer'in gözlemleri arasındaki ilginç paralelliği ciddiye almamayı yeğlerler. Onlara göre "sembol ve mecazlarla dolu" bu belge, Orta Krallık dönemine hatta belki Birinci Ara Dönem'in belirsizliklerine, sosyal ve ekonomik bunalımlarına gönderme yapan, karamsar gözlemlerden ibarettir.

---

[17]"Admonitions of Ipuwer" - Ipuwer Papirüsü

Son yüzyıl içindeki arkeolojik bulgular ve kimi jeolojik araştırmalar, Ipuwer Papirüsü'nde ve Exodus'ta sözü edilen türden doğal afet zincirlerinin yalnızca Mısır'da değil, aşağı yukarı dünyanın bütün bölgelerinde yaşandığına ilişkin, bir hayli ikna edici veriler sunmaktadır. Üstelik bütün bu olayların yerleştiği zaman dilimi ağırlıklı olarak İ.Ö. 1650 dolaylarına denk düşer. Söz konusu veriler yalnızca büyük ve küresel bir doğal afetler zincirine değil, onun doğal sonuçları arasında kabul edilebilecek sosyal, ekonomik ve siyasi hareketliliklere ve bunalımlara da net bir biçimde işaret etmektedir ayrıca. Mısır'da, İ.Ö. 1650 dolayındaki felaketleri, hemen sonrasına rastlayan Hiksos işgali izlemiştir. Anadolu'da, nereden geldiği bugün hâlâ çok net olarak bilinmeyen ama Hint-Avrupa kökenli olduğu konusunda bilim adamlarının uzlaşma içinde olduğu Hitit halkı, 1900'lerden itibaren yavaş yavaş yerleşmeye başladığı Ön Asya'ya İ.Ö. 1650 dolaylarında ani ve etkili bir atakla egemen olmuş; yerel devletleri ve onların bir zamanlar çok güçlü olan kentlerini işgal etmiştir. Aynı ulusun çok kısa bir süre sonra Mezopotamya'nın kuzeydoğusuna ve kuzeyine doğru hızla indiğini, dönemin süper gücü Babil'i neredeyse hiçbir ciddi dirençle karşılaşmadan talan ettiğini de biliyoruz.

Bir başka siyasal ve sosyal kargaşa örneği, İndüs Vadisi uygarlıklarının, Harappaların yazgısında karşımıza çıkıyor: Mohenjo-Daro başta olmak üzere İndüs ve eski Sarasvati Irmağı kıyısındaki kentlerin, kuzeyden gelen daha az gelişmiş, barbar ve göçebe bir ulus tarafından işgal edildiği izlenimi veren bulgular var. Ortodoks tarih anlayışının 19. yüzyıl dolaylarında kentleri ele geçirenlerin Hint-Avrupalı etnik kökenlerinden yola çıkarak "Aryan İşgali" diye adlandırdığı bu olay, İ.Ö. 1600'ler dolayında bir devreye yerleşiyor ve Batı Hindistan'da başlayan yaygın bir göç hareketine dikkat çekiyor. Ne var ki, elde edilen son bulgular, Mohenjo-Daro ve diğer güçlü şehirlerin bir "barbar istilası"ndan dolayı değil, hemen öncesinde gerçekleşen dehşet verici doğal afetlerden dolayı yıkıldığı ve tahrip edildiğine ilişkin çok çarpıcı bilgilere işaret etmekte. "Aryan İşgali" adıyla (ve yanlış çağrışımlar yaratarak) anılan olaylar zincirinin, felaketten etkilenip terk edilen kentlerin bulunduğu bölgelere, kuzeydeki göçmenlerin (bunların bir kısmı aslında afetler sırasında kaçan kent sakinlerinin bizzat kendileriydi) ilerleyen yıllarda yerleşmelerinden ibaret bir kargaşa olduğu yavaş yavaş kabul görmeye başlıyor. Bu noktada, Georg Feuerstein, Shubhash Kak ve David Frawley'nin ortak çalışması "In Search Of The Cradle Of Civilization" ("Uygarlığın Beşiğini Arayış") adlı incelemenin son derece devrimci nitelik taşıdığını ve eskiçağ Hint uygarlıklarıyla ilgili yeni ufuklar açtığını belirtmeliyiz.

Diğer bir afet ve siyasal karmaşa hikâyesi, Ege'nin görkemli uygarlığı Minos ile ilgili olarak, yine İ.Ö. 1650 dolaylarında karşımıza çıkar: Depremler, tsunamiler ve en önemlisi Thera (şimdiki Santorini) adasındaki volkanın patlaması, çok kısa bir süre içinde bu eşsiz uygarlığın gücünü kırmış, sonuçta kuzeyden gelen savaşçı Yunan kabilelerinin işgaliyle noktalanan büyük bir sosyal karmaşaya yol açmıştır. Yeni çalışmalarla yapılan Karbon-14 testleri ve ağaç halkaları yöntemiyle (dendrokronoloji) belirlenip uyumluluk gösteren tarihlemeler, Thera felaketinin İ.Ö. 1645 ile 1628 arasında gerçekleştiğini söylemektedir. Ama deprem ve tsunamilerin, yanardağ faaliyetinden epey önce başladığını düşündürecek veriler, Mısır'ın Akdeniz kıyısındaki yerleşimlerinin ve Doğu Akdeniz'de, Lübnan'daki antik kentlerin gördüğü büyük hasarda saklıdır. Aşağı yukarı İ.Ö. 1650 dolaylarıyla ilişkilendirilen ani ve sert iklim değişimleri, seller, hızlı çölleşmeler ve depremler, Orta Asya'nın birçok yerinde, bu arada eski Çin uygarlığında da karşımıza çıkar. Devamındaki siyasal karmaşanın güzel bir örneği de, kutsal Xia Hanedanı'nın aniden yerle bir olup, kısa bir süre içinde yerini Şang Hanedanı'na devretmesidir.

Kısacası, neredeyse bütün Eski Dünya, İ.Ö. 17. yüzyıl ortalarında, aşağı yukarı eşzamanlı olarak büyük bir toplumsal ve siyasi kaosu yaşamış; eşine rastlanmamış yaygınlık ve yoğunluktaki göç hareketleri sonucunda ciddi sarsıntılar geçirmişlerdir:

"1700'den az sonra başlayan ve üç yüzyıl kadar süren bir dönem boyunca, uygar dünya barbar fetihçiler tarafından çiğnendi. Kuzey bozkırından çıkan çok çeşitli savaşçı topluluklar; Mezopotamya'nın kuzeyinde ve doğusunda yaşayan dağlı halklar; Suriye, Filistin ve Kuzey Arabistan'dan gelen kabileler, uygar dünyanın tüm merkezlerine saldırmak üzere değişik oranlarda birleştiler. Bu çapta bir barbar fethinin eşine tarihte bir daha asla rastlanmadı.[18]

Bu denli geniş ve heterojen bir coğrafyada aynı anda böylesine büyük insan topluluklarını içeren göçler yaşanması, akla bir tek şeyi getirir: Dünyayı etkileyen ciddi bir global afet. Eldeki veriler de bunu büyük oranda doğrulamaktadır zaten.

İ.Ö. 1650'lere rastlayan doğal afetler zinciri ve onu izleyen siyasal-sosyal karmaşalara ileride daha ayrıntılı değinmek üzere, kaldığımız yere, Mısır'dan çıkış efsanelerine geri dönelim şimdi.

Mısır, İ.Ö. 1650'ler dolayında, aslında bütün dünyada yaşanan felaketlerden payına düşeni almış görünmekte ve sonrasında da işgale uğradığı izlenimini vermektedir. Ipuwer'in anlattıkları, aslında bu dönemin buğulu anılarından başka bir şey değildir. Üstelik bu bilgiler, Eski Ahit'te, Exodus'un 7-11. Bölümleri'nde Yahve'nin Mısır'ın başına getirdiği söylenen felaketlerle de son derece uyumludur. Bu durumda, varsayım düzeyinde bile olsa, Exodus kitabında anlatılanların İ.Ö. 1650'lere işaret ettiğini düşünerek, yolumuza devam edebiliriz.

İlk akla gelen hareket noktası, sonrasında saldırı, yağma ve talana dek varan bir kaosun yaşandığı, dehşet verici bir doğal afetler zinciri sırasında, insanların nasıl davranacağını ve neler hissedeceğini düşünmek olmalıdır. Günümüzde yaşadığımız kimi afet deneyimlerinden biliyoruz ki, insanlar "hayatta kalma" güdüsüyle iç içe duydukları dehşet hissinden sıyrılmak için, ilk tepki olarak felaketin gerçekleştiği yerlerden olabildiğince uzağa gitmek eğilimindedirler. Buna, olası bir "yağma ve kargaşa" tehdidini eklerseniz, canlarını kurtarabilenlerin aynı zamanda değerli eşyalarını da yanlarına alarak kaçmaya çalışacaklarını düşünmemeniz için hiçbir neden yoktur. Mısır'da da aynen bunlar yaşanmış gibi görünüyor. Exodus'un "Mısır'dan kitle halinde kaçan" İbrani kabileleri de aslında, tarihsel verilerin göster-

[18] William H. McNeill, "Dünya Tarihi", s. 47

diği gibi, Mısır'ın içinde hiçbir zaman yerleşik olmayan; Doğu'dan delta yakınlarına sürülerini getirmeye gelen ve yılın belli aylarını burada geçirip sonra yeniden Filistin'e ya da Lübnan'a yönelen göçebe bedevilerden başkası değildi. Felaketler yaşanmaya başladığında, içgüdüsel tepkiyle bölgeden hemen kaçmak isteyen (bir olasılıkla "fırsattan" faydalanarak Mısırlıların değerli eşyalarını da çalmaya çalışan) ilkel göçebelerdi bunlar:

"Ve İsrailoğulları Musa'nın sözüne göre davrandılar; ve Mısırlılardan gümüş şeyler ve altın şeyler ve giysiler istediler; ve RAB Mısırlıların gözünde kavma lütuf verdi ve istediklerini verdiler. Ve Mısırlıları soydular." (Çıkış 12:35-36)

Eski Ahit'te "gönüllü soygun" olarak gösterilen bu olayın detaylarıyla ilgili fazla bilgimiz yok. Ama eğer zaten Mısır'da yaşamalarına izin verilmeyen bedevilerin, ülkeyi terk etmeleri sırasında peşlerine askerler düşmüşse, bunun anlatıldığı gibi firavunun büyük ordusu değil, "asayişi sağlarken hırsızların peşine düşen" küçük bir Mısır birliği olduğunu düşünmek daha mantıklıdır. Yine varsayımlara dayanarak, bu birliğin, taşan ırmak sularına, sele kapılmış ya da bataklık haline gelen eski "sazlık denize" saplanmış olması da akla yakın gelen olasılıklardan biri olarak değerlendirilebilir.

Belirttiğimiz üzere, Mısır'ı "kaçarak" terk eden İbraniler, büyük olasılıkla, Nil deltasının doğu sınırına kadar hayvan otlatma amacıyla gelen, bu arada geçici "varoşumsu" çadır obaları kuran bedevi kabilelerdi. Felaketler zinciri aniden başladığında, son derece doğal ve insani tepkilerle, bölgeden hemen uzaklaşmak istediler. Yine büyük olasılıkla, kaçanlar yalnızca bu yabancı bedevilerle sınırlı değildi. Mısırlılar arasında da deltanın doğusundaki kentlerde yaşayan ve felaketler karşısında paniğe kapılan yoksul insanlar, yanlarına değerli eşyalarını da alarak o bölgeyi bir an önce terk etmek istemişlerdi. Hatta belki aralarında gerçekten "Mısır'dan sürgün edilen" bir grup da vardı. Dolayısıyla, korku ve panik dönemlerinde sık rastlandığı gibi, aralarındaki etnik ve "sınıfsal" farklılıkları geçici olarak rafa kaldıran karma (ama çoğunluğunu bedevilerin oluşturduğu) bir

kitleydi burada söz konusu olan. Böylesi bir topluluk psikoloji-
si içinde iyiden iyiye gerekli hale gelen "liderlik" sorunu, kariz-
matik ve "Mısır eğitimi almış" birisi ya da birileri tarafından
üstlenilmiş olabilirdi. Çevrede olan biten ve olacak olanlar hak-
kında güçlü sezgilere; teolojik ve astronomik bilgi birikimine sa-
hip, etkileyici bir lider, onları doğru "kaçış bölgesi"ne doğru
yönlendirmiş olmalıydı.

Deltanın doğusu düşünüldüğünde, kaçmak için en makul
bölgenin Sina olduğunu anlamak mümkün olur. Çünkü endişe
duyulan ve kaçılan tehlike yalnızca doğal afetler değil, aynı za-
manda çevredeki yağmacı kabilelerin vahşi saldırılarıydı. Batıda,
zaten uzaklaşmak istedikleri Mısır vardı; güneyde de öyle. Do-
ğu ise, varlıkları iyice hissedilen Hiksos yağmacılarının akın yo-
lunun üzerindeydi; bir "geçiş noktası" gibi. Bu durumda, en
doğru tercihin, böylesi bir kargaşa ortamında hiç kimsenin rağ-
bet etmeyeceği, sapa ve verimsiz Sina olduğuna dair kitleyi ik-
na eden bir liderin varlığı çok mantıklı görünüyor. Bunun bir
Mısırlı olabileceği varsayımını da yineleyelim: Musa mitosu da
bu senaryoya son derece uygundur, çünkü bir Mısırlı adına sa-
hiptir[19] ("Mos": Oğul). Kitleyi liderliğine ikna edebilmek için
"aslında onlardan biri olduğu, ama Mısırlılar tarafından büyü-
tüldüğü," yolunda inandırıcı konuşmalar yaptığını düşlemek hiç
zor değil. Yine Eski Ahit'te Musa ile ilgili anlatılanlardan yola
çıkarak, onun "kanun kaçağı" bir Mısırlı olduğunu düşündüre-
cek de çok veri var. Belki de bedevilerin peşine takılan Mısırlı
askerler, aslında "cinayet zanlısı" olan Mos'u arıyorlardı.

Kutsal Kitap'ın en bilinen mitlerinden biri, asasıyla Kızıl-
deniz'i açan ve İbranilerin karşı kıyıya ulaşmasını sağlayan Mu-
sa'nın mucizesiyle ilgili olanıdır. Bugün artık bu Kızıldeniz me-
selesinin bütünüyle bir çeviri hatasından kaynaklandığını ve
doğru adın "Sazlıklar Denizi" olduğunu biliyoruz. Nil deltası-

---

[19]Aslında, Gerald Messadie'nin de vurguladığı gibi Mos adı tek başına kullanılmaz; ge-
nellikle bir Tanrı adıyla ilişkilendirilirdi: Path-mos, Thoth-mos gibi. Musa miti oluş-
turulurken bu ismin ön eki İbranice'ye uyumlu bir isim elde etmek amacıyla atılmış
olabileceği gibi, bu değişiklik Sina'ya kaçış sırasında söz konusu liderin kendisi tarafın-
dan da yapılmış olabilir.

nın doğusundan itibaren kaçmaya başlayan bir kabilenin yolunun Kızıldeniz'den geçmesinin anlamsızlığı bir yana, tam yolları üzerinde bulunan ve "Sazlıklar Denizi" olarak adlandırılan; yarı bataklık bir su kanalının varlığı son derece açıklayıcıdır zaten.

"[Thera volkanının patlamasıyla ortaya çıkan] Bu doğal afet, İbranilerin anımsanan tarihindeki önemli bir olay için de bir açıklama sunabilir: Musa'nın Sazlıklar Denizi'ni yarması (çoğunlukla bir çeviri hatasından ötürü Kızıldeniz olarak anılır.) Thera'nın patlamasıyla bağlantılı depremler Sazlıklar Denizi'ni kurutmuş ve bu katastrof Exodus hikâyesiyle birleştirilmiş olabilir mi? İbrani edebiyatında bu katastrofun parçaları olarak tanımlanan diğer fenomenlerin -ateşli kül yağmurlarından gök gürlemelerine ve her yanı kaplayan karanlığa dek- ışığı altında, bu yanıtın doğru olma olasılığı hayli yüksek görünüyor. Bu, İbrani metinlerinde anlatılanlarla paralellik sergileyen ünlü Ipuwer Papirüsü'nce de onaylanıyor. Thera'nın nihai patlamasının tarihiyle ilgili hassas veriler (İ.Ö. 1628) ejiptologları, hayli dayanıksız görünen hanedanlar dönemi kronolojilerini yeniden elden geçirmeye zorlamakta."[20]

Bedevilerin, artlarına düşen askerleri atlatarak (belki Mos'un ustaca bir tuzağı ya da hilesiyle onların bataklığa saplanmalarına da neden olarak) Sina'nın çöllerine doğru inmeleri, ilk etapta canlarını kurtarmış olabilir. Ne var ki, daha sonra Sina çöllerinin bu dehşete düşmüş insanlar için bir "sürgün yeri" halini aldığını düşünmek de hiç zor değil. Yukarıya, Kenan dolaylarına çıkamıyorlardı, çünkü bölge hâlâ karmaşadan yararlanan Hiksoslarca talan ediliyordu. Aynı nedenle Doğu'ya da gidemiyorlardı, çünkü "Hiksos yolu"ndan geçmek son derece riskliydi. Mısır'a dönmek, zaten tartışma dışıydı büyük olasılıkla ve deltanın Hiksos işgaline uğraması da an meselesiydi. Yanlarına altın ve değerli eşyalarını da alan göçebeler (bununla il-

[20]Georg Feuerstein - Shubash Kak - David Frawley, "In Search Of The Cradle Of Civilization", s. 83-84

taylar Exodus satırlarında bol miktarda bulunmaktadır) soyulmayı asla göze alamazlardı. Akıllı ve işini bilen bir lider, büyük olasılıkla "Mos" ya da "Musa" (ya da Musa mitine esin kaynağı olan bir başka adsız kahraman) onları sabırlı olmaya ikna ederek kimsenin uğramayacağı, ıssız Sina'nın kuytularında saklamaya ve bu arada zaman kazanmaya çalıştı. Beklenen an, afetlerin bütünüyle bitişi ve Hiksos istilasıyla gelen karmaşanın durulmasından sonra görece istikrarlı bir yapının ortaya çıkmasıydı.

Bu devre içinde panik ve endişeden dolayı toplum halinde yaşama güdüsünü yitiren ve umutsuz çırpınışlara teslim olan göçmenler, içinde bulundukları kararsızlığı sergileyen bir başıbozukluğa da kapılmışlardı. Kimileri Mısır'a dönmekten, kimileriyse doğuya gitmekten söz ediyor ve her kafadan bir ses çıkıyordu. İbranilerin çöldeki haleti ruhiyelerine ilişkin buna benzer olayları dile getiren ifadeler, Exodus içinde çok sık geçer:

"Ve İsrailoğullarının bütün cemaati, çölde Musa'ya ve Harun'a söylendiler; ve İsrailoğulları onlara dediler: Keşke Mısır diyarında et kazanları başında oturduğumuz zaman, doyuncaya kadar ekmek yerken RABBİN eliyle ölseydik; çünkü bütün bu cemaati açlıktan öldürmek için bizi bu çöle çıkardınız." (Çıkış 16:2-3)

Aslında, Sina'ya sığınan göçebelerin bu paniği ve disiplinsizliği de bir ölçüde anlaşılabilir bir şeydir. Belli ki, yanlarına çok fazla yiyecek ve su alamamışlardır; Sina çöllerindeyse, bu en doğal ihtiyaçlarını karşılayabilecekleri kaynaklar yok denecek kadar azdır. Yokluktan ve yiyeceği idareli kullanmaktan başka çarenin olmadığı günler, büyük olasılıkla "mayasız ekmek" geleneğinin de doğduğu günlerdir.

Bu "saklanma" dönemini firesiz atlatmak ve dağılmadan, toplu halde yaşayarak direnmek isteyen liderleri, karizmasını devreye sokarak hoşnutsuz göçebelere birtakım toplumsal yasaları empoze etmeye çalışmış olsa gerek. Büyük olasılıkla söz konusu lider (artık "Mos" ya da her kimse) Mezopotamya kültürünü ve görkemli Babil'i de bir miktar tanıyor ve biliyordu. Muhtemelen, onun "kurmay heyetini" oluşturan diğer Mısırlı

ya da yabancılardan biri ya da birkaçı, belki Eski Ahit'te Mu-
sa'nın kardeşi olduğu söylenen Harun, Babil'de bulunmuş,
Hammurabi yasalarından haberdar olmuştu. Dağ eteklerinde
uzun "meditasyon" seansları sonrasında, her şeyi bütünüyle tan-
rısal esinlere bağlayarak, o kitlenin anlayacağı biçimde Hammu-
rabi yasalarının bir versiyonunu üretip göçmenlere sundular. Bu
iş için bir miktar da "zor kullanma"nın söz konusu olduğunu
düşünebiliriz. Tarihçilerin genel olarak uzlaştığı üzere "10
Emir" büyük oranda Hammurabi yasalarından esinlenilerek ha-
zırlanmıştır. Dahası, orijinal Hammurabi yasaları da bir hukuki
pratiği belirlemekten çok, kralın gözünde uyulması istenen ye-
ni ilahi ilke ve kuralları içerdiğinden[21] Sina'daki duruma da çok
uygun düşmektedir. Son bulgularla İ.Ö. 1700 dolayına tarihle-
nen Hammurabi Yasaları, Exodus mitine esin kaynağı oluşturan
olayların İ.Ö. 1650'ler dolayında gerçekleştiği tezimizi de des-
tekler; çünkü Babil toplumunu etkilemiş "taze" bir toplumsal
metnin yaklaşık elli yıl sonra Mısır'da ilgi ve esin oluşturması
oldukça akla yakındır.

Yasaların kabul ettirilmesi ve uygulanırlık kazanması için
gerekli olan "ilahi yaptırım" hissinin de yine liderlerce üretilmiş
dinsel motiflerde saklı olduğunu düşünüyorum. Söz konusu do-
ğal afetler yaşanırken, Mısır ve Orta Doğu'nun güçlü tanrıları
Ptah, Ra, Baal, Marduk'un ortada hiç görünmemeleri, onlarla
ilgili şüphe ve inanç bunalımı yaratmış olabilir. Bu durumda
"kurtarıcı" olarak ortaya yeni bir tanrının, Yahve'nin (YHVH)
çıkmış olmasına şaşmamalı. Sina'daki göçebelerin liderleri, top-
luluğu bir arada tutmak için yeni ve çok güçlü bir tanrının var-
lığını empoze etmenin en etkili "şok tedavi" olduğunu düşün-
müş olmalılar. Bu iddialarına reel destek olarak da yaşanan fe-
laketleri Mısır ve Yakındoğu'nun başına bu yeni Tanrı'nın ge-
tirdiğini; ama kendilerini "kavmi" olarak seçtiğini ve koruyaca-
ğını vaaz ettiler büyük olasılıkla. (Yahve'nin "eskiliği" ile ilgili
iddiaları ve Nuh ve İbrahim ile ilişkilendirilmesi konusundaki
ayrıntıları sonraki bölümlerde ele alacağız.) Bu çerçeveye uygun

---

[21]Bu konuda bkz. Leo Oppenheim, "Ancient Mesopotamia" s. 158

olarak da, Yahve'nin "sabır ve koşulsuz itaat" karşılığında onlara yeni topraklar vaat ettiğini ("Sion") anlattılar. Musa ile Tanrı'nın buluşmalarının Sina Dağı'nda gerçekleşmesi, Yahve'nin bilinen daha eski bir adını, "Dağların Tanrısı" anlamına gelen "El Şaday"ı da anlaşılır hale getiriyor.

İsa'dan Önce 1620'lerden itibaren hem afetler bütünüyle sona erdi, hem de bölgede göreceli de olsa bir istikrar ortaya çıkmaya başladı. Hiksos yağmaları sona ermiş, deltada ortaya çıkan yeni iktidar odağı Avaris'te 15. Hanedanı oluşturunca, Mısır'a görece daha istikrarlı bir ortam egemen olmuştu. Hititler Kuzey Suriye dolaylarına dek inmişler ve güneye doğru zaman içinde iyice seyrekleşen akınlardan sonra geri çekilerek bölgelerini korumaya başlamışlardı. Babil'de yaralar yavaş yavaş sarılıyor, Orta Doğu bir biçimde dengeye kavuşuyordu. Zamanın geldiğini anlayan liderler, oldukça uzun süren saklanma günlerinden sonra bıkkın ve sabırsız kitleyi kuzeye, Kenan bölgesine çıkardılar. Buradaki kentlerin çoğu, barbar akıncıların saldırı ve yağmalarıyla tahrip olmuş; üzerine gelen kıtlık ve salgın hastalıklarla da nüfusları kırılmış ve iyice güçten düşmüşlerdi. Çöl gibi "izole" bir ortamda salgın hastalıklardan olabildiğince uzak duran ve yiyecek-su problemlerine karşın sağlıklarını koruyan bedeviler, Kenan bölgesindeki şehirlerin sakinlerine oranla çok daha "güçlü" durumdaydılar. Üstelik, Tanrının "seçilmiş halkı" olduklarına inanıyor ve kendi "zürriyetlerine" verilen toprakları teslim almaya gidiyorlardı. Yaralı ve harap şehirler, bu motivasyonun karşısında duramazlardı; nitekim İbraniler (artık onlara bu adla değinebiliriz) uzun bekleyişin ardından istek ve ihtirasla saldırdıkları kentleri ele geçirmekte, Eski Ahit'in de yazdığı gibi, çok zorlanmadılar. Efsanevi gücü ve sağlam duvarlarıyla bilinen antik kent Eriha (Jericho) bile önlerinde duramamış; o görkemli duvarlarının yıkılması için etrafını kuşatan İbranilerin bir ağızdan "bağırmaları" bile yetmişti:

"Ve vaki oldu ki yedinci kerede kâhinler boruları çalınca, Yeşu kavme dedi: Bağırın, çünkü RAB şehri size verdi." (Yeşu 6:16)

Eski Ahit'te, söz verilen topraklara çıktıktan sonra İbranilerin yaptığı savaşlar ve ele geçirdikleri kentlerin hikâyeleri, Musa'nın 5 kitabını izleyen ilk bölümde, peygamber Joshua'nın (Yeşu) günlüğünde anlatılıyor. Ayrıntıları verilen savaş ve seferlerden çıkan en net sonuç, bölgede sözünü ettiğimiz "güçsüz düşme" durumunun altını iyice çizerek sergilemesi. Ayrıntılar bol ve çeşitli; çoğu kez ayin ve ritüelleri, Tanrı ile konuşmaları ve kitleye verilen vaazları da içeriyor. Exodus'tan sonraki kitapların ortak özelliğini, bu anlamda Joshua'nın anlattıklarında da görmemiz olanaklı: Eski Ahit, bir etnik grubun "resmi tarihi" ve "resmi dini" olarak formüle edilmektedir artık.

Yıllar, on yıllar, yüzyıllar süren savaş, işgal, fetih, yenilgi ve zaferlerden oluşan bir süreç sonrasında "söz verilen topraklar"da giderek köklü yerleşim biçimleri edinen İbraniler, yaklaşık 10. yüzyılda kendi krallıklarını da yarattılar. Sırasıyla Saul, Davut ve Süleyman'ın liderliğinde Yahuda'da kurulan ve Kudüs'ü merkez yapan krallıklarının hikâyesiyle ilgili ayrıntılar, Eski Ahit'in Krallar bölümünde anlatılıyor. Arkeolojik ve tarihi verilere göre Kudüs'te Süleyman'ın Yahve için büyük bir tapınak yaptırması, aşağı yukarı 930 yılına rastlamakta. Krallar'da, tapınaktan ve Süleyman'ın varisi Yeroboam'ın krallığından söz edilen bölümlerde belirtilen bir referans, belki de ejiptoloji ve ilahiyat uzmanlarının Exodus ile ilgili olarak gözlerini Yeni Krallık hanedanlarına çevirmelerinin ardındaki en sağlam neden:

"Ve vaki oldu ki İsrailoğullarının Mısır diyarından çıkmalarının dört yüz sekseninci yılında, Süleyman'ın saltanatının dördüncü yılında, ikinci ay olan Ziv ayında, RABBİN evini yapmaya başladı." (I. Krallar 6:1)

Oldukça net tarihlere sahip tapınağın, Mısır'dan çıkışın 480. yılında yapılması, Exodus hareketinin yaklaşık İ.Ö. 1400'de gerçekleşmesi demekti. Bu nedenle ilkin tarihçiler ve bilim adamları, ejiptologlar, III. Tutmosis iktidarı üzerinde durmaya başladılar. Ne var ki yeni bulgular çoğaldıkça, Kenan bölgesindeki şehirlerin fetih zamanlarıyla ilgili varılan daha kesin sonuçlar, bu tarihi 13. yüzyıl dolaylarına dek çekti. Bu durumda ejiptoloji için Exodus'un firavunluğuna en yakın aday, bir kez daha Büyük Ramses oluyordu.

Bu noktada, anlaşılması güç yöntem ve yaklaşımların garipliğine dikkat çekmek farz oluyor: "Krallar" kitabında sözü edilen 480 yıllık sürecin, "kelimesi kelimesine" rakamsal değer olarak kabul edilecek bir veri olmadığını; Eski Ahit yazarlarının basit ve yuvarlak hesaplarla, zayıflayan toplumsal belleği restore etmeye çalıştıklarını söylemek durumundayız. Bu o denli açıktır ki, yine Eski Ahit'in değişik bölümlerinde söz konusu 480 yıllık süre belirtilirken, "ortalama 40'ar yıldan 12 kuşak" gibi basit[22] bir tahmin hesabına başvurulduğu saklanmaz. Dolayısıyla bu rakamı bire bir kabul etmek çok da mantıklı değildir. Başta da belirttiğimiz gibi, en azından II. Ramses döneminin tarihsel verileri kontrol edilerek Exodus'un bu firavun zamanında gerçekleşmiş olamayacağı artık anlaşılmış ve bu inatçı yanılgıdan vazgeçilmiş olmalıydı. Eğer geçerliliğinden kuşku duyulan bir belgedeki tarihler inandırıcı görünmüyorsa, verilen süreden "daha kısa" değil, "daha uzun" zaman dilimlerinin denenmesinin çok daha mantıklı olduğunu düşünüyorum. Üzerinden uzun yıllar, hatta yüzyıllar geçmiş olaylar yazıya geçirilmeye başladığında, daha yakın tarihli olanlar, doğaldır ki gerçeğe daha yakın hesaplamalarla kaydedilecektir. Hatalar, ancak daha uzak geçmişe dayanan zaman hesapları yapıldıkça dramatik biçimde artmaya başlar; çünkü tanıklıklar ve anılar belleklerden iyice silinmiş; kesin hesap yapmayı olanaksızlaştırmış olur. Bu nedenle verilen süreler, eskiye dayandıkça daha çok hata payı içerecektir. Eski Ahit'te 480 yıl olarak nakledilen, Süleyman tapınağının inşasıyla Exodus arasında geçen sürenin, bu nedenle aslında çok daha uzun bir zamanı içermesi gerektiği düşünülmelidir.

Bölgede savaş ve fetihlerin, işgal ve yağmaların İ.Ö. 1700 sonrasında hiç eksik olmadığını biliyoruz. Çoğu kez şehirler birkaç kez ve kısa zaman aralıklarıyla el değiştirmiş; bazen uzun süre terk edilip sonra yeniden iskân edilmiştir. Bu konuda hem

---

[22]"Basit" olduğu kadar da simgesel bir hesaptır bu; çünkü eski Yakındoğu kültüründeki kutsal metinlerin hemen hepsinde vurgulanarak kullanılan 12 rakamına yaslanmaktadır.

arkeolojik bulgular hem de Eski Ahit'teki anlatılar uyumluluk içindedir. Eriha'nın kaç kez kuşatılıp duvarlarının kaç kez yıkıldığını; el değiştirip duran kentin kaç kez onarım gördüğünü hesaplamakta arkeologlar bile türlü zorluklar çekiyorlar. O halde şehir duvarında gördüğümüz "saldırı ve fetih" izlenimi veren ilk buluntunun, İbranilerin Eriha'yı almasının işareti sayılması, bilimselliğe yakışmayacak bir deneme-yanılma çabasını çağrıştırmaktan öteye gitmeyecektir. Exodus sonrasıyla ilgili olarak daha önce de belirttiğim gibi, İbranilerin bu kenti "zorlanmadan" ve duvarları yıkmadan fethedebildiklerini düşünüyorum. Sembolik "bağırma" motifi, kenti savunanların ne denli yorgun olduğunu ve zaferin ne kadar kolaylaştığını vurgulamak için yazılmış olmalı; belki de bundan, kendi kahramanlıklarına pay çıkarmak için. Ama ellerini kollarını sallayarak Eriha'ya girdikleri neredeyse kesindir İbranilerin.

Diğer yandan, Kadeş Savaşı'na dek varacak büyük operasyonlarla Filistin ve Suriye'ye askeri yığınak yapan II. Ramses'in döneminde, Mısır'ın etki alanı içindeki Eriha gibi köklü bir kenti göçebe kabilelerden oluşan bir topluluğun fethetmesi pek de inandırıcı değil. İbraniler Eriha'ya ancak Mısır'da Hiksos Hanedanı'nın yönetimde olduğu; kuzeydeki Hititlerinse Babil'i yağmaladıktan sonra geri çekildikleri bir dönemde saldırabilirlerdi. Ayrıca, Mısır'ın etki alanındaki Filistin'de önemli kentlerden birini bir Sami kabilesinin işgal etmesine, bir Hiksos hükümdarından başka hiçbir Mısır firavunu göz yumamazdı. Bölgede yaşanan koşulların, doğal afetlerin ve siyasal karmaşanın çizdiği tabloya çok daha uyumlu bir tarihleme olarak, Eriha'nın İ.Ö. 1600 dolaylarında fethedilmiş olması, en akla yakın seçenek gibi görünüyor.

Başlangıçta, "Genesis" yoktu

Derlemedeki bildik, doğal sıranın aksine, Exodus kitabının Genesis'ten çok önce yazıldığını düşündürecek oldukça fazla neden var. Hatta, çok net biçimde, yalnızca "Musa'nın 5 kitabı" arasında aslen en eskisi olmakla kalmayıp, Eski Ahit'in ilk yazıya geçirilen kitabı olduğu düşünülen Exodus, İbrani yazılı kültürünün de başlangıcıdır. Belirleyici olay örgüsü içinde Mısır'dan çıkışa yönelik olarak yaptığımız analiz uyarınca, Bedeviler ve Mısır varoşlarından kaçanların oluşturduğu çıkar birliği içindeki topluluk, Kenan bölgesinde yerleşik düzene geçtikçe, hem oraların kültürlerinden etkilenmeye, hem de kendi dinsel ve etnik kimliğini netleştirmenin gerekliliğini daha çok fark etmeye başladı. Eski Ahit'teki savaş, ibadet, Yahve öfkesi, fetih, yenilgi, ilahi cezalar, iç karışıklıklar, yeni fetihler ve yayılma temalarıyla dolu metinler, İ.Ö. 1600 ile 1000 arasında İbrani toplumunun kendi iç dinamiklerini ve kültürünü biçimlendirmesinin de tarihidir aynı zamanda. Yaklaşık 600 yıllık bu cefalı (ama yer yer zafer ve sevinçlerle dolu) sürecin sonunda, bölgedeki sosyal ve siyasal dengeler değişmeye başlar. Hem bu değişimin inceliklerini yakalamayı bilen hem de diplomasi ve savaşın, yerinde ve zamanında kullanıldığı taktirde getirdiği kazançlar konusunda deneyimini artıran İsrailoğulları, Doğu Akdeniz'in güneyindeki bu kıyı şeridinde kendi krallıklarını kurmayı sonunda başarırlar.

Saul önderliğinde kurulan ilk krallık kritik öneme sahiptir; çünkü 600 yıllık yarı-yerleşik yaşam deneyiminin ardından bu inatçı kavim, "merkezi örgütlenme"yi de öğrenecek, bu arada (biraz daha geç bir tarihte) Exodus sonrasında tanıştığı yerel kültürlerden de etkilenerek kendi yazısını geliştirmeye başlayacaktır. Fenike ve Yunan alfabesinden etkilenen, bunları kendi diline uyarlarken de Sami kökenli uygarlıkların (Asur, Babil, Amorit) sesleri ve işaretleri kullanış biçiminden feyz alan İbrani bilgeleri, kendi yazı sistemlerini dahice oluşturur. Zaman içinde bu alfabe ve sistem giderek daha rafine hale gelecek; böylece "kültürel kimlik" konusundaki en büyük eksiklik giderilme yoluna girecektir: Sözlü geleneğin yazıya aktarılıp, tarih ve kutsal metinlerin kesin ve kalıcı hale sokulmasıdır bu.

Sekizinci yüzyıldan itibaren, Yahve dininin esaslarıyla birlikte, İsrailoğulları tarihinin de kaleme alınmaya başladığı söylenebilir. Metinlerin, en azından ilk yazıya geçirilişleri sırasında, bir "kutsal kitap" oluşturmaktan çok, yaşananların kaydını tutmak amacını taşıdıkları hemen hemen kesindir. Bu nedenle, ilk yazılan kitabın da, kavmin tarihindeki en belirleyici döneme, 1650 sonrasındaki Mısır'dan çıkışa ilişkin sözlü gelenekle aktarılan anıları içeren Exodus olduğunu düşünüyorum. Henüz bir kozmoloji ve kozmogoni[23] ihtiyacı belirmemiştir; evrenin yaratılışına dek geri gidip her soruya yanıt getiren bir dinsel biçimlenme için oldukça erkendir. Mısır'dan çıkış mitleriyle birlikte "toplum" olan Orta Doğu göçebeleri, kültürlerini, tarihlerini ve inançlarını yazıya geçirirken bir "kavim dini"ni formüle etme ve krallıklarının tarihiyle ilgili kayıtları tutma çabası içindedirler yalnızca. Elbette yazı yazma ayrıcalığı, çok küçük bir kesimin, din bilgelerinin ve vakanüvislerin elindedir ve uzun süre de öyle kalacaktır.

Aslına bakılacak olursa, Kudüs'te Süleyman'ın yaptırdığı Yahve tapınağından sonra bile, bütün İbrani toplumuna egemen olan homojen bir Yahve dininden söz edilemez. Yani çoğu kez sanıldığı gibi İsrailoğulları "atalarının tektanrılı inançlarına sıkı sıkıya sarılmış" ve yüzyıllarca istikrarlı biçimde tek tip bir ibadeti uygulamış falan değildir. Ağırlıklı çoğunluk, yerleşik yaşamın rahatlığı sonrasında, köklü yerel kültürlerle yaşadıkları etkileşimin de sonucunda, Yakındoğu inanç kültlerine itibar etmiş; en çok da tarımsal verimlilikle ilgili Kenan tanrıları rağbet görmüştür. Eski Ahit'te bundan yakınan satırlara hemen her bölümde ve çok sık rastlarız: "RABBİN gözünde kötü olanı yapan" hükümdar ve yöneticilere; "Baal'lere tapan" gaflet içindeki halka ilişkin detaylı anlatılar o denli fazladır ki, İsrailoğullarının başına gelen şanssızlıklar ve felaketler çoğu kez bu inançsızlığa karşı Yahve'nin verdiği cezalar olarak yorumlanır.

İsrailoğullarının bölünmesinden sonra ortaya çıkan iki krallıktan kuzeydekinin, yani İsrail'in, yedinci yüzyılda Asurlular tarafından yıkıldığını ve ölümden kurtulanların esir olarak götürüldüğünü; erken davranan bir azınlığınsa Mısır'a dek kaçarak oralarda yerleşmeyi başardığını biliyoruz. Aynı yazgı, yaklaşık yüz yıl sonra güney krallığının, yani Yahuda'nın da başına

---

[23]Kozmogoni: Evrendoğum. Evrenin yaratılışına ilişkin düşünce ve inançlar.

gelecektir. Bölgedeki hükümranlığına isyan eden Yahuda krallığını cezalandırmak için, Babil Kralı II. Nabukadnezar altıncı yüzyılda ülkeyi işgal eder. Kudüs'ün duvarları yıkılır, tapınak yağmalanır, çoğu kişi öldürülür, kurtulanlar da tutsak alınarak Babil'e götürülür. Yine oldukça küçük bir azınlık, Mısır'a kaçmayı başarabilecek; Yahuda'nın başına "kukla" bir hükümdar oturtan II. Nabukadnezar'ın tutsaklarıysa, yaklaşık 47 yıl Mezopotamya'da sürgün yaşamına katlanmak durumunda kalacaklardır.

Bu dönemin, İbrani tarihindeki en önemli evrelerden biri olduğu kesindir; hatta Mısır'dan çıkış kadar önemli bir serüvendir Babil'de yaşanan tutsaklık. Mezopotamya kültürünü ilk kez tam içinden görme olanağı bulan din adamları, bilgeler ve İbrani düşünürleri, şaşırtıcı derinlikteki, son derece köklü Babil mitolojisinden; renkli ve çarpıcı efsanelerden; en çok da yüzlerce yıl öncesine, eski Sümer'e dayanan muazzam kozmoloji ve yaratılış felsefesinden yoğun biçimde etkileneceklerdir. Eski Ahit'in birçok bölümü, zaten doğal olarak bu dönemde yaşananları ve olanlara ilişkin peygamberlerin yorumlarını anlatır; dolayısıyla Babil Sürgünü sırasında yazıldıkları açıktır. Ama kendi kültürünü ve "kavim dinini" oluşturan İbrani bilgelerinin, Eski Ahit'in temel kitaplarını Babil'de kaleme aldıkları, daha önce yazılmış bulunan Exodus kitabına da yeni bilgiler ışığında "rötuş" yaptıkları giderek daha çok netleşmektedir. En önemli sonuç, sıralamada Musa'nın beş kitabı arasında ilki olarak sunulan Genesis'in (Tekvin), sürgün yıllarında Babil kozmogonisiyle tanışmanın etkisiyle ve ünlü yaratılış destanı "Enuma Eliş"in verdiği esinle kaleme alınıp kitabın başına eklenmesidir.

"Yazılması en çok zaman alan kitap" diyebileceğimiz Eski Ahit, en yoğun biçimlenme sürecini, böylece Babil'de, zengin Mezopotamya kültürünün etkisiyle yaşar. En önemlisi, artık İbrani tarihini anlatan bir "kavim kitabı" olmaktan uzaklaşma yolunda çok önemli bir adım atmış ve Yaratılış'ı da içeren, bütünlüklü bir "evrensel düşünce sistemi" olma yoluna girmiştir. Babil'deki kültürler buluşması ve dönüşüm o denli kritik bir noktadır ki, burada oluşturulup yoğrulan felsefe, Yahve dininin içinden 500 yıl sonra Hıristiyanlığın doğmasına ve eski dünyanın çok büyük bir bölümüne egemen olmasına yol açacaktır.

Kökeninin İ.Ö. üçüncü bin yıla ait olduğu düşünülen ancak eksiksiz bir Sümerce kopyası bulunamayan Mezopotamya Yaratılış Destanı'nın en popüler versiyonu, bir Sami dili olan Akatça'yla yazılmış "Enuma Eliş"tir ve muhtelif kopyaları Babil'de bulunmuştur. Bütün kozmogoninin yedi tablet üzerinde anlatılması nedeniyle "Yaratılışın Yedi Tableti" olarak da bilinen Enuma Eliş, adını "Yükseklerdeyken" anlamına gelen ilk dizesinden alır:

"Yükseklerdeyken, ne cennetin (Göklerin) adı konmuştu daha

Ne de aşağıdaki dünyaya (Yer'e) bir ad verilmişti

Onları içinde taşıyan ilk varlık Apsu

Ve hepsini doğuran Tiamat

Sularını birleştirdiler

Ama ne otlakları yaratmışlardı henüz, ne de sazlıkları

Hiçbir tanrı bilinmiyordu

Ne adları söylenmişti henüz, ne yazgıları çizilmişti

Ve bütün tanrılar, orada doğdular"[24]

Antik destan, evrende hiçbir varlığın henüz biçimlenmediği bir evreden başlayarak kozmik yaratılışın tarihçesini verirken, gezegenlerin oluşmasını, bunların belirli dizilişler yaşamasını, gökyüzündeki çarpışmaları ve yörüngelerin belirginleşmesini epik bir dille anlatır; güneş sistemimizin oluşumuyla ilgili sorulara da kendi kozmoloji anlayışı doğrultusunda yanıtlar getirir. Merkür, Venüs ve Mars'ın, Jüpiter ve Satürn'ün oluşup "kader tabletlerini" elde etmelerinden söz eder. Oldukça ilginç olan nokta, "kader" kavramının antik kozmolojide bire bir "yörünge" anlamında kullanılmasıdır ki, sözcüğün ve kavramın daha sonraki evrelerde hep bu "çekirdek anlam"dan yola çıkılarak günlük dilde farklılaştığını söyleyebiliriz. "Kader", engellenemeyecek, değiştirilemeyecek "ilahi bir yazgı" olarak adlandırılır bütün dillerde. Babil kozmolojisine ve kozmogonisine göre, evren-

---

[24]Leonard W. King, "Seven Tablets Of Creation", s. 2-3

de değiştirilemeyen (ancak "ilahi müdahale" tarafından belirlenen) tek ve en kesin olgu, göksel cisimlerin uzaydaki yörüngeleridir. Güneş sistemindeki kararsızlık belli bir dengeye doğru yöneldikçe, kesinleşmiş yörüngelerine kavuşan gezegenlerin "kader tabletlerini" ellerine aldıklarından söz edilir. Bu yörüngeler, "çizilmiş" yollardır ve ancak ilahi müdahaleyle (sözgelimi gezegenlerin göksel cisimlerle çarpışmalarıyla) değiştirilebilirler. Bazen de, kader tabletine sahip olan, yani kendi yörüngesini izleyen gezegenler, yine ilahi müdahaleyle bu niteliklerini yitirirler ve ancak bir başka gezegenin çevresinde dönen "ikincil" bir göksel cisim, bir "uydu" haline gelirler. Enuma Eliş'e göre, dünyamızın uydusu Ay'ın başına gelen de tam olarak budur. Ay (Sümerce adıyla "Kingu") kendi bağımsız yörüngesine, yani "kaderine" sahip bir gezegenken, göklerdeki büyük çarpışma sonrasında bu niteliğini yitirmiş ve dünyamızın çekim alanına yakalanarak onun uydusu haline gelmiştir.

Evren yalnızca boş ve şekilsiz bir "ilksel deniz"den ibaretken (Sümer dilinde "AB.ZU") kendi içinde gezegenleri oluşturması ve nihayet bizim güneş sistemimizi biçimlendirmesi, bir dizi "ilahi karar" ve eylem uzantısında gerçekleşir Enuma Eliş'te. Bu zengin kozmolojinin ve evren anlayışının, Eski Ahit'in (sonradan yazılan) ilk kitabı Genesis'e esin kaynağı oluşturduğu son derece nettir:

"Başlangıçta Tanrı gökleri ve yeri yarattı. Ve yer, ıssız ve boştu; ve enginin üzerinde karanlık vardı; ve Tanrı'nın ruhu suların üzerinde hareket ediyordu. Ve Tanrı 'Işık olsun' dedi ve ışık oldu. Ve Tanrı ışığın iyi olduğunu gördü, ışığı karanlıktan ayırdı." (Tekvin 1:1-3)

Enuma Eliş'ten farklı olarak evrensel yaratılış sürecinde "ışığın karanlıktan ayrılmasından" sonrasını dünya-merkezli (jeosantrik) olarak anlatan Genesis, güneş sisteminin oluşumuyla ve gezegenlerle ilgili ayrıntılara girmek yerine, göksel cisimlerin daha "pragmatik" kullanımlarına yönelik bir açıklamayı yeğler:

"Ve Tanrı dedi: Gündüzü geceden ayırmak için gök kubbesinde ışıklar olsun; ve alâmetler için, ve vakitler için, ve günler ve seneler için olsunlar; ve yer üzerine ışık vermek için gök kubbesinde ışıklar olarak bulunsunlar; ve böyle oldu." (Tekvin 1:14-15)

Eski Ahit'in yazarları böylece, göksel cisimlere, yıldızlara ve gezegenlere evrenin yapısı içindeki bağımsız hareketleriyle ("kader tabletleriyle") değil, dünyadan izlendiği biçimiyle zamanı ölçmeye (takvim oluşturmaya) yarayan varlıklarıyla işlev biçer. Burada ilginç olan, zamanı ölçme amacı dışında göksel cisimlere "alâmet için" başvurmayı da öngören ifadedir. Söz konusu vurgulamanın, eski Yakındoğu'da İ.Ö. birinci bin yıl içinde giderek yaygınlaşan "yıldızlara bakarak geleceği söyleme" geleneğine, bir anlamda "Kalde astrolojisi"ne gönderme yaptığı düşünülebilir. Ancak "gökteki alâmetlere bakarak geleceği söyleme" anlayışının çok daha eskiye dayanan kökeni, aslında Enuma Eliş'te net biçimde vurgulanan "göksel kader" ile ilişkilidir. "Alâmetler" çok genel anlamda ve sözcüğün kökeniyle uyumlu olarak, gökyüzünü incelemeyi ve belirli gezegen hareketlerinden, konumlarından yola çıkarak "göklerde beklenen büyük olayı" tahmin etme bilgeliğini kast eder. Mezopotamya kozmolojisi söz konusu olduğunda bu bilgelik, oldukça seyrek ortaya çıkan ama dünyayı çok derinden etkileyen bir göksel cismin geliş zamanını ve yönünü tahmin etme yeteneğiyle özdeştir. Bu konuya ileriki bölümlerde çok daha ayrıntılı değineceğiz. Şimdilik, gökyüzü hareketlerinden "alâmetler" yakalayarak insanların ya da ülkelerin geleceklerini sezme etkinliğinin, yani çok genel anlamda "klasik astroloji"nin, aslında bu göksel yazgıyı hassas ölçümlerle tahmin etme doğrultusundaki eski bilgeliğin geç dönemdeki "deformasyonu" olduğunu belirtmekle yetinelim.

Sürgündeki İbranilerin Babil kozmogonisinden esinlenerek kendi etnik ve dini kimliklerine bir evrensel başlangıç ekleme çabaları olarak niteleyebileceğimiz Genesis, yalnızca dünyanın ve insanın yaratılışını anlatmakla yetinmez; Yahudiler için "ilk başlangıca" dayanan bir soyağacı çıkarma ihtiyacıyla, Exodus'a dek dayanacak bir "resmi ve dini tarih" biçimlendirme uğraşını da içerir. Sürgündekilerin Babil'de karşılaştıkları tek etkileyici mit Enuma Eliş değildir; Babil kültürel birikimi, yüzlerce "mit" ve tarihsel doküman da içermektedir. Yaratılışın Yedi Tableti'nden yola çıkarak, evrenin ve insanın yaratıldığı altı gün ve onu izleyen "dinlenme" günüyle süreci yediye tamamlayan Genesis yazarları, ilk insan prototiplerinin oluşturulmasından söz eden Sümer kökenli mitlerden esinlenerek, Adem, Havva ve "Cennetten kovulma" temalarını da biçimlendirirler.

Sümer anlatılarına göre, yeryüzünde ağır şartlar altında çalışmaktan yorulan tanrılar, günlük işleri kendileri için yapacak yeni bir tür yaratmaya karar verirler. Yeryüzünün ve Suların Efendisi EN.Kİ (Akatça'da "Evi sularda olan" anlamında "E.A") bu işin organizasyonunu üstlenir ve Ana Tanrıça NİN.MAH'la birlikte yeryüzünün toprağına kan ve yaşam vererek, "kendi görünüşlerinde" bir işçi nesil yaratır: LULU AMELU. Sözcüğün anlamı, net olarak "işçi"dir ve görünüşleri tanrılara benzemekle birlikte onların güç ve yeteneklerine, ölümsüzlüklerine sahip değildirler; yalnızca kendilerine verilecek işleri yapmaya yeteneklidirler. LULU'yu yaratan tanrılar, ondan kesin itaat ve bağlılık isterler; bunun yolu da sürekli çalışmaktan geçmektedir. "Çalışmak en büyük ibadettir" deyişini fazlasıyla çağrıştıran bu mit, ilk yapılan "cinsiyetsiz insan"a, daha sonra "çoğalması ve mutlu olması" için bir eş yaratılmasıyla devam eder. Erkek LULU'nun "yaşam özü" kullanılarak dişi yaratılır ve ona eş olarak verilir.

Burada ilginç olan, sözcüklerin çifte anlamlarıyla ilişkili bir ironidir aslında: Sümerce'de Tİ sözcüğü hem "yaşam özü" anlamına gelir, hem de "kaburga kemiği" anlamına.[25] Genesis'teki "Adem'in kaburga kemiğinden Havva'nın yaratılması" temasında, sözcüğün diğer anlamını kullanırsak, ifade "Adem'in yaşam özünden Havva'nın yaratılması"na dönüşecek ve Sümer orijinli mitle daha uyumlu hale gelecektir. Peki ne demektir bu "yaşam özü"? Bu konuda fazla ipucu yok. Ama Sümer silindir mühürlerinde yaratılış sahnesini gösteren bazı temsili resimlerde, NİN.MAH ve EN.Kİ'nin LULU'yu (ve onun eşini) yaratırken, bugün kullanılan tıp amblemine çok benzeyen, birbirine sarıl-

---

[25]Bu konuda bkz. Samuel Noah Kramer, "Tarih Sümer'de Başlar" ve "Sümerlerin Kurnaz Tanrısı Enki"

mış iki yılan simgesine baktıklarını görürüz. (Bu şekil, garip bir biçimde DNA'nın ikili sarmalını da çağrıştırmaktadır.)

Sonuçta, Sümer kaynaklı Mezopotamya efsanelerinde, "işçi" olması için yaratılan insana bir süre sonra tanrılar mutlu olması için bir eş verirler: Yani seks, tanrıların bir armağanıdır. Ne var ki, "eşli yaşam" sonrasında çoğalmaya başlayan insanların gürültüleri (olasılıkla cinsel ilişki sırasında çıkardıkları sesler kast edilmektedir) tanrı EN.LİL'i kızdırır. Üstelik belli ki "Yerin Efendisi", işçi olarak yaratılan bu canlıların ortalıkta fazla dolaşmasından, "Tanrılara ait bilgilere ulaşmasından" tedirginlik duymaktadır.

Söz konusu mitin farklı versiyonları ya da izleri, EN.LİL başkanlığındaki Tanrılar Konseyi'nin insandan hoşnutsuzluğunu ve onun soyunu bir tufanla yok etmeyi istemelerini anlatır. Dünyayı büyük bir doğal afet mahvedecektir ve bu bahaneyle Tanrılar da sevmedikleri bir soydan, insandan kurtulacaklardır. Bu amaçla, Tufan ile ilgili bilgilerin insanlardan saklanması, onların ufuktaki faciadan haberdar edilmemeleri kararlaştırılır. Ancak tanrı EN.Kİ kendi yarattığı insanın yok olmasına razı olmayacak ve bir "hile" ile hem Konsey'de diğer tanrılara verdiği "sır saklama" sözünü tutacak, hem de insan neslinin hiç değilse bir kısmını kurtaracaktır.

Hikâyenin Sümer, Babil ve Asur versiyonlarında, farklı ayrıntılar verilir ama tema bütünüyle aynıdır. Tufanla ilgili "tüyo"nun verileceği isim Sümer versiyonunda "Ziusudra", Babil versiyonunda "Utnapiştim" olurken, daha geç metinlerin bazılarında "Atra-Hasis" olarak geçer. EN.Kİ, diğer tanrılara ve kardeşi EN.LİL'e insanlara tufanla ilgili haber vermeyeceğine dair yemin etmiştir. Ama yeminini bozmadan da çok sevdiği Ziusudra'ya iletmek istediği mesajı vermesini bilir: EN.Kİ, söylediklerini bir "paravan"a anlatmaktadır aslında; paravanın arkasında duran ve can kulağıyla dinleyen Ziusudra da neler yapması gerektiğini öğrenir: Bir gemi inşa edecek ve ona ailesini, sevdiklerini, her cins hayvandan bir çifti bindirecek, yanına da bütün bitkilerin tohumlarından alacaktır. Geminin boyutları, biçimiyle ilgili bütün teknik ayrıntılar, titizlikle sunulur. Bu bilgiler sayesinde Tufan başladığında Ziusudra ve yakınları afetten kurtulacak, sular çekildiğinde de yanlarındaki hayvanlar ve bitki tohumlarıyla normal yaşama yeniden başlayacaklardır.

İ.S. 4. yüzyılda yaşayan Kayseriye (Caeserea) piskoposu Eusebius ve 9. yüzyıl Ermeni tarihçisi Syncellus'un aktardıklarına göre, Babilli tarihçi Berossus, tufanla ilgili bir ilginç ayrıntıdan daha söz eder. Buna göre kral Xisouthros (Ziusudra) rüyasında Kronos tarafından tufandan haberdar edilmiştir ve ona verilen talimat yalnızca geminin yapımı ve içine yerleştirilecek hayvanlar ya da bitki tohumlarıyla sınırlı değildir. Bu büyük felaket sırasında insanın sahip olduğu bütün bilgi birikimi de yok olacağı için, bunları içeren bütün kil tabletlerin de sonradan çıkarılmak üzere Sippar kentinde toprağa gömülmesini ister Kronos. Bu tabletler, sağ kalanlar uygarlığı yeniden kurmaya çalışırken onlar için hazine değeri taşıyacaktır. Gemi karaya oturduktan sonra Ziusudra ve ailesi, "tanrıların yanına" gider ve ölümsüz olurlar. Gemideki diğer insanlar, yani yapım işçileriyse, sular bütünüyle çekildikten sonra Sippar'a gidip gömülü tabletleri çıkaracak ve uygarlığın "kayıpsız" olarak yeniden kurulmasını sağlayacaklardır.[26]

Antik Sümer mitinde, her şey olup bittikten sonra EN.LİL ilkin kardeşi EN.Kİ'ye çok kızar; insanoğluna tufanı haber vermiş ve yok olmalarının önüne geçmiştir çünkü. Ancak öfkesi geçince insan soyunun yok olmadığına sevinir, Ziusudra'nın ona sunduğu takdimenin kokusundan etkilenir ve bir daha insan soyunu yok etmek istemeyeceğine söz verir.

Ayrıntıları aynı temayı biçimlendirmek üzere birkaç farklı "mit" içinde bulunan bu yaratılış ve Tufan hikayesi, şaşırtıcı biçimde Genesis'te anlatılanlarla büyük benzerlikler içeriyor. Sürgün sırasında tanıştıkları Mezopotamya mitlerini Eski Ahit'in başlangıcını oluşturmakta kullanan İbrani bilgeler, doğal olarak bu "adaptasyon" sırasında antik metinler üzerinde bir "editörlük" işlemi gerçekleştirmiş ve çoktanrılı sistem içinde sunulan

[26]Gerald P. Verbrugghe - John M. Wickersham, a.g.e., s. 48-51

hikâyeyi kendi tektanrılı dini felsefelerine uyumlu hale getirmişler.

"Ve Tanrı 'Suretimizde, benzeyişimize göre insan yapalım; ve denizin balıklarına, ve göklerin kuşlarına, ve sığırlara, ve bütün yeryüzüne, ve yerde sürünen her şeye hakim olsun' dedi. Ve Tanrı insanı kendi suretinde yarattı." (Tekvin 1:26-27)

Burada, Tanrı'nın insanı yaratmasıyla ilgili yöntem ve niyette, Mezopotamya orijinli metinlerle hem çok yakın benzerlik, hem de önemli fark ve çelişkiler var. Yöntemsel anlamda, Tanrı insanı "kendi suretinde" yaratıyor; aynı Mezopotamya mitlerinde olduğu gibi. Ne var ki, antik düşüncede bu anlamlı olabilirken, Genesis'te bir muammaya dönüşüyor: Sümer tanrıları "antropomorfik", yani "insan görünüşünde" ama ölümsüz ve üstün güçlere sahip varlıklardı. Bu nedenle, "onların suretinde" yaratılan insanın da aynı görüntüye sahip olması doğaldır. Ne var ki İbrani dininin tek tanrısı Yahve, görünmeyen, her an her yerde olan, fiziksel varlığı ve biçimi algılanamayan, "semavi" bir tanrıdır. Bu durumda "insanı kendi suretinde yaratması" çok da anlaşılır olmamaktadır. İnsan görünüş olarak Tanrısına, yani Yahve'ye mi benzemektedir?

Tektanrılı dinlerin "omnipotent" (sınırsız güce sahip) ve fiziksel varlığa hapsedilemeyecek denli yüce olan yaratıcı Tanrı kavramları, bu soruya elbette olumsuz yanıt verilmesini gerektirmektedir. Bu durumda ortaya iki seçenek çıkar: Ya İbraniler Genesis'i yazarken Mezopotamya metinlerindeki olay ve kavramları olduğu gibi ithal etmiş ve "düzenleme" yapmayı, alternatif açıklama ve ifade biçimlerine başvurmayı ihmal etmişlerdir; ya da Genesis yazılırken dahi, yani yaklaşık İ.Ö. altıncı yüzyıl dolaylarında, Yahve'nin "fiziksel görünüşe sahip olmadığı" ve antropomorfik özellikler taşımadığı fikri henüz yeterince olgunlaşıp yerli yerine oturmamıştır. EN.Kİ ve NİN.MAH'ın insanın yaratılışıyla ilgili projeyi diğer tanrılara "onu kendi benzeyişimizde yapalım" ifadesiyle sunmalarında çok doğal olan birinci çoğul şahıs ifadesinin ("Biz") değişmeden kalması da bu konudaki kararsızlığa işaret etmektedir.

Diğer yandan, "niyet" itibarıyla Tanrı'nın insanı yaratması,

Mezopotamya mitlerine benzemez: Orada bu yaratılışın gerekliliği ve işlevi, "tanrıların günlük işlerini yerine getirmek, onlara hizmet etmek" olarak sunulmuştur. İbrani düşüncesindeyse Yahve'nin insanı yaratışıyla ilgili "pragmatik" bir gerekçe yoktur ve bu onun yüceliğinin, cömertliğinin göstergesidir yalnızca.

Yasak meyve, yasak bilgi

"Ve RAB Tanrı Adem'den aldığı kaburga kemiğinden bir kadın yaptı ve onu Adem'e getirdi. Ve Adem dedi: Şimdi bu benim kemiklerimden kemik ve etimden ettir; buna Nisa denilecek çünkü o İnsandan alındı." (Tekvin 2:22-23)

Net biçimde görüldüğü üzere, Sümer metinlerindeki Tİ sözcüğünün çift anlamıyla ilgili yorum farklılığı burada "yaşam özü" değil, "kaburga kemiği" teması olarak karşımıza çıkar. Nisa (yani Havva) Adem'in yalnızlığından kurtulup mutlu olması için onun kaburga kemiğinden alınan bir parçayla yaratılmış ve ona "yardımcı" olarak verilmiştir. Burada sosyokültürel değişkenlere bağlı bir farklılığa daha rastlarız: Mezopotamya topluluklarının geçmişinde yoğun bir "Ana Tanrıça" kültü vardır ve bu nedenle anaerkil döneme ilişkin düşünce değerleri kolay yok olmaz; dolayısıyla LULU için yapılan dişi onun "yardımcı"sı değil, "eşi" olur. Ancak göçebelik kökenine yaslanan belirgin erkek-egemen değerlere sahip Yahudi toplumunda kadın, ancak "erkeğin yardımcısı" olabilir. Burada, bütün farklılıklara rağmen hikâyenin aşağı yukarı aynı seyri izlediği kesindir. Üstelik Havva'nın yaratılışının cinselliğe ve "çoğalma"ya kapı açacak bir "ilahi armağan" olduğu görülmektedir. Ne var ki, "Aden" bahçesinde Tanrı'nın himayesinde yaşayan Adem ve Havva, ilginç bir simgesel unsur olan "Yılan"ın baştan çıkarmasıyla kendilerine yasak olan "İyiyi ve Kötüyü Bilme Ağacı"nın meyvelerinden yiyecek ve "ilk günah"ı işleyeceklerdir. Bunun sonucu, Mezopotamya mitlerinde olduğu gibi, "kovulmaktır":

"Ve Tanrı dedi: İşte Adem *iyiyi ve kötüyü bilmekle bizden biri gibi oldu;* ve şimdi elini uzatmasın ve hayat ağacından almasın ve yemesin ve *ebediyen yaşamasın* diye onu Aden bahçesinden, kendisinin içinden alındığı toprağı işlemek için çıkardı. Ve Adem'i kovdu; ve hayat ağacının yolunu korumak için Aden bahçesinin doğusuna Kerubileri [muhafız melekler] ve *her tarafa dönen kılıcın alevini* koydu." (Tekvin 3:22-24, italikler ve köşeli parantez benim.)

İnsanlığın ortak kültürüne derinlemesine nüfuz etmiş bu tema, çok genel olarak iki mesajı içerecek biçimde algılanır: Cinselliğin yaşanması ve yasak bilgiye el uzatılması, cezalandırılmayı gerektirmiştir. Aslına bakılırsa, Genesis'in yüce Tanrısının cinselliğe ve çoğalmaya bir yasak getirmediğine ilişkin belirgin ifadeler, kovulma olayının çok öncesinde, insanın ilk yaratılışı sırasında ortaya çıkmıştır:

"Ve Tanrı onları mübarek kıldı ve onlara 'Semereli olun, çoğalın ve yeryüzünü doldurun, ve onu tâbi kılın; ve denizin balıklarına ve göklerin kuşlarına ve yer üzerinde hareket eden her şeye egemen olun' dedi." (Tekvin 1:28)

Bu ifade, cinselliğin "yasak meyve" ile ilişkilendirilmesini ciddi biçimde kuşkulu kılar; "semereli olup çoğalma"nın Tanrı emri olduğu düşünülürse, cinselliğin yasaklanması için hiçbir mantıklı gerekçe yoktur. Dahası, iki farklı cinsiyetin yaratılmasında "cinsellik ve çoğalma"yı dışlayacak bir amaç da düşünülemez. Bu durumda, Aden'de Yılan'ın tahrikiyle işlenen suçun cinsellik değil, "Bilgi Ağacı"nın meyvesini yemek olduğu aşağı yukarı kesindir. Genesis'teki ifade, Tanrı'nın yine birinci çoğul şahıs kullanmasının şaşırtıcılığı bir yana, "iyiyi ve kötüyü bilmekle bizlerden biri gibi oldu" vurgusuyla, yasak meyveyi yemenin insanı "tanrılaştıracak" denli güçlü bir bilgiyi elde etmekle özdeş olduğunu sezdirmektedir aslında. Belki bundan daha da çarpıcısı, yasak olan diğer ağacın, "Hayat Ağacı"nın meyvesini yemenin, "ebediyen yaşamak" anlamına gelmesidir. Bu durumda "yasak meyve"nin ikili bir anlama sahip olduğu düşünülebilir: Hem evrenle ilgili sırlara ve bilgilere erişmek, hem de (Yunan mitolojisindeki tanrıların yiyeceği "ambrosia" gibi) bu meyveyi yiyerek "ölümsüzlüğe" erişmek. Her iki durumun da insanı farklı bir konuma taşıyarak "Tanrı gibi," yapacağı kesindir.

Genesis'te Yahve "bizlerden biri gibi" derken hangi çoğul topluluğu kastetmiş olabilir? Bunun açıklaması, (kovulma mitinin orijinali henüz bulunmuş olmasa bile) Mezopotamya mitolojisinin merkezinde saklıdır: İnsanı kendisine "işçi" olarak yaratan "çoğul tanrılar". Hikâyenin çok da titiz bir editörlük işleminden geçmeden Genesis'e uyarlandığı belirgindir. Ama daha da önemlisi, Tanrı ya da tanrıların, insanın "tanrılaşmasını", net ifadeyle "onlardan biri gibi olmasını" kesinlikle istemediğine ilişkin açık mesajdır. Bu amaçla Adem ve Havva Aden'den uzaklaştırılmış; yasağa rağmen yeniden içeri girmeyi denemeleri ihtimaline karşı tedbir olarak Aden'in doğusuna "ilahi muhafızlar" ve çok daha etkili bir bekçi, "her tarafa dönen kılıcın alevi" yerleştirilmiştir. Bu son iki ifade, açıkçası, insan düşgücünü yoğun biçimde harekete geçirmekte ve bilimkurgu filmlerinin sahnelerini çağrıştırmaktadır.

Bu noktada, belki daha fazla "açılmadan", Eski Ahit'te Tanrı'yı belirten sözcüğün "çoğul" niteliğinden biraz daha ayrıntılı söz etmekte yarar var. Metinlerde Tanrı, kendisinden söz ederken (özellikle de en kritik anlarda) birinci çoğul şahıs kullanmaktadır. Aynı üslubun bir uzantısı olarak Tanrı'yı anlatan çoğu ifadede de üçüncü çoğul şahıs kullanılır. Sözgelimi, Tekvin'in ilk ayeti olan "Başlangıçta Tanrı gökleri ve yeri yarattı"nın orijinali şöyledir: "Başlangıçta *Elohim* gökleri ve yeri yarattı." Burada "Elohim" sözcüğü, İbranice'de "ilah, tanrı" anlamına gelen "Eloha"nın çoğuludur ve tektanrılı bir dinin kutsal kitabının ilk bölümünde ve ilk satırında kullanılması çok da anlaşılır gibi değildir. Söz konusu ifade son derece net olarak "Başlangıçta *tanrılar* gökleri ve yeri yarattı," haline dönüşmektedir çünkü. Eski Ahit içinde, ağırlıklı olarak da Genesis'te, Elohim adı Tanrı'dan söz etmek üzere çok sık kullanılır ki bu Gerald Messadie'nin de vurguladığı gibi, "dilbilimsel bir saçmalık"[27] izlenimi yaratmaktadır ilk başta.

---

[27] Gerald Messadie, "Şeytanın Genel Tarihi"

Bir başka ilginç niteleme, belli ayetlerde (sanki bir farklılığı vurgulamak istercesine) "RAB Tanrı" biçiminde karşımıza çıkar. "Rab" sözcüğü, "efendi, sahip" anlamlarına gelmektedir ve Sümer dilinde "EN" ile ifade edilirken, İngilizce'deki doğrudan karşılığı da "Lord"dur. Feodalite döneminde toprak sahiplerinin Tanrı adıyla yürüttükleri egemenliği vurgulamak üzere unvan olarak aldıkları "Lord" sıfatı, tek bir Tanrı'nın "Efendi Tanrı" olarak nitelenmesinde de ilkin kulağa çok garip gelmez. Zaten bir tek Tanrı vardır ve elbette o da evrenin ve dünyanın (ve tabii insanların) efendisidir. Ne var ki aynı unvanı çok Tanrılı bir panteonda kullandığınızda, "konum belirtici" bir "rütbe"yle karşılaşırsınız. Mezopotamya'da Lord ya da Efendi sıfatları, panteonun en üstündeki Tanrıların ayrıcalığını belirginleştirmek için kullanılır. Sümer'de AN, "Göklerin Efendisi" olduğu kadar, bütün Tanrıların da efendisidir. "Lord" nitelemesi ancak onun olmadığı durumlarda bu yetkiyi devralan (ve panteonun en üstüne yerleşen) EN.LİL ve EN.Kİ için kullanılır (Babil'in yükselişi döneminde bu payeyi Marduk almıştır.) Dolayısıyla, İbrani düşünce ve dil sistemine RAB sözcüğünün girmesinin, Mezopotamya panteonunun etkisiyle gerçekleştiğini söyleyebiliriz. Bu durumda tektanrılı dindeki "Efendi" nitelemesi başka bir anlama doğru yönlenir: "Elohim gökleri ve yeri yaratır" ancak insanı bu çoğul topluluğun efendisi "RAB Tanrı" yaratacaktır. Görüldüğü gibi, ithal edilen yalnızca mitler değil, aynı zamanda çoktanrılı sistemin hiyerarşisi ve panteon anlayışıdır da.

Ancak İbrani inanç sisteminin bütünüyle Mezopotamya (ve kısmen Mısır) kaynaklı temalar ödünç alınarak oluşturulduğunu ileri sürmek de, çok doğru sayılmaz; en azından biraz eksik bir yaklaşımın altını çizer böyle bir varsayım. Kuzey Suriye'den Sina'ya dek uzanan alan içinde dağınık ve parçalı bir görüntü sergileyen Batı Semitik kabile ve topluluklar, aslında hem dilbilimsel hem de tanrıbilimsel anlamda "Elohim" kavramının çekirdeğini içeren bir tapınımı binlerce yıldır sürdürüyorlardı. Başlangıcı net olarak belirlenemeyen ve bugün genel olarak "Kenan/Ugarit mitolojisi" içinde değerlendirilen bu tapınımın, Sümer kent devletlerinin ortaya çıkmasının öncesinde bile var olduğu, en yeni arkeolojik bulgularla yavaş yavaş gün ışığına çıkmaya başladı. Kuzey Suriye'de, Türkiye'nin güneydoğu sınırına oldukça yakın bir noktada bulunan Tel Hamoukar adlı kazı alanında çalışan arkeologların 2000 yılının Mayıs ayında ajanslara duyurdukları haberler, neredeyse Yakındoğu tarihini değiştirecek nitelikte:

"Kuzeydoğu Suriye'de ortaya çıkarılan yerleşim, bugünün Hamoukar köyünün yakınlarında ve çevresinde kurulmuş. Araştırmacıların Tel Hamoukar adını verdikleri antik kent ilk kez İ.Ö. 4000 ile 3700 yılları arasında inşa edilmiş ve yaklaşık 500 dönümlük bir alana yayılıyor."[28]

Chicago Üniversitesi'nin Doğu Enstitüsü'nden McGuire Gibson'a göre bu bulgu "uygarlığın başlangıcıyla ilgili düşüncelerimizi daha eski tarihlere doğru geri çekmeye" zorluyor bilim adamlarını. Hamoukar'da yazının izlerine rastlanmasa da, gelişmiş bir kent yaşamı, zanaat ve en önemlisi, köklü bir inanç sisteminin izleri var.

El, Yahve ve Cennet

Son derece güçlü ve baskın bir temel "tanrı hiyerarşisi"ni içinde barındıran bu Batı Semitik inanç sistemi, beş bin yıl kadar önce bölgenin Mezopotamya merkezli egemen devletlerinin güç kazanmasıyla birlikte silinmeye yüz tutmuş görünse de, hiç değilse "çekirdek" olarak varlığını sürdürdü bölge halklarının yaşamında. Merkezinde de, sonraki bölümlerde de karşımıza çıkacak olan baştanrı "El" yer alıyordu. Bu sözcük bölge halkları üzerinde binlerce yıl boyunca o denli etkili ve egemen olmuştu ki, yerel dillerin hemen tümünde Tanrı kavramı El ile özdeşleşti. Bugün bile sözcük Ortadoğu dillerinde Tanrı'nın bilinen adlarının kökeninde yer alıyor ve en önemlisi, "Elohim"i yaratan tekil "Eloha" sözcüğünün kökü de yine Kenan/Ugarit mitolojisine bağladığımız güçlü tanrı El.

---

[28]"Suriye'de Kayıp Kent Bulundu" - 22 Mayıs 2000 tarihli Reuters haberi.

İbraniler, gezgin bir kavim olarak şunu çok iyi biliyorlardı: Bir "toplum" olabilmenin, bir krallığa sahip olabilmenin yolu, Eski Dünya'da kendi tanrısına sahip olmaktan geçmekteydi. Bu nedenle Mısır'dan çıkış günlerinden başlayarak, diğer toplumlardan farklı ve tabii ki onların hepsinden daha üstün bir tanrı seçtiler kendilerine. Bu, sözünü ettiğimiz insanlar çok dar bir sosyal grup oluşturdukları için, seçtikleri Tanrı "evrensel tanrı" değil, birçok yönüyle bir "kabile tanrısı"ydı ve onunla ilgili kavram ve mitler son derece doğal olarak pagan değerlere paralel bir anlayışla ve bu değerlerin terminolojisiyle biçimlendirildi. Aslında seçilen tanrı ve ona yapılan tapınım genel anlamda "tektanrılı" bir dine yönelen bilinçli bir kararın değil, farklı bir inanç kültünün çerçevesini çizer. Yahve, İbranilerin koruyucu Tanrı'sıdır ve dünya üzerindeki onca halk arasından yalnızca onları "kendi kavmi" olarak seçmiştir. Hıristiyanlıktaki bütün insanlığı gözeten ve yeryüzündeki halklara eşit uzaklıkta duran Tanrı kavramının İbrani kültüründe yeri yoktur. Nasıl Mısırlıların Ra ve Horusları; Kenanlıların El ve Baal'i; Sümerlerin EN.LİL'i varsa, İbranilerin de onları seven, koruyan ve gözeten Yahve'leri vardır ve o diğer tanrıların hepsinden üstündür. Dikkat edilecek olursa, Eski Ahit'in hiçbir yerinde çok net olarak "başka Tanrı yoktur" fikri sergilenmez; "başka Tanrılara ibadet etmenin günahı" vurgulanır yalnızca. Böyle bir inanç ve düşünce sistemini biçimlendirirken yakın ilişkide bulundukları ve aralarında dolaştıkları çoktanrılı toplumlardan doğal olarak etkilenen İbraniler, uzunca bir süre ödünç aldıkları kültürün panteon terminolojisi ve mantığını da farkında olmadan "yan etki" olarak ithal edeceklerdir. Bu durumda ortaya bolca karışıklık çıkacaktır elbette: Yeri ve göğü Elohim yaratacak, ama insanı yaratan ve Aden'den kovan RAB Tanrı olacaktır.

Tanrı'nın emriyle Kerubiler ve "alevli kılıç" tarafından titizlikle korunan Aden, düşleri süsleyen doğal güzellikleri ve cazibesiyle gerçek bir "Cennet"tir. Her çeşit bitki ve ağacın (bu arada Hayat Ağacı'nın da) yeşerdiği bu görkemli bahçe, dört ırmak tarafından sulanmaktadır:

"Ve Tanrı doğuda, Aden'de bir bahçe yaptı; ve yarattığı

Adem'i oraya koydu. Ve RAB Tanrı, görünüşü güzel ve yenilmesi iyi olan her ağacı, ve bahçenin ortasında hayat ağacını, ve iyilik ve kötülüğü bilme ağacını yerden bitirdi. Ve bahçeyi sulamak için Aden'den bir ırmak çıktı; ve oradan bölündü ve dört kol oldu. Birinin adı Pişon'dur; kendisinde altın olan bütün Havila diyarını kuşatır; ve bu diyarın altını iyidir; orada ak günnük ve akik taşı vardır; Ve ikinci ırmağın adı Gihon'dur; bütün Kuş ilini kuşatan odur. Ve üçüncü ırmağın adı Dicle'dir; Aşur'un önünden akan odur. Ve dördüncü ırmak Fırat'tır." (Tekvin 2:8-14)

Sözü edilen ırmaklardan Fırat ve Dicle'yi biliyoruz. Diğer iki ırmağın, Pişon ve Gihon'un adları yabancı olsa da, ilk aşamada en azından, Aden'deki "cennet bahçesi"nin göksel bir soyutlama ya da hayali bir ülke olmayıp, net biçimde dünya üzerindeki bir coğrafi bölgede yer aldığı, bu ifadeye göre kesindir. Mantıksal çözümü zorlayan tek engel, Pişon ve Gihon ile ilgili ipuçlarını izleyerek varılacak tahminlerdir bu durumda: "Kuş ili" olarak anılan bölgenin, İbrani kültüründe Mısır'ın güneyi için kullanıldığını biliyoruz. Genel olarak Sudan ve Etiyopya'yı çağrıştıran bu ad, çevresini "kuşatan" bir nehirle birlikte anıldığında, doğrudan doğruya Nil'i akla getiriyor. O halde Gihon, Nil'dir. Altın, ak günnük ve akik taşından söz edilmesiyse dikkatimizi bir başka bölgeye, Batı Hindistan'a çevirmemize neden oluyor. Söz konusu madenlerin ilişkilendirilebileceği tek alan, İndüs havzası. Demek ki, son derece temkinli olmakla birlikte, Pişon'un da İndüs olabileceği sonucuna varıyoruz. Coğrafi ve mantıksal engel de burada başlıyor. Fırat ve Dicle aynı koldan çıkmış gibi düşünülebilir, çünkü Basra Körfezi'nin kuzeyinde birleşirler. Ama bu ikiliye yalnızca fazlasıyla batıda yer almakla kalmayıp, farklı kıtanın toprakları üzerinde olan Nil'i ve iyice doğuya düşen İndüs'ü monte etmek çok zordur. Bu durumda, en azından şu söylenebilir: Aden bahçesi doğal güzelliklerle olduğu kadar, yeryüzünde yüksek uygarlığın başlangıç noktaları olduğu bilinen dört nehirle de ilişkilendirilmektedir bu metinde. Aden'e yerleştirilen insanın, buradan çıktıktan sonra dört kola dağılması ve dört nehir kıyısındaki büyük uygarlıkları yaratmaya aday olması kastedilmiş olabilir.

Sümer mitolojisinde cennet motifine karşılık gelen ülke de düşsel bir mekân olmaktan çok, yeryüzü üzerindeki özel bir bölge olarak tarif edilir. Bu ülkenin adı, DİL.MUN'dur. Bütün canlıların huzur ve uyum içinde mutlu yaşadıkları DİL.MUN'un oluşması sırasında, başrolü EN.Kİ'nin üstlendiğini görürüz. Her cins bitki, ağaç ve hayvanın olduğu bu cennet bahçesinin tatlı suya ihtiyacı vardır ve EN.Kİ bunu sağlamak için güneş tanrısı UTU'yu (Sami dilinde "Şamaş") görevlendirir:

"Gökyüzünde dikilen UTU...
toprağın suyunu akıtan ağızdan
topraktan ona tatlı su getirdi
Geniş sarnıçlarına su doldurdu."[29]

Sümerlerin efsane cennetiyle ilgili çok sayıda birbirinden farklı görüş vardır. Ama genel eğilimin DİL.MUN'u İran'ın batısına, olasılıkla Aratta (izi bulunamayan[30] bir başka antik şehir) yakınlarına yerleştirdiğini söyleyebiliriz. Coğrafi konumla ilgili arkeolojik buluntular bir yana, Genesis ile Sümer mitleri arasında çok fazla tematik benzerlik olduğu kesindir. Her iki versiyonda da, cennetin, huzurlu ve canlıların uyum içinde yaşadığı bir doğa harikası olduğu belirtilir. Genesis'te de, Sümer mitinde de kullanılan ifade ve verilen mekân adları, cennetin "düşsel" bir gökyüzü ülkesi olmayıp, dünya üzerindeki belirli bir belde olduğunu vurgularlar. Yine her iki versiyonda da, cennet bahçesinin bu yapıya kavuşabilmesi için gerekli olan tatlı su ırmakları, ilahi müdahaleyle oluşturulmuştur.

"Dilmun'da kuzgun sesini çıkarmaz,
İttudu kuşu, ittudu kuşu sesi çıkarmaz,
Aslan öldürmez,
Kurt kuzuyu kapmaz,
Oğlakları yutan yabani köpek bilinmez (...)

---

[29] Samuel Noah Kramer, "Sümerlerin Kurnaz Tanrısı Enki", s. 53
[30] Aratta'nın olası yerini sözcüğü "Urartu" ve "Ararat" (Ağrı Dağı) adlarıyla bağdaştırarak Doğu Anadolu olarak belirleyen, ilginç ve kayda değer bir tez için bkz. Artak Movsisyan, "Aratta: Kutsal Yasalar Ülkesi", Belge Yayınları

Güvercin başını eğmez,
Gözü ağrıyan 'Gözüm ağrıyor' demez,
Başı ağrıyan 'Başım ağrıyor' demez"[31]

DİL.MUN'la ilgili hiçbir arkeolojik bulgu elde edilememiş olmasına hayıflanmamak elde değil. Çünkü antik metinlerde söylenilenler, bu efsanevi beldenin, insanın dünya üzerindeki varoluşuyla ilgili çok kritik bilgi ve sırları da içinde sakladığını hissettiriyor. "Her yana dönen alevli kılıç" ve Kerubiler ile bu denli sıkı korunan; insanın "tanrılaşmasını" sağlayacağı için ona yasak edilen gizemli ağacın içinde bulunduğu; büyüleyici doğal güzelliğe sahip bu tanrısal mekâna ilişkin İbrani kayıtlarını içeren Genesis'in, esin kaynağı olarak kullanılan Sümer metinleriyle uyumu da oldukça dikkat çekici. Ne var ki Aden bahçesine ilişkin farklı dönemlere ait bilgiler Eski Ahit'te bir daha karşımıza çıkmazken, Mezopotamya metinlerinde, sözgelimi ünlü Gılgamış destanında, Tufan'dan kurtulan Utnapiştim'e (Sümer'in Ziusudra'sı) EN.LİL ve diğer tanrıların "ebedi yaşam" bahşettiğini ve ona "tanrılar gibi" DİL.MUN'da yaşama izni verdiğini görüyoruz. Bu, bir insana çok ender verilen bir ayrıcalıktır.

İbrani yaratılış hikâyesiyle başlayan Genesis kitabı, cennetten kovulmayı izleyen dönemde, insanın yeryüzünde çoğalmasını aşama aşama anlatarak sürüyor. Adem'den itibaren dünya üzerinde doğan ilk nesil, Habil ile Kain (Kabil) kardeşler. Toplumsal işbölümünün ilk örneği olarak, Kain çiftçi, Habil'se çoban oluyor. Genesis'in izleyen satırlarında, dünyanın bu ilk sakinleri arasında, Tanrı'ya yapılan sunu ve adaklarla ilgili bir tartışma ve kıskançlık yaşandığı anlatılmakta. Şiddeti o denli yükselen bir kıskançlık ki bu, sonuçta Tanrı'nın kendisinin değil kardeşinin sunusuna rağbet etmesini içine sindiremeyen Kain, Habil'i öldürüyor ve böylece kutsal metnin ilk cinayetinin de kahramanı oluyor.

Birçok yönüyle bu kutuplaşmayı çağrıştıran bir Sümer efsanesi, çiftçi EN.KİM.DU ile çoban DU.MU.Zİ (Tammuz) çe-

---

[31]Samuel Noah Kramer, "Tarih Sümer'de Başlar", s. 182

kişmesinden söz etmekte. Burada anlaşmazlığın konusu, her iki tanrının da, tanrıça İ.NANNA (Babil'de İştar) ile evlenmek istemesi. İlkin çiftçiyi yeğleyen tanrıça sonra diğer tanrıların baskısıyla DU.MU.Zİ'yi seçiyor, ama iki rakip arasında bu süreç içinde ciddi bir gerilim ortaya çıkıyor. Hikâyenin bu Sümer versiyonunda cinayet ve kardeş katli yok; tersine, aradaki sürtüşmelerin EN.KİM.DU'nun olgun davranışıyla çözülüp tatlıya bağlandığını okuyoruz.

Habil ile Kain arasındaki kavgaysa, Genesis'te, insan soyunun devamıyla ilgili ciddi bir sorun yaratıyor. Adem'in ilk doğan oğullarından birinin ölmesi, diğerininse katil olması, her ikisinin de soyağacından çıkarılması için yeterli neden. "İlk doğan oğul" çok önemli olduğu ve İbrani tarihinde soylar bu esasa göre hesaplandığı halde, Adem'in oğullarının bu ilkenin ilk istisnasını oluşturduklarını söyleyebiliriz. Diğer yandan, metnin devamında yine merak uyandırıcı gelişmeler çıkıyor karşımıza: Tanrı, kardeşini öldüren Kain'i "toprağın yüzü"nden sürüyor, kovuyor. Bu cezayı hak ettiğini bilmekle birlikte, şartların ağır olduğunu düşünen Kain'inse itirazları var:

"Ve Kain RABBE dedi: Cezam taşınamayacak derecede büyüktür. İşte bugün, toprağın yüzü üzerinden beni kovdun; ve senin yüzünden gizli kalacağım; ve yeryüzünde kaçak ve serseri olacağım; ve vaki olacak ki her kim beni bulursa öldürecektir. Ve RAB ona dedi: Bunun için Kain'i her kim öldürürse, ondan yedi kere öç alınacaktır. Ve RAB, her kim onu bulursa kendisini vurmasın diye, Kain'in üzerine bir işaret koydu." (Tekvin 4:13-15)

Anlatılanların, Mezopotamya kaynaklarında benzeri yok. Kain'in yakalanıp öldürülmekten korkması da ilgi çekici; dünya üzerinde başka insan olmadığına göre, babası Adem dışında kim onu öldürebilirdi? Diğer yandan, Tanrı'nın söylediklerinden de, Kain'in cezasının "kısasa kısas" anlayışı doğrultusunda idam değil, "müebbet" olduğunu öğreniyoruz. Kain yaşamının geri kalanını, suçunun vicdani ağırlığıyla, uzaklara kaçarak ve saklanarak geçirecektir. Bu cezanın uygulanmasının güvencesi de bizzat Tanrı'nın söylediği sözler ("her kim Kain'i öldürürse ondan yedi kez öç alınacak") ve Kain'in üzerine koyduğu "işaret"tir. Bu işaretin ne olabileceğine dair en fazla, dayanaksız birtakım varsayımlar üretebiliriz. Sürgüne gönderilen Kain'in hikayesi, "Aden'in doğusunda Nod diyarında" sürüyor. Onun "karısını bildiğini" ve çocuk sahibi olduğunu okuyoruz dördüncü bölümün sonlarında. Genesis'te, dünya üzerinde başka hiç insan yokken Kain'in evlenecek bir eşi nereden bulduğuna ilişkin fikir edinmemizi sağlayacak en küçük bir ipucu sunulmuyor. Bunun yerine, yeniden Adem'e dönüyor ve onun daha sonraki çocukları aracılığıyla insan soyunun devam etmesini okuyoruz. Her bir kuşak, "ilk doğan oğul" ilkesiyle soyağacında yerini alıyor; en ilginç noktaysa, insanlığın ilk atalarının olağanüstü uzun yaşam süreleri: Adem ile Nuh arasındaki ilk on kuşakta erkeklerin ortalama 900 yıl dolayında yaşadıkları yazılı. Aşağıdaki tabloda, cennetten kovuluşu izleyen ve Tufan'a dek uzanan dönemdeki ilk on "ata"nın yaşam uzunluklarının dökümü ve "ilk oğula" kaç yaşında sahip oldukları izlenebilir.

Genesis soyağacı	Yaşam süresi	İlk oğula sahip olma yaşı
Adem	930 yıl	130
Seth (Şît)	912 yıl	105
Enoş	905 yıl	90
Kenan	910 yıl	70
Mahalel	895 yıl	65
Yared	962 yıl	162
Hanok	365 yıl[32]	65
Metuşelah	969 yıl	187
Lamek	777 yıl	182
Nuh	950 yıl	500

Burada en çarpıcı nokta, bu döneme kadar dünyaya gelen "ilk oğul"ların oluşturduğu 10 kuşaklık soyağacında yer alanların, şaşırtıcı yaşam süreleridir. Yine de, Sümer kral listelerinde

---

[32]Hanok 365 yaşında ölmez; açıklanmayan, gizemli bir ifadeyle "Tanrı'nın yanına gittiği" anlatılır.

"Tufan'dan önceki krallar" başlığı altında sunulan yöneticilerin yaşam süreleriyle kıyaslandığında bu uzun ömürler bile oldukça mütevazı kalır. Söz konusu metinlerde "krallığın göklerden yere inmesi"ni izleyen bir devir anlatılmakta ve bu devrin başlangıcından itibaren hüküm süren kralların yönetim süreleri (yaşadıkları süre değil!) verilmektedir. Kral listesinin gizemli başlangıcı ve çarpıcı uzunluktaki hükümdar süreleri, Sümer'i yöneten liderlerin tanrı ve yarı-tanrı olduğunu düşündürecek boyutlardadır. Sözgelimi ilk kral olan A.LU.LİM 28.800 yıl; onu izleyen ikinci hükümdar AL.AL.JAR ise 36.000 yıl yöneticilik yapmışlardır. Liste, Tufan'a kadar 5 ayrı şehirde toplam 8 kralın 241.200 yıl hüküm sürdüklerini söylemektedir![33] Bu durumda, Genesis'in Tufan öncesi ilk 10 "ata"sının ortalama 900 yıl dolayındaki yaşam süreleri, aynı kavram ve anlayışın, ölçeği bir hayli küçültülmüş bir uygulaması olarak değerlendirilebilir. Sonuçta İbrani yazarlar da insanlığın ilk ataları için olağanüstü uzun ömürler biçmişler, ama yine de bunları Sümer metinlerine oranla daha "kabul edilebilir" kılmaya özen göstermişlerdir. Bununla birlikte dikkatlerden kaçmayacak bir paralellik daha yakalamak mümkündür: Sümer kral listelerinde, Tufan'a dek hüküm süren 8 kral vardır. Genesis'in listesinde yer alan 10 atadan Nuh, aslında Tufan sonrasına ait kabul edilmelidir, çünkü insanlık soyu Tufan'dan hemen sonra onunla devam eder. Eğer 365 yaşındayken ortadan yok olup "Tanrı ile yürüyen" Hanok'u da listeden çıkarırsak, Sümer kral listelerine karşılık düşen, İbranilerin 8 atası kalır geride.

İbrani ataların en gizemlisi: Enoch

Yukarıdaki listede genel kurala uymayan tek isim, yaşamının 365. yılında ortadan kaybolan Hanok'tur (Enoch). Yared'in 162 yaşındayken sahip olduğu ilk oğul olan Hanok'a, 65 yaşındayken listenin yaşam rekortmeni Metuşelah doğar. Bu doğu-

---

[33] Babilli tarihçi Berossos'a göre Tufan'dan önceki kralların toplam hükümranlık süresi 432.000 yıl, yani "120 Şar"dır.

mu izleyen yıldan itibaren Hanok'un yaşamı bütünüyle bir mu-
ammaya dönüşür:

"Ve Hanok altmış beş yaşında Metuşelah'ın babası oldu; ve
Metuşelah'ın babası olduktan sonra Hanok üç yüz yıl Tanrı ile
yürüdü, ve oğullar ve kızlar babası oldu; ve Hanok'un bütün
günleri üç yüz altmış beş yıl oldu; ve Hanok Tanrı ile yürüdü;
ve gözden kayboldu; çünkü onu Tanrı aldı." (Tekvin 5:21-24)

Metnin ayrıntı vermeyen gizemli anlatımı içinde "Tanrı ile
yürümek" fiilinin ne demek olduğunu anlayamıyoruz. Dahası,
Metuşelah'ın doğumundan sonra Tanrı ile yürünen 300 yıl ile,
Hanok'un "gözden kaybolması" sonrasındaki dönemin farkını
da kavrayamıyoruz: Hanok 65 yaşındayken Tanrı ile yürümeye
başlamıştı, 365 yılında onun bütünüyle ortadan yok olması so-
nucunu verecek (ölümden farklı) bir "yürüme süreci" ne olabi-
lir acaba?

Bu sorunun Genesis'te yanıtı yoktur. Ama, Kutsal Kitap'tan
dışlanmış olan bir başka eski İbrani metninde, söz konusu döne-
me ilişkin daha ayrıntılı bilgiye rastlarız. Bu, yüzyıllarca din
adamları ve meraklı araştırıcılar arasında çekişmeye neden olan
"gizli" (Apocryphal) kitaplardan biridir ve "Enoch'un Kitabı"
adıyla bilinir. 1947 yılında Kumran mağaralarında bir çoban ta-
rafından bulunan[34] ve İ.Ö. ikinci yüzyıla ait olduğu sanılan el
yazmaları arasında bu kitabın da bir kopyası ele geçmiş ve dini
çevrelerin muhalefetine rağmen metnin otantikliği bir anlamda
kanıtlanmıştı. Üstelik Kumran'daki kopya, on sekizinci yüzyılda
Etiyopya'da bulunup çoğaltılan ve elden ele dolaşan "Enoch'un
Kitabı" (I Enoch) ile bire bir aynıydı.

Hanok'tan daha ayrıntılı söz etmeden önce, Genesis'in Tu-
fan öncesini anlatan muamma pasajlarından birine daha göz at-
manın yararlı olacağını düşünüyoruz. Söz konusu bölümler,
dünya üzerindeki biraz "olağandışı" görüntüleri ve bunlara pa-
ralel olarak Tanrı'nın insan soyuyla ilgili duyduğu rahatsızlık ve
kızgınlığı dile getirmektedir:

---

[34]Toprak kaplarda rulolar halinde bulunan, ince derilerin üzerine yazılmış dini metinler.
"Ölü Deniz Yazmaları" adıyla bilinir.

"Ve vaki oldu ki, toprağın yüzü üzerinde insanlar çoğalma-
ya başladı, ve onların kızları olduğu zaman, Tanrı oğulları in-
san kızlarının güzel olduklarını gördüler, ve bütün seçtiklerin-
den kendilerine karılar aldılar." (Tekvin 6:1-2)

Böyle bir ifadeye, tektanrılı bir dinin yaratılışı anlatan kita-
bında rastlanması doğal olarak epey şaşırtıcıdır. Çünkü, metnin
ilk satırından itibaren hakkında hiçbir ipucu verilmeyen "Tan-
rı oğulları" gibi muamma bir kavramı çıkarmaktadır ortaya. Bu
noktada yine Yakındoğu mitolojilerinin ve inanç sistemlerinin
anlaşılması güç bileşimlerinden biriyle karşı karşıya olduğumu-
zu söyleyebiliriz: Sözcüğün İbranice orijinali, "Bene Elo-
him"dir; yani "Tanrıların Oğulları". Oxford İncil Sözlüğü'ne
göre bu kavram "Tanrı'nın göksel ordusunun ilahi üyeleri" için
kullanılır ve kökeni Ugarit mitolojisinde bütün göksel varlıkla-
rı "El'in Oğulları/Çocukları" olarak gören anlayışta saklıdır. Di-
ğer yandan aynı kaynak, bu nitelemenin bölgedeki uygarlıkların
dinlerinde tanrı katındaki bir hiyerarşiyi de vurguladığını ve
ikinci derece tanrılara gönderme yaptığını belirtiyor.[35] Yani Fe-
nike, Amonit, Kenan, Ugarit düşünce ve inançlarında çok sağ-
lam bir yere sahip olan "Tanrı Oğulları" kavramının Batı Semi-
tik toplumlardaki köklü izlerine, İbrani kültüründe de rastlan-
dığını söyleyebiliriz.

Ne var ki, metindeki tek sorun bu tanrısal varlıkların kim
oldukları da değildir; insanın kızlarını kendilerine eş seçmeleri
gibi, net bir biçimde çoktanrılı anlayışları çağrıştıran ilişkilerden
de söz edilmektedir. Genesis'in altıncı bölümünde rastlanan şa-
şırtıcı bilmeceler, bununla kalmayacaktır:

"Ve RAB dedi: Ruhum sonsuza dek insanla birlikte olma-
yacaktır, çünkü o da etten kemiktendir, ve onun günleri yüz
yirmi yıl olacaktır." (Tekvin 6:3)

Bu ayetin çevirisiyle ilgili ciddi sorunlar olduğunu ve fark-
lı versiyonlarda "Ruhum sonsuza dek insanla birlikte olmaya-
caktır" biçiminde verdiğimiz ifadenin "insanla çekişmeyecektir",
"insanla uğraşmayacaktır", "insan için çabalamayacaktır" ya da

---

[35]Oxford Companion to the Bible

"insanı korumayacaktır" olarak yorumlandığını belirtelim. Sonuçta, sözcüklerin arasındaki nüans ne denli fazla olsa da, ayetin içeriğinin Tanrı'nın insandan duyduğu hoşnutsuzluğu ortaya koyduğu açıktır. Dahası, "Tanrı oğullarının insan kızlarını eş almasının" onaylanmadığı da yine vurgulardan hissedilir. Böylesi bir "melez ilişki" sonuçta insanı değiştirmeyecek ve onun yaşam süresiyle ilgili radikal bir farklılık oluşturmayacaktır. Çünkü sonuçta insan etten-kemikten, ölümlü bir varlıktır ve Tanrı oğulları insan kızlarını eş olarak alsa ve onlardan çocuk sahibi olsalar da, bu durum insan neslinin yaşam süresini etkilemeyecek, "Tanrı'nın ruhu insanla birlikte olmayacaktır".

Bütün sisli görüntüler arasında bunun anlamı, söz konusu ilişkilere rağmen insan soyunun "ölümsüz" olamayacağıdır aslında, başka bir şey değil. Metnin genel havası, çoktanrılı inanç sistemlerinin derin izlerini taşımakta ve o mitolojilerdeki "Tanrılarla ölümlülerin aşk ilişkileri"ne gönderme yapmaktadır. Diğer yandan, "günleri yüz yirmi yıl olacaktır" ifadesiyle insana ömür biçtiği düşünülen Tanrı'nın bu yargısının çok da geçerli olmadığı, Tufan sonrasında bile ataların yaşam sürelerinin yüz yirmi yılı çok çok aşmasıyla ortaya çıkacaktır. Genesis'in "editörlük" işleminin burada da devre dışı kaldığını ve çeşitli Yakındoğu kültürlerinden, en çok da Mezopotamya mitlerinden ithal edilmiş temaların metne sızdığını görüyoruz. Anlatının devamı, bu kanıyı pekiştirecek ama bir anlamda yeni soruları da ortaya çıkaracaktır:

"Tanrı oğulları insan kızlarına vardıkları, ve bu kızlar onlara çocuk doğurdukları zaman, o günlerde, hem de ondan sonra, yeryüzünde Nefilim vardı; bunlar eski zamandan zorbalar, şöhretli adamlardı." (Tekvin 6:4)

Bu alıntı, Eski Ahit'in İbranice orijinalinden yapılmış Türkçe çeviriden aynen aktarılmıştır. Aynı ayet, İngilizce konuşulan ülkelerde yaygın kabul gören "King James" çevirisinde biraz daha farklı biçimde yer alır:

"O günlerde ve onun sonrasında da, dünya üzerinde devler vardı; Tanrı'nın oğulları insanın kızlarına vardıklarında, bu kızların onlara doğurdukları çocuklar da bu iyi tanınan eski, güçlü adamların aynısı oldular."[36] Görüldüğü gibi King James çevirisinde bir tür özel isim hissi veren "Nefilim" sözcüğü yerine "devler" gibi daha genel bir ifade kullanılmıştır. İbranice orijinalden yapılan Türkçe çevirideyse, Nefilim adı kullanılmakla birlikte ayet daha farklı bir ifadeye sahiptir. "Eski zamandan zorbalar ve şöhretli adamlar" nitelemesi, metnin bütünlüğü içinde rasyonel bir çizgi izleyemeyecek denli tutarsızdır aslında. Hangi "eski zamanlar"? Sözü edilen dönem zaten insanlık tarihinin en eski zamanları, cennetten kovuluşu izleyen ilk yıllar değil midir? Tufan kapıdadır ve daha ("ilk doğan oğul" hesabına göre) on kuşak yetişmiştir dünya üzerinde. "Şöhretli" adamların şöhreti nereden, hangi eylemlerinden ve *hangi zamandan* gelmektedir? Dahası bu eski ve şöhretli adamların "zorbalığı"nın kaynağına ilişkin de hiçbir açıklamaya rastlamayız. "Başlangıçtan" itibaren bize her şeyi anlatma iddiasındaki Genesis, bir şeyleri atlamış mıdır yoksa?

King James versiyonundaki aynı ifadenin benim tarafımdan "redakte edilmiş" halinde, anlatılan olay biraz daha açıklayıcı hale gelir: Tanrı'nın oğulları insanın kızlarıyla eşleşmiş; bunun sonucunda o kızların doğurduğu çocuklar da bir zamanların güçlü "devleri"nin aynısı olmuşlardır. Burada Nefilim adı yerine, "devler" sözcüğü kullanılmıştır. Tanrı'nın yarattığı bütün canlılardan farklı olan (ve Genesis'te yaratılışları hakkında hiçbir bilgi verilmeyen) bu devlerin kim olduklarını ve nereden geldiklerini öğrenemeyiz bir türlü. Kavramın orijinali olan İbranice Nefilim sözcüğüyle ilgili olarak araştırmacı Zecharia Sitchin, farklı ve son derece devrimci bir dilbilimsel açıklama önermektedir: Sözcük, "yukarıdan inenler" anlamına gelen çoğul bir kavramdır Sitchin'e göre. Bu kavram da, Sümer mitolojisinde "Anu'nun çocukları" ya da "Gökten Yere İnenler" anlamına gelen "Anunnaki" sözcüğüyle bire bir örtüşmektedir. İbrani folkloru araştırmacısı Louis Ginzberg ise Nefilim sözcüğünün kökünü "yüksekten düşmek" fiiline dayandırırken, "Düş-

---

[36]Genesis 6:4 ayetinin King James versiyonu. İngilizce metindeki muğlaklığı yalınlaştıran Türkçe çeviri bana aittir.

müş Melekler" (Fallen Angels) kavramını kullanan geleneksel Hıristiyan düşüncesiyle de paralel bir yaklaşım sergiler gibi görünür. Ancak Ginzberg'e göre "düşme" kavramı meleklerle değil, "dünya"yla ilgili bir kavramdır ve Nefilim olarak sözü edilen ırk, işlediği suçla "dünyanın gözden düşmesine" neden olduğu için bu adla anılmaktadır. Ginzberg ayrıca, Eski Ahit'te yer almamakla birlikte İbrani folk hikâyelerinde aynı "günahkâr ırk"la ilgili başka adların da kullanıldığını vurgular: "Emim" (korku verenler); "Refaim" (insanların kalbini güçsüzleştirenler); "Gibborim" (iri yapılılar, devler); "Zamzummim" (savaş ustaları) ve "Anakim" (güneşe enseleriyle dokunanlar)[37]. Bütün bu folklorik tema kalabalığı içinde, sözcüğün Eski Ahit'te kullanılış biçimiyle ilgili en göze çarpan argümanı ileri süren Zecharia Sitchin'in tezlerine ilerideki bölümlerde ayrıntılı olarak değineceğiz. Şu anda yalnızca çoğu batı diline "devler" olarak çevrilen ve "eski zamandan zorbalar, şöhretli adamlar" nitelemesiyle geçiştirilen Nefilim'in, doğrudan Yakındoğu mitolojilerine gönderme yaptığını belirtmekle yetinelim.

Genesis'in yaratılış tarihi içinde muğlak bıraktığı ve kısaca geçiştirdiği bu dönemle ilgili olarak, Eski Ahit'ten çıkarılan ve din adamlarınca dışlanan "Enoch'un Kitabı", şaşırtıcı derecede ayrıntılı açıklamalar getirmektedir.

İbrani kültürünün bu "yasak kitabı", evrenin yapısından ve işleyişinden; gezegen ve yıldızların yörüngelerinden; bu kusursuz düzeni evrenin en güçlüsü olan Tanrı'nın yarattığından söz eden bir girişle başlar. Ardından, Tanrı'nın istek ve emirlerine uymanın zorunluluğunu, günahkârların "Mahşer Günü"nde nasıl hesap vereceklerini anlatır. Metinde, Tanrı'nın hizmetkârları olarak nitelenen, başka üstün varlıklara da gönderme yapılmaktadır. Bunlar kimi zaman "melek" kimi zaman da bir özel ismi çağrıştıracak biçimde "Gözcüler" olarak nitelenir. Kitabın yedinci bölümünden itibaren Enoch (Hanok), Genesis'te eksik bırakılan, kısaca geçiştirilen olaylarla ilgili olarak, yeni ve ayrıntılı bir boyut açmaya başlar:

[37]Louis Ginzberg, "Legends Of The Jews", Chapter V

"Bunlar, o günlerde insan yeryüzünde çoğalmaya başladıktan sonra oldu, onlara doğan kızlar, zarif ve güzeldiler. Ve *gökyüzünün oğulları* olan melekler [Gözcüler] onları gördüklerinde âşık oldular ve birbirlerine şöyle dediler: Gelin gidelim ve insanın kızlarından kendimize eşler alalım, onlardan çocuk sahibi olalım." (Book Of Enoch 7:1-3, italikler ve köşeli parantez bana ait.)

Burada, "Tanrı'nın oğulları" gibi belirsiz bir ifade yerine, "gökyüzünün oğulları" gibi daha farklı ve Sümer kozmogonisiyle daha sıkı örtüşen bir kavramla karşılaşıyoruz. Sümer'de panteonun en üstünde, gök tanrısı "An" yer alır (Babil'de Anu.) Sözcük anlamı itibarıyla "An", aynı zamanda "gökyüzü" demektir. Dolayısıyla Sümer mitolojisinde hem "An'ın Çocukları" hem de "Gökyüzünden İnenler" anlamına gelen "Anunnaki" kavramı, Enoch'un ifadesindeki "gökyüzünün oğulları"yla aynıdır. Burada "inmek" fiilini iki türlü anlayabiliriz: Hem fiziksel olarak yukarıdan aşağıya inmek, hem de simgesel olarak, daha üst seviyedeki ataların soyundan "inmek", onların çocuğu olmak.[38] Enoch bunlara bir başka isim daha öngörür: "Gözcüler". Tektanrılı dinlere İbranice'nin etkisiyle "melek" (Malak –çoğulu, Malakim) olarak giren sözcüğün kökeninin "Gözcü" olması, metni daha anlaşılır kılmaktadır. İşin ilginç yanı, bu kavrama Mısır kültüründe de neredeyse bire bir benzerlik içinde rastlamamızdır: Eski Mısır dilinde "Tanrılar" anlamında kullanılan "Neteru" (tekil hali "Neter") sözcüğünün asıl anlamı da "Gözcü"dür.

Hikâye, aşağı yukarı Genesis'ten bildiğimiz biçimiyle başlar. Ancak devamında ilginç ayrıntılar vardır: "Gözcüler"in lideri Samyaza, diğer arkadaşlarına "Korkarım ki bu işi yapma konusunda biraz isteksizsiniz," der, "bu durumda bu suçun cezasını yalnızca ben çekeceğim." Olayın seyri ve niteliği aniden değiş-

---

[38] İngilizce'de "descendant" sözcüğü bu kavramı tam olarak karşılamaktadır: "An's Descendants" hem An'ın soyundan gelenler, yani An'ın çocukları olmakta; hem de "An" gökyüzü anlamına geldiği için "Descended From An" ifadesi "gökten inenler" karşılığına denk düşmektedir. Enoch'un Kitabı'ndaki "Gökyüzünün Oğulları" (ya da "Cennetin Çocukları") kavramı, her iki anlama da gönderme yapmaktadır.

miştir: Gözcülerin ("Tanrı oğulları"nın) insan kızlarıyla ilişkiye girmelerinin ilahi kurallarla yasaklanmış olduğunu anlarız. Samyaza, diğer arkadaşlarının bu konuda fazla öne çıkmak istememelerinden yakınarak, işlenen suçun korkunç cezasını tek başına çekmek zorunda kalmaktan korkmaktadır. Bunun üzerine diğer Gözcüler hemen Samyaza'ya yanıt verirler ve "niyet ettikleri şeyi yapacaklarına, vazgeçmeyeceklerine" dair yemin ederler.

"Ve hep birlikte yemin edip ortak suçlarıyla birbirlerine bağlandılar. Sayıları iki yüzdü ve bunlar Armon Dağı'ndaki Ardis'e inenlerdi." (Book of Enoch 7:7)

Sözü edilen dağ, Hermon Dağı'dır. Metinde dağa bu adın verilmesinin nedeninin, Gözcülerin işlediği suç olduğu söylenir, çünkü Hermon adı İbranice "lanet" anlamına gelen "herem" kökünden türetilmiştir. İki yüz kişilik grupta, Samyaza'nın astı durumundaki 17 liderin daha isimleri yer alır metinde: Urakabarameel, Akibeel, Tamiel, Ramuel, Danel, Azkeel, Saraknyal, Asael, Armers, Batraal, Anane, Zavebe, Samsaveel, Ertael, Turel, Yomyael ve Arazyal.

Bu iki yüz gözcü, seçtikleri insan kızlarına yaklaşır, onları etkiler ve onlarla birlikte yaşamaya başlarlar. Bu arada bu kadınlara büyücülük, sihirli sözler, ağaç kökleri üzerine bilgiler verirler. Kısa bir süre sonra da kadınlar onlara çocuk doğurmaya başlar. Ne var ki bu çocuklar, birer "dev"dir. Bunlar o denli büyük cüsselere sahiptir ki (Etiyopya dilindeki versiyonda 300 arşın, yani 140 metreden söz edilir) bir süre sonra bunları beslemek olanaksız hale gelir. İnsanın ürettiği her şeyi bunlar tüketmekte, yine de doymamaktadırlar. Diğer yandan, iri yapılarıyla ortada dolaştıkça, diğer canlılara da büyük zararlar verir bu "günah çocukları". Metin, kuşların, sürüngenlerin, balıkların bu devler tarafından birer birer öldürüldüğünü anlatır. Devler doymak bilmeyen bir iştahla dünya üzerindeki yaratıkları öldürüp yemekte, kanlarını içmektedirler.

Bütün bu dehşet görüntüleri içinde Gözcüler, Enoch'a göre en ağır suçlardan birini daha işlemişlerdir: İnsanoğluna bilgi ve teknoloji götürmek.

"Üstelik, Azazyel insanoğluna kılıç, bıçak, kalkan ve zırh

yapmayı, ayna üretimini, bilezik ve süs eşyası işçiliğini, resim yapmayı, göz kapaklarının güzelleştirilmesini, değerli taşların kullanımını ve boya yapmayı öğretti ki, bunlar dünyayı değiştirdi. Tanrı'ya inançsızlık büyüdü, zina katlanarak arttı ve sınırı aşıp her bakımdan yozlaştılar." (Book Of Enoch 8:1-2)

Burada, insanın bilgiden uzak tutulması gerektiği yolundaki Genesis imalarını ("yasak meyve" gibi) anımsatan bir yaklaşımla karşılaşıyoruz. Temel zanaatların insanlara ulaştırılması, Enoch'a göre dünyayı öylesine değiştiriyor ki, inançsızlık, zina ve yozlaşma ortaya çıkıyor. İzleyen satırlarda, insanlara verilen eğitimin Azazyel ile sınırlı kalmadığını öğreniyoruz: Amazarak büyücülüğü, Armers büyülü karışımları, Barkayal yıldız gözlemciliğini, Tamiel astronomiyi, Asaradel Ay'ın hareketlerini öğretiyor insanlara. Ama bilgilendirilmenin ve eğitilmenin her nedense onları çok da hoşnut etmediğini, hatta mutsuz olup "Tanrı'ya feryat etmeye" başladıklarını okuyoruz. Bu feryatlar, Tanrı'nın baş melekleri (ya da Gözcülerin kurmayları) olan Mikail, Cebrail, Rafael, Suryal ve Uriel'e dek ulaşıyor. Gökyüzünde bulundukları yerden dünyayı gözleyen bu beş melek, feryadın nedenini de anlıyorlar hemen: Asi gözcülerin insanlara bilgi götürmesi, sırları açıklaması.

"Azazyel'in neler yaptığını gördün, dünyaya adaletsizliğin her türlüsünü öğretti ve göklere ait olan sırları açıkladı. Yanındakiler üzerinde ona yetki verdiğin Samyaza, büyücülüğü öğretti. Hep birlikte insan kızlarına gittiler, onlarla yattılar ve kirlendiler. Onlara günahları açıkladılar." (Book of Enoch 9:5-7)

Feryatlar sonunda Tanrı'ya kadar ulaşır. İlahi karar gereği, Gözcülerin yarattığı günahlarla kirlenen dünya ve üzerinde yaşayan günahkâr insanlık, devlerle birlikte yok edilecektir. Tanrı Arsayalalyur (bazı Yunanca versiyonlarda Uriel) adlı Gözcü'yü çağırır ve onu Lamek'in oğluna (yani Nuh'a) yollar. Talimat aynen şöyledir:

"Onunla benim adıma konuş, kendini gizle. Sonra ona yakında olacak olanları haber ver; çünkü dünya yok olacak; tufanla gelecek sular tüm dünyayı kaplayacak ve içindeki her şeyi yok edecek. Ve ona nasıl kurtulacağını, soyunun dünyada devam etmesini nasıl sağlayacağını öğret." (Book of Enoch 10:3-5)

Burada, Genesis'te kaldığımız yere, yani Tufan'ın hemen öncesini anlatan ayetlere paralel bir noktaya ulaşırız. Ne var ki dünyayı sularla kaplayacak ve bütün insanlığı yok edecek olan Tufan, ilahi kararın yalnızca bir parçasıdır. Asıl büyük ceza, elbette yasakları çiğneyerek olayların bu noktaya gelmesine neden olan isyankâr Gözcülere verilecektir:

"Tanrı yine Rafael'e döndü ve şöyle dedi: Azazyel'in ellerini ve ayaklarını bağla, onu karanlığa mahkûm et; ve Dudael'deki çölü açarak onu oraya yolla. Üzerine kayalar ve işaretli taşlar atarak üzerini karanlıklarla kapat. Sonsuza dek orada kalacak; yüzünü kapat ki ışığı göremesin. Ve büyük yargı günü geldiğinde onun ateşe atılmasını sağla." (Book of Enoch, 10:6-9)

Böylece, Gözcülerin arasında ilk cezalandırılan, şefleri Samyaza değil, insanlara bilgi veren ve "sırları açıklama" eylemini başlatan Azazyel olur. Diğerleri de bu ilahi cezadan paylarını alacaklardır. Ama ilkin "piçler"den söz eder Tanrı, devleri kastederek:

"Ve Tanrı Cebrail'e döndü, şimdi piçlere git dedi, kötü huylu zina çocuklarına; ve insanlar içinde Gözcülerin tohumları olan bu zina çocuklarını yok et; onları kışkırt ve birbirlerine kırdırt. Toplu katliamla birbirlerini yok etmelerini sağla, çünkü günler onların olmayacaktır." (Book of Enoch, 10:13)

İlahi ceza, "zina çocuğu" olan devlere Tufan'dan önce gelir böylece. Tanrı Cebrail'e devlerin ona umutsuzca yalvaracağından ve babaları dolayısıyla "sonsuz hayat" beklentisi içinde olduklarından söz eder; ama bu dilekleri onları dünyaya getiren babalarınca bile dikkate alınmayacaktır. Yok edilme süreci içinde Tanrı her birine sadece 500 yıl yaşama hakkı verir. Çocukları son derece sert bir cezaya çarptırılıp yok edilirken, sıra Samyaza ve diğer Gözcülere gelmiştir:

"Benzeri biçimde Tanrı Mikail'e döndü: Git, Samyaza'nın ve onunla yandaş olup kadınlarla birlikte olarak saflıklarını yitirenlerin, kirlenenlerin suçlarını yüzlerine vur. Ve oğulları katledildiğinde, sevgili çocuklarının yok oluşlarını izlediklerinde,

onları yetmiş kuşak boyunca, etkileri sonsuza dek sürecek olan
yargı gününe dek kalacakları yere, dünyanın derinliklerine yol-
la. Sonra [yargı günü geldiğinde] ateşlerin en derin yerinde iş-
kence görmeye yollanacaklar ve orada sonsuza dek kapalı tutu-
lacaklar." (Book of Enoch, 10:15-16)

Bu noktaya dek Tufan öncesinde gerçekleşen ve Genesis'te
bir ya da iki cümle içinde geçiştirilen olayların kısa bir özetini
veren Enoch, ardından kendi serüvenini anlatmaya başlar. Ol-
dukça ayrıntılı olarak verilen yaşam hikâyesinin izlediği seyir-
den, Enoch'un Tanrı tarafından "seçilen kişi" olduğunu anlarız.
Meleklerle (Gözcülerle) dolaşır; diğer insanlara açıklandığı için
sonuçları Tufan'a dek uzanacak olan sırlar Enoch'a birer birer
anlatılır; Tanrı'yla bire bir konuşma olanağı bulur; dünya çev-
resinde ve evrende büyüleyici gezintilere, turlara çıkarılır. Gök-
yüzünde onun adı "Yazman Enoch"tur; biraz Mısır panteonun-
daki Thoth'u çağrıştırır biçimde, Tanrı'nın ve Gözcülerin yaz-
manlığı ona verilmiştir ama farklı bir işlevdir bu. Suç işleyen
gözcülerin yakalanmaları, sorgulanmaları ve cezalandırılmaları-
na da tanık olacak; hatta bu süreçte görev alacaktır. Metin iler-
ledikçe Enoch'a verilen payenin onu artık "yeryüzü insanı" ol-
maktan çıkarıp göklere yükselttiğini ve "sonsuz yaşam" hakkı-
nın Tanrı tarafından bu özel "yazmana" bahşedildiğini öğreni-
riz. Bütün bunlar, Genesis'te sözü edildiği biçimiyle "Hanok'un
Tanrı'yla birlikte yürümesi"ni ve üç yüz yıllık bir sürenin so-
nunda, Tufan öncesinde "Tanrı'nın onu almasını" biraz daha
anlaşılır kılmaktadır.

Enoch'un kitabının yazılış tarihi bilinmiyor. Ama Kumran
mağaralarında bulunan en eski kopyalar, İ.Ö. ikinci yüzyılın
sonlarına ya da birinci yüzyılın başlarına tarihlenmiş durumda.
Söz konusu belgelerin (Ölü Deniz Yazmaları) doğrudan doğru-
ya o tarihlerde Kumran dolaylarında fundementalist bir mezhep
oluşturan Essenelerle ilişkilendirilmesi ve Enoch'un kitabının
daha eski bir kopyasına erişilememiş olması, hem bu belgenin
Eski Ahit'te yer almayışıyla ilgili ipuçları veriyor bize, hem de
tahminen beşinci, hatta dördüncü yüzyıllarda, Babil Sürgü-
nü'nde edinilen bilgilerle oluşturulan Genesis'te, Tufan'ın he-

men öncesiyle ilgili bölümlerde doğan "boşluğu" anlamamızı sağlıyor. Essene'lerle ilgili, ilerideki bölümlerde daha ayrıntılı gözlemler yapacağız. Ancak şimdilik birkaç açıklayıcı bilgiyle yetinelim:

İskender'in Orta Doğu'ya egemen olmasından sonra bölgede varlığını hissettiren Hellenistik felsefe ve yaşam biçimi, Yahuda'ya beşinci yüzyıl başlarında dönen ve krallığına yeniden sahip çıkma çabasındaki İbrani toplumuna da sızmaya başladı. Yüksek sınıflarda, zengin Yahudilerde görülen "Yunanlaşma" eğiliminin, muhafazakâr Makkabi soyunun isyanı ve iktidarı ele geçirmesinden sonra bile sürdüğü biliniyor. Bütün bunlardan rahatsız olan ve "hayatın Tevrat'a göre yaşanmadığından" yakınan ayrılıkçı ve fundementalist bir grup Yahudi, Esseneler adındaki mezhebi oluşturarak Ölü Deniz çevresindeki Kumran'da inzivaya çekildiler. Burada, Yahudi toplumundaki yozlaşma ve çürümeye karşı "saflaşma ve temizlenme" ritüelleri ortaya çıktı. Mağaralarda derviş yaşamı sürenler, o döneme dek Yahudi kültüründe olmayan, büyük oranda Perslerin Mithra kültünden uyarlanmış[39] bir dinsel töreni, "suyla paklanmayı" başlattılar. Bu, Hıristiyanlıktaki "vaftiz" geleneğinin prototipiydi.

Kapalı bir erkek topluluğu olarak büyüyen ve felsefi/siyasi etki alanlarını artıran Esseneler, Yahuda içinde ciddi bir muhalif gücü de oluşturdular. İnziva sırasında özenle derleyip yeniden kopyalarını çıkardıkları kutsal yazıtları Kumran'da her gün defalarca okuyarak zikir ve motivasyon yükseltme ayinleri yaptıklarını da biliyoruz. Doğaldır ki bu muhalif mezhebin mensuplarından, Yahudi iktidarını elinde bulunduranlar hiç hoşlanmadılar ve onların giderek tehlikeli hale gelen muhalefetini susturmaya çalıştılar. Birinci yüzyıl başlarında Esselerin "değerlerin yitirilmesi ve Yahudi kültürünün asimile edilmesi" ile ilgili söylevleri ve protestoları Yahuda'da ses getirmeye başladı. Artık Kumran mağaralarındaki inziva bitmiş; müritlerin Kudüs ve Bethlehem başta olmak üzere Yahuda kentlerinde "propaganda vaazları" başlamıştı.

---

[39]Edward Carpenter, "Pagan and Christian Creeds: Their Origin and Meaning"

Bu dönem içinde Essene hareketi, kendi liderlerini de yarattı. Kesin bir kayıt ya da bulgu olmamakla birlikte, Vaftizci Yahya'nın ateşli bir Essene militanı olduğuna ilişkin kanılar oldukça güçlüdür. Asıl etkili liderinse, ismi bilinmemekle birlikte "Adalet Sahibi" nitelemesiyle tanınan[40], etkili bir vaiz olduğu düşünülüyor. Ne var ki, muhalefetlerinin gücü ve etkisi arttıkça, Yahudi egemenlerinin Esseneleri giderek sertleşen yöntemlerle susturmaya, hatta yok etmeye çalıştıklarını görüyoruz. Bu amaçla düzenlenen operasyonlarda mezhebin güçlü lideri "Adalet Sahibi" (bir ihtimal çarmıha gerilerek) vahşice öldürülüyor. Liderlerini ve kurmaylarını yitiren, baskı altındaki Esseneler, Yahuda'dan kaçmaya; Suriye, Kilikya ve Batı Anadolu'ya sığınmaya başlıyorlar. İnançlar ve ritüellerse, biçim değiştirerek sürüyor: "Mahşer Günü" kavramının altı iyice çizilirken, bu olayın "Tanrı'nın krallığı"nın gökten inmesiyle özdeşleştiğini ve öldürülen liderin Tanrı tarafından gönderilen "Kurtarıcı" (Mesih) olarak efsaneleştiğini söyleyebiliriz. Böylece Essene kültü sırasında oluşan çekirdek, Anadolu'daki yerel düşünce ve inanç sistemiyle ilişkiye girerek, hıristiyanlığın ilk biçimini ortaya çıkarıyor.

Bu çerçeve yardımıyla, Enoch'un kitabı ve Genesis'teki anlaşılması güç, "eksik bırakılmış" pasajlarla ilgili daha net yargılara varmamız mümkün. "Düşmüş Melekler" ya da "Suç İşleyen Gözcüler"le ilgili Yakındoğu mitolojilerinde, özellikle de Mezopotamya anlatılarında paralel hikâyeler bulamıyoruz. Bunun nedeni, mitlerin içerdiği motiflerden çok, o motiflere yönelik bakış açısındaki derin farklılıklarla ilgili. Genesis'i Babil Sürgünü sırasında edindikleri Mezopotamya mitolojisine ilişkin bilgiler ışığında düzenleyen İbrani yazarların, orijinal kaynakları genellikle tektanrılı dini anlayışa göre değiştirerek aktardıklarını; ancak bazı bölümlerde bunu yapmayı ihmal ettiklerini gördük. En garip, anlaşılması en güç ayetler de Tufan'ın hemen

---

[40] Bu konuda bkz. Gerald Messadie, "Şeytan'ın Genel Tarihi" ve Christopher Knight - Robert Lomas "The Hiram Key"

öncesine ilişkin metinlerde karşımıza çıktı. Şimdi, ayrılıkçı Essene'lerin sahip çıktığı ve kopyasını Kumran'da sakladığı; ama Yahudi din egemenlerinin dışlayarak Tevrat'tan çıkardığı kimi metinlerin ve bu arada Enoch'un kitabının, Genesis'in ilk oluşturulması sırasında hiç değilse özet olarak yazıldıklarını düşünebiliriz. Onlara kaynak oluşturması muhtemel eski Yakındoğu mitlerini bulmaksa hiç kolay değil; çünkü, Genesis'e ve Exodus'a yansıyan İbrani düşüncesiyle eski Yakındoğu uygarlıklarının düşünce biçimleri ve ideolojileri arasında oldukça derin bir fark var: "Bilgiye sahip olma" teması üzerinde biçimlenen çok temel bir fark bu. Daha net bir ifade biçimiyle, bilginin "bir armağan" olması ile, "başa bela" olması arasındaki düşünce farkı. Enoch'un kitabına göz atmayı sürdürelim:

"Bilgelik, dünya üzerinde yerleşebileceği bir yer bulamadı, o yüzden onun yeri göklerdir (cennettir). Bilgelik insan oğulları arasında yerleşmeye çalıştı ama kendine mesken edinemedi. Bilgelik kendi yerine döndü ve meleklerin arasına oturdu. Ama onun dönüşünden sonra adaletsizlik ortaya çıktı, isteksizce de olsa kendine yerleşim yeri buldu ve çölde bir yağmur damlası ya da susuz topraktaki bir çiy tanesi gibi, onların arasında yaşadı." (Book of Enoch, 42:1-2)

Bilgiyi ve bilgeliği insanın hak etmediği; onun ancak Tanrı katında kendine yer bulabildiği fikri, biraz da bundan hüzün duyan bir üslupla anlatılıyor burada. "Düşen Melekler" ya da "Günahkâr Gözcüler"in insanlığa bilgiyi sunmaları, bu nedenle metin boyunca felaketler getiren bir suç olarak yorumlanıyor. Oysa İbranilerin yakın ilişkide bulunduğu eski dünya uygarlıklarının neredeyse tümünde, buna taban tabana zıt bir yaklaşımın izlerini buluruz. Mısır'da, Sümer'de, İndüs'te ve Minos'ta egemen olan felsefe, uygarlığın ve bilginin "tanrıların armağanı" olduğu yolundadır. Büyük Ptah, Mısır'da zanaatın tanrısı ve baş mimardır; insanlara bildikleri çoğu şeyi o öğretmiştir. Yine bilge Thoth, yazıyı Mısır halkına armağan eden tanrıdır. Sümer metinleri tarımdan mimariye, sulama kanalları yapımından tapınak inşasına ve astronomiye dek her şeyi onlara tanrıların öğrettiğini anlatır. Hindu ve Yunan gelenekleri de aynı çizgiyi izler ve insanlara bilgi, teknolojik gelişme sunan öğretici tanrılardan söz ederler. Hatta çok daha uzaklarda, Okyanus'un diğer yanında yaşayan Orta ve Güney Amerika'nın antik uygarlıklarının kültürlerinde de bu ilahi eğitimin izlerini buluruz: Mayalara Kukulkan, Azteklere Quetzalcoatl ve İnkalara da Viracocha adlı tanrıları öğretmiştir bildikleri her şeyi. Bütün bu eski kültürler, tanrıların sunduğu bilgiyi "büyük armağan" olarak sevinçle karşılamışlar, bundan mutluluk ve onur duymuşlardır. Eskiçağ kültürlerinde belki de tek istisna, İbranilerin düşünce biçimidir bu anlamda. Eski Ahit'in hiçbir yerinde, Yahve'nin insanlara bir bilgiyi, bir teknolojik ilerlemeyi ya da hayatı kolaylaştıracak bilimsel bir yeniliği sunduğu yolunda bir ifadeye (Nuh'un gemisinin inşası, Ahit Sandığı'nın yapımı gibi çok gerekli birkaç durumda "talimat vermesi" dışında) rastlamayız. Diğer yandan, Enoch'un kitabındaki Gözcülerin bu işi üstlenmesiyse, "yasağı çiğnemek" olarak değerlendirilir; dahası, bu bilgi insanlara mutluluk değil, felaket getirir. Bütünüyle insana güvensizlik ve onu daha en baştan günaha yatkın olarak görme eğiliminin bir sonucudur bu felsefe. En dehşet verici yaptırımlarıysa, Esseneler aracılığıyla İbrani düşünce biçiminin fundementalist yönlerini ithal eden Hıristiyanlıkta, İskenderiye Kütüphanesi'nin yakılması ve Hypatia'nın vahşice öldürülmesiyle başlayıp Ortaçağ engizisyonunda bilim adamlarının, sanatçıların, araştırmacıların işkence görmesine, idamına dek varacaktır.

Bununla birlikte, insan doğası gereği bilgiye ve öğrenmeye duyduğu ilgiyi frenleyemeyen Enoch'un kitabının yazarı (ya da yazarları) metin içinde bu eğilimle çelişkiler sergilemek pahasına, yine Gözcülerden edinilen bir dizi coğrafi ve astronomik bilgiyi aktaracaktır sayfalarında. Bunlar, gökyüzünde ve dünyanın her yerinde gezintiye çıkarılan Enoch'a Gözcü Uriel'in sunduğu bilgilerdir; o da bunları kitabı aracılığıyla oğlu Metuşelah'a aktarmaktadır. Enoch'un kitabına ileriki bölümlerde tekrar değineceğiz.

Bilginin getirdiği ceza

Nefilimler, Tanrı oğullarıyla insan kızlarının ilişkisi ve Hanok'un (Enoch) 365 yaşında Tanrı'yla yürümesi gibi bilmecelere farklı bir kaynaktan kısmen açıklama getirdikten sonra, Genesis'in önemli dönüm noktalarından birine, Tufan'a gelebiliriz artık:

"Ve RAB gördü ki yeryüzünde insanın kötülüğü çoktu, ve her gün yüreğinin düşünceleri ve kuruntuları yalnızca kötülüktü. Ve RAB yeryüzünde insanı yarattığına pişman oldu ve yüreğinde acı duydu. Ve RAB dedi: Yarattığım insanı ve hayvanları, sürünenleri ve göklerin kuşlarını, toprağın yüzü üzerinden sileceğim; çünkü onları yarattığım için pişman oldum. Ama Nuh, RABBİN gözünde inayet buldu." (Tekvin 6:5-8)

Bu pişmanlığın gerekçeleri arasında Gözcülerin günahının ilk sırada olduğunu artık biliyoruz. Ama Genesis'te bundan hiç söz edilmiyor ve insanın yeryüzündeki kötülüklerine ilişkin de bir açıklama getirilmiyor. Cennetten kovuluşun üzerinden 1656 yıl geçmiştir (Eski Ahit'in hesabına göre) ve bu süre içinde "ilk doğan oğullar" geleneğine göre dünya üzerinde henüz onuncu kuşak yaşamaktadır. Eski Ahit, her atanın ilk doğan oğlunun dışında çok sayıda oğul ve kız sahibi olduğunu söylemektedir gerçi; yani "dünya yüzünde çoğalan" insanların sayısı bu on ata ve onların aileleriyle sınırlı değildir. Ne var ki, insanın yüreğindeki kötülüğün hangi atanın hangi çocuğu sırasında Tanrı'yı rahatsız edecek ve insanı yarattığı için pişmanlık duymasına yol açacak oranda arttığına ilişkin bize ipucu verilmez. Görüldüğü gibi, aradaki zaman, olay ve mantık boşlukları Enoch'un kitabıyla tamamlanmadığı sürece Tufan'ın gerekçeleri şaşırtıcı ve anlaşılmaz hale gelmektedir. Mezopotamya mitlerinde bunun EN.LİL'i rahatsız eden "gürültüden" kaynaklandığını biliyoruz; sevişen insanların sesleri ve onların dünya üzerinde hızla çoğalmaları Sümer'in büyük tanrısının keyfini kaçırmış, Tufan'ın gerekçesi haline gelmiştir. İbrani mitleri burada karşımıza bu temanın oldukça farklılaştırılmış biçimiyle çıkar. Günah'ın iki ana bileşeni vardır: Seks güdüsü ve bilgiye erişme. Bunların ardın-

2012: Marduk'la Randevu 115

daki gizli unsur olarak da ölümsüzlüğe ulaşma, yani "tanrılaşma" isteği satır aralarında kendini hissettirir. Aynı tema, Adem ve Havva'nın cennetten kovuluşunda da bire bir kullanılmıştır aslında: "İyiyi ve kötüyü bilme ağacı"ndan yiyen ilk insanlar hem "göksel" olması gereken bilgilere ulaşma hırslarını ortaya koymuş; hem de bunun ilk kırıntılarıyla birlikte cinsel günahı da işlemişlerdir. Bir sonraki adım, yani "Hayat Ağacı"nın meyvesinden yiyip ölümsüzlük ve tanrılaşma gerçekleşmeden, cennetten kovulurlar. İbrani yazarlar bu temayı yeterince etkili bir biçimde vurgulayamadıklarından endişe duymuş olsalar gerek ki, aradan yüzlerce yıl geçtikten sonra seks, bilgi ve ölümsüzlüğü içeren, bu kez "Tanrı oğullarının" da işin içine karıştığı, toplu olarak işlenen bir günah nedeniyle gelen ikinci büyük ilahi cezayı anlatırlar. Ne var ki bu ikinci günahta insan yalnızca figürandır; yasağı çiğneyen, insan kızlarıyla birlikte olan ve onlara bilgiler veren; sonucunda da genetik bileşimden ötürü bir anlamda ölümsüz olmaları beklenebilecek bir melez nesil doğmasına neden olanlarsa, Gözcülerdir. Buna rağmen, dünya üzerindeki insanlar (hatta olan bitenden bütünüyle habersiz, son derece masum durumdaki hayvanlar ve bitkiler) bunun bedelini Gözcülerle birlikte ödeyeceklerdir. "İlahi Adalet"e ilişkin İbrani yaklaşımı bunu gerektirmektedir çünkü.

"Ve Tanrı Nuh'a dedi: Önüme bütün insanlığın sonu geldi; çünkü onların sebebiyle yeryüzü zorbalıkla doldu, ve işte, ben onları yeryüzü ile beraber yok edeceğim. Kendine gofer ağacından bir gemi yap; gemide odalar yapacaksın onu içerden ve dışardan ziftle ziftleyeceksin." (Tekvin 6:13-14)

Ardından, Mezopotamya mitlerindeki seyri aşağı yukarı bütün ayrıntılarıyla izleyen biçimde geminin nitelikleri titizlikle Nuh'a tarif edilir. Bu gemiye her tür hayvandan birer çift de bindirilecek, ayrıca bol miktarda yiyecek de alınacaktır. Sümer versiyonunda yer alan bitki tohumlarından Genesis'te söz edilmez; bu belki de tarımla uğraşmayan göçebe bir kabilenin gözünde "yangında kurtarılacak mal" değeri taşıyanların yalnızca hayvanlar olmasıyla ilintilidir. Nuh'a "bedeni olan her canlıdan" gemiye alması söylenmekte, ama hemen ardından bunların erkek ve dişi olmak üzere çift olarak toplanması biçiminde bir açıklama getirilmektedir. Bitki ve tohumlara yer yoktur yani. Genesis'in Sürgün sonrası Yahuda'ya dönüşü izleyen yıllarda yazılmış olması, İbrani toplumunun tarıma önem vermemesi gibi bir olasılığı devre dışı bırakmaktadır, ama çok eski zamanlara ilişkin kayıtlar oluşturulurken bunun böyle olması gerektiği biçiminde bilinçaltı bir eğilimin yazarları etkilediğini düşünebiliriz. Buna rağmen, cennetten kovuluşu izleyen dönemi anlatan dördüncü bölümde, Sümer'deki Enkimdu-Dumuzi kutuplaşmasının paraleli olarak karşımıza çıkan kardeş kavgasından söz eden ayetler, Kain'i bize çiftçi olarak tanıtır. Bu çelişki Genesis'te çok sık karşımıza çıkan "editörlük ihmali"yle ilgili basit bir dikkatsizlik midir yoksa kardeş katili olduğu için "toprağın yüzünden sürülen" Kain'in zanaatı olan çiftçiliğin sonraki kuşakların bilmediği ve uzak durduğu bir yaşam biçimi olduğunu mu gösterir bilemiyoruz. Çünkü tarımsal etkinlik Tufan sonrasında başlamış gibi değerlendirilir metinlerde. Nuh, üzüm yetiştiriciliğine başlayarak yerleşik tarımın öncülüğünü üstlenir.

Tufan, aynı Sümer mitinde olduğu gibi aniden gelir. Hazırlıklı olan Nuh ve ailesi (ve gemideki hayvanlar) kurtulurlar ama dünya üzerinde yaşayan her varlık ölür. Afet Sümer versiyonunda yedi gün yedi gece sürmüştür; Genesis'te bu süre kırk gün kırk gecedir. (Bu "kırk günlük" anahtar zaman kavramı, Eski Ahit'te çok sık karşımıza çıkacaktır.) Sonuçta gemi yüksek bir dağın zirvesine oturur ve sular çekilmeye başlar. Nuh'un Tufan'ın bittiğini anlamasına ilişkin ayrıntılar bile Sümer versiyonuyla bire bir aynıdır: Gemiden bir kuş salınır, geri dönmesi durumunda dünyada üzerine yerleşecek bir karanın henüz oluşmadığı anlaşılır. Üçüncü denemede güvercin ağzında taze bir zeytin dalıyla geri döner (demek ki Tufan bütün yaşayanları yok etmemiş, sular altında kalmalarına rağmen birtakım ağaçlar felaketten kurtulabilmişlerdir). Nihayet, son kez saldığında güvercin bir daha geri dönmez; bu da, toprağın artık yerleşilebilir olduğunun kanıtıdır. Nuh ve ailesi gemiden inerler, hemen Tanrıya bir sunak hazırlayıp kurban keserler. Yakılan takdimenin kokusu Tanrı'nın hoşuna gider ve Nuh'a bir daha insan soyunu yeryüzünden silmek istemeyeceğinin güvencesini sunar Yaratıcı. Metnin bu bölüm dahil bütün ayrıntıları, Sümer anlatısıyla şaşırtıcı bir uyum içindedir.

"Ve ahdimi sizle sabit kılacağım; ve bütün insanlık artık tufanın sularıyla kesilmeyecektir; ve yeryüzünü helâk etmek için artık tufan olmayacaktır." (Tekvin 9:11)

Bir sonraki ayette, Tanrı bu sözünün güvencesi olarak göklerde bir "işaret" koyduğunu vurgulayacaktır insanoğluna:

"Ve Tanrı dedi: Benimle sizin ve ebedi devirlerce sizinle beraber olan her canlı mahlûkun arasında yapmakta olduğum ahdin alâmeti şudur: Yayımı buluta koydum ve benimle yerin arasında bir ahit alâmeti olacaktır." (Tekvin 9:12-13)

Eski Ahit'in ilk kitabı böylece, yaratılıştan Tufan'a dek dünyada ve gökyüzünde yaşananları belli bir sistematik içinde (ve Mezopotamya mitlerinden büyük ölçüde yararlanarak) anlatır. Dolayısıyla, kendi tarihlerini yazmaya belki de en kritik evre olan Mısır'dan çıkış (Exodus) kitabıyla başlayan bu toplum, varoluşunu ve Yahve'yle olan ilişkisini evrenin başlangıcına dayandırmak, dolayısıyla kendi kozmogonisini oluşturmak idealinin önemli bir evresini böylece tamamlamış olur. Ne var ki, "seçilmiş kavim" olduğu inancını pekiştirme yolundaki bu çabasında aslında en zorlu adım, bundan sonrasıdır; çünkü İbraniler, Mısır'dan çıkışlarıyla başlattıkları tarihlerini, yaratılışa dek dayandırmak, bu arada kendi soyağaçlarını da biçimlendirmek durumundadırlar. Yaratılış ile Tufan arasında olanlar, büyük oranda Mezopotamya ve Yakındoğu mitlerinden yapılan uyarlamalarla Genesis'te kayda geçirilmiştir. Şimdi Nuh'la dünyada yeniden başlayan, üstelik Tanrı'yla "anlaşma" yapan insan soyunu Mısır'daki kendi varlıklarına dek dayandırmak ve boşluğu doldurmak gibi çetrefil bir iş vardır karşılarında. Bu, yaratılış ile tufan arasındaki olaylar zincirini düzenlemek kadar kolay bir iş olmayacaktır; çünkü insanoğlunun farklı kavimler halinde yeryüzünde çoğalmalarından sonraki bir evrede, İsrailoğullarının yaşadığı serüven ve onların ataları anlatılacak, doğal olarak da bunlar "özgün"lük taşımak durumunda olacaklardır. Esin kaynakları yine Sümer, Babil, Kenan, Hitit ve Mısır metinleri olmakla birlikte, İbrani tarihinin ve atalarının artık farklılaşması, benzersiz hale gelmesi gerekmektedir.

İbrahim: Soyağacında dönüm noktası

Eski Ahit'e göre Tufan'dan sonra insan nesli dünya üzerinde Nuh'un oğulları Ham, Sam ve Yafet ile devam eder. Babaları 500 yaşındayken doğan bu üç çocuk arasında "ilk doğan oğul" olma hakkını kimin elde ettiğine ilişkin net ipuçları yoktur elimizde. Ama bir Sami toplumu olan İbranilerin (ve dünyanın tüm önemli uygarlıklarının) soyağacı doğal olarak Sam'dan devam edecektir. Yafet ve Ham'ın soyağaçlarıyla ilgili kısa bir bilgi aktarıldıktan sonra Genesis, asıl rotası olan Sam'ın çocuklarıyla İbranilerin tarihini anlatmaya devam eder. Bütün soyağacı yine "ilk doğan oğul" ilkesiyle devam etmektedir ve Genesis Sam'dan itibaren ilk dokuz atayı yalnızca ismen saymakla yetinerek kilit isme, Terah ve oğlu İbrahim'e gelir. Aşağıdaki çizelge bu soy kütüğünü yine yaşları ve ilk oğul sahibi olma zamanıyla sergilemektedir:

Genesis soyağacı	Yaşam süresi	İlk oğula sahip olma yaşı
Sam	600 yıl	100
Arpakşad	438 yıl	35
Şelah	433 yıl	30
Eber	464 yıl	34
Peleg	239 yıl	30
Reu	239 yıl	32
Seruc	230 yıl	30
Nahor	148 yıl	29
Terah	205 yıl	70
Abram (İbrahim)	175 yıl	100

Çizelgede ilk dikkat çekici nokta, Tufan'dan sonra İbrani ataların yaşam sürelerinin düzenli olarak belirgin biçimde kısalması ve buna paralel olarak "baba olma yaşı"nın geriye çekilmesidir. Arpakşad'dan itibaren İbrahim ve babası Terah hariç, bütün atalar 30 yaş dolayında, yani "normal" sayılacak zamanda çocuk sahibi olurlar. Yaşam süreleri de Peleg'den itibaren dramatik biçimde kısalır. Bu görünüm, yine Sümer kral listelerindeki akışla ilke olarak uyum içindedir. Sümer'de Tufan öncesi ilk sekiz kral 241,200 yıl hüküm sürerler. Tufan olduktan sonra krallık Kiş kentine taşınır ve burada başlayıp değişik kentlerde devam eden hanedanlara ait 23 kral 24,510 yıl hükümdarlık etmişlerdir. Yani, kral sayısı 3 katına çıkarken toplam hükümdarlık süreleri neredeyse onda birine iner. Aynı anlayış, belirgin biçimde Genesis'e de yansımıştır. Tufan'dan sonra Nuh'un oğulları, doğuya göç ederler; tıpkı Sümer'de Tufan sonrası krallığın Kiş'e geçmesi gibi. Ne var ki, tam bu dönemi anlatan Genesis'in 11. bölümü, yine anlaşılması güç bir bilmeceyle çıkar karşımıza:

"Ve bütün dünyanın dili bir ve sözü birdi. Ve vaki oldu ki şarka göçtükleri zaman, Şinar diyarında bir ova buldular; ve orada oturdular. Ve birbirlerine dediler: Gelin kerpiç yapalım ve onları iyice pişirelim. Ve onların taş yerine kerpiçleri ve harç yerine ziftleri vardı. Ve dediler: Bütün yeryüzü üzerine dağılmayalım diye, gelin, kendimize bir şehir ve başı göklere erişecek bir kule bina edelim, ve kendimize bir nam yapalım." (Tekvin 11:1-4)

Tufan sonrasında zaten Nuh'un çocuklarından ibaret hale indirgenen dünyanın "dili ve sözü bir olması" son derece doğaldır. Doğuya doğru gitmeleri, coğrafi bir mantık hatasına neden olsa da bunun çok üzerinde durmayabiliriz. (Nuh'un gemisi Tufan'dan sonra Ağrı Dağı'nda karaya oturmuş ve gemiden inenler hemen ovalara inip çiftçilik yapmaya başlamışlardır. Nuh'un çiftçiliği seçtiği, hatta kendi bağının üzümlerinden yapılmış şarabı içip sarhoş olduğu yazılıdır Genesis'te. Bu durumda, doğuya doğru göçen oğullarının yolları Batı İran'a ulaşmış olmalıdır. Oysa Genesis'te Şinar diyarından, yani Babil'den söz edilmektedir ki bunun için göç yolunun güney olması gerekirdi.) Vardıkları ülkeyle ilgili oldukça net bir ipucu sunulmaktadır metinde: "Onların taş yerine kerpiçleri, harç yerine ziftleri vardı." Bu değerlendirme, inşaatta kesme taşların kullanıldığı bir uygarlığın aksine, Tufan sonrası Şinar'a yerleşenlerin kerpiç tuğlalarla bina yaptıklarını vurgular ki, bu da aslında Mısır'ın taş mimarisiyle Mezopotamya'nın (taş ocağı yokluğundan dolayı) kerpiç tuğlaya dayalı inşaat sistemleri arasındaki farka dikkatimizi çekmektedir. Nuh'la devam eden insan soyu Kuzey Mezopotamya'ya, Şinar diyarı olarak adlandırdıkları Babil'e yerleşmiştir. O dönemde elbette orada Babil falan yoktur; ancak bu insanların çabalarıyla kurulacaktır.

Metinde anlatılanlar, "dili ve sözü bir" insanların Babil toprakları üzerinde bir şehir ve bir kule, yani astronomik amaçlarla kullanılan ve Mezopotamya'da "Ziggurat" olarak adlandırılan bir tapınak inşa etme amaçlarını dile getirir. Ne var ki, o kadar kısa zaman içinde (Genesis'in mantığına göre bu süre en fazla 100 yıl olabilir) insanlığın dev bir ziggurat yapmaya cesaret edebilecek oranda nasıl çoğaldığını anlamak mümkün değildir. Böylesi bir yapı için binlerce yapı işçisi, duvar ustası ve en önemlisi onu planlayacak astronomi bilginleri gerekmektedir. Nüfus artışını bir yana bırakalım, bu bilim ve zanaatların bile söz konusu süre içinde gelişmelerini beklemek fazla çocuksu bir iyi niyetlilik olur. Kulenin yapılışıyla ilgili mantık hatalarının üzerinde fazla durmanın anlamı yok; belli ki yine bütün motifler Babil Sürgünü yıllarında tanıştıkları büyüleyici ziggguratların İbraniler üzerinde yarattığı etkiyle kaleme alınmıştır. Ama hikâyenin asıl ilgi çekici bölümü bundan sonra başlar:

"Ve insanoğlunun yapmakta olduğu şehri ve kuleyi görmek için RAB indi. Ve RAB dedi: İşte bir kavimdirler, ve onların hepsinin bir dili var; ve yapmaya başladıkları şey budur; ve şimdi yapmağa niyet ettiklerinden hiçbir şey onlara men edilmeyecektir. Gelin, inelim, ve birbirlerinin dillerini anlamasınlar diye onların dilini orada karıştıralım." (Tekvin 11:6-7)

İnsanın bilgi ve teknolojiyle olan ilişkisinde tanrının rolünü yalnızca "yasaklamak" olarak gören İbrani ideolojisinin "cennetten kovulma" ve Tufan öncesinde iki kez açığa çıkan "kul olma" anlayışı, burada da kendini belli etmektedir. Yarattığı, Tufan'la cezalandırdıktan sonra da kendileriyle anlaşma yaptığı insanların "aynı dili konuşarak" bir arada olmalarından ve büyük bir kule inşa etmeye başlamalarından Tanrı niçin rahatsız olur? Genesis'te bunun hiçbir açıklaması yoktur. Bir kez daha, diğer eskiçağ toplumlarının tanrılarıyla olan ilişkilerinden çok daha farklı bir yaklaşımı hissederiz burada. Mezopotamyalılara kentler kurmayı, yıldızları gözleyecek zigguratlar yapmayı bizzat tanrılar öğretmiştir. Ama İbranilerin tanrısı Yahve, onların bilgi ve teknolojiyle haşır neşir olmalarından yine rahatsızlık duyar ve "bir olan dillerini" karıştırarak onları birbirinden koparma yolu seçer. Yine yasak olan bir iş yapılmış ve günah işlenmiştir. Bütün bunların, Genesis yazıldığı sıralarda "rabbiler" (din adamları) hariç İbrani toplumunun çoğunluğunun bilgisizliğe mahkûm edilmesi ve bilginin bir ayrıcalık olarak kalması anlayışına, Tanrı katından destek sağlamak amacıyla metne eklendiği açıktır. Diğer yandan İbrani yazarlar, Tufan sonrasında farklı dil ve kültürlerin ortaya çıkmasına da bir açıklama getirmeye çalışmaktadırlar "kule hikâyesi" ile. Kronos'un Ziusudra'ya bilgiyi yasaklamak bir yana, Tufan sonrasında kullanmak üzere kil tabletleri saklamasını söylediği anımsandığında, yaklaşım farkı daha iyi anlaşılır.[41]

"Ve RAB onları bütün yeryüzü üzerine oradan dağıttı; ve şehri bina etmeyi bıraktılar. Bundan dolayı onun adına Babil denildi; çünkü RAB bütün dünyanın dilini orada karıştırdı; ve RAB onları bütün yeryüzü üzerine oradan dağıttı." (Tekvin 11:8-9)

Sami dilinde Bab-ilu ya da Bab-el, gerçekten de "Tanrıların Kapısı" anlamına gelir. Ama Mezopotamya kültüründe bunun kast ettiği, insan nüfusunun dünyaya buradan dağıtılması değil, "tanrıların" dünyaya Babil'den giriş yapmalarıdır. Bu nedenle, yine Babil çıkışlı bir temadan yoluna devam eden Genesis, dünyadaki dillerin farklılaşmasını kasıtlı bir yanlış anlama sonucu Babil'e ve ünlü Ziggurat'ına bağlar. (Bu "kulelerin" son-

---

[41]Enki ile ilgili eski bir Mezopotamya mitinde, "bir olan dilleri farklılaştırma" temasının ilk prototipine rastlanır; ancak burada "kule yapımı" gibi bir "suç" tanımlanmadığı gibi, Enki'nin bu eylemi de bir "ceza" ya da insanları "engelleme" çabası olarak görülmez. Olasılıkla, farklı dillerin varlığına getirilmek istenen bir açıklamadır söz konusu hikâye. (Bkz. Samuel Noah Kramer, "Sümerlerin Kurnaz Tanrısı Enki")

radan bütün Mezopotamya'da inşa edilmiş olmaları karşısında Genesis niçin Tanrı'nın onlara engel olmadığına ilişkin hiçbir açıklama getirmez. Verilmesi gereken "mesaj" verilmiştir çünkü.)

Bu dağılma sonrasında, yukarıda belirttiğimiz çizelgede yer alan Sam'ın soyundan gelen atalar, Terah zamanında "Keldanilerin Ur şehrine" bağlanır. Asıl hikâye de burada başlamaktadır zaten. İbranilerin, yaratılışla başlayan insan soyunun serüveninde kendilerini Adem ile Musa arasına yerleştirmelerini ve "seçilmiş halk" olmayı tescil ettirmelerini sağlayacak süreçte kilit isim, İbrahim, daha doğrusu ilk zamanlardaki adıyla "Abram" olacaktır.

Terah'ın Ur'da yerleşik olduğunu; oğulları Nahor, Haran ve Abram'ın orada doğduklarını vurgulayan ayetlerin ardından, ailenin ilk göçü alır sırayı. Üç oğlundan biri daha Ur'dayken ölen Terah, diğer oğullarından Abram'ı ve Haran'ın oğlu Lût'u yanına alarak Harran'a göç eder. Bu kentin, Urfa yakınlarındaki Harran olduğunu söyleyebiliriz; benzeri ada sahip bir başka şehir yok bölgede. Baba Terah, 205 yaşındayken burada ölüyor. Ardından, Tanrı'nın Nuh'tan bu yana ilk kez bir insanla iletişim kurduğuna ve Abram'a seslendiğine tanık oluyoruz:

"Ve RAB Abram'a dedi: Memleketinden, ve akrabanın yanından ve babanın evinden, sana göstereceğim memlekete git; ve seni büyük millet edeceğim, ve seni mübarek kılacağım; ve senin adını büyük kılacağım, ve sana lanet edene lanet edeceğim; ve yeryüzünün bütün kabileleri sende mübarek olacaktır. Ve Abram RABBİN kendisine söylediği gibi gitti; Lût da kendisiyle birlikte gitti; ve Abram Harran'dan gittiği vakit 75 yaşındaydı." (Tekvin 12:1-4)

Abram'ın kişiliği ve nitelikleri üzerine Genesis'te, bunun öncesinde, tek satır bile bilgi verilmiyor. Dolayısıyla Tanrı'nın "büyük millet yapmak" üzere niçin Ur kentinden Harran'a gelen Terah'ın oğlunu seçtiğini anlayamıyoruz. Ama daha da anlaşılmaz olan, bu olayların gerçekleşme sırasına ilişkin kronolojik gariplikerdir. Yukarıdaki çizelgede de görüleceği üzere, Genesis'te Abram'ın Terah 70 yaşındayken doğduğu belirtilir. Hemen ardından da, Harran'dayken Terah'ın 205 yaşında öldüğü. Demek ki Abram, babası öldüğünde 135 yaşında olmalıdır. Oysa 12. bölümden yukarıya aldığımız dördüncü ayet, Tanrı'nın Abram'la konuşmasının ve bunun ardından Kenan'a doğru yola çıkılmasının Abram 75 yaşındayken gerçekleştiğini söyler. Abram'ın, babası ölmeden 60 yıl önce Harran'ı terk ettiği düşünülebilir, ama bu hem Genesis'te olayların veriliş sırasına uymaz, hem de mantık sınırlarını biraz zorlar. Çünkü Terah'ın yanına Abram, gelini Saray ve torunu Lût'u alarak Ur'dan Harran'a geçmesi nihai bir göç değil, bir tür "mola"dır. Genesis bu yolculuğun Kenan'a doğru düzenlendiğinden söz etmektedir. O halde olayların en mantıklı sıralaması, bu fikrin yalnızca Terah'ın kafasında olması, diğerlerinin yolculuğun Harran'a kadar süreceğini sanmalarıyla başlar. Ne var ki Harran'da kalışları süresinde Terah, bu amacını açıklayamadan ölür. Babasının asıl niyetini bilmeyen Abram, karısı ve yeğeniyle birlikte Harran'da yaşamaya devam etmektedir ki, Tanrı onunla konuşur ve Kenan'a gitmekle görevlendirir. Bu durumda, 135 yaşında olması gereken Abram'ın bir anda 75 yaşına düşürülmesi, Genesis yazarlarının dikkatsizliğinden kaynaklanıyor olsa gerek.

Diğer yandan, yolculuğun rotası da biraz kafa karıştırıcıdır. Ur kentinden Kenan'a gitmek isteyen biri niçin doğrudan doğruya Batı'ya yönelmeyip önce kilometrelerce kuzeye, Harran'a çıkar ve sonra kulağı tersten göstererek yeniden güneybatıya yönelip yine kilometrelerce uzaktaki Kenan'a gelir? Genesis'te bunu açıklayan bir bilgi olmaması, sözü edilen Ur şehrinin Sümer kenti Ur olmayıp, yakınlarındaki benzer isimli bir başka şehir olabileceğini akla getirmektedir. Sümerolog Muazzez Çığ, Abram'ın yola çıktığı kentin Sümerlerin Ur'u olduğundan oldukça kuşkuludur:

"... Tevrat'ın İ.Ö. üçüncü yüzyılda Yunancaya çevrilen metninde bu şehrin adı yok. Birçok araştırmacı, bu Ur adının sonradan eklendiğini söylüyorlar. İbranice olan metinde Ur-Kasdim olarak yazılıyor. Mari'de bulunan çivi yazısı belgelere göre Ur-Kasdim olarak gösterilen yerin, Güney Mezopotamya'da değil, kuzeyde Harran civarında bulunan bir yer olması gerek deniyor. Bugüne kadar böyle bir yer kanıtlanamadı. Fakat bu yolda çeşitli tarihsel veriler var."[42]

İskender'in bölgeyi fethinden önceki adı kesin olarak bilinmemekle birlikte, Harran'a oldukça yakın olan Urfa'nın Genesis'te sözü edilen Ur olma olasılığı çok daha fazladır. Kent, İ.Ö. 2100 dolaylarında Hurriler tarafından kurulmuş, daha sonra Asurluların eline geçmiş ve Güneydoğu Anadolu'daki Asur ticaret kolonilerinden biri haline gelmiştir. Benzeri nitelikler taşıyan ve Sami dilinde adının anlamı "yol" (Harranu) olan Harran'da olduğu gibi, Urfa'da da Ay tanrısı Sin kültünün yaygın olduğu bilinmektedir. Bunu bir ipucu olarak değerlendirebiliriz, çünkü göçebe İbrani kabilelerinin gezdikleri bölgelerde Sin kültüne sık rastlandığını, hatta bu kültün birçok unsurlarının ilk dönemdeki İbrani inançlarında ve yaşam biçiminde etkili olduğunu biliyoruz. Diğer yandan İslam inançlarında Urfa "peygamberler şehri" olarak bilindiği ve özellikle de İbrahim ile ilgili efsanelere sahne olduğu için, Terah ve Abram'ın yola çıktıkları kentin Sümerlerin Ur'undansa, Harran yakınlarındaki Urfa olması çok daha akla uygun. Üstelik buradan Kenan'a yapılacak bir yolculukta "Anadolu'yu Orta Doğu'ya bağlayan yol" olarak nitelenen ve adının kökeni de "yol" olan Harran'a uğranması daha anlamlı hale geliyor.

Genesis'e göre Abram, Kenan ülkesinde ilkin Şekem adlı kente gelip yerleşir. Burada kaldığı süre içinde de Tanrı onunla ikinci kez iletişim kurar ve gördüğü bütün toprakları onun soyundan gelenlere vereceğini söyler. Ancak bir süre sonra ülkede kıtlık yaşanmaya başlayınca, çaresiz kalan Abram, yanındakilerle birlikte, yiyecek bulma umuduyla Mısır'a gider. Ülkeye girerlerken karısı Saray'la konuşur ve Mısır'da onu karısı olarak değil, kardeşi olarak tanıtacağını söyler. Bu garip tavrın nedeni, Saray'ın büyüleyici güzelliğidir. Abram, eğer onun kocası olduğu bilinirse, Saray'a sahip olmak isteyenlerin kendisini öldürebileceğinden korkmaktadır. Basit bir hesaba göre Mısır'a girdikleri sıralarda seksen yaşını epey geride bırakmış olması ge-

---

[42]Muazzez İlmiye Çığ, "İbrahim Peygamber", s. 77

reken Saray'ın hâlâ cinayet işletecek kadar güzel olması ilginçtir tabii. Gerçekten de firavun Saray'ı çok beğenir ve onu hemen haremine almak ister. (Söylemeye gerek yok, firavunun adı yine belirtilmez Genesis'te.) Ancak bir süre sonra kendisinin ve yakınlarının başına öyle felaketler gelir ki, bunu Saray'a bağlayan firavun onu Abram'a geri verir ve kendisine söylenen yalandan yakınır:

"Ve Firavun Abram'ı çağırıp dedi: Bana bu yaptığın nedir? Onun karın olduğunu niye bana bildirmedin? Niçin bu benim kız kardeşimdir dedin, ben de onu karı olarak aldım? Ve şimdi, işte karın, al ve git." (Tekvin 12:18-19)

İlginçtir ki, Tanrı yalan söyleyen Abram'ı değil, Saray'ı onun kız kardeşi sanarak haremine alan firavunu cezalandırır bu olayda. Tam Genesis yazarlarına göre bir adalet anlayışı! Üstelik, Abram karısını alıp gitmekle kalmayacak, firavun ona mal ve armağanlar da verecektir. Bu olayın neredeyse aynısı, daha sonra Kenan'da da yaşanır. Bu kez Gerar kralı Abimelek'in ülkesini ziyaret eden Abram, yine Saray'ı kardeşi olarak tanıtır. Abimelek de Saray'ın güzelliğine kapılacak (muhtemelen 90 yaşlarında bir kadından söz edildiğini unutmayalım!) ve onu eş olarak almak isteyecektir. Firavun'un yaşadıkları, her şeyden habersiz bu adamın başına da aynen gelir. Ancak bu kez Tanrı Abimelek'in rüyasına girecek ve onu Saray'ı bırakması için uyaracaktır. Tanrı'dan korkan kral, Saray'ı İbrahim'e geri vermekle kalmayacak; ona koyunlar, sığırlar, köleler ve cariyeler de hediye edecektir. Yine de, İbrahim'in yalanını içine sindirememiştir Abimelek; ona niçin Saray'ın karısı olduğunu söylemediğini ve kardeşi olarak tanıttığını sorar. Abram'ın yanıtı ilginçtir:

"Çünkü gerçekten bu yerde Tanrı korkusu yoktur; ve karım yüzünden beni öldürecekler dedim. Ve gerçekten de kız kardeşimdir, kendisi babamın kızıdır, fakat annemin kızı değildir; ve benim karım oldu." (Tekvin 20:11-12)

Bu sözler kabile geleneğine uygun bir "iç evliliği" değil, doğrudan doğruya bir "ensest" evliliği anlatmaktadır ve kökenleri Sami kabilelerinden çok çok eskiye, Mezopotamya ve Mısır'ın ilk hanedanlarına dek dayanmaktadır. Bu toplumların mitolojilerinde, panteonda söz sahibi olmanın yolunun "yarım kardeş" ile evlenmekten geçtiğini görürüz. Sümer'de EN.Kİ, tanrı AN'ın ilk doğan çocuğudur, ama hükümranlık yetkisini küçük kardeşi EN.LİL'e devretmek zorunda kalır. Çünkü EN.Kİ bir cariyeden, EN.LİL ise AN'ın "yarım kız kardeşi" ile yaptığı evlilikten doğmuştur ve Anunnaki kurallarına göre bu daha makbul bir "kan" anlamına gelmektedir. Benzeri biçimde Mısır'da da tanrıların kız kardeşleriyle evlendiklerine tanık oluruz: Osiris kızkardeşi İsis ile, Seth de diğer kız kardeş olan Nephtys ile evlenirler. Bu gelenek, "tanrılara özgü olma" nedeniyle Sümer ve Mısır krallarınca da uzun yıllar sürekli olarak uygulanır. Abram'ın yarım kız kardeşiyle evlenmesini, hem mitolojilerden hem de Sümer ve Mısır hanedan geleneklerinden öğrenen İbrani yazarların kurguladığı bir efsane olarak düşünmekte yarar vardır bu nedenle. Çünkü böylelikle Abram "tanrılar ve kralların" ilkesini yerine getirmiş; dolayısıyla Saray'ın ona doğuracağı İshak da gerçek "soylu kan"a sahip olmuştur!

Abram'la ilgili bu hikâyelerin oluşumunda yine Mezopotamya ve Yakındoğu mitlerinden izler bulmak olası. Muazzez Çığ'a göre Abram'ın Mısır'da ve Gerar'da yaşadıklarıyla benzeşen ilginç bir Ugarit efsanesi var:

"Diğer yandan Ugaritlerin Kret efsanesi de başka yönden Abram'ın bu öyküsüne benziyor. Kret, kahraman bir kral, karısı Hurrai, tanrıçaların güzelliğiyle yarışacak kadar güzel. Saray da öyle imiş. Her nasılsa Hurrai evinden kaçırılıyor. Kret onun arkasından iki göz iki çeşme ağlıyor. Gözyaşları gümüş paralar gibi saçılıyor. Abram da karısının ardından öyle ağlıyor. Rüyasında Tanrı Bel, ona temiz yıkanıp tanrılara kurban vermesini, dua etmesini önerdikten sonra, karısının bulunduğu Udun'a gitmesini, oranın kralı karısına karşı ne verirse almamasını, karısını istemesini öneriyor. Kret büyük bir orduyla gidip karısını alıyor. Çok uzun olan bu efsanede de Tanrı, Kret'e yardım ediyor. Aynı şekilde Abram'a da Tanrı karısını kurtarması için saraya felaketler veriyor."[43]

[43]Muazzez İlmiye Çığ, a.g.e., s. 91-92

Gerçekten de Çığ'ın yakaladığı benzerlikler ilginçtir. Bu Ugarit efsanesiyle birlikte Abram'ın Mısır'da yaşadıklarının "İnanna'nın Ölüler Diyarına İnişi" olarak bilinen mitten de esintiler içerdiğinin altını çizen ünlü sümerolog, Genesis'in bu kilit isminin farklı kültürlerin efsanelerinden izler taşıyan "kompozit" bir kişilik olduğuna dikkat çekiyor.

Buraya kadar Abram'la ilgili anlatılanların onu bir kronolojiye yerleştirmeyi kolaylaştıracak hiçbir geçerli ipucu vermediğini görüyoruz. Eldeki tek dolaylı referans, Urfa ve Harran'ın birer Asur ticaret kolonisi olmalarıdır ki bu da hiçbir kanıt olmamakla birlikte Abram'ın İ.Ö. 2000 yılı dolaylarına yerleşebileceğini öngörür. Oysa Genesis'teki akış onun Tufan'dan sonraki onuncu, yaratılıştan itibaren de yirminci kuşak olduğunu göstermektedir ki bu durumda söz konusu tarihi çok çok daha geriye, en azından İ.Ö. 2300'lere çekmek gerekmektedir.

Mısır dönüşü yaşananların anlatıldığı ayetler, kutsal kitap arkeologlarını biraz da olsa umutlandıracak veriler içerir. Burada Kenan bölgesinde belli bir tarihte çok sayıda irili ufaklı krallığın birbirleriyle yaptıkları bir savaştan söz edilmektedir ve Abram da bir biçimde olayların içinde yer alır. Kutsal Kitap arkeolojisiyle uğraşan bilim adamları, sözü edilen krallar ve yaşanan savaş, eldeki arkeolojik bulgular ve kronolojilerle çakıştırılabilirse, Abram'ın varlığının ilk kez kanıtlanabileceğini düşünerek ayrı bir önem verirler bu meseleye:

"Şinar kralı Amrafel'in, Ellasar kralı Aryok'un, Elam kralı Kederlaomer'in ve Goyim kralı Tidal'in günlerinde vaki oldu ki, bunlar Sodom kralı Bera ve Gomorra kralı Birşa, Adma kralı Şinab ve Tseboim kralı Şemeber ve Bela (ki Tsoar'dır) kralı ile cenk ettiler." (Tekvin 14:1-2)

İki ayrı müttefik grubu halinde gerçekleşen bu savaş sırasında Sodom ve Gomorra'nın kralları kaçınca, diğer grup bölgeyi yağmalar ve oraya yerleşmiş olan Abram'ın yeğeni Lût'u da kaçırır, mallarına el koyar. Bunu haber alan Abram, 318 uşağıyla birlikte bu adamlara saldırır, hem yeğeni Lût'u ve mallarını kurtarır, hem de saldırganları uzaklara kadar sürer.

Hikâyenin inandırıcılığı üzerinde tartışmaya gerek yok. Mısır'a girerken öldürüleceği düşüncesiyle karısını kız kardeşi olarak tanıtan Abram'ın, doksan yaşını çoktan aştığı bir sırada bir anda nasıl 318 adama sahip müthiş bir savaşçıya dönüştüğünü sorgulamıyoruz. Çünkü Abram'la ilgili metinlerin değişik mitlerden alınmış parçalarla oluşan bir kolaj olduğunu artık biliyoruz. Ancak burada önemli olan, bölgede iz bırakmış olması gereken bir savaşla ilgili ipuçları. Gerçekten de bunlar üzerinde yapılacak bir araştırma en azından Abram mitine özne olan kahramanın kronoloji cetveline oturtulmasında yararlı olabilir.

Tarihçiler, arkeologlar ve din adamları uzun süre Genesis 14'te adı geçen bu kralların ve yapıldığı söylenen savaşın izine rastlamadılar. Derken, 1897 yılında Londra'daki Victoria Enstitüsü'nde ders veren Theophilus Pinches, British Museum'daki Spartoli Koleksiyonu'nda yer alan bir dizi tableti deşifre ederken, bölgede, Genesis'te bildirildiği gibi, bir savaştan söz eden metinlere rastladığını belirtti. Bu metinlerde Elam kralı Kudur-Laghamar'ın, Eri-Aku ve Tud-Ghula adlı iki kralla oluşturduğu ittifaktan söz ediliyordu Pinches'a göre. Tabletteki isimler İbranice'deki karşılıklarıyla ele alındığında Kederlaomer "Kudur-Laghamar"a; Aryok "Eri-Aku"ya; Tidal de "Tud-ghula"ya dönüşüyorlardı. (Kimileri Tidal'in Hitit Kralı I. Tudhaliya olabileceğini ileri sürdüler; ancak iki nedenle bu iddia temelsizdi: Birincisi, Eski Ahit'te Hititler bir "millet" olarak biliniyorlardı ve bu nedenle onlardan "Goyim", yani "diğer halklardan biri" olarak söz edilmesi akla yakın değildi. İkincisi ve en önemlisi de, I. Tudhaliya, söz konusu olayların geçtiği varsayılan tarihlerden yüzyıllar sonra, İ.Ö. 1450 dolaylarında yaşamıştı.) Kısa bir süre sonra İstanbul'daki (o zamanki adı "Osmanlı İmparatorluk Müzesi" olan) Arkeoloji Müzesi'nde Vincent Scheil adlı bir araştırmacı din adamı, Hammurabi tarafından yazılan bir mektuba rastladı. Bu mektupta da Kudur-Laghamar'ın adından söz ediliyordu. Art arda gelen bu bulgularla "Şinar kralı Amrafel"in ünlü Babil hükümdarı Hammurabi olduğu düşüncesi bir süre arkeoloji ve tarih çevrelerinde egemen oldu. Çünkü o dönemde Hammurabi'nin İ.Ö. 2050 dolaylarında yaşadığı düşünülüyordu ve bu bilgiler, Abram'ı da o tarihlere yerleştirmeye çalışan klasik anlayışla uyum içindeydi. Ne var ki izleyen dönemde elde edilen bulgular Hammurabi'nin hükümdarlık yıllarının daha yakın tarihlere, İ.Ö. 1750 dolaylarına çekilmesi sonucunu verecek kanıtları beraberinde getirince, işler değişti. Hammurabi Amraphel olsa bile, diğer krallarla aynı çağda yaşamamıştı.

Yirminci yüzyıl ortalarında elde edilen bulgularla mesele biraz daha netleşti: Aslında hem Genesis'te hem de Spartoli tabletlerinde rastlanan metinler, içeriklerini daha eski başka bir kaynaktan alıyorlardı ve asıl önemlisi, adı geçen kralların hiçbiri birbiriyle çağdaş değildi. Dolayısıyla söz konusu metin aslında değişik dönemlere gönderme yaparak birtakım ahlaki idealler empoze etmeye çalışan siyasi bir metindi; tarihsel bir belge falan değil. Oysa Genesis yazarları, öyle anlaşılıyordu ki bu bulgunun aktarılması sırasında da bir hata yapmışlar ve adı geçen kralların aynı yıllarda yaşayıp ortak bir savaşın içinde yer aldıklarını düşünerek, bütün hikâyeyi buna göre kurmuşlardı. Abram'ın da bir biçimde içine karıştığı "savaş"ın aslında büyük ihtimalle bir kurgu olması, devamında gelen Sodom ve Gomorra'nın yok edilmesi hikâyesine de gölge düşürmeye yeterliydi.

Genesis'e göre Abram Lût'u kurtardıktan bir süre sonra, Tanrı'nın iki meleği Sodom ve Gomorra yakınlarına gelir. Bu iki günahkâr kentte eşcinsellik oldukça yaygındır ve bu nedenle Tanrı onları yok edecektir. Ne var ki, Abram'la yaptığı ahit gereği, onun yeğeni Lût'u bu kıyımdan ayrı tutmayı istemektedir. Lût melekleri kapıda karşılar, çadırına davet eder. Bu arada kent halkı da oraya toplanmış, Lût'tan, melekleri onlara getirmesini istemektedir. Lût'un durduramadığı kent halkını yine Tanrı'nın yardımcıları oradan uzaklaştıracak, onları "körlükle" vuracaktır. Ardından Lût'a önemli haber verilir: Tanrı ertesi sabah şafakla birlikte bu iki kenti tümüyle yok edecektir. Melekler, güneş doğmadan karısını ve kızlarını alıp oradan uzaklaşmasını isterler Lût'tan; yoksa onlar da Sodom ve Gomorra'yla birlikte telef olacaklardır.

"Canın için kaç; arkana bakma ve bütün Havza'da durma; dağa kaç; yoksa telef olursun." (Tekvin 19:17)

Sodom ve Gomorra kentleriyle ilgili bugüne dek ne bir arkeolojik bulgu elde edilmiştir, ne de onlardan söz eden Eski Ahit dışında bir başka kaynak. Yapılan araştırmalarda bölgede İ.Ö. 2000 dolaylarında gerçekten birkaç kasaba olduğu, bunların bilinmeyen nedenlerle terk edildiği yolunda sonuçlara varılmıştır gerçi, ama ne bir savaşın izi görülmektedir, ne de "kükürt ve ateşle yok edilen" iki kentin kalıntıları. Genel kanı, bir deprem ya da toprak kaymasıyla bölgedeki yerleşim yerlerinin tahrip olduğu ve bu nedenle de boşaldığıdır. Diğer yandan meleklerin Lût'a yaptıkları uyarılar oldukça ilgi çekicidir: "Sakın arkanıza bakmayın!" Bu öğüde uymayan Lût'un karısı (nedense) tuz direğine[+] dönüşür. Bu ifadeler ve kentlerin yok ediliş biçimleri fantastik biçimde "nükleer savaş" izleri taşımaktadır neredeyse! Diğer yandan, "Sakın arkana bakma" biçiminde verilen uyarıların ve bunlara uyulmadığında ortaya çıkan faciaların anlatıldığı çok sayıda efsaneye hem Yakındoğu hem de Yunan kültürlerinde rastlamak mümkündür.

Genesis, Abram'ın Tanrı'yla sık sık haberleşmesinden; yolculuklarından ve yaptığı işlerden söz eder. Bunların hiçbiri, onun varlığını kronolojik bir çizelgeye oturtmamıza yardımcı olacak nitelikte referanslar değildir. Karısı Saray kısır olduğu için uzun süre çocuk sahibi olamadıklarını; bunun üzerine cariyesi Hacer'den İsmail'i dünyaya getirdiğini; 100 yaşındayken de Tanrı'nın mucizesiyle Saray'ın ona İshak'ı doğurduğunu öğreniriz. Artık adı Abram'dan (Büyük Baba) "Birçok kavmin babası" anlamındaki Abraham'a (İbrahim) dönüşmüştür.

Yine İbrahim'i anlatan Genesis metinlerinde, Tanrı'yla yapılan anlaşma gereği ortaya çıkan kural ve uygulamalardan da ilk kez söz edildiğini okuyor ve bunlarla ilgili açıklamaları öğreniyoruz. Her şeyden önce, Genesis'te soyların "ilk oğul" ilkesine göre düzenlenmesinin ardında yatan düşüncenin, Batı Sami kabilelerinde İ.Ö. 2000 başlarında oldukça yaygın olan akıldışı bir geleneği, "insan kurbanı"nı ortadan kaldırmak ve bunu

---

[+] Zecharia Sitchin, burada da bir çeviri hatası yapıldığını ve doğru sözcüğün "tuz direği" değil, "buhar" olması gerekitğini belirtir. Yani Lût'un karısı, arkasına bakmış ve buharlaşmıştır!

uygulayanlarla bağları koparmak olduğunu söyleyebiliriz. Kuzey Suriye'den Filistin'e dek uzanan bölge içinde yaşayan Sami kabilelerde, doğan ilk oğul Tanrı'ya kurban edilir ve yakılırdı; İ.Ö. yirmi birinci yüzyıl dolaylarında. İbrahim'in anlatıldığı bölümlerle birlikte, bu uygulamaya İbrani toplumunda kesinlikle son verildiği vurgulanmaktadır. Genesis'e göre Tanrı İbrahim'den ilk oğlunu kendisi için kurban etmesini ister. İbrahim ne kadar üzülse de Tanrı'nın emrine uyacak ve İshak'ı kurban etmek üzere sunağa yatıracaktır. Tam o anda, Tanrı'nın melekleri ortaya çıkar ve bunun yalnızca İbrahim'i denemek için bir sınav olduğunu, oğlunu kurban etmesi gerekmediğini söylerler. Bu ilke, daha sonra Exodus kitabında Musa'ya söylenenlerle pekişecektir: "Bütün ilk doğanlar bana aittir" der Tanrı, yani onları kurban etmek söz konusu bile olmayacaktır. Yine İbrahim ile birlikte ortaya çıkan bir başka Ahit kuralı da, erkek çocukların sünnet edilmesidir. Bu geleneğin yalnızca Mısır'da uygulandığını ve kökeninin çok eskilere dayandığını; dolayısıyla İbrahim'le başlatılan bu geleneğin Mısır'ı bilen Samilerce kabile kültürüne ithal edilmiş olduğunu söyleyebiliriz.

Bütün bu bilgiler, aslında bir tek şeyin altını çizer: İbraniler, Babil Sürgünü öncesinde kültürlerinde var olan sözlü geleneğe bağlı efsanelerden, Mezopotamya'da tanıştıkları mitlerden ve inceleme fırsatı buldukları kimi tarihsel kayıtlardan yararlanarak kendilerini bir yönüyle Yaratılış'a bir yönüyle de Mısır'dan çıkışa bağlayacak soyağacı zincirindeki en önemli atalarını, kimi gerçek verilerden yola çıkmakla birlikte, "sanal" olarak yaratmışlardır. Genesis'te bu dönemlere ilişkin zaman kayıtlarının çoğu kez oldukça kesin rakamlarla verilmesi bile bu şüpheyi uyandırmak için yeterlidir aslında. Diğer yandan, onca dikkate karşın İbrahim ile ilgili basit zaman hesaplarında bile (Kenan'a gidiş sırasındaki 60 yıllık farkı anımsayalım) ciddi hatalar yapılmıştır. Efsanelerden oluşturulan kolaj, karizmatik bir lider prototipi yaratmayı başarır ama coğrafi adlar, kişi adları ve olaylara ilişkin tutarsızlık ve karışıklıklar, bu prototipin inandırıcılığını çok azaltmaktadır.

Vardığımız elle tutulur sonuçlardan biri, Terah ve oğulları-

nın Sümerlerin Ur kentinden değil, o devirlerde bir Asur tica-
ret kolonisi olan Urfa'dan Harran'a geçtikleridir ki bu birçok
şeyi açıklamaya yardımcı olur: Bölgedeki göçebe Sami kökenli
kabilelerin, kuzeydeki Asur ticaret kolonileriyle Kenan bölgesi
kentleri arasında dolaştıklarını, belli aralıklarla da Sina üzerin-
den Mısır'a, Nil'in deltasının doğusuna dek geldiklerini biliyo-
ruz. Dolayısıyla hem Kuzey Suriye'deki Asur (sonraları Hitit)
ve Amorit kültürlerini, hem de güneyde, Sina dolaylarındaki
Mısır kültürünü tanımaktadır bu insanlar. Bu güzergâh üzerin-
deki toplumlara ilişkin bilgilerin, büyük olasılıkla bilinen en es-
ki kabile atasından yola çıkarak İbrahim efsanesini biçimlendir-
mekte etkili olduğu kesindir. Genesis'te anlatıldığı biçimiyle ve
sunulan ayrıntılarla bire bir çakışan bir İbrahim'in varlığını ka-
bul etmek (en azından şu aşamada) mümkün görünmüyor. An-
cak bu, onun bütünüyle hayali bir kişilik olduğu anlamına da
gelmez: Belleklerde bir biçimde yer eden, olasılıkla ticaretle uğ-
raştığı için zenginlik, güç ve nüfuza sahip olmuş, oldukça eski
bir ataya ait bilinenlerin, İ.Ö. beşinci yüzyıl başlarında "köken
sorunu"nu halletmek üzere başka kültürlerin mitleriyle beslene-
rek İbrahim efsanesine dönüştüğünü söyleyebiliriz. Yani "sanal"
olan İbrahim'in kendisi değil, Genesis'te onun çevresinde oluş-
turulan efsane ve ayrıntılardır büyük olasılıkla. Ama bu durum,
metinlerde anlatılanları ve bu arada İbrahim'i, bilinen Yakındo-
ğu kronolojisinde net bir tarihe yerleştirmemizi neredeyse ola-
naksız kılar. Referans alınmaya aday olabilecek az sayıdaki olay,
yer ve kişi adları, gördüğümüz üzere farklı tarihlere aittir ve ta-
rihsel veriler deforme edilerek bir araya getirilmiştir.

Bu durumda ejiptologlar ve eskiçağ tarihçileri, "varolan" bir
İbrahim'i değil, aslında Genesis'te anlatılan olaylara esin kayna-
ğı oluşturan unsurları ve ayetlerde kastedilen dönemi saptama
yoluna gidiyorlar. Referanslar yine eksik olduğu için, tek kay-
nak olarak yine Eski Ahit'i kullanmaktan başka da çaresi yok ta-
rihçilerin. Bu durumda, fazlasıyla üstünkörü bir işlemle Eski
Ahit'te verilen sürelerin "genel olarak doğru" olabileceği varsa-
yımıyla Süleyman'ın krallığı döneminden geriye doğru hesapla-
ma yaparak ilkin Mısır'dan çıkış, sonra da İbrahim için bir ta-

rih belirlemeye çalışıyorlar. Kaba bir hesapla, Eski Ahit'teki verileri kullanarak bu tarihler Exodus için İ.Ö. 1300 dolayları, İbrahim için de İ.Ö. 1900'ler olarak (ama veri yetersizliği dolayısıyla "şerh" de koyarak) kronoloji üzerinde işaretleniyor. Aynı yöntemle daha gerilere gitmeyi ve ilkin Tufan, sonra da yaratılış için tarih belirlemeyi bilim adamları reddediyor. Bunun nedenleri açık:

1. Eğer İbrahim'i Eski Ahit'teki verilerden yola çıkarak İ.Ö. 2000 ile1900 arasına yerleştirirseniz, aynı yöntemi uygulayarak Tufan için İ.Ö. 2600 dolaylarında bir tarihe ulaşırsınız; çünkü Eski Ahit'te verilen soyağacına göre İbrahim ile Sam arasında yaklaşık 560 yıllık bir ara vardır. Tufan'ı bu tarihlere yerleştirmek mümkün değildir, çünkü bu dönemle ilgili elde bol bilgi vardır ve Mısır ya da Yakındoğu'da "yerel" bile olsa büyük bir doğal felaketin yaşandığına dair hiçbir ize rastlanmamıştır.

2. Aynı şekilde, Tufan ile "cennetten kovuluş" arasında da yaklaşık 1600 yıl bulunmaktadır; bilim adamlarının homo sapiens'in ortaya çıkışını İ.Ö. 4200 gibi bir tarihe yerleştirmeleri düşünülemez bile. Eldeki bütün kanıtlar, ilk insanın bugün bildiğimiz biçimiyle en geç 30,000 yıl önce ortaya çıktığını göstermektedir.

Dolayısıyla, Eski Ahit ile tarihçiler arasındaki ilişki, İbrahim için saptanan tahmine dayalı tarihle birlikte sona erer. Daha geriye gitmek bilimsel anlayışa uygun düşmeyeceği için, yaratılış, cennetten kovulma ve Tufan, "folklorik efsaneler" olarak değerlendirilir ve meselenin üzeri kapatılır.

Bilim adamlarının yapmaya yanaşmadığı iş, din adamları için zorunlu bir görevdir aslında. Bu nedenle, hıristiyan dünyasının araştırmacıları, verileri sınamaksızın doğru kabul ederek Eski Ahit için kabul edilebilir bir kronoloji çıkarmaya çalışmışlardır. Ortaya konan araştırmalar arasında iki din adamının, piskopos Ussher ve Hales'in, önerdiği kronolojilerden söz edebiliriz burada. Aşağıdaki çizelge, karşılaştırmalı olarak bu dökümlerde yer alan tarihlerden bazılarını içermektedir (bütün tarihler İsa'dan önceye aittir):

Olaylar	Ussher'e göre tarih	Hales'e göre tarih
Yaratılış	4004	5411
Nuh'un doğumu	2948	3755
Tufan	2348	3155
İbrahim'in doğumu	1996	2153
Yakup'un doğumu	1836	1993
Yusuf'un Mısır'da köle olarak satılması	1728	1885
Yusuf'un Firavun'a vezir olması	1715	1872
Yusuf'un ölümü	1635	1792

Yirminci yüzyıl boyunca Eski Ahit'in kronolojisinin çıkarılmasında din adamlarının çözümü olarak en çok bu iki sistem üzerinde durulmuştur. Görüldüğü gibi, yaratılış için önerilen en eski tarih bile böylece Hales'in verdiği İ.Ö. 5411'in öncesine gitmez. Her iki hıristiyan din adamının farklı hesaplardan yararlanarak ortaya çıkardığı kronolojiler arasında uçurum denecek kadar büyük zaman farkları vardır. Bu yetmezmiş gibi, Eski Ahit'in "ilk sahipleri" olan Yahudi toplumunun ilahiyat araştırmacıları, Ussher ve Hales'in her ikisine de oldukça uzak bir kronolojik anlayış geliştirmişlerdir. Yahudi dini çevrelerinde İbrahim'in oğlu İshak'ın doğum tarihi olarak İ.Ö. 2048 yılı üzerinde genel bir anlaşma söz konusudur. Bu tarih, İbrahim'in doğum yılını da 2148 dolaylarına çeker. Bu anlamda Hales'in kronolojisiyle belli bir yakınlıktan söz edilebilir. Ancak Yahudi takviminin esası, "tüm zamanların başlangıcı"nı İ.Ö. 3760 yılına tarihlediği için, yaratılış ve Tufan gibi konularda bu yakınlık yerini yine kopuşa bırakır.

Diğer yandan İ.S. 1. yüzyılda yaşayan Yahudi tarihçi Josephus, İbrahim'in varlığına ilişkin kanıtları Babilli rahip Berossus'un metinlerinde yakalamaya çalışır. "Yahudi Tarihi" adlı kitabında şunları söylemektedir Josephus:

"Berossus, atamız İbrahim'den söz eder. Adını vermez, ama şunları anlatır: Büyük Tufan'dan sonra onuncu kuşakta, Kaldeliler arasında büyük, adil ve gökyüzüyle ilgili her şeyi bilen bir adam vardı."[45]

Josephus'un Berossus'tan yaptığı alıntının kaynağı belirsiz olduğu gibi, isim verilmediği halde kimi İbrahim'le özdeşleştirdiği de tarihçilerce çözülememiştir bugüne dek. İlginç olan, çoğunlukla "yalancı" ilan ettiği; kendi ulusunun geçmişini çok eski göstermek istediği için tarihsel verileri tahrif etmekle suçladığı Berossus'a, salt İbrahim'i doğrulayabilmek için başvurabilmesidir.

Mısır'da bir "çoban vezir"

Eski Ahit'te "eksik halka" durumundaki köken boşluğu, çok değişik kaynaklardan bir araya getirilen parçalarla oluşmuş bir "kompozit ata" izlenimi veren İbrahim ile çözülmüştür. Genesis yazarları için bundan sonra yapılacak iş, İbrahim'i kavimlerinin Mısır'daki varlığına bağlamaktan ibarettir yalnızca. İbranilerin soyağacı, İbrahim'in cariyesi Hacer'den doğan İsmail'le değil, Saray'ın dünyaya getirdiği İshak'la devam eder. Tanrı tıpkı İbrahim'le olduğu gibi İshak'la da iletişim kurar; Kenan bölgesini onun soyuna vereceğini bir kez daha müjdeler ve bunun karşılığında koşulsuz itaat ve bağlılık isteğini yineler.

İshak'ın ilk doğan çocukları, ikizlerdir: Esav ile Yakup. Bu durumda ilk oğul olma hakkı doğuş sırasına göre Esav'dan yana belirlenir. Ne var ki, ondan çok daha kurnaz olan Yakup, yıllar geçtikten sonra bu hakkı, babası İshak'ı kandırarak elde edecektir.

İshak gibi, Yakup da Tanrı ile konuşma olanağı bulan atalardandır; böylece, İbrahim'le başlayan ahit, İshak'tan sonra Yakup'la da bir kez daha tazelenir. Kenan dolaylarındaki gezintilerinden birinde, UFO tanıklıklarını çağrıştırır biçimde, göğe uzanan bir merdivenden inip çıkan tanrısal varlıklar gören Yakup, bir başka seferinde de, Ürdün Nehri'ni geçerken "Tanrı" olduğu belirtilen bir varlıkla "güreş eder". Kendisini kutsama-

---

dan onu bırakmayacağını söylediği ve sabaha dek güreştiği bu varlık, sonunda onun adını değiştirecek ve Yakup'a "Tanrı'yla güreşen" anlamında "İsra-El" (İsrail) adını verecektir:

"Ve Yakup yalnız başına kaldı; ve seher sökünceye kadar bir adam onunla güreşti. Ve onu yenemediğini görünce, uyluğunun başına dokundu ve onunla güreşirken Yakup'un uyluk başı incindi. Ve dedi: Bırak gideyim, çünkü seher vakti oluyor. Ve dedi: Beni mübarek kılmadıkça seni bırakmam. Ve ona dedi: Adın nedir? Ve o dedi: Yakup. Ve dedi: Artık sana Yakup değil İsrail denecek, çünkü Tanrı ile ve insanlarla güreşip yendin." (Tekvin 32:24-28)

"Beni kutsamadan seni bırakmam" diyen bir adamın sabaha kadar bir tanrıyla güreşmesi fikri insanı ister istemez tebessüm ettiriyor. Ancak Genesis'teki bu tema, hem Yakup'un adının İsrail'e dönüşmesinin nedenini belirtmek, hem de İbranilerin inatçılıkları ve pazarlık meraklarının vurgulanması açısından oldukça ilginçtir.

Yakup'un, dört ayrı eşinden toplam on iki oğlu olur: Ruben, Şimeon, Levi, Yahuda, Dan, Naftali, Gad, Aşer, İssakar, Zebulun, Yusuf ve Bünyamin. Bunlar, kendilerinden türeyecek kuşaklarla, İsrail'in ünlü on iki kabilesini oluşturacaklardır. Söz konusu sayının önemini vurgulamaya gerek olduğunu sanmıyorum: Gök ekvatorunu 360 parçadan oluşan bir çember gibi düşünen ve bunun her 30 parçaya denk gelen kısmını ayrı bir takımyıldıza bağlayan altmışlı (sexagesimal) sisteme dayalı Sümer matematiğinin ve astronomisinin eskiçağ kültürlerine armağan ettiği kutsal bir sayıdır on iki. Panteon tanrıları ya da İsa'nın havarileri gibi Yakup'un oğullarının, yani İsrail'in kabilelerinin de 12 tane olması, bütünüyle göksel olgularla ilişkili görünüyor. Yusuf daha küçük bir çocukken, bir rüya görür: Güneş, ay ve on bir yıldız kendisine selam durmaktadır. Burada Güneş babası Yakup'u, Ay annesini, on bir yıldız da (aslında "takımyıldız" sözcüğü daha uygun düşer, çünkü İbranice orijinaldeki "Kokhavim" sözcüğü hem yıldız hem de takımyıldız anlamına gelmektedir[46]; tıpkı Sümerce'deki MUL ya da Akatça'daki "Kak-

[46]Bkz. Zecharia Sitchin, "The Cosmic Code", s. 35

kabu" sözcükleri gibi) kardeşlerini simgelemektedir. Bu durumda Yakup'un 12 oğlunu ve İsrail'in 12 kabilesini, Genesis yazarlarının "Zodyak'ın 12 Burcu" ile bağdaştırdıklarını söyleyebiliriz. Söz konusu takımyıldızların Yakındoğu ve Yunan mitolojilerinde tanrısal figürleri sembolize etmesi, bu yakıştırmayla İsrailloğullarının Tanrı'nın "seçilmiş halkı" olduğu iddiasını da Genesis'in bir kez daha vurgulamaya çalışması gibidir.

Ne var ki söz konusu rüya, Yusuf'un başına bir hayli iş açacaktır. Onun kendilerine üstünlük tasladığını düşünen kardeşleri, daha 13 yaşındayken, Yusuf'u ortadan kaldırmaya karar verirler. Bir av sırasında kardeşlerini kör bir kuyuya atar, sonra da oradan geçmekte olan bir kervana köle olarak satarlar. Eve döndüklerinde parçalanmış elbisesini göstererek Yakup'a kardeşlerinin öldüğünü söylediklerinde, büyük bir yükü de üstlerinden attıklarını hissederler. Yakup bunu duyunca üzüntüden kahrolacak ve en sevdiği oğlunun yasını tutmaya başlayacaktır.

Bu arada kervancılar, Yusuf'u Mısır'da zengin bir adama köle olarak satarlar. Aradan yıllar geçer, Yusuf büyür, köle olarak çalıştığı evin en sevilen kişisi haline gelir. Ne var ki patronunun genç karısının, onunla ilgili farklı planları vardır. Yalnız kaldıkları bir anda Yusuf'u baştan çıkarmaya çalışır, beklediği karşılığı göremeyince de hırsından kendisine tecavüz ettiği iddiasıyla kocasına şikâyet eder. Bu kez Yakup'un sevgili oğlu, firavunun zindanında bulacaktır kendini. Ne var ki, Doğu kültüründe bu tür temaları işleyen masallarda sıkça rastlandığı gibi, kader ağlarını örmeye devam edecektir: Yusuf, mahkûmların rüyalarına getirdiği son derece isabetli yorumlarla dikkatleri üzerine çeker, sonunda ünü firavuna dek ulaşır. Gördüğü bir rüya kâhinlerince yorumlanamadığında, firavunun son umudu Yusuf olacaktır. Huzura çıkarılan genç adam, rüyayı hemen yorumlar ve firavunun o denli takdirini kazanır ki, pek de anlaşılmaz biçimde bir anda vezirliğe getirilir.[47]

[47]Benzeri tema, Babil esareti sırasında olanları anlatan Daniel'in kitabında da yer almaktadır. "Rüyet" yorumuna İbrani kültüründe verilen bu değerin, Babil'den ithal edilmiş olduğunu söyleyebiliriz.

İşin "peri masalı" kısmı bir yana, Yusuf'un yorumladığı firavunun rüyası, Genesis ile eskiçağ kronolojileri arasında bağlantı arayışımızda, işimize yarayabilecek ayrıntılara sahiptir: Yusuf, bu rüya uyarınca Mısır'da ilkin yedi yıl bolluk, sonra da yedi yıl kıtlık olacağını haber verir ve önlemlerin alınması gerektiği yolunda firavunu uyarır. Vezirliğe getirilince, bu önlemleri almak ona düşecektir.

Mısır tarihinde, kayıtlara geçmiş epey kıtlık olayı var. Bunlar çoğunlukla periyodik aralıklar içinde Mısır ekonomisini sarsan ve halkı açlığın eşiğine getiren; Nil'in taşmasındaki düzensizliklere bağlı büyük tarımsal felaketler. Dolayısıyla, Eski Ahit'i doğrulama kaygısıyla tarihi belgeler içinde yolculuğa çıkan hıristiyan düşünür ve din adamlarını, Yusuf dönemindeki kıtlıkla ilgili olarak tatmin edecek çok sayıda işarete Mısır toprakları içinde rastlamak mümkün. Bunlardan özellikle biri, uzun süre din adamlarının gözdesi oldu diyebiliriz. "Kıtlık Yazıtı" adıyla bilinen bu metinde, Üçüncü Hanedan'ın ünlü kralı, basamaklı piramidin sahibi Zoser'in dönemine gönderme yapan ve "7 yıl süren kıtlık"tan söz eden bir mit yer alıyor. Ne var ki bugün, bu yazıtın Eski Krallık döneminde değil, en az 2500 yıl sonra Roma döneminde ve hıristiyan düşüncesini doğrulama kaygısıyla tasarlandığını net olarak biliyoruz:

"Yusuf'a ya da büyük kıtlığa ilişkin hiçbir belge bugüne gelemedi. [...] Üçüncü Hanedan dönemindeki yedi yıllık bir kıtlıktan söz eden tabletinse, Roma döneminde yapılmış dindar bir sahtekârlık olduğu kanıtlanmış durumda. Yazıt bütünüyle Yusuf'un hikâyesi üzerine kurulmuş."[48]

Geçerliliğini bütünüyle yitirmiş "Kıtlık Yazıtı"nı bir yana bırakır ve Mısır tarihine dönersek, bu denli uzun süreli ve etkili olan bir kıtlığın izlerine net olarak yalnızca Orta Krallık döneminde rastlandığını söyleyebiliriz. Bu tarımsal olumsuzluğa değinmeden önce, Eski Mısır'ın Nil nehrine bağlı çok önemli bir avantajını anımsamakta yarar var:

---

[48]Donald McKenzie, "Egyptian Myth And Legend", s. 273

Sudan'ın güneyinde doğup Akdeniz'e bir delta yaparak dökülen dünyanın bu en uzun ikinci nehri, kuzeydeki geniş alanın çölleşmesini önleyen en büyük faktör olarak değerlendiriliyor. Aşağı Mısır'ın, yani kuzey bölgelerin, İ.Ö. 2000 dolaylarından itibaren hızlı bir iklim değişikliği yaşamaya başladığını ve bölgenin giderek çölleştiğini biliyoruz. Bu coğrafi yapıda Nil gibi büyük bir nehrin varlığı gerçek bir kurtarıcı olmuştur diyebiliriz. Diğer yandan yatağı, izlediği yol, suladığı bölge ve rejimiyle ilgili özellikleri sayesinde Nil'in yalnızca kurak bölgedeki büyük bir su kaynağı değil, aynı zamanda bölgedeki tarımın da en büyük destekçisi olduğu kesindir. Bölgeye yaşam veren bu büyük nehir, her yıl yaz ortasında yükselir ve taşar. Çevresindeki bölgeyi bütünüyle işgal eden bu taşkınlar sonrasında sular çekilmeye başlarken, ardında nehir yatağından taşıdığı alüvyonlu topraktan oluşan kalınca bir katman bırakır. Sular tamamen çekildiğinde geride kalan taze ve alüvyonlu toprak, çiftçilikle uğraşan insanları tarla sürmek, nadasa bırakmak, hatta saban kullanmak gibi, zorunluluklardan kurtaracak büyük bir nimettir gerçekten de. Mısırlı çiftçiler, toprakla fazla haşır neşir olmaya gerek kalmadan kolayca tarlalarına ekim yapabilmekte ve bol miktarda ürün alabilmektedirler. Bu nedenle Nil nehri Mısır kültüründe tanrısal özelliklerle bağdaştırılmış; hatta Nil için kullandıkları özel isim olan "İteru" (Jtrw) "nehir" ile eş anlamlı olmuştur. Bütün bu hayranlığın ve sevginin ardında yatan kilit olayın bir doğa harikasına, Nil'in yıllık taşmalarına bağlı olduğu kesindir. Nehrin kabarmaları o denli önemlidir ki, Eski Krallık döneminde hem yılın en uzun günü olan Yaz Gündönümü'ne (Summer Solstice) hem de Sothis (Sirius) yıldızının şafak yükselişine rastlaması nedeniyle bu olgu, Mısır takviminin de yılbaşını belirlemiştir.[49]

Bütün bunlardan sonra, Nil'in taşma periyotlarında ortaya çıkacak bir düzensizliğin Mısır'da tarımı nasıl derinden etkileyeceği son derece açıktır elbette. Eğer Nil beklenen zamanda, alışık olunduğu büyüklükte bir taşmayı gerçekleştirmezse, çev-

---

[49]Edwin C. Krupp, "In Search Of Ancient Astronomies"

resindeki ovalarda yapılan tarım da büyük oranda sekteye uğrar. Aksamaların belli dönemlerde nehrin hiç taşmaması noktalarına varması durumundaysa sonuç, izleyen dönem için ciddi zorluklar oluşturacak bir kıtlıktır. Bu olasılıktan duyulan korku, Mısır kültlerinde Osiris'in Nil ve tarım ile bağlantılı düşünülmesine; yılın verimli geçmesi, yani Nil'in beklendiği gibi taşması için de Osiris'e yakarı ayinleri düzenlenmesine neden olurdu.

Mısır devletinin yaklaşık 3000 yıllık tarihi boyunca Nil'in taşmalarında birçok kez düzensizlik görüldüğünü biliyoruz. Bunlar zaman zaman dönemsel kıtlıklara da yol açabiliyor. Ancak Genesis'te Yusuf'un vezirliğe getiriliş dönemi sonrasına ait anlatılanlara paralel, uzun süreli ve çok etkili bir kıtlık, gerçekten de sıra dışı bir olaydır. Bu nedenle Mısır tarihinde yapılacak küçük bir inceleme bile, sözü edilen döneme ilişkin ipuçlarını yakalamamıza olanak verecektir.

Daha önce de belirttiğimiz gibi böylesi bir "tarımsal felaket"le, Orta Krallık olarak adlandırılan dönemde, 11. Hanedan'ın sonlarına doğru tahta çıkan IV. Mentuhotep'in hükümdarlığı zamanında karşılaşıyoruz. Dolayısıyla, Yusuf'un Genesis'teki varlığına esin kaynağı oluşturan olayları, yaklaşık İ.Ö. 2010 dolaylarına denk gelen bu zaman diliminde aramak oldukça makul görünüyor. İlkin Orta Krallık'la ilgili olarak çok kısa birkaç şey söylemekte yarar olabilir: Ejiptoloji, Mısır tarihini, hanedanlara bağlı, oldukça büyük evrelere ayırma eğilimindedir. Buna göre firavun Menes (ya da Narmer) döneminde kuzey ve güneyin birleşmesiyle Mısır'ın büyük bir imparatorluk haline geldiği İsa'dan önceki üçüncü bin yılın başlarından itibaren tarihin bu evresi, Eski Krallık olarak adlandırılır. Merkezi otoritenin son derece güçlü olduğu bu devrede imparatorluğun başkenti, bir zamanlar bugünkü Kahire'nin güneyinde yer alan ünlü Memphis'tir. Dokuzuncu Hanedan'dan itibaren Mısır'ın iç bütünlüğünün bozulmaya başladığına ve başkentteki hanedanların, imparatorluğun bütünü üzerindeki otoritelerinin zayıfladığına ilişkin işaretlere rastlarız. Ejiptologlar bu dönemi Birinci Ara Dönem olarak adlandırırlar. Bu bunalımlı dönem, 11. Hanedan krallarının başkenti güneydeki Thebes'e taşımalarından sonra aşılır ve düzen yeniden sağlanır. Söz konusu yeni evre de Orta Krallık olarak adlandırılmaktadır. IV. Mentuhotep, yaklaşık olarak İ.Ö. 2010 yılında, 11. Hanedan krallarından biri olarak tahta çıkar.

"Bu hükümdar zamanında Nil yeterli miktarda taşmadığı için büyük bir kıtlık olmuştur. Bu dönemden kalmış bazı özel mektuplardan, kıtlıkta ne kadar sıkıntı çekildiği anlaşılıyor. Mesela Mısır'ın kuzeyinde oturan biri, güneyde bulunan annesine şöyle yazıyor: 'Nasılsın? Benim için merak etme, ben hayattayım ve iyiyim, fakat bütün ülke açlıktan ölüyor. Ben senin için mümkün olduğunca erzak sağladım. Fakat Nil yine de çok alçak, değil mi? Kızma ama yarı ölmek, bütün ölmekten iyidir.' Annesi, cevabında oğluna nasihat veriyor: Mümkün olduğu kadar derinleri kazdırarak topraktan yararlanılmasını ve çok güç harcayarak çalışmasını tavsiye ediyor."[50]

Bütün Mısır tarihi boyunca, Genesis'te Yusuf'la ilgili döneme ilişkin anlatılan, "yedi yıl kıtlık" hikâyesiyle bu denli uyumlu başka bir zaman dilimine rastlanmaz. Gerçekten de 2000'lerin hemen başında Mısır'ı derinden etkileyen ve epey sıkıntı çekilmesine neden olan bir kıtlık yaşanmıştır ve buna ilişkin bilgilere Mısır kayıtlarında da rastlarız. Ancak bizim için bundan daha da ilginci, III. Mentuhotep'in yönetimi sırasında başlayan bu kıtlığa paralel olarak, izleyen dönemde ülkede yaşanan siyasi güç dengesidir. IV. Mentuhotep, İ.Ö. 2010 yılında tahtı devralır. Bütün kaynaklar, kıtlık sürerken iktidara gelen firavunun yanında, en az onun kadar, hatta ondan daha güçlü ve etkili bir vezirin varlığından söz etmektedirler. Bu, daha sonra bir darbe ile tahtı ele geçirip 12. Hanedan'ı başlatacak olan ünlü Amenemhet'tir:

"Resmi belgelerde onun hakkında o denli güçlü şeyler yazılmıştır ki, bu sırada ülkede gerçek egemenliğin bu vezirin elinde olduğu anlaşılıyor. Onun resmi lakapları şunlardır: 'Varis prens, sitenin valisi, büyük yargıç, inşaatın büyük şefi.' Aynı zamanda Amenemhet, kralın nedimi unvanıyla, sarayda ihti-

[50]Afet İnan, "Mısır Tarihi ve Medeniyeti", s. 81

ram mevkiinin sahibi kabul edilirdi. Bu nedenle büyükler yerlere kadar eğilerek kendisine selam verir, halk ise secde ederdi."[51]

Amenemhet'in Mısır yönetiminde nasıl "ikinci bir firavun" gibi güçlü olduğuna ilişkin veriler, gerçekten de dönemin hemen bütün resmi yazıtlarında belirgin olarak vurgulanıyor. "Hamamat Yazıtları" olarak bilinen resmi kayıtlarda "Kalıtsal prens, kont, şehir valisi ve vezir; Göklerin verdiği, yeryüzünün yarattığı ve Nil'in getirdiği her şeyin yöneticisi, bütün bu ülkenin yöneticisi Amenemhet"[52] nitelemeleriyle söz ediliyor ünlü vezirden. Daha da önemlisi, onun bu gücü elde ettiği IV. Mentuhotep döneminde Mısır'da birliğin yeniden sağlandığını ve firavunun "Aşağı ve Yukarı Mısır'ın Kralı" ünvanına yeniden kavuştuğunu, yine Hamamat yazıtlarından biliyoruz. Uzun süre güneydeki Thebes'e taşınan başkent ise, yeniden eski günlerdeki gibi kuzeye, Memphis'e naklediliyor bu dönemde. Bu oldukça önemli, çünkü Eski Ahit'te Yusuf dönemini anlatan metinlerin çizdiği coğrafi ve siyasi panorama, net biçimde başkentin ve dolayısıyla firavunun kuzeyde, deltaya yakın yaşadığı bir döneme işaret ediyor.

Mısır'ı sarsan büyük bir kıtlık ve imparatorun yanında ondan çok daha forslu, iktidar ortağı bir vezir. Bütün bunlar, Genesis'te Yusuf dönemine ilişkin anlatılanlarla çok fazla benzerlik içeriyor. İbrani yazarların kavmin Mısır'daki varlığını açıklamak üzere ilkin Zodyak ile paralel, fazlasıyla simgesel anlamlara sahip 12 kardeş yarattığını görmüştük. Bunlar aynı zamanda, İsrailoğularının (yani Yakup'un oğullarının) 12 kabilesinin kurucularıydı. Genesis yazarları, son halkayı oluşturmak ve Mısır bağlantısını sağlamak için bu efsanevi kardeşlerden Yusuf'u seçmiş; ona gerçekten masalsı bir "yazgı" yakıştırarak kölelikten zindana, oradan da "rüya tabirleri" sayesinde vezirliğe uzanan bir efsaneyi biçimlendirmişlerdi. Ancak bütün bunlar sırasında metne kaynak olacak veriler, yine oldukça kafa karıştırıcı bir

[51]Afet İnan, a.g.e.
[52]James Henry Breasted, "Ancient Records of Egypt Vol. I", s. 212

yöntemle Mısır tarihinden derlenmişe benziyor. Şimdi, Yusuf'un Mısır'daki vezirliğiyle ilgili Genesis'te anlatılanlara bir bakalım:

"Ve Firavun Yusuf'a dedi: Madem ki Tanrı sana bütün bu şeyi bildirdi, senin gibi akıllı ve hikmetli bir adam yoktur; sen evimin üzerinde bulunacaksın, ve bütün kavmım senin emrin üzerine idare olunacaktır; ben yalnız tahtta senden büyük olacağım. Ve Firavun Yusuf'a dedi: Bak seni bütün Mısır diyarı üzerine koydum. Ve Firavun mührünü parmağından çıkardı, ve onu Yusuf'un parmağına taktı; ve ona ince keten giysiler giydirdi; ve boynuna altın zincir taktı, ve onu kendisinin ikinci arabasına bindirdi; ve onun önünde Diz çökün, diye bağırdılar; ve onu bütün Mısır diyarı üzerine koydu. Ve Firavun Yusuf'a dedi: Ben firavunum ve bütün Mısır diyarında hiç kimse sensiz elini ya da ayağını kaldırmayacaktır. Ve firavun Yusuf'un adını Zafenat-paneah koydu; ve kendisine On şehrinin[53] kâhini Potiferanın kızı Asenat'ı karı olarak verdi. Ve Yusuf bütün Mısır diyarını devre çıktı." (Tekvin 41:39-45)

Mentuhotep'in veziri Amenemhet için söylenenlerle, Genesis'te Yusuf için anlatılanlar gerçekten şaşırtıcı benzerlikler taşır. Firavun ona kraliyet emrinin simgesi olan mührünü vermiş ve "kendisinden sonraki ikinci adam" ilan etmiştir. Diğer yandan, tıpkı Amenemhet'e bütün halkın "secde etmesi" gibi, Yusuf'un önünde de bütün Mısır diz çökmektedir.

Güçlü bir firavunun, yıllar önce bedevilerden satın alınmış bir köleye (üstelik, doğru olmadığı kanıtlanmış olsa bile, "soylu bir Mısırlı kadına tecavüze kalkışmak" gibi, bir suçla zindana atılan ve "göçebelerin kanını taşıyan" birine) vezirlik payesi vermesi, dahası, onu bütün Mısır üzerinde egemen ilan etmesi, Mısır tarihini ve geleneklerini bilenler için inandırıcı olmaktan çok çok uzaktır elbette. Bu nedenle tarihçiler, Yusuf'un vezirliğini, tahtın Asyalı Hiksosların elinde bulunduğu dönemle çakıştırma eğilimindedirler. Böylesi bir yaklaşım, İbranilerin Mısır'daki varlığını da bir ölçüde açıklar görünmektedir. Üstelik,

---

[53] Eski Mısır dilinde "Annu", Yunanca'da "Heliopolis" adlarıyla bilinen ünlü kült merkezi.

Hiksoslar ülkeden kovulup Yeni Krallık oluştuktan sonra tahta geçen otoriter firavunlardan birini, "Yusuf'u bilmeyen firavun" olarak değerlendirmek, daha risksiz bir yaklaşımdır. Bu durum, Mısır'da Hiksos dönemine duyulan nefretle, onların ardında kalan Asyalılara baskı ve eziyet uygulamasını da açıklanır hale getirmektedir tarihçilere göre.

Ne var ki, bütün Mısır tarihi boyunca Yusuf'un elde ettiğine denk ayrıcalıklara sahip bir tek vezir vardır: Amenemhet. Bu o denli açıktır ki, söz konusu ayrıcalıklarının verdiği gücü daha sonra iktidarı elde etmekte kullanan bu hırslı adam, Mısır'daki vezirlik sisteminde köklü değişiklikler yapmış; hiçbir vezirin kendisinin olduğu kadar güçlü olamaması için bütün önlemleri alarak hem vezir sayısını artırmış, hem de yetkileri kısmıştır. Gerçekten de Orta Krallık'tan itibaren Mısır tarihinde Amenemhet kadar güçlü vezirlere rastlanmaz. Bunun tek istisnası, 18. Hanedan kralı Tutankamon'un döneminde vezirlik yapan Ay'dır ki, Yusuf dönemiyle bu entrikacı vezir arasında paralellikler kurmak çok güçtür. Her şeyden önce Ay, dokuz yaşında tahta çıkan bir "çocuk krala" vezirlik yapmanın son derece sıradışı avantajlarından yararlanmıştır. İkincisi, Mısır'daki bu iktidar zaafından doğan boşluktan yararlanarak elde ettiği gücü tek başına değil, kendisiyle eşit güce sahip bir başka vezirle, General Horemheb ile paylaşmıştır. Üçüncüsü, Ay'ın Tutankamon'un ölümü sonrasında fırsatçılıkla elde ettiği taht süresi dahil, toplam saltanatı on yıldan biraz fazla sürmüştür. Son olarak Tutankamon ve Ay dönemlerinde hiçbir kıtlık yaşanmamıştır. Kaldı ki, Genesis'in anlatımından Yusuf'un bu yetkileri bir "çocuk kral"dan değil, ülke üzerindeki otoritesi sağlam bir firavundan aldığına ilişkin güçlü izlenimler ediniriz.

Bu anlamda, Amenemhet, Yusuf idealinin oluşturulmasına katkıda bulunacak tek uygun vezir olarak çıkar karşımıza. Genesis'te firavunun Yusuf'a verdiği ad, Zafenat-paneah'tır. Bu ada sahip bir Mısırlı vezire hiçbir kayıtta rastlanmadığı gibi, söz konusu ismin Mısır diline uygunluğu da tartışmalıdır. Büyük bir olasılıkla Genesis yazarları, İbranileştirilmiş bir ismi, Mısır diline benzetmeye çalışarak Yusuf'a atfetmişlerdir. Bu ad Ame-

nemhet olabilir mi? Elimizde bunu doğrulayacak hiçbir belge
yok. Üstelik, gücünün doruğundayken büyük olasılıkla bir dar-
beyle iktidarı eline geçiren ve 12. Hanedanı başlatan Amenem-
het, bu noktada işleri biraz karıştırıyor. Genesis'te Yusuf fira-
vunla aynı yetkileri kullanır ve eşit güce sahiptir, ama bu onu
firavunluğa kadar taşımaz. İşin daha karışık kısmı, tahta çıktık-
tan sonra Amenemhet'in deltanın doğusundaki kabilelere çok
sert davranması; onları kılıç zoruyla bölgeden kovması ve Mı-
sır'a girişlerini engellemek için büyük bir set inşa ettirmesidir
ki, bunlar da elbette kendisi o doğulu kabilelerden birine men-
sup olan Yusuf kişiliğinin çok uzağına düşmektedir. O halde bu
karışıklığın içinden nasıl çıkacağız?

Bu noktada, vezirlik rütbesine erişmemekle birlikte Orta
Krallık döneminin en güçlü yöneticilerinden biri olduğunu ra-
hatlıkla söyleyebileceğimiz, III. Mentuhotep'in danışmanı He-
nu'dan biraz söz etmekte yarar olabilir. Hamamat yazıtlarında,
döneme ilişkin kayıtları düştüğü metinde, Henu kendini şu sı-
fatlarla tanımlıyor:

"Majestelerinin en sevgili hizmetkârı, kraliyet armasının ta-
şıyıcısı, *tapınakların ve depoların yöneticisi,* adaletin altı mah-
kemesinin şefi..."[54]

Ejiptolog James Henry Breasted, Henu'nun ve (vezirlik dö-
nemindeki) Amenemhet'in Hamamat'taki yazıtlarının birbirleri-
ne olan benzerliğine dikkat çekiyor. Her iki yöneticinin de bel-
li ayrıcalıklara sahip olarak firavunun "sağ kolu" haline geldik-
lerini anlamak zor değil. Her ne kadar Amenemhet (sonradan
tahtı ele geçirmesini bir yana bırakalım), Henu'dan çok daha
özel yetki ve otoriteyle donatılmış olsa da, Hamamat yazıtların-
dan yukarıda yaptığımız alıntıdaki bir ayrıntı oldukça dikkat çe-
kici: Henu, kendini "tapınakların ve depoların yöneticisi" olarak
niteliyor. Yusuf'un kıtlık öncesi önlemleri alma doğrultusunda
Mısır'daki bütün depoların yöneticisi yapıldığına ilişkin Eski
Ahit ifadelerini anımsayabiliriz burada. Ayrıca, rezervleri zor
günler için doldururken halktan ve toprak sahiplerinden yüklü

[54]James Henry Breasted, a.g.e., s. 208 - italikler bana ait.

vergiler aldığı, ancak tapınakları bu vergilerden muaf tuttuğu da yine Genesis'te anlatılanlar arasında. Heliopolis rahiplerinden birinin kızıyla evlendirilen Yusuf'un tapınaklara yaptığı bu ayrıcalık, hikâyenin kendi akışı içinde oldukça tutarlı görünüyor. Ancak burada dikkat çekici olan, Henu'nun da, Amenemhet kadar olmasa bile, Yusuf prototipine uyması.

Yusuf'un Mısırlı adı olarak Genesis'te belirtilen Zafenat-paneah, Orta Mısırca olarak bilinen antik dilin yapısı ve kuralları epey zorlanarak "Zepi henet-pene" (Zpj.hnt.pn) haline sokulabilir. Burada sondaki "pene" (pn) eki, Orta Mısır dilinde maskülen işaret zamiri işlevi görmektedir (İngilizce'deki "this" ya da "that" gibi.) Eğer "Zepi" (zpj) sözcüğünü "geriye kalan, hayatta kalan" anlamıyla alırsak, buna "baş" ya da "başkan" anlamındaki "henet" (hnt) sözcüğü eklendiğinde ismin anlamı, "hayatta kalanların başkanı" haline dönüşebilir. Yusuf'un, kıtlık sırasında açlıktan ölme tehlikesi yaşayan ailesini Mısır'a getirdiği ve kurtardığı düşünüldüğünde, firavunun ona verdiği ad biraz "kâhince" bir yakıştırmayla olaylara kısmen uymaktadır.

Diğer yandan, eğer Amenemhet'ten önceki güçlü yöneticiyi, yani Henu'yu, Yusuf'un kompozit kişiliği içinde yer alan unsurlardan biri olarak düşünürsek de, söz konusu isim "Zep-Henu-Penâ" olarak yeniden oluşturulabilir: "Henu Zamanındaki Altüst Oluş." Belki de, biraz daha farklı ve dil yapısını zorlayan bir yorumla, "Henu Devrinin Bitişi." IV. Mentuhotep'in sağ kolu Amenemhet'ten önce, krallıkta vezir kimdi? Büyük olasılıkla, bir önceki hükümdarın güçlü danışmanı Henu, kim olduğu ve kökeni tam olarak bilinemeyen Amenemhet'in bu konumu elde etmesine dek, görevini sürdürüyordu. O halde Amenemhet'in "Henu dönemini devirdiğine", yani "Zep-Henu-Penâ" olayını gerçekleştirdiğine hükmetmek çok da abartılı sayılmamalı.

Ama görüldüğü gibi bunları yaparken bile hem Orta Mısır dilini hem de olayların mantıksal gelişimini bir hayli zorluyoruz. Elimizde Zafenat-paneah'nın hiyeroglifle yazılmış hali olmadıkça, varabileceğimiz nokta da en fazla bu. Kutsal Kitap araştırmacıları, yıllarca bu ismin hiyeroglif yazılışını yeniden yaratmaya çalıştılar. Ama Zecharia Sitchin, bunun yararsız bir çaba olduğunu; Genesis'te Yusuf'un Mısırlı adı olarak verilen Zafenat-paneah'ın aslında bütünüyle İbranice kökenden geldiğini düşünüyor: Zofnot (gizli şeyler) ve Pa'aneah (çözücü) sözcüklerinin bir bileşimiyle yaratılmış bu isim, Sitchin'e göre Yusuf'un medyumluk yeteneğiyle ilişkili.[55]

Diğer yandan, Amenemhet'in adı doğrudan tanrı Amen (Amon) ile ilişkili olduğu için Yusuf'a öngörülen sözde Mısırca adla bağdaştırmak da çok zor. Bu bağlantıyı, Amenemhet'in tahta çıktıktan sonra ünvanlarına eklenen Horus adı "ShetepibRa" ("Ra Hoşnuttur") ile de kuramayız. Ancak, oldukça ilgi çekici bir benzerlik, bir başka noktada karşımıza çıkar: Yusuf'un asıl adının Sami dilindeki anlamıyla, Amenemhet arasındaki bir paralelliktir bu:

"Ve Tanrı Rahel'i hatırlayıp onu işitti; ve onun rahmini açtı. Ve gebe kalıp bir oğul doğurdu; ve dedi: Tanrı utancımı kaldırdı; ve onun adını Yusuf koyup dedi: RAB bana bir oğul daha artırsın!" (Tekvin 30:22-24)

Burada, Yakup'a (İsrail'e) çocuk doğuramadığı için utanç duyan Rahel'in yakarılarının kabul edildiği; doğan ilk oğluna da Rahel'in "Tanrı devamını getirsin, bu öncü olsun" anlamında Yusuf adını verdiği anlatılmaktadır. Gerçekten de Yusuf "öncü" olacak, Rahel daha sonra Bünyamin'i (Benjamin) doğuracaktır. Her iki oğul da, babaları Yakup'un gözdeleridir. Burada, ismin orijinalinin Yosif-El (ya da Yosif-Yah) olduğunu anımsamak, işimizi daha kolay hale getirecektir. Eski Ahit'te adı Tanrı ile birlikte anılan ataların çoğu, "El" takısını taşırlar: Dan-El (Daniel), Yisma-El (İsmail), Samu-El (Samuel) gibi. Sonradan sözlü anlatımda kısaltılmış halleriyle bilinen çoğu ismin sonunda (ya da bazen başında) "El" eki vardır: Yizhak-El (İshak), Yakob-El (Yakup), El-Ezer (Elizer) ve daha pek çok örnek sayılabilir. Daha önce de sözünü ettiğimiz gibi, Batı Sami dillerinin hemen hepsinde tanrı anlamına gelen "El", aslında Kenan ve Ugarit mitolojilerinde panteonun en büyük tanrısının adıdır. İl-

[55]Zeharia Sitchin, "The Cosmic Code", s. 169

kin Kenan mitlerinde insan görünümlü bir tanrı olarak anlatılırken, sonraları bu en güçlü tanrının gözle görülemeyen, ama her yerde olan ve herkesi duyan bir tanrı niteliğine kavuştuğu söylenebilir. Bu yönüyle de El, bölgede yaşayan *yerleşik* kavimlerin olduğu kadar göçebe kabilelerin diline de genel bir tanrı kavramını simgelemek üzere yerleşmiştir. Dolayısıyla Yosif-El adı, görünmeyen ama gören ve her yerde olan Tanrı'ya seslenecek biçimde seçilmiştir: Tanrı (El) bunun devamını getirsin, bu oğul El'in öncüsü olsun, anlamında. ("Yosif-Yah" biçiminde yazılan versiyon, "El" yerine doğrudan "Yahve"nin adını içerir, ama anlam değişikliği yaratmaz: "Yahve Artırsın".)

Mısır panteonunda Amen (Amon) de benzeri biçimde, antropomorfik özelliklerinden sıyrılıp görünmeyen, ama her yerde olan ve herkesi duyan, her şeyi gören bir tanrı kavramına dönüşmüştür. Bu yönüyle ve bu niteliğiyle, bir süre sonra panteonun en büyük tanrılarından Ra ile birleşecek ve "Amon-Ra" (görünmeyen ama her yerde olan Ra) adının oluşmasını sağlayacaktır. V. Mentuhotep'in güçlü ve karizmatik veziri Amenemhet'in adının anlamı, "Amen'in öncüsü" olarak çevrilebilir.[56] Orijinali, "İmen-em-haat" olan isimde İmen, tanrı Amen'in Mısırcadaki biçimidir; "haat" ise önde olan, "öncü olan" anlamına gelir.

Her yerde olan, ancak görülmeyen en büyük tanrıyla bağdaştırılmış iki isim: "El'in öncüsü-El artırsın" ve "Amen'in öncüsü-Amen'in ilki". Yusuf'a esin kaynağı oluşturan Mısırlı veziri başka yerlerde aramanın gereği var mı artık?

Verileri alt alta sıraladığımızda, resim iyice net hale gelir: Genesis'te anlatıldığı biçimiyle Mısır'da büyük çapta ve uzun süreli bir kıtlık, yalnızca Orta Krallık döneminde, Vezir Amenemhet zamanında yaşanmıştır. Bütün Mısır tarihinde, Amenemhet kadar güçlü ve iktidarı elinde tutan bir başka vezire rastlanmaz ki, bu da Genesis'te Yusuf'un vezirliği için anlatılanlarla büyük oranda paralelliğe sahiptir. Dahası, Yusuf'un

---

[56] Kimi çevirilerde bu ad "Amen Öndedir" ya da "Amen Başımızdadır" olarak yazılmakla birlikte "Amen'in Öncüsü"nün daha uygun ve anlamlı bir çeviri oluduğunu düşünüyorum.

adıyla Amenemhet'in adının anlamları arasında da ihmal edile-
meyecek bir benzerlik vardır.

Diğer yandan, Amenemhet'le birlikte, bir önceki dönemin
güçlü yöneticisi, yani III. Mentuhotep'in danışmanı Henu da
tarihin sayfalarından Yusuf'la ilgili olarak bize göz kırpar. O,
hem yetki ve ayrıcalık sahibidir, hem de "depoların ve tapınak-
ların yöneticisi" olarak niteler kendini. Bütün bunlar, Eski
Ahit'teki "Yusuf'u tanıyan firavun"u üç Mentuhotep'in; Yu-
suf'u da Henu ve Amenemhet'in birer sentezi haline getirir.
Toplam süreleri Breasted'in kronolojisinden ve Torino papirü-
sünden yola çıkarak kabaca bilinen, ancak haklarında oldukça az
belgeye sahip olduğumuz III, IV ve V. Mentuhotep, "yanında
güçlü bir vezir barındıran" firavun şemasına uygundur. Diğer
yandan III. Mentuhotep'in forslu danışmanı Henu da, depola-
rın ve tapınakların yöneticisi olarak Yusuf'la benzerlik gösterir;
çünkü Yakup'un oğlu tarımla ilgili bütün düzenlemeleri ve de-
polama işlemlerini bizzat yönetmiştir:

"Ve Yusuf firavunun huzurundan çıkıp bütün Mısır diya-
rında dolaştı. Ve yedi bolluk yılında toprak avuçlarla verdi. Ve
Mısır diyarında olan yedi yılın bütün yiyeceğini topladı, ve yi-
yeceği şehirlere koydu; her şehrin etrafında olan tarlada yetişen
yiyeceği o şehrin etrafına koydu." (Tekvin 41:46-48)

Bolluk dönemindeki bu "depolama" etkinliği, ardından ge-
len kıtlık için yoğun bir hazırlıktır. Mısır'ın büyük bölümü
Nil'in taşmalarının kesilmesiyle gelen tarım sorunlarından ötü-
rü açlık çekerken, Yusuf depolardaki buğdayı kullanarak ilkin
farklı nomlardaki insanların paralarını, ardından hayvanlarını,
son olarak da tarlalarını firavun adına alacak; tohum verdiği
köylülerden bundan böyle ürünün beşte birini firavun hakkı
olarak tahsil edecektir. Bu ekonomik düzenlemeye bütün Mı-
sır'da yalnızca tapınaklar ve rahip sınıfı istisna oluşturur. (Tek-
vin 47:20-25)

Bütün bunlar, hakkında Mısır'da bir tek kayda bile rastlan-
mayan Yusuf'un, "sentetik bir kişilik" olarak, Orta Krallık dö-
neminin iki güçlü yöneticisi Henu ve Amenemhet'in kişilikleri-
ne yönelik ipuçlarının bir araya getirilmesiyle oluşturulduğu

varsayımına yönlendiriyor bizi. İbranilerin Mısır'a geldiği ve yerleştiği ileri sürülen ataları, böylece ülkenin iki ünlü yöneticisiyle ilgili anlatılanlardan beslenerek, "tarihsel geçerliliğe" kavuşturulmak istenmiş belli ki. Bu noktada, yanıtlanması gereken bir tek soru kalıyor önümüzde: Anlatılan olayların geçtiği düşünülen tarihlerden en az bin beş yüz yıl sonra kaleme alındığını bildiğimiz Genesis'i yazanlar, Henu ve Amenemhet'e ilişkin verileri ne zaman ve nereden edinmiş olabilirler? Eğer bu bilgiler bin beş yüz yıl boyunca "sözlü gelenek" ile aktarılmışsa, Filistin'deki ilk kaynak kim ya da kimler olabilir?

Göçebe Sami kabilelerinin ve Suriye-Filistin bölgesinde hayvancılıkla uğraşan bedevilerin, Mısır'da yerleşik olmak bir yana, sınırlardan içeri sokulmadıklarından ve sürekli baskı altında tutulup üzerlerine seferler düzenlendiğinden söz ettik. O halde, İ.Ö. 2000 dolaylarında bu Sami kabilelerden birinin mensupları, Mısır'da olan bitenlere ilişkin bu denli ayrıntılı bilgileri nasıl ve nereden elde etmiş olabilir?

Yanıt, Mısır tarihinin en eski ve en bilinen edebi metinlerinden biri olduğu kadar, geçerli tarihsel kayıtları doğrulamasıyla da ünlü bir belgede saklı aslında: "Sinuhe'nin Anıları."

Vezir Amenemhet'in, ayrıntıları çok net bilinmeyen bir biçimde "hükümet darbesi" yaparak Mısır tahtını ele geçirdiğini ve 12. Hanedanı başlattığını vurgulamıştık. Sonrasında da (kendisinin yaptığını bir başka vezir ona yapamasın diye olsa gerek) yöneticilerin yetkilerini kıstığını ve üzerlerinde terör estirdiğini biliyoruz. Hükümdarlığının sonlarına doğru, yerine geçecek olan oğlu I. Sesostris'e verdiği "hayat dersleri"ni içeren oldukça ilginç metinde Amenemhet, genç veliahta "kimseye güvenmemesi" gerektiğinin altını çizerek öğütler:

"Sana söyleyeceklerime iyi kulak ver ki,
Yeryüzünün kralı,
Ülkelerin hakimi olasın.
Emrindekilere karşı kendini katılaştır,
İnsanlar, kendilerini korkutana değer verirler.
Onlara yalnız yaklaşma.
Yüreğini kardeşle doldurma,

Bir tek dost bile bilme,
Kimseyle yakın olma,
Bunun sonu yoktur.
Uyuduğunda, yüreğinle koru kendini
Çünkü insanın kimsesi yoktur
Bu kötülük çağında."[57]

Bu paranoyayla yetişen genç Sesostris, Batı'da, Libya çöllerinde bir askeri seferdeyken, Başkent'ten firavunun öldüğü haberi gelir. Sesostris bu haberin duyulmasını istemez ve kimse herhangi bir "saray darbesi" yapmaya yeltenmeden gidip tahta sahip çıkmak için birliklerinden gizlice ayrılıp, Memphis'e döner. Seferde kendisiyle birlikte olan aristokratlardan biri olan genç Sinuhe, istemeden kulak misafiri olmuştur anlatılanlara. Bu durumdan, nedenini pek de anlayamadığımız biçimde, rahatsızlık duyar ve Sesostris'in onu bir biçimde cezalandıracağından korkarak, ani bir kararla ülkeyi terk eder. "Sinuhe'nin Anıları" olarak bilinen metinde bu genç ve soylu Mısırlı, dizleri titreyerek, soluk almaksızın doğu yönünde kaçtığından ve sınır duvarlarını aştıktan sonra bugünkü Filistin'e (Mısır dilinde "Retenu") vardığından söz eder. Orada, bölgenin egemeni olan Şeyh Emuienshi ile karşılaşır. Mısır dilini iyi bilen ve ülkede olan bitenlerden haberdar olan Şeyh, Sinuhe'yi de tanımaktadır. Ona oldukça konuksever davranır, ağırlar, sığınmasına ve yerleşmesine izin verir. Dahası, Sinuhe'yi büyük kızıyla evlendirir ve onlara Filistin'in en verimli topraklarını armağan eder.

Sinuhe'nin anlattıkları, bilinen somut belgelerle de büyük oranda uyumlu olduğu için, yazarın içtenliği konusunda pek az kuşku var. Bu anlamda, onun ve Şeyh Emuienshi'nin, Mısır ile Filistin arasındaki ilk gerçek kültür alışverişini gerçekleştirdiklerini söyleyebiliriz. Edinilen bulgular da, Filistin'e verilen "Retenu" adının ilk kez Sinuhe'nin anılarında ("Tenu" olarak) geçtiğini gösteriyor. Yine aynı metinden, Mısırlı genç soylunun bu "siyasi iltica" sürecinin uzun yıllara yayıldığını öğreniyoruz. Sinuhe, artık neredeyse Filistin'in bir yerlisi haline geliyor ve ora-

[57]James Henry Breasted, a.g.e., s. 230

da çocuk sahibi oluyor. Aynı zamanda Şeyh'in danışmanı olduğunu da yine kendi anlattıklarından okuyoruz. Ne var ki, bütün o rahat yaşama rağmen ülkesine duyduğu özlem dinmiyor bir türlü. Nihayet, iktidarının sonlarına doğru Sesostris Sinuhe'nin izini buluyor ve onu affettiğini belirten kraliyet fermanını yolluyor. Yaşlı Sinuhe'nin sevinçle Mısır'a geri dönmesi ve kral tarafından itibarının geri verilmesiyle bitiyor hikâye.

Belirttiğimiz gibi, Sinuhe'nin anılarının düş ürünü olmayıp, büyük oranda Mısır'da Orta Krallık devrine ait gerçek verileri içerdiği konusunda bilim adamlarının hemen hiç kuşkusu yok. Bu durumda, Mısırlı aristokratın uzun yıllar Filistin'de yaşaması ve Şeyh'in yakın çevresine, sürekli özlemini çektiği Mısır'la ilgili bütün bildiklerini anlatması, az önce altını çizdiğimiz "kaynak sorunu"na da açıklık getiriyor. Filistin'deki Samiler, Mısır'da olan bitenleri; kıtlık sırasında yaşananları; Henu ve Amenemhet'in kişiliklerine ilişkin bilgileri, hiç kuşku yok ki Sinuhe'den öğrenmişler ve bunu belleklerine kazımışlardı. Dolayısıyla, yüzyıllar içinde sözlü gelenekle aktarılan bu bilgilerin, Eski Ahit yazarlarınca Genesis düzenlenirken yoğun olarak kullanıldıklarını düşünmekte hiçbir sakınca yok. Üstelik görünüşe bakılırsa aynı bilgiler, yani Mısır'dan politik nedenlerle uzaklaşıp sığınacak yer arayan soyluların Sina'nın doğusuna ve kuzeyine kaçmaları teması, Yahudi literatüründe epey sık kullanılmış: Musa, firavun tarafından arandığından korkunca Midyan'a, yani Sina'nın doğusuna sığınıp orada bir kabileye misafir olmuş ve şefin kızıyla evlenmişti. Benzeri biçimde, yüzyıllar sonra kayınpederi Saul'den kaçan Davut da bu tür bir "iltica"yı seçer. Sinuhe'den Şeyh aracılığıyla aktarılan bilgilerin hayli rağbet gören bir malzeme olduğunu söyleyebiliriz.

Yukarıda sıraladığımız veriler ve göstergelerden yola çıkarak Yusuf'un Amenemhet ya da Henu ile aynı kişi olduğunu öne sürmüyoruz; yalnızca, Amenemhet'le (ve elbette Henu'yla) ilgili anlatılan hikâyelerin Genesis'in yazarlarına Yusuf efsanesini biçimlendirmekte esin kaynağı olduğunu söylüyoruz. Bir yanda, bilinen ve hikâyeleri dilden dile yayılan iki karizmatik vezir var; diğer yandaysa, gerçekte yaşamamış, yalnızca İsrailoğullarının

Mısır'daki yerleşik varlığını daha önceki atalara bağlama işlevi gören "kompozit" bir kişilik.

Daha işin en başından itibaren, her şeyin göksel mitlerle paralel gittiğini vurgulamıştık: Yakup'un 12 oğlu, bütünüyle "Zodyak'ın 12 Burcu"na paralel olarak yaratılmıştır Genesis'te. Sonlara doğru, 49. bölümde Yakup'un ölmeden önce bütün çocuklarıyla ilgili söylediği şiirsel sözler, bu paralelliğin yalnızca 12 sayısıyla sınırlı olmadığını; doğrudan doğruya her çocuğun farklı bir takımyıldızla eşleştirildiğini ortaya koyar. (En belirgin olanlar: İssakar – Koç; Ruben – Boğa; Şimeon ve Levi - İkizler; Yahuda - Aslan; Yusuf – Yay; Naftali – Oğlak; Zebulun – Kova. Bunlara ek olarak Gad – Yengeç; Aşer – Terazi; Bünyamin – Balık; Dan – Akrep eşleşmeleri de mümkündür. Yakup'un 12 oğlundan ikisi, Şimeon ve Levi aynı burçta birleşince, "Bakire" anlamı da taşıyan Başak burcuna kızı Dina yerleşmektedir. Ne var ki kabilelerin başkanları ancak erkek çocuklar olabilir. Bu nedenle Yusuf'un Mısır'da doğan oğulları Manasse ve Efraim, nihai düzenlemede bu boşluğu dolduracaklardır.) Yakup'un veda söylevi, aynı zamanda 12 burç için çıkarılmış bir astrolojik yorumu da andırır; çünkü her çocuğun geleceği ve soyuna ilişkin yorumları içermektedir. Bu anlamda, aslında "Yakup ve oğulları", her yönüyle destansı bir hikâyenin kahramanlarıdırlar. Yusuf'un kölelikten vezirliğe uzanan serüveni de bu destansı yapıyla uyum içindedir. Ne var ki, her destanda, her efsanede, her mitte elle tutulur bir dayanak noktası bulunması gibi, Yusuf'la ilgili Genesis metinlerinde gerçek tarihten esin kaynakları bulunmaktadır. Bu esin kaynaklarının Mısır'daki büyük kıtlık ve vezir Amenemhet (ve Henu) olmaları, son derece akla yakın.

Kutsal metinleri eskiçağ tarihi kronolojileriyle bağdaştırmanın güçlüklerinden söz ederken, çoğu zaman yer, kişi adları ve toplumsal olayların sağlam referans noktaları olmadığını vurgulamıştık. Yazının kullanılmadığı bir toplumun tarihi sözel gelenekle kuşaklara aktarılırken, toplumsal bellek, kişiler, yer adları ve toplumsal olaylarla ilgili gerçek verileri (tıpkı şu popüler çocuk oyunu "kulaktan kulağa"da olduğu gibi) zaman içinde büyük oranda değiştirebilir; hatta veri olmayan yerde bunları bütünüyle uydurabilir. Bu nedenle, "kilit" gibi görünen kişiler çoğu kez zaman içinde abartılarak efsaneleştirilmiş ya da yoktan var edilmiş olabileceği için, bunları referans olarak belirleme yöntemi riskler taşır. Sonuçta, bir kralın, bir savaşın ya da yeri henüz saptanamamış bir kentin varlığını kronolojik referans olarak kullandığınız zaman, belirsizliklerin ve güvenilmezliklerin kol gezdiği bir alanda dolaşmış olursunuz. Bu yöntemin tek gerçek alternatifi, şehirlerin ya da insanların değil, "doğanın tarihi"nde referans noktaları bulmaktır. Toplumsal bellek birçok konuda zayıf düşebilir ya da kolektif çabayla zaman içinde kişi ve mekânlarla ilgili bilgileri, gerçeğin çok uzaklarına taşıyacak biçimde değiştirebilir. Buna karşılık, iz bırakan doğa olayları, afetler, büyük kıtlıklar asla unutulmaz. Bir efsaneyi yoktan var ederken bile toplumsal bellek doğa olayları karşısında o denli duyarlıdır ki, bu tür afetler (eğer yaşanmışlarsa) uydurulmuş efsanelerde bile inandırıcılığı sağlayacak dayanaklar olarak hikâyenin iskeletinde beliriverirler. İşte bu nedenle, kutsal metinlerin kronolojik sağlamasını yaparken, arkeolojik ya da dokümantasyona sahip verinin olmadığı yerde en sağlam referansların doğal afetler olduğunu savunuyoruz. Başlangıçtan beri, hem Exodus hem de Yusuf'un Mısır'a gelişiyle ilgili olarak yaptığımız da budur. İlkinde, bütün Yakındoğu (hatta bütün Eski Dünya) kültürlerinde izleri görülen bir dizi doğal afeti Eski Ahit'te Mısır'ın başına geldiği söylenen felaketlerle karşılaştırdık; ikincisindeyse, bir efsaneye esin kaynağı oluşturacak unsuru saptayabilmek için Mısır ve Filistin'i uzun süre etkileyen şiddetli bir kıtlıktan yola çıktık. Bu iki referans noktası bizi Eski Ahit'le ilgili kronolojik araştırmada belli bir noktaya getirirken iki de olası tarih çıkardı ortaya:

Yusuf'un vezirliği teması ————————— İ.Ö. yaklaşık 2010
İsrailoğullarının Mısır'dan çıkışı teması — İ.Ö. yaklaşık 1640

Görüldüğü gibi, her iki olayın da doğal afetler çevresinde gelişen olay ve kişilerle hemen hemen doğrulanmasının yanı sıra, aradaki 370 yıllık zaman farkı da Eski Ahit'te bildirilen 400 yıllık süreye çok yakındır. Bu yaklaşımla taşların yerine daha belirgin oturmaya başladığını söyleyebiliriz.

Eğer Yusuf'la ilgili efsanenin oluşturulması, İ.Ö. 2010 dolaylarına ait bilinen olay ve kişilerden alınan esinle gerçekleştiyse, bu durumda İbrahim ve İshak için de bu tarihten geriye doğru yılları sayarak farklı ve inandırıcı referans noktaları bulunabilir. Eski Ahit'teki soyağacından yola çıkarak yapılacak bir hesaplama, bizi, İbrahim ile Yusuf'un doğumları arasında 250 yıl bulunduğu noktasına getiriyor. Bu durumda, Amenemhet'le olan paralellikleri kabaca değerlendirerek, otuz yaşındayken Mısır'a vezir olduğu söylenen Yusuf'un doğum tarihini kronoloji çizelgesinde İ.Ö. 2040 yakınlarına işaretleyebiliriz. Eski Ahit'te anlatılanlardan ve verilen sürelerden ondan 250 yıl önce doğduğu sonucuna vardığımız İbrahim'in doğum tarihi de bu hesaba göre, yine yaklaşık değerlerle İ.Ö. 2300'ün hemen sonrasına uzanır. Harran'ı terk edip Kenan dolaylarına doğru yola çıkışı 75 yaşında gerçekleştiğine göre, İ.Ö. 2225 dolaylarında İbrahim'in Mısır'a geldiğini varsayarak hesabımıza devam edebiliriz. Bu verilere göre, elimizde hiçbir kanıt olmamasına karşın, en büyük atalarını Genesis'te bir kolaj ile oluşturan İbranilerin, onun doğumunu Akat kralı Sargon (Şarru-Kin) dönemiyle bağlantılı düşündükleri söylenebilir. Büyük göç, yani Kenan'a yolculuk başladığındaysa, Sargon'un tahtında, hanedanın dördüncü kralı olan torunu Naram-Sin oturuyor olmalıdır. Aynı dönemlerde bölgenin bir başka büyük gücü olan Mısır'daysa Eski Krallık döneminin son hükümdarlarından II. Pepi tahttadır.

Akat kralı Naram-Sin dönemine ilişkin kayıtlarda ya da Mısır hükümdarı II. Pepi saltanatından kalma dokümantasyonda İbrahim'in izine rastlanmadığı gibi, bundan sonra rastlanması da çok olası değildir. Aslına bakılacak olursa, her iki hükümdarın kendi ülkeleriyle ilgili tarihler ve olaylar bile yeterince muğlaktır bu dönemde. Yakındoğu tarihinde Naram-Sin iktidarı sırasında olanları, kralın "kerameti kendinden menkul" resmi açıklamalarına dayandırabiliyoruz ancak. Diğer yandan, Mısır kral listelerinde II. Pepi'nin yüz yılı bir hayli aşan şaşırtıcı iktidar süresini bile doğrulayabilecek ya da açıklayabilecek belge yok elimizde. İbrahim'in Kenan dolaylarında bir biçimde karıştığı savaşta "Şinar kralı Amrafel" adıyla belirtilen kişi Naram-Sin midir? Mısır'a gittiğinde karısını kız kardeşi olarak tanıttığı zaman Saray'a göz koyan firavun, II. Pepi midir? Bugüne kadar edinilmiş bulgularla bunların yanıtını vermek hiç kolay olmadığı gibi, yukarıda da belirttiğimiz üzere, kişilerin yaşam öyküleriyle ilgili bu tür ayrıntıların güvenilirliği çok tartışmalıdır. Serüvenlerinin, farklı kültürlerin mitolojilerinden alınmış parçalarla oluşturulduğunu gördüğümüz İbrahim'i Mısır ya da Akat belgelerinde bulamayacağımızı da elbette biliyoruz. Ama aradığımız iz, "gerçek İbrahim"e ilişkin bir veri değil, İbrahim efsanesine dayanak olarak kullanılan olayların geçtiği tarihlerle ilgili bir doğrulamadır. İbraniler, ellerindeki hangi antik ama iyi hatırlanan, iz bırakmış olayı dayanak alarak İbrahim'in yaşadığı yılları Genesis'e kaydetmiş olabilirler? Sorunun yanıtını aramaya yine Eski Ahit'ten başlamak gerektiğini düşünüyoruz:

"Ve memlekette kıtlık oldu; ve Abram orada misafir olmak üzere Mısır'a gitti; çünkü memlekette kıtlık ağırdı." (Tekvin 12:10)

Görüldüğü gibi, yine "insanın tarihi"nden değil, "doğanın tarihi"nden bir referans noktası buluyoruz burada. Bir kez daha vurgulayalım: Toplumsal bellek kahramanlarla ilgili hikâyeleri uydurabilir, onları yüceltebilir, şehirlere ve ülkelere ilişkin ayrıntıları abartıp saptırabilir. Çünkü bunlarla ilgili ayrıntılar toplumsal bellekte uçucudur; yer etmez. Ayrıca insanlar, kişi ve olayların üzerinden uzun yıllar geçtikçe, değişerek anlatılan hikâyelerin son versiyonlarına fazla sorgulamadan inanma eğilimindedirler; hatta kendileri bile yeni ayrıntılar ekleyerek bu eğilime katkıda bulunurlar. Ama büyük doğal afetler, üzerlerinden ne denli zaman geçerse geçsin unutulmaz ya da yoktan var edilmez, uydurulmaz. Büyük depremler toplumsal bellekten asla silinmez. Yıkıcı sel felaketleri ya da korkunç yanardağ patlamaları çok derin izler bırakır toplumsal bilinç üzerinde. Bunlara paralel olarak, tarımın ekonominin merkezinde yer aldığı toplumlarda, kıtlıklar da asla unutulmaz. Açlık unutulabilir mi?

Şimdi yapmamız gereken, Mısır ve Orta Doğu tarihinde, İbrahim için öngördüğümüz tarihlere, yani yaklaşık 2225 dolaylarına ait bir kıtlık olayına dokümanlarda rastlanıp rastlanmadığını araştırmaktır:

"Açlık sıklıkla görülür olmuştur. Açlık gerçeği, bu dönemi anlamamız bakımından önemlidir, çünkü açlık ve beraberinde getirdiği siyasal çöküntünün Nil taşkınlarının o yıllardaki yetersizliğinden kaynaklandığı öne sürülmüştür. Aniden devreye giren bu iklim öğesi, genel çöküntüyü haber verici nitelikte bilgilerin neden az olduğunu kısmen açıklamaktadır."[58]

İki ünlü ejiptolog, John Baines ve Jaromir Malek'in yukarıdaki yorumları, II. Pepi'nin yönetimde olduğu döneme ilişkindir; yani İ.Ö. 2246'yı izleyen yıllara. Eldeki verilerden anlaşıldığı kadarıyla, İ.Ö. 2150'ye dek uzanan zaman içinde, düzenli aralıklarla, kısa süreli kıtlıklar yaşanmıştır Mısır ve Orta Doğu'da. Bu durum, İbrahim'in Mısır'a gidişinin ardındaki gerekçeyi Genesis yazarları hesabına tarihsel bir dayanak olarak netleştirirken, bize de bir referans noktası sağlar.

Belki bütün bunlara, bir başka dikkate değer ayrıntıyı eklemek yararlı olabilir: Kenan dolaylarında İbrahim'in de içinde yer aldığı savaşla ilgili olarak Eski Ahit'te yer alan ayetlerde, "beşli ittifak"ın üyelerinden biri olarak "Bela Kralı"nın da adı geçmektedir. Eğer bu kent, Eski Ahit'te nedense birkaç kez ısrarla vurgulandığı gibi Lût Gölü yakınlarındaki Tsoar (Zoar) değil de, bugünkü Suriye'nin güneyinde yer alan antik Ebla kentiyse, tahtaya bir çentik daha atabiliriz: Çünkü eski Akat dokümanlarında Sargon'un torunu Naram-Sin, "Ebla kentini kendisinin fethettiğini" öne sürmektedir. Diğer yandan Naram-Sin dönemine ilişkin Akatça resmi kayıtlarda, kralın 17 ülkeden oluşan büyük bir ittifaka karşı savaştığını anlatan (fazlasıyla abartılı) ifadeler vardır.[59] Bu durumda İbrahim büyük olasılıkla Naram-Sin ile çağdaş olurken, Akat kralı da bizzat Eski Ahit'te sözü edilen "Şinar kralı Amrafel" ile özdeşleşir. Bütün bunların ışığı altında, kronolojimizde İbrahim'in Mısır'a gelişiyle ilgili

---

[58]John Baines - Jaromir Malek, "Eski Mısır Kültür Atlası", s. 31
[59]Oliver R. Gurney, "Hititler", s. 28

(İbrani tarihçilerce öngörülen) tarihi yaklaşık İ.Ö. 2225'e işaretlemek mantıklı görünmektedir.

İz bırakan büyük doğal afetleri Eski Ahit'te, antik çağ mitolojilerinde ve arkeolojik bulgularda sınayarak biçimlendirmeye çalıştığımız kronolojik paralellikte en belirgin ve üzerinde en çok tartışmalar kopan bir büyük felaket daha kalır geriye: Tufan. Eskiye doğru gittikçe referans noktaları belirlemek güçleşmektedir gerçi; ama Tufan'la ilgili kutsal metinlerde anlatılanlar o denli güçlü ve çarpıcı imgelere sahiptir ki, meraklı araştırmacıyı ister istemez tarih içinde bu verileri sınamaya tahrik etmektedir.

2

Uygarlığın Doğduğu Yıl

İngiliz arkeolog Sir Leonard Woolley, 1922-1934 yılları arasında, Mezopotamya'da bir dizi önemli kazıyı yönetti. Sümer uygarlığının izlerinin bulunmasında tartışılmaz değere sahip bu kazılarda Woolley yalnızca Ur Kral Mezarlarını ve daha pek çok yapıyı gün ışığına çıkarmakla kalmadı; Ur, Şuruppak ve Kiş gibi eski kentlerin kalıntıları üzerinde çalışırken, son derece dikkat çekici bir olguyu da saptadı: Yer yer kalınlığı on metreyi aşan büyükçe bir kil tabakası, bu kentlerin üzerini örtmüştü ki, sergilediği görüntü, bölgede yaşamı derinden etkilemişe benzeyen bir sel felaketine işaret ediyordu. Bir süre kil tabakası üzerinde incelemeler yapan Woolley, bu büyük selin hem Eski Ahit'te hem de Mezopotamya mitlerinde ayrıntılı olarak anlatılan Tufan'dan başka bir şey olmadığı sonucuna vardı. Buna göre insanlık tarihinin bu büyük felaketi, İ.Ö. 3200 dolaylarında gerçekleşmiş olmalıydı.

Aşağı yukarı aynı dönemlerde, Mezopotamya'nın değişik yerlerinde bol miktarda bulunan kil tabletler de, bilim adamlarının ısrarlı çalışmalarıyla, deşifre edilmeye başlamıştı. Tabletler üzerinde çalışanlar, resmi yazışmaların, ticari belgelerin, kraliyet kayıtlarının dışında, hiçbir sınıflamaya uymayan ve "edebî" nitelik taşıdığı düşünülen farklı belgelere de rastladılar.

Bunlar çözüldükçe, içeriklerinde tanrılardan ve "doğaüstü" olaylardan sıkça söz edildiği için, hepsi "mitoloji" etiketi altında sınıflandı. Aralarında, bir önceki bölümde Genesis'i incelerken sözünü ettiğimiz Ziusudra'dan, Utnapiştim'den, Atra-Hasis'ten söz edenler de bulunuyordu. En çok ilgi uyandıran tabletler de bunlar oldu zaten. Bütün bu belgelerin ortak özelliği, yeryüzünü (ya da en azından bu insanların üzerinde yaşadığı toprakları) derinden etkileyen, yıkıcı bir doğal felaketten, Tufan'dan söz etmeleriydi. Batılı bilim adamlarının deşifre edip sınıfladığı bu çok eski dokümanlar, hıristiyan dünyasında büyük yankı yaratacaktı; çünkü bulgular, Eski Ahit'teki Tufan hikâyesinin özgün olmayıp büyük oranda bu belgelerden aktarıldığını koyuyordu ortaya.

"Sir Leonard, tufanın kutsal kitaptaki hikâyesine model oluşturan, Gılgamış destanındaki büyük sel afetiyle ilgili arkeolojik kanıt bulduğu sonucuna vardı. (...) Sümer kaynaklarına göre, krallık tufandan sonra gökten yere inmişti. Antik Ur kentinin ilk hanedanı da, İ.Ö. 3100 ya da muhtemelen biraz daha geç bir tarihte kurulmuştu."[60]

Tufan ve "Uyuyan Kahin"

Uzunca bir süre, Woolley'nin izinden yürüyen bazı arkeologlar, Sümer kentlerinin üzerini örten kalın kil tabakasının Tufan'ın izleri olduğunu düşündüler. Yirminci yüzyılın ikinci yarısından itibaren, bu teoriyi doğrulayacak ya da bütünüyle çürütecek bir bulguya rastlanmasa da, arkeologlar ve tarihçiler, Mezopotamya'da rastlanan izlerin büyük çaplı küresel bir Tufan'a değil, büyük olasılıkla bir dizi yerel sel felaketine işaret ettiği sonucuna vardılar. Buna karşılık, Eski Ahit ve daha pek çok kültürün ayrıntılı olarak anlattığı Tufan'la ilgili olarak alternatif bir tarih de konulmadı ortaya. Aslına bakılırsa, arkeologlar ve akademisyenler, Tufan hikâyelerinin dünyanın birçok farklı

[60]Georg Feuerstein - Shubash Kak - David Frawley, "In Search Of The Cradle Of Civilization", s. 85

bölgesinde yerel sel afetlerinden yola çıkılarak üretilmiş, abartılı mitler olduğunu düşünüyorlardı.

Yine yirminci yüzyılın ortalarında, jeolog ve tarihçiler, dünyanın "yakın" sayılabilecek bir geçmişinde, son buzul döneminin bitmesiyle birlikte, değişen iklimin yarattığı doğal felaketlere de dikkat çektiler. Aşağı yukarı İ.Ö. 11,000 dolayına rastlayan bu iklim değişimi sırasında buzulların erimesiyle su seviyesi yer yer yüz metreye kadar artmış ve birçok bölge sular altında kalmıştı. Tufan'ı açıklamak için buzul çağının bitişinde yaşananları dayanak göstermek, izleyen yıllarda daha yaygın bir tavır halini aldı. Hatta bu eğilim o denli etkili oldu ki, efsanevi "yitik kıta" Atlantis'in varlığını araştıranlar, bu dev adanın sulara gömülmesiyle ilgili olarak İ.Ö. 11,000 tarihi üzerinde durmaya başladılar.

ABD'de otuzlu yıllarda "uyuyan kâhin" adıyla ün yapan Edgar Cayce'in kehanetlerine göre, İ.Ö. 10,500 dolayında Atlantis felaketinden kurtulanlar Afrika ve Orta Amerika'da karaya çıkmışlar; sahip oldukları yüksek uygarlığın kaybolmaması için hazırladıkları "insanlık tarihi kayıtları"nı (Hall Of Records), yapımı henüz bitmiş olan Giza'daki Büyük Sfenks'in altında gizli bir odaya ve Atlantik Okyanusu'nda, Bimini Adası yakınlarına saklamışlardı. Cayce bu kayıtların 2000 yılı gelmeden ortaya çıkacağına ve "Atlantis'in yeniden yükseleceğine" ilişkin bir kehanette de bulunmuştu. Uyuyan Kâhin'in sözleri o denli etkili oldu ki, sonraki yıllarda onun izinden gidip Atlantis mitini ve yitik uygarlığı araştıranlar, İ.Ö. 10,500 tarihi üzerine saplanıp kaldılar.[61] Artık çoğu kişi, Tufan mitinin kaynağının İ.Ö. 11,000 dolaylarında yaşananlarla ilintili olduğuna inanıyordu.

Ancak jeologların ve okyanus araştırmacılarının belirttiği olaylar zinciri, neredeyse birkaç bin yıla yayılan ve aşama aşa-

---

[61] Edgar Cayce'in varisleri, bugün onun adına çalışmalar yürüten A.R.E. vakfını yönetmektedirler. Vakıf telepati, reenkarnasyon ve Cayce'in kehanetleri gibi konulara yönelik kitaplar yayımlamakta ve ihtiyacı olan başarılı gençlere öğrenim bursları vermektedir. A.R.E. bursuyla eğitimini tamamlayanlar arasında bugün ortodoks ejiptolojinin bayraktarlarından biri haline gelen arkeolog Mark Lehner'in de bulunması hayli ironiktir.

ma gerçekleşen büyük bir değişimi anlatıyordu; birkaç gün ya da birkaç haftada, insanlar önlem alacak fırsat bile bulamadan bastıran sellerden ya da taşan denizlerden değil. Denizlerin yükselmesi elbette bir anda olmamıştı; aslında yüzyıllar süren bir değişimdi bu. Ne kadar "mitolojik" nitelik taşısa ve abartılar kullanmış olsa da, Tufan efsanelerinde anlatılan ve "aniden gelip" insanları "hazırlıksız yakalayan" felaket bu olamazdı. Ya efsaneler bütünüyle uydurulmuş şeyler olmalıydı ya da çok daha kısa döneme yayılmış bir büyük afetler zincirini, tarihin başka yerlerinde aramalıydık.

Aradan geçen çok uzun süre, 5000 yıldan daha eski bulguların net olarak belirlenip sınıflanmasını büyük ölçüde engelliyor. Hele insan topluluklarının taş blokları kesip bunlardan bina yapmayı henüz beceremedikleri Bronz Çağı öncesi devirlerde, kerpiç tuğla ya da ahşap malzeme kullanılmış inşaatlar, iyice karıştırıyor işleri. Arkeologların bir numaralı sorunu, bu tür malzeme kullanılarak yapılmış yerleşim birimlerinin zaman içinde dayanıksızlık nedeniyle çökmesi sonucunda "üst üste" kurulan kentlerin oluşturduğu karmaşanın içinden çıkabilmektir. Daha net olarak söylemek gerekirse: İlkin kerpiçle yapılmış evlerden oluşan bir kent vardır ortada. Malzemenin dayanıksızlığı ya da herhangi bir doğal felaketten ötürü bu kentteki binalar yıkılır, kerpiçler dağılır ve yerleşim yeri bir süre için terk edilir. Ardından, aynı yerde, yıkıntılar düzlenerek, bu kalıntıların üzerine yeni bir kent kurulur. Bir süre sonra olaylar yinelenecek; sonuçta üst üste binmiş ve birbirine karışmış katmanlardan oluşan bir "tepecik" ortaya çıkacaktır. "Höyük" adı verilen bu tepeciklerin, Mezopotamya'da on metreyi aşan yüksekliklere ulaşmış olanlarına sık rastlanır. Dolayısıyla üzerinde çalışan arkeologlar, son derece çetin bir işle karşı karşıyadırlar: Katmanlar birbirinden titizlikle ayrılmalı; her bir katmana ait buluntular farklı biçimde sınıflanmalı ve bu bulgular yardımıyla her katman için ayrı ayrı tarih belirlenmelidir. Bunun ne denli zor bir iş olduğu, ancak alan çalışmalarına tanık olunduktan sonra ortaya çıkar: Çoğu yerde katmanlar birbirine geçmiştir. Yine çoğu kez, farklı dönemlere ait buluntular, çömlek kaplar ya da süs eşyaları yan yanadır. Hatta bazen daha eski bir katman yer hareketleriyle daha yeni bir katmanın üzerine çıkmıştır. Şimdi bütün bunlara, bir de büyük doğal afetin etkilerinin eklendiğini varsayın: Kerpiç tuğlalar eriyecek ve dağılacak, toprağa dönüşecektir. Sel suları, buluntuları birbirinden çok uzak mekânlara taşıyacak, işleri iyice karıştıracaktır. Son olarak, Mezopotamya gibi "sulak" olmayan bölgelerde 5000 yıldan eski bir tarihte gerçekleşmiş büyük seller, Woolley'nin bulduğu gibi kalın kil katmanları da oluşturmayacak; ya da en azından bu uzun süre içindeki iklim değişiklikleriyle kil tabakası da kuruyup çökecek ve dağılacaktır. Arkeologların Tufan benzeri bir olayın izlerini, Woolley'nin Ur'da ve Kiş'te bulduklarından daha net verilerle saptamalarını beklemek, iyimserlikten başka bir şey değildir bu durumda.

Diğer yandan, büyük doğal felaketler gezegenimizde yalnızca bir kez ortaya çıkmış sıradışı gelişmeler değildir. Exodus efsanesini incelerken de vurguladığımız gibi, İ.Ö. 1650 dolaylarında da son derece ciddi sonuçlar veren zincirleme bir afetler serisi dünyayı sarsmıştır. İnsan yaşamları ya da toplumların tarihleri için 1500 ya da 2000 yıl gibi süreler çok uzun olabilir. Ama dünyanın tarihi söz konusu olduğunda bu zaman dilimleri birer an gibidir neredeyse. Son bir milyon yıl içinde gezegenimizde kaç kez büyük doğal afetler oluştuğu üzerine tahmin yürütmemiz bile çok zor. Ama kesin olan bir tek şey var: Bu olaylar yaşlı dünyamız için son derece "tanıdık" şeyler. Dolayısıyla, 5000 yıldan daha eski bir doğal afetin izleri, ardından gelen yerel, küçük çaplı ya da küresel ve etkili başka afetlerle silinmiş; en azından deforme edilmiş olabilir. Çünkü yerkabuğu, dere ve nehir yatakları, denizlerin zemini ve su kütleleri de tıpkı bizim gibi, canlıdır; yaşar ve değişirler.

Dünyanın hemen her kültüründe Tufan'la ilgili bir izin, bir efsanenin görülmesi, bu nedenle hem anlaşılabilir bir şeydir, hem de aslında epey şaşırtıcıdır. Coğrafi olarak birbirine yakın yaşamış Mısır, Sümer, İndüs gibi uygarlıkların kültür alışverişi ve etkileşimden dolayı benzer temaları içeren mitlere sahip olmaları çok yadırganacak bir olgu değildir. Ama aynı mitler Orta ve Güney Amerika'da, Pasifik'te, Güney Afrika'da da karşımıza çıkınca işin rengi biraz değişir. Birbiriyle hiç karşılaşmamış, uzak yaşamış kültürlerin çoğu kez ayrıntılarda bile anlaşan mitler yaratmaları elbette bizi biraz şaşırtacaktır. Ama yine yukarıda söylediğimiz gibi, afetlerin gezegenimizde alışılmış olaylar olması, bizi bunları "normal" kabul etmeye yönlendirir.

"Birbiriyle uyumlu kronolojiler konusunda ne düşünürsek düşünelim, kesin olan şey, dünya mitolojileri ve edebiyatının, kültürlerine darbe vuran, paralize eden ya da yıkıma götüren, sıklıkla aniden ortaya çıkmış jeolojik değişimleri hatırlamalarıdır. Böylesi olaylar hiç kuşkusuz belirleyici deneyimlerdi ve insan uygarlığının ilk dönemlerindeki bilinci ve kültürü biçimlendirdi."[62]

Krallık yeryüzüne indiğinde

Çoğu eskiçağ kültürü için Tufan, insanlara yaşattığı yıkımın dışında, bir başka niteliğe daha sahiptir: "Zamanı sıfırlayan" bir doğal döngü gibi bakmıştır atalarımız Tufan'a. İnsanlar toplu yaşama geçtikleri ve yerleşik düzeni biçimlendirmeye başladıkları sırada aniden yaşanmış; sonrasında da insan topluluklarının gelişiminde yeni bir evreyi başlatmıştır. Bu nedenle, bu büyük doğal yıkımı aslında insanlık tarihinde yeni bir aşamanın başlangıcı gibi görme eğilimine bütün kültürlerde rastlarız: Krallık yeryüzüne Tufan'dan sonra inmiştir!

Eski Mısır'da uygarlığın ilk izleri ve yerleşik yaşamın başlangıcı, İ.Ö. 12,000'lere dek dayanıyor. Köy formunda en eski kalıntıların bulunduğu Asyut'un güneyi ve Fayum bölgeleriyse, yaklaşık İ.Ö. 4500'lere tarihlenmekte. Ne var ki bunların tarım etkinliğine başlayan neolitik yerleşimler olduğunu gösterecek hiçbir işarete rastlanmamış. Daha çok, klasik sınıflamaya göre avcı-toplayıcı şablonuna uygun, küçük ve bağımsız köyler söz konusu burada. Tarımın ve çömlekçiliğin başladığı neolitik evreleriyse, Aşağı ve Yukarı Mısır'da ayrı ayrı ve birbirinden ba-

---

[62]Georg Feuerstein - Shubash Kak - David Frawley, a.g.e., s. 86

ğımsız gelişen kültürler aracılığıyla izleyebiliyoruz. Kuzeyde, yani Aşağı Mısır'da Meadi, Abusir ve Sakkara'da; Yukarı Mısır'daysa Abidos ve Nakada'da çömlekçiliği içeren neolitik düzenin bütün unsurlarına rastlamak mümkün. Bu aşamada, kuzeyde ve güneyde, bağımsız küçük şehir devletleri olan "Nom"lar ortaya çıkmaya başlıyor; tarih, aşağı yukarı İ.Ö. 3600. Ne var ki, gerçek anlamda "uygarlık tarihinde dönüm noktası" olabilecek evre; yani büyük ve kalabalık kentler arası kalıcı ilişkiler ve merkezi bir krallığın oluşması, oldukça yeni. Ejiptologlar, "Aşağı ve Yukarı Mısır'ın birleşmesi" olarak adlandırdıkları bu önemli aşamanın İ.Ö. 3100 dolaylarında gerçekleştiğini düşünüyorlar. (Bazı tarihçilere göre bu tarih İ.Ö. 2950'ye dek geri çekilebiliyor.)

Eski Mısır'da, birbirinden ayrı iki bölgede gelişen nomları "Aşağı ve Yukarı Mısır'ın Kralı" unvanıyla birleştiren ve başına iki ülkenin taçlarının bir bileşimini yerleştiren tarihi lider, gerçekle efsanelerin birbirine karıştığı, bu nedenle kesin varlığı saptanamayan bir kişilik. Ondan "Akrep Kral" olarak söz eden bulgulara çok sık rastlanıyor. Abidos yakınlarında bulunan bir plakada "iki ülkenin hakimi" olarak gösterilen Narmer adlı kralın, Akrep Kral ile aynı kişi olduğunu düşünüyor bazı ejiptologlar. Manethon'un kral listesindeyse Aşağı ve Yukarı Mısır'ı birleştiren kişi, Kral Menes olarak belirtiliyor. Bütün bu toz dumana rağmen, İ.Ö. yaklaşık 3100 dolaylarında Mısır'ın karizmatik bir kral tarafından birleştirildiğini ve ilk merkezi devletin kurulduğunu söylemek mümkün. Bu lider Narmer olabileceği gibi, muhtemelen onun oğlu olan Aha da olabilir. Her ne olursa olsun, söz konusu tarihin ve bu tarihte gerçekleşen ilk krallığın, Mısır'ın yazgısını belirgin biçimde değiştirdiği açık. O denli hızlı bir gelişim başlıyor ki 3100 yılından itibaren, bir anda birkaç şaşırtıcı uygarlık unsuru birden karşımıza çıkıyor:

- Çoktanrılı bir inanç sistemini belgeleyen tutarlı bir panteon ve bu sistemin içinden doğan zengin ve renkli bir mitoloji

- Yalnızca 400 yıl içinde dev tapınaklar ve piramitler inşa edebilecek düzeye gelen şaşırtıcı bir kentleşme; büyüleyici bir mimari;

- Hepsinden çarpıcısı, sözcük hazinesi oldukça geniş bir dil ve bu dili kayıtlara geçirmeye yarayan, resimli simgelere dayalı sofistike bir yazı sistemi (hiyeroglif).

Mısır dilinin günümüzdeki en büyük uzmanlarından James P. Allen, yazının Mısır'da ortaya çıkışıyla ilgili olarak şaşkınlığını gizleyemiyor:

"Başlangıcının izleri yüzlerce yıl öncesine dek sürülebilen Mezopotamya ya da Çin yazılarından farklı olarak hiyeroglif Mısır'da İ.Ö. 3000'in hemen öncesinde, aniden ve eksiksiz bir sistem olarak ortaya çıkmış gibidir."[63]

Bütün bunlar, Abidos, Hierakonpolis, Sakkara, Heliopolis ve Dendera gibi kentlerde kısa sürede ışıldamaya başlayan şaşırtıcı Mısır uygarlığının İ.Ö. 3100 dolaylarında güçlü bir ivme aldığının göstergeleri. Her nasıl olduysa, yaklaşık 8,000 yıl avcı-toplayıcı düzeyinde kalan ve basit köy yaşamının ötesine geçemeyen Nil vadisi sakinleri, üçüncü bin yılın başlarında göz kamaştırıcı bir uygarlık yarattılar.

Eski Mısır tarihiyle ilgili belgelerde, özellikle de Manethon'un kral listesinde, bu geçişin önemi özellikle vurgulanır. Manethon'a göre Mısır'ı uzunca bir süre tanrılar yönetmiş; sonra sırayı yarı-tanrılar ve "Şem-su-hor", yani "Horus'un izleyicileri" almış. Sümer kral listelerini çağrıştırırcasına uzun zaman dilimlerini kapsayan bu ilahi yönetim evrelerinden sonra krallık, insanlara devredilmiş. Menes, bu geçişin ilk hükümdarı Manethon'a göre.

Mezopotamya için de İ.Ö. 3100, oldukça önemli bir tarih. İki ırmak arasında ve tüm eski Yakındoğu'da uygarlığın izleri sürüldüğünde, Mısır'da olduğu gibi günümüzden 11,000 yıl kadar gerilere gitmek mümkün. Doğu Akdeniz kıyılarından yukarı doğru, Torosların güneylerine dek çıkan ve oradan da Zagros dağlarına paralel olarak Mezopotamya'nın doğusundan aşa-

---

[63]James P. Allen, "Middle Egyptian", s. 2

ğı inen yay biçimindeki bir bölge, arkeolog ve antropologlarca "Verimli Hilal" (Fertile Crescent) olarak adlandırılıyor. Başta buğday ve arpa olmak üzere tahıl ürünleri ıslahı ve ekiminin ilkin buralarda, bu gerçekten verimli topraklarda başladığı kesin. Üstelik Orta Doğu'da Mısır'dan farklı olarak bilinçli tarım etkinlikleri de oldukça erken başlıyor. Kalabalık kent yaşamıyla ilgili olaraksa, bölgenin değişik yerlerinde yapılan çalışmalar, birkaç sıradışı yerleşimi öne çıkarmakta. Bunlar arasında en çarpıcıları, gizemlerini hâlâ koruyan, Kenan bölgesindeki Eriha (Jericho) ve Konya yakınlarındaki Çatalhöyük. Her iki kent de gelişmiş bir şehirleşmeyi; organize toplumsal yapıları ve dini kültlerin varlığını sergiliyor. Bu iki atipik kenti dışta bırakırsak, bölgede en eski yerleşik kültürün izleri İsa'dan önce dördüncü binyılın başlarında Mezopotamya'nın güneyinde ortaya çıkan "Obeyt Dönemi"ne ait. Kentleşmeyi başlatan, sofistike tören kültüne sahip, yerleşik tarımı başarıyla uygulayan, oldukça ileri bir toplumun varlığı söz konusu bu dönemde. Her nasıl oluyorsa, varlıklarını koruyamıyorlar ve onların yerini yaklaşık İ.Ö. 3100 dolaylarında, nereden geldikleri bir bilmece olan Sümerler alıyor. Bu geçişle ilgili olarak bir Sümer kültürü uzmanının, Samuel Noah Kramer'in söyledikleri oldukça ilgi çekici:

"Sümer öncesi dönem, toprağa dayalı köy kültürü olarak başlamıştır. Günümüzde, bu kültürün Aşağı Mezopotamya'ya İran'ın güneybatısından gelen, kendilerine has boyalı çömlekleriyle ünlü göçmenlerce getirildiği kabul edilir. İranlı göçmenlerin ilk yerleşim birimlerini kurmalarının üzerinden çok geçmeden, olasılıkla Samiler hem barışçıl göçmenler hem de savaşçı fatihler olarak bölgeye sızmışlardır. Bu iki etnik grubun –Doğulu İranlılar ile Batılı Samiler– iç içe geçmesi ve kültürlerinin melezleşmesi sonucunda aşağı Mezopotamya'da ilk uygar kent-devleti doğdu. Bunlar daha sonra gelen Sümer uygarlığı gibi, ülkenin bütününe egemen olmak için aralarında sürekli çekişen bir grup kent-devletinden oluşuyordu. Ama yüzyıllar boyunca, kısa aralıklarla da olsa, zaman zaman göreli birlik ve denge sağlanmıştır tabii. Böyle dönemlerde, hiç kuşkusuz Sami öğesinin baskın olduğu, Mezopotamya devleti çoğu komşusu üstünde etkisini kullanmış olmalı; böylelikle Yakındoğu'daki ilk imparatorluğu, olasılıkla uygarlık tarihinin de ilk imparatorluğudur bu, kurmuştur."[64]

Yukarıdaki satırların, "tarihin Sümer'de başladığını" söyleyen Kramer'in, üstelik aynı adlı kitabında yer almış olmaları, kabul edelim ki ilginçtir. Obeyt Dönemini'nin şaşırtıcı uygarlığıyla ilgili olarak Kramer, görüldüğü gibi, Batı'dan, Suriye dolaylarından gelen Sami kabileleriyle, Mezopotamya'ya daha önce doğudan, İran'dan gelip yerleşen göçmenlerin "melez kültürü" ifadesini kullanır. Bu durumda, bölgenin en eski uygarlığı olduğu varsayılan Sümerlerden önce, oldukça gelişmiş bir uygarlığın varlığı tescil edilir Kramer'in satırlarında. O halde Sümerler ne zaman, nereden ve nasıl buraya gelip, Obeyt'in kültürel mirasına konmuşlardır?

"Sümerler kendilerinden daha ileri olan bu uygarlığın -kuşkusuz çoğunlukla onlara paralı asker hizmeti vererek- kültürel edimlerinin yanı sıra bazı temel askeri tekniklerini de içselleştirmişlerdir. Sonunda, bu erkin sınırlarını aşmayı başaran Sümerler topraklarının büyük bölümünü ele geçirmişler ve süreç içinde hatırı sayılır bir varlık edinmişlerdir."[65]

Sümerlerin nereden gelmiş olabilecekleri sorusuna yanıt getirememekle birlikte Kramer hiç kuşkusuz oldukça ikna edici bir açıklama sunar bu satırlarda. Tarihin ilk ve en uygar toplumu olduğunu düşündüğümüz Sümerlerin, aslında daha önce bu topraklarda yaratılmış uygarlığı bir anlamda "gasp eden" savaşçılar olduğu savını getirir. Ancak bu saptama, Sümerlerin, ele geçirdikleri uygarlık birikimini akıllıca kullandıkları ve geliştirdikleri gerçeğini göz ardı etmemizi gerektirmez Kramer'e göre. Bu çizilen resim uyarınca Aşağı Mezopotamya'ya İsa'dan önce dördüncü bin yılın başlarında İran'dan uygar ve becerikli bir toplum gelmiş; bunlar bir süre sonra Batı'dan bölgeye sızan Samilerle aynı pota içinde eriyerek melez bir kültür ve uygar bir kent-devlet yaratmışlardır. Söz konusu Samilerin, önceki bö-

---

[64]Samuel Noah Kramer, "Tarih Sümer'de Başlar", s. 287
[65]Samuel Noah Kramer, a.g.e., s. 286

lümlerde sözünü ettiğimiz, izlerine 2000 yılındaki kazılarda Tel Hamoukar'da rastlanan Kuzey Suriyeli gizemli uygarlıkla ilişkili olduğunu düşünmemizde hiç sakınca yok. Aşağı yukarı İ.Ö. 3250 dolaylarında bölgeye savaşçı, ama daha az uygar bir göçebe kavim olan Sümerler gelir. Obeyt'i kuranların yanında, paralı asker olarak çalışırlar. Bu dönemde, Aşağı Mezopotamya'da resimli yazının ilk aşamaları görülmeye başlamıştır. Ama İ.Ö. 3100 dolaylarında her nasılsa bir şeyler değişir ve Sümerler bir anda bölgenin tek sahibi haline gelirler.

Meru Dağı'nın "kara kafalı" göçmenleri

Etnik köken ve kültürel kaynak açısından Sümerler bir bilmece olmayı sürdürüyorlar. Mezopotamya'nın yerlileri olmadıklarını, bölgeye sonradan geldiklerini biliyoruz. Yakındoğu'da onlara ait daha erken bir ize rastlanmamış olması, Batı'dan gelme olasılıklarını da ortadan kaldırıyor. Asya çıkışlı olmaları çok büyük bir olasılık ama nereden? Bölgede söz konusu dönemde yoğun bir göç hareketi içinde olan Hint-Avrupa kökenli gruplara ait olmadıklarını da biliyoruz Sümerlerin. Bu durumda Orta Asya'nın batısı, üzerinde durulabilecek bir seçenek haline geliyor, ama bunu doğrulayabilecek bir veri de yok. Onlara verdiğimiz adla ilgili de epey sorun söz konusu. Zecharia Sitchin'e göre, doğru ad "Şu-mer" olmalı.[66] Bu durumda akla ister istemez Harappa kültürü ve onların yakın çevresinde bulunan göçebe topluluklar geliyor. Hindu düşüncesine göre, tanrıların bulunduğu yer, dünyanın kutuplarını birleştiren eksen çubuğunun ortasındaki kutsal Meru dağıdır (bir başka yoruma göre de bu eksen dünyanın değil, evrenin eksenidir.) Burada hem iyi tanrılar, hem de karanlığın temsilcisi ifritler ayrı ayrı yaşarlar ve her iki grubun da göksel bir karşılığı vardır. Metinlere göre kötülerin, yani ifritlerin mekanı "Kumeru" iken, tanrıların toplandığı yer "Sumeru"dur; yani "İyi Meru".[67] Belki de Sümerlerin

---

[66] Zecharia Sitchin, "12. Gezegen"
[67] Wendy Doniger O'Flaherty, "Hindu Mitolojisi", s. 172

kökeniyle ilgili daha sağlam veriler ortaya çıkması için Hindistan'daki arkeolojik çalışmalara çevirmeliyiz gözlerimizi. Acaba Harappa uygarlığının meyvelerinden az da olsa nasibini almış; Hint-Avrupalı olmayan ama yine de o bölgeye, sözgelimi Afganistan dolaylarına, ait göçebe bir kavim olabilir mi Sümerler? Efsanelerinde sözü edilen ve yüce dağlarla, yabancı bir ülkeyle de özdeşleştirilen Kur'un kaynağı, Afganistan'ın hemen güneyindeki Hindikuş Dağları olabilir mi? Kendilerini "Kara Kafalı Halk" olarak adlandıran insanlar, bu etnik nitelemeye yakın toplulukların yaşadığı söz konusu bölgeden mi gelmişlerdir Mezopotamya'ya? Bu sorulara yanıt verebilmek çok kolay değil. Ama yavaş yavaş bütün işaretler, uygarlığın ilk kaynağının Asya olduğunu hissettirmeye başlıyor ve Harappa'yla ilgili araştırmaların hızlandırılması gerektiğini düşündürüyor. Mezopotamya'ya damgasını vuran Obeyt kültürünün bile ardında "Verimli Hilal"in doğusundan, epey derin izler görülmekte çünkü.

Bir yaklaşıma göre ilk yerleşim izleri İ.Ö. 5900 yılına dek geri gidebilen Obeyt Dönemi, yukarıdaki satırlarda oldukça yerinde bir değerlendirmeyle Kramer'in de vurguladığı gibi, ilk kent-devletlerinin ortaya çıkışıyla bağlantılı ele alınmalı ve bu nedenle İ.Ö. dördüncü bin yıl başları üzerinde ısrarla durulmalıdır. Kentleşmeyle ilgili Obeyt adımının, ünlü Sümer kenti Eridu'nun kurulması olduğunu söyleyebiliriz:

"Bir kamış bitmemiş,
Bir ağaç yaratılmamış,
Bir tuğla konmamış,
Bir bina dikilmemiş,
Bir ev yapılmamış,
Bir kent yapılmamıştı,
[...]
Tüm karalar denizdi,
Sonra Eridu yapıldı."[68]
Enuma Eliş'te Derin Suların Tanrısı EN.Kİ'nin kenti olan

---

[68]Leonard W. King, "Seven Tablets Of Creation", s. 131 - 133

ve ilk kurulan yerleşim yeri olduğu belirtilen Eridu böyle anlatılıyor. Aktaranlar muhtemelen Sümerler; ama kenti yapanların Obeyt Dönemi'ne ait İran-Sami melezi uygarlığın insanları olduğunu artık biliyoruz. İlginç bir biçimde, daha önce bin yıllar boyunca bölgede hiç görülmeyen at, eşek ve deve gibi binek hayvanlarının da, Eridu yakınlarında, ilk kez bu dönemde, izlerine rastlıyoruz. Dördüncü bin yılda evcilleştirilmiş halde ortaya çıkan at, büyük olasılıkla İranlılar tarafından bölgeye getirilmiş olsa gerek. Aynı uygarlığın izleri, daha sonra bir başka ünlü Sümer kentinde, tanrı EN.LİL'in Nippur'unda ortaya çıkıyor. Yine Sümer mitlerine göre Nippur, Eridu'dan sonra kurulan ikinci kenttir. Hem panteonun en büyük tanrısı AN ile, hem de karizmatik tanrıça İ.NANNA ile bağlantılı kültlerin doğduğu kent olan Uruk, dördüncü bin yılda kurulur ve bu bin yılın sonlarına doğru bölgedeki en önemli kent haline gelir. Bütün bu yerleşim merkezlerinin kontrolü, dördüncü bin yılın sonlarına doğru, ani bir değişimle Sümerlerin eline geçecektir. Bu değişimin nedenlerini bilemiyoruz; ama büyük olasılıkla bölgede Sümerlerin ele geçirdiği ilk kent olan Uruk'la ilgili bir mit, bu geçişi büyük tanrıça İ.NANNA'ya bağlıyor:

Sümerlere göre evrensel bilgeliğin ve uygarlığın sırları, ME kavramında anlatım bulan gizemli unsurlardır. (Aynı kavram, "Maat" adıyla Mısır'da da karşımıza çıkar: Kozmik düzen ve uyumu simgeleyen Maat sözcüğü, bunu sağlayan bilgileri elinde tutan tanrıçanın da adıdır aynı zamanda.) Uygarlığın kurucusu, bilimin ve zanaatın ustası büyük EN.Kİ, bu değerli bilgilerin de sahibi ve koruyucusudur. İ.NANNA bir gün oturduğu Uruk kentinden yola çıkıp Eridu'da EN.Kİ'yi ziyarete gelir. Baş başa yenen içkili bir yemek sırasında cazibesi ve alkolün de yardımıyla EN.Kİ'yi baştan çıkaran tanrıça, ME'leri onun elinden alır ve uçan gemisine binerek Uruk'a doğru yola çıkar. Sonradan aklı başına gelen EN.Kİ adamlarını yollayıp İ.NANNA'yı durdurmaya çalışır ama geç kalmıştır artık. Böylece uygarlık, sanat ve bilimin sırları, Uruk'a geçer.[69]

---

[69] Bu mitin ayrıntıları için bkz. Samuel Noah Kramer, "Sümer Mitolojisi"

Bu efsane, Eridu ve Nippur'un öne çıktığı Obeyt Dönemi' nin bitip Uruk döneminin başladığı yolundaki arkeolog görü- şüyle de bütünüyle uyum içindedir. EN.Kİ ve İ.NANNA ara- sında geçenlerin neyi simgelediğini bilemiyoruz, ama mitte an- latılanların Sümer'in Obeyt kültürüne ve kentlerine sahip olu- şunu başlatan ilk adım olduğunu söylemekte bir sakınca yok. Eridu, Nippur ve Ur da bu kritik dönemde, yaklaşık İ.Ö. 3100'de hızla el değiştiriyor.

Meluhha: İndüs'ün incisi

Mezopotamya kent devletlerinin kil tabletler üzerine yazılı ticari kayıtlarında, üçüncü bin yılın başlarından itibaren oldukça uzun mesafeli sefer- lere çıkıldığını belirten veriler bulmak mümkün. İran Körfezi dolaylarına dek nehir, sonrasında da deniz yolu kullanılarak Sümer tacirlerinin iki uzak ülkeyle ticaret yaptıklarını biliyoruz. Bunlar çivi yazılı tabletlerde "Magan" ve "Meluhha" ad- larıyla geçiyorlar ve biri Sümer ülkesinin doğusunda, diğeriyse batısında kalıyor. Arkeologlar ve tarihçiler arasında Magan ve Meluhha'nın nerede olduklarına ilişkin bütünüyle üzerinde an- laşılmış saptamalar olduğu söylenemez. Ama yine de büyük ço- ğunluğun Magan'ı Arap Yarımadası'nın güneyinde bir ülke (muhtemelen Umman) olarak düşündüğünü biliyoruz. Bir baş- ka grup, söz konusu su yolunun İran Körfezi'nden sonra Arap Yarımadası'nı güneyden geçerek, Somali kıyılarından itibaren Doğu Afrika'ya ulaştığını düşünüyor. Bu durumda Magan da büyük olasılıkla Mısır oluyor tabii. Yapılan alışverişin içeriğiyle ilgili tabletlerde yer alan bilgiler, mesafe şaşırtıcı uzaklıkta olsa da, Mısır'ı gerçekten daha makul bir aday haline getiriyor.

Diğer yandan, Meluhha'yla ilgili teoriler birbirine daha ya- kın: Kimi bilim adamları bağlantıyı Mısır'ın güneyindeki Nub- ya ile kurmaya çalışsalar da, çoğunlukla bu doğu ülkesi, İndüs Irmağı'nın denize döküldüğü bölgeyle, yani Hindistan'ın batı- sıyla özdeş görülüyor:

"Er hanedanlar zamanlarından Eski Babil döneminin sonuna kadar, Basra Körfezi'nde ciddi bir deniz ticareti sürmüştür. Hattın bir ucunda batıya ve kuzeye mal sevk eden Güney Mezopotamya kentleri, öteki uçta ise büyük olasılıkla Harappa uygarlığını temsil eden Meluhha bulunuyordu."[70]

Eski Mezopotamya uzmanı Michael Roaf'un sözünü ettiği Harappa uygarlığı, İndüs ve Sarasvati nehirleri kıyılarında kurulan eski Hint kentlerinden oluşur. Çoğu bugünkü Pakistan sınırları içinde kalan antik Harappa kentleri arasında en ünlüsü ve en çarpıcı olanı da, İndüs nehri kıyısında, Karaçi kentinin 300 kilometre kadar kuzeybatısında yer alan Mohenjo-Daro'dur. 1922'ye dek ne Mohenjo-Daro ve diğer Harappa kentlerinin varlığı doğru dürüst biliniyordu, ne de bölgedeki uygarlığın ne denli eskiye dayandığı. İngiliz sömürge yönetiminin elindeki Hindistan'da, Makedonyalı İskender'in bölgeyi işgal ettiği İ.Ö. dördüncü yüzyıl dolaylarında hüküm sürdüğü bilinen Maurya İmparatorluğu'ndan daha eski bir kültürün varlığı bile düşünülemiyordu aslına bakılırsa. Sir John Marshall yönetimindeki İngiliz arkeologlarının 1922'de başlayan çalışmalarıyla, ilkin Mohenjo-Daro gün ışığına çıkarıldı ve bölgedeki kazılar 1931'e dek sürdü. Hindistan ve Pakistan'ın iki ayrı ülke haline gelmesini izleyen dönemde, Pakistan sınırları içinde kalan Harappa kentleriyle ilgili arkeolojik çalışmaları bu kez Sir Mortimer Wheeler devraldı. Bölgede bugüne dek yapılan kazılarda Harappa uygarlığına ait yüzlerce yerleşim yeri belirlenmiş durumda.

"Harappa kültürünün alanı –bazı bilim adamları buna imparatorluk demeyi yeğliyor– büyüklük olarak şimdiden Sümer ve Mısır'ın toplamını geride bırakır. Aynı zamanda, hıristiyanlık sonrası dönemde Maya uygarlığı için belirlenen büyük alanın da iki katından daha fazla yer kaplar. Eski İndüs uygarlığının devasa boyutları yalnızca bölgedeki toprağın verimliliğine değil, kuruluşunun eskiliğine ve nüfusun büyüklüğüne de bağlıdır."[71]

[70]Michael Roaf, "Meezopotamya ve Eski Yakındoğu", s. 98
[71]Georg Feuerstein – Shubash Kak – David Frawlevy, "In Search Of The Civilization", s. 62

Sümer'in arkeologlarca büyük bir heyecan yaratarak keşfedildiği yıllarda, onun ticari partneri Meluhha'nın varlığı da şaşırtıcı bir keşif olarak kayıtlara geçiyordu. Gerçekten de Mohenjo-Daro dışında Mehrgarh, Ganweriwala, Rakhigarhi, Dholavira gibi hepsi İndüs kıyılarına nehir boyunca kurulmuş olan görkemli Harappa uygarlığı hem zamanının en büyük nüfuslarından birine sahip olmuştu, hem de gerçekten çok eskiydi. Ama ne kadar eski?

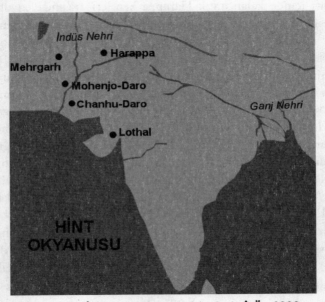

Harita 2: İndüs – Harappa kentleri; İ.Ö. 3000

1931 yılında, Mohenjo-Daro'da ilk kazıları yapan Marshall, Harappa uygarlığının başlangıcını İ.Ö. 3100 olarak belirledi. İzleyen dönemde arkeologlar ve tarihçiler belirli bir tarih üzerinde anlaşamasalar da, Harappa uygarlığının altın çağı, biraz daha gerilere, İ.Ö. 2900 dolaylarına çekildi. Bölgede kazılar 2000'lerin başlarında daha da hızlandı ama toprağın bir özelliği, çoğu kez çalışmaları fena halde güçleştiriyor: Harappa kentlerinde biraz derine inmeye başladığınızda, yaygın bir su tabakasıyla karşılaşıyorsunuz.

Hindu kültürünün ve felsefesinin temalarını oluşturan Veda'ların ilk yaratıcıları, Harappa uygarlığını kuran ve "dravit" olarak bilinen etnik gruba ait insanlar. Dilleri ne yazık ki, tıpkı Sümerce gibi, artık yaşamıyor. Ama Sümer'deki durumdan farklı olarak tarihçi ve arkeologların Harappa'da ciddi bir sorunları daha var: Bu uygarlığın yazısı henüz deşifre edilebilmiş değil. Bu nedenle dravitlerin kültürleriyle ilgili bilgileri, çok daha sonra Sanskritçe yazılmış Veda'lardan, Purana'lardan öğreniyoruz ancak. Bunların ne kadarının özgünlüğünü koruduğunuysa bilemiyoruz.

Yer yer Mezopotamya, Mısır ve Ege'deki Minos kültürünün inançlarıyla paralellikler de sergileyen Harappa kozmolojisi, çoğu eskiçağ kültüründe olduğu gibi, evrende sürekli yinelenen döngülerden ve bu döngülerin bitiminde gelen yıkım/yeniden-yapım aşamalarından söz ediyor. Şaşırtıcı bir astronomiye de sahip olan eski İndüs sakinlerinin, evrenin ve dünyanın tarihiyle ilgili "çağ"lardan söz eden bu döngü anlayışları bir hayli ilgi çekici. Harappa kozmolojisine göre "Yuga" adı verilen bu çağların sonuncusunu yaşıyoruz: Savaşların ve kötülüğün egemen olduğu bir çağ bu ve "kaliyuga" adı verilmiş. Bitişini tanrıların belirleyeceği (bir yaklaşıma göre 432,000 yıllık bir çağ bu!) kaliyuga çağını Harappa felsefesi, bizim takvimimizle İ.Ö. 3102 yılında başlatıyor. Kendi uygarlıklarının başlangıcıyla epey yakın olan bu tarih, artık bizim için çok yabancı sayılmaz: Eski uygarlıkların hepsinin başlangıcında, İ.Ö. 3100 yakınlarında bir yerlere varıyoruz.

Yucatan'ın takvim ustaları

Evrendeki döngülerden ve çağlardan söz edince, bir başka gizemli eskiçağ uygarlığını anımsamamak mümkün değil. Bunlar, epeydir içinde gezindiğimiz eski dünyanın bir hayli ötelerinde, Atlantik'in diğer yakasında bir zamanlar büyüleyici kentler kurmuş olan, Mayalar. İspanyol fatihlerin Hernan Cortez öncülüğünde Meksika Körfezi'ne çıkarma yaptıkları on altıncı yüzyılda, dünyanın bu uzak köşesinde gelişmiş bir uygarlığa rastlamak hiçbir Batılının aklından geçmiyordu. Bu nedenle, dönemin Orta Amerika'daki en güçlü devleti olan Azteklerle karşılaştıklarında İspanyollar bir hayli şaşırdılar.

Meksika'nın Cortez'in gaddarlığı ve açgözlülüğüyle yağmalanıp Aztek uygarlığının yok edilmesi sonrasında, bölgeye yavaş yavaş "Tanrı adına vahşi yerlileri imana getirmek" misyonunu üstlenmiş Fransisken rahipler de gelmeye başladı. Bunlardan biri, Diego de Landa, Yucatan Yarımadası dolayında yaşayan kendi halinde bir kızılderili kabilesini hıristiyanlaştırmaya çalışırken, bu yerlilerin elindeki kendi dilleriyle yazılmış kitapları görecek; yine Tanrı adına bu "pagan belgeleri"ni ellerinden toplatıp büyük ateşlerde yaktıracaktı. Binlerce kitap, de Landa'nın emriyle ateşte yok edildi ve eski yerel inançlar üzerinde baskı kuruldu.

"Yucatan'ın ilk piskoposu olan Diego de Landa, küçük vakanüvisler grubundan belirgin bir biçimde ayrılır. Onun *Yucatan Üzerine Rapor*'u, 16. Yüzyıl Mayaları hakkında günümüze kadar ulaşan en kapsamlı bilgi kaynağıdır. Kilise adamı ve engizisyoncu olarak, birçok Maya geleneğini büyük bir sertlikle ortadan kaldırdıysa da, onlar hakkındaki düşünceleri tamamen olumsuz değildir. Landa sık sık, Maya uygarlığına ve cesaret, irade, yetingenlik, yardımlaşma gibi hıristiyan erdemlerine sahip olan bu insanlara karşı duyduğu hayranlığı dile getirir."[72]

Aslına bakılacak olursa de Landa, Yucatan'da geçirdiği süre boyunca yaşamının en çelişkili dönemini yaşamıştı. İstek ve görev aşkıyla ilkel yerlileri Tanrı'nın yoluna çevirmek üzere bölgeye ayak basan bu ateşli rahip, bir süre sonra hiç de beklemediği oranda derin bir uygarlığın izlerini yakaladığında ilkin bundan rahatsızlık duydu ve o izleri yok etmek istedi. Ancak kitapların yakılması sırasında yerliler öylesine hüzünlenmiş-

[72]Claude Bauez - Sydney Picasso, "Mayaların Kayıp Şehirleri", s. 21

lerdi ki, geleneklerine ve atalarından kalma bilgi birikimine sahip çıkmaya çalışan zavallı köylülerin yaşadığı mutsuzluk, de Landa'yı da etkiledi. Belki de bu vicdani rahatsızlığın etkisiyle Maya yapıtları arasından bir iki küçük sayfayı o kitap yakma ritüelinden kurtaran rahip, daha sonra onları tanımaya çalışacak; İspanya'ya döndükten sonra yazdığı ve kilise kütüphanelerinin tozlu raflarında kalan ünlü kitabında Mayaların atalarının orman içinde yarattıkları inanılmaz yapılardan söz edecekti.

On dokuzuncu yüzyıl başlarında Avusturyalı Maximilien de Waldeck ve İrlanda asıllı Juan Galindo, Meksika'nın ormanlık bölgelerinde, Yucatan dolaylarında, de Landa'nın (çok da fazla dikkat çekmeyen) kitabında anlattığı uygarlığın izlerini aradılar. Galindo La Venta'yı, Waldeck de Palenque'yi keşfedeceklerdi bu gezilerinde.

Bu ilk tanışıklıklara rağmen, eğer John Lloyd Stephens adlı bir Amerikalı diplomat, Waldeck'in unutulmuş kitabından etkilenmese ve yanına ressam arkadaşı Frederick Catherwood'u da alarak 1838 yılında serüven tutkusuyla Yucatan yarımadasına gitmeseydi, Mayaların varlığını belki çok daha geç öğrenecektik. Aslında bu, biraz da fırsatların getirdiği bir yolculuktu: Arkeolojiye her zaman büyük ilgi duyan Stephens, Waldeck'in sözünü ettiği kentleri bulmak için can atsa da, bölgedeki siyasal istikrarsızlık, isyanlar ve savaşlar nedeniyle böylesi bir gezi için yetkili makamlardan izin alması mümkün değildi. Ama beklenmedik bir anda bu dış ilişkiler uzmanı adama, bölgedeki ABD temsilciliğini yürütme görevi verildi. Fırsatı kaçırmayan ve Yucatan'a doğru ilk gezilerini başlatan Stephens ve Catherwood, sık tropikal ormanın ortasında, daha önce varlığı pek bilinmeyen gizemli bir uygarlığa ait büyüleyici güzellikte kentler buldular. (Sırasıyla Copan, Quiriga, Uxmal ve Palenque.) Hepsi bilinmeyen bir çağda terkedilmiş gibiydi. Bir yandan otlar temizlenerek tapınaklar, piramitler ve gözlemevleri ortaya çıkarılırken, bir yandan da Catherwood bütün gördüklerini resimledi. Amerika'ya döndüklerinde yaptıkları açıklamalar, Yeni Dünya'daki uygarlığı Aztekler ve Kuzey Amerika kızılderililerinden ibaret sanan Batılıları şaşkına çevirecekti.

İzleyen yıllarda arkeologlar ve tarihçilerin yoğun çabalarıyla, gizemli Maya uygarlığı yavaş yavaş keşfedildi. Diego de Landa'nın dört yüzyıl önce ellerindeki kitapları toplayıp yaktığı kızılderililer, Mayaların torunlarıydı. Ama onlar da atalarına ait kentlerden habersiz görünüyorlardı bütünüyle. Arkeolojik veriler, bütün Yucatan Yarımadası'na yayılan Mayaların üzerindeki sis perdesini yavaş yavaş dağıtmaya başladı. İlkin İsa'dan sonra ikinci ve on ikinci yüzyıllar arasına tarihlenen Maya uygarlığı, bulgular arttıkça daha eski tarihlere doğru çekilmeye başladı. Sonunda, belki akrabaları, belki de ataları olan, çok daha eski bir başka gizemli uygarlığın izlerine, Güney Meksika'daki La Venta kentinde rastlandı: Olmekler. Kim oldukları, nereden geldikleri belli olmayan bu insanlar, büyük olasılıkla İ.Ö. 1600 dolaylarında Meksika'nın güneyinde ilk kez ortaya çıkmışlar ve kentler kurmaya başlamışlardı. Ama arkeolojik çalışmalar yirminci yüzyılın ikinci yarısında yoğunlaştıkça Meksika'da uygarlığın köklerinin sanılandan da eski olduğu yavaş yavaş anlaşılmaya başladı. Bugün, bölgede ilk insan topluluklarının varlığının İ.Ö. 23,000 dolaylarına dek dayandığını; Maya ve Olmeklerle bağlantılı görülen ilk uygarlık işaretlerinin de İ.Ö. 3000 dolaylarında ortaya çıktığını biliyoruz. La Venta'da bulunan dev Olmek heykellerinin bütünüyle "Afrikalı" yüz hatları sergilemesi, bilim adamlarının kafasını yıllardır epey kurcalıyor. Ancak bölgeye o denli eski bir tarihte Afrika'dan gerçekleşmiş olabilecek bir göçün izlerine (henüz) rastlanmadı. Benzeri bilmeceler, Yucatan'ın birçok bölgesindeki antik kalıntılarda var aslında. Amerika kıtalarında hiç yaşamadığını bildiğimiz, Afrika ve Asya'ya özgü fil ve aslan gibi hayvanların tasvir edildiği kabartma ve heykelcikler, gizemini koruyor.

Mayaların Meksika'da kurduğu uygarlığın izlediği seyir, üç ana evre halinde ele alınıyor bugün: Klasik öncesi, klasik ve klasik sonrası dönemler. Bulunan kentlerin (ve bilindiği biçimiyle Maya uygarlığının) ağırlıklı bir bölümü, klasik döneme, yani İ.Ö. 200 ile İ.S. 1000 arasına ait. İspanyolların Meksika'ya varış tarihi olan 1521'den epey önce, yaklaşık 1200 dolaylarında, Maya uygarlığının çöküşünün yaşandığı ve kentlerin terk edildiği biliniyor. Tarım koşullarının olumsuzluğuna ve kent–devletleri arasındaki sürekli çekişmelere bağlanan bu çöküşü hızlandıran etkenlerden biri de, Azteklerin ataları olan Tolteklerin yaptığı saldırılar olabilir diye düşünülüyor. Sonuçta, Diego de Landa Yucatan'a geldiğinde karşılaştığı mütevazı köylülerin, bu büyük imparatorluğun yoksul ve sahipsiz mirasçıları olduğu kesin.

Her ne kadar kitap yakma olayları nedeniyle Mayalardan günümüze çok az metin (codex) kalmış olsa ve henüz Maya hiyeroglif yazısı bütünüyle deşifre edilemese de, arkeolog ve arkeoastronomların bu gizemli uygarlıkla ilgili pek çok ayrıntıyı yavaş yavaş gün ışığına çıkardıklarını söyleyebiliriz. Diğer yandan, İspanyolların fetihlerini izleyen dönemde Maya bilgeleri, yok edilen kitaplarında bulunan mitolojilerinin ve kozmolojilerinin hiç değilse bir bölümünü, kendi dillerinde ama yeni öğrendikleri Latin harfleriyle yeniden yazdıkları için, özgünlüğü bir miktar zedelenmiş olsa da "Popol–Vuh" ve "Chilam Balam" kitaplarında yer alan bilgilerden yararlanarak Maya inanç dünyasının bir panoramasını çizebiliyoruz bugün.

Yucatan Yarımadası'nda bulunan büyüleyici kentlerin en dikkate değer yapıları, hiç kuşkusuz hem Mezopotamya zigguratlarını hem de Mısır piramitlerini çağrıştıran, yüksek ve gösterişli tapınaklar. Aslında bunların çoğuna tapınaktan çok "gözlemevi" demek daha uygun. Basamaklar halinde yükselen bu usta işi taş piramitlerin tepesinde, kutsal rahiplere ait odalar yer alıyor. Çoğunlukla da bu büyük yapılar, Maya inanç sisteminin güçlü ve sevilen tanrılarına adanmış; tıpkı, Chichen Itza'daki ünlü "Kukulkan" piramidi gibi. Kukulkan, bütün Meksika uygarlıklarında etkili izleri hissedilen, popüler bir tanrı. Sözlük anlamı, "tüylü yılan". Taş kabartmalarda Kukulkan'ı betimleyen resimlerde, bedeni kuş tüyleriyle kaplı, iri ve ürkütücü bir yılan görüntüsüyle karşılaşıyoruz. Mayalardan çok daha sonra Meksika'nın körfez bölgesinde Tolteklerin kültürel mirasçısı olarak ortaya çıkan ve dönemin en güçlü imparatorluğunu kuran Azteklerin inançlarında da Kukulkan'la bire bir aynı özellikleri taşıyan bir tanrı var: "Quetzalcoatl". Yucatan'da olduğu gibi, Aztek ülkesinde de sözcüğün anlamı aynı: "Quetzal" tüylerinin güzelliğiyle bilinen bir cins kuş; "coatl" ise yılan anlamına geliyor. Maya ve Azteklerin bu ilginç benzetmeyi neye dayanarak yaptıklarını bilmiyoruz; ama yüksek astronomi bilgileriyle de Batı dünyasını şaşırtan bu iki Orta Amerika uygarlığında "Tüylü Yılan" adıyla anılan tanrı, doğrudan doğruya Venüs gezegeniyle paralel düşünülüyor. Eski dünyada parlak ve ışıltılı Venüs'ün güzelliği ve çapkınlığıyla ünlü tanrıçalarla özdeş olduğunu bilen bizler için bu gezegeni korkunç bir yılana benzetmek belki de en son akla gelecek şey. Ama hem Maya hem de Aztek kültürlerinde "Tüylü Yılan" en çok sevilen tanrı. Bilinen bütün mitlerde Kukulkan'ın (ya da Quetzalcoatl'ın) doğudan geldiği; Meksika topraklarına ayak bastıktan sonra yerlilere tarım, astronomi ve her tür zanaatı öğrettiği; günün birinde tekrar geri dönme sözü vererek aralarından ayrıldığı anlatılıyor. Maya ve Aztek kültürlerinde "Tüylü Yılan" bu nedenle özlemle beklenen bir tanrı.

Astronomi bilgilerinin şaşırtıcı derinliği ve çarpıcı matematikleriyle Mayalar, eskiçağ uygarlıkları arasında oldukça farklı bir yere sahip. Matematikte "sıfır" kavramını çok erken keşfettiklerini ve tıpkı Mezopotamyalılar gibi son derece büyük rakamları içeren hesaplar yaptıklarını biliyoruz. Gündelik kültürümüzde, çok yüksek rakamlardan söz ederken "astronomik" ifadesini kullanırız; çünkü artık öyle yüksek bir değerdir ki hesapladığımız ya da sözünü ettiğimiz, yeryüzünde hiçbir kullanımı yoktur ve ancak uzayda, gök cisimlerinin uzaklık ya da yörüngelerini ifade ederken işimize yarar. Bu nedenle, Mezopotamya ve Harappa uygarlıklarını kuranlar gibi, Mayaların da bunca yüksek rakamlarla uğraşmalarının oluşturduğu gizemli bulutların ardından, astronomi bize göz kırpar. Yucatan'ın sakinleri gerçekten de evrenin yapısı, güneş sistemi ve uzak yıldızlar üzerine kafa yormuşlar; uzaydaki gök cisimlerinin hareketleri ve yörüngelerini hesaplayacak ilginç sistemler geliştirmişlerdir. Bunun en göz kamaştırıcı sonucu, Venüs, Ay ve Güneş'in hareketlerini yirminci yüzyıl bilim adamlarını bile şaşkınlığa düşürecek hassaslıkta ölçen Mayaların, patenti kendilerine ait muhteşem takvimleridir.

Maya takviminin ne zaman ve nasıl doğduğunu tam olarak bilmiyoruz. Ancak hesapların inceliği ve mükemmele yakınlığı, çok uzun dönemlere, bin yıllara yayılan bir "yıldız gözlemciliği" geleneğinin varlığına işaret ediyor. Bu durumda Olmeklerden, belki onların da atalarından edinilmiş bir astronomi bilgi birikimi söz konusu olabilir. Ancak spekülasyonları şimdilik bir yana bırakıp, Mayaların zaman ölçmedeki ustalığının göstergesi olan takvim sistemine kısaca göz atalım:

Mayaların, birbirinden farklı gezegensel döngülere göre hazırlanan değişik takvim sistemleri kullandıklarını ve bunların kombinasyonuyla şaşırtıcı hesaplara ulaşabildiklerini biliyoruz. Bunun en çarpıcı örneği, "Haab" adını verdikleri güneş yılını 365,242 gün olarak hesaplayabilmeleridir. Yirminci yüzyıldaki gelişmiş teknoloji ve astronomi bilgisiyle bir güneş yılının gerçek uzunluğu olan 365,2422 değerine ancak ulaşabildiğimiz göz önüne alındığında, binlerce yıl önceki insanların virgülden sonra dördüncü haneye dek yaklaşan hassas ölçümleri gerçekten büyüleyicidir. Mayalar Venüs gezegeninin dünyadan göründüğü biçimiyle yıllık tam döngüsünü de son derece hassas biçimde hesaplayabilmişlerdir. Ancak en ilgi çekici Maya zaman kavramı, hiç kuşkusuz "Long Count" (Uzun Hesap) içinde saklıdır:

Mayalar dünya tarihini, astronomik olaylara endeksli uzun "dünya çağları"na ayırırlar. Yani tıpkı Harappa uygarlığının "yuga"ları gibi, Maya kültüründe de başlangıcı ve sonu belli olan uzun evreler söz konusudur. Bu çağlardan birinin bitişini işaretleyen büyük doğal afetler, aynı zamanda bir sonraki yeni çağın da müjdecisidir ki, bu da yıkımın yeni bir varoluşun ilk adımı olduğunu düşünen Hindu evren anlayışıyla paraleldir. Bu uzun dünya çağları, Maya kültüründe "güneşler" olarak adlandırılır. Mayaların hesabına göre her biri 5125 yıldan biraz fazla süren bu çağlardan beşincisinin, yani "Beşinci Güneş"in sonlarına yaklaşıyoruz şu sıralar. Arkeoastronom Eric Thompson, Maya takvimiyle bizim kullandığımız Gregoryen takvimi bağdaştırmayı başardığında, söz konusu "bitiş" tarihi de ortaya çıkmıştı: 23 Aralık 2012. Beşinci Güneş'i, Maya inancına göre büyük depremler ve yanardağ patlamalarıyla sona erdirecek olan bu kritik tarih üzerinde, izleyen bölümlerde daha ayrıntılı olarak duracağız. Ama bitiş tarihi kadar, başlangıç tarihi de son derece önemlidir bu çağın: Thompson'ın hesabına göre bu tarih de, 13 Ağustos İ.Ö. 3113 yılına denk gelmektedir. Mayalara göre söz konusu tarih, Dördüncü Güneş'in "suyla gelen afetler" sonrası bitip, Beşinci Güneş'in başlamasına işaret eder. Yine aynı şema çıkıyor karşımıza: Selle gelen yıkım, uygarlığın (ya da "yeni çağ"ın) başlangıcı ve o artık iyice aşina olduğumuz kritik yıl: İ.Ö. 3100 dolayları.

Gökyüzüne bakan taş bloklar

Eskiçağ uygarlıklarının neredeyse tamamı Orta Doğu'da kümelenmiştir ve astronomik gözlemevleri ve tapınaklar ilk kez bu coğrafya üzerinde yaratılmış gibi düşünülür hep. Ama bunun önemli ve şaşırtıcı istisnalarından biri, İngiltere'nin Salisbury kenti yakınlarında karşımıza çıkar: Burada, arkeolog ve astronomlar için yüzyıllardır "bilmece" olma özelliğini koruyan, dünyanın en eski ve en gizemli megalitik anıtlarından biri, Stonehenge, bütün görkemiyle dikilmektedir.

Düz ve geniş bir ovanın ortasında, belli bir düzene göre ve iç içe daireler ya da yarım daireler biçiminde yerleştirilmiş dev taş bloklardan oluşur Stonehenge. Bu taşların bazılarının ağırlığı 30 tona dek yaklaşır ki bölgede bulunmayan ve uzaktaki bir taş ocağından getirilen bu blokların nasıl, hangi olanaklarla ve en önemlisi hangi motivasyonla oraya yerleştirildikleri sorusu yalnızca tarihçi, arkeolog ve astronomların değil, ezoterik eğilimlere sahip bağımsız araştırmacıların da ilgisini Stonehenge üzerinde yoğunlaştırmıştır yıllardır. Tıpkı Giza'daki üç ünlü Mısır piramidi gibi, Stonehenge'in dev taş blokları da sayısız farklı teorinin popüler kültürde uçuşmasına neden olur.

Aslına bakılacak olursa Stonehenge, bölgedeki tek dairesel taş anıt değildir; Britanya'da benzeri birçok megalitik alan biliyoruz. Ama bu yapıyı benzersiz ve ilginç kılan hem muhtemelen en eskisi, hem de en büyüğü olmasıdır. Olası işlevleriyle ilgili çok farklı görüşler olsa da, bu alanın temel olarak astronomik gözlem ve hesaplamalar için planlandığı hemen hemen kesindir. Stonehenge'in merkez dairesinin içinde duran bir gözlemci, değişik yönlere doğru döndüğünde belli taş blokların güneş ve ayın hareketlerini ve özel konumlarını işaretlediğini fark edecektir. Güneş yılının tropik referans noktalarında, yani ekinokslar ve gündönümlerinde, bu hizalanmalar daha belirgin ve çarpıcı bir hal alır. Sözgelimi yılın en uzun günü olan 21 Haziran sabahı güneş, iç içe dairelerin dışında yer alan ve "Topuk Taşı" olarak bilinen noktadan anıtın merkezine doğru bakıldığında, tam belirgin bir taş grubunun ortasından doğar. Benzeri hesaplar ayın evreleri için de saptanmıştır ama Stonehenge kompleksinin çok sayıdaki çukur ve taşlarının oluşturduğu dairelerin birçoğu için makul astronomik hizalanma alternatifleri bulunamamıştır henüz.

1963 yılında genç ve başarılı bir arkeoastronom olan Gerald Hawkins, bilim dünyasında epey yankı yaratan bir teori geliştirerek bunları "Stonehenge Decoded" (Stonehenge Çözüldü) başlığını taşıyan kitabında yayımladı. Hawkins'e göre bütün anıt kompleksi, güneşin ve ayın döngülerini hassas biçimde hesaplayan ve bu yolla tutulmaları (eclipse) önceden tahmin etme amacı güden bir "taş bilgisayar"dan başka bir şey değildi. Başlangıçta heyecanla karşılanmasına rağmen Hawkins'in teorisinin eksiklikleri ve hataları bir süre sonra bilim çevrelerince fark edilmeye ve eleştirilmeye başladı. Yaşamının büyük bölümünü Stonehenge üzerine yaptığı çalışmalara adayan İngiliz arkeolog Richard Atkinson, çözümleme ve açıklamalarında Hawkins'in veri değerlendirme, kronoloji kullanma ve tarihi yorumlamada mantık sınırlarını zorlayan dikkatsizliği ve aceleciliğinden söz ediyordu. Öyle ki, yaklaşık 2000 yıl boyunca defalarca yeniden düzenlenen anıtta, dairesel dizilmiş taşların yerlerinin sık sık değiştirilmeleri gerçeği doğru değerlendirilememiş ve teorinin oluşturulmasında bu değişken taşların bazıları sabit varsayılmıştı. Sonuçta, Atkinson'a göre Stonehenge'in tutulmaları hesaplama amaçlı bir "bilgisayar" olarak tasarlanmış olduğu yolundaki Hawkins teorisi, bütünüyle geçersizdi:

"Niçin, diye soruyordu Atkinson, avcılık ve çiftçilikle uğraşan basit bir toplum, güneşin ve ayın hareketlerini ölçecek bir bilgisayar yapmayı önemsesin? Büyük Britanya'nın çoğunlukla bulutlarla kaplı göklerinde insanlar gök cisimlerini görüp izleme olanağı bile bulmuşlar mıydı acaba? Bu çabalar, bütünüyle gökyüzünü gözlemeye adanmış çok sayıda insan yaşamını gerektirirdi. Ve yazının olmadığı bir toplumda, bir kuşak, atalarından bu döngülerle ilgili aldığı bilgiyi nasıl kayıpsız olarak bir sonraki kuşağa aktarabilirdi?"[73]

Dolayısıyla Hawkins'in Stonehenge'in tutulmaları tahmin etmeye yarayan bir bilgisayar olduğu tezi yalnızca atalarının ne denli marifetli olduğunu okuyup onur duymak isteyen İngilizleri mutlu etti; bilim adamlarındansa onay bulamadı. Atkinson'ın karşı tezleri ve Hawkins'in yöntemleriyle ilgili eleştirileri haklıydı, ama hâlâ yanıtı verilemeyen bir soru kalıyordu ortada: Stonehenge niçin yapılmıştı? İç içe geçen dairelerde ve en içte yer alan "at nalı" biçimindeki taşlarda güneşin ve ayın hareketlerini işaretleyen belli taşlar bulunduğuna göre Stonehenge'in astronomik niteliği tartışılamazdı. Bin yıllara yayılan kullanımı sırasında dini tören ve kült toplantılarına sahne olma işlevi görmüş olsa da, yapılışındaki ilksel amacın göksel hareketleri gözlemlemek olduğu neredeyse kesindi. Peki ne zaman ve kimler tarafından yapılmıştı bu gizemli anıt?

Belirttiğimiz gibi Stonehenge 2000 yıla yakın bir zaman dilimi içinde hem defalarca değişikliğe uğramış, hem de yeni eklenen bölümlerle genişletilmiş ve büyütülmüş bir anıt. Ancak ilk kurucularının, Britanya adalarında sığır çobanlığıyla uğraşan ve küçük domuz çiftlikleri geliştiren köylüler olduğu düşünülüyor. "Beaker" adıyla bilinen bu köylüler, anıtın en eski bölümleri olduğu saptanan dıştaki Topuk Taşı'nı ve Aubrey Delikleri olarak bilinen, çukurlardan oluşmuş daireyi biçimlendirmiş olabilirler. Söz konusu bölümlerle ilgili araştırma ve ölçümler, Stonehenge'in bu ilk bileşenlerinin yaklaşık İ.Ö. 3000 dolaylarında yerleştirildiğini; ya da en azından anıtın işlev görmeye ve kullanılmaya bu tarihlerde başladığını gösteriyor.

---

[73] Anthony F. Aveni, "Stairways to Heaven", s. 69

Bu biçimiyle ilk Stonehenge'in bir "tarımsal takvim" işlevi görmüş olduğunu ileri sürmek, doğrusu pek de anlamlı değil. Henüz toplayıcılık düzeyinin bir adım ötesine geçmemiş, hayvancılıkla uğraşan köylülerin, niçin mevsimleri ve gündönümlerini saptayacak böyle büyük bir anıtı oluşturmaya onca zaman ve emek harcadıklarını kolay kolay açıklayamayız. Diğer yandan, salt tarım etkinliğine rehberlik etmesi amacıyla gök cisimlerinin hareketlerini böylesi hassas ayarlarla ölçecek anıtlar oluşturmak, daha gelişmiş neolitik toplumlar için bile gereksiz bir çabadır. Amaç zaman ölçmek ve mevsim dönümlerini belirlemekse, bunu şaşırtıcı bir beceriyle gerçekleştiren son derece basit bir düzeneğin binlerce yıl önce dünyanın birçok yerinde keşfedilmiş olduğunu biliyoruz: Gnomon.

Düz bir yüzey üzerine dikey doğrultuda saplanmış basit bir çubuk olan gnomon, uygarlık tarihinin neredeyse ilk ve en eski zaman ölçme aygıtıdır ve mütevazı görüntüsünden beklenmeyecek oranda çok ve çeşitli bilgiyi onu kullanmayı bilenlerin emrine sunar. Bütün sistem, çubuğun yere düşen gölgesinin uzunluğu ve açısıyla ilintilidir:

"Bir kere gnomon günde bir kez, Güneş'in gökte en yüksek ve kendi gölgesinin de en kısa olduğu anda, yani öğle vakti, tam ve kesin 'saati' verir. Buna ek olarak pusulalık da yapar, çünkü öğle vakti gölge tam kuzeyi gösterir (en azından Avrupa'da ve İskenderiye dahil Kuzey Yarımküre'nin büyük bölümünde. Ama koşullar ne olursa olsun, gözlemci hangi yarımkürede bulunursa bulunsun, öğleyin Güneş'in düşürdüğü gölge her zaman kuzey-güney ekseni üzerinde yer alır). Gnomon ayrıca her yılın iki kilit gününü, yani yaz ve kış gündönümlerini belirlemek suretiyle, bir tür ilkel takvim olarak da işe yarar. Yılın her günü öğle anında gölgenin geçtiği yere bir işaret konulacak olursa, Güneş'in gökte alçaktan geçtiği kış mevsiminde gölgelerin daha uzun, yüksekten geçtiği yaz mevsiminde ise daha kısa olduğu görülür. Öğleyin düşen gölge yazınki en kısa durumundan yavaş yavaş uzayıp altı ay sonra en uzun boyuna ulaşarak ve sonraki altı ay boyunca tekrar kısalarak, yıl boyunca bir çevrim (cycle) tamamlar. Öğleyin gölgenin en kısa ve Güneş'in en yüksek olduğu güne yaz gündönümü denir. Altı ay sonraki Güneş'in en alçak ve gölgenin de en uzun olduğu gün ise kış gündönümü adıyla bilinir. Ayrıca bir gündönümünden ötekine kadar geçen günleri saymak da yılın uzunluğunu doğru olarak ölçmekte kullanılan en eski yöntemlerden biri olmuştur."[74]

Adı her ne olursa olsun, bütün insan topluluklarınca işlevi fark edilen ve kullanılan bu "gölge çubuğu", basit tarımsal gereksinimleri karşılayacak ekinoks ve gündönümlerinin yanı sıra yıllık takvimi de belirleyecek denli becerikli bir aygıtken, yalnızca toplayıcı düzeyinde tarımla ilgilenen insanların aynı sonuçlara varmak için bunca zahmete girerek dev taş bloklarını millerce taşıyıp bir düzlüğe dikmelerine gerek var mıdır? Stonehenge belli ki güneş ve ayın hareketlerini izleyip yıllık takvim çıkarmanın çok ötesinde bir heyecan ve motivasyonla Salisbury ovasına kurulmuştur; tıpkı İ.Ö. 3200'e tarihlenen İrlanda'daki Newgrange, İskoçya'daki Callanish ya da Britanya adaları ve kıta Avrupa'sındaki onlarca benzeri gibi.

Bu anlamda, Stonehenge ve diğer megalitik taş anıtları, eskiçağ uygarlıklarının yaygın gökyüzü gözlemleme etkinliğinden ayrı düşünemeyiz: Zigguratlar, tapınaklar ve gözlemevleri, dünyanın birçok yerinde aynı güdü ve heyecanla yaratılmışlardır. Nedir bu güdü? Antropologlar, sosyologlar ve tarihçiler, çoğu kez bir dizi açıklamanın uzantısında bunu dinsel temalara bağlama eğilimindedirler. Bana göreyse, bütün bu hassas yıldız gözlemciliğinin ve bu uğurda inşa edilen tapınakların ardında bambaşka ve son derece insani bir gerekçe yatmaktadır: Korku. Eskiçağ'da yaşayan atalarımızın bu yaşlı gezegene ve onu çevreleyen evrene ilişkin güvensizlikleri o denli köklü ve canlıdır ki, her an, her gün, bütün gökyüzünün başlarına yıkılabileceğinden endişe edercesine yüreklerinde bir "afet korkusu"nu yaşatmışlardır sürekli. Bu tedirginliğin verdiği motivasyonladır ki gözleri sürekli evreni taramış, gökyüzündeki hareketlilikler yorumlanmaya çalışılmıştır. Bütün eski kültürlerde, bir biçimde, dünyada olup biten belli başlı olguların göklerde yaşananlarla

---

[74] Robert Osserman, "Evrenin Şiiri", s. 10-11

bağlantılı olduğuna ilişkin bir kanı egemendir. Bu kanının, coğrafi olarak birbirinden çok uzak yaşayan toplumlarca neredeyse bire bir paylaşılması, söz konusu düşüncenin ardında, gezegenin her yerindeki insanların aynı biçimde etkilendiği bir deneyimin yattığını düşündürmektedir. Babil, Mısır, Sümer, Harappa ve Maya uygarlıklarının şaşırtıcı astronomi bilgilerinin de bu uzak ama kolektif bilinçte yer etmiş deneyimden kaynaklandığını düşünüyorum. Korkuyu sürekli canlı tutan, antik bir deneyim bu.

"Azınlıkta kalan bir görüşe göre, dünyamız büyük ölçekli doğal afetlerden uzak kalmamıştır. Tam aksine, bu küçük aykırı ses, Doğa'nın yarattığı afetlerin, erken dönem kültür ve düşüncesini büyük oranda biçimlendirdiğini ve uygarlığın daha çok erken aşamalarında astronomik/astrolojik ve takvimsel/ilahi bilimlerin doğuşunu sağladığını iddia eder. Neolitik (ve muhtemelen geç Paleolitik) çağlardaki atalarımız, gezegenimizin bu belirsiz, dönek davranışlarını önceden tahmin edebilmenin gerilimini yaşadılar. Gökyüzündeki ışık kaynaklarının hareketleriyle ilgili dikkatli ve olağanüstü hassas kayıtlar tuttular, çünkü dünyada olan olaylarla gök kubbede gerçekleşenler arasında bir bağlantı olduğunu hissettiler. Tıpkı Hermes Trismegistus'a atfedilen ezoterik deyişte olduğu gibi: Yukarıda nasılsa, aşağıda da öyle."[75]

Atalarımızın gök cisimlerinin hareketlerini izlemeye olan yoğun (ve bazen anlamakta güçlük çektiğimiz) ilgilerinin, ortodoks bilimin öngördüğü biçimde okültizm, büyü ve falcılıkla ilgili batıl inançlardan çok, neredeyse "genlerine kazınmış" durumdaki bu korku olduğunu düşünüyorum. Kafalarda yaratılan, "doğa olaylarını anlayamadığı için yeryüzünde yaşanan ürkütücü afetlerle ilgili belirtileri ilahi güçlere ve falcılığa bağlayan, batıl inançlı ve saplantılı ilkel insan" prototipininse, en hafif ifadeyle, o muhteşem astronomi ve matematik sistemlerini; birbirinden büyüleyici mitleri ve efsaneleri; hayranlık uyandıran tapınakları inşa eden "eskilere" saygısızlık olduğu inancındayım.

[75]Georg Feuerstein - Shubhash Kak - David Frawley, a.g.e., s. 81

Yaklaşık İ.Ö. 3000 dolayında, İngiltere'nin Salisbury kenti yakınlarındaki düzlükte Stonehenge'i inşa edenler, henüz "taze" sayılacak bir korku ve tedirginliğin etkisiyle, göklerdeki bir şeyi ya da bir şeyleri gözleyerek, muhtemel bir katastrofu önceden tahmin edebilme güdüsünün dışında bir amaç taşımıyorlardı. Bunca zahmete girerek o dönem insanları için çok zor inşa edilecek bir megalitik anıtı oluşturmanın ardında, "bir dahaki afeti önceden haber alabilmek" güdüsünün etkili olduğunu düşünüyorum. Tıpkı, Avrupa'nın değişik yerlerindeki diğer megalitik siteler ya da eski dünyadaki diğer gözlemevleri gibi. Bu anıtların inşa edilmesinin, doğadaki ürkütücü hareketlilik ve değişimden duyulan korkuya paralel bir "dini düşünce"yle birlikte geliştiği gerçeğini de ihmal etmiyorum elbette. Ama eğer bu gezegenin doğası ve "huyu" daha kolay tahmin edilebilir olsaydı; bunca değişkenliği ve sürprizleri içermeseydi; eğer dünyada binlerce yıldır yaşamış olan insanların hiçbiri doğal afetlere bir kez bile tanık olmasalardı; binlerce yıl önce sınıflı toplumlar ortaya çıkarken gökyüzüne ve evrene ilişkin bilgiler "hegemonya mekanizması"nın etkili bir bileşeni olarak değerlendirilip "rahip okültizmi"ne kapı açmayacak, dolayısıyla "din" diye bir olgu da büyük bir olasılıkla ortaya çıkmayacaktı.

Tufan'ın ayak izleri

Şimdi dilerseniz, elimizdeki verileri bir kez daha kısaca alt alta yazıp, nerede olduğumuzu yeniden gözden geçirelim:

- Eski Mısır'da "krallığın insanlara devri", arkeolojik bulgulara göre Aşağı ve Yukarı Mısır'ın merkezi bir yönetim altında birleştiği İ.Ö. 3100 dolaylarında gerçekleşti. Bu tarih, çoğu bilim adamının da kabul ettiği gibi son derece "ani" bir yükselişi gösteriyordu. Öncesinde yaşanmış olması gereken evrelere ilişkin bulgu elde edemediğimiz; yazısı, mimarisi ve kentleşme kültürüyle ortaya çıkmış, hızlı bir yükseliş.
- Aşağı yukarı aynı tarihlerde, Mezopotamya'da bir başka

değişimin izlerini buluyoruz. Ancak bu kez eldeki bilgiler biraz daha fazla: İ.Ö. 3100 dolaylarında Sümerler adını verdiğimiz bir topluluk, kendilerinden daha ileri ve daha eski bir uygarlığın kentlerini ele geçirip, bu mirası sahipleniyor. Ele geçirdikleri kentlerin İran – Sami melezi kurucularının nasıl olup da yanlarında paralı askerlik yapan bu "yarı-barbar" topluluğa teslim olduğu konusu, henüz bir soru işareti.

- İndüs Irmağı kıyılarında, yine İ.Ö. 3000 dolaylarında kurulduğu izlenimini veren, oldukça gelişmiş Harappa uygarlığıyla karşılaşıyoruz. Bu uygarlığı kuran insanların felsefelerinden ve kozmolojilerinden geriye kalan kırıntılar, Sanskrit dilinde yazılmış Veda'larda ve diğer metinlerde saklı. Harappa insanının evren anlayışında "dünya çağları" denen bir kavram olduğuna tanık oluyoruz: "Yuga"lar. İçinde bulunduğumuz, "kaliyuga" olarak adlandırılan son çağın, İ.Ö. 3102 yılında başladığını öğreniyoruz.

- Okyanusun diğer yakasındaki Maya uygarlığında, son derece gelişmiş bir astronomi ve matematik ile birlikte, bu "dünya çağları" kavramı bir kez daha karşımıza çıkıyor. Mayalara göre, 2012 yılında sona erecek "Beşinci Güneş" çağının sonlarını yaşamaktayız. Bu çağın başlangıcıysa, İ.Ö. 3113 yılına rastlıyor.

- İngiltere'nin en gizemli megalitik anıtlarından Stonehenge'in, henüz yerleşik tarıma bile başlamamış bir toplum tarafından, büyük olasılıkla astronomik gözlemler yapmak üzere yaklaşık İ.Ö. 3000 dolaylarında inşa edilmeye başladığını biliyoruz.

Yukarıdaki akış içinde ele almadığımız, ama bu listeye ekleyebileceğimiz başka olguları da sıralayabiliriz:
- Güney Amerika'nın en eski uygarlığı olduğu sanılan ve Peru-Bolivya dolaylarına, And Dağları yamaçlarına yerleşmiş İnkaların atalarının en fazla İ.Ö. 1200 dolaylarına tarihlendiği düşünülürdü. Bu nedenle bölgede yerleşik düzen ve kentleşmenin bu tarihlerden geriye gitmediği sanı-

lıyordu. Ancak 2000'lerin hemen başında elde edilen şok bulgular, bütün Güney Amerika tarihinin yeniden yazılmasını gerektirecek oranda çarpıcıydı: 2001 yılının Nisan ayında, Ruth Shady adlı arkeolog liderliğinde Peru'nun Pasifik kıyıları yakınındaki Caral dolaylarında yürütülen çalışmalar sırasında, gelişmiş kent yapısı ve sosyal hiyerarşisiyle, devasa bir yerleşim yeri bulundu. Üstelik, bu uygarlığın sahipleri, Mısır'ın en büyük anıtları olan Giza piramitleri yapılmadan en az iki yüzyıl önce, dev bir piramit de inşa etmişlerdi kentlerinde. Ruth Shady'nin yaptığı tahminlere göre Caral'da uygarlığın başlangıcı, en az İ.Ö. 3000 dolaylarına tarihleniyordu.[76]

- Stonehenge'in neredeyse tıpa tıp benzeri diyebileceğimiz, daire biçiminde dizilmiş taşlardan oluşan bir başka anıt, İngiltere'nin çok daha uzağında, İsrail'in Suriye sınırındaki Golan tepelerinde bulundu. Tıpkı Stonehenge'de olduğu gibi astronomik gözlem amacı taşıdığı sanılan anıtın yaşını belirlemek üzere ünlü arkeoastronom Anthony Aveni'den yardım istendi ve Aveni, Golan tepelerindeki taştan dairelerin İ.Ö. 3000 dolaylarına ait olduğu sonucuna vardı: "Dr. Aveni ve İsrailli meslektaşları Yonathan Mizrahi ve Matanyah Zohar, yapının İ.Ö. 3000 dolaylarında, yaz gündönümünde güneşin doğumunu görecek biçimde, kuzeydoğu kapısından merkezde duran bir gözlemciye doğru uzanan bir çizgiye göre yönlendirildiği sonucuna vardılar."[77]

Belki bir ilginç noktaya daha dikkat çekmekte yarar olabilir: Hindu mitolojisinde, Tufan'la ilgili efsanenin Nuh'a karşılık gelen kahramanı, Manu'dur. Bilinen versiyonlardan birinde Manu'nun karşısına çıkan küçük bir balık, ondan yardım ister, çünkü susuzluktan ölmek üzeredir. Manu balığı alır ve hemen bir kabın içine su koyarak balığı içine bırakır. Ancak balık durmaksızın büyümektedir ve sonunda toprak kabı parçalayıp yere

[76]Craig Mauro, Associated Press haberi, 24 Şubat 2002
[77]Zecharia Sitchin, "The Cosmic Code", s. 10-11

2012: Marduk'la Randevu 191

düşer. "Yardım et bana" der yeniden. Manu da onu, büyükçe bir su birikintisine, bir gölete götürüp bırakır. Ancak balık büyümeye devam etmektedir ve Manu'dan kendisini denize ulaştırmasını ister. İyi ve yardımsever biri olan Manu, nasıl becerdiyse, dev balığı alır ve uzaklardaki kıyıda denize bırakır. Büyük sürpriz, tam bu noktada ortaya çıkacaktır: Balık, aslında kılık değiştirmiş olan tanrı Vişnu'dur. İyiliği ve yardımseverliğini sınadığı Manu'dan hoşnut kalınca, büyük sırrı ona açıklar: Bir Tufan gerçekleşmek üzeredir. Eğer büyük bir gemi inşa eder ve yanına hayvanları, bitki tohumlarını da alırsa, Manu bu felaketten kurtulabilecektir. Vişnu'dan aldığı haber sayesinde Manu ve yakınları felaketten sağ kurtulurlar ve dünya üzerinde insan soyu, Manu'yla devam eder.

Bildik efsanenin az çok farklı bir versiyonunu burada niçin yineledik? Çünkü mitteki kilit nokta, Hindu Nuh'unun adında gizlidir: Manu. Aşağı yukarı aynı çağlarda, İ.Ö. 3100 dolaylarında, iki büyük eskiçağ krallığının kurulduğunu biliyoruz: Mısır krallığı ve Ege'deki Minos uygarlığı. Mısır'ın kayıtlardaki ilk firavunu, daha önce de belirttiğimiz gibi Menes'tir; ya da Mısır dilindeki orijinaliyle, Men. Aynı tarihlerde başlayan Ege'deki uygarlık ise adını kurucusundan ve ilk hükümdarından alır: Kral Minos; ya da bilinen en eski adıyla Min. Bu iki kralın da gerçekten yaşadığını kanıtlayacak hiçbir veri yok elimizde; büyük olasılıkla "mitolojik" kişilikleri simgeliyorlar. Yunan mitolojisine göre Zeus, güzelliğine hayran kaldığı Europa'yı elde etmek için bir boğa kılığına giriyor ve Minos da bu ilişkiden doğuyor.[78]

Peki bu iki insan aynı kişi olabilir mi? Tarihsel anlamda bu mümkün görünmese bile, mitoloji açısından son derece mantıklıdır, çünkü aslında her iki efsanevi kral da, Hindu Nuh'u olan Manu'nun adını taşırlar: Manu, Men (Menes) ve Min (Minos). Rastlantının çok ötesine geçen bu benzeşme, bir şeyin altını net biçimde çizer: İ.Ö. 3100 dolayında "insan krallar" yönetiminde ortaya çıkmış iki büyük krallık, kurucularının adını Hindu efsa-

---

[78] Şefik Can, "Klasik Yunan Mitolojisi", s. 33

nelerinin Tufan sonrası yeni insan soyunu başlatan ve tanrıla-
şan kahramanı Manu'dan alırlar. Bu, Mısır ve Minos gibi eski-
çağın iki görkemli uygarlığının, İ.Ö. 3100'e denk gelen kuruluş-
larını "Tufan'ın hemen sonrası" olarak ifade ettiklerini gösteren
çok önemli bir ipucudur.

Bütün bunlar bize neyi anlatıyor? İ.Ö. 3100'ün, insanlık ta-
rihinde önemli bir dönüm noktası oluşturduğunu. Bütün kül-
türlerde derinlemesine iz bırakmış büyük bir doğal afeti, Tu-
fan'ı işaret eden bir dönüm noktasıdır bu.

Yirminci yüzyılın ilk çeyreğinde Leonard Woolley'nin eski
Sümer kentlerini kazarken bulduğu; İ.Ö. 3200 dolaylarına ait
olduğu düşünülen sıradışı "sel izleri"ni, yalnızca basit ve olağan
"yerel" afetler olarak görüp bu olguyla ilgili ayrıntıları rafa kal-
dırmaya, gündem dışı bırakmaya devam mı edeceğiz? Söz ko-
nusu tarihte Mezopotamya'da yaşanan sel felaketinin bölgedeki
uygarlığın gelişimini dramatik biçimde etkileyecek oranda geniş
çaplı bir doğal olay olduğunu yadsımakla, yalnızca geçmişimiz-
den ve gerçeklerden kaçmaya çalışıyoruz. Bir doğal afetin, hele
bu suyla gelen bir afetse, "yerel" değil "global" olduğunu orta-
ya koyacak kanıtları kazı alanlarında bulamadığımızı düşünüyor-
sak, tarihin izlediği seyre dikkatle bakmak yetecektir. İ.Ö. 3200
dolaylarında, insan toplulukları henüz kentlerini kerpiç tuğlalar-
la yaptıkları binalardan oluştururken, aniden bastıran büyük bir
sel felaketinin arkeolojik izlerine rastlamanın "şans işi" olduğu-
nu daha önce belirttik. Leonard Woolley, bu "şansı" yakaladı ve
yirminci yüzyılın ilk çeyreğinde, sezgisel bir tavırla da olsa, dik-
katlerimizi "Tufan" olgusuna çekti. Ama ortodoks bilim, tarihin
bilinen en eski uygarlığını on metre kalınlığında çamurla örten
bu afetin "yerel" bir sel felaketi olduğu konusunda ısrarlı. Peki,
"global" bir sel felaketi nasıl olur?

İ.Ö. 3200 dolaylarında gerçekleşmiş olduğu izlenimi veren
suya bağlı felaketlerin yalnızca Mezopotamya'yla sınırlı olmadı-
ğını düşünüyorum. Ama elbette yaşananlar, Eski Ahit'te ya da
eskiçağ toplumlarının mitolojilerinde "süslendiği" gibi bütün
dünyayı sular altında bırakan bir karabasan değildi; bu zaten fi-
ziksel olarak da olanaklı değildir. Hiçbir yerde, "Nuh'un Gemi-

si" benzeri bir olayın yaşandığını düşünmüyorum. Söylediğim yalnızca şu: Tufan efsanesine yol açan sel felaketleri, coğrafi bölgeye değil, kentlerin kurulduğu alanların deniz seviyesinden yüksekliğine ve su kaynaklarına bağlı olarak, dünyanın çok büyük bir bölümünde ve İ.Ö. 3200 ile İ.Ö. 3100 arasındaki bir tarihte yaşanmıştır. İzleyen dönemde gelişen kentlerin ve uygarlıkların düşünme biçimlerine ve evreni incelemeye yönelik eğilimlerine bakarak, bu afetlerin "gökyüzünde yaşanan birtakım değişimler" ile bağlantılı düşünüldüğü sonucuna varabiliriz. Her ne olduysa, dünyanın atmosferinde alışılmamış, çok şiddetli devinimleri ortaya çıkarmış ve iklim dengesini büyük ölçüde sarsmış olmalıdır. Tıpkı dünyanın 1996'dan itibaren tanıştığı "El Nino" atmosfer hareketi gibi. Ama etkilerinin ve gücünün El Nino'yu kat kat aştığı da açıktır.

Eski Ahit'e göre, İbrahim'in doğumuyla Tufan arasında 550 yıl var. Ancak benim görüşüm, aradaki zamanın 1000 yıla yaklaştığı yolunda. Oldukça hassas ve titiz astronomik gözlemlere sahip olduklarını bildiğimiz Mayaların ve Hintlilerin hesaplarının çok fazla yanılgı payı içermediğini düşünüyor ve Woolley'nin bulgularına paralel olarak Tufan efsanesine esin kaynağı oluşturan doğal afetlerin İ.Ö. 3150 dolaylarında yaşandığını sanıyorum. Bu durumda, baştan beri oluşturmaya çalıştığımız kronolojide son duruma bakabiliriz:

İ.Ö. 3150 ---------- Tufan
İ.Ö. 2225 ---------- İbrahim'in Mısır'a gelişi
İ.Ö. 2010 ---------- Yusuf'un vezirliği
İ.Ö. 1640 ---------- Mısır'dan çıkış

Hemen fark edildiği gibi, bu dört tarihi saptamakta baştan beri izlediğimiz yöntem, doğal afetlerin izini sürmek oldu. Kronolojimizde dördüncü sırada, yani en sonda yer alan Mısır'dan çıkışın, niçin tarihteki yolculuğumuzda ilk referans noktası olarak ele alındığını merak eden okurlar olabilir. Birincisi, bugün dünyanın üçte ikisine egemen olan İbrahim çıkışlı dinlerin ilki durumundaki Museviliğin, İ.Ö. 1640 dolaylarında gerçekleşen bu olay sırasında (ve sonrasında) biçimlenmeye başladığını düşünüyorum. İkincisi, söz konusu olgunun hem bu kitapta ortaya koymaya çalıştığım görüşle, hem de dünyanın yakın geleceğiyle doğrudan bağlantılı bir göksel fenomenin işaretçisi olduğu kanısındayım. Bu nedenle, izleyen bölümde yeniden Exodus yıllarına dönerek en az Tufan kadar yeryüzünün tarihini etkilemiş büyük afetler zincirini yakından inceleyecek, olası nedenlerini sorgulayacağız.

3

Tanrılar Çıldırmış Olmalı

İsa'dan önce 1650'yi izleyen yıllarda, ağırlıklı olarak hayvancılıkla uğraşan Batı Sami kökenli göçmenler, ticaret amacıyla geçici olarak yerleştikleri Nil deltasının doğusundaki düzlüklerden apar topar kaçmaya başladılar. Onlara, yine delta doğusundaki kentlerin varoşlarında yaşayanlar ve Mısır krallığı adına geçici işçi olarak çalışan yabancılar ("Apiru"lar) da katıldı. Deltadan Sina'nın batısına doğru uzaklaşan bu karma topluluk gerçek bir panik içindeydi, çünkü daha önce benzeri görülmemiş bir doğal afetler zinciri ülkenin her yanını sarsıyordu. Diğer yandan, felaketin bölgesel olmayıp en azından bütün Yakındoğu'yu etkilediği, doğudan gelen haberlerden de belliydi: Krallıkların hüküm sürdüğü topraklarda bütün dengeler bozulmuş; kalabalık ve saldırgan bir grup yabancı kabile, yolu üzerindeki her yeri yağmalayarak Mısır'a doğru yaklaşmaya başlamıştı. Bu durumda en doğru kararın "bir arada durarak" daha güçlü olmak ve bölgeden hemen uzaklaşmak olduğunu düşünen bir lider ya da bir grup liderin girişimiyle, bu ürkek kalabalık, bütün değerli eşyalarını ve hayvanlarını yanına alarak bölgeyi terk etmeye başladı. Kaos içindeki Mısır'dan kaçanlar, doğuya gidemezlerdi, çünkü sonradan "Hiksos" olarak nitelenecek kabileler ittifakı o yönden hem Kenan'ı hem de Sina'nın doğusunu yağmalayarak geliyordu. Bu nedenle, en akılıca seçenek olarak gözüken, kimsenin yolu üzerinde olmayan Sina yarımadasının güneyine, kuytu çöllerine doğru uzaklaştılar.

Afetler bitene, bölgede asayiş kısmen de olsa yeniden sağlanana dek ıssız çöllerde saklanan ve kader birliği içine giren Sami ağırlıklı bu topluluk, saklanma süresi içinde kendi dini kimliğini de yaratacak; amansız bir var olma savaşı verecekti. Mısır'da Hiksos krallığı kurulduğunda ve yağmacılar yerine "yerleşikler" iktidarı devraldığında, çöl sürgünü de sona erme yoluna giriyordu. Babil de bu karmaşadan nasibini almış, kuzeyden gelen Hitit ve doğudan gelen Kassitlerce işgal edilmişti. Doğu Akdeniz kıyısındaki, Lübnan ve Kenan dolaylarındaki yerleşim yerleri, "Hiksos yorgunu"ydu. Dolayısıyla, sabırsızlık ve huzursuzlukla yıllardır çöllerde göçebe hayatı süren kader birliği etmiş topluluk, yerleşik düzene geçme hayallerini, tanrıları Yahve'nin söz verdiği topraklarda gerçekleştirmeye hazırdı artık. İbraniler olarak anacağımız bu topluluğun, kentleri, kasabaları ele geçirmeleri; ardından bazılarını kaybetmeleri; zaferleri ve yenilgileriyle geçen yüzyıllardan sonra, nihayet İsa'dan önce 1000 yılı dolaylarında kendi krallıkları oldu. Merkezi sistemin belirmesiyle birlikte bir gereklilik haline gelen etnik kimliğin ve onun en temel ögesi olan dinin biçimlenmesine, bu krallığın yükselişi sırasında başlanacak; kendi alfabelerini ve yazılarını ortaya çıkardıkları sekizinci yüzyıldan itibarense bütün bunlar yazılı kayıtlarda sabitlenecekti yavaş yavaş. Bu amaçla ilkin, onları bir toplum haline getiren o unutulmaz afet günleri ve sonrasında yaşananların belleklerde bıraktığı izlerle, "Mısır'dan çıkış destanı" olan Exodus kaleme alındı. İbrani krallığının inişli çıkışlı tarihinin sonraki yüzyıllara rastlayan en kritik evresinde bu insanların çoğunluğu, Kudüs'ü talan eden II. Nabukadnezar'ın tutsağı olarak Babil'e gidecek ve orada görkemli, derin, son derece eski Mezopotamya kültürüyle en yoğun tanışıklığını yaşayacaktı. Pers kralı Kyros'un Babil'i işgal edip İbranileri serbest bırakmasından sonra ülkeye dönen bilgeler, bu tutsaklık süreci içinde edindikleri bilgi ve deneyimlerle, tıpkı eski Mezopotamya uygarlıklarının kültüründe olduğu gibi, kendilerine bir kozmoloji ve yaratılış destanı oluşturmaya başladılar.

İsa'dan önce dördüncü yüzyıl başlarında büyük oranda ithal edilmiş öğelerin elden geçirilmesiyle yazılan bu destan, "Genesis" (Tekvin) adıyla ilk kitap olarak belirlendi. Genesis yalnızca yaratılış ve kozmoloji boşluğunu doldurmakla kalmıyor, ayrıca İbraniler için Mısır'dan çıkışa dek gelip dayanan bir soyağacı da ortaya çıkarıyordu. Aynı tarihlerde, hukuksal düzeni, yaşam biçimine ilişkin ilahi kuralları ve inanç törelerini de kesinleştiren diğer üç kitap da derlendi: Leviliter, Sayılar ve Tesniye (Deuteronomy). Böylece Musa'nın ilk beş kitabı olarak bilinen ("Pentateuch") bölümler ortaya çıktı; bunlara İbrani peygamberlerinin vahiylerini ve sürgünde yaşananları anlatan metinler de eklendiğinde, Tevrat ilk biçimini almaya başladı. Bu süreç içinde, ilk yazılan kitap durumundaki Exodus için de yeni ekleme ve düzenlemeler yapılması gerekmişti. Babil'de, efsanevi kral Sargon ile ilgili yaratılmış mitler, bu amaçla ödünç alındı ve yeniden düzenlenerek Musa'ya uyarlandı.

Babil efsanelerine göre kral Sargon, öldürüleceği kaygısıyla bebekken bir sepet içinde ailesi tarafından ırmağa bırakılır; onu bir bahçıvan bulur ve yetiştirir; sonuçta kralın sarayında üst makamlara dek yükselir ve tanrıça İştar'ın da desteğiyle bir gün bütün Babil'in efendisi olur. Benzeri tema, Exodus kitabının hemen başında Musa için de kullanılır: İbranilerin ülkede çoğalmasından hoşnut olmayan (ve "Yusuf'u bilmeyen") firavun, soylarının gelişimini durdurmak için yeni doğan bütün İbrani erkek bebeklerin öldürülmesini emreder. Ailesi tarafından, canını kurtarmak kaygısıyla bir sepete konarak Nil ırmağına bırakılan Musa, bir Mısır kraliçesi tarafından bulunur ve büyütülür:

"Ve Levi evinden bir adam gitti ve bir Levi kızını aldı. Ve kadın gebe kalıp bir erkek çocuğu doğurdu; ve onun güzel olduğunu gördü, ve üç ay onu gizledi. Ve onu artık gizleyemeyince, onun için sazdan bir sepet alıp harç ve ziftle sıvadı; ve içine çocuğu koyup ırmağın kenarında sazlığın içine bıraktı. Ve kız kardeşi ona ne olacağını bilmek için uzakta duruyordu. Ve Firavunun kızı yıkanmak için ırmağa indi; ve onun kızları ırmağın kenarında yürüyorlardı; ve sazlık arasında sepeti görüp onu getirmek için cariyesini gönderdi. Ve onu açıp çocuğu gördü; ve işte çocuk ağlıyordu. Ve ona acıyıp dedi: Bu İbranilerin çocuklarından biridir. Ve kız kardeşi firavunun kızına dedi: Senin için İbrani kadınlarından gidip emzikli bir kadın çağırayım mı? Senin için çocuğu emzirir. Ve firavunun kızı ona git dedi. Ve kız gidip çocuğun anasını çağırdı. Ve firavunun kızı ona dedi: Bu çocuğu al ve onu benim için emzir, ve ben senin ücretini veririm. Ve kadın çocuğu aldı ve onu emzirdi. Ve çocuk büyüdü ve onu firavunun kızına getirdi ve onun oğlu oldu. Ve onun adını Musa koyup dedi: Çünkü onu sulardan çıkardım." (Çıkış 2:1-10)

Musa'nın İbranice sözlük anlamındaki "çekip çıkarmak" fiil kökü, hemen tahmin edileceği gibi ikili anlama sahiptir, çünkü o da büyüdükten sonra kavminin başına geçecek ve onları Mısır'dan çekip çıkaracaktır. Ne var ki tam bu noktada, Musa'yla ilgili biyografik romanın da yazarı olan tarihçi Gerald Messadie'nin itirazı gelir:

"Yazdıklarımda bazen fazla cüretkâr olduğum düşünülebilir, ama değilim. Musa'nın Mısırlı kökenleri konusunda olduğu gibi. Tarihçilerin bu noktadaki fikir ayrılıkları yüzyıl boyunca sürdü. Anlaşmazlık, kahramanın aslında Mısır dilinde 'oğul' anlamına gelen bir kelime olan adı çevresinde bile kendini gösterdi."[79]

Gerçekten de ismin kökeninin Mısır dilinde "oğul" anlamına gelen "Mos" olduğu son derece açıktır. Zaten Mısırlı bir firavun kızının, bebeğe niçin İbranice ad koyduğu da çok anlaşılır değildir burada. Tıpkı, hijyen konusunda son derece titiz olan Mısırlılar için değil bir prensesin, sıradan bir vatandaşın bile yıkanmak amacıyla Nil'e girmesinin inandırıcılık taşımaması gibi. Eski Krallık döneminde bile insanlar, türlü tortuyu ve mikrobu içerme olasılığı olan nehir sularını, kum kütleleriyle oluşturdukları filtrelerden geçirdikten sonra yıkanıyorlardı.

---

[79] Gerald Messadie, "Musa: Mısır Prensi", s. 11

Bir Babil efsanesinden esinlenerek yaşamı çevresinde destanlar oluşturulan Musa'nın, Mos takısı taşıyan ada sahip bir Mısırlı olması ve bilgisi, kültürü ve karizmasıyla afetten kaçan Sami ağırlıklı kitleye kendini lider olarak kabul ettirmesi oldukça makul görünüyor. Yüzyıllar içinde sözlü gelenek aracılığıyla efsaneleşen bu kişiliğin, Babil sürgünü sonrasında Sargon'dan ithal edilen unsurlarla olağanüstü bir yaşam öyküsüyle buluşturulması da hiç şaşırtıcı değil. Ama bizi asıl ilgilendiren, Exodus efsanesinin gerçek kaynağı olan ve İ.Ö. 1650 dolaylarında bütün Yakındoğu'yu sarsan doğal felaketler zincirinin izlerini sürmek. Bu nedenle, daha önce belirttiğimiz üzere Ipuwer Papirüsü'nde de yankı bulan bu felaketlerin, dünyanın son 3600 yılını nasıl belirlediğine göz atmayı sürdüreceğiz.

Harappa'yı kim yıktı?

Hindistan'ın batısında, bugünkü Pakistan sınırları içinde kalan İndüs nehri kentlerinin yaklaşık olarak İ.Ö. 3000 dolaylarında kurulmuş olduğundan söz etmiştik. Mohenjo-Daro başta olmak üzere İndüs ve Sarasvati kıyılarında son derece göz alıcı bir uygarlık yaratmış olan dravit kentlerinin yazgısı, yaklaşık İ.Ö. 1600'den itibaren dramatik bir biçimde değişmeye başlar. Kentlerin terk edildiğini ve kısa sürede harabelere dönüştüğünü; ancak yüz yılı aşkın bir süre geçtikten sonra bölgenin yeniden iskân edilmeye başladığını görürüz. Ancak bu kez, eski temeller üzerinde yeniden biçimlenen uygarlığa dravitler değil, kuzeyden gelen daha açık renk tenli bir başka etnik grup egemen olmuş izlenimi verir. Harappa'nın kültürel mirası büyük oranda erozyona uğramıştır, ama bilim adamlarının "Hint-Avrupa kültürü" olarak adlandırdıkları yeni bir oluşum filizlenmeye başlamıştır.

Bölgenin doğal yapısının arkeolojik çalışmaları ne denli güçleştirdiğinden; kazılarda sık sık yeraltı sularına rastlandığından dem vurmuştuk. Bu güçlükler nedeniyle İndüs dolaylarında elle tutulur çok fazla bulgu elde edilemedi. Ancak yirminci yüzyılın şafağında, bölge henüz bir İngiliz sömürgesiyken, Mohenjo-Daro ve diğer kentleri gün ışığına çıkaran ve bu görkemli uygarlık karşısında duydukları hayranlığı gizleyemeyen İngiliz arkeologlar, kentlerin yıkılışıyla ilgili veriler karşısında fazlasıyla önyargılı ve büyük oranda varsayımlara dayanan bir teori geliştirdiler. "Aryan İşgali" adıyla bilinen bu teoriye göre gelişmiş Harappa uygarlığının çökmesi ve ardından yeni etnik dengelerin ortaya çıkmasının ardında yatan neden, bölgeye kuzeybatıdan, Afganistan dağları üzerinden gelen "Ari ırka" mensup büyük bir kabileler topluluğunun saldırılarıydı. 1947'den sonra bölgedeki arkeolojik araştırmaları yöneten Sir Mortimer Wheeler tarafından çatısı oluşturulan teori, kimi Harappa kentlerinde bulunan iskeletlerin verdiği ipuçlarından da yola çıkarak, İndüs uygarlığının bu kuzeyli barbarların saldırılarıyla yıkıldığını büyük bir kesinlikle ileri sürüyordu. Diğer dayanaklarsa, Veda'ların içinden ayıklanmış dizelerde bulunmuştu: Yıkılan kaleler, ele geçirilen depolar ve dehşet verici savaşlar. (Trajik olan, Wheeler öncesinde ortaya atılmaya başlayan bu "Ari ırk" ve Avrupalı köken teorilerinin, otuzlu yıllarda Almanya'da Nazi ideologlarınca bir antisemitik ideolojiye malzeme yapılması ve bunun sonuçlarının Yahudilerin vahşice katledildiği toplama kamplarına dek varmasıdır.)

Fazlasıyla aceleye getirilen ve üzerinde yeterince durulmayan nokta, yıkıma uğramış Harappa kentlerinde gerçekte çok az iskelete rastlanmış olmasıydı. Ezilme ve darp ile bağlantılı görülen ölümlerinse, bir savaştan kaynaklanmış olabilecekleri konusunda yeterince inandırıcı kanıt yoktu. Ama Batılı bilim adamları, sömürgeci önyargılarıyla yaklaştıkları Hindistan'ın geçmişteki görkemli uygarlığını, Avrupalı işgalcilerin yıkmış olabileceği tezine sıkı sıkıya sarılmayı uygun gördüler. Bütün bu toz duman içinde, iki nokta kolaylıkla gözlerden kaçtı:

1. Hindistan'da Vedik kültürün ve "Aryan kentleri"nin izleri, İ.Ö. 1500'lerden itibaren görülmeye başlıyordu. Ancak Harappa kentlerinin uğradığı yıkım bundan yüz yılı epey aşkın bir süre önce yaşanmıştı. Aradaki büyük boşluğu açıklayacak makul bir teori geliştirme fikrine bile yanaşmayan "Aryan İşgali" savunucuları, bu "ayrıntı"yı es geçtiler.

2. Mohenjo-Daro başta olmak üzere Harappa kentlerinde

çok az iskelete rastlanması, bu kentlerin bir savaş sonucu ele geçirilmesini ve bir kitlesel kıyımı değil, sakinleri tarafından hızla boşaltılmasını akla getiriyordu ama "işgal" teorisyenleri bunu da göz ardı etmekte bir sakınca görmediler.

Bütün bunlara ek olarak, Veda'lardan seçilen dizelerle sağlanmaya çalışılan dayanak, aslında son derece zayıftı:

"İşgal teorilerini haklı çıkarma konusunda oldukça heyecanlı olan Wheeler gibi bilim adamları, Rig-Veda içinde kaleler ve depoların (pura) yok edilmesini ve Aryanların Dasus kavmine, yani kendi teorilerine göre Harappalılara olan nefretlerini anlatan ilahilere başvurdular. Ama Vedik halktan, kentlerin kurucuları, tarım insanları olarak söz eden ve Hint-Avrupalı olmayan halklara yapılan saldırıları değil kabileler arası iç savaşları anlatan, kendi görüşleriyle çelişik ifadeleri görmezden geldiler."[80]

Bütün bu aceleci, önyargılı ve üstünkörü eğilimler uzantısında Harappa uygarlığının silinmesinin ardında bir Aryan işgalinin izlerini bulmaya çalışan teori, ilginç bir biçimde Batı dünyasında uzun süre yaygın kabul gördü. Arkeologlar ve tarihçiler, kuzeybatıdan gelen ve Harappalılara göre çok daha ilkel ve barbar olan işgalcilerin kentleri nasıl ele geçirdiklerini açıklamak için, saldırganların atlara ve bunların çektiği savaş arabalarına sahip olduğunu; bunun savaşta teknik bir üstünlük yarattığını ileri sürüyorlardı. (Tıpkı Mısır'ın barbar ve ilkel Hiksos kabilelerince işgal edilebilmesini aynı gerekçeyle açıklamaya çalışan ejiptologlar gibi.) Ancak yirminci yüzyılın ikinci yarısında sürdürülen araştırmalar, bunun pek de doğru olmadığını ortaya koymaya başladı:

"Ayrıntılı kazılar, yalnızca İndüs Vadisi sitelerinde değil, İndüs-öncesi sitelerde de atın varlığının keşfedilmesini sağladı. Dolayısıyla atın kullanımının bütün eski Hint tarihinde yaygın olduğu kanıtlanmış oldu. Ayrıca tekerleğe ilişkin kanıtlar ve bir İndüs mührü üzerinde, savaş arabalarında kullanıldığı biçimiyle çubuklu bir tekerlek resminin bulunması, bölgede bu arabaların da kullanıldığını gösteriyordu. Üstelik, savaş arabalarına

---

[80]Georg Feuerstein - Shubhash Kak - David Frawley, a.g.e., s. 78-79

sahip göçebeler fikri sallantı halindeydi. Bu arabalar göçebelerin kullandığı araçlar değildir. Bunların kullanımı ancak fazlasıyla düz alana sahip gelişmiş kentlere özgüdür ki İndüs Vadisi de bu tanıma en uygun bölgedir. Aryan işgali teorisi için gereken araba unsuru, dağları ve çölleri aşan göçebeler için son derece elverişsizdir."[81]

Aslında Hint kültürüne ve bölge uygarlıklarıyla ilgili araştırmalara son derece yabancı, dışarıdan müdahaleyle monte edilmiş Aryan İşgali yaklaşımı, yirminci yüzyılın sonlarına yaklaşıldıkça, sayıları giderek artan araştırmacılar tarafından reddedilmeye başladı. Batı artık Harappa kentlerinin uğradığı yıkımı kuzeyli Arilerin işgallerine bağlama yanlışından dönmeye başlıyordu. O halde, İndüs Vadisi'ndeki görkemli kentlerin başına ne gelmişti ki o büyük uygarlıktan geriye yalnızca kent harabeleri kalmıştı?

"Çok açıktır ki, bu büyük uygarlığı dizleri üzerine çöktürecek bir şey olmuştu, ama bu kuzeybatıdan gelen göçmenlerin vahşi işgali falan değildi. İndüs kentlerini yıkan katastrof bambaşka bir düzen izledi ve hiçbir yağmacı kabilenin olamadığı kadar yıkıcı oldu."[82]

Harabelerin birçoğunda, o çağın insanları için önemli ve değerli olduğu tartışma götürmeyecek takılar, süs eşyaları ve kapkacak, bol miktarda da araç bulunmuştu. Yağmalandığı varsayılan bir kentte bunlara işgalcilerin el sürmemiş olması, çok da akla yakın görünmüyordu. Diğer yandan, Mohenjo-Daro katmanlarında bulunan iskeletlerden bazılarında görülen darp izleri, savaş ve yağmanın dışında, bir başka olasılıkla ilgili ipuçlarını sergiliyordu aslında: Kemiklerin birçok yerinde ağır kütlelerin altında ezilme sonucu oluşmuş kırıklar ve örselenme izleri vardı. Daha net bir anlatımla bu insanlar, yıkılan binaların, çöken evlerin enkazı altında kalmışlardı! Başta da belirttiğimiz gi-

[81] David Frawley, "The Myth of the Aryan Invasion of India", Voice Of India, 19 Haziran 1994
[82] George Feuerstein - Shubhash Kak - David Frawley, "In Search Of The Cradle Of Civilizatin", s. 79

bi bölgede az sayıda iskelete rastlanması, Mohenjo-Daro başta olmak üzere antik İndüs kentlerinin büyük bir aceleyle, "aniden" boşaltıldığını ortaya koyuyordu. İnsanlar evlerini ve kentlerini, yanlarına değerli eşyalarının tamamını bile alamadan terk etmişler, kaçamayan ya da yeterince çabuk davranamayan bir azınlık da enkaz altında kalmıştı. Bütün bunlar, İndüs-Harappa uygarlığının trajik sonuyla ilgili olarak yeterince açıklayıcıydı: Aniden gelen ve kentleri yerle bir eden büyük bir deprem dalgası.

Bölgede İ.Ö. 1900'lerden itibaren sıradışı ekolojik gelişmelerin yaşandığını; Sarasvati nehri kurumaya başlarken iklimde yavaş yavaş değişimlerin ortaya çıktığını jeologların ve arkeologların araştırmaları kanıtlıyor. Yaklaşık İ.Ö. 2000 sonrasında Sümer'in silinmesine neden olan; Hurri, Luwi, Pala ve Hititler gibi Hint-Avrupa kökenli kavimleri, yaşadıkları yerleri terk ederek Hazar Denizi'nin güney ve kuzeyinden farklı kollar halinde Batı'ya göç etmeye zorlayan etken, bu büyük ekolojik değişimdi. Ama çölleşme ve iklim değişiminden çok daha "bitirici" etki yaratan son darbe, yaklaşık İ.Ö. 1650'yi izleyen yıllarda büyük depremler ve toprak kaymalarıyla geldi İndüs vadisine. Harappa kentleri bu nedenle yıkıldı ve terk edildi; sakinleri bu nedenle uzaklara, doğuya doğru yönelip yeni yerleşim yerleri kurmaya başladılar. İ.Ö. 1500'lerdeyse, Hindistan'a farklı etnik gruplar egemen oldu ve kültürel mirası devralmaya çalıştı. Ama saldırarak, yıkarak ve işgal ederek değil: Felaketin üzerinden yüzyıl geçtikten sonra, bölgede yeni kentler kurarak.

Aryan İşgali teorisi, elbette yalnızca Hindistan'la sınırlı bir yaklaşıma sahip değildi. Arkeolog ve tarihçiler, aşağı yukarı aynı dönemlere denk gelen büyük çaplı kitlesel göçleri ve eskiçağ imparatorluklarında bunların yol açtığına inandıkları çöküntüleri bir zincirin halkaları gibi düşünerek, bütünlüklü bir teori geliştirmeye çalışmışlardı. O zincirin İndüs halkası, koptu ve dağıldı. Anadolu ve Kuzey Suriye'de, Babil'e dek ilerleyen Hititler; Asya'dan savaş arabalarıyla gelip Mısır'ı ele geçiren Hiksos kabileleri, diğer halkalardı ve bunlar çoktan dağılmışlardı aslında.

Eğer geniş bir coğrafyanın farklı bölgelerinde, aynı döneme denk gelen büyük kitlesel göç hareketleri görülüyorsa, bu aslında bir tek şeye işaret eder: Yaşamın "eskisi gibi" yürümesinin önüne set çekecek oranda güçlü ve sert doğal afetler bu insanları yurtlarını terk etmeye itmiştir. İ.Ö. 1650 dolaylarında dünya halkları, buna bir kez daha tanık oldu. Sonuçta, felaketlerin etkisiyle güçsüz düşen imparatorluklar, kısa süreli bile olsa ciddi sarsıntılar geçirdiler. Bu etkiden sıyrılamayanlarsa, tarihten silindi gitti. İndüs'te rastladığımız izler, bu olguyla bağlantılı olarak Anadolu'da Hititler, Mısır'da da Hiksoslarla ilgili olarak karşımıza çıkacak.

Anitta'nın laneti

On dokuzuncu yüzyılın başlarına gelininceye dek, tarihçilerin belleğinde "Hitit" adı, yalnızca Eski Ahit'te rastlanan ve varlığı kanıtlanamamış, Kuzey Suriyeli bir halkı akla getiriyordu. İbraniler söz verilen topraklara vardıklarında bu bölgede karşılarına çıkan irili ufaklı etnik gruplardan biri gibiydi Hititler. On sekizinci yüzyılın bitimiyle birlikte Yakındoğu'da yaygınlaşmaya başlayan arkeolojik çalışmalar, çok sayıda hevesli bilim adamını bu bölgeye çekti. Bunlardan biri de, 1830'ların başında efsanevi antik kent Tavium'u bulma umuduyla Anadolu'ya gelen Fransız araştırmacı Charles Texier'ydi ki, elde edeceği bulgular eskiçağ tarihinde sisler altında kalan bir dönemi ortaya çıkaracak çalışmaların ilk adımı olacaktı.

Texier yola çıkmadan önce bütün ön araştırmalarını yapmış ve Tavium kentinin Kızılırmak yakınlarında olması gerektiği düşüncesiyle kafasında bir araştırma planı geliştirmişti. İç Anadolu'ya vardıktan sonra, bölgede karış karış iz sürmeye başladı ve nihayet 1834 yazında, Çorum yakınlarındaki Boğazköy'e ulaştı. Yüksekçe bir tepeye çıkıp bölgeye bütünüyle göz attığında, toprak yığınlarının altından hafifçe kendini belli etmeye çalışan bir antik kentin izlerini fark etti: Duvar kalıntıları, anıtlara ait olduğu izlenimi veren işlenmiş taş parçaları ve oldukça büyük, insan yapısı taş bloklar. Kalıntılar son derece geniş bir alana yayılıyordu ki bu da büyükçe bir antik kenti bulduğunu hissettiriyordu Texier'ye. İlkin heyecanla Tavium'u bulduğunu düşündü. Ancak rastladığı kalıntılar, bir Roma kentinin değil, çok daha farklı bir üsluba sahip, bilinmeyen bir uygarlığın yarattığı bir kentin parçaları gibi görünmeye başladı ona. Aklında beliren ikinci olasılık, Lidya kralı Krezüs ile Pers kralı Kyros'un savaşlarına sahne olan Pteria kentini bulmuş olabileceğiydi. "Ne var ki Texier'yi başka sürprizler bekliyordu. Köylülerden biri onu, Boğazköy'den hayli ötelere götürdü; güçlükle yürünen bir patikadan derin bir ırmak vadisine indiler; karşı tepelerdeki düzlüğe varmaları iki saat sürdü. Ve orada, *Yazılıkaya* dediğimiz yeri buldu."[83]

Texier, 1839'da "Küçük Asya Üzerine" adlı kitabını yayımladı ve bu çalışmasında Boğazköy ve Yazılıkaya'da gördüklerinden yola çıkarak, bilinmedik ve büyük bir kültüre sahip bir halkla karşı karşıya olunduğunu vurguladı. Onun açtığı yoldan ilerleyenler, Anadolu'ya doğru giderek sıklaşan bir arkeolojik araştırma trafiği yaratmaya başladılar. Archibald H. Sayce'ın 1879'da, Anadolu'da izleri keşfedilmekte olan yeni ve bilinmedik uygarlığın Eski Ahit'teki Hititler olduğunu resmen açıklaması, bölgeye olan ilgiyi iyiden iyiye artırdı. Nihayet, yirminci yüzyılın hemen başında Alman arkeolog Hugo Winckler'in Boğazköy'de gerçekleştirdiği kapsamlı kazı çalışmalarıyla bu gizemli uygarlık, yavaş yavaş dünyanın gözleri önünde belirmeye başladı.

Boğazköy ve diğer Hitit kentlerinde bulunan çivi yazılı tabletlerin deşifre edilmeye başlamasıyla, bu halkın kullandığı dille ilgili ayrıntılı bilgiler de ortaya çıkıyordu artık. 1915 yılında Dr. Friedrich Hrozny, yoğun bir çalışmanın ardından, Hititlerin bir Hint-Avrupa dili konuştuğuna ilişkin görüşlerini, kanıtlarıyla birlikte bilim dünyasına sundu. Geriye bir tek soru kalıyordu: Bu insanlar kimdi, nereden gelmişlerdi, ne zaman ve nasıl bu bölgeye egemen olmuşlardı?

---

[83] C.W. Ceram, "Tanrıların Vatanı Anadolu", s. 15

Hititlerin göç yolları ve önceki anayurtlarına ilişkin sorular bugün hâlâ kesin olarak yanıtlanabilmiş değil. Ama gruplar halinde Anadolu'nun doğusuna gelmeye başladıklarında, Orta ve Doğu Anadolu'da, Hint-Avrupalı olmayan ve kendilerini "Hatti" olarak adlandıran insanların yaşadığını biliyoruz. Daha doğru bir deyişle, Orta ve Doğu Anadolu o tarihte hem bölgenin yerleşik insanlarınca, hem de çevre halklarca "Hatti Ülkesi" olarak adlandırılıyordu. Burada homojen bir etnik-kültürel yapının ve "devlet" biçiminde bir örgütlenmenin söz konusu olmadığının altını çizmek gerek: Dilleri ve kültürleri hakkında çok az bilgi sahibi olduğumuz Hattiler, aslında birbiriyle organik olarak bağlantısı çok da sıkı olmayan, farklı hanedanların hüküm sürdüğü kent halklarının tümüne verilen genel ad altında karşımıza çıkarlar.

Hattilerin kent-devletleri, İ.Ö. on yedinci yüzyıla dek, güneydoğularında yer alan Asur ile Anadolu içlerine dek yayılan Asur ticaret kolonileri aracılığıyla, düzenli ticari ilişkiler sürdürüyorlardı. "Karum" adı verilen bu bağımsız merkezler yoğun olarak yirminci ve on dokuzuncu yüzyıllarda etkili olmaya başlamıştı bölgede. Bunlar arasında en önemlilerinden biri, Kapadokya'da, bugünkü Kayseri yakınlarındaki Kaniş (Kültepe) kazılarında bulunmuş ve aydınlatıcı belgeler ele geçmiştir. Hitit metinlerinde Neşa adıyla geçen kentin de Kaniş olduğundan bugün kuşku duyulmuyor. (Büyük olasılıkla kentin Hitit dilindeki adı "Kneşa"ydı ve bir Hint-Avrupa dili olan Hititçe'de –tıpkı İngilizce'deki "knee" ya da "knife" sözcüklerinde olduğu gibi- sözcük başlarındaki K harfi okunmuyordu.) İlginç olan ve gizemini koruyan konu, Anadolu'nun batıdan doğuya dek çok parçalı bir mozaik oluşturduğu bu dönemde, Orta ve Doğu Anadolu'da Hatti kentleri görece istikrarlı bir yapıya sahipken, büyük olasılıkla kuzeydoğudan bölgeye göç etmeye başlayan Hint-Avrupa kökenli bir halkın çok kısa bir süre içinde, güçlü Babil'e bile saldırabilecek düzeyde bir imparatorluk kurması.

Neşa, Hitit devletinin öncüsü diyebileceğimiz Kuşşaralı Anitta'nın bölgede ele geçirdiği ilk kent. Mağrur hükümdar, kenti alırken zorlanmadığını ve içinde yaşayanlara iyi davranarak onların kalbini kazandığını anlatıyor, fetihlerini kaydettiği ünlü yazıtta. Aynı metinde, sonradan Neşa'da ne denli büyük işler yaptığından; kent duvarları ve Fırtına Tanrısı için inşa ettirdiği tapınaktan söz edip gururlanıyor. Ama Hitit diliyle yazılmış en eski metin olduğu bilinen yazıtın en çarpıcı bölümü, Hattuşa'yı (Boğazköy) ele geçirişini anlatan ifadeler:

"Nihayet Hattuşa'da büyük açlık olunca, Şiuşummi onu tanrı Halmaşuitta'ya teslim etti ve ben onu (yani Hattuşa'yı) geceleyin yaptığım bir saldırıyla aldım. Onun yerine yaban otu ektim. Benim ardımdan kim kral olur ve onu bir daha iskân ederse, göğün fırtına tanrısı onu çarpsın."[84]

Fatih hükümdarın, ele geçirdiği kenti yeniden üzerinde yaşanmaz hale getirip bir de "lânet" ile mühürlemesi, çok da anlaşılır bir şey değil. Bu temanın benzerine, ancak gizemi henüz çözülmemiş Sümer mitlerinde rastlıyoruz. İnanna'nın, kimliği ve niteliği belirsiz, "Kur" adlı düşmana savurduğu tehditler, bunun örneklerinden biri:

"Onun üstüne uzun mızraklar fırlatacağım
Ona karşı atış-sopası, silah, atacağım
Yanındaki ormanları ateşe vereceğim
(...)
An'ın lanetlediği kent gibi, bir daha kurulamayacak
Enlil'in gazabına uğrayan kent gibi, bir daha kendine gelemeyecek."[85]

Anitta'nın, Orta Anadolu'nun bu en görkemli kentine niçin bu denli büyük hınç duyduğu bizler için bir sır. Ama bildiğimiz bir şey varsa o da ardından gelen Hitit krallarının onun lanetine pek de aldırış etmeyip Hattuşa'yı (iskân etmek bir yana) başkent yaptıkları. Kussara Kralı Anitta, oldukça sevecen davrandığı Neşa'yı (Kaniş) kendi başkenti olarak düşünmüştü belli ki.

Hatti ülkesine yerleşmeye başlayan Hint-Avrupa kökenli işgalcilerin attığı ilk adım, böylece açığa çıkıyor. Ancak Anitta'nın Boğazköy'ü yerle bir edişiyle ilgili kesin bir tarih vermek çok

[84]Ekrem Akurgal, "Anadolu Kültür Tarihi", s. 37
[85]Samuel Noah Kramer, "Sümer Mitolojisi", s. 152

zor. Çünkü belgelerin orijinallerini değil, Hitit devlet arşivlerinde saklanan sonradan çıkarılmış kopyalarını biliyoruz. Büyük olasılıkla Neşa ve Hattuşa'ya düzenlenen seferler, tüm bölgede işgalcilerin topyekün bir harekâta başladıkları İ.Ö. 1650'nin hemen öncesine raştlıyor. Kazılarda bulunan ve "Hitit Kral Listeleri" olarak bilinen belgeler üzerinde çalışan arkeolog ve tarihçilerin görüşlerine göre Anitta'nın fetihleri, İsa'dan önce onyedinci yüzyılın başında gerçekleşmiş. Listede hemen onun ardından adı yazılan ve aslında bilinen ilk Hitit kralı olan Labarna için belirlenen tarihler, 1680 ile 1650 arasını kapsıyor. Evlat edindiği yeğeni Hattuşili'nin 1650 dolaylarında yönetimi ele aldığı sanılıyor ki, Hitit tarihinde "Eski Krallık" olarak bilinen dönemin başlangıcı da bu tarih.

Hitit arşivlerinde, kral Telepinu tarafından yazdırılan bir belgede, Hitit tarihinin başlangıcına ilişkin ilginç kayıtlar var. Bu kayıtlardan, ilk kral olduğu belirtilen Labarna'nın düşman kentlerini geceleri saldırarak ele geçirdiği ve onları güçsüz bıraktığı anlaşılıyor. Fetihlerini hızla tamamlayan kralın ülkeye döndükten sonra bölgeleri ve kentleri oğullarına verdiğini ama merkezi idarenin iplerini kendi ellerinde tuttuğunu anlıyoruz. Yine aynı döneme ışık tutması beklenen bir başka belgeyse, iki dilde (bilingual) hazırlanmış bir vasiyet.

"Bu yazıttan Labarna'nın Hitit krallarının ilki olduğu sonucunu çıkaracak olursak, çok yakın zamanlarda bulunmuş bir yazıtta bu görüş desteklenmektedir: Labarna ile karısı Tavannanna'nın adı daha sonraki kral ve kraliçelerin sanı olmuştur. Bu kez metin iki dilli bir yazıttır: Hititçe-Akatça metinde, I. Labarna'dan sonra başa geçen Hattuşili'nin vasiyeti yazılmıştır. Burada Hattuşili kendinden 'Hattuşa'nın Büyük Kralı, Kuşşaralı Labarna Hattuşili' diye söz etmektedir. Bundan, Kuşşara'yı bırakıp Kaniş'i başkent seçen Anitta'nın uzun zaman önce yıktığı eski Hatti kenti Hattuşa'yı başkent yapanın Hattuşili olduğu anlaşılmaktadır. Bu koşullarda Hititlerin kendi dillerine neden Neşaca dediklerini anlamakta güçlük çekiyoruz."[86]

---

[86]Seton Lloyd, "Türkiye'nin Tarihi", s. 32

Hitit devletinin etnik/kültürel kökeni ile Anadolu'da birden ortaya çıkan yükselişine ilişkin bilgiler, aslında biraz karışık bir durumun altını çizmektedir. Labarna ve onu izleyen krallar, ataları olarak Kussara kralı Anitta'yı kabul eder görünmelerine rağmen daha ikinci kral Hattuşili ile birlikte onun vasiyet ve ilkelerinden uzaklaşmış görünüyorlar. Aksi halde, bu çok yakın geçmişteki atalarının şiddetli lanetini bir yana bırakıp krallığın başkentini Hattuşa'ya taşımazlardı. Seton Lloyd'un belirttiği gibi metinlerde kendi dillerinden Neşaca olarak söz etmeleri de ilginçtir. Bütün bunlar aslında, Kuşşara kralı Anitta ile bildiğimiz Hitit devleti arasındaki soyağacı bağlarının sanıldığı kadar güçlü olmadığını gösteriyor. Anitta Neşa'yı hiç zorlanmadan aldı ve kent halkına kendini sevdirdi. Ardından, Hattuşa'yı yerle bir ederek kentin kurulu olduğu tepeyi bile lanetledi ve bir daha iskân edilmesini yasakladı. Listedeki üçüncü kral olan Hattuşili'nin, babasından önceki büyük kralın lanetini hiçe sayması kadar, dil konusundaki karışıklık da dikkat çekici: Anitta'nın fethettiği kentin diline sahip çıkılması söz konusu ki, bu durum, Hititlerin Kuşşara'ya yaslandığı düşünülen soyağaçları hakkında kuşku uyandırmak için yeterli. Anitta'nın fethettiği Neşa'nın soyluları, daha ilk başlangıçta hanedanı ele geçirmiş ve kendilerini Neşalı olarak tanımlamış görünüyor. Kopuşun ikinci göstergesiyse, Hattuşa'nın "inadına" yeniden iskân edilip, başkent haline getirilmesi. Bütün bunlar, Hititler olarak bildiğimiz halkın, büyük olasılıkla bölgeye İ.Ö. 1900 dolaylarında yerleşen ve uzun süre varlığını bölgedeki genel barışçı hava içinde sessizce sürdüren Hint-Avrupalı boylardan biri diyebileceğimiz "Neşalılar" olduğunu gösteriyor. Kuşşaralıların kenti ele geçirmesiyse, tarihte "işgalcilerin, boyunduruk altına aldıkları halk içinde asimile oldukları" ender örneklerden biri gibi görünmekte.

Sonuçta, İ.Ö. 1650 dolaylarında, Hititlerin Anadolu'da baş döndürücü bir hızla yükselişlerine tanık oluyoruz. Bu yükseliş, Orta Anadolu'nun fethiyle sınırlı kalmayacak ve Hititler 1650'den itibaren güneydoğuya, Babil ülkesine doğru yürüyüşe geçeceklerdir. Yollarının üstünde, onlarla aşağı yukarı aynı tarihlerde Kuzey Mezopotamya ve Doğu Anadolu'ya yerleşen bir başka kavim, Hurriler vardır.

"Hurriler Ari menşeli bir hanedan tarafından yönetiliyordu. Devletin adı Mitanni idi. Mitanni devletinin merkezi olan Waşukanni'nin yeri henüz bulunamamıştır. Ari menşeli kral adlarından başka Hurri panteonunda Sanskrit kaynaklarından tanınan İndra, Mitra, Varuna gibi Ari tanrılarının bulunması, Hurrilerde Ari bir hanedanın varlığının kanıtıdır. Hititler savaş arabalarının atları için yetiştirici olarak Mitanni ülkesinden getirilen uzmanları kullanıyorlardı. Boğazköy tabletleri arasında Mitanni ülkesinden Kikkuli adındaki bir uzmanın at yetiştirmeye ait eseri bulunmuştur."[87]

İki ırmak arası bölgeye doğru akın düzenlemekte kararlı görülen Hititlerin, benzer kökeni paylaştıkları Hurrileri çok çabuk müttefikleri haline getirdiklerini (bu belki de "zor" yoluyla gerçekleşmiştir) ve işgal için yine şu ünlü savaş arabalarından yararlandıklarını görüyoruz. Ne var ki Mitanni uzmanlarının desteğiyle hazırlanan bu arabalar Mezopotamya'da onlara stratejik bir üstünlük sağlamaz, çünkü İ.Ö. 1600 dolaylarında bu arabalar Babil'de de kullanılmaktadır. Buna rağmen, Hititlerin hırslı ve ani akınlarının Babil'e dek vardığını, bu büyük kentin fazla direnç bile gösteremeden işgalcilere yenik düştüğünü biliyoruz.

Hitit tarihi uzmanlarından Oliver R. Gurney, Anitta'nın krallığı dönemini izleyen tarihlerde Asur ticaret kolonilerinin faaliyetlerinin sona erdiğini, ancak bunun nedeninin Anitta'nın fetihleri mi, yoksa bölgeyi etkileyen bir doğal felaket mi olduğunun bilinmediğini söylüyor. Gurney'ye göre de Anitta ile ardılları arasında ilginç bir kopuş vardır:

"Hiçbir Hitit kralı, Anitta'yı atası olarak sahiplenmemişti. Her ne kadar kralın kenti Kuşşara onun için başlarda bir kraliyet ikâmetgâhı olmuşsa da, ne zaman ve neden Hattuşa'nın yeniden inşa edildiği ile orada hükümdarlık yapan kralların onun ardılı olup olmadığı belirsizdir."[88]

Muhtemelen büyük Hitit akınları sırasında savaşta ölen Hattuşili'nin yerine geçen torunu I. Murşili, Babil'e İ.Ö. 1600

[87]Sedat Alp, "Hitit Çağında Anadolu", s. 20
[88]Oliver R. Gurney, "Hititler", s. 29

dolaylarında, hemen hiç zorlanmadan ve büyük bir dirençle karşılaşmadan girdi. Gurney bu olayda kuşkulu yanlar olduğunu ifade etmekle birlikte en uygun tarihin İ.Ö. 1600 olduğu yolunda görüş bildirir. Şaşırtıcı olan, 50 yıl gibi kısa bir süre içinde, Anadolu'ya göçmen olarak gelip yüzyıllarca barış içinde yaşamış bir halkın, ilkin kendilerinden daha ileri Hatti kentlerini ele geçirip bölgeye egemen olması; ardından da o coğrafyanın en köklü ve en güçlü devleti olan Babil'i neredeyse hiç zorlanmadan büyük bir yenilgiye uğratabilmesidir. Bütün bu olağanüstü işleri 50 yılda gerçekleştirebilen bir başka toplum bilmiyoruz. Hititler çok mu üstün savaşçılardı, yoksa çok mu şanslıydılar? Bu şans, onlara 50 yıl içinde hem Anadolu'ya egemen olma, hem de güçsüz düşmüş Babil'i yenilgiye uğratma fırsatı veren; beklenmedik ve ani bir doğal afetler zinciri olabilir miydi?

Çok kısa bir döneme yayılan yoğun kültürel karşılaşmalar nedeniyle, Hitit inanç sistemi ve mitolojisiyle Mezopotamya mitleri arasında şaşırtıcı benzerlikler var. Bunun ana nedeni, işgal ettikleri topraklarda yaşayan Hattilerin Asur ticaret kolonileri aracılığıyla Mezopotamya kültürünü özümlemeleri olabilir. Sami inancının Anadolu mitleriyle ve Ari panteonlarla karışmış bir versiyonunu buluyoruz Hititlerde. Bunun en belirgin örneği, Fırtına Tanrısı "Teşub". Hititlerin bu en güçlü tanrısı, Sümer panteonundaki İŞ.KUR'un Akatça'daki karşılığı olan "Adad"a çok benziyor. Benzeri biçimde, tanrıça Şauşka da, Mezopotamya'nın İştar'ıyla bire bir aynı. Buna rağmen, aslında Hitit ülkesinde birbirinden farklı panteonların ve inançların varolduğunu; bunların zaman zaman iç içe geçip kaynaştıklarını; halk inançlarıyla "devlet dini" arasında da ara ara karşıtlıkların ortaya çıktığını belirtelim. Kimi zaman yerel Hatti tanrıları, kimi zaman da Hurrilerden ithal edilmiş tanrılar öne çıkmış Hitit dininde. Ama genel özelliklerine baktığımızda, eski Yakındoğu panteon ve mitolojilerinin baskın olduğunu görüyoruz. Bunlardan, işgalci Hititlerin, geldikleri ülkeden Hint-Avrupa kaynaklı bir dinsel geleneği yeni yurtlarına bütünüyle taşımadıkları ya da en azından yerel kültlerle uyum içinde bir "melez din"e yöneldikleri sonucunu çıkarmak mümkün. Takvimlerinin de, tıpkı

Mezopotamya kültürlerinde olduğu gibi, yeni yılı ilkbahar eki-
noksuyla başlattığı düşünülüyor.

Çok zengin ve derin bir mitolojiye sahip olmamakla birlik-
te, Hititlerin de doğal felaketlerden ve ekolojik dengelerin bo-
zulmasından büyük korku duyduklarını vurgulayan ilginç hikâ-
yelere sık rastlıyoruz. Uzmanlar bu mitlerdeki temaları (her za-
man olduğu gibi) doğanın ve toprağın mevsimsel döngüleriyle
rasyonel hale getirmeye ve bu biçimde sınıflamaya eğilimliler.
Bir tür olumsuz "cin" olan Hahimmas'ın anlatıldığı popüler
mitte olduğu gibi:

İklim dengelerini altüst eden ve toprağın verimini azaltan
kötü cin Hahimmas, bu efsanede yine oldukça büyük tahribata
neden oluyor. İnsanlık ve dünya büyük bir tehlike yaşamaya
başlayınca da, tanrılar durumu düzeltmek için devreye giriyor-
lar. İlkin Tanrıça kaygı duyuyor olanlardan ve Yüce Tanrı'ya
haber veriyor. Ardından Tanrı'nın (isimler belirsiz) durumu
düzeltmesi için Güneş Tanrısı'nı çağırttığını öğreniyoruz. An-
cak Güneş hiçbir yerde bulunamıyor. "Bedenimde sıcaklığını
hissettiğime göre buralarda olmalı" diyor Tanrı, ama güneş bir
türlü ortaya çıkmıyor, mitin sonuna kadar.[89]

Bu oldukça ilginç hikâye, elbette bir güneş tutulmasından
ya da güneşin ışıklarını engelleyen yoğun bulutlardan söz etmi-
yor. Olayların anlatılışı, daha çok, geceleri batıda ufuk çizgisi-
nin altına inip sabahları doğuda yine beliren güneşin bu kez or-
taya çıkmayıp, ufkun altında bir yerlerde "tutsak düştüğü" izle-
nimini vermekte. Mit mutlu sonla bitiyor ama "güneşin ortadan
yok olması" teması, doğrudan doğruya dünyanın dönme hızının
belirgin biçimde yavaşladığı ve nihayet durduğu, karabasan gi-
bi bir astronomik faciayı getiriyor akla.

[89]Bu mitle ilgili ayrıntılar için bkz. Theodor H. Gaster, "Thespis: Yakındoğu'da Ritüel,
Mit ve Drama", s. 342

Nehirlerde kan var

Hititlerin bu miti nereden ödünç aldıklarını bilmiyoruz. Ama benzeri tema, Mısır'da da karşımıza çıkıyor. "Ra'nın Gözü" olarak adlandırabileceğimiz bu mit, Mısır'ın güçlü tanrısı kadar, onun vazgeçilmez yardımcısı Hathor'u da işin içine katan, kökeni belirsiz bir hikâye. Mitimiz, Tanrıça Hathor'un "Ra'nın Gözü" olma işlevinden söz ederek başlıyor. Hathor, Ra'nın Gözü kimliğine büründüğü zaman, bu büyük tanrının en yüce silahıdır ve onun düşmanlarını acımadan yeryüzünden siler, yok eder. Aynı zamanda Ra'nın Gözü, güneşle eşdeğer düşünülmektedir. Yine bir gün insanlar ona saygı göstermemeye başladığında ve emirlerini dinlemediklerinde Ra o denli kızar ki, Gözü'nü, yani Hathor'u onları cezalandırmak üzere üstlerine yollar. Hathor da, insanları bir çöle sürer. Ertesi sabah güneşin doğuşuyla birlikte gelip, hepsini öldürecektir. Ancak insan türünün bütünüyle yok olmasına Ra'nın gönlü razı olmaz ve kızgınlığından dolayı biraz pişmanlık duyar. Hathor'un katliamının önüne geçmek için, hemen yedi bin fıçı bira üretir ve bu biralara nar suyu karıştırarak kan rengi almasını sağlar. Ardından da bu sıvıyı çöle dökerek kan renginde bir göl meydana getirir. Ertesi sabah, insanları yok etme amacıyla çöle gelen Hathor, kırmızı gölcüğü ilkin kan sanır; sonra tadına bakınca bunun bira olduğunu anlar ve keyifle içmeye başlar. (Hathor, içkiyi çok seven bir tanrıça olarak da bilinir.) Bir süre sonra da sarhoş olup neşelenir, ardından da sızar ve insanlar da yok olmaktan kurtulurlar.[90]

Bununla bağlantılı olarak anlatılan bir başka mitteyse Hathor bir gün Ra'ya bilinmeyen bir nedenden dolayı kızar ve ortalardan kaybolur. "Gözü"nün yok olması, hem Ra'yı hem de insanları çok zor bir durumda bırakır, çünkü bu göz, aynı zamanda güneştir! Sonunda tanrı Thoth, zor da olsa Hathor'u ikna eder ve Ra gözüne, insanlar da güneşlerine kavuşur.

---

[90]E. A. Wallis Budge, "Legends Of The Egyptian Gods"

Bu hikâye, iki yönüyle bizim için ilginç. İlkin, "güneşin ortadan yok olması" ve sonra bir tanrının çabasıyla yeniden bulunması, Hahimmas'la ilgili Hitit mitini çağrıştırıyor biraz. İkincisi, bu hikâyeyle bağlantılı olan ve Ra'nın insanları cezalandırmak istemesi, Hathor'un onları çöle sürmesi, sonunda "kırmızı bir göl" yaratılmasıyla ilgili mit, son derece net biçimde Exodus efsanesiyle paralellik taşıyor!

"Ve RAB Musa'ya dedi: Harun'a söyle: Değneğini al ve elini Mısır'ın suları üzerine, havuzları üzerine ve bütün su birikintileri üzerine uzat da kan olsunlar; ve bütün Mısır diyarında gerek ağaç kaplarda gerek taş kaplarda kan olacak." (Çıkış 7:19)

"Ve RAB Musa'ya dedi: Mısır diyarı üzerinde bir karanlık, el ile dokunulabilir bir karanlık olsun diye elini göğe doğru uzat. Ve Musa elini göğe doğru uzattı; ve Mısır diyarında üç gün koyu karanlık oldu." (Çıkış 10:21-22)

Her iki olay da hem Hathor'a ilişkin mitlerle, hem de Hitit Hahimmas mitiyle benzerlik taşıyor. Ancak biz bu imgelere yalnızca mitolojide ve kutsal metinlerde rastlamıyoruz. Çok daha "ciddi" belgelerde de bu karabasan gibi olayları çağrıştıran ifadeler var. Ipuwer Papirüsü'nü bir kez daha anımsayalım:

"Nehirlerde kan var... Bütün Mısır karanlık, ışık yok oldu."

Acaba hem Exodus, hem Ipuwer Papirüsü, hem de Hathor ve Hitit cini Hahimmas'la ilgili mitler, son derece sıradışı bir felaketin izlerini bir biçimde taşıyor olabilir mi? Mısır'dan çıkış efsanesine esin kaynağı olduğunu düşündüğümüz şaşırtıcı afetler zinciri sırasında, dünyanın kendi ekseni çevresinde dönme hızını yavaşlatan ve bir süre için durmasına neden olan, ani bir "kutup kayması" (polar shift) mı yaşandı? Yoksa sıradışı bir volkanik patlama sonrasında oluşan yoğun ve kalın kül ve duman bulutları, karanlığın ve iklim değişikliğinin gerçek sorumluları mıdır? Bütün bu soru işaretlerini şimdilik aklımızın bir köşesinde bırakalım ve Mezopotamya'ya, Babil'in Hititlerce direnç göstermeye bile fırsat bulamadan talan edilmesine dönelim.

Yakındoğu'da "Karanlık Çağ"

Aşağı yukarı Hititlerin Babil'e girmelerinin öncesinden başlayıp yüz yılı aşkın süre devam eden belirsizlik ve belge eksikliği, güçlü Sami devletinin kuzeyden gelen göçmenlere niçin direnemediğinin yanıtını bulmamızı engelliyor. "İ.Ö 16. yüzyıl başında Hitit kralı Murşili, Halep'i yok etti ve Babil'deki Hammurabi hanedanını sona erdirdi. Anadolu'ya döndüğünde Murşili, kayınbiraderi tarafından öldürüldü. Çok kısa bir süre sonra iç çatışmalar ve Hurri saldırıları, Hitit topraklarını başkentlerinin çevresine indirgemişti. Yakındoğu bir gerileme ya da en azından belirsizlik dönemine girdi. Bundan sonraki yüzyıla ait Yakındoğu'dan hemen hiçbir bilgi kaynağı yoktur, bilinenler de daha geç anlatılardan çıkarılmıştır."[91]

Michael Roaf'un çizdiği tablo, yalnızca Mısır, Anadolu ve Mezopotamya'nın değil, İndüs ve Ege'deki Minos uygarlıklarının da İ.Ö. 1600 dolaylarında içine girdiği karmaşayı çok güzel özetliyor. Bir farkla: Ben, bu belirsizlik ve gerileme döneminin, Hititlerin Babil'e doğru yola çıkmalarından önceye, 1650 dolaylarına dek dayandığını düşünüyorum. Bütün eskiçağ uygarlıklarını vuran felaketin yaşanmaya başladığı; Harappa kentlerinin yıkılıp terk edildiği; Hiksos adı verilen Asyalıların Mısır topraklarına girmeye başladığı; bütün Ege'nin depremler ve volkanik patlamalarla sarsıldığı günlere yani. Tarihçilerin elindeki eskiçağ kronolojisinin, tam da İ.Ö. 1650'den sonra yüz yıllık bir kopuşu ve boşluğu içermesinin, bütünüyle bu olağanüstü koşullara bağlı olduğu kanısındayım.

Altını çizdiğimiz zaman dönemine ait belge eksikliği, belirsizlik ve boşluklar, neredeyse bütün bilim adamlarının kabul ettiği, rahatsız edici bir "karanlık çağ" imajını biçimlendiriyor. Yakındoğu'nun bu sisli görüntüsü için "karanlık çağ" deyişini ilk kullanan bilim adamı, 1954 yılında yazdığı bir makaleye "Asur Kral Listeleri ve Karanlık Çağ" adını veren Benno Landsberger. Onun tanımladığı bu olgu, İ.Ö. 1650'ler sonrasın-

---

[91] Michael Roaf, a.g.e., s. 132

daki kargaşa ve belge eksikliğini vurguluyor. Landsberger'in makalesinden sonra, söz konusu döneme yakıştırılan "karanlık çağ" etiketinin benimsendiğini ve yaygın olarak kullanıldığını da belirtelim.

Asurolog Leo Oppenheim, karanlık çağı I. Murşili'nin Babil'e girmesiyle başlatsa da, bu zaman dilimini tanımlarken "Hammurabi hanedanının son krallarıyla Kassit hanedanının ilk kralları arasında kalan süre" ifadesini kullanıyor. Bu durumda karanlık çağ fiilen İ.Ö. 1646 ile yaklaşık 1520 arasına yerleşiyor. Oppenheim söz konusu dönemin tarihçilere yaşattığı sorunlara ilişkin de şunları söylüyor:

"Mezopotamya kronolojisiyle ilgili birçok sorun, Karanlık Çağ olarak bilinen dönemle yakından ilişkilidir. Birçok düşünce okulu; 'uzun' ve 'kısa' kronolojiler ve ortayolcu çözümler mevcuttur. Ama hiçbiri koşullara bağlı kanıtlardan fazlasına sahip değildir. Başka kanıtlar bulunana ve eşzamanlama çalışmaları bize eldeki az sayıdaki olguyu daha sağlam bir sıralamaya oturtma olanağı verene dek, tartışmalar sürecektir."[92]

Benzeri sisli tablo, Ege'nin görkemli uygarlığı Minos'un ani ve beklenmedik çöküşüyle ilgili olarak da karşımıza çıkmakla birlikte, orada biraz daha elle tutulur veriye sahibiz. Aşağı yukarı İ.Ö. 3000 dolaylarında, yani tüm eskiçağ krallıkları, birisi "start emri" vermişçesine dünyanın değişik yerlerinde ortaya çıkarken, Orta Doğu'dan "Kıbrıs aktarmalı" olarak Mora yarımadası ve Ege adalarına yerleşenlerce kurulduğu düşünülür Minos uygarlığının. Biri bugün hâlâ bütünüyle deşifre edilememiş iki farklı yazıya sahip olan bu ilginç halk, gelişmiş kentleri, eşsiz mimarisi ve sanatıyla, eskiçağın en çarpıcı uygarlıklarından birini yaratmışken, yine o aynı gizemli tarihten, İ.Ö. 1650'den itibaren hızlı bir çöküş yaşamaya başlar.

[92] Leo Oppenheim, "Ancient Mesopotamia" s. 403

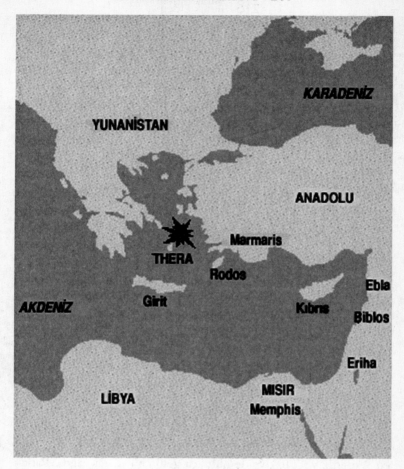

Harita 3: Thera ve etki alanı - İ.Ö. 1645 - 1628

Minos'u şiddetle sarsan ve bu sarsıntının ardından yavaş yavaş onun tarih sahnesinden silinmesine neden olan birincil etkenin, doğal afetler olduğunu neredeyse kesin olarak biliyoruz. Minos'un en gelişmiş kentlerinden birinin kurulduğu Thera (bugünkü Santorini) Adası, İ.Ö. 1645 dolaylarında gerçekleştiği sanılan bir yanardağ patlamasıyla yerle bir oldu. Ancak, aynı dönemlerde hem Güney Yunanistan ve Girit hem de Kıbrıs'ta şiddetli depremlerin art arda yaşandığı biliniyor ki, bu da Thera'nın başına gelen yanardağ faciasının, buzdağının suyun üzerindeki kısmı olduğunu ortaya koyuyor. Thera'nın faaliyete geçmesinden yıllar önce, Ege ve Akdeniz'in büyük depremlerle sarsıldığını biliyoruz. Depremlerin ardından gelen tsunamilerin Doğu'da Byblos liman kentinin de dahil olduğu kıyı yerleşimlerine; Güney'deyse Mısır'ın Nil deltasının Akdeniz'e eriştiği bölgelerinde oldukça etkili olduğuna dair veriler var. Aynı zamanda, bu dönemdeki "kâbuslar listesi"ne, havanın kükürtle ve dumanla rahatsız edici oranda kirlenmesi ve bütün Yakındoğu'yu etkisine alan iklim değişimlerinin yaşanmasını da ekleyebiliriz. Bütün bunların yıkıcı etkisiyle iyice zayıflayan Minos uygarlığı, kuzeyden bölgeye doğru yoğun bir göç halinde olan savaşçı Yunan kabilelerine direnemezdi, direnemedi de zaten. Kısacası, Charles Pellegrino'nun sözlerine katılmamak mümkün değil: "Thera patladığında, dünyanın tarihini de değiştirdi." Büyük olasılıkla İ.Ö. 1628'de gerçekleşen nihai patlama, İ.Ö. 17. yüzyılda eskiçağ toplumlarına doğanın art arda indirdiği dev yumrukların sonuncusuydu.

"İ.Ö. 1650'de Yunan adalarından Santorini'de meydana gelen olay, son 10,000 yılın en şiddetli (VEI=6) volkanik patlamasıydı. Yaklaşık 7 milküp (30 kilometreküp) *rhyodacite* magma dışarı püskürtüldü. Patlamaların başladığı anda yükselen duman, 23 mile (36 kilometre) erişiyordu. Bu denli büyük miktarda magmanın harekete geçmesi volkanın çökmesine ve ardında bir kaldera [derin krater] bırakmasına neden oldu. Küller, Doğu Akdeniz ve Türkiye'de oldukça geniş bir alana yağdı. Patlama, büyük bir olasılıkla Girit adasındaki Minos uygarlığının da sonunu getirdi."[93]

Charles Pellegrino'nun belirttiğine göre Thera faciası, başta Eski Ahit olmak üzere Yakındoğu metinlerinde sözü edilen "kıyamet dekoru"yla da fazlasıyla benzeşiyordu:"Yeryüzü üzerindeki gölge, olağandışı bir hızla büyüdü, Akdeniz'e doğru ilerledikçe gemileri sulara gömdü. Kenarlarında beyaz bulutlar

---

[93]University Of North Dakota bünyesindeki Volcano World Web Sitesi (http/www.volcanoworld.org)

oluşup, kayboldu. Bir saatten daha az bir süre içinde ilkin iki yüz, derken dört yüz millik bir alana yayıldı. Türkiye ve Mısır'ın üzerine çöreklendi, gündüzü yıldızsız bir geceye çevirdi, ısı ve külünün bir kısmını aşağı yağdırdı ve doğuya doğru kaydı. Leke, Suriye ve İran üzerinde inceldi, kendini uzun flamalar halinde parçalara ayırdı ve Asya üzerinde, tıpkı bir kâse suyun içine dağılan mürekkep gibi yayıldı –tek fark, bu mürekkep lekesinin parlak mavi şimşeklerle aydınlatılmasıydı."[94]

Volkanik lavlar ve gökyüzünü kaplayıp karartan korkunç dumanın yanı sıra, Thera'nın patlaması benzerine az rastlanır büyüklükte tsunamileri de yaratmıştı Pellegrino'nun belirttiğine göre. Güneybatı Anadolu'daki iki yarımada, bir çatal gibi bu tsunaminin önünde durmuş ama sular ikisinin arasından geçip 30 mil kadar içeriye erişmişlerdi. Bu kadar iç noktalara girebilmesi için dalganın kıyıya ilk çarptığı anda 240 metreyi bulan bir yükseklik kazanmış olması gerekiyordu.[95] Gerçekten bugün Türkiye'nin Ege kıyılarının en güney ucundaki tatil beldelerinden Marmaris ve çevresinde yapılacak üstünkörü bir kıyı incelemesi bile, bir zamanlar "kara" olan toprakların, nasıl dibi balçıkla kaplı koylara dönüştüğünü fark etmek için yeterli.

Doksanlı yıllarda farklı jeologların gerçekleştirdiği çok sayıda araştırma, Minos uygarlığının çöküşünü hazırlayan faktörün, depremler, volkanik patlamalar ve tsunamilerle gelen afetler silsilesi olduğunu doğruluyor. Ancak tsunaminin olası büyüklüğü konusunda Pellegrino'nun verdiği rakam da bir hayli abartılı görünüyor bilimsel bulgularla karşılaştırıldığında. Girit, Santorini ve Rodos'un açıklarında araştırma yapan bilim adamlarına göre Ege'yi sarsan tsunamiler 40 metreyi aşan bir yüksekliğe sahipti. Bu değer Pellegrino'nun önerdiğinin yanında çok küçük kalsa da, yine de söz konusu çapta bir deprem dalgasının oldukça ürkütücü ve yıkıcı olduğunu vurgulamak gerek.

Belçika'daki Leuven Üniversitesi Arkeoloji bölümü öğretim üyelerinden Jan Driessen, 1996'da Türkiye'de yapılan dendrok-

[94] Charles Pellegrino, "Unearthing Atlantis", s. 12
[95] Charles Pellegrino, a.g.e.

ronolojik araştırmaların ve iki yıl sonra Grönland'da buz tabakası üzerinde yapılan testlerden alınan sonuçların, Thera patlaması için (kimi bilim adamlarının üzerinde uzlaştığı) İ.Ö. 1628/1627 yıllarını doğrulamadığını düşünüyor. Driessen'in 1999 yılında Cape Town'da yapılan 4. Dünya Arkeoloji Kongresi'nde gerçekleştirilen "Doğal Afetler ve Kültürel Değişim" sempozyumunda sunduğu bildiriye göre, son arkeolojik bulguların ışığında Thera ile ilgili veriler şunları sergilemekte:

"Volkanik patlamadan belli bir süre önce oldukça ciddi bir deprem, Akrotiri'de olduğu kadar Girit'te ve Oniki Ada'nın bazılarında (Kos ve Rodos) büyük hasara neden oldu. C. Blot, orta derinlikteki depremlerle volkanik patlamalar arasında bir neden ilişkisi önerdi; Santorini olayında bu, iki ile beş yıl arası bir gecikmeyi varsayıyor."[96]

Driessen'e göre patlamadan en fazla beş yıl önce bütün Ege'yi ve Doğu Akdeniz'i sallayan büyük bir deprem yaşandı. Arkeolojik bulgular, bu deprem sonrasında Akrotiri'de yıkılan duvarların onarılmaya başladığını ve deprem molozlarının temizlenmeye çalışıldığını ortaya koyuyor. Ne var ki bu çalışmalar sürerken Thera'nın faaliyete geçmesiyle onarım durmuş ve bir süre sonra kül ve zehirli gazın etkisiyle insanlar adayı terk etmeye başlamışlar:

"Akrotiri'deki Bronz Çağı harabeleri üzerindeki tepra [volkanlardan püsküren katı atıklar] ve küller bir tek şeyi hiç kuşkuya yer bırakmayacak biçimde ortaya koyuyor: Patlama, insanlık tarihinde yaşananların en büyüklerinden biriydi."[97]

Jan Driessen, yanardağ etkinliğinin münferit bir olay değil, diğer afetlerle birlikte, çoğu kez eşzamanlı olarak gerçekleşen bir jeolojik etkinlik olduğuna dikkat çekerek, 3600 yıl önce Doğu Akdeniz'de yaşanan kâbusun büyüklüğüne de işaret ediyor bildirisinde:

[96] Jan Driessen, "Towards an Archaeology of Crisis: Defining the Long-Term Impact of the Bronze Age Santorini Eruption", Sempozyum Bildirisi, World Archaeological Congress 4 - University of Cape Town, 10th - 14th January 1999, s. 3
[97] Jan Driessen, a.g.e., köşeli parantez bana ait.

"Çoğu doğal afet (depremler, seller, hortumlar) belli bir izolasyon içinde gerçekleşirken, volkanik patlamalar, deprem, sel ve kül yağmuru gibi olaylarla birlikte gelme eğilimindedir ki bu kombine efekt, asıl yıkımı getirir."[98]

Driessen, bu bileşik afetlere, Ege ve Akdeniz'deki tsunamilerin de eşlik ettiğini vurguluyor. 1994 yılında Girit açıklarında yapılan araştırmalar, dalganın boyunun yaklaşık 40 metre olduğu fikrini vermekte. Diğer yandan, volkanik patlamanın en kötü sonuçlarının başında da teprayı sayıyor ve bunun kısa ve uzun vadeli etkileri olduğundan söz ediyor Driessen:

"Kısa vadeli sonuçlar arasında güneşin ve ayın gözden kaybolması gelir ve karanlık, paniğe yol açarak büyük psikolojik etkiler yaratır. Düşen küllere gelince; deniz dibi tortularından biliyoruz ki Güneydoğu Akdeniz'de ortalama en az 5 santim kalınlığında bir tabaka oluşturmuştu. Rodos'ta, 1 metreyi bulan kül tabakaları belirlendi ve Santorini küllerinin izlerine Girit'te, Karadeniz'de, Anadolu'nun içlerinde, Nil Vadisi'nde, Suriye'de ve İsrail'de rastlandı."[99]

Driessen, küllerin yarattığı olumsuz etkiler arasında suların kirlenip zehirlenmesini; hayvanların ölmesini ve ışık yokluğunun yol açtığı fotosentez eksikliği nedeniyle tarım alanlarının zarar görmesini sayıyor. Daha da vahimi, sülfürik asit yoğunluğunun belli oranın üzerine çıkması durumunda "Volkanik Kış" olarak bilinen etkinin ortaya çıktığını ve iklimin ciddi değişimler geçirdiğini vurguluyor.

Volkanlar, özellikle de Santorini (Thera) üzerine uzmanlığıyla tanınan, Danimarka'daki Aarhus Üniversitesi Yerbilimleri Bölümü öğretim üyelerinden Tom Pfeiffer, "Volcano Decade" adlı web sitesinde[100], afetin erken dönemdeki en büyük pliniyen[101] patlamalardan biri olduğunu vurguluyor ve İ.Ö. 1645'e tarihlendiğini belirtiyor.

[98]Jan Driessen, a.g.e., s. 5
[99]Jan Driessen, a.g.e.
[100]Bkz. http//www.decadevolano.net/santorini/santorini.html
[101]Stratosferin onuncu kilometresine dek yükselen koyu tepra ve gaz sütunları püskürten büyük çaplı volkanik patlamalara, İ.S. 79'daki Vezüv patlamasını kayda geçiren Romalı tarihçi Pliny'nin anısına "pliniyen" patlamalar deniyor.

Volkanik patlamalardan önce Thera'nın geniş ölçüde boşaltıldığını ve adada can kaybının, İ.S. 79'daki Vezüv patlamasında yaşananın aksine, oldukça düşük olduğunu biliyoruz. Bunun birincil nedeni, Thera'nın faaliyet sürecinin en az dört evrede gerçekleşmesi ve ilk evrede ortaya çıkan belirtilerin, insanları bölgeyi boşaltma konusunda uyarması. Söz konusu dört büyük patlama evresinin her biri, fırlattıkları tepra, kül ve oluşturdukları duman açısından birbirlerinden belli oranlarda farklılıklar içeriyorlar. Her birini ayrı ayrı tarihlemekse, şu an için çok zor görünüyor; çünkü genelde Thera'nın patlamasına ilişkin tarihlemelerde bile ciddi uyumsuzluklar ve anlaşmazlıklar var. Buna karşın, "nihai patlama"nın, yani dördüncü evrenin İ.Ö. 1628'de gerçekleştiğini; sürecin başlangıcınınsa İ.Ö. 1645 olduğunu düşünmek oldukça makul görünüyor. Eğer büyük depremler bundan iki ile beş yıl önce başladılarsa da, afetleri tetikleyen ilk olgunun İ.Ö. 1650-1647 arasında ortaya çıktığını söyleyebiliriz.

Thera'nın kül ve ateşi

Yakın tarihte dünyanın volkanik patlamalarla ilk dehşet verici tanışıklığı, 26 Ağustos 1883'te aniden faaliyete geçen Endonezya'daki ünlü Krakatoa yanardağıyla gerçekleşmişti. Bu o denli korkunç bir patlamaydı ki, bütün dünya, felaketin şokunu uzun süre atlatamadı: 160 kilometre uzaktaki kentlerde, gürültüden binaların camları tuzla buz olmuş; patlamanın sesi 3000 mil ötede, Hint Okyanusu'nda bulunan Rodriguez Adası'ndan bile duyulmuştu. Yüksekliği 36 metreyi bulan gelgit dalgaları 300 kasaba ve köyü yerle bir etmiş, 35,000 insan yaşamını yitirmişti. Patlama sırasında açığa çıkan enerjinin 150 ton dinamitin patlamasına eşit olduğu söyleniyordu.

İ.Ö. 1645 dolayında Ege'de, Thera Adası'nda yaşanan patlamaysa, tahminlere göre Krakatoa'da yaşanandan beş ya da altı kat daha büyük bir faciaydı.[102] Robert Jastrow'a göreyse, Krakatoa'daki patlama, 3600 yıl önce Thera'da gerçekleşenin yanında "cüce" sayılırdı.[103]

[102]Dr. Floyd McCoy, "Ground Truth: Eartwatch Research Report"
[103]Robert Jastrow, "Hero or Heretic?", Science Digest, Eylül/Ekim 1980

"1883'te Endonezya'nın Krakatoa adasında patlayan volkanın İngiltere'ye dek gelen tsunamiler yaratmış olduğunu pek azımız anımsarız. Çocuklarımıza bununla ilgili hikâyeler anlatmayız. 'Bir başkasının' başına gelmiştir bu olay."[104]

Mısır toprakları Hiksos sandalları altında ezilmeye başlamadan hemen önce, başkenti deltanın batısına taşıyan 14. Hanedan kralları tahttaydı. O denli yıpranmış, güçten düşmüş, aciz durumdaki bir iktidardı ki bu, Asyalı işgalcilerin çok da kendilerini yormasına gerek kalmadı. İç bütünlüğü sarsılmış, ordusu disiplini ve savaşma isteğini yitirmiş, hatta dağılmış bir ülke buldu Hiksoslar karşılarında. Şoku atlatmak isteyen soylular, güneye, Yukarı Mısır'daki Thebes'e çekilmişlerdi. Dolayısıyla işgalcileri durduracak hiçbir engel yoktu artık. Belki de bu nedenle, Hiksoslar çok kolay girdikleri Mısır'ı yağmalayıp gittikten sonra, bölgede yaşayan "ikincil Mısırlılar", Avaris adıyla bilinen kenti merkez üs haline getirip, "elit" Mısırlıların izleyen yüzyıllar boyunca utançla anımsayacakları 15. Mısır Hanedanı'nı kurma fırsatı bulabildiler. Dünya gerçekten de değişmeye başlamıştı.

Eskiçağ tarihi için oldukça radikal bir "yeni kronoloji" öneren, "Test Of Time" (Zamanın Sınavı) adlı kitabın yazarı araştırmacı David Rohl, Hiksos işgali öncesinde Mısır'ın, Nil deltasını derinden etkileyen büyük bir doğal felaketler zinciriyle yüz yüze geldiğinden söz eder. Rohl'a göre bu afetler Mısır'ın tarihinde o denli belirleyici siyasi sonuçlara neden olmuştur ki, Orta Krallık devri bütünüyle sona ermiş; Aşağı Mısır'da büyük bir kaos egemen olmuş; Doğu'dan ani bir akına başlayan Asyalı göçmen kabileler (Hiksoslar) hiçbir dirençle karşılaşmadan ülkenin kuzeyini ele geçirebilmişlerdir.

Charles Pellegrino, Mısır'da yaşanan karmaşayla Exodus mitinin eşzamanlılığı üzerinde durarak, Eski Ahit'te anlatılanların bir değil birkaç farklı olaydan esinlendiği ve bunların belleklerden silindiği bir zamanda da kaleme alındığından söz eder:

---

[104]George Feuerstein - Shubhash Kak - David Frawley, "In Search Of The Cradle Of Civilization", s. 80

"Buradaki sorun, Thera'daki kül bulutlarından birkaç dakika sonra (eğer daha önce değilse) tsunamilerin bölgeye varmış olacağıdır; ve eğer gökyüzünü karartıp, kıtlık ve açlık getiren, firavunu, Musa'yı ve halkını bırakmaya ikna olacak denli korkutan şey bu bulutsa, ne firavuna gözdağı vermekle uğraşmaya vakit vardır, ne de İbranilerin eşyalarını toplayıp on mil uzaktaki 'Sazlıklar Denizi'ne yürüyerek tsunamiyle buluşmalarına. Thera'daki patlama ya firavunu gökten yağan küllerle sindirmiş ya da savaş arabalarını tsunamilerle yok etmiştir. Bu iki seçeneği, Exodus, Atlantis efsanesindeki gibi, kaleme alındığı zamanlarda sırası unutulan ya da yanlış anlaşılan birden fazla olayın karışımı biçiminde düşünülmedikçe, aynı anda geçerli kabul edemezsiniz."[105]

İ.Ö. 1650 katastrofunun toplumsal belleklerdeki izleri silinmeye başladıktan sonra kaleme alınan metinlerde, tıpkı Exodus'ta olduğu gibi, fazlasıyla kafa karıştırıcı sıralama hatalarına ve bazen de "uydurma" ayrıntılara rastlamamız doğaldır. Olayların üzerinden kısa bir zaman geçtikten sonra tutulan kayıtlardaysa, görece daha sağlam verilerle karşılaşmayı umabiliriz. Sözgelimi, yaklaşık İ.Ö. 1600 dolaylarına ait bir Çin yazıtında afetler şöyle anlatılır:

"Kral Çie'nin [Xia hanedanının son kralı] yirmi dokuzuncu yılında, güneş göklerde soluklaştı... Çünkü Çie erdemsizdi... Güneş'e acı çektirildi... Çie'nin son yıllarında, yaz sabahlarında buz görüldü ve altıncı ayda [Temmuz] don olayına rastlandı. Yoğun yağışlar tapınakları ve binaları sular altında bıraktı. Göklerden katı emirler geldi... Güneş ve Ay'ın zaman düzenleri bozuldu."[106]

Bu doğal afetlerin etkileri sürerken, Çin'in bilinen ilk büyük imparatorluk sülalesi olan Xiaların birdenbire güçlerini yitirdiklerini ve iktidarın Şang Hanedanı'nın eline geçtiğini biliyoruz. Yukarıdaki alıntıda son Xia kralının "erdemsiz" olduğuna ilişkin iddialar, Şang dönemi kayıtlarında da karşımıza çıkar.

---

[105]Charles Pellegrino, "Unearthing Atlantis", s. 245
[106]Aktaran: Charles Pellegrino, a.g.e.

Şang yazmanlarına göre bütün bu felaketler Çin'in başına Xia kralı Çie'nin ahlâk yoksunluğu yüzünden gelmiştir zaten.

"Geleneksel tarihi belgelere göre [Şang'ın ilk kralı Tang'ın] Xia'nın ahlaki açıdan yozlaşmış son imparatorunu devirdiği söylenmektedir. Bunlara bakılırsa Xia'nın son imparatorunun en büyük zevki, kraliçesiyle beraber bir şarap gölünde salıyla gezinirken, binlerce çıplak erkek ve kadının yemek yiyip, çiftleşmelerini seyretmekti!"[107]

Bu abartılı "cinsel sapkınlık" örneği bir yana bırakılsa dahi, İmparator Çie ile ilgili tarihsel kayıtlarda olumlu izlere rastlamak neredeyse olanaksız. Efsanevi bilge Kral Yu ile başlayan Xia Hanedanı'nın bu son hükümdarı, "ahlaki düşkünlük" iddialarının dışında, yöneticilik işlevlerini ve yetkisini yerine getirişi açısından da oldukça kötü bir sicile sahip:

"Çie'nin günah örneği olduğu anlatılmaktadır. Kışın köprü yapmamış, yazın sal yapmamış, insanların donmasını ve boğulmasını seyretmiştir. İnsanların kaçışını seyretmek için dişi kaplanları pazara salmıştır. Bütün gece bağırıp şarkı söyleyen otuz bin kadın müzisyeni vardı, sesleri sokaklardan duyulurdu; hepsi süslü ipekler giyerlerdi."[108]

Xia'nın karşısında yeni hanedan alternatifi olarak beliren Şang'ların erdemli prensi Tang için söylenenlerse, tersine hep olumlu ifadeleri içeriyor. (Ne de olsa tarih, "kazananlar" tarafından yazılır hep.) Uzunca bir süre iktidarı Çie'nin elinden almak için sabırla bekleyen Tang, beklediği fırsatı sonunda bulmuş ve nihai savaşı başlatarak bir zamanlar yenilmez olduğu düşünülen mağrur imparatoru devirmiş. Eski belgelere bakarsak, "doğa" da büyük oranda yardımcı olmuş genç prense:

"Ve saldırı zamanı geldiğinde Gökler kendi iradelerini gösterdiler. Ay ve Güneş, normal zamanlarını kaçırdılar. Soğuk ve sıcak karmakarışık oldu. Beş tür tahıl kavrulup öldü. Cinler uludu, kargalar on geceden fazla öttü ve kutsal desteğin nişanı

[107]Caroline Blunden - Mark Elvin, "Çin", s. 55
[108]Bernhard Karlgren, "Legends And Cults In Ancient China"dan aktaran Joseph Campbell, a.g.e., s. 450

olan dokuz üç ayaklı kazan, Xia'dan yok oldu, Şang'da ortaya çıktı."[109]

Antik Çin'le ilgili kronoloji çalışmaları, geriye doğru gittikçe belirgin boşluklar içermeye başlar ve hanedanların kesin tarihlerini saptamak giderek güçleşir. Bu nedenle, tarihçiler ve arkeologlar, Şang Hanedanı'nın öncesine ilişkin kronolojik kayıtlarda nispeten yuvarlak tarihler kullanmayı yeğlerler. Buna göre, bilinen en eski hanedan olan Xia'nın başlangıcının yaklaşık olarak İ.Ö. 2100 dolaylarına rastladığı düşünülüyor; ondan öncesine ilişkin kronolojik araştırmaların bugün hâlâ el yordamıyla sürdüğünü ve çok fazla elle tutulur bilgi olmadığını söyleyebiliriz.

Çin tarihinde bizi bu noktada fazlasıyla yakından ilgilendiren dönemse, Xia Hanedanı'nın ansızın yok olup, yerini Şang'ın aldığı yıllara rastlıyor. Yaşanan afetlerin, Xia hükümdarı Çie'nin günahkârlığı ve ahlaki düşkünlüğüne bağlandığını söylemiştik. Peki tam olarak hangi tarihte Xia yönetimi çöktü ve iktidarı Şang ele geçirdi? Elde edeceğimiz tarih, bizi Yakın Doğu ve Asya'da izlerini sürdüğümüz büyük çaplı afetler silsilesiyle buluşturabilir mi?

Astronomik verileri tarihsel kayıtlarla karşılaştırarak sağlaması yapılan kronolojiye göre Şang'ın yerini alan Kau Hanedanı, iktidarı İ.Ö. 1122'de ele geçirmiş. Bu noktadan geriye doğru yapılacak hesaplamalar, aradığımız kritik noktayı; yani Xia'nın çöküp, Şang'ın Çin'e egemen olduğu tarihi ortaya çıkarmamızı sağlayacaktır:

"Şang Hanedanı döneminde bir tek hükümdarı bile astronomik verilerden yola çıkarak saptayamayız. Elimizdeki kronoloji, bu hanedanda, yönetim süreleri 644 yıla yayılan yirmi sekiz hükümdardan söz ediyor; dolayısıyla başlangıcı İ.Ö. 1766'ya dayandırılabilir."[110]

Çin tarihi araştırmacısı James Legge, Kau'nun iktidara gelişiyle ilgili saptanan kesin tarih durumundaki İ.Ö. 1122'ye, söz

---

[109]Joseph Campbell, a.g.e., s. 453
[110]James Legge, "Sacred Books Of China – The Texts Of Confucianism", Part I – Chapter III

2012: Marduk'la Randevu 227

konusu 644 yılı ekleyerek bu sonuca ulaşıyor. Ancak hemen ardından da şu ek bilgiye dikkat çekiyor: "Bununla birlikte, bambular üzerine yazılmış kitaplardan elde edilen veriler, yönetici sayısını otuz olarak vurgularken toplam süreyi de 508 yıl olarak vermektedir."[1] Eğer bu kaynak doğru kabul edilirse de, Şang'ın ilk hükümdarı Tang'ın ani yükselişi, tam olarak İ.Ö. 1630'a rastlıyor; yani Thera'nın nihai patlamasının gerçekleştiği tarihten iki yıl önceye!

Eski Çin metinlerinde, Xia'nın tanrılarca cezalandırılıp, ülkenin afetler altında ezilmesi sonrasında Xia'nın devrilip Şang'ın tahtı ele geçirdiğini vurgulayan metinler, bizim için farklı bir anlam kazanıyor: Çin'de yaşananlar da, Mısır, Babil, Anadolu, Ege, Mezopotamya ve Harappa'yı etkileyen doğal felaketler ve siyasi karmaşayla çağdaştır, yani aynı afetler ve siyasi karmaşalar zincirinin bir parçasıdır. Üstelik, metinlerde sözü edilen "yaz sabahlarında buz görülmesi" ve "altıncı ayda don olayına rastlanması" gibi ipuçları, Jan Driessen'in sözünü ettiği "volkanik kış" prototipine de bütünüyle uymaktadır.

Dağlar, volkanlar ve mitler

Aşağı yukarı bütün Yakındoğu uygarlıklarının mitolojilerinde, "dağlara" duyulan korku ile saygı karışımı duygunun izlerine rastlamak mümkün. Dağ kavramı çoğunlukla yüksekliği ve ululuğuyla tanrıları simgelemekte kullanılırken, kimi zaman da "ürkütücü düşman" ya da "başı ezilmesi gereken canavar" biçiminde karşımıza çıkıyor. Bazen de, farklı bir kimliğe sahip düşman ya da canavarın, içinde saklandığı in haline geliyor dağlar. Daha da net bir ayrıntı vermek gerekirse, bu inler, doğrudan doğruya "volkanik dağ" olarak da betimlenebiliyor.

Sümer dilinde "Kur" sözcüğü, dilbilimcileri bir hayli uğraştıran, karmaşık ve çok anlama sahip kavramlardan biri olarak çıkıyor karşımıza. Kimi zaman "ülke" (Sümerler kendi ülkelerine KUR.GAL, yani "Büyük Ülke" derlerdi) kimi zaman da "ya-

---

[1] James Legge, a.g.e.

bancı ülke" ya da "düşman" olarak kullanılan Kur'un derinler-
de yatan ve mitlerde sık karşılaşılan en esrarengiz anlamıysa,
"Ejderha". Kötülüğün ve felaketin simgesi olarak görülen bu ca-
navar, çoğu kez "Kur"un bir diğer anlamı olan "Dağ" ile de iç
içe geçiyor. Sümer mitolojisinin en ilginç (ve hâlâ tümüyle çö-
zülememiş) metinlerinden birinde, Tanrı Enki'nin Kur adlı ca-
navarla olan mücadelesi anlatılır. Bu öyküde Kur, panteonun
önemli tanrıçalarından Ereşkigal'i kaçırmıştır.

"(...) Enki, tanrıça Ereşkigal'in kaçırılmasının öcünü almak
ve Kur'a saldırmak için bir gemiyle yola çıkar. Kur, irili ufaklı
her türden taşla zalimce karşılık verir. Üstelik Enki'nin gemisi-
ne, kuşkusuz egemenliği altındaki ilksel sularla arkadan ve ön-
den saldırır."[112]

Birçok anlatımda "yüce dağ" olarak tanımlanan Kur'un bu
canavarlaşmış versiyonu, Enki'nin gemisine her boyda taş ve
kayalar fırlatmıştır; tıpkı iri kaya ve taşlardan oluşan "tepra"yı
tüm çevresine öfkeyle savuran, ürkütücü yanardağlar gibi. Üs-
telik, Enki'nin gemisine "ilksel sularla" önden ve arkadan sal-
dırması, fazlasıyla "tsunami" çağrışımları uyandırmaktadır zi-
hinlerde.

Bir başka "Kur" efsanesinde, bu kez Enlil'in oğlu Ninurta
canavarla kıyasıya bir mücadeleye girişir. Ancak Kur o denli
güçlüdür ki, korkan Ninurta ilk başta çareyi kaçmakta bulur.
Ardından, silahı "Şarur" ile bir kez daha Kur'a saldırır ve onu
yenilgiye uğratır. Ne var ki Kur'un yok edilmesi, Sümer ülke-
sinde yeni sorunlara neden olur: "Yeraltı suları" bütün karaları
basmış ve tarımı olanaksız hale getirmiştir. Ninurta bu kez de
"kudretli sular"ı engelleme uğraşı içine girer ve önlerine taşlar-
dan set çekerek selleri durdurur:

"Açlık korkunçtu, hiçbir şey üretilemedi,
Küçük ırmaklar temizlenmiyordu, kirlilik akıp gitmiyordu
Tarlalar hiç sulanmıyordu, sulama hendekleri kazılmıyordu,
Hiçbir ülkede ekin yetişmedi, yalnızca zararlı otlar büyüdü.
Bunun üzerine efendi yüce zekâsını işletti,

---

[112]Samuel Noah Kramer, "Sümer Mitolojisi", s. 145

Enlil'in oğlu Ninurta büyük işler başardı."[113]

Benzeri tema, Hindu mitolojisinde de yağmur ve fırtına tanrısı İndra'nın, bir başka canavarla, Vritra'yla yaptığı savaşta dile getiriliyor. Vritra, yuvası yüce dağlardan birinde olan, korkunç bir canavardır ve yaptıklarıyla, yeryüzünde kuraklığa, iklim bozukluklarına neden olmuştur. Onun yarattığı kaosa son vermek isteyen İndra, tıpkı Ninurta'nın Kur karşısında yaşadığı korku gibi, ilkin paniğe kapılıp kaçar. Sonra, yardımcısı, zanaatkâr tanrı Twastri, İndra'ya güçlü bir silah hazırlar; bu, "Vajra" adında bir mızraktır. Savaşın ikinci etabında İndra bu kez Vritra'yı yenmeyi başarır (ama onu yok edemez) ve doğanın dengesini yeniden sağlar.[114]

Aşağı yukarı aynı efsane, Zeus'un Typhon'la savaşında da benzer ayrıntılarla belirir. Kasırgalara ve fırtınalara neden olup insanlara korku salan canavar, bu kez Mısır'daki Seth'in eşdeğeri sayılabilecek Typhon'dur. Zeus onu yıldırımlarıyla etkisiz hale getirir ve ilginç bir biçimde, bir *yanardağın, Etna'nın* derinliklerine hapseder.[115] Son olarak, aynı temayı bir Kenan-Ugarit mitinde de yakalarız: Tanrı Baal ve Tanrıça Anat, denizlere korku salan canavar Yam'la savaşırlar. Tanrıların silahı, yine yıldırım ve şimşeklerdir. Ancak efsanenin sonunda Yam yenilse de, yok edilemez.[116]

Yakındoğu'da uzak geçmişte yaşanan büyük doğal afetlere ilişkin az bilinen metinlerden biri de, uzmanların "Yedi Kötü Ruh" adını taktıkları oldukça eski bir Mezopotamya anlatısıdır ki, gökyüzünü kaplayan kalın ve kara bulutların ülkeden ışığı alıp götürmelerinden söz eder.

Hikâyemiz, gökyüzünde hüküm süren ve işleri güçleri kötülük düşünmek olan yedi ruh ya da cini bize tanıtarak başlar. Işığa karşı karanlığın safında yer alan bu cinler, tanrılara kafa tutabilecek, hatta onları göklerde tutsak alabilecek denli de güçlüdürler. Metinde belli aralıklarla bunların ne denli acımasız ve

---

[113]Samuel Noah Kramer, a.g.e., s. 149
[114]Donald McKenzie, "Indian Myth and Legend", s. 4–8
[115]Theodor H. Gaster, "Thespis: Yakındoğu'da Ritüel, Mit ve Drama", s. 177-178
[116]Theodor H. Gaster, a.g.e., s. 194-217

merhametsiz oldukları ısrarla vurgulanır; yaptıkları her şeyin yıkıma yol açtığı anlatılır:

"Azgın fırtınalar, kötülük tanrılarıdır onlar
Gökyüzündeki kubbelerde yaratılan, acımasız şeytanlardır onlar
Kötülüğün işçileridir onlar
Yalnızca kötülük için uğraşırlar her gün
İşleri güçleri yıkımdır.
Bu yedisinin içinde ilki, Güney Rüzgârı'dır
İkincisiyse, ağzını açmış bir ejderha
Kimse ölçemez büyüklüğünü.
Üçüncüsü, zalim bir leopardır, gençlere saldıran.
Dördüncüsü, korkunç Şibbu'dur...
Beşincisi, öfkeli bir Tilki'dir, kaçmayı bilmeyen
Altıncısı başıboş bir azgındır... Tanrılara ve krallara karşı durur
Yedincisiyse bir fırtına, bir rüzgârdır, intikam alır.
Yedidir onlar, Kral Anu'nun elçileridir onlar
Kentten kente karanlığı işlerler onlar
Göklerde ihtişamıyla ava çıkan bir kasırgadır onlar
Gökyüzüne karanlığı getiren, kalın bulutlardır onlar."[117]

Bu kısa tanıtımdan sonra mitimiz, söz konusu yedi kötü cinin göklerde nasıl kaos yarattığını anlatmaya başlar. Işığı yok etmeye kararlı olan kötülük tanrıları, Ay Tanrısı Sin'i tutsak almakla başlarlar işlerine:

"Yedi kötü tanrı gök kubbede fırtınalar yarattığında,
Işıltılı Sin'in önünde öfkeyle toplandılar
Güçlü Şamaş ve savaşçı Adad'ı da yanlarına çektiler
İştar, Kral Anu'yla birlikte, göklerde egemenlik kurmak için parlak bir yere taşındı"[118]

[117]"The Seven Evil Spirits", İngilizce çeviri: R.C. Thompson, "The Devils and Evil Spirits of Babylonia", Londra 1903
[118]a.g.e.

Güneş Tanrısı Şamaş ve Fırtına Tanrısı Adad'ı yanlarına çekmeleri ifadesi, Sin'in ışıksız kalmasında bu tanrıların da sorumluluğu olduğu fikrini işler. Ay'a ışığını veren Güneş, yani Şamaş, yedi kötü ruhla işbirliği yapmış olmalıdır ki, kendisi ortalarda görünmediği gibi, Sin de karanlıklara gömülmüştür. Aynı biçimde Adad da kalın fırtına bulutlarıyla gökyüzünü kaplayarak cinlerle işbirliği yapmış gibi düşünülür. Metin, Enlil'in bu kaosu ortadan kaldırmak için Ea'dan, yani Enki'den yardım istemesini anlatarak devam eder:

"Enlil, kahraman Sin'in göklerde karardığını gördü
Efendi, yardımcısı Nusku'yla konuştu
Ey yardımcım Nusku, mesajımı okyanusa götür
Göklerde karanlıkta bırakılan oğlum Sin'in gelgitlerini
Okyanustaki Ea'ya duyur."[119]

Nusku görevini yerine getirir ve hemen engin bilgeliğin tanrısı Ea'ya, yani Enki'ye koşar, efendisi Enlil'in sözlerini aktarır. Büyük Ea, bu dehşet verici durumu ortadan kaldırması ve Sin'i karanlıklardan kurtarması için, kudretli oğlu Marduk'tan yardım ister. Böylece, Yaratılış Destanı'nın kahramanı Marduk, dünyanın ve evrenin karşı karşıya kaldığı bu büyük felâkette de "kurtarıcı" rolünü üstlenir bir kez daha. Anu, Enlil, Ea ve İştar gibi büyük tanrıların umudu, Marduk'un Sin'i karanlıklardan kurtarmasıdır.

Mitlerin genel olarak doğal afetlerle ne denli ilgili olduklarını ve bu afetlerin çoğunlukla folk efsanelerine esin kaynağı oluşturduklarını biliyoruz. Ama yukarıda aktardığımız Hitit, Mısır, Akat, Hint, Yunan ve Kenan kaynaklarına damgasını vuran bütün bu felaketler, birbirinden bağımsız ve uzak tarihlerde yaşanmış olaylara değil, *belirli bir dönemdeki spesifik bir katastrofa* işaret ediyor izlenimini vermekte: Tıpkı, Thera'nın patlamasıyla birlikte bütün Yakındoğu'nun sarsıldığı; gökyüzünü günler ve haftalarca kara bulutların kapladığı o karabasanda, yani İ.Ö. 1649 sonrasının dehşetengiz günlerinde olduğu gibi.

---

[119] a.g.e.

Felaketin bilançosu

Tufan'la ilgili değerlendirmemizdekine benzer biçimde, bütün verileri alt alta yazıp topladığımızda, İ.Ö. 1650'nin ne denli kritik bir yıl olduğu ortaya çıkmakla kalmıyor, yaşanan zincirleme felâketlerin dünyanın çok büyük bir bölümünü nasıl sarstığı da daha somut biçimde sergileniyor:

- Depremler, toprak kaymaları ve ardından gelen iklim değişiklikleri, İndüs Vadisi'ndeki Harappa kentlerini yerle bir etti ve yaklaşık İ.Ö. 1650'den itibaren bir uygarlığı tarihten sildi. Aradan yüzyılı aşkın bir süre geçtikten sonra Harappa'nın mirasını bölgeye egemen olan kuzeyli göçebeler üstlendi.
- Anadolu'nun çok parçalı mozaiğine dışarıdan katılan Hint-Avrupa orijinli Hititler, tam olarak İ.Ö. 1650 dolaylarında başlayan bir büyük harekâtla 50 yıl gibi kısa bir süre içinde hem Orta ve Doğu Anadolu'ya egemen oldular, hem de Mezopotamya'nın kuzeyindeki güçlü Babil'i vurmayı başardılar.
- Babil, Hititlere direnç gösterecek durumda bile değildi. Anlaşılamayan nedenlerle güçten düşmüştü. 1650 ile 1500 arasındaki dönem bu nedenle "Karanlık Çağ" adıyla anılan; belge ve bilgi eksikliğinden dolayı soru işaretleri içeren bir evre oldu.
- Mısır, hem Eski Ahit'te, hem kendi mitlerinde, hem de Ipuwer Papirüsü'nde anlatıldığı gibi, bir dizi korkunç doğal afetle güçsüz düştü; doğudan bölgeye akın eden Hiksoslara direnemedi. İ.Ö. 1640'ta Hiksos yağması bittikten sonra Aşağı Mısır'da "ikincil Mısırlı" unsurlarca 15. Hanedan kuruldu.
- Ege'nin güçlü Minos uygarlığı, İ.Ö. 1645 dolaylarında büyük depremlerle başlayıp, son fazını İ.Ö. 1628'de Thera'daki volkanik patlamayla noktalayan bir dizi büyük afet yaşadı; Girit'te saraylar yıkıldı; Kıbrıs'ın ticaret kentleri

harabeye döndü; Doğu Akdeniz kıyılarından Nil deltasına dek birçok bölgeyi tsunamiler vurdu.

- Bütün Yakındoğu ve Asya, izleyen yıllarda iklim değişiklikleri ve buna bağlı kıtlıklarla sarsıldı; "volkanik kış" yaşandı.
- Ünlü arkeoastronom Norman Lockyer'a göre Stonehenge'deki nihai düzenleme, "bir güneş tapınağı" mantığında İ.Ö. 1680 dolayında yapılmıştı. İzleyen dönemde, bu büyük megalitik anıta olan ilgi birden silindi ve yüzyıllarca kimse Stonehenge'i kullanmadı. Acaba kendinden beklendiği gibi, bir doğal afeti önceden haber verme işlevini yerine getiremediği için mi gözden düşmüştü bu muhteşem gözlemevi?
- Peru'da, Caral yakınlarında İ.Ö. 3000 dolaylarında kurulduğu düşünülen gelişmiş kent ve onu merkez alan büyük uygarlık, arkeologların belirlediğine göre, İ.Ö. 1900'lerden itibaren bir gerileme yaşadı. Mısırlılardan yüzyıllar önce dev piramitler inşa eden ve kalabalık, gelişmiş kentler yaratan bu gizemli uygarlık, yine İ.Ö. 1650 sonrasında tarihten bütünüyle silinmişti.
- Mayaların ataları (ya da yakın akrabaları) olan Olmeklerin gizemli uygarlığı, aşağı yukarı İ.Ö. 1600'lerde başladı. Onun öncülü olan La Venta kültürünün ilk yaratıcılarıysa, iz bırakmaksızın ortadan yok oldular.
- Çin'in güçlü Xia Hanedanı İ.Ö. on yedinci yüzyılda aniden çözülüp dağılırken, yerini Şang hanedanı aldı. Bu dönemde Çin'de ve Orta Asya'da ciddi iklim değişiklikleri ve çölleşmeler olduğuna dair bulgular var.

Bütün bunlardan sonra, şu sonuca varıyoruz: İ.Ö. 1650 dolaylarında, dünya bir büyük küresel felaketle daha tanıştı. Bunun sonuçları, gezegenin tarihini kesin olarak değiştirecek ve izleyen 3600 yıla damgasını vuran gelişmelere neden olacaktı. Afetin birlikte getirdiği siyasal kaosu, Mısır ve Babil gibi köklü ve güçlü devletler bile ancak yüz yıldan fazla bir süre sonra atlatabildiler. İndüs kıyılarındaki Harappa uygarlığı ve Ege'deki

Minos krallığı, onlar kadar şanslı olamadı. Harappa'nın mirası kısmen İ.Ö. 1500'lerden itibaren ortaya çıkan Vedik uygarlıkta yaşarken, Minos'un sahip olduğu her şey de, uygarlığını bunlar üzerine inşa etmeye çalışacak kuzeyli Yunan kavimlerinin eline geçti. Doğu Asya'da dengeler alt üst oldu; Çin'deki yeni hanedanla kuzey ve kuzeybatıdaki göçmen şaman topluluklar birbirlerinden iyice kopmaya başladılar. Güney Amerika'da, tarihin en eski uygarlığı toprağa gömüldü; İnka, Nazka ve Keçua halkları bu kültürel mirasın kırıntılarıyla sahneye çıkıncaya dek And Dağları dolayları uzun bir sessizliği yaşayacaktı. Meksika'da, o göz kamaştırıcı astronomi bilgisinin tohumlarını eken insanlar ortadan yok olurken, yerlerini etnik ve kültürel kökenlerini hâlâ tam olarak bilemediğimiz Olmekler aldı. Son olarak, bu büyük afetler zinciri, Orta Doğu'da yepyeni bir halk yarattı: Kültürel kimliğini acılı ve sıkıntılı bir dönemde, çöllerde oluşturmaya başlayan bu halk, birkaç yüzyıl sonra Kenan'da kendi krallığını kurmakla kalmayacak; yavaş yavaş biçimlendirdiği inanç sistemiyle, bugün dünya üzerindeki insanların üçte ikisine egemen olan dinlerin ilk çekirdeğini yaratacaktı.

4
Gizemli Dev Gezegen

Başlangıcından tam olarak emin değiliz; ama en azından ilk neolitik yerleşimlerin dünya üzerinde ortaya çıkmasıyla birlikte, atalarımızın gözlerinin gökyüzünü sürekli taradığını biliyoruz. Saptadıkları gök cisimlerini düzenli olarak gözlemleyen; onları yakından tanıdıkça da gece göklerini izlemelerini kolaylaştıracak düşsel bölgeler tasarlayan ve her birine özgün isimler veren bu insanların uzaya duydukları yoğun ilgiyi, nedense mistik ve ezoterik bir yaklaşıma bağlama eğiliminde olmuşuzdur hep. Onların gerçekten neler düşündüğünü, neler hissettiğini anlama; gökyüzünü dikkatle izleyen atalarımızla bir anlamda empati kurma çabaları, oldukça yenidir. Yine de hâlâ onlardan bize dek ulaşan garip ve çoğu kez anlaşılması güç metinlerde yazanları "dinsel" bir temele oturtma alışkanlığı; bize fazlasıyla fantastik görünen hikâyeleri "mitoloji" başlığı altında sınıflama eğilimi oldukça yaygındır. Çünkü bugün sahip olduğumuz (ve her fırsatta öğünmeyi ihmal etmediğimiz) uygarlığımız, bambaşka bir evren yorumuna sahiptir. Bilgi birikimini sonraki kuşaklara aktarmaya yarayan eğitim kurumumuz, bu evren ve tarih anlayışıyla ilgili olarak bin yıllar içinde yavaş yavaş biçimlenen önyargıları, daha çocukluğumuzdan itibaren belleğimize yerleştirmeye başlar. Çoğu kez, şaşırtıcı derecede muhafazakâr ve katı önyargılardır bunlar.

İlkokul yıllarımda, öğretmenlerimizin tarih dersinde "Eski insanlar dünyanın bir öküzün boynuzları üzerinde durduğuna inanırlardı" dediklerini hep anımsarım. O çocuk aklımızla uzak atalarımızı fena halde küçümsememize neden olan bu "ilkelliğin" aslında bahar ekinoksunda güneşin Boğa Burcu hizasına denk geldiği bir dönemi vurgulayan farklı bir "çağ işaretçisi" olduğunu çok sonra öğrenecektim. Yine o masum ilkokul günlerinde "dünyanın bir tepsi gibi düz" olduğuna inanan cahil eskiçağ insanlarından söz edilirdi bize. Merkezinde dümdüz bir dünyanın olduğu; güneş, ay ve diğer gök cisimlerinin onun çevresinde döndüğü bir evren anlayışını yıkmak için "aydınlanma çağı" bilginlerinin nasıl uğraş verdiği anlatılırdı. Ama aynı yıllarda "Fen ve Tabiat Bilgisi" derslerinde, dünyanın yuvarlaklığını ortaya koyan en basit göstergenin, kıyıda oturup, uzaktan gelen bir gemiyi gözlemekle fark edilebileceğini de şekillerle gösterirdi öğretmenlerimiz. İlkin dumanlar, ardından direkler ve baca, son olarak da gövdenin görünmesi, dünyanın yuvarlak olduğunu anlamak için yeterliydi. Haydi dumanları bir yana bırakalım; buharlı gemi çok yeni bir teknoloji. Ama direkler, yelken ve gövdenin ortaya çıkmasına dikkat ederek yapılabilecek bir gözlemi uzak atalarımızın becerememesi, çok şaşırtıcı gelirdi bana. Hiç değilse, "ay tutulması" sırasında, dünyanın ay üzerine düşen gölgesinden, onun yuvarlaklığını fark etmiş olmaları gerektiğini düşünürdüm. Neyse ki diğer derslerde öğretilenler, boşluğu doldurmamıza yardım ederdi: O denli ilkel ve basit düşünüşlü insanlardı ki atalarımız, doğa olaylarına, güneşe, aya ve yıldızlara taparlardı. Büyük devletler, hatta güçlü imparatorluklar kurdukları dönemde bile bu huylarından vazgeçmemişler; evreni yöneten tek tanrı düşüncesine ancak bin yıllar sonra ulaşabilmişlerdi. Dolayısıyla, bu denli basit bir evren anlayışına sahip insanların, dünyanın yuvarlak olduğunu fark edememeleri doğal karşılanmalıydı.

Sanırım okurlar kendi ilkokul yıllarından benzeri anıları canlandırmışlardır gözlerinde, bu satırları okurken. Ama işin daha ciddi yanı, bu güçlü önyargıların ilkokul çağıyla sınırlı kalmayıp, yaşamı boyunca günümüz insanının beynine çakılmasıdır. Tarihe ve "uygarlık" kavramına bakışımızın ilke ve ölçütlerini belirleyen Batılı düşünce sistemimiz, günümüzde gelinen noktayı "mümkün olan tek uygarlık" olarak görme eğilimini çok güçlü olarak yaşatır çünkü. Bu, bilimsel edinimlerle ortaya çıkacak gelişmeleri ve bu gelişmelerin toplumsal yapıya uygulanmasını, net bir "çizgisellik" içinde değerlendiren, aslında son derece tutucu bir felsefeden kaynaklanır. Bu felsefeye göre uygarlık yolunda ilerleyen insanlık, zorunlu birtakım aşamalardan geçerek ve bilimsel kazanımlarına yenilerini ekleyerek, sanki ezelden beri var olan bir merdivenin basamaklarını tırmanır: İlkin mağaralarda toplu yaşam ve sosyal örgütlenmenin ilk biçimi ortaya çıkar; sonra tahıl ekiminin bulunmasıyla tarımın getirdiği olanaklardan yararlanılır ve "yerleşik yaşam" başlar; derken tekerlek bulunur, yük taşıma ve ulaşım kolaylaşır; sonra alfabe geliştirilir, bilgi yazıya dökülmeye başlar; tek tanrı düşüncesi ortaya çıkar ve gerçek merkezi krallıklar oluşur; teleskop bulunur ve gök cisimleri incelenir hale gelince evren anlayışı değişir; barutun kullanımıyla yeni silahlar üretilir; buhar makinesi bulunur, sanayi devrimi gerçekleştirilir; derken sırayı dört zamanlı motorlar alır, otomobil ortaya çıkar; aerodinamik üzerine çalışmalar yoğunlaşır, uçak icat edilir; nihayet, ampul, radyo dalgaları, atom çekirdeğinin parçalanması ve uzay yolculuğuyla çizgisel tırmanışın basamakları muhteşem uygarlığımızın "modern" düzeyine ulaşır. Dilerseniz yeni basamakları bilgisayar teknolojisi, soğuk füzyon ve genetik mühendisliğiyle yukarı doğru tırmandırmayı sürdürebilirsiniz. Tıpkı, Sid Meier'in bütün dünyada çok sevilen ve milyonlarca kişi tarafından oynanan ünlü bilgisayar oyunu "Civilization"daki gibidir her şey yani.

Bu düşünce, "aklın yolu bir" özdeyişiyle de inanılmaz bir paralellik içindedir: Aşılması gereken aşamalar, edinilmesi gereken bilimsel deneyim ve kazanımlar sanki çok önceden bellidir ve biz bir yazgıyı izler biçimde, er ya da geç bu basamakları tırmanmaya başlarız. Ancak doğru basamağa erişildiği anda "uygarlık ileri gitmiş" olur. Bu mantık uzantısında, "falan ülke filan ülkeye göre 100 yıl daha ileri" gibi, rasyonellikten çok pragmatikliğe prim veren "değer ölçüleri" çıkar ortaya. Daha fenası, bilimi egemen üretim ilişkileri ve üretim sisteminin dışında görerek "mutlak ilerleme"nin nesnel temsilcisi düzeyine yerleştirmekle bağlantılı bir anlayıştır bu. Son üç yüz yıldır adeta tapınılır hale gelen "teknoloji"nin, evreni kavramaktaki nesnel ve idealist amaçlarla değil, doğrudan doğruya bilimi kendi "kâr" güdüsü doğrultusunda "istihdam eden" kapitalizmin çabalarıyla biçimlendiğini görmezden gelir. Bu, sınıf, çıkar grupları ve üretimden daha büyük pay alma kaygılarından bağımsız, neredeyse "tanrı katında" bir yerlere yerleştirilen bilimin; bütünüyle düşük maliyet, yüksek kâr ve daha büyük ölçüde üretim uğruna kapitalizm tarafından hadım edildiği gerçeğini sürekli göz ardı etmekten başka bir şey değildir. "Marka"ların fetiş; "pazarlama"nın yeni din ve "borsa"nın modern tapınaklar haline geldiği "çağdaş" imparatorluklarımızda bilim çoktan teknolojiye kurban edilmiş durumdadır.

Ünlü tarihçi Georg Ostrogorsky, Bizans İmparatorluğu'nu tanımlarken, en yalın haliyle onun üç unsurun bileşimi olduğunu vurgular: Hıristiyan inanç sistemi, Roma devlet geleneği ve Yunan felsefesi. Ben bu formüldeki bileşenleri biraz değiştirerek, bugün "modern toplum" ya da "çağdaş uygarlık" olarak görme eğiliminde olduğumuz Batı anlayışının çekirdeğinin analiz edilebileceği inancındayım. Bu, Yahudi/hıristiyan (Judeo-Christian) tektanrıcılığı; Yunan düşünce sistemi ve Roma İmparatorluğu'nun askeri/siyasi anlayışından oluşan ve giderek ısrarla "çağdaşlık yolundaki tek alternatif" olarak küreselleşmeye çalışan bir modeldir.

Bugün ekonomik anlamda "teknoloji" denen unsurla üretim sisteminin öznel amaçlarına, siyasi anlamda da devlet-iktidar-bürokrasi üçlüsüne teslim edilen bilim, neyse ki doğası ve varoluşu gereği meraklı, kuşkucu ve "devrimci" olmak zorundadır. Yok edilmeye çalışılan bu kökünün zaman zaman su yüzüne çıkmasıyla bile, dayatılan "çizgisel tarih" ve "uygarlık merdivenleri" anlayışlarının aslında ne denli siyasi ve sınıfsal bir yaklaşımın ürünü olduğu sergilenebiliyor. Ama Batı uygarlığının, daha net bir ifadeyle günümüzdeki "Roma özlemleriyle yanıp tutuşan" modern kapitalizmin etkileri o denli güçlü ki, bağrından ona antitez olarak doğurduğu Marksist düşüncede bile bu "çizgisel tarih" anlayışının izlerini insanı dehşete düşürecek netlikte hissedebiliyoruz. (Üretici güçlerin "doğal" gelişim sürecine bağlı aşamalar olarak sunulan "ilkel topluluk – köleci toplum – feodal toplum – kapitalist toplum – sosyalist toplum" dönüşümünün Marksist çözümlemedeki biçimsel varlığı bile bunu algılamaya yeterli.)

Uygarlığın bugün gelmiş olduğu nokta, daha ilerisi için de düşgücü uzantısında ipuçları sunan bir tür "yazgı" gibi değerlendiriliyor modern kültürde. Bense, bu "yazgı"yı oluşturan ve insanlığı bugüne getiren değişkenlerin, tıpkı İ.Ö. 3150'deki Tufan ve İ.Ö. 1650'deki yerkabuğu hareketleri gibi, büyük ve küresel afetlerce belirlendiğini düşünüyorum. Bunu ileri sürerken de, "yazgı" kavramının bilinen en eski kullanımına, "gezegen yörüngesi" anlamına dikkat çekmek istiyorum.

Bütün tanrıların çobanı

Şekil 1: Yaratılış Destanı'ndan bir sahne: Marduk ile Tiamat'ın savaşı - İ.Ö. 2. bin yıla ait bir Akat silindir mührü. (Kaynak: Percy S. Handcock, "Mesopotamian Archaeology".) Sol üstte, "tanrısal gezegen"i simgeleyen ünlü "kanatlı disk" figürü görülüyor.

Köklerinin çok daha eskiye, belki Sümer'in bile öncesine dayandığını bildiğimiz Babil Yaratılış Destanı, ilk dizesinden bilinen adıyla "Enuma Eliş", güneş sistemimizin oluşumunu bugün bize masalsı gelen bir dille anlatırken, gezegenlerin kendi yörüngelerine kavuşmalarını da daha önce vurguladığımız gibi, onların "kader tabletleri"ne sahip olmalarıyla bağlantılı olarak ele alır. Bu şiirsel metinde, henüz kararsız denge içinde olan güneş sistemimizdeki gezegenlerin bugünkü bilinen yörüngelerine ilahi bir müdahaleyle nasıl yerleştirildiklerinin hikâyesini buluruz. Söz konusu müdahale, uzaklardan gelen "Marduk" tarafından gerçekleştirilmiştir:

"... göklerde parlayan yıldız

Başlangıç ve Gelecek onun ellerinde olsun, herkes ona saygı göstersin

Diyelim ki: O dinlenmeksizin yolunu Tiamat'ın ortasından zorla geçirdi

Onun adı *Nibiru* olsun, Ortayı Ele Geçiren

Çünkü gökyüzündeki yıldızlara yollarını o sağladı

O bütün tanrıların çobanı oldu"[120]

Marduk'un aldığı bu Nİ.Bİ.RU adı, Sümer dilinde "Geçiş Gezegeni" anlamına geliyor.[121] Uzaklardan hızla yaklaşan ve güneş sistemimizde bir dizi çarpışmayla birlikte gezegenlerin yörüngelerini düzenleyen Marduk, Enuma Eliş'te bütün tanrısal kimliğine paralel olarak aynı zamanda bir "gök cismi" biçiminde ele alınıyor. Yani, bir gezegen. Ama işlevi ve yörüngesi dolayısıyla o denli önemli bir gezegen ki bu, Marduk'u iyiden iyiye güçlü bir tanrı, "diğer tanrıların çobanı" haline getiriyor.

Nibiru/Marduk'un kimliğine, hangi gezegen olduğuna değinmeden önce, eskiçağ toplumlarıyla bizim Batılı evren anlayışımız arasındaki en önemli farkın, gelip "yazgı" sözcüğünde düğümlendiğini vurgulamakta yarar var: Yukarıda çerçevesini çizdiğimiz üzere, biz uzaya ve zamana "çizgisel" (linear) bir anlayışla yaklaşıyoruz. Oysa binlerce yıl önceki atalarımız, "döngü-

---

[120]Enuma Elish, Yedinci Tablet, İngilizce çeviri: Leonard W. King
[121]Zecharia Sitchin, "12. Gezegen"

sel" (circular) bakıyorlardı evrenin yasalarına. Aradaki bu son derece temel fark, bizim tarihi, zamanı ve uygarlık kavramını, başlangıcı ve sonu belli olmayan, önceden belirlenmiş bir merdiven gibi görmemiz sonucunu doğururken; sözünü ettiğimiz eski toplumların, başlangıcı ve sonu aynı noktada birleşen döngülere dayalı bir evren yaklaşımı geliştirmeleri anlamına geliyordu. Bu döngüsellik, ilk başta yarattığı hissin aksine, her şeyin sürekli olarak kendini tekrarladığı (bizim "tarih tekerrürden ibarettir" deyişimize benzeyen) bir evreni betimlemez. Tam tersine, başlangıç ve sonuçlar aynı noktayı işaretlese de, bir döngünün tamamlandığı yerde başlayan yeni döngü, merkezi bambaşka bir düzlem üzerinde olan bütünüyle farklı bir çembere benzemektedir. Aynı noktaya teğet olan, sonsuz sayıda çember olarak düşünebiliriz bunları. Bu çemberlerin hiçbiri bir diğerinin aynısı olmayacak; buna karşılık belli bir "an"da hepsi aynı noktadan geçeceklerdir: Yani, birinin bitip, diğerinin başladığı noktadan. Bunun zaman çizelgesindeki anlamı (tam olarak doğru olmasa da) eşit uzunluktaki zaman dilimleriyle belirlenen, farklı niteliklere sahip "çağ"lardır. Dolayısıyla, döngülerin başlangıç ve bitişleri, evrenin bu yapısı içinde kaçınılmaz zaman dilimleriyle belirlenmiştir eskiçağ anlayışında; "yazgı" denebilecek tek olgu budur. Aynı noktaya teğet olan çemberlerin mutlaka bu noktadan (istasyondan) geçmeleriyle aynı şeydir yani. O çemberlerin çapını, bir başka deyişle döngünün uzunluğunu (ya da "yazgı"nın nicel boyutunu) belirleyen unsur da, "kader tabletleri" anlayışında bir örneğini gördüğümüz gezegen yörüngeleridir.

Modern kozmolojinin bugün geldiği nokta, ne gariptir ki eskiçağ uzay ve zaman anlayışını büyük ölçüde doğrular nitelikte. Evrenin ve uzayın "yuvarlak" bir yapıya sahip olduğunu bugün artık net olarak biliyoruz. Uzay eğridir, galaksiler ve güneş sistemlerinin yapıları ve hareketleri eğridir; dolayısıyla, "zaman" da eğridir. Eğimi aynı yöne doğru olan ve hiç değişmeyen bir çizgi gibi algıladığımız zaman, aslında eğri, dairesel (daha doğrusu eliptik) bir hareketle aynı niteliği taşıyor. Yani tıpkı eskilerin düşündüğü gibi.

Evreni ve uzayı hâlâ, Eski Yunan'dan kalma alışkanlıklarla, üç boyut içinde tanımlanan bir "Euklides Uzayı" olarak görüyoruz. Gözlerimizin önünde, çoğu kez bir kübik evren modeli beliriyor bu nedenle. Böyle bir uzayda, belli bir noktadan, bir diğerine giden dümdüz çizgiler görmeye çalışıyor ve buna "zaman" diyoruz. Oysa artık anlaşılıyor ki işler hiç bizim bildiğimiz gibi değilmiş! Evrenin "sonsuzluğu" bile tartışma konusu, çünkü bu sonsuzluk ancak sözünü ettiğimiz döngülerin sonsuzluğuna bağlı bir olgu. Evren ve uzay, yuvarlak, eliptik ve son derece hareketli. Bu nedenle, Euklides Uzayı'ndaki gibi, iki nokta arasındaki en kısa yol onları birleştiren çizgi değil. Böyle bir çizgi, uzayın hiçbir yerinde yok; dolayısıyla çizgisellik de yok. Antik çağ toplumlarının bilgeleri de bundan çok farklı bir şey söylemiyorlardı zaten.

Abzu: "Kozmos" dediğimiz deniz

On dokuzuncu yüzyılın sonlarından itibaren matematik ve teorik fizikte atılan adımlar, gerçekten şaşırtıcı biçimde evrenle ilgili kavrayışımızı kökten değiştirecek niteliktedir ama bunların toplum tarafından asimile edilmesi; varılan yeni düşünsel noktaların günlük konuşma diline nüfuz edecek oranda kitlelerce benimsenmesi hiç de sanıldığı kadar kolay değildir. Georg Feuerstein'ın da dediği gibi, bir bilimsel bulgunun genel kabul görüp insanlığın malı haline gelmesi, bugün var olan sistem içinde en iyimser tahminle 15 ila 20 yılı alır. Akademik bilim bürokrasisine takılıp raflarda tozlanmaya terk edilen, reddedilen tezleri saymıyoruz bile.

Bu anlamda, uzayın eğriliği ve evrenin yapısıyla ilgili "yeni" olarak aktardığımız bilgiler aslında on dokuzuncu yüzyıldan itibaren gündemde olan ve tartışılan tezlerle bağlantılıdır. Georg Friedrich Bernhardt Reiman, uzayın aslında nasıl bir yapıya sahip olduğuna ilişkin vardığı sonuçları daha 1854'te bilim dünyasının gündemine getirmişti; ne var ki aradan yüz yılı epey aşkın bir süre geçmiş olmasına rağmen bu bilginin dünya kamuoyuna bütünüyle mal edilebildiğini söyleyemeyiz.

"Riemann'ın küresel uzay tasarımı, evrenimizin gerçek şeklinin de böyle bir uzay olarak düşünülebileceği fikriyle birlikte, bilim tarihinde görülen, alışılagelmiş dünya görüşünden en özgün ve en kökten kopuşlardan biridir. Yirminci yüzyılın önde gelen fizikçilerinden Max Born şöyle demiştir: 'Bu sonlu ama sınırsız uzay fikri, dünyanın ne olduğu konusunda aklın ürettiği en önemli kavramlardan biridir.' Tuhaftır, Born bunu derken Einstein'ın fikrine bir gönderme yaptığını sanıyordu, zira Einstein evrenbilim alanındaki çalışmasına, Riemann'dan diğer iki temel fikirle birlikte, bu küresel uzay kavramını da katmıştı; söz konusu öteki iki fikirse, uzayın eğriliği (kıvrılmışlığı) ile dört boyutlu bir eğri uzayın betimlenişiydi. Riemann bütün bu kavramlarla birlikte, daha yirmili yaşlarındayken küresel uzaya —modern evrenbilimciler için aynı derecede ilginç- bir alternatif de bulmuştu: 'Hiperbolik uzay'. Bunları 1854'te, yirmi sekiz yaşındayken, Göttingen'de verdiği bir derste bilim dünyasına sundu. Bugün geriye doğru bakınca, söz konusu dersin modern evrenbilimin doğuşunu belirlediğini açıkça görüyoruz."[122]

Buna rağmen, 1854'te Riemann'ın çığır açan düşüncesi, izleyen dönemde Einstein ve Born'un, Bertrand Russell'ın, William Kauffmann'ın ve nihayet günümüzde Stephen Hawking'in yaptığı katkılarla radikal biçimde değişen uzay kuramlarını "günlük yaşam" içine hâlâ sokabilmiş değil. "Yapısı gereği devrimci" diye nitelediğimiz bilim, bir yerlerde, bir köşede gerçekten akla durgunluk verecek sonuçlara ve bulgulara ulaşmayı sürdürse de, "üretim biçimi ve üretim ilişkileri" içinde, yani "teknoloji"yle paslaşarak, bugün dünyaya egemen olan şirketler imparatorluğunun kâr hanelerini yükseltmeye yönelmeyen hiçbir bilimsel yenilik, kitlelere mal edilemiyor.

---

[122]Robert Ossermann, a.g.e., s:109

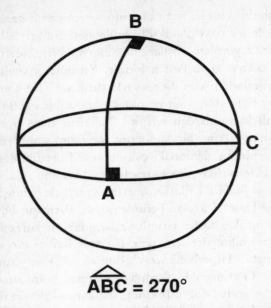

ABC = 270°

Şekil 2: Eğer köşeler bir "düzlem" üzerinde değilse, üçgenin iç açıları toplamı 180 dereceden büyük ya da küçük olabilir.

Yeniden konumuza dönelim: Uzayın, 2000 yıldır Batılı düşünce sisteminin temeline yerleşen Euklides uzayındaki gibi "düz" değil de "eğri" olması ne anlama gelir? Sınırlanmış küçük ölçekli alanlar için belli koşullar altında geçerli kabul edebileceğimiz Euklides uzayı içinde, aynı düzlem üzerinde rasgele seçeceğiniz üç noktayla oluşan üçgenin iç açıları toplamı, her zaman 180 derece olacaktır. Bu aslında Euklides uzayının değil, iki boyutlu uzayın, düzlem geometrisinin temel kurallarından biridir. Ama eğri olan bir uzayda, böyle bir üçgenin iç açıları toplamı 270 derece bile olabilir: Kuzey kutbunda belirleyeceğiniz bir noktadan, ekvatoru kesen iki dikme çizin. Bu iki doğrunun birbirlerine yaptıkları açı da, 90 derece olsun. Yerküre üzerinde böyle bir mantıkla oluşturacağınız üçgen, her açısı da 90'ar derece olduğu için bildiğiniz klasik kuralları alt üst ederek iç açılarının toplamı 270 derece olan bir ucubeye dönüşecektir; çünkü dünya, her ne kadar yüzeyi üzerinde bir üçgen tasarlanabilse de, küresel bir yapıya sahiptir. Aynı mantıkla, uzay, evren ve galaksiler arası boşluğa ilişkin yapacağınız gözlem ve hesaplarda da benzeri yanılgılara düşmeniz kaçınılmazdır. Uzay, "bildiğiniz uzay" değildir çünkü.

Belleğimize çakılan bir başka şablon, uzayın tanımıyla ilgili. Yine ta ilkokul yıllarımızdan kalma alışkanlıkla uzayı, "içinde galaksiler, güneş sistemleri ve gezegenlerin olduğu sonsuz bir boşluk" ifadesiyle tanımlarız hep. Sonsuzluğunun son derece tartışma götürür olduğuna değindik. "Boşluk" meselesinin de hiç sanıldığı gibi olmadığı gün geçtikçe daha net olarak ortaya çıkıyor. Bir yanıyla maddeyi en küçük bileşenlerine ayırma yolculuğumuzda son vardığımız noktada, "parçacık teorisi"nin (Quantum Theory) sağladığı bilgiler sayesinde şu ünlü "boşluk" meselesinin neredeyse bir "şehir efsanesi" olduğunu fark etmeye başladık. Diğer yandan da kozmolojimiz, uzayın hiç de sanıldığı gibi "boş" olmadığını; henüz tam olarak kavrayamadığımız ve niteliğini anlayamadığımız madde ve enerji biçimlerini içerdiğini bize anlatır oldu artık. "Karanlık madde" ve "karanlık enerji" olarak adlandırılan yeni kavramlar, uzaya bakışımızı hızla değiştiriyor. Bugün bilim adamları, evrenin üçte birinin bildiğimiz maddeden, üçte ikisininse, henüz ne olduğu çözülememiş bu karanlık madde ve karanlık enerji karışımından oluştuğunu söylüyorlar.

"Bu görünmez madde, gördüğümüz yıldız ve galaksilere yaptığı çekimsel etkiler yoluyla fark edilebilir ama kendisi elektromanyetik ışınımın hiçbir türünü yaymaz -ne görünür ışık, ne radyo dalgaları, ne kızılötesi, ne morötesi, ne X-ışınları, ne gamma ışınları- hiçbir şey. Gerçekten görünmezdir. Adına karanlık madde diyoruz."[123]

Böylece, son derece kesin ve değişmez sandığımız bazı çok temel bilgilerimiz de hızla sarsılmaya başlıyor: Uzay, gezegen ve galaksilerin içinde dolaştığı bir "sonsuz boşluk" falan değildir. Hatta, doğrusunu söylemek gerekirse belki "uzay" diye tanım-

---

[123]Alan Lightman, "Yıldızların Zamanı", s: 119

lanacak tek ve homojen, uçsuz bucaksız bir alan bile söz konusu değildir artık. Madde ve enerjinin, varlığından yeni haberdar olduğumuz, biçimleriyle tanışıklığımız henüz başlıyor:

"Karanlık madde nedir? Var olduğunu biliyoruz ama ne olduğu konusunda çok az fikrimiz var. Karanlık madde, uzaya dağılmış durumdaki gezegenler veya çok sönük yıldızlar olabilir. Karanlık madde, engin bir *atom-altı parçacıklar denizi* olabilir. Her ne ise, karanlık madde, evrendeki maddenin *çoğunluğunu* oluşturuyor."[124]

Eğer madde kütlelerine "ada" dersek, bu durumda söz konusu madde ve enerji biçimleriyle onu saran uzay için de "deniz" benzetmesini yapabiliriz. Yani her şey, eskilerin dediği gibi aslında: Bütün o "çoktanrılı, ilkel" mitolojilere göz atın; başlangıçta evrenin yalnızca uçsuz bucaksız bir "ilksel deniz" (Sümerce'de AB.ZU) olduğu fikrine rastlayacaksınız. Bu denizin içinde, karaların ve onları çevreleyen havanın yaratıldığına ilişkin temel anlayış, Hopi kızılderililerinden Sümer'e; Mayalardan Fenikelilere dek her yerde karşınıza çıkacak. Tıpkı bugün, artık "boşluk" olmadığını bildiğimiz "uzay" denen oluşumun yeni yıldız ve galaksileri kendi içinde yaratması gibi.

Şimdi, "dünyanın öküzün boynuzları üzerinde duran düz bir tepsi; gezegen ve yıldızlarınsa dünya çevresinde dönen ışıklar olduğuna" inandıklarından söz ettiğimiz; "korktuğu doğa olaylarını ve güneşi, ayı, yıldızları tanrı sanan" uzak atalarımızın "ilkel çoktanrılı" düşünce sistemlerini yargılamadan önce belki biraz daha düşünmenin yerinde olduğuna karar verebiliriz!

Yok edilen Bilgi

Tam bu noktada, "Peki işler nasıl oldu da bu hale geldi?" sorusu sorulabilir. Gerçekten ne oldu da birden insan düşüncesinde dramatik bir değişim oldu ve dünyanın güneş çevresinde döndüğünü söyleyen Galileo Galilei, bundan daha 500 yıl önce

---

[124] Alan Lightman, a.g.e., s:123, italikler bana ait.

engizisyon işkenceleriyle karşı karşıya geldi? Beş bin yıl önceki atalarımızın bile farkında olduğu, evrenle ilgili yalın ve temel bilgiler nasıl oldu da "okültist" bir yaklaşıma feda edilerek dünya neredeyse 2000 yıl karanlıkta bırakıldı? Bunun yanıtını, "bilgi kaybı"nın belki de bir numaralı sorumlusu olan Hıristiyan Roma'nın marifetlerinde aramak gerekiyor. İskenderiye Kütüphanesi'ni yakıp yok ederek "pagan batıl inançlarına" savaş açan tektanrılı "modern insanlar", dördüncü ve onuncu yüzyıllar arasında eski toplumların sahip olduğu bilgi birikimine ilişkin her şeyi, sistematik biçimde yok ettiler. Avrupa'da senyörler ile Kilise'nin belli güç dengeleri içinde hükmettikleri feodal yapının bu dönem içinde getirdiği yoğun baskılara karşın, eski yerel inanç ve düşüncelerine sahip çıkan ya da yok edilmekte olan bilgiyi bir biçimde korumaya çalışan insanlar her zaman oldu. Ancak hıristiyanlık dışı inançlara bağlı olan insanların vahşice öldürülmelerinden sonra, bu son derece küçük azınlık, onuncu yüzyıldan on yedinci yüzyıla dek ancak kendilerini gizleyerek var olmayı başarabildi. Dönem dönem Kilise'nin gerçekleştirdiği geniş çaplı operasyonlar sonrasında gelen sorgular (engizisyon) ve bazen de kışkırtılmış köylü tabakalarının linç güdüleri körüklenerek yaratılan vahşi idamlar, bu bilginin kırıntısını bile korumaya kalkanların "cadı" damgası yiyerek Batı kültüründen adeta jiletle kazınması sonucunu doğurdu. Avrupa'nın Rönesans'ı yaşadığı yıllarda bile İncil'e aykırı bir tek sesin duyulabilmesi mümkün değildi.

Yok edilen eski bilgi ve düşünce sistemlerinin insanlığın ortak kültürel birikimine maliyeti, gerçekten çok büyüktür. Yirminci yüzyılda bile okullarda çocuklara "Galileo'dan önce insanlar dünyayı düz bir tepsi, gezegenler ve güneşi de onun çevresinde dönen gök cisimleri sanıyorlardı" anafikrine sahip bir eğitimin verilmesi, dünyanın nasıl vakit yitirdiğinin acı bir kanıtıdır.

Eskiçağ uygarlıklarının "pagan" insanları elbette dünyanın düz olduğunu falan düşünmüyorlardı. Bu, bilginin yok edilmeye başladığı Hıristiyan Roma döneminde, el sürülmeyen tek düşünce durumundaki Ptolemaios (Batlamyus) evren modelinin zihinlerde yarattığı trajik bir hatadır. Merkezinde düz bir dünyanın olduğu ve gezegenlerin onun çevresinde döndüğü Ptolemaios evren modeli tektanrılılığın şafağında üretilmiş, Yunan düşüncesindeki şaşırtıcı kofluklardan biridir. Oysa Ptolemaios'dan bin, hatta iki bin yıl önce yaşayan atalarımız bile dünyanın yuvarlak olduğunun elbet farkındaydılar. Hıristiyan baskı döneminde yerleşen asılsız klişelerle bu insanların "ilkel, çoktanrılı, cahil" kitleler olarak damgalanması, belki de tarihimize ve uzak atalarımıza yaptığımız en büyük haksızlıktır.

Her şeyden önce, bu insanların çok iyi gökyüzü gözlemcileri olduklarını ve düzenli tuttukları kayıtlara paralel olarak dikkatli ölçümler de yaptıklarını biliyoruz. Sümer, Babil, Hint, Mısır ve Maya toplumlarının hepsi, üstün astronomi bilgileriyle dikkat çekerler. Bir takımyıldızın meridyen geçişini bile yıllarca gözleyip düzenli kayıtlar tutan rahiplerin ve astronomların, birbirinden birkaç yüz kilometre kuzeyde ya da güneyde yer alan iki farklı şehirde gözlem yapmış olma olasılıkları bile, dünyanın yuvarlaklığını saptamaları için yeterlidir. Bütün antik toplumlarda, "başucu" (zenith) noktasından geçiş yapan yıldızlara özel bir ilgi gösterildiğini biliyoruz. Güneş'in başucu geçişleriyse, takvime işaretlenen en önemli günlerdi. Mısır'ı gözünüzün önüne getirin: Kuzeyde, Heliopolis kentinde bu tür ölçümler yapmış bir rahip, güneye bir yolculuk yapsa ve Abidos'taki meslektaşlarını ziyaret etse, yıldız ve takımyıldızların meridyen geçişlerindeki açı değişikliğini hemen fark edecekti elbette. Bu açı farklılığı, astronomiyi bilen insanlar için bir tek anlama gelirdi: Dünyanın yuvarlak olması.

Çoğu kez tarihçiler, eskiçağ toplumlarının metinlerindeki kimi kavramları anlamaya çalışmakta isteksiz görünürler. Bu eğilimin sonucu olarak, bu insanların kullandığı bazı sembolik kavramları dilimizdeki bire bir karşılıklarıyla sınayarak, yanlış sonuçlara varmayı yeğlerler nedense. "Yeraltı Dünyası" kavramı bunun en tipik örneklerinden biridir. Sözgelimi Mısırlılara göre, Orion takımyıldızı ve Sirius yıldızı, yaz başlarında "yeraltındadır", çünkü güneşe yakın oldukları bu dönemde geceleri gökyüzünde belirmezler. Yine aynı biçimde, çoğu eskiçağ toplumunun düşüncesinde, güneşin akşamları batı yönünde kaybolarak "yeraltına" gittiği düşüncesine rastlanır. Eski toplumların kozmolojilerinde ve inanç sistemlerinde, bunun toprağın altında yatan ölülerle zaman zaman paralellik içinde düşünülmesi ve törensel ayrıntılarda "güneşin akşamları ölüp sabahları doğduğu" temasının kullanılması, ortodoks bilimi bu insanların dünyanın yuvarlak olduğunu bilmedikleri ve güneşin geceleri "yeraltında" ilerlediğine inandıkları sonucuna yönlendirmiştir. Oysa çoğu eski dilde sözcüğün bire bir gerçek anlamı "yeraltı dünyası" değil, "aşağı dünya"dır; yani ufkun altındaki dünya! Eski toplumların hepsi, güneşin batıda kaybolduktan sonra bile o yöndeki bazı ülkeleri aydınlatmaya devam ettiğini elbette biliyorlardı. Ama edebi metinlerde ve törenlerde bunu mistik benzetmelerle iç içe kullanmayı yeğliyorlardı. Bunun günümüz şairlerinin sık sık başvurduğu imge zenginliğinden temelde hiçbir farkı yoktur. Bırakalım şiiri, günlük konuşma dilinde bile hâlâ "güneş battı" ya da "güneş doğuyor" ifadelerini kullanırız. Günümüzden binlerce yıl sonra bir grup arkeolog uygarlığımıza ilişkin belgelerde bu ifadelere rastlasa, bizim dünyanın yuvarlaklığından ve dönüşünden bihaber insanlar olduğumuzu; güneşin "ufukta batıp yerin altına gittiğine" inandığımızı mı düşüneceklerdir dersiniz?

Eskiçağ toplumlarının gökyüzü gözlemcileri, yalnızca dünyanın yuvarlaklığının değil, gezegenlerin hareketlerinin de farkındaydılar. Uzak yıldızlarla gezegenlerin farklı niteliklere sahip gök cisimleri olduğu ve gezegenlerin dünyamıza çok daha yakın yörüngeler çizerek bizle aynı sistem içinde hareket ettikleri, kökenini belirleyemediğimiz denli eski bir bilgidir. Bu gezegenlerin birbirleriyle yaptıkları açılar; birbirlerine yaklaşmaları ve uzaklaşmaları; güneşle aynı hizaya geldiklerinde belli süreyle gözden kaybolmaları, dikkatle belirlenip ayrıntılı "gök günlükleri"ne (ephemeris) işleniyordu. Bu tür belgelere hem Mısır'da hem de Mezopotamya'da bol miktarda rastlanmıştır. Merkür, Venüs, Mars, Jüpiter ve Satürn'ün tek tek döngüleri hesaplanmış; bunlara bağlı zaman hesapları çıkarılmıştır. Söz konusu beş gezegen, güneş sistemimizin çıplak gözle dünyadan rahatça gözlenebilen üyeleridir.

Güneş sistemimizle ilgili son üç yüz yıldaki bilgi birikimimiz, bir hayli fazla. Galileo'nun teleskopu geliştirmesinin sonrasında, onsekizinci yüzyıldan itibaren astronomların önünde yeni ufuklar açıldı. İlkin, bu muhteşem buluşun yardımıyla, 1781 yılında Satürn'ün ötesindeki ilk gezegen, Uranüs keşfedildi. Böylece, çıplak gözle görülebilen beş gezegene Uranüs ve dünyamız da eklendiğinde, yedi üyeli bir güneş sistemimiz olduğu düşünülmeye başladı. Ondokuzuncu yüzyılda, yörüngesi üzerinde güçlü çekim etkileri olduğu fark edilen Uranüs'ün ötesinde bir gezegenin daha bulunması gerektiğine inanan astronomlar, tam da hesapladıkları noktada Neptün'le karşılaştılar. İzleyen yıllardaki araştırma ve gözlemler, benzeri biçimde Neptün'ün yörüngesindeki bir düzensizliği de ortaya çıkardı. Bu, onun da ilerisinde bir gezegen daha olması gerektiğini düşündürüyordu. Astronom Percival Lowell (Mars üzerinde "kanallar" gördüğünü söyleyerek dünyayı heyecanlandıran bilim adamı) 1905 ile 1907 yılları arasında yoğun bir çalışmayla bu düzensizliğe neden olan bir gezegenin izlerini aradıysa da, başarılı olamadı. 1930 yılında Pluton keşfedildiğinde, sorunun çözümlendiği düşünüldü. Ancak Pluton, kütlesinin beklenmedik orandaki küçüklüğü nedeniyle, Neptün'ün yörüngesi üzerinde söz konusu "tacizi" oluşturmuş olamazdı. Uzunca bir süre, güneş sistemimizin keşfinin tamamlandığına inanıldı ve bütün ilgiler, dokuz gezegenli bu model içinde, Jupiter ve Satürn gibi dev gezegenlerin uydularına yöneltildi. Ne var ki çoğu astronomun aklının bir köşesinde, uzaklarda, henüz varlığı fark edilmeyen bir gezegenin daha olabileceği fikri yaşamaya devam etti.

Pluton'dan ötesi

Sistemin merkezinde, sürekli devinim halindeki dev bir gaz kütlesi olan güneş yer alıyor. Bu kütlenin içinde hidrojen atomları, sürekli olarak parçalanıp yeniden bir araya gelerek helyum oluşturuyorlar. Bu son derece dinamik yıldız, güçlü çekim etkisine yakalanan gezegen ve asteroidleri, çevresinde belli bir düzen içinde toplamış durumda. Ancak güneş sisteminin, gezegen ve asteroidler dışında da üyeleri var: Kuyrukluyıldızlar. Genellikle çapı küçük, gaz ve tozlarla "kirlenmiş" buz parçaları olarak tanımlayabileceğimiz bu gök cisimleri, oldukça sıradışı yörüngelere sahipler. Bunların çoğu, güneş sisteminin oldukça uzaklarından başlayan eliptik bir yörüngeyi izleyerek, gittikçe artan bir hızla yaklaşıyorlar. Güneşe iyice yaklaştıklarında, bünyelerinde varolan buzun hızla erimeye başlamasıyla arkalarında yoğun bir gaz ve toz bulutundan oluşmuş bir iz ("kuyruk") bırakıyorlar. Bu ilginç, sıradışı gök cisimlerinin, bildik gezegenlere hiç benzemeyen, basık ve çok uzun yörüngeleri var; bu nedenle güneş çevresindeki bir turları yüzlerce (hatta belki binlerce) yıl sürebiliyor. Sözgelimi, bir hesaba göre Kohutek kuyrukluyıldızının yörüngesini tamamlaması yaklaşık 75,000 yılı bulmakta. Kuyrukluyıldızlar bu uzun yörüngenin her parçacığında eşit hızla ilerlemiyorlar; güneşe yaklaştıkça, hızları da belirgin biçimde artıyor.

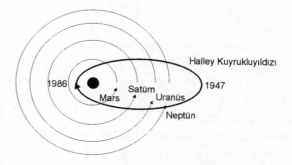

Şekil 3: Kuyrukluyıldız yörüngeleri, Halley örneğinde olduğu gibi eliptik ve basıktır.

1930 yılında güçlü teleskoplarla varlığı saptanan Pluton da, güneş sistemindeki diğer gezegenlerden farklı ve sıradışı bir yörüngeye sahip. Diğer bütün gezegenler güneş çevresinde aşağı yukarı aynı düzlem diyebileceğimiz bir hizada dönerlerken, Pluton'un bu düzleme yaklaşık olarak 17 derecelik bir açı yapması ilginçtir. Bu yörüngeyi Pluton, 248.5 yıl gibi bir sürede tamamlar. Bu süre içinde çizdiği düzensiz yol nedeniyle kimi zaman yörüngesi Neptün'le kesişir, hatta onun iç kısmından geçer. Böylesi dönemlerde güneşe en uzak gezegen olma özelliğini de bir süre için Neptün'e devreder. Bugüne dek bulunmuş bu son gezegenin kütlesi de beklenmedik oranda küçüktür. Jupiter ve Satürn gibi dev gezegenleri, hatta Uranüs ve Neptün gibi görece bunlardan daha küçük ama yine de oldukça iri gezegenleri bir yana bırakalım; Pluton Dünya'dan, Mars'tan, Venüs'ten, hatta Merkür'den bile çok daha küçüktür. 1978'de varlığı keşfedilen tek uydusu Charon'la birlikte, bir tür "ikiz gezegen" gibidirler; çünkü bu "uydu" bile Pluton'un yarısından daha fazla bir kütleye sahiptir. Bütün bunlar, Uranüs'ün yörüngesindeki düzensizliğe neden olan gök cismini ararken Neptün'ü bulan; ancak sorunu bununla çözemedikleri gibi, Neptün'ün de yörüngesinde belirgin düzensizliklerle karşılaşan astronomları bir hayli şaşırtan özelliklerdir. Uranüs ve Neptün'le kıyaslandığında, irice bir bilyenin yanına konmuş bir toplu iğne başı görüntüsü veren bu ufacık gezegenin o devlerin yörüngelerine hissedilir bir etki yapamayacağı açıktır çünkü.

Merkezinde güneşin yer aldığı karmaşık sistemin yapısı ve işleyiş kuralları, astronomların uzun ve sabırlı gözlemleri; dikkatle yaptıkları hesaplar sonucu, yavaş yavaş çözülüyor. Oluşumu hakkındaki görüşler şimdilik "teori" düzeyinde kalsa da, gezegenlerin güneş çevresindeki dizilimleriyle ilgili yasaları ve kuralları, matematik bağıntılardan da yararlanarak çözüyoruz. Bu alandaki büyük adımlardan biri, gezegenlerin yerleşimlerinin bir matematik bağıntıya uygun olduğunu savunan Bode yasası. Adını, onu geliştiren bilim adamından alan bu yasaya göre güneş sistemindeki gezegenlerin, konumlarıyla güneşten uzaklıkları arasında matematik bir bağıntı vardır. Dizi, "0, 3, 6, 12, 24, 48, 96" biçiminde devam eden bir geometrik dizidir ve bu sayıların her birine 4 rakamı eklendiğinde, gezegenlerin güneş çevresindeki yerleşimine bire bir olmasa da, (Neptün ve Pluton hariç) epey yaklaşık olarak uygulanabilmektedir. Hatta o denli doğrulanabilir bir bağıntıdır ki bu, on dokuzuncu yüzyılda Mars ile Jupiter arasındaki "asteroid kuşağı" da bu sayede keşfedilmiştir diyebiliriz. Aşağıdaki tablo, dünyanın güneşe uzaklığını 1 birim kabul eden AB (Astronomik Birim) cinsinden güneş sistemindeki mesafeleri ve Bode yasasının değerlerini karşılaştırmalı olarak sergiliyor:

Gezegen	Uzaklık (AB=Astronomik Birim olarak)	Bode Dizisi
Merkür	0,387	0,4
Venüs	0,723	0,7
Dünya	1	1,1
Mars	1,524	1,6
ASTEROİD KUŞAĞI	2,794	2,8
Jüpiter	5,203	5,2
Satürn	9,539	10
Uranüs	19,182	19,6
Neptün	30,058	38,8
Pluton	39,400	77,6

Bode yasasını belirleyen dizide, sayıların sisteme uygunluğundan (Neptün ve Pluton hariç) tek sapma, sıralamada Mars ile Jüpiter arasındaki düzensizlikti. Gelişmiş teleskoplarla yapılan gözlemler, gerçekten, arada bir başka gezegenin var olmasını gerektiren Bode dizisini doğrulayan sonuçlar verdi. Bu iki gezegenin arasında, Bode yasasına göre bir başka gezegenin olması gereken yerde, çok sayıda irili ufaklı asteroidin oluşturduğu bir "kuşak" yer alıyordu. Bu kaya ve maden dağlarının kütlelerinin toplamı bir gezegen oluşturamayacak denli az olsa da, bu keşifle birlikte hem Bode yasası doğrulanmış, hem de bir zamanlar asteroidlerin olduğu bölgede yer alan bir gezegenin, göksel bir çarpışma sırasında kısmen parçalandığını gösteren işaretler elde edilmiş oldu.

Geçen yüzyıldaki araştırmalar, böylesi bir başka kuşağın, Pluton'un ötesinde de yer aldığının saptanmasıyla sonuçlandı. Adını Hollandalı astronom Kuiper'den alan bu küçük kaya ve maden dağlarından oluşmuş bölge, dokuzuncu gezegenin ötesinde bir başka "asteroid tarlası" biçimlendiriyor ve dolayısıyla bir başka göksel çarpışmanın ipuçlarını veriyordu. Ne var ki, Uranüs'ün keşfinden itibaren başlayan; yörüngeleri etkileyecek oranda güçlü bir çekim etkisine sahip gök cismi arayışında "Kuiper Kuşağı" da beklenen yanıt değildi.

Yirminci yüzyılın ikinci yarısında, azımsanamayacak sayıda astronom, güneş sisteminde bir büyük gezegenin daha varolması gerektiğini düşünmeye başlamıştı. Bu doğrultudaki çalışmalar o denli yoğunlaştı ki, henüz varlığı saptanamamış bu göksel cisme daha 1970'lerden itibaren "Gezegen X" denmeye başladı.

1983 yılında, bu doğrultudaki ilk çarpıcı haber, NASA'nın uzaya yerleştirdiği IRAS (Infrared Astronomical Satellite - Kızılötesi Astronomik Uydu) adlı gözlem aracından gelecek ve basına şöyle yansıyacaktı:

"Yörüngeye yerleştirilmiş bir teleskop, Orion takımyıldızının yönünde, muhtemelen dev gezegen Jüpiter kadar büyük ve güneş sistemimize ait olma olasılığı bulunan bir gök cismi saptadı."[125]

Bu haber yalnızca astronomi dünyasına değil, basına da bomba gibi düşecekti. Bulguyu elde eden IRAS'tan sorumlu ekip, soru yağmuruna "Bunun ne olduğunu bilmiyoruz" benzeri kaçamak yanıtlar vermekten fazla bir şey yapamadı. Bir süre sonra, NASA bu konuyu bütünüyle rafa kaldırmış görünürken, medya da onuncu gezegene olan ilgisini yavaş yavaş yitirdi. Ama 1987'den itibaren NASA, giderek daha büyük bir bütçe ayırarak uzaya çok gelişmiş ve son derece pahalı teleskoplar yerleştirmeye başlayacaktı.

Yirminci yüzyılın sonuyla birlikte, Gezegen X'e yönelik bulgu ve haberler yeniden çeşitlenmeye başladı. Internet üzerindeki prestijli bilim sitelerinden ExploreZone'da 7 Ekim 1999 günü Robert Roy Britt imzasıyla yayımlanan haber, belki de bunların en çarpıcılarından biriydi:

"Pluton'un ötesindeki büyük kütleye sahip bir nesne tarafından yörüngeleri etkilenmiş görünen 13 kuyrukluyıldız üzerindeki araştırmasını bitiren bir İngiliz bilim adamı, güneş çevresinde dönmekte olan çok büyük bir gezegenin varlığını duyurdu. Bundan ayrı olarak üç astrofizikçi, güneş sistemimizin

---

[125]Washington Post gazetesi, 30 Aralık 1983

2012: Marduk'la Randevu 255

içlerinde gizlenen bir 'kahverengi cüce' olduğunu öne sürdüler. Kahverengi cüceler, gerçek yıldız olmalarını sağlayacak yakıtı hiçbir zaman edinemeyen 'yıldızımsı'lar olarak tanımlanıyor ve Jüpiter'den kat kat daha büyük kütlelere sahip olabiliyorlar."[126]

Britt'in haberinde sözü edilen İngiliz bilim adamı, Royal Astronomic Society'nin Ekim 1999 tarihli bültenine bu konudaki araştırmalarıyla ilgili bir rapor yazan, Açık Üniversite profesörü John Murray'di. Elindeki bulguları ilk kez 1996 yılında elde eden Murray bu raporu hemen hazırlamış, ancak tezi bilimsel yayınlarca ısrarla reddedildikten sonra nihayet 1999 Ekim'inde dikkate alınmaya başlamıştı. Aynı haberde "kahverengi cüce" teziyle ilgili olarak adı geçen bilim adamlarının proje yöneticiyse, Louisiana Üniversitesi'nden profesör John Matese'ydi. Araştırmaları sonucunda Matese, güneş sisteminde şimdiye dek bilinmeyen çok sayıda gezegen ve kahverengi cüce olabileceğini; bulgularda ortaya çıkan kahverengi cüceninse bu yakınlarda net olarak saptanacağını umduğunu vurguluyordu.

Yaklaşık bir buçuk yıl kadar sonra, 2001 ilkbaharında, saygın bilim yayınlarından Science News'da yayımlanan ve "Bir kuyrukluyıldızın garip yörüngesi, gizli bir gezegenin varlığına işaret ediyor" başlıklı haber, en az Britt'in yazısı ve IRAS kaynaklı haber kadar sansasyon yarattı:

"Güneş sisteminin bilinen dokuz gezegeninin ötesinde, kütlesi Mars kadar büyük bir başka gezegen bir zamanlar güneş sistemimizin bir parçası olmuş ve hâlâ da oralarda dolaşıyor olabilir. Her ne kadar, önerilen gezegen dünyadan görülemeyecek denli uzak olsa da, kütlesinin bir kuyrukluyıldızın yörüngesi üzerinde yarattığı çekim etkisi bir yıl kadar önce saptandı."[127]

Yazıda, söz konusu gezegenin Pluton'un ötesindeki Kuiper Kuşağı çevresinde olabileceği üzerinde duruluyor ve CR105 adı verilen kuyrukluyıldızın yörüngesi üzerinde yaptığı çekim etkileri anlatılıyordu. Her ne kadar somut olarak belirlenip görün-

[126]Robert Roy Britt, "Possible 10th and 11th planet-like objects orbiting the Sun", ExploreZone.com, 7 Ekim 1999
[127]Science News, 7 Nisan 2001

256 Burak Eldem

tüleri elde edilmiş olmasa da, bir onuncu (hatta belki de on birinci, on ikinci vb.) gezegenin varlığı giderek saklanamaz hale geliyor; "dokuz gezegenli güneş sistemi" modeli yavaş yavaş tarihe karışmaya hazırlanıyordu.

Kuşkucu ekol içinde yer alan ünlü gökbilimci Patrick Moore, "Artık bugün, Pluton'un, Lowell'ın aradığı X Gezegeni olmadığı konusunda en ufak bir şüphe yok. Hatta Pluton'u bir gezegen olarak nitelemek bile yanlış olur" diyor.[128] Moore'a göre "onuncu gezegen"in varlığı tartışma götürmeyecek denli açık:

"X Gezegeni oralarda bir yerlerde. Çok soluk olsa gerek. Dolayısıyla onu, nereye bakacağımız konusunda en ufak bir fikrimiz olmadan, bulma ihtimalimiz oldukça düşük."[129]

Bağımsız bilim adamlarının bu doğrultudaki görüşlerine ve 1983 ve 2001'de elde edilen bulgulara rağmen, olası bir onuncu gezegenin varlığını kabul etmemekte ısrarcı bir tavrın, hatta konunun üzerini örtme çabalarının anlamı ve nedeni ne olabilirdi? Resmi, akademik bilimsel çevreler ve bürokrasi niçin ısrarla bu konudan uzak durmaya çalışıyordu?

Çünkü, varlığı hissedilmekle birlikte henüz saptanamamış olan söz konusu onuncu gezegen, bundan en az beş bin yıl önceki atalarımız tarafından biliniyor ve anlatılıyordu da ondan! Babil Yaratılış Destanı Enuma Eliş, güneş sistemindeki gezegenlerin "kader tabletlerine", yani yörüngelerine kavuşmalarını şiirsel ve sembolik bir dille anlatırken bütün tanrıları gezegenlerle eşleştiriyor; kozmik düzeni oluşturan ve "çok uzaklardan hızla gelen" büyük göksel cismi de en büyük tanrısının yerine koyuyordu: Marduk. Enuma Eliş'e göre güneş sistemindeki yörüngeler Marduk'un neden olduğu göksel çarpışmalar sonrasında netleşmiş; bir başka deyişle "yazgılar çizilmiş"ti. Sümer dilinde bu gezegene "Nİ.Bİ.RU" deniyordu, yani "geçiş gezegeni".

[128]Patrick Moore, "Gezegenler Klavuzu", s: 224
[129]Patrick Moore, a.g.e s: 230

Sitchin ve "12. Gezegen"

1976 yılında, henüz IRAS ve Science News tarafından duyurulan esrarengiz "yeni gezegen" haberleri ortada yokken, eski Yakındoğu dilleri alanında uzman nitelemesini hak edecek oranda bilgili bir araştırmacı, yaklaşık otuz yıldır üzerinde çalıştığı kitabını yayımladı. Bu, aslında altı kitap sürecek ve yazarı tarafından "Dünya Tarihçesi" olarak adlandırılacak oylumlu bir dizinin ilk kitabıydı: "12. Gezegen".

Zecharia Sitchin, yetmişli yılların ikinci yarısından itibaren "Dünya Tarihçesi" dizisinden yayımladığı her kitapla ilgileri üzerinde topladı ve ciddi tartışmalar yarattı. Bilinen ve öğretilen bütün tarihi kökünden sarsacak bir teoriydi Sitchin'inki: Şu efsanevi "Gezegen X" ile ilgili, şaşırtıcı, çarpıcı ve büyüleyici şeyler anlatıyordu:

Sitchin'e göre, güneş sistemimizin Pluton'un ötesindeki bilinmeyen üyesi, Babillilerin Marduk, Sümerlerin de Nİ.Bİ.RU adıyla tanıdığı, yaratılış mitinde göksel çarpışmanın kahramanı olarak anlatılan gezegendi. Güneş çevresinde yaklaşık 3600 yıl süren, elips biçiminde bir yörünge çiziyordu bu gezegen ve turunu tamamladığında, (daha önce çarpışmanın gerçekleştiği) Mars ile Jupiter arasındaki asteroid kuşağının hizasından güneşe yaklaşıyor, bu sırada dünyadan da parlak kırmızı renkleriyle görünür hale geliyordu. Eski Mezopotamya'da sayı sisteminin altmışlı (sexagesimal) taban üzerine oturması; dairenin 360 derecelik bir açıya sahip olması ve "Şar" olarak adlandırılan 3600 sayısının "tanrısal" kabul edilmesi, hep bu gezegenin 3600 yıllık yörüngesiyle ilişkiliydi. Yörüngesi güneşten hızla uzaklaşmaya başladıktan sonra yeniden görünür hale gelmesi ancak 3600 yıl sonra gerçekleştiğinden, henüz onu tanımıyor ve bilmiyorduk. Ama bütün eski uygarlıklar Marduk'un farkındaydılar ve ona duydukları büyük saygıyı, Yakındoğu'nun her yerinde rastlanan "kanatlı disk" amblemiyle sabitleştirmişlerdi. Antik toplumlar için o, "tanrıların gezegeni"ydi. Eski Mezopotamya'da gökyüzü ile ilgili ölçümlerde güneş ve ay da hesaba katıldığı için, Marduk onun kitabında "12. Gezegen" adını aldı.

Sitchin bütün bunları kendi düşgücünden yaratmıyordu el-
bette. Sümerce, Akatça ve İbranice başta olmak üzere bütün es-
ki dilleri ve onların özgün yazılarını okuyup çevirebiliyordu.
Yaklaşık otuz yıl boyunca, Mezopotamya ve Mısır'da bulunmuş
kil tabletlerin ve papirüslerin, taş yazıtların büyük çoğunluğu-
nu deşifre etti, okudu, sınıfladı ve binlerce sayfa not aldı. So-
nuçta, bu uzun, sabırlı ve inatçı araştırmadan, altı ciltlik "Dün-
ya Tarihçesi" çıktı.

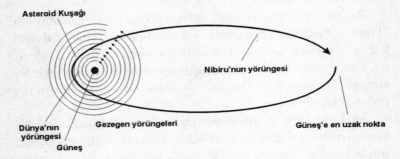

Şekil 4: Zecharia Sitchin'e göre Nibiru/Marduk'un yörüngesi

Sümer astronomisine ilişkin tabletlerde ve Babil dönemine
ait silindir mühürlerde sık sık bu gizemli gezegenin varlığından
söz eden ifadelere rastlanıyordu. Yıldız ya da takımyıldızları ni-
telemek için başvurulan MUL sözcüğünün kimi zaman
MUL.MUL biçiminde kullanılması, tabletleri inceleyen bilim
adamlarını epey şaşırtmıştı ilk zamanlarda:

"Mezopotamya metinleri sık sık MUL.MUL'un yedi
LU.MAŞ ("tanış gezinen") içerdiğinden söz etmektedir ve bil-
ginler bunların Pleiades takımyıldızının, çıplak gözle görülebi-
len en parlak üyeleri olduğunu varsaymışlardır. Ancak sınıflan-
dırmaya göre, grubun yedi değil de ya altı ya da dokuz parlak
yıldızı olması durumu bir sorun yaratmaktaydı; ama bu durum,
MUL.MUL'un anlamı için daha iyi fikirleri olmadığından, bir
yana itiliverdi."[130]

[130]Zecharia Sitchin, "12. Gezegen", s: 215

Sitchin'e göre, yıldız nitelemesini iki kez üst üste içeren MUL.MUL, doğrudan güneş sistemimizi anlatmak için kullanılan bir terimdir. İçindeki yedi LU.MAŞ, yani "gezegen"in, çıplak gözle izlenebilen Merkür, Venüs, Mars, Jüpiter ve Satürn'ün yanı sıra, çok uzun aralıklarla ortaya çıkan Nibiru/Marduk'u ve elbette dünyayı da içerdiği düşünüldüğünde bu son derece mantıklı bir açıklamadır. Sitchin bunlara, bir Akat silindir mühründe yer alan 12 gök cisminden oluşmuş "güneş sistemi" betimlemesini de ekler. Ona göre, Sümerler çıplak gözle izlenemeyen Uranüs, Neptün ve Pluton'dan da haberdardırlar. Güneş ve Ay'ın da katılımıyla MUL.MUL'un gerçek büyüklüğü, 12 gök cismini içerecek biçime gelir.

Eğer Sitchin "Dünya Güncesi"nde yalnızca bu olgudan, yani güneş sisteminin en dışında kuyrukluyıldızlara benzer bir yörünge çizen dev ve bilinmeyen bir gezegenden söz ediyor olsaydı, belki bu denli gürültü çıkarmayacak; ortodoks bilim çevrelerinden de bu denli sert tepkiler almayacaktı. Ama o, bunun çok daha ilerilerine gitti:

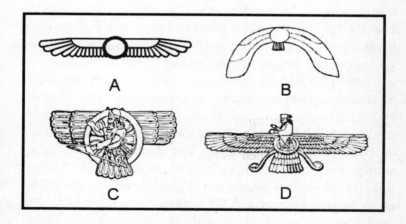

Şekil 5: Yakındoğu kültürlerinin hemen tümünde oldukça sık rastladığımız gizemli "Kanatlı Disk" simgesi - (A) Mısır, (B) Urartu, (C) Asur ve (D) Pers

Nibiru/Marduk gezegeninde biyolojik aktivite dünyamızdan çok önce başlamış ve bu sürecin belli bir aşamasında gezegenler arası yolculuk yapabilecek denli akıllı bir canlı türü ortaya çıkmıştı, Sitchin'e göre. İsa'dan yaklaşık 450,000 yıl önce, Nibiru'nun sakinleri, gezegen dünyamıza yeterince yaklaştığında, uzay gemileriyle yola çıktılar ve İran Körfezi dolaylarına, yani eski Sümer ülkesine indiler. Amaçları, gezegenlerinde yarattıkları yapay atmosferin oluşturulmasında çok gerekli olan altın ve gümüş gibi değerli madenleri dünyamızdan çıkaracak ve "kargo" halinde ilkin yörüngedeki uzay istasyonuna, sonra da Nibiru'ya ulaştıracak bir tür "kolonizasyon" çalışması yapmaktı. Sitchin'e göre ekibin başında, gezegenin yönetici ailesinden, bir bilim adamı vardı: Sümerlerin EN.Kİ adıyla bildiği "Su Tanrısı"ndan başkası değildi bu. Çok uzun yıllar denizlerden ve su altındaki bölgelerden altın çıkardılar, ama çalışmalar istenen hızda yürümeyince, yine Nibiru Hanedanı'ndan bir başka yönetici geldi ve koloninin çalışma alanını ve şartlarını değiştirdi. Bu yeni yönetici, EN.LİL'di, yani Sümer'in hava tanrısı ve EN.Kİ'nin küçük kardeşi. Çalışmalar bu kez başka bir bölgeye, Güney Afrika'ya kaydırıldı ve orada çok sayıda altın madeni kazılarak kargo trafiği yeniden hızlandırılmaya başladı. Ne var ki, iş çok ağır ve zahmetli, çalışan ekip de sınırlı sayıdaydı. Nihayet bir gün ağır çalışma koşullarına dayanamayan Nibiru sakinleri isyan çıkardılar ve bütün işler durdu. Yapılan olağanüstü toplantılar sırasında, Sümer panteonundaki Ana Tanrıça NİN.MAH da gezegenimize geldi ve bir inceleme gezisinin ardından, EN.Kİ ile birlikte, "orta vadeli" yeni bir çözüm önerdi: Halen dünyada evriminin geri aşamalarında bulunan "insansı maymun" üzerinde genetik bir çalışma yapılacak ve bu soydan "verilen emirleri anlayıp yerine getirebilecek kapasitede" bir işçiler ordusu yaratılacaktı! İki uzman, uzun süren laboratuar çalışmalarından sonra, kendi genlerini kullanarak, yani "kendi suretlerinde" bu yapay işçi soyunu, insanı ortaya çıkardılar. Bundan böyle Nibiru ekibi ağır işler altında ezilmeyecek, madenlerde LULU AMELU adlı bu işçiler çalıştırılacaktı. Sitchin'e göre, Nibiru sakinlerinin yaşam süreleri, insana göre çok daha uzundu, çünkü biyolojik saatleri kendi gezegenlerinin 3600 yıllık yörüngesine göre ayarlanmıştı. Bu nedenle, onlar tarafından yaratılan insan nesli "tanrılarını" ölümsüz sanacak; onların uzay gemileriyle havalanıp yeniden dönüşlerini izlediklerinde, "gökten yere inenler" anlamında bu üstün varlıklara "Anunnaki" adını verecekti. Bu, Eski Ahit'te belirip sonra ortadan yok olan "Nefilim" sözcüğüyle hem dilbilimsel yapı olarak hem de anlam açısından bire bir aynı sözcüktü Sitchin'in teorisine göre.

İlk başta kulağa bir bilimkurgu senaryosu gibi gelen bu teori, aslında yirminci yüzyılın son çeyreğine giren insanlar için hiç de yabancı değildi. Sitchin'den yedi yıl önce İsviçreli bir bağımsız araştırmacı, Erich Von Däniken, birçok dile çevrilip milyonlarca satan "Tanrıların Arabaları" adlı kitabında, çok eski yıllarda gezegenimize inen ve kentleri kurup büyük anıtları inşa eden, üstün teknolojiye sahip uzaylılardan bol bol söz etmişti. Hatta çok kısa bir süre içinde aynı yolu izleyenlerce bir "janr" haline gelen bu bakış açısına "Eski Astronot Teorisi" (Ancient Astronaut Theory) adı bile verilmişti. Ne var ki gerek sunulan tezlerin iç bütünlüğü, gerekse izlenen yöntem açısından Sitchin'in "12. Gezegen"i birçok anlamda Däniken ve diğer yazarların çalışmalarından oldukça farklıydı. İlk çalışması "Tanrıların Arabaları"ndan itibaren art arda yayımladığı kitaplarında Däniken, yalnızca ilgi uyandırıcı ve kafa kurcalayıcı sorular sormakla yetindi okurlarına. Sonra, bu sorulara, çoğu kez salt tahmin ve düşgücüne dayalı spekülatif yanıtlar getirdi. Kitapları, "daldan dala uçan" bir sunuş yöntemi izlediğinden, her birinde bu sorulardan bol miktarda bulunuyor, ama bunlara önerdiği spekülatif yanıtların belli bir iç tutarlılığa sahip olması gibi bir kaygı duymuyordu Däniken. Oysa Sitchin'in kitapları, bütünüyle özgün bir yönteme ve bakış açısına dayanıyordu: O hiçbir şeyi düşgücüyle uydurmamış; yalnızca eski Sümer, Babil, Fenike, Mısır, İran, İbrani ve Hint metinlerinde anlatılanları belli bir sistematiğe oturtarak bugünün dillerine çevirmekle yetinmişti. Yöntemsel fark, yaklaşıma dayanıyordu: Bilim adamlarının fantezi, mit, efsane olarak değerlendirip ayrı bir rafta sınıfladığı anlatıları Sitchin, "tarihsel veriler" olarak kabul edip okudu ve ortaya "Dünya Tarihçesi" dizisindeki kitaplar çıktı.

Şekil 6: Kassit dönemine ait bir Akat silindir mührü. Sitchin'e göre gökyüzündeki "haç", Nibiru gezegenini simgeliyor. (Kaynak: Percy S. Handcock, "Mesopotamian Archaeology")

Sümerlerin "Anunnaki" dedikleri, Nibiru gezegeninden dünyamıza inen üstün varlıkların yaptığı işleri anlatan antik metinler ve binlerce tablete gizlenmiş bulgu doğru sıraya dizilip, bugünün terminolojisiyle yeniden yazıldığında, ortaya böylesine çarpıcı (ve katışıksız "Antik") bir teori çıkıyordu. İşin daha da merak körükleyici yanı, Sitchin'in önerdiği "alternatif tarih"in, çağdaş bilimin çözmekte epey zorlandığı ve büyük tartışmalar yaratan iki çok temel konuya da, kendi içinde tutarlı açıklamalar getirmesiydi: Bunlardan birincisi, bu bölümün başından beri sözünü ettiğimiz "onuncu gezegen"in varlığı konusuydu. İkincisiyse, evrim sürecinde üst-insansı atamızdan homo sapiens'e ani geçişte, bilim adamlarının bir türlü bulamadığı "eksik halka" (missing link) sorunuydu. Sitchin'in tezine göre bu geçiş Darwin'in önerdiği "doğal eleme" yöntemiyle değil, biraz "Yaratılış" yaklaşımını destekler biçimde dış müdahaleyle sağlanmıştı.

Altı kitap boyunca Sitchin, Anunnaki ırkının dünya üzerinde gerçekleştirdiği işleri; kendi aralarındaki sürtüşme ve kavgaları; hanedan ilişkilerini ve savaşlarını anlattı. Bunu yaparken de, okurlarını Mezopotamya'dan Mısır'a; Hindistan'tan Meksika'ya dek uzanan renkli gezilere çıkardı. 1999 yılında "Kozmik Şifre" (The Cosmic Code) ile dizi tamamlandığında, dünyanın son 500,000 yılıyla ilgili önerdiği kronoloji de çıkmıştı ortaya. (Bu süreç içinde Sitchin "Dünya Tarihçesi"ni oluşturan 6 kitaba ek olarak "tamamlayıcı" nitelikte 3 kitap daha yazdı.) Bu ilginç ve fantastik kronolojiden seçtiğimiz kritik bölümler, aşağıdaki tabloda görülüyor:[131]

Zecharia Sitchin'e göre "Dünya Tarihçesi"

Yıl (İsa'dan Önce)	Olaylar
445,000	Enki önderliğinde Nefilimler, On ikinci Gezegen'den dünyaya gelirler. Güney Mezopotamya'da Eridu, yani "Dünya İstasyonu I" kurulur
415,000	Enki karanın iç kısımlarına hareket eder, Larsa'yı kurar
300,000	Anunnaki isyanı. İnsan, yani "İlkel İşçi", Enki ve Ninhursag tarafından yaratılır
250,000	"İlk homo sapiens"ler çoğalır ve diğer kıtalara yayılırlar.
49,000	Enki'nin sadık hizmetkârı olan Ziusudra'nın ("Nuh") hükümdarlığı başlar
13,000	Yaklaşmakta olan On ikinci Gezegen'in başlatacağı muazzam gel-git dalgasının farkında olan Nefilimler, insanlığın yok olması için and içerler
10,800	Tufan, Dünya'nın üzerinden silip süpürerek geçer; buzul çağını aniden sona erdirir

İlk bakışta son derece "çılgınca" görünen bu fazlasıyla "devrimci" teori, Sitchin'in antik metinlerden deşifre ettiği parçalar-

[131]Zecharia Sitchin, "12. Gezegen", s. 436-437

da anlatılanlar, uygarlığımızın başlangıcıyla ilgili iç gıcıklayıcı, gölgede kalmış gizemlere birer birer oturdukça, giderek "makul" bir görünüm almaya başlar. Bunda elbette Sitchin'in başarılı kurgu ve üslubunun payını vurgulamak gerekiyor ama asıl çarpıcı noktalar, bir kez bile ciddiye alarak okuma gereğini duymadığımız ve "mitoloji" sınıfında değerlendirdiğimiz o eski tablet ve papirüslerde saklı.

İnsanın yaratılışıyla ilgili Sümer mitlerinin Genesis kitabına "ithal edildiğini" anlattığımız bölümlerde, Tİ sözcüğünün hem kaburga hem de "yaşam özü" anlamına geldiğinden söz etmiştik, anımsayacaksınız. Yaratılış mitinin kritik anlarını betimleyen Sümer resimlerinde, bu sahnenin başrolüne, bizim "tıp amblemi"ne çok benzeyen, birbirine sarılmış iki yılanın yerleştirildiğini de belirtmiştik. Sitchin'e göre bu, Sümerlerin anlayabildiği kadarıyla DNA'nın ikili sarmalının resmidir. Bütün eskiçağ geleneklerinde altının "tanrıların madeni" olarak görülmesinin ve çok değerli kabul edilmesinin nedenini Sitchin, bu madenin Anunnakiler için çok gerekli olmasıyla açıklar; dünyamıza onu elde etmek için gelmişlerdir zaten. Bütün eski mitolojilerde "çok sayıda ölümsüz tanrı"dan söz edilmesi, yine Sitchin'e göre onların bize kıyasla binlerce yıl fazla yaşamalarından, çünkü biyolojik saatlerinin güneşi 3600 yılda bir turlayan kendi gezegenlerine göre ayarlı olmasından kaynaklanmaktadır. Bu yaklaşım, Sümer Kral Listeleri'nde "fantastik" sayılacak derecede uzun yaşam sürelerine sahip kralların varlığını da açıklar. Eskiçağ mitlerinde tanrıların birbirleriyle olan savaşları, Sitchin'e göre dünyadaki koloninin yönetiminde söz sahibi olabilmek içindir. Bu hırsın sonucunda "nükleer silah" kullanacak kadar ileri gidildiğini anlatan Sitchin, Sina yarımadasındaki, bilimin açıklama getiremediği "yanmış ve siyahlaşmış kayalar"ın bu savaşın izleri olduğunu öne sürer.

Buna benzer çok sayıda irili ufaklı ayrıntının dışında Sitchin, evrim teorisinde *homo sapiens*'in ortaya çıkışını kesin olarak açıklayacak "eksik halka"ya hiçbir zaman ulaşılamayacağını; çünkü bu aşamanın Anunnaki soyunun üst-insanı dediğimiz türe genetik müdahalesiyle gerçekleştirildiğini ileri sürerek oldukça derin bir tartışma başlatır. Onun yaklaşımı, kutsal metinlerde "Tanrı'nın insanı kendi suretinde yaratması" muammasına da açıklık getirmektedir bir anlamda. Diğer yandan, Genesis ve Enoch'un Kitabı'nda sözü edilen "yasak ilişki"nin Anunnaki erkekleriyle dünyalı kadınlar arasında yaşandığını ve böylece Enlil'in belirlediği "koloni kuralları"nın çiğnendiğini; Tufan'ın bu nedenle insana haber verilmediğini, çünkü yok olmasının istendiğini ileri sürerek bir başka muamma için de alternatif açıklama sunar. Arkeolojiyle ilgili kimi ayrıntılarda dedektif gibi iz sürmesi ve derin araştırma yapması sayesinde de, çoğu zaman göz kamaştırıcı sonuçlara ulaşır. Bunun en güzel örneklerinden biri, dizinin ikinci kitabı "Gökyüzüne Uzanan Merdiven"in ("Stairway To Heaven") sayfaları arasındadır: Sitchin Mısır üzerine eğildiği bu kitabında, Giza'daki Büyük Piramit'in firavun Khufu (Keops) ile ilişkilendirilmesini sağlayan tek olgu durumundaki, üst odanın duvarına çizilmiş firavunun adını taşıyan kartuşun, ün kazanmak isteyen bir arkeologun[132] on dokuzuncu yüzyılda yaptığı acemice bir sahtekârlık olduğunu tartışma götürmez biçimde kanıtlar.

Dizinin ilk kitabı "12. Gezegen", bu oylumlu teoriyle okuru tanıştıran "giriş" bölümü niteliğindedir ve Nibiru'nun varlığından; Anunnakilerin gezegenimize inip kolonizasyon sürecini başlatmalarından; işgücü kaynağı oluşturmak için genetik müdahaleyle insanı yaratmalarından söz edip, Sitchin'in İ.Ö. 10,800'de gerçekleştiğine inandığı Tufan'a dek gelir. Bu arada, dünyaya yerleşen Nibiru sakinlerinin, yani Mezopotamyalıların güçlü "tanrılarının", kendi aralarındaki iktidar mücadelesi ve hanedan savaşıyla ilgili ilk bilgileri de sunar. Hanedanın başı,

---

[132] Söz konusu kişi, Giza'nın üçüncü (en küçük) piramidindeki lahitte de firavun Menkaure'nin (Yunanca adıyla Mikerinos) kemiklerini bulduğunu iddia eden; ancak yapılan inceleme sonucunda kemiklerin hıristiyan döneme ait olduğunun anlaşılmasıyla "sahtekârlığı" tescil edilen Albay Howard Vyse'dır. Vyse daha sonra, Büyük Piramit'in üst odasının duvarlarında da firavun Khufu'dan (Keops) söz eden hiyeroglif metinler "bulmuş", yalnızca ve yalnızca bu bulgudan yola çıkan ejiptoloji de piramidin Khufu tarafından yaptırıldığını kabul etmiştir. "Stairway To Heaven" adlı kitabında Sitchin, acemice yazım hatalarıyla duvara eklenmiş bu hiyerogliflerin Vyse'ın yaptığı beceriksizce bir sahtekârlık olduğunu net biçimde ortaya koyar.

kral An'dır, ancak Sümer'in bu heybetli Gök Tanrısı dünyaya çok seyrek gelmekte, Nibiru'daki sarayında yaşamaktadır. Dünya kolonisindeki iktidarı ele geçirmek için iki oğlu, Enlil ve Enki arasında kıyasıya bir mücadele yaşanır. Enki ilk doğan oğuldur, ancak Enlil, An'ın "yarım kızkardeşi" ile yaptığı evliliğin ürünü olduğu için hanedandaki konumu ondan daha güçlüdür. Ay Tanrısı Nanna'nın (Sin) kızı olan İnanna, iktidar mücadelesine değişik evrelerde katılacak ve farkı cephelerde yer alacaktır.

İkinci kitap "Gökyüzüne Uzanan Merdiven"de ("Stairway To Heaven") Sitchin, insanoğlunun ölümsüzlük tutkusuna eğilir ve bu düşüncenin en çarpıcı görünümlerini sergilemek üzere Mısır'da yoğunlaşmaya başlar. Mezopotamya'da kurulan Anunnaki kolonisi, İ.Ö. 10,500 dolaylarında (yani Sitchin'e göre Tufan'dan hemen sonra) daha geniş bir coğrafyaya yayılmaya başlamış; Nil vadisindeki yeni krallığı oluşturma ve yönetme işlevini Enki üstlenmiştir. Sitchin, Enki'nin oğlu Marduk ile Mısır'ın büyük tanrısı Ra'nın aynı kişi olduğunu kanıtlamaya çalışır. Diğer yandan, Mısır mitolojisinin en temel motiflerinden biri olan Osiris ile Seth'in savaşını ve Horus'un babası Osiris'in intikamını alışını, iç iktidar savaşlarının Mısır'daki görünümleri olarak değerlendirir.

Anunnaki Hanedanı içinde giderek daha yoğun ve ateşli biçimde yaşanmaya başlayan iktidar savaşlarının en kritik aşaması, dizinin üçüncü kitabı "Tanrılarla İnsanların Savaşları"nda ("The Wars Of Gods And Men") ele alınır. Sitchin'e göre Marduk, babası Enki'ye yapılan haksızlığı hazmedememiş ve dünya kolonisine "Enki ailesinin temsilcisi" olarak el koymak istemiş; ilk girişimleri başarısızlıkla sonuçlanınca diğer tanrılarca yakalanıp sürgüne gönderilmiş; ancak sonuçta yılmayıp yeniden ortaya çıkmış ve bir "darbeyle" Babil'e el koymuştur. Marduk'un bin yıllara yayılan iktidarı elde etme girişimleri bir şekilde tanrıların ve insanların yan yana savaştığı büyük çatışmalara neden olacak; sonuçta onu durdurmak isteyen diğer Anunnaki grubu, İ.Ö. 2048'deki son savaşta "nükleer silah" kullanmak durumunda kalacaktır.

Yeni Dünya'nın antik uygarlıklarının serüvenleri, dizinin dördüncü kitabı "Yitik Krallıklar"da ("The Lost Realms") ele alınır. Sitchin'e göre Nibiru'nun ihtiyacı olan madenleri çıkarmak üzere dünyanın diğer ucunda yeni kaynaklar aranmış ve sonuçta And Dağları'nda, Titikaka gölü yakınlarında ve Orta Amerika'da, Meksika'da yeni yerleşim bölgeleri yaratılmıştır. Afrika'da yaratılan "işçiler"in buraya taşınması ve yeni kentlerin kurulması işlemini de, Enki ailesinden Thoth üstlenmiştir. Mısır'da yazının ve bilgeliğin tanrısı olarak bilinen Thoth, Sitchin'e göre Meksika'nın Quetzalcoatl/Kukulkan ve And Dağları'nın Viracocha adlı tanrılarıyla aynı kişidir.

Beşinci kitap "Zamanın Başlangıcı" ("When Time Began"), Sitchin'in eski uygarlıkların astronomi ve takvimlerinin doğuşuna yaptığı bir yolculuktur. Babil zigguratlarını, İngiltere'deki Stonehenge'i, eski toplumların astronomik gözlem gelenekleriyle ilgili ayrıntıları bu kitapta buluruz. Dizinin finaliyse, eski metinlerde ve gökyüzü haritalarında, tapınaklarda, hatta DNA'nın yapısında saklı bulunan "şifrelerin" araştırıldığı "Kozmik Şifre" ("The Cosmic Code") ile gelir. İlerleyen zaman içinde Sitchin "Başlangıca Dönüş" ("Genesis Revisited"), "Tanrıyla Karşılaşmalar" ("Divine Encounters") ve "Enki'nin Yitik Kitabı" ("The Lost Book Of Enki") adlı tamamlayıcı nitelikteki kitaplarını da yayımlayacaktır.

Sonuçta, kolayca üstü çizilemeyecek, titiz bir okumayı fazlasıyla hak eden yapıtlardır Sitchin'in "Dünya Tarihçesi"ni oluşturan kitaplar. Özellikle de (Anunnaki ırkıyla ilgili tezleri bir yana bırakalım) esrarengiz onuncu gezegen Nibiru/Marduk'un varlığıyla ilgili sunduğu kanıtlar ve ayrıntılı açıklamalar son derece çarpıcıdır. Enuma Eliş'i sıradan bir mit gibi düşünmeyip, içindeki üzeri örtülü astronomi kırıntılarını deşifre etmesi sayesinde, çoğu eskiçağ toplumunda "tanrıların gezegeni" olarak düşünülen bir gök cismine dikkatimizi çekmiş ve bunun dev bir kuyrukluyıldızı andırdığını ileri sürerek Gezegen X tartışmalarına oldukça farklı ve "eski" bir boyut getirmiştir. Diğer yandan uzay ve zaman kavramlarının iç içeliğinden yola çıkarak, eski Mezopotamya toplumlarında kullanılan büyük zaman birimlerini de bu gezegenin yörünge süresiyle açıklamıştır. Babil'de "Şar" adıyla bilinen 3600 yıllık bir döngünün çok uzun vadeli zaman hesaplarında kullanılması; Berossus'un Tufan öncesi dönemlerdeki kralların taht sürelerini "Şar" cinsinden hesaplaması, bu garip zaman biriminin Babil gibi gökyüzü gözlemciliğiyle ünlü bir toplumun bilgi dağarcığında, bir astronomik karşılığı olması gerektiğine işaret etmektedir zaten. Sitchin bunu deşifre etmeyi başarmıştır: Şar, Nibiru/Marduk'un, yani Gezegen X'in yörünge süresidir.

Bilim ve inanç

Ancak Zecharia Sitchin, bol miktarda soru işareti de yaratır tezlerini anlatan kitaplarında. Çoğu kez Eski Ahit'i geçerli bir tarihsel kaynak olarak bire bir kullanması ve aktardığı metinleri Sümerce, Akatça versiyonlardan eklektik bir kolaj haline getirmesi bir yana, bunlara her fırsatta Eski Ahit'ten yaptığı alıntıları monte etmesi, biraz şaşırtıcıdır. Oysa neredeyse Genesis'teki bütün ana temaların Mezopotamya kaynaklarından alındığını ve tektanrılı şablona oturtulabilmek için "redakte edildiğini", altı kitaplık dizi boyunca kendisi de sık sık vurgulamaktadır. Bir süre sonra, "Dünya Tarihçesi" içinde ilerledikçe, bir başka şeyi fark edersiniz: Sitchin, metinlerin paralelliğini, aslında Eski Ahit'i ve İbrani inanç sistemini doğrulamak için kullanmaktadır! İbrahim, İshak, Yakup ve Yusuf, bire bir gerçek tarihsel kişiliklerdir Sitchin'e göre; dahası, onların yaşadıkları olaylara ilişkin Eski Ahit'teki bütün ayrıntılar da Sitchin'den "tarihsel kayıt" muamelesi görmektedir. Genesis ve Exodus kitaplarında belirtilen bütün o "yuvarlak" süreleri Sitchin, doğrudan doğruya geçerli zaman verileri olarak kabul eder: Ona göre İbraniler Sina'da gerçekten 40 yıl dolaşmışlardır; Mısır'da yaşadıkları "esaret" gerçekten 400 yıl sürmüştür; çıkışlarının 480 yıl sonrasında Süleyman tahta geçmiştir. Dahası, Sitchin İbrahim'in gerçekten de Mısır dönüşü dört büyük kralın ordularını yendiğine ve onları ülkelerine dek kovaladığına inanmaktadır.

Teorinin çarpıcılığı ve sıradışılığının etkisiyle ilk bakışta gözden kaçan kimi ayrıntılar, dizinin ilerleyen kitaplarıyla birlikte netleşmeye başlar: Sitchin İbrahim'in Eski Ahit'te yazıldığı gibi, Sümerlerin Ur kentinden ilkin Harran'a, ardından da Kenan'a gittiğini düşünmektedir. (Bu arada söz konusu geziyle ilgili olarak işaret ettiğimiz 60 yıllık kronoloji hatasını bilerek ya da bilmeyerek görmezden gelir.) İbrahim'in babası Terah'ın Nippur kentinde soylu bir Sin kültü rahibi olduğunu ileri sürer ki, bunun ne Eski Ahit'te bir dayanağı vardır, ne de Sümer metinlerinde. Soyağacındaki Eber'in adını "İbrani" sözcüğünün kökeni olarak öne sürer (ki Genesis'te Eber hiç önemsenmemektedir) ve bunu da Sümer'in Nippur kentiyle bağdaştırır. Bu iddiaya göre İbrahim Sümer toplumunun bir üyesidir, yolculuğuna Ur'dan başlamıştır, ne var ki kendisi "aslen Nippurlu"dur.

İlkin bu ayrıntının üzerinde niçin durduğuna bir anlam vermekte zorlanırsınız; ancak bir süre sonra "niyet" ortaya çıkar: Tarihin bilinen ilk takvimi, Sümer'in Nippur kentinde, arkeolojik bulgulara göre İ.Ö. 3100 dolaylarında ortaya çıkmıştır. Sitchin bu tarihi İ.Ö. 3800'e doğru geri çeker ve Sümer uygarlığının "ani" yükselişinin başlangıcı olarak işaretler. Buna bağlı olarak, Nibiru gezegeninin yörünge geçişini de aynı tarih üzerine yerleştirir: Çünkü Sitchin'e göre gezegenin yeniden dünyaya yaklaştığı dönemler, insan uygarlığında dikkate değer sıçramalar ile eşzamanlıdır. Oysa bunun kendi teorisi açısından çok önemli olmaması gerekir, çünkü Sitchin'e göre Anunnakiler dünyayı gezegenlerinin uzaklaşacağı sırada terk etmez, buradaki "kolonilerinde" kalmayı sürdürürler. Diğer yandan, aslında Nibiru'nun yörünge geçişleri, (Sitchin'in de bizzat vurguladığı gibi), olumlu sonuçlar vermek bir yana, dünya üzerinde uyguladığı güçlü çekim etkisiyle, zincirleme deprem, yanardağ patlaması ve seller gibi büyük afetlere neden olmaktadır. Hepsi bir yana, niçin İ.Ö. 3800 tarihini seçtiğine bir anlam veremezsiniz Sitchin'in; bu tarih onun öne sürdüğü gibi Sümer'in "ani yükselişi" falan değildir; önceki bölümlerde Kramer'den yaptığımız alıntılarla da vurguladığımız gibi, Sümerler bölgeye ancak İ.Ö. 3250 dolaylarında gelmişlerdir. Nippur takvimi de, Tufan için bizim önerdiğimiz 3150 yılının hemen sonrasında başlamıştır.

İşin rengi, çok geçmeden ortaya çıkar: Yahudilerin gelenek-
sel takvimi, İ.Ö. 3760 yılında başlamaktadır. (2000 yılında bu
takvim, 5760 yılını gösteriyordu.) Sitchin bu "inisiyasyon"un
Yahudilere, Sümerler tarafından aktarıldığını kanıtlamaya çalış-
makta; bu nedenle hem takvimin başlangıcını, hem Sümer'in
"yükselişini", hem de Nibiru'nun yörünge geçişini yaklaşık ola-
rak İ.Ö. 3800'e işaretlemektedir. Bunun ardında yatan düşünce,
açık seçik bellidir: Sümer'in dili ve kültürüyle tarih sahnesin-
den hızla çekildiği İ.Ö. 2100 sonrasında bölgede onun kültürel
mirasını Babil krallığı sahiplenmiştir. Ama Sitchin Sümerlere
Anunnakiler, yani "tanrılar" tarafından aktarılan bu değerli bi-
rikimi, İbrahim'in üstlenmesinden yanadır:

"Babil, ardından da Asur, büyüklüğü devralır. Sümer artık
yoktur; ama uzak bir ülkede, ona ait olan miras İbrahim'e, oğ-
lu İshak'a ve adı İsra-El olarak değişen Yakup'a geçecektir."[133]

Niçin Sümer'in kültürel birikimi, aynı bölgede, aynı kültü-
rel değerleri paylaşarak yaşayan Babil ve Asur'un değil de, hay-
vancılıkla uğraşan göçebe bir Sami kabilesinin olmalıdır? Çün-
kü bu iki ülkeden Asur sekizinci yüzyılda İsrail Krallığı'nı yık-
mış, Babil de kısa bir süre sonra güneydeki Yahuda Krallığı'nı
işgal edip halkını sürgüne götürmüştür. Bu nedenle bu iki uy-
garlık, Eski Ahit ideolojisinde "kötülüğün" simgesidirler. Diğer
yandan, İbraniler Tanrı'nın "seçilmiş halkı"dır; Anunnakilerin
"seçtiği halk" olan Sümer'in kültürel mirası, yani "tanrısal" bil-
gi birikimi, elbette onlara geçecektir! Zecharia Sitchin'in içinde
doğup büyüdüğü İbrani kültürüne ve inançlarına bağlılığı, dizi-
nin üçüncü kitabı "Tanrılarla İnsanların Savaşları"nda iyiden
iyiye netleşmeye başlar böylece. Sitchin, bütün bu yorucu ça-
lışmayı, aslında bir tek saplantı uğruna gerçekleştirmiştir: Mu-
sevi inançlarını ve Eski Ahit'i doğrulamak; İbranileri Sümerle-
rin mirasçısı yaparak "seçilmiş halk" motifine tarihsel destek
sağlamak! Bu uğurda, son derece zekice yakalanmış ayrıntılar ve
titizlikle oluşturulmuş bir incelemeye semitik milliyetçiliğin ve
dindarlığın gölgesini düşürür.

[133]Zecharia Sitchin, "The Wars Of Gods And Men", s: 344

Sitchin, İbrahim'i kendi hazırladığı kronoloji üzerinde İ.Ö. 2100 dolaylarına yerleştirir. Onun görüşüne göre Genesis'te İbrahim'in Kenan dolaylarında yaptığı savaş, Enki'nin oğlu Marduk'un isyanları yüzünden başlayan "tanrısal savaş"ın bir parçasıdır ve tam olarak İ.Ö. 2048'de gerçekleşmiştir. Sitchin'in bunca kesinlikle verdiği tarih aslında hiç şaşırtıcı değildir, çünkü Yahudi din bilginlerinin İbrahim'in karıştığı bu "ittifaklar savaşı" için üzerinde anlaşmaya vararak belirledikleri tarih de İ.Ö. 2048'dir. Hemen ardından gelen Sodom ile Gomorra'nın yok edilmesi, Sitchin'e göre nükleer silah kullanılan büyük bir yıkımdır ve sonuçları doğayı uzun yıllar etkileyerek Sümer'in ortadan kalkmasına neden olacaktır. Bu durumda yaşanabilecek bilgi kaybı, Sümer kültürel mirasının İbrahim aracılığıyla onun soyuna, yani İbranilere aktarılmasıyla aşılır. Bu yaklaşıma göre Eski Ahit'te İbrahim'le başlayan anlaşma ve onun soyunun "seçilmiş halk" olarak sunulması, antik Sümer metinleri incelenerek oluşturulan "Anunnaki teorisi"nden de destek almaktadır. Genesis'te Sodom ve Gomorra yerle bir edilmeden önce bunun İbrahim'e haber verilmesi, İbranilerin atasının Orta Doğu'da olan biten olayların merkezinde önemli bir konuma sahip olduğunu göstermektedir Sitchin'e göre. Ancak bu bağlantılar kurulurken, teoride oldukça garip boşluklar ve bol miktarda soru işareti yaratılır:

İbrahim Harran'dan Kenan'a uzanan yolculuğu Yahve'nin emriyle gerçekleştirmiştir; oysa Orta Doğu'daki iki cepheli ittifaklar savaşını Sitchin, Marduk'un neden olduğu bir "Anunnaki Savaşı" olarak anlatmaktadır. Bu durumda Yahve, söz konusu savaşta "taraf" mıdır? Eğer böyleyse, Anunnakilerden biri midir, yoksa "gerçek tanrı" mıdır? Eski Ahit'te Sodom ve Gomorra'yı Yahve yok eder ve bunu önceden İbrahim'e bildirir. Sitchin bu iki kentin Anunnaki Savaşı sırasında nükleer silah kullanılarak yok edildiği kanısındadır. Bu durumda Yahve Anunnakiler arasında mı yer almıştır? Kıtlık sırasında Mısır'a sığınırken karısının güzelliği yüzünden öldürüleceğinden korkan ve onu kız kardeşi olarak tanıtan İbrahim, nasıl olup da aşağı yukarı aynı günlerde, Orta Doğu'nun güçlü krallarını önüne katıp ordularıyla birlikte ülkelerine dek kovalayacak muzaffer bir komutana dönüşmüştür? Daha da anlaşılmazı, bu olayın ardından bu kez Gerar'a sığınırken bu otoriter ve güçlü komutan nasıl olup da yine karısı yüzünden öldürüleceğinden korkmuş ve onu bu kez de kral Abimelek'e kız kardeşi olarak tanıtmıştır? Sümer'in kültürel mirası niçin yüzyıllardır aynı bölgede iç içe yaşayan Babil'e değil de, İbrahim'in ailesine geçer? Nippur ve Ur'dan kaynaklanan soylu bir rahip geleneğine sahip olduğu Sitchin tarafından öne sürülen ve Sümer'in mirasını da edinen İbrahim'in soyu niçin bu büyük avantajı kullanarak güçlü ve gelişmiş kentlerden oluşan bir devlet kurmak yerine, Kenan ile Sina arasındaki bölgede göçebe çobanlar olarak kalmayı seçmişlerdir? Sümer bilgeliğine sahip olmak bir yana, o kültürle Mezopotamya'nın en büyük imparatorluklarını kuran Babil ve Asur'a yenik düştükleri ve sürgünde oldukları sırada tanıştıkları, bundan yararlanarak Eski Ahit'in kimi bölümlerini çok sonra oluşturdukları bugün hemen hemen kesinken, Sitchin neye dayanarak bu mirası gerçekten yaşadığına dair en küçük bir kanıt bile bulunmayan İbrahim'e teslim etmektedir?

Bu sorular, Sitchin'in teorisi içinde yanıtsız kalır. Altı kitaplık dizi boyunca, uzaydan gelen bir ırkın dünyada "tanrılar" olarak algılandığını anlatan ve teorisini bunun üzerine kuran Sitchin, Eski Ahit'le ilgili dini saplantıları nedeniyle sık sık başvurduğu alıntılarda, Yahve ile Anunnakilerin iç içe geçmesine neden olan garip bir karmaşa yaratır. Teorisini dizginleyen ve denetleyen güçlü inançlarını; Yahve'nin gerçek yaratıcı tanrı, Anunnakilerin de uzaylı üstün yaratıklar olduğu düşüncesini dizinin sonlarında ve "Tanrı'yla Karşılaşmalar"[134] adlı ek kitapta sergileyerek açığa vuracak, ama bu bile yukarıda sorduğumuz soruları yanıtsız bırakacaktır.

Sitchin'in açtığı yoldan yürüyenler arasında en popüleri diyebileceğimiz İngiliz araştırmacı Alan Alford, bu çelişkiler yumağının farkındadır. Hiçbir dini saplantısı olmadığı için, Sitchin'in oluşturduğu teoriyi daha rasyonel bir yapıya kavuşturmak

[134]Zecharia Sitchin, "Divine Encounters"

amacıyla bir dizi "revizyon" önerir: İlkin "tanrısal ikilem" meselesini çözmeye çalışan Alford'a göre İbranilerin tanrısı Yahve de Anunnakilerden biridir. Kimliğiyle ilgili ipuçları onun "El Şaday" biçiminde sunulan adlarından birinde gizlidir ve "Dağların Tanrısı" anlamına gelen bu ad, bütün Yakındoğu'da "fırtına tanrısı" olarak yaygın ve güçlü etkilere sahip olan İşkur/Adad ile Yahve arasındaki paralellikleri ortaya koymaktadır. Alford ayrıca, "Yahve" adının kökeninin de bu görüşü desteklediği düşüncesindedir. Bilindiği gibi Musa dağdayken Tanrı'ya adını sorduğunda Tanrı, "Ben neysem, oyum" ya da başka bir ifadeyle "Ben, ben olanım" ("Ehyeh asher ehyeh") diye yanıt verir. Bu tümceyi oluşturan sözcüklerin baş harfleri de, İbrani kültüründe Tanrı'nın adı olarak kabul edilen "Tetragrammaton"u (Dört Harf) oluşturur: YHVH. Sesli harfe sahip olmayan İbrani alfabesinde bu harflerden oluşan sözcük "Yahve" ya da ("Yüce Tanrım" anlamına gelen "Adonai" sözcüğünün sesli harfleri aynen uygulanarak) "Yahova" biçiminde okunur. Alford her şeyden önce Yahve'nin isminin bilinmemesi ve yüzünün görünmemesi konusundaki kesin tavrının, ortaya başka bir isimle çıkmak isteyen bilinen bir "tanrı"nın tavırlarıyla örtüştüğünü ileri sürer. Bölgede gücü bilinen, Enlil'in oğlu İşkur (Sami dilinde Adad) kimliğini gizleyerek başka isimle ortaya çıkmak istemektedir Alford'a göre.[135] (Hemen belirtelim, Alan Alford çok kısa bir süre sonra Sitchin teorisinin izinden gitmekten vazgeçmiş ve izleyen bölümlerde göreceğimiz gibi "When The Gods Came Down" adlı 2000 yılında yayımladığı kitabında, "uzaylı tanrılar" görüşünü terk ederek, dünyadaki bütün dinlerin bir "patlayan gezegen" kültünden kaynaklandığını savunmuştur.)

Sitchin'in, kronolojisini hazırlarken yalnızca Eski Ahit'ten değil, Atlantis savunucularının son yüzyılda dört elle sarıldıkları bir tarihten, İ.Ö. 10,500'den de esinlendiğini görüyoruz. Önceki bölümlerde sözünü ettiğimiz gibi, ABD'li "uyuyan kâhin" Edgar Cayce, seansları sırasında önceki yaşamında Atlantis'te yaşayan "Rahip Ra-Ta" olduğunu ve dünya tarihiyle ilgili gizli

---

[135] Alan F. Alford, "Gods Of The New Millenium", s: 520-527

kayıtları, kıta dalgaların altında yok olduktan sonra yoldaşlarıyla birlikte Mısır'da sakladığını anlatmıştı. Cayce'in verdiği İ.Ö. 10,500 tarihi, son buzul çağının bitiminde iklimin hızla değişmesine paralel olarak buzulların erimesi ve deniz seviyesinin yükselmesi gibi somut bir olguya da uyum sağladığı için, Atlantis araştırmacılarının ilgi odağı oldu. Hatta İ.Ö. 10,500 yılı o denli "sihirli" bir tarih haline geldi ki, seksenli ve doksanlı yıllarda "yitik uygarlık" izleri arayan bütün araştırmacılar, dikkatlerini bu kilometre taşında yoğunlaştırdılar. Bugün ayrı bir "ekol" yarattıklarını söyleyebileceğimiz Graham Hancock, Robert Bauval ve John Anthony West gibi araştırmacılar için söz konusu tarih, tıpkı Cayce'in iddia ettiği gibi, Atlantis'ten kurtulan bilgelerin Mısır'da bu olay anısına dev yapılar inşa ettikleri ve kayıtları içine sakladıkları yılı simgeler. Sözgelimi Robert Bauval, Adrian Gilbert ile birlikte kaleme aldığı sansasyonel yapıtı "The Orion Mystery"de ("Orion Gizemi") Giza piramitlerinin yaşıyla ilgili son derece sıradışı bir tez sunar: Bauval ve Gilbert'a göre bu üç piramidin dizilişi, Orion takımyıldızının "kuşak" olarak anılan bölgesindeki üç yıldız[136] örnek alınarak hazırlanan çok eski bir plana göre düzenlenmiştir. "Orion Gizemi"nde ileri sürülenler bununla kalmaz: Piramitlerle Orion'un kuşak yıldızlarının bire bir aynı doğrultuya gelmeleri, gökyüzünde bir zaman yolculuğunu gerekli kılmaktadır. Bauval ve Gilbert, dizilimin bu ilginçliğinden ötürü Giza piramitlerinin bir "yıldız saati" olduğunu ileri sürerler; çünkü bu yapıların bize işaret ettiği tarih, Orion kuşağıyla aynı meridyen hizasında buluştukları İ.Ö. 10,500 yılıdır.

The Economist dergisinin Doğu Afrika muhabiriyken, varlığına inandığı "yitik uygarlığın" izlerini aramaya çıkan Graham Hancock, "Fingerprints Of The Gods" ("Tanrıların Parmak İzleri") adlı kitabı üzerinde çalıştığı sıralarda Robert Bauval ile tanışır ve onun Orion kuşağı ile Giza piramitlerinin dizilişi arasındaki, İ.Ö. 10,500 tarihine odaklanan çalışmasıyla yakından ilgilenir. Çünkü kendisi de muhtemelen Atlantis efsanelerine

---

[136] Alnilam, Alnitak ve Mintaka adlı yıldızlar

kaynaklık eden yitik uygarlığın izlerini sürmekte; Edgar Cayce'in kehanetleriyle de yakından ilgilenmektedir. Bu tanışma, "Orion Mystery" yayımlandıktan birkaç yıl sonra bu teoriyi bir adım daha ileri götüren Bauval ile Hancock'u, "Keeper Of Genesis" ("Genesis'in Koruyucusu") adlı kitapta bir araya getirecektir. Giza piramitleri ile Orion kuşağı arasındaki bağlantıya ek olarak bu kitapta iki araştırmacı, dev yapılara eşlik eden bir başka gizemli anıta, Büyük Sfenks'e çekeceklerdir dikkatleri. İnsan başlı, aslan bedenli dev heykelin, ilkbahar ekinoksu sırasında güneşin doğuşunu izlemek üzere tam doğuya yönlendirildiğini vurgulayan Bauval ve Hancock, Büyük Sfenks'in yapıldığına inanılan İ.Ö. 2500 tarihinde tam bu anda, doğu göklerinde Boğa takımıyıldızının yükseldiğine değinirler. Oysa Sfenks, aslan biçiminde yapılmıştır ve ilkbahar ekinoksunda güneşle birlikte Aslan burcunun yükselişe geçmesini simgeliyor olmalıdır. Bu varsayımdan yola çıkarak yine bilgisayar yardımıyla gökyüzünde bir zaman yolculuğu gerçekleştirilir ve ilkbahar ekinoksunda güneşle birlikte Aslan burcunun yükselişe geçtiği tarih hesaplanır: Elbette İ.Ö. 10,500'dür bu kilometre taşı. Bauval ve Hancock, Orion – Giza piramitleri bağlantısına Sfenks – Aslan takımyıldızı ilişkisini eklemiş ve sistemi tamamlamak üzere Nil nehriyle Samanyolu'nu da eşleştirmiştir. Bütün bu veriler, Giza platosundaki anıtların insanlara İ.Ö. 10,500 yılını anımsatmak için inşa edildiğini ortaya koymaktadır, iki araştırmacıya göre.

Hancock, aynı zamanda bir televizyon dizisi haline de getirdiği bir sonraki çalışması "Heaven's Mirror"da ("Gökyüzünün Aynası") bu yöntemi daha da ileri noktalara götürecek; Kamboçya'daki Angkor Vat tapınağının, Draco takımyıldızının İ.Ö. 10,500'deki konumu örnek alınarak inşa edildiğini ileri sürecektir. Aynı tarihlerde John Anthony West ile de ortak çalışmalar gerçekleştirir. Bir Mısır tarihi araştırıcısı olan West, "Serpent In The Sky" ("Göklerdeki Yılan") adlı sansasyonel kitabında hem Mısır kültürünün, kökleri çok uzak geçmişe uzanan serüvenini Atlantis ile bağdaştırmaya çalışmış; hem de jeolog Dr. Robert Schoch ile birlikte Giza'da gerçekleştirdiği çalışmalarda "Büyük Sfenks'in tarihinin sanılandan en az beş, muhtemelen yedi bin yıl daha eski olduğu" sonucuna varmıştı. Schoch'un incelemeleri, Büyük Sfenks'in gövdesinde sanıldığı gibi rüzgârdan değil, şiddetli yağmurlardan kaynaklanan bir aşınma olduğunu gösteriyordu ki, bölgeye o şiddette yağmurlar en son İ.Ö. 10.500 dolaylarında yağmıştı!

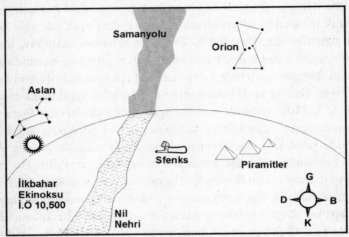

Şekil 7: Bauval ve Hancock'a göre Piramitler–Sfenks–Orion–Aslan bağıntısı (İ.Ö 10,500)

Görüldüğü gibi, bilinmeyen bir geçmişe sahip yitik uygarlığın izlerini arayanlar, eskiçağın gizemli anıtlarında, bu uygarlığın son temsilcilerince bırakılmış, bilmece gibi ezoterik mesajlar bulmaya yöneldiler. (İlginçtir, bu ekolde yer alan araştırmacıların hiçbiri, bilinen en eski uygarlıklardan olan Sümer'i ve Harappa'yı dikkate almadılar; dikkatleri büyük oranda Mısır'a yönelmişti.) Yaptıkları bütün hesaplar da, İ.Ö. 10,500 dolaylarındaki garip ve uzak bir tarihte düğümleniyordu; tıpkı "uyuyan kâhin" Edgar Cayce'in Atlantis ile ilgili kehanetlerinde vurguladığı gibi. Bunu buzul çağının bitişiyle ilgili verilere bağlayıp, alternatif bir açıklama getirmeye çalıştılar: Yüksek Atlantis uygarlığı, buzulların erimesi sonucu deniz seviyesinin yükselmesiyle sular altına gömülmüş; faciadan kurtulanların bir bölümü Kuzey Afrika'ya ulaşarak Mısır uygarlığını, diğer bir bölümüyse Meksika kıyılarında karaya çıkarak Maya uygarlığını başlatmışlardı. Bize bıraktıkları anıtlarsa, yaşanan bu büyük facianın tarihine dikkatimizi çekmek için inşa edilmiş bir tür "dev yıldız saati"nin parçacıklarıydı yalnızca.

Zecharia Sitchin, teorisinin hiçbir aşamasında Atlantis'ten ve sulara gömülen gizemli bir uygarlıktan söz etmez. Büyük bir olasılıkla bunun nedeni, Eski Ahit'te Atlantis'i çağrıştıracak hiçbir ifadenin yer almayışıdır. Ancak buna rağmen Sitchin, tıpkı ezoterik Atlantis teorisyenleri gibi, kronolojisinin en kritik noktasına İ.Ö. 10,500 yılını yerleştirmekten kendini alamaz. "Dünya Tarihçesi"ne göre bu tarih, Enki Hanedanı'nın Mısır'da uygarlığı başlatmasını işaretlemektedir. Bu önemli gelişme de, dünyayı derinden etkileyen bir büyük doğal afetten, Tufan'dan 500 yıl sonra gerçekleşmiştir. Atlantis araştırmacılarıyla Sitchin arasındaki köprü, tam bu noktada belirginleşiyor. Hancock, Bauval ve West'e göre İ.Ö. 11,000 dolaylarında buzulların erimesiyle büyük bir facia yaşandı ve görkemli Atlantis okyanusun derinliklerine gömüldü. Sitchin'e göreyse, aynı tarihte Nibiru'nun yakın geçişinin etkisiyle Tufan gerçekleşti ve bütün yeryüzü sular altında kaldı. Enki'nin yardımıyla yok olmaktan kurtulan insanlık, izleyen 500 yıl içinde dünyanın değişik bölgelerine dağıtıldı: Yani, tıpkı Eski Ahit'te belirtildiği gibi, tanrılar "aynı dilden konuşan" insanları birbirlerinden ayırdılar!

Her iki teori de, bütün mantığını son buzul çağının bitişi üzerine kurarak bilimsel dayanak sağlamaya çalışır; ama önceki bölümlerde belirttiğimiz gibi, yine her iki teori, çok kritik bir "ayrıntı"yı ısrarla gözden kaçırır: Platon'un Timaeus ve Critias metinlerinde sözü edilen gizemli Atlantis, insanlarının inançsızlığı ve yozluğu nedeniyle tanrılar tarafından cezalandırılmış ve neredeyse bir gece içinde sulara gömülmüştür. Aynı biçimde, Eski Ahit'te ve Mezopotamya mitlerinde Tufan, aniden bastırır ve insanları hazırlıksız yakalar. Oysa buzul çağı sonunda ortaya çıkan değişimler, yüzyıllara yayılan yavaş ama kalıcı doğal olgulardır. Dolayısıyla ne tufan mitini açıklayabilirler, ne de Atlantis'in yok oluşunu. İ.Ö. 10,500 dolaylarına odaklanan hesaplar, ezoterik fantezilerden ibarettir.

Ama Sitchin'in bu tarihe sıkı sıkıya sarılmasının ardında yatan tek neden, buzul çağının bitimiyle ilgili olarak bilimin sunduğu veriler değildir elbette. Nibiru'nun yörünge geçişleri için öngördüğü şema, az önce de sözünü ettiğimiz gibi Sümer'in yükselişini ve Nippur takviminin başlangıcını da işaretlemek üzere bu geçişlerden birini İ.Ö. 3800 tarihine denk getirir. Bunun yegâne amacı, İ.Ö. 3760'da başlayan Yahudi takvimiyle Nippur takvimini bağdaştırmak (sonra da Sümer bilgeliğini İbrahim aracılığıyla İbranilere aktarmak) ve bu takvimi oluşturan bilginin "tanrılardan" edinilmiş bilgi olduğunu vurgulamaktır. Bu durumda, eğer onuncu gezegen İ.Ö. 3800 tarihinde yörünge geçişini gerçekleştirdiyse, önceki geçişleri hangi yıllara rastlayabilir? Sitchin "Şar" kavramının merkezindeki 3600 sayısını, tamı tamına Nibiru'nun yörüngesi olarak değerlendirir; bunun "yaklaşık" ya da "yuvarlanmış" bir süre olabileceği olasılığını düşünmez bile. Çünkü, Eski Ahit metinlerindeki sürelerde olduğu gibi, Sümer metinlerindeki süreler de bire bir doğru verilerdir onun teorisine göre. Dolayısıyla, Nibiru'nun bir önceki geçişi bu durumda İ.Ö. 7400 yılına denk gelir. Sitchin'in kronolojisinde bu tarih, yine tanrıların insana armağan ettiği bir bilimsel ilerlemeye, tarımın başlamasına ve neolitik yerleşmelere işaret etmektedir. Bir adım daha geriye gittiğinizde, gezegenin bir önceki yörünge geçişinin tarihi de İ.Ö. 11,000 olur Sitchin'in sunduğu çizelgeye göre. Bunun buzulların erimesiyle olan bağlantısını da dikkate alarak, söz konusu tarihi "Büyük Tufan" olarak kronolojisinde işaretler. Yani Enlil, Sitchin'in teorisine göre, İ.Ö. 300.000 dolaylarında Enki ve Ninmah tarafından genetik müdahaleyle yaratılan insandan, aradan 289,000 yıl geçtikten sonra sıkılmış ve rahatsız olmuş; onların Tufan'la yok olmalarını istemiştir. (Eski tanrıların şaşılacak derecede sabırlı olduğunu gösteriyor galiba bu!) Ayrıntılardaki aykırılıklar üzerinde durmayan Sitchin'in, 3600 yıllık yörünge periyoduna göre kurduğu modelden kesinlikle hoşnut olduğunu söyleyebiliriz; böylece hem Yahudi takviminin Sümer'den kaynaklanan "meşruluğunu"; hem Yakındoğu'da İsa'dan önce sekizinci bin yılda ortaya çıkan Eriha ve Çatalhöyük gibi gelişmiş neolitik kentlerin kuruluşunu, hem de buzul çağı bitimiyle yeryüzünde su seviyesinin yükselişini aynı kronoloji üzerinde doğrulamış bulunur.

Ancak elbette hesapların burada kalmaması gerekmektedir: Eğer Nibiru'nun yörünge geçişlerinden biri İ.Ö. 3800'de gerçekleştiyse, Sitchin'in 3600 yıllık "düz" hesabına göre gezegenin son geçişi de İ.Ö. 200'e rastlamış olmalıdır. Gerçekten de "Dünya Tarihçesi" için Sitchin'in hazırladığı kronolojide gösterilmemekle birlikte, kitaplarında bu tarihteki son geçişten söz edilir. O halde, Anunnakiler söz konusu tarihte kime "yeni uygarlık nimeti" sunmuşlardır acaba? Giderek Akdeniz'de tek güç haline gelmeye başlayan Romalılara mı? Bir zamanlar "tanrıların verdiği güçle" büyüyen ve serpilen Mezopotamya devletleri, birer küçük beyliğe dönmüştür söz konusu tarihte ve yok olmak üzeredirler. Yakındoğu'ya gelen son işgalci güçler, İskender'in Makedonya ordusu ve Darius'un yönetimindeki Persler çoktan tarih sahnesinden çekilmişlerdir. O halde nerededir bu Anunnakiler İ.Ö. 200 dolaylarında Nibiru son kez geldiği zaman? Kimin yanındadırlar?

Sitchin'in "Dünya Tarihçesi" boyunca çarpıcı biçimde çözümlediği; dünya üzerinde binlerce yıl önce varlıklarını hissettiren garip ve güçlü bir "klan" ile ilgili muamma verilere, son derece yakın bir tarih olan İ.Ö. 200 dolaylarında elbette hiç rastlamayız. Dünya bütünüyle "etten – kemikten" bir imparatorluğun egemenliği altına girmiştir ve bu yapı içinde "tanrılara" yer yoktur. Bu nedenle Sitchin, söz konusu dönemde Anunnaki varlığına işaret eden bir tek eski metin bile gösteremez. Hem Nibirulu kolonistlerin, hem de Yahve'nin "seçilmiş halkı" durumundaki İbranilerse, Roma vesayeti altında giderek bütün orijinalliklerini yitirmişler; kendi bünyeleri içinden muhalif bir çekirdek yaratmaya başlamışlardır. Bu çekirdek, izleyen yüzyıllarda hıristiyanlığın çıkış noktasını oluşturacak ve onu önce Roma'nın sonra da tüm "Batı"nın egemen dini haline getirecek, vaftizci Essene mezhebidir.

İlginçlikler, muammalar, gizem ve çok renklilik biter; İ.Ö. 200, Roma döneminin başlangıcıdır artık ve Anunnakiler ortada görünmemektedirler. İyi, ama 450,000 yıl boyunca gezegenleri defalarca yaklaşıp uzaklaşırken bile dünyayı mesken tutan bu üstün varlıklar, birden niçin ortadan yok olmuşlardır? Sitchin bunlara bir açıklama getirmez: O, dünya için öngördüğü alternatif tarihi, tam da Eski Ahit'in kapsadığı zaman dilimlerinin sonunda aniden bitirir. Bu son yörünge geçişi sırasında Anunnakilerin gezegenlerine geri dönüp dünyadan uzaklaştıklarını ima eden bir ifade bile kullanmaz. Eski Ahit'e masalsı bir destek yaratmayı amaçlarken, yazarını hiçbir biçimde riske atmayan bir teoridir bu: Nibiru, Sitchin'in hesabına göre ancak 3400 yılında geri dönecektir. Doğru olmadığını kim kanıtlayabilir ki?

Diğer yandan Sitchin, İ.Ö. 3760'tan itibaren yılları hesaplayan Yahudi takvimine de, teorisini tehlikeye atmaması için farklı bir yorum getirmektedir kitaplarında:

"Yahudi takvimi yılları hâlâ İ.Ö. 3760'daki gizemli başlangıçtan itibaren sayar (dolayısıyla 1983 yılı Yahudi takvimine göre 5743'tür.) Bunun 'dünyanın başlangıcından itibaren' yapılan bir hesap olduğu varsayılır; ancak gerçek Yahudi bilgeleri bunun 'yılların sayımının başlamasından itibaren geçen süreyi' belirten bir sayı olduğunu söylerler. Biz bu tarihin, Nippur takviminin başlangıcı olduğunu öneriyoruz."[137]

Ne var ki, Sitchin'in sözünü ettiği, "yılların sayımının başlamasından itibaren" geçerli olan bir takvim anlayışını dile getiren "Yahudi bilgelerine" rastlamanız çok güçtür. Bugün hangi Musevi din adamıyla konuşursanız konuşun, size "dünyanın başlangıcından bu yana 5762 yıl geçtiğini" (2002'de söylendiği varsayımıyla) anlatacaktır. Bu yüzdendir ki Eski Ahit'i kabul eden hıristiyan dininin piskoposları bu tarihi biraz daha "mantıklı" hale getirmek için geriye çekmeye çalışacak ve Ussher İ.Ö. 4004'ü, Hales de İ.Ö. 5411'i önerecektir. Sitchin ortodoks Yahudiliğe oldukça aykırı bu tezi ileri sürerken iki şeyi gerçekleştirmeye çalışmaktadır: Bu takvimi Sümerlere bağlayarak ona geçerli ve sağlam bir tarihsel zemin sağlamak ve takvimin yaratı-

---

[137]Zecharia Sitchin, "The Wars Of Gods And Men", s: 296

lıştan itibaren geçerli olduğu gerçeğini değiştirerek Yahudileri "bilim dışı zaman hesabı" sabıkasından kurtarmak.

Sitchin'in Eski Ahit'i (fazla sezdirmeden) merkez alan teorisi, eskiçağ toplumlarının bize bıraktığı kimi çarpıcı, ilginç doküman ve gelenekleri de görmezden gelmesi sonucunu doğurur. Bunlardan biri, az önce sözünü ettiğimiz Atlantis efsanesidir ve çok fazla elle tutulur veri olmadığı için Sitchin'in bunun üzerinde durmaması mazur görülebilir. Ancak bir ilginç olgu daha vardır ki, doğru yorumlanması durumunda Sitchin'in tarih ve kozmoloji modeline son derece yararlı katkılarda bulunabilir. Son derece hassas astronomik hesaplarıyla dünyayı şaşkına çeviren Mayaların "Dünya Çağları" anlayışıdır bu. Sitchin dizinin dördüncü kitabı olan "Yitik Krallıklar"da Mayaların engin astronomi bilgisinden ve sıradışı takvimlerinden bol bol söz eder; hatta son çağın İ.Ö. 3113'te başlatılmasını, kendi kronolojisinde, "Mısır'da krallığın insan krallara teslim edilmesi" olgusuyla da bağdaştırmak üzere yeterince vurgular. Ancak nedense aynı çağın bitişinin 2012 yılına denk gelmesini neredeyse hiç dikkate almaz ve buna önem vermeyip geçiştirir. Mayaların bu çağları neye dayanarak hesapladıklarına ve 2012'deki bitiş için neyi öngördüklerine ilişkin Sitchin'in bir yanıtı olmadığı gibi, bu konuya ilgisi de yoktur. Çünkü o kronolojisini Eski Ahit'i doğrulayacak biçimde oluşturmuş; Nibiru'nun bir dahaki yörünge geçişini de 3400 yılına işaretlemiştir bile.

Diğer yandan, eski Mezopotamya metinlerine de "bire bir tarihsel kayıt" olarak bakmaya çalışan Sitchin, Batı dünyasında son derece yaygın olarak yinelenen ve bugün de ısrarla sürdürülen bir çeviri/yorum hatasına da kendinden beklenmeyecek biçimde eşlik eder ve Enki'yi "Su Tanrısı" olarak değerlendirir. Bu yaklaşımının sonunda, tarihçesini biçimlendirirken onun İran Körfezi'nde "sularda altın arayan" mühendislik kompleksleri inşa ettirdiğini ve bu nedenle mitlerde "Su Tanrısı" olarak ele alındığını varsayar. Oysa, daha sonra ayrıntılı biçimde göreceğimiz gibi Enki "Abzu"nun tanrısıdır; yani yaratılış efsanelerinde "ilksel deniz" olarak da adlandırılan, evreni simgeleyen simgesel suların tanrısı. İlk kökeni bilinmeyecek denli eski metinlerden bin yıllar içinde yapılan çevirilerde sözcüğün gizemli havası korunmuş, ama modern arkeolojik bulgular sonrasında eski tabletler deşifre edilirken her nasılsa "Abzu"nun su değil, bildiğimiz biçimiyle "dış uzay" anlamına geldiği sık sık unutulmuştur. Dahası, Batı dillerine "Abyss" olarak giren sözcük, aynı zamanda Enki'nin sahip olduğu sıfatlar arasında ilk sıralarda yer alan "Derin Bilgelik" gibi bir anlama daha sahiptir ya da en azından bu anlamı çağrıştıracak biçimde kullanılır.[138] Yorumlamayla ilgili yanılgıların kaynağında, kavramları simgelerle örtülü hale getiren rahip okültizminin yanı sıra, Batı düşüncesinin merkezinde yer alan Yunan/Roma panteonlarında aynı tanrının Poseidon/Neptün adlarıyla doğrudan denizlerle ilişkilendirilmiş olmasının da yattığını söyleyebiliriz. Denizle ilişkisi çok yoğun olan ve engin sularda hem yaratılışın özünü hem de korkulası canavarların varlığını görüp, terimi deniz kavramına yaklaştıran Yunan rahiplerinin okültist tavrı anlaşılabilir. Ama, salt bu noktadan yola çıkarak modern Batılı yazarların düştüğü yanılgıya, Sitchin'in düşmemesi ve Enki'nin "Uçsuz Bucaksız Uzay'ın ve Derin Bilgeliğin Tanrısı" olduğunu yakalaması gerekirdi.

Bütün bunlar, Zecharia Sitchin'in Eski Ahit'i antik Mezopotamya metinlerinden yararlanarak doğrulama arzusu içindeki muhafazakâr bir Yahudi yazar olduğu izlenimini verse de, ona ve gerçekten yoğun bir emek ürünü olan "Dünya Tarihçesi" dizisindeki kitaplara haksızlık etmemek gerektiğini düşünüyorum. Başta da vurguladığım gibi, üzeri kolayca çizilecek bir teori değildir Sitchin'inki. En önemlisi de, sabırlı ve titiz bir çabayla onuncu gezegen Nibiru/Marduk'un tarihsel varlığını ortaya koymasıdır ki, salt bu nedenle bile dünya ona çok şey borçludur.

Bütün eskiçağ kültürlerinin bize miras bıraktığı veriler, Sitchin'in güçlü sezgileri ve ısrarcı araştırmacılığıyla sergilediği gibi, güneş sistemimizde, yörüngesini 3600 yıl dolayında tamamlayan bir "onuncu gezegen"in varlığına işaret etmektedir. Bu gezegenin kuyrukluyıldızları çağrıştıran basık yörüngesi, gü-

---

[138]Theophilus G. Pinches, "The Religion of Babylonia and Assyria", Chapter III

neşe ve iç gezegenlere yaklaştıkça ciddi tehlikeler oluşturduğu ve kimi zaman da "göksel çarpışmalar" yaratmış olabileceğiyle ilgili ipuçları sunar bize. Çoğu antik efsane ve mit, belli ki göklerde dehşet yaratan Nibiru/Marduk'un neden olduğu felaketlerden derin izler taşımaktadır. Mars ile Jüpiter arasındaki asteroid kuşağı büyük olasılıkla onun yarattığı çarpışmalardan kalma artıklardır ve aynı bölgeden her geçişinde, güçlü gravitasyon etkisiyle güneş sisteminin dengesini bozmasının ve dünyada depremlere neden olmasının yanı sıra, sürüklediği asteroid parçacıklarıyla gezegenimizin göklerinde dehşet verici meteor yağmurları da oluşturmaktadır bu gezegen. Dahası, kimi zaman söz konusu etkiler o denli kombine bir güce kavuşmaktadır ki, dünyanın ekseni ve dönüş hızı bile değişebilmektedir. Zecharia Sitchin, okyanusun her iki yanında da dehşetle anımsanan böylesi bir olaydan söz eder:

"Montesinos ve diğer tarihçilere göre, on beşinci hanedan krallarından II. Tito Yupanqui Pachacuti'nin iktidarı sırasında en alışılmadık olaylardan biri yaşandı. Kralın tahttaki üçüncü yılında, 'iyi gelenekler unutulduğu ve insanlar her anlamda ahlaki düşkünlük içine girdikleri' sıralarda 'yirmi saat boyunca şafak sökmedi'. Bir başka deyişle gece her zaman olduğu gibi bitmedi ve güneşin doğuşu yirmi saat gecikti. Büyük feryatlardan, günah itiraflarından ve dualardan sonra nihayet güneş doğdu."[139]

Söz konusu olay, Peru'da, And Dağları dolaylarında ve İnkaların efsanelerdeki uzak atalarının egemenliği sırasında yaşanmıştı. Sitchin'in sözünü ettiği tarihçi, on altıncı yüzyılın sonlarında İspanya'dan Peru'ya gelen Don Fernando de Montesinos adlı bir cizvittir. Bölgede uzun ve yoğun araştırmalar yapan Montesinos, o dönem için oldukça "aykırı" tezler içeren bir kitap yazmış ve İnkaların atalarının kurduğu uygarlığın İ.Ö. 3000 dolaylarında ortaya çıktığını ileri sürmüştü. 2001 ilkbaharında arkeolog Ruth Shady'nin Caral'da yaptığı kazılardan sonra, Montesinos'un verdiği tarihin kesinlikle doğru olduğunu biliyoruz. Efsanelerin ara-

[139]Zecharia Sitchin, "The Lost Realms", s: 151

sında uzun yolculuklara çıkan Montesinos, "Güneşin doğmadığı gün"le ilgili mitleri nakleden tarihçilerden biriydi.

Sitchin, mantıklı bir yol izleyerek, şöyle düşündü: Eğer Güney Amerika dolaylarında güneş doğmadı ve gece bitmek bilmediyse, dünyanın tam aksi bölgelerinde de bunun tersi olmuş; yani güneş batmamış olmalıydı. Referans, kolayca tahmin edebileceğiniz gibi, Eski Ahit'ten geldi: Yeşu'nun kitabında İbraniler Exodus sonrası Kenan ülkesine saldırırken, Tanrı da onlara yardım etmiş; bir yandan düşmanlarının üzerine kayalar yağdırırken bir yandan da güneşin batmamasını sağlamış ve aydınlık havada İsrailoğullarının zafer kazanmasına yardım etmişti. Eşzamanlı olduğunu düşündüğü bu iki olguyu Sitchin, yine Exodus için önerdiği kendi tarihini doğrulamakta kullandı kitabında ve bu dehşet verici olayın üzerine gitmedi. Ona göre Exodus, İ.Ö. 1433'te gerçekleşmiş; sonrasında 40 yıl Sina'da dolaşıldığına göre, "güneşin batmadığı gün" de 1393'te yaşanmıştı. Okyanusun diğer yanında, henüz hanedanların tarihine ilişkin muğlak efsanelerden başka hiçbir bulgunun elde edilmediği Peru'da kronolojileri inceledi ve II. Tito Yupanqui Pachacuti'nin tam da o tarihlerde iktidarda olduğu sonucuna vardı! Bir kez daha, Eski Ahit'i doğrulamak adına elindeki verileri eğip bükmeye çalışmış; ancak her ne kadar tarihini önyargıları uzantısında yanlış hesaplasa da, güçlü sezgileriyle gerçekten de çarpıcı bir olayı yakalamıştı: Dünyanın iki karşıt bölgesinde, eşzamanlı olmaları muhtemel, iki sıradışı olay yaşanmıştı binlerce yıl önce! Dünyanın eksenini etkileyip dönüşünü yavaşlatmak, ancak Nibiru/Marduk gibi sıradışı bir gezegenin yörünge geçişiyle mümkün olabilirdi.

Ne var ki Sitchin'in Eski Ahit'e paralel oluşturduğu kronolojide, Exodus yakınlarına denk düşecek bir yörünge geçişinin yeri yoktu. Bu uğurda Nibiru'nun yörünge geçişinin etkilerini Musa'nın denizi ikiye ayırmasını açıklamakta kullanmak gibi bir "konfor"dan bile vazgeçmişti. O halde bu garip, alışılmadık, sıradışı olay ne olabilirdi?

"Bu olguya neyin neden olduğu hâlâ bir bilmeceydi. Kutsal kitaptaki tek ipucu, gökten düşen büyük taşlardan söz edilmesidir. Bu olayın ayda ya da güneşte yaşanan bir duraklama [standstill] olmayıp, dünyanın ekseni çevresindeki dönüşünün sekteye uğramasını anlattığını bildiğimizden, olası bir açıklama dünyaya çok yakın geçen bir kuyrukluyıldızın, o sırada parçalanıp dağılmasıdır. Bazı kuyrukluyıldızların güneş çevresindeki dönüşleri Dünya'nın ve diğer gezegenlerin yörünge doğrultularının tersine saat yönünde olduğu için, böylesi bir kinetik güç muhtemelen Dünya'nın dönüşüne ters yönde etkide bulunarak onu bir süre için yavaşlatmış olabilir."[140]

Bu kısacık açıklamanın hemen ardından, bir sonraki paragrafa şu cümleyle başlar Sitchin:

"Bu olgunun kesin nedeni ne olursa olsun, bizi asıl ilgilendiren onun zamanlamasıdır."[141]

Görüldüğü gibi Sitchin, çok daha net ve kendi teorisi açısından anlamlı bir açıklama olan Nibiru'nun yörünge geçişi varken, bu dehşet verici olguyu bir kuyrukluyıldız geçişiyle açıklama eğilimindedir. Aslına bakarsanız, kendi de belirttiği gibi, açıklamaya çok da niyetli değildir, çünkü onu asıl ilgilendiren, "olayın nedeni değil, zamanı"dır: Yani Exodus'un tarihini doğrulama öne çıkmaktadır burada.

Eski Ahit'le paralel gitme uğruna yaptığı manevraları bir yana bırakıp, bu sıradışı olguya dikkatimizi çektiği için Sitchin'e teşekkür edelim. Gerçekten de eğer okyanusun iki yakasında tarihsel izleri görülen, "dünyanın dönüş hızının yavaşlaması" gibi bir olgu varsa, bu bir tek şeyi gösterir: Dünyanın ekseni ve manyetik kutuplarına yönelik çok şiddetli bir baskı uygulanmıştır. Bunu da ancak çok yakından geçen, ters yörüngeli ve büyük kütleli bir gezegen yaratabilir. Aslında iki olayın eşzamanlı olup olmaması da çok önemli değildir; her iki anlatı, birbirinden çok uzak zamanlara ait sözlü efsanelerden aldıkları esini kullanıyor olabilirler. Dikkat çekici olan nokta, Hitit mitolojisindeki Hahimmas miti ya da Mısır'da karşımıza çıkan "Ra'nın Gözü" hikâyesinde olduğu gibi, güneşin ortalardan kaybolduğu

[140]Zecharia Sitchin, a.g.e., s: 153
[141]Zecharia Sitchin, a.g.e., s: 153

Burak Eldem

sıradışı anlara ilişkin, toplumsal bellekte yer etmiş olayların varlığıdır.

"Enuma Eliş" ve Sümer kil tabletleri ya da silindir mühürler bize yalnızca Nibiru/Marduk adlı bu gezegenden söz etmiyor. Güneş sistemimizin henüz tanışmadığımız bu üyesinin, cüssesine uygun büyüklükte ve çapta, dört de uydusu var. Yaratılış efsanesinde bu uydulardan birinin "Tiamat'a saldırdığını" okuyoruz; ve onu parçaladığını. Tiamat'tan geriye kalan parçalar, bu çarpışmadan arta kalan "molozlar". Şimdi, böylesine büyük bir kütleye ve çevresinde dönen dört uyduya sahip dev bir gezegenin, yörünge geçişleri sırasında güneş sistemimizin dünyanın da bulunduğu bölümünde ne denli büyük tehlikeler yaratacağını düşünebiliriz: Büyük yeni çarpışmalara yol açabilir; asteroid kuşağından geçip Mars'a doğru yaklaşırken çok sayıda bu tür parçacığı çekim gücüyle "yedeğine alıp" yanında sürükleyebilir; bunların uzaya savrulmasıyla dünya ve uydusu ay üzerine meteor yağmurları yönlendirebilir; uydularıyla birlikte oluşturacağı güçlü etkiyle dünyanın atmosferini rahatsız edebilir ve benzeri görülmedik fırtınalara neden olabilir; dahası, yerkabuğuna uygulayacağı güçle yeryüzünde büyük zincirleme depremlere, hatta eksen hareketinde aksama, yavaşlama ve durmalara bile neden olabilir. Eskiçağ toplumlarının bize bıraktığı zengin "mitoloji"lerde, bunların hepsinin izlerine rastlıyoruz. Hatta Ay'ın ve Mars'ın üzerinde gördüğümüz bol miktarda krater ve çukurlar, evrenin bu iki gök cismine hiç de nazik davranmadığının göstergeleri olarak hâlâ önümüzde duruyorlar.

Kitabın başından beri yinelediğimiz gibi, mitleri ve kutsal metinleri geçerli birer tarihsel kaynak gibi bire bir "yaşanmışların kaydı" olarak kabul etmek, büyük bir yanılgı olur ve ancak körü körüne inancın varlığını gösterir. Ama dünyanın değişik bölgelerinde binlerce yıldan bu yana varlığını koruyan, büyükçe bir bölümü çok eski çağlardan bu yana sözlü gelenekle aktarılmış bu külliyatı bütünüyle "uydurulmuş hikâyeler" olarak görüp, dikkate almadan bir kenara atmak, sandığımızdan çok daha vahim bir hataya sürükleyebilir bizi. Düşeceğimiz en büyük ve en korkunç yanılgı, sahip olduğumuz bilim ve teknolojiye

narsist bir tutkuyla bağlanıp, "ne çok şey bildiğimizi" düşünerek böbürlenmek; eskiçağdaki atalarımızıysa "hiçbir şey bilmeyen batıl inançlı cahiller" olarak yargılamaktır. Evren ve bu gezegendeki varlığımız hakkında neredeyse hiçbir şey bilmiyoruz.
El yordamıyla başlayan ve hızlanarak süren bir bilgilenme dönemindeyiz henüz; elimizdekilerse son derece az.

"Çok açıktır ki, eskilerin yazdıklarına daha saygılı bir tavırla yaklaşmamız gerekiyor. William Irwin Thompson, *Tarihin
Kıyılarında* adlı müthiş kitabında 'Ya dünyanın tarihi bir mitse, ama bu mit, dünyanın gerçek tarihinden geriye kalanlarsa?'
diye sorar."[142]

Zecharia Sitchin'in çabalarıyla tarihsel izleri su yüzüne çıkan onuncu gezegen Nibiru/Marduk, astronomların yarım yüzyıla yakındır ısrarla aradıkları "Gezegen X"den başka bir şey
değildir. Pluton'un diğer gezegenlere oranla farklı eğime sahip,
basık ve uzun bir yörünge izlemesi gibi, Nibiru/Marduk da çok
büyük ve aykırı bir yörüngeyle güneşin çevresinde tur atmaktadır. Güneş sistemimize her yaklaştığında ciddi doğal afetlere
neden olan bu dört uydulu devin, baştan beri izini sürdüğümüz,
İ.Ö. 1650'lerde tüm dünyada yaşanan ve Exodus kitabına esin
kaynağı olan zincirleme felaketlerin doğrudan sorumlusu oldu
ğunu düşünüyorum. Bu, ilk bakışta, bütün ayrıntılar bir yana,
son derece dikkat çekici bir sonuca yönlendiriyor bizi: Eğer İ.Ö.
1650'lerde olanların sorumlusu Nibiru'ysa ve eğer bu gezegenin
yörüngesi gerçekten 3600 yıl dolayında sürüyorsa, güneş sistemimize bir dahaki yakın geçişi çok yakınlarda olmalıdır! Yörüngesinin tam uzunluğu açıklanmayan; ancak "3600 yıl" gibi yuvarlak ve hesaplamayı kolaylaştıran bir sayıyla simgelenen bu
dev gezegenin geri dönüşü, acaba astronomik tahminlerindeki
isabetle tanıdığımız antik Maya uygarlığının "çağ bitişi" olarak
işaretlediği 2012 yılına rastlayabilir mi?

---

[142]Georg Feuerstein – Shubhash Kak – David Frawley, "In Search Of The Cradle Of
Civilization", s: 87

5

"Tüylü Yılan"ın Döngüleri

On dokuzuncu yüzyıl sonlarından itibaren Meksika'da giderek yoğunlaşan ve sıklaşan araştırmalar sırasında bölgenin en eski uygarlığının izlerine rastlayan gezgin ve arkeologları ilk şaşırtan olgu, sık ormanların arasında doğa tarafından gizlenmiş gibi duran, o dev ve etkileyici taş anıtların varlığı oldu. Uygarlığın başlangıcının Eski Dünya'ya ait olduğunu düşünen Avrupalılar için, bu balta girmemiş ormanlarda, Mısır'dakileri çağrıştıran büyük taş tapınakların ve görkemli piramitlerin İsa'nın doğumundan yüzyıllar önce inşa edilmiş olması, her türlü beklentinin ötesinde bir sürprizdi gerçekten. Üstelik bu binaları inşa edenler yalnızca mimari yeteneklerini sergilemekle kalmamışlar, resimli simgelere dayalı bütünüyle kendilerine özgü bir yazı da geliştirmişlerdi; tıpkı Mısır hiyeroglifleri gibi.

1869 yılında Fransız din adamı Brasseur De Bourbourg'un, Madrid Kraliyet Kütüphanesi'nde, bölgeye ilk gelen rahip Diego De Landa'nın unutulmaya yüz tutmuş "Relacion De Las Cosas De Yucatan" adlı günlüklerini bulması, Batı'nın Mayaları anlamaya başlamasındaki en önemli adımlardan biriydi belki de. Yerlileri hıristiyanlaştırmak için Meksika'ya gelen ve tüm pagan tapınımları yasaklayarak bu insanların ellerindeki kitap ve belgeleri büyük bir ateşte "ibret olsun" diye yakan De Landa, biraz da duyduğu vicdan azabının etkisiyle, söz konusu günlüğü kaleme almış ve kendi çizimleriyle belli başlı Maya hiyeroglif simgelerini, bu yapıtında sergilemişti. John Lloyd Stephens ve onu izleyen gezginlerin bulduğu taş anıtlarda De Landa'nın çizdiği hiyerogliflere rastlanması, Maya uygarlığının gizeminin yavaş yavaş çözülmesini sağlayacaktı.

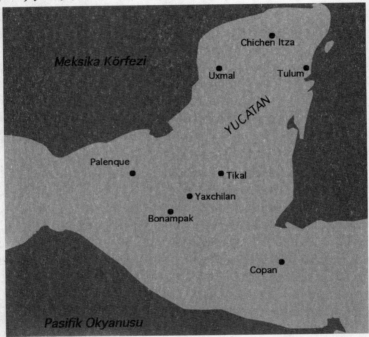

Harita 4: Klasik ve post-klasik dönem Maya kentleri

 Orta Amerika'da klasik dönemin en büyük uygarlığını yaratan Mayaların yerleşik olduğu coğrafi alan, bugünkü Meksika'nın Yucatan, Campeche, Tabasco ve Chiapas eyaletlerinin yanı sıra, Guatemala'nın tamamını, Honduras'ın da büyük bölümünü kapsıyordu. Tarihteki izleri,

bugüne dek elde edilen bulgularla İ.Ö. 600 dolaylarına dek sürülebilen bu son derece şaşırtıcı uygarlığın kültürüyle ilgili araştırmalar derinleştikçe, sahip oldukları müthiş bilgi birikiminin mutlaka bir önceli olması gerektiği yolundaki düşünceler de artmaya başladı. Ne yazık ki, Mayalara ait "codex" adını verdiğimiz az sayıdaki birkaç belge dışında eldeki tek bulgu, cangıl ortasına inşa edilmiş dev kentlerden ibaretti. Yazılarının ve simgelerinin çok az bir kısmı deşifre edilebildi; çünkü hıristiyanlaştırma operasyonları o denli başarılı olmuş ve yerliler üzerinde öylesine yıldırıcı etkiler yaratmıştı ki, bütün belgelerin yakılması bir yana, "şeytani inançlara ait yazıların" da yasaklanması nedeniyle, iki yüz yıl gibi bir süre içinde Mayaların torunları bile bu yazıyı tamamen unutmuşlardı. İspanyol egemenliği süresince zorla hıristiyanlaştırılan ve kendi yazıları yerine Latin alfabesiyle tanıştırılan Mayalardan bazıları, atalarından kalan bütün kültürün yok olma tehlikesiyle karşı karşıya bulunduğunu anladılar ve hiç değilse sözlü gelenekle kuşaklardan beri varlığını sürdüren anlatıları yazıya geçirme gerekliliğini hissettiler. On dokuzuncu yüzyılda kendi dilleriyle ama Latin alfabesi kullanılarak yazılan "Popol Vuh" adlı büyük destanları ve "Jaguarlar" adıyla bilinen bir grup rahibin kaleme aldığı "Chilam Balam" kitapları bu kaygıyla ortaya çıktı. Bugün dünyanın birçok diline çevrilmiş durumdaki bu Maya kitaplarının ne kadarının otantik olduğunu, ne kadarınsa sonradan eklenmiş pasajları içerdiğini tam olarak bilemiyoruz. Ama söz konusu iki yapıt, o insanların kültürüne ait elimizde bulunan en kapsamlı belgeleri oluşturuyor hâlâ. Diğer yandan, Maya yazısı üzerinde çalışan bilim adamlarının ısrarlı çabaları sonucu, hiyerogliflerin deşifre edilmesinde de bir hayli ilerleme sağlanmış durumda.

Mayaların yerleşim sınırlarının bittiği bölge diyebileceğimiz Tabasco yakınlarındaki ünlü Palenque kentinin biraz batısında, Meksika Körfezi'nin güney sahilleri yakınında bulunan antik kent La Venta, bölgede Mayaların öncelleri olduğunu söyleyebileceğimiz, bir başka gizemli uygarlığın varlığını ortaya koymaktadır. Bugün Olmek adını verdiğimiz bu uygarlığı kuranların kendilerini ne adla çağırdıkları üzerine hiçbir fikrimiz olmadığı gibi, dilleri, hatta etnik kökenleriyle ilgili olarak da net bilgilere sahip değiliz. Ancak bütün veriler, Mayaların sahip olduğu şaşırtıcı matematik ve astronomi bilgilerinin ve ürpertici mitolojilerinin ana kaynağının, izleri İ.Ö. 1600 dolaylarına dek sürülebilen bu uygarlık olduğunu gösteriyor. Meksikalı arkeologların yaptığı araştırmalar, "klasik öncesi dönem" olarak adlandırılan ve yaklaşık İ.Ö. 1600 ile 200 arasını kapsayan zaman dilimine damgasını vuranın, La Venta'da yaratılan kültür olduğunu ortaya koymuş durumda. Meksika Ulusal Antropoloji Müzesi için hazırlanan özel kitapta[143], Olmek uygarlığının başlangıcı İ.Ö. 1800 dolaylarına dek dayandırılıyor. Körfez bölgesindeki diğer etnik grupların, yani Mikstek, Zapotek ve Mayaların, Olmek etkisiyle biçimlendikleri ve ivme kazandıkları anlayışı yavaş yavaş yaygınlaşmakta. Ancak bilgi ve belge eksikliği, Orta Amerika arkeolojisi için hâlâ en ciddi sorunlardan biri:

"Meso-Amerika uygarlıklarının tarihi bugünkü tahminlere göre 3000 yıl olarak değerlendiriliyor (yaklaşık İ.Ö. 1500 yıllarından başlayarak yaklaşık İ.S. 1500 yıllarına kadar.) Bu süre üç bölüme ayrılıyor: Bizim takvimimize göre 2. veya 3. yüzyıla kadar olan klasik öncesi dönem, İ.S. 1000 yılına kadar klasik dönem ve İspanyol istilasına kadar klasik sonrası dönem. Elimizde, tüm bu zaman diliminin sadece onda birlik bir dönemine ait yazılı bilgiler vardır (İ.S. 1200'den itibaren.) Bunlar İspanyollar zamanında yazılan metinler ve kızılderili resim yazılarıdır."[144]

Görüldüğü gibi, fetih dönemini izleyen yıllarda bölgeye egemen olan saldırgan misyoner politikasının, Orta Amerika uygarlıklarının kökenine ilişkin araştırmalara, ta üç yüz yıl önce indirdiği darbenin etkileri son derece büyük. Yüksek nem oranının Yucatan ve Güney Meksika cangıllarındaki yaygınlığı ve mevsimsel yoğun yağışlar nedeniyle, "taş" dışındaki hiçbir madde bu doğa koşullarında zamana direnecek güce sahip değil. Bu nedenle arkeologlar, kazılarında, büyük bitki yapraklarına ya da tahta parçalarına yazılmış ve muhtemelen çürüyüp doğaya ka-

[143]Felipé Solis, "National Museum of Anthropology"
[144]Walter Krickeberg, "Azteklerin ve Mayaların Dinleri", s: 17

rışmış eski belgelerin hiçbirine ulaşamıyorlar. Dolayısıyla, eldeki bulgular arasında zamana direnebilenler, yalnızca taş yapılar ve kabartma resimler. Belki bir de çanak çömlek parçaları.

Tarihçiler, bölgedeki en eski uygarlık izlerinin, La Venta, Veracruz ve San Lorenzo bölgesinde varlıkları saptanan ve "Kauçuk Ülkesi İnsanları" anlamında Olmekler olarak adlandırılan halka ait olduğunu düşündüler ilk önce. Bu halkın yarattığı kültür de en büyük merkezini La Venta'da oluşturmuşa benziyordu. Ancak 1950'lerden sonra yoğunlaşan araştırmalar, körfezin güneyinin bu halkın ana yurdu olmadığını; Olmeklerin La Venta ve çevresine bir göç hareketinin sonucunda yerleştiklerini ortaya çıkardı. Çünkü kültürlerinin daha eski örneklerine Guerrero ve Oaxaca eyaletlerinin Pasifik kesimindeki vadilerde de rastlanmıştı.[145] Ama bütün bunlar bir yana, bilmecelerin en büyüğü Olmeklerin etnik kimliğiyle ilgiliydi aslında: La Venta'da bulunan bazalttan yapılmış dev insan başları, daha önce de sözünü ettiğimiz gibi, tipik Afrikalı yüz hatlarına sahip insanları betimliyordu. Diğer yandan, kimi Olmek kabartma resimlerindeyse Meksika yerlilerinden iyice farklı, "Kafkasyalı beyaz adam" tiplemeleri sezilmekteydi. Olmeklerin nasıl bir dile sahip olduklarını bilmiyorduk; nasıl bir kent yaşamı geleneğine sahip olduklarını bilmiyorduk; en garibi de, etnik olarak hangi gruba ait olduklarını bilmiyorduk. La Venta'nın kurulduğu yıllarda Meksika'da ne zenciler olabilirdi, ne de beyaz tenli ve (Orta Amerika yerlilerinin aksine) uzun sakallı Avrupalılar. Temel antropolojik teoriye göre Amerika kıtalarına son buzul çağının bitimine doğru İ.Ö. 12,000 dolaylarında Bering Boğazı aracılığıyla Asya'dan göçler olmuştu ve bu teori Amerika'nın değişik bölgelerindeki yerlilerle, Asyalıların etnik akrabalığını açıklamaya yardımcı oluyordu. Ancak Afrikalı ve Avrupalıların Meksika'ya bir biçimde göç etmiş olmaları, Bering Göçü teorisinin bütünüyle dışındaydı ve hiçbir açıklaması da yoktu.

Olmeklerin kimliği, genel kabul gören göç teorisinin içine sığdırılamadı ve bu nedenle ortodoks arkeoloji, sık kullandığı

---

[145]Walter Krickeberg, a.y.

bir yönteme başvurdu: Görmezden gelmek ve unutmak. Aynı tavır, Meksika'daki kalıntılarda rastlanan fil ve aslan betimlemelerinde de yaşandı: Köken olarak Afrika'ya ve Asya'ya ait bu hayvanların binlerce yıl önce Orta Amerika'daki varlığı açıklanamayınca, en uygun "bilimsel yöntem" olarak bu kabartmaları gözden uzak bir yere, bir müzenin deposuna kaldırmak seçildi. Olmek muamması, kurulu düzenin kabul edilmiş teorileri açısından, gerçekten can sıkıcı olmaya başlıyordu. En kötüsü de, bu uygarlığın gelişim evrelerinin saptanamamış olmasıydı. Olmekler Meksika'da sanki birdenbire ortaya çıkmış izlenimini veriyorlardı:

"Garip bir biçimde, arkeologların bütün çabalarına rağmen, Meksika'nın hiçbir yerinde (hatta bu anlamda Yeni Dünya'nın hiçbir yerinde) Olmek toplumunun 'gelişim aşamaları' olarak adlandırılabilecek bir tek bulgu ya da işaret bile elde edilemedi. Sanatsal üsluplarının karakteristik biçimleri dev zenci başı heykellerinin yontulmasında ortaya çıkan bu insanlar, sanki hiçbir yerden gelmiyor gibiydiler."[146]

Elle tutulur açıklamaların üretilememesi, sıradışı çözümler sunan teorileri birbiri ardına gündeme getiriyordu doğal olarak. Zecharia Sitchin'in Anunnaki teorisinin Yeni Dünya'daki aşaması, daha önce de belirttiğimiz gibi And Dağları ve Meksika'da yeni koloniler kurulmasını içeriyordu. Sitchin'e göre Enki soyundan gelen ve Mısır'da yazının ve bilgeliğin tanrısı olarak saygı gören Thoth, Afrika'dan getirdiği deneyimli bir grup insanla birlikte Meksika'ya da ulaşmış ve Olmek kentlerinin ilk kurucusu olmuştu:

"Devasa Olmek başlarının yüzleri Batı Afrikalı insanlarla kıyaslandığında, binlerce yıllık boşluk, bariz benzerliklerin oluşturduğu bir köprüyle yeniden bağlanır. Thoth, madencilik yapmak üzere, Afrika'nın bu bölgesindeki adamlarını seçip getirmişti; çünkü orada altın, çinko ve bronz alaşımı yapmayı sağlayacak bakır oldukça boldu."[147]

---

[146]Graham Hancock, "Fingerprints Of The Gods", s: 133
[147]Zecharia Sitchin, "The Lost Realms", s: 273

Sitchin'e göre Thoth'un altın ve çinko madenleri kurmak üzere inşa ettiği kentlerden biri de, İnkaların ünlü Tiahuanacu kentiydi. Bölgede gerçekten zengin çinko damarları vardır ve Sitchin'in işaret ettiği Sümerce "çinko kenti" anlamına gelen Tİ.ANAKU sözcüğüyle kentin antik adının benzerliği oldukça şaşırtıcıdır.[148]

Dil ve kültürler arasındaki açıklanamayan, garip benzerliklere ilişkin bir başka çalışma, on dokuzuncu yüzyıl sonlarıyla yirminci yüzyılın hemen başları arasında Meksika'da, Yucatan bölgesinde araştırmalar yapan Fransız araştırmacısı Augustus Le Plongeon'a aittir. Yitik Atlantis ve Mu kıtalarının varlığına gönülden inanan ve araştırmalarını bunlardan iz bulma umuduyla gerçekleştiren Plongeon, 1914 yılında yayımladığı çalışmasında, başta Mısır olmak üzere Eski dünya uygarlıklarının çoğuyla, Meksika'nın Mayaları arasındaki benzerliklerden söz eder. Plongeon'un gerçekten dikkate değer çalışmasında, Eski Mısır diliyle Maya dili arasında hem ses hem de anlam olarak ortak olduğunu belirttiği yaklaşık 150 sözcüğü içeren bir mini sözlük vardır. Yine aynı kitapta, İran ve Afganistan dolaylarındaki eski kent ve kabile isimlerinden 200 kadarının Maya dilinde anlamlı sözcüklere karşılık geldiği ileri sürülen bir de uzun listeye rastlarız.[149] Yazara göre bu ilginç benzerlikler ve ortaklıklar, Atlantis'in ortadan yok olmasıyla eskiçağ uygarlıklarına ulaşan kültürel mirasın sonuçlarıdır.

Arkeolojik dayanak ve somut kanıt olmaması nedeniyle şimdilik yalnızca "kafa kurcalayıcı" olarak değerlendirebileceğimiz bu sıradışı yaklaşımlar bir yana, Olmeklerin varlığı ve sahip oldukları uygarlığın başlangıç aşamaları, bir sis perdesinin ardındadır hâlâ. Mayaların (ve çok sonrasında kısmen Azteklerin) sürdürdüğü engin astronomi birikimi ve karmaşık takvimlerin, bütünüyle Olmek kaynaklı olduğuna ilişkin verilerin artması, onların kökenlerini daha da merak konusu haline getirmektedir. Tres Zapotes bölgesinde 1939-40 arasında arkeolog Matthew

---

[148]Zecharia Sitchin, a.g.e., s: 243
[149]Augustus Le Plongeon, "Mısırlıların Kökeni"

Stirling tarafından bulunan kalıntılarda, oldukça eski dönemlere ilişkin tarihler düşüldüğü ve Mayaların "noktalarla çizgiler"den oluşan hesap yöntemlerinin atasının Olmekler olduğu ortaya çıkmıştır çünkü. Bu, basitçe şu anlama gelir: Dünya tarihini uzun zaman döngülerinden oluşan "çağlar" aracılığıyla bölümlere ayırma mantığı, sanıldığından çok daha eski bir uygarlığın Mayalara bıraktığı mirastır. Bu miras sayesindedir ki o şaşırtıcı duyarlılıktaki takvimin hesabına göre içinde bulunduğumuz son çağın, Beşinci Güneş'in, İ.Ö. 3113 yılının Ağustos ayında başladığı ve 2012 yılının aralık ayında da sona ereceği hesaplanabilmiştir.

"Sıfır"ı bilen toplum

Bugünkü matematik sistemimizin "on tabanlı" (decimal) olması, genel olarak ilk sayma işleminin parmaklarla yapıldığı varsayımına dayanır. İki eldeki parmakların toplamı olan 10 rakamı, böylece doğal bir kolaylık olarak bütün hesap işlemlerinin çekirdeğine yerleşmiştir denebilir. Kimi toplumlarda bu sistemin farklılıklar gösterdiğini biliyoruz: Sözgelimi Mezopotamya uygarlıklarında, belki Sümerlerin de önceli olan toplumlarda başlayan altmışlı (sexagesimal) sayı sisteminden ve bunun gökyüzüyle ilgili hesaplamalarda ve geometride getirdiği kolaylıklardan söz ettik. Ancak Mezopotamya'da 60 ile bağlantılı hesaplar daha çok astronomiyle ilgili hesaplamalarda ağırlık kazanmış; buna paralel olarak sayı sistemine günlük yaşamdaki hesaplamaları basitleştirmek üzere 10 tabanı da entegre edilmiştir. Sonuçta Mezopotamya matematiği 60 ile 10 tabanlarının bir tür optimal bileşimine dayanan, melez bir sayı sistemi kullanmıştır.

Mayalarla en güçlü ifadesini bulan Orta Amerika matematiği, genel olarak on tabanlı anlayışa yakın görünmekle birlikte, 5 ve 20 rakamlarının da sistemde belirgin bir önemi vardır. Bilim adamları 5 rakamının önemsenmesini bir elin parmaklarının sayısı olmasıyla; hesaplamalarda ve birimlerde 20 rakamının öne çıkmasını da el ve ayak parmaklarının toplamının önem kazanmasıyla açıklıyorlar. Yirminin kilit bir noktaya yerleşmesi nedeniyle "yirmi tabanlı" olarak da düşünülen Maya matematiğinin en çarpıcı yönlerinden biri, "sıfır" kavramını ilk bulan ve uygulayan sistemlerden biri oluşudur. Gerçekten de "hiçlik, yokluk" anlamını karşılayacak bir matematiksel ifadenin icadı, güçlü bir soyutlama düzeyini gerektirir. Sıfır için bir simge yaratmak ve buna hesaplamalarda yer vermek için, her şeyden önce sayıların yazılışında "basamak" kavramını da geliştirmiş olmak gerekir. Mayalarda, hem sıfırın, hem de basamakların varlığını, çok eski tarihlerden itibaren izleyebiliyoruz. Ne var ki, Mayalar söz konusu olduğunda elimizde çok az belge bulunmasının yarattığı sorunlar, matematik ve takvimle ilgili çok daha ayrıntılı sonuçlara varmamızı engelliyor. Aslına bakılırsa, bugün korunan Maya dokümanlarının çoğu, "hesap" ile ilgili belge parçacıkları. Ama bunlar, astronomik hesaplar; sıradan matematik işlemleri değil. Eldeki Maya belgeleri arasında en iyi durumdakilerden biri sayılan Dresden Kodeksi de bunlardan biri. İçerdiği matematiksel hesaplar ve sayısal ifadeler, bütünüyle gökyüzüne yönelik.

"Şurası ilginç: Bu ifadeler, Maya rahipleri ile gökbilimcileri arasında, gerçek bir sıfırı bulunan ve rakamları sayıların yazılışındaki konumlarına göre belli bir değer taşıyan 20 tabanlı bir gösterim dizgesinin varlığını açığa vuruyor. Bu yirmili sayılamanın birinci basamağının birimleri, on dokuz sayısına kadar çok yalın simgelerle (noktalarla ve çizgilerle) betimleniyordu: İlk dört birim için birden dörde kadar nokta; 5 için yatay ya da dikey bir çizgi; 6'dan 9'a kadar olan sayılar için çizginin yanına ya da üstüne konmuş bir, iki, üç ya da dört nokta; 10 için iki çizgi..."[150]

---

[150]Georges Ifrah, "Rakamların Evrensel Tarihi – IV", s: 102

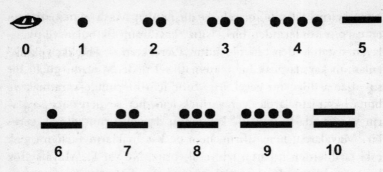

Şekil 8: Maya matematiğinde sayı simgeleri

Rakamları noktalar ve çizgilerle işaretleyen Maya sisteminde, herhangi bir basamağın boş olduğunu belirtmek gerektiğinde, "sıfır" sayısını simgelemek üzere bir deniz kabuğu işareti kullanılır. Tıpkı bizim üç yüz seksen rakamını yazmak için "yüzler basamağı"na 3, "onlar basamağı"na 8, "birler basamağı"na da 0 yazmamız gibi. Bu gerçekten önemli bir buluştur ve ne zaman fark edilip kullanılmaya başladığı da yine belge eksikliğinden ötürü gizemini korumaktadır. Ancak sıfırın varlığı sayesinde Mayaların astronomik hesaplamalarda çok büyük rakamlarla uğraşırken bile hassas sonuçlara varabildiklerini söyleyebiliriz.

Mayaların matematiği 20'yi temel alır; hesaplama mantıkları bizim onlu sistemimize çok benzer; simgelerinde 0, 1 ve 5 rakamları için sırasıyla deniz kabuğu, nokta ve çizgi kullanırlar; bunlar tamam. Ancak önem verdikleri temel sayılardan birinin 13 olmasının ardında yatan nedeni açıklamak, gerçekten çok zordur. Ne el ve ayak parmaklarıyla açıklayabilirsiniz bunu, ne de başka bir doğal olguyla. Birbirinden farklı döngüleri izleyen ve bunların sonuçlarının bileşkeleriyle ince hesaplara ulaşan ünlü Maya takviminde, 13 gerçekten vazgeçilmez öneme sahip, kilit bir rakamdır.

Maya toplumunda zaman ve takvim

Mayaların zaman hesaplama araçları arasında ilk ve belki de en gizemli döngü, "Tzolkin" adı verilen "kutsal takvim"dir.

Sözlük anlamı "gün sayımı" olan Tzolkin, 260 günlük bir zaman dilimini içerir ve iki farklı dizinin elemanları arasındaki bileşimle tamamlanır. Bu dizilerden birinde 1'den 13'e dek uzanan rakamlar, diğerinde belli bir sıra izleyen 20 adet "isim" vardır. Takvim, rakamların ilkiyle, isimlerin ilkinin yan yana geldiği "1 *Imix*" günüyle başlar. Ertesi gün, "2 *Ik*", sonraki gün "3 *Akbal*"dır ve bu dizi, "13 *Ben*" gününe dek aynı mantıkla sürer. On dördüncü günde rakam yeniden 1'e dönecek, ancak gün listesinde sıradaki isim onun yanına gelecektir: "1 *Ix*". Yirminci güne gelindiğinde, rakam dizisi henüz 7'dedir ama listedeki isimler bitmiştir. Bu durumda bir sonraki gün için isim listesi tekrar sıfırlanır ve başa döner, rakam dizisi ise kaldığı yerden devam eder: "8 *Imix*".

Bu mantık uyarınca Tzolkin takvimi, dizideki 13 rakamın her birinin, birer kez bütün isimlerin yanına gelmesiyle tamamlanır. Döngünün bitimi, "13 *Ahau*" günü olacaktır bu durumda. Mayaların (ya da muhtemelen onlara bu bilgileri aktarmış olan daha eski bir uygarlığın) niçin 13 rakamını bu denli kilit bir noktaya koymuş olabileceğiyle ilgili hiçbir fikrimiz yok. Ancak isim listesiyle rakamlar dizisini farklı birer dişli çark gibi birbirine oturtan ve bunların kombinasyonuyla 260 günlük ilginç bir takvim oluşturan bu insanlara hayranlık duymamak mümkün değil. Aşağıdaki tablo, Tzolkin'i oluşturan gün adlarıyla onlara eşlik eden sayıları sergiliyor:

Sayı	Gün
1	Imix
2	Ik
3	Akbal
4	Kan
5	Chicchan
6	Cimi
7	Manik
8	Lamat
9	Muluc
10	Oc

11	Chuen
12	Eb
13	Ben
(1)	Ix
(2)	Men
(3)	Cib
(4)	Caban
(5)	Eznab
(6)	Cauac
(7)	Ahau

Görüldüğü gibi, isim listesindeki 20 gün, toplam 13 kez tur atmakta; *1 Imix* ile başlayan döngü, *13 Ahau* ile sona ermektedir. Bu, 20'şer günlük 13 aydan oluşan bir takvim demektir, ama ortaya çıkan toplam 260 günlük döngüye bir anlam vermekte bilim adamları oldukça zorlanmaktadırlar; çünkü bu hesap bilinen hiçbir zaman ölçme mantığına uymamaktadır. Eski toplumlarda yaygın biçimde temel alınan (bu arada Mayaların da önem verdiğini bildiğimiz) "Kamerî Ay", yani Ay'ın fazlarının tam döngüsü, 29,5 gündür ve çoğu kez hesaplamalarda 30 gün olarak kabul edilir. Ne var ki 260 sayısı 30'a tam olarak bölünemediği gibi, "20 günlük ay" kavramı da astronomik göstergelerle uzlaşmaz bir türlü. Diğer yandan, 13 rakamı da bildik astronomik şablonların hiçbirine oturmamaktadır. Akla gelen olasılıklardan biri Mayaların gökyüzü ekvatorunu 12 yerine 13 takımyıldıza bölmüş olmalarıdır ki bu da bir güneş yılından 105 gün daha kısa olan 260 günlük Tzolkin döngüsünü açıklayamamaktadır.

Maya uzmanları, yıllardır bu "kutsal gün sayımı" döngüsünün ardında yatan mantıksal dayanakları bulup çıkarmaya uğraşıyorlar, ama bugün hâlâ elle tutulur somut bir noktaya varılmış değil. Şimdiye dek önerilenler arasında en çok ilgi göreni, bunun bölgenin iklimine bağlı bir "tarım takvimi" olabileceği fikriydi. Gerçekten de ilk bakışta mantıklı görünmüştü bu öneri, çünkü Meksika'nın güneyinde sonbaharın bitimiyle birlikte tarım faaliyetlerinin durmasına neden olan uzun ve etkili yağmur mevsimi başlıyordu. Kimi bilim adamları, ortalama 100 ila 110 gün süren bu yağmurlu ve tarıma elverişsiz mevsimin güneş yılından çıkarılmasıyla, 260 günlük bir döngünün elde edilmiş olmasını inanılır buldular. Ancak Tzolkin'in Maya kültüründeki anlamı ve döngünün kullanılış biçimi dikkate alındığında, ilk başta çok parlak gibi görünen bu teori de değerini yitirdi. Her şeyden önce Mayalar, bu döngüyü "kutsal takvim" olarak görüyorlar ve tanrılarla ilişkilendiriyorlardı ki bu, Maya inanç sistemi dikkate alındığında, astronomik bir bağlantının zorunluluğunu hissettirmekteydi. (Orta Amerika uygarlıklarının astronomileri alanındaki en büyük uzmanlardan biri diyebileceğimiz Anthony Aveni, bu konuda farklı düşünüyor ve Tzolkin'in astronomik bir temeli olmadığını, dini inançlara yaslandığını öne sürüyor.[151]) Diğer yandan Tzolkin'in kullanımı, "sürekli"ydi. Yani, yağmurlar başladığında takvimin durması ve yağmurlar bittiğinde yeniden başlaması gibi bir gelenek yardımıyla Tzolkin'in güneş yılıyla çakıştırılması yolunda bir çaba söz konusu değildi. "13 Ahau" ile biten döngünün hemen ertesi günü, "1 Imix" ile yeni Tzolkin döngüsü alıyordu sırayı. Bu durumda "yağmur mevsimi"nin Tzolkin içinde önemsendiğine dair en küçük bir belirti bile bulmak mümkün değildi.

Bütün bu gizem, Mayaların zaman ölçme sisteminde Tzolkin ile güneş yılı arasında oluşturdukları, ilginç bir kombinasyonla, daha da karmaşık hale geliyordu. Bizim takvim sistemimizle neredeyse aynı olan bir diğer Maya takviminde güneş yılı, 20'şer günlük 18 ayın toplamından oluşur ve bu sürenin sonuna (tıpkı eski Yakındoğu uygarlıklarında olduğu gibi) 5 "uğursuz gün" eklenir. Bu hesap sonucu ortaya çıkan 365 günlük döngü, *Haab* olarak adlandırılan güneş yılıdır.[152] Mayalar (sonrasında da Aztekler) Tzolkin ile Haab döngüleri arasındaki ilişkiye, son derece büyük önem verirler. Yaptıkları hesaba gö-

[151]Bu konuda bkz. Anthony F. Aveni, "Stairways To The Stars", s: 109
[152]Burada söz konusu olan, gün sayımına dayalı "eksik yıl"dır. Mayalar tam güneş yılının bizim ondalık hesabımızla 365,2422 güne denk gelen uzunlukta olduğunu, farklı astronomik döngülerle yaptıkları sağlamalar sayesinde, son derece hassas olarak hesaplamayı bilmişlerdi.

re, 260 günlük Tzolkin ile 365 günlük Haab, toplam 18,980 günlük bir büyük döngüde çakışmaktadır. Yani her iki döngünün başlangıçları, aradan 73 Tzolkin ve 52 güneş yılı geçtikten sonra, yeniden aynı güne rastlayacaktır. Mayalar buna "Takvim Turu" (Calendar Round) adını verirler ve turun tamamlandığı gün, 52 yılda bir şenliklerle kutlanır.

Elde bulunan kodekslerde, Mayaların çoğu gök cisminin hareketlerini düzenli olarak izlediğini, yörüngelerini hesapladığını ve bunları bazı çizelgelere dikkatle yerleştirdiğini net olarak ortaya koyan çok sayıda veri bulunuyor. Doğaldır ki, bunların arasında ilk sırayı Ay'ın gözlenmesi almakta. Yıl boyunca sergilediği bütün fazlar ve tam döngüleri dikkatle incelenen uydumuzun, gökteki hareketi süresince farklı takımyıldızlar hizasında geçirdiği dönemlerin de izlenip işaretlendiğine tanık oluyoruz. Buna paralel olarak, güneşin hareketleri ve tutulum çemberi (ekliptik) üzerinde izlediği yol boyunca geçtiği takımyıldızlarda kaldığı süre de dikkatle hesaplanmış Mayalar tarafından. Doğal olarak, tüm eskiçağ toplumlarında olduğu gibi, güneş yılı içindeki dört tropik nokta, yani ekinokslar ve gündönümleri de hesaplamalarda temel noktaları oluşturmuş. Ay ve güneşin hareketlerinin çok uzun dönemler için çizelgeler halinde hesaplanıp dökümler alınması, doğanın en çarpıcı görünümlerinden olan tutulmaların da Mayalar tarafından son derece isabetli biçimde tahmin edilmesi sonucunu doğurmuş. Bu ilgi ve meraklarında o denli ileri gitmişler ki, bizim yaşadığımız dönemlere ilişkin güneş tutulmalarını bile günü gününe doğru hesaplamışlar; yani bir biçimde, kendilerinden en az bin, hatta bin beş yüz yıl sonraki dünyanın tanık olacağı tutulmaları bile doğru olarak saptayabilmişler!

Venüs gezegeni, Maya astronomisinde çok özel bir öneme sahip. Kendi inanç sistemlerinde çoğu kez büyük "öğretici tanrı" Kukulkan (ya da Kucumatz) ile özdeşleştirilen Venüs'ün döngüleriyle ilgili akıl almaz incelikte hesap yapmış Mayalar. Dünyadan göründüğü biçimiyle Venüs'ün bir tam turunu; yani sabah yıldızı olarak gözden kaybolmasının ardından tekrar sabah yıldızı olarak belirinceye kadar geçen süreyi 584 gün olarak ölçmüşler. Modern astronomik gözlemlere göre bu periyot 583.92 gündür; yani Mayalar bu süreçte iki saatten de az bir hatayla, son derece hassas bir sonuca ulaşmışlardır. Bu döngü, Mayalarca kesin zaman ölçümlerini elde edebilmek için, kamerî ay ve güneş yılıyla kombinasyon halinde kullanılır. Aveni'ye göre, 8 güneş yılı, 99 kamerî ay ve 5 Venüs döngüsü, 2920 günlük bir süreçte çakışırlar ki, bu zaman dilimi de Mayalar tarafından astronomik ve dinsel amaçlı olarak kullanılmıştır.[153] Farklı astronomik periyotlardan yararlanarak zaman hesaplarındaki hata payını sürekli daralan bir aralığa sıkıştıran ve gerçekten şaşırtıcı dakiklikte hesaplara ulaşan Mayalar; ayrıca bizim dört yılda bir Şubat ayına bir gün ekleyerek takvimimizde düzeltme yapmamıza benzer biçimde, Venüs'ün her 61 döngüsüne 4 gün ekleyerek sapmaları ortadan kaldıran bir sisteme sahiptir.

Çoğu eskiçağ toplumunun astronomi geleneğinde olduğu gibi, Mayalarda da Pleiades (Ülker) takımyıldızı dikkatle izlenmiş ve bu parlak yıldız grubunun gökyüzündeki hareketlerine ayrı bir önem verilmiştir. Sonraki yüzyıllarda Azteklerin de "Tianquiztli" (Pazar Meydanı) adıyla andıkları Pleiades, Mayalar için "Tzab"dır, yani "çıngıraklı yılanın çıngırağı". Boğa takımyıldızı içinde parlak bir grubu oluşturan Pleiades, güneşin Boğa'yı terk ettiği yaz başlarında şafakla birlikte görünür, ilerleyen aylarda yavaş yavaş gece göklerinde yükselmeye başlar. Bernardo de Sahagun, Azteklerin 52 yılda bir Pleiades'le ilgili bir şenlik yaptıklarından söz eder. Buna göre, sürekli olarak "dünyanın sonunun geleceği" korkusunu yaşayan Aztekler, 52 yıllık periyot bittiğinde, gökyüzünün başucu (zenith) noktasında Pleiades'i gördüklerinde, dünyanın henüz sona ermeyeceğini anlar ve bir 52 yıl daha vakitleri olduğunu düşünerek sevinçle bunu kutlarlarmış.[154] Hemen tahmin edebileceğiniz gibi söz konusu döngünün kökeni, Mayaların Tzolkin – Haab kombinasyonudur.

[153]Anthony F. Aveni, a.g.e., s: 123
[154]Bernardo de Sahagun'dan aktaran: Anthony F. Aveni, "Astronomy In Ancient Meso-America"

Görüldüğü gibi Mayalar, farklı astronomik hesapları ve döngüleri işin içine karıştıran en az beş farklı takvim mantığı kullanarak şaşırtıcı hassaslıktaki ölçüm ve sonuçlara ulaşmışlardır. Bütün bunları teleskop ve çeşitli ölçüm aletleri olmadan nasıl yaptıklarıysa, ayrı bir merak konusudur elbette. Elimizde bulunan Maya kodekslerinde, başrahip ya da astronomların, tapınakların en tepesinde yer alan merkez odalarda, çoğu kez "X" biçiminde birbirine çakılmış iki tahtanın arasından gökyüzüne bakarak gözlem yapmalarını betimleyen resimlere rastlarız. Bunlara ek olarak, Maya antik kentlerinde, piramitlerin tepesinde yer alan odalar ya da Chichen Itza'daki "Caracol" benzeri, doğrudan astronomi amaçlı, inşa edilmiş gözlemevleri, rahiplerin gözlem yöntemleriyle ilgili ipuçları sunar bize. Bu yapılar çoğu kez dört yönden de ufku görecek biçimde yüksek ve düz alanlara kurulmuştur. Hassas hesaplarla, gözlem odasını çevreleyen duvarlar örülmüş; bu duvarların üzerinde yer alan pencereler, doğrudan doğruya ufukta belirecek spesifik yıldızlara hizalanmıştır. Yine Chichen Itza başta olmak üzere çoğu Maya kentinde, tam tepe noktasına küçücük bir deliğin açıldığı, "zenith gözleme odaları" bulunmuştur arkeologlarca. Bütün bunlar, kullandıkları araçlar ne denli basit olursa olsun, Mayaların son derece dikkatli, pratik ve akıllıca gözlemlerle hem yıldızların yükseliş ve batış hareketlerini, hem de başucu (zenith) geçişlerini izlediklerini ortaya koyar. Bu istekli ve hevesli astronomik etkinliğin onlara armağanı, olağanüstü ayrıntılı ve hassas Maya takvimidir.

"İyi ama neden?" diye sorulabilir tam bu noktada. Zamanı bu denli hassas birimler halinde ölçmek için bunca zahmete girmeye ve bunca döngüyü izleyip farklı takvimler çıkartmaya ne gerek olabilir? Mayalar gibi, astronomileriyle karşılaştırıldığında insanı şaşkınlığa düşürecek oranda basit, düz, ilkel bir mısır tarımı yapan bir toplumun, bu karmaşıklıktaki bir takvime niçin ihtiyacı olabilir?

Yanıt, yine sisler arasındadır: Bilinmeyen bir uzak geçmişte, bilinmeyen ataları tarafından Olmeklere, Olmeklerden de onlara aktarılmış bir saplantıdır bu zamanı izleme merakı. Arkasında da son derece insani ve belirgin bir kaygı yatmaktadır: Dünyanın bir gün gökten gelen bir felaketin etkisiyle yok olacağı kaygısı. Atalarından Mayalara sözlü gelenekle aktarılan mitlerde hep yinelenen bu evrensel döngüden söz edilmektedir. Dünya oldukça uzun, birbirinden her yönüyle ayrı, büyük "çağ"lar yaşamış ve bu çağların her biri, büyük bir katastrofla sona ermiştir. Bu geleneğe göre içinde bulunduğumuz son çağ da, yine böylesi bir faciayla sona erecek; belki insanlık yeryüzünden bütünüyle silinecektir. Mayaların bütün sanat yapıtlarında, mimarilerinde, tapınak süslerinde, bilinçaltında yaşayan bu "yok oluş"un getirdiği korkunun izlerini buluruz. Cangılın ortasındaki tropik bir coğrafyada, çevrede binbir çeşit bitki ve egzotik çiçek varken, Maya kabartmalarında birbirinden korkunç yaratıklar, ejderhalar ve dev yılan yüzleri çıkar karşımıza. Tehdit edici bir ifadeyle kentte yaşayanları süzüyor izlenimi veren canavar başlarına, tapınak süslerinde ve piramitlerin basamaklarının kenarlarında sık sık rastlarız. Aynı üslup, çok daha sert biçimde Toltek ve Aztek kültürlerine de taşınmıştır. Bu nedenle, C. W. Ceram haklı olarak Orta Amerika uygarlıklarını "Korku İmparatorlukları" olarak niteler.[155]

"Uzun Hesap" ve Dünya Çağları

Aslında bütün hesaplar, yıldız gözlemleri, döngü izlemeler, sonuçta bir tek büyük ve tanrısal hesaba katkıda bulunmak içindir: Mayaların "Uzun Hesap" (Long Count) dedikleri büyük takvimdir bu. Dünya çağları, bitiş günleri ve insanlık tarihi, bu dev ölçekli takvimin sınırları içindedir. Peki nasıl işler bu takvim?

Mayaların matematik anlayışlarından söz ederken, 20 tabanlı bir sayı sistemi kullandıklarını ve "basamak" kavramını bu sisteme mal ettiklerini söylemiştik. Rakamlar, nokta ve çizgilerin kombinasyonuyla ya da gerektiği yerde "sıfır" anlamına gelen deniz kabuğuyla simgeleniyor ve gösteriliyordu. Hesap tablo-

---

[155]C. W. Ceram, "Tanrılar, Mezarlar ve Bilginler"

sundaki basamaklar, "birler", "yirmiler", "dört yüzler", "sekiz binler" olarak, hep yirminin katları biçiminde beliriyordu.

Zaman ölçümüne yönelik hesaplarda, bu sistemin küçük bir değişikliğe uğradığını görüyoruz: Sistemin henüz ikinci basamağında, bir kereye mahsus olmak üzere 20 yerine 18 sayısı giriyor devreye. Tıpkı, güneş yılına denk gelen Haab'ın ölçülmesindeki "18 ay" periyodunda olduğu gibi. Buna göre, Maya takviminde uzun dönem için kullanılan birimler şöyle sıralanıyor:

1 Kin = 1 gün
1 Uinal = 20 günlük "ay"
1 Tun = 360 gün (20 günlük 18 ayın toplamı)
1 Katun = 7200 gün (20 Tun)
1 Baktun = 144,000 gün (20 Katun)

Bu hesaplamada, güneş yılının dikkate alınmadığı; yalnızca 20 tabanlı hesabın bir kereye mahsus 18 aylık bir periyotla "düzeltildiği" ve hesabın yine 20'nin katları aracılığıyla "gün saymaya" yöneldiği görülüyor. Büyük zaman dönemlerine doğru ilerleyen bu birimler, Baktun ile bitmiyor elbette:

1 Pictun = 2,880,000 gün (20 Baktun)
1 Calabtun = 57,600,000 gün (20 Pictun)
1 Kinchiltun = 1,152,000,000 gün (20 Calabtun)
1 Alautun = 23,040,000,000 gün (20 Kinchiltun)

Bu son dört birimin çok daha büyük zaman dilimlerini hesaplamak üzere tasarlandığı bellidir. Eğer bu rakamları yıla çevirirsek; 1 Pictun 7885 yıl, 1 Calabtun 157,703 yıl, 1 Kinchiltun 3 milyon 154 bin yıl ve 1 Alautun da 63 milyon 81 bin yıl olarak karşımıza çıkar. Yalnızca basit mısır tarımıyla uğraşan ve henüz tekerleği bile bulmamış bir uygarlığın çocukları için gerçekten şaşırtıcı büyüklükte rakamlardır bunlar. Bilim adamlarınca kabul gören rakamlara dayanarak, "1 Alautun önce" dinozorların yeryüzünden silindiğini söyleyebiliriz. Yine bundan yaklaşık "1 Kinchiltun önce", muhtemelen homo erectus'un ilk örnekleri ortada görünmeye başlamıştı. Neanderthal insanı, "1 Calabtun önce" ortaya çıktı; ilk neolitik kentlerin belirmesi ise yaklaşık "1 Pictun önce"ye rastlıyor. İyi ama, bu olgulardan haberdar bile olmayan Mayalar, niçin bu "astronomik" zaman ölçülerine gerek duymuş olabilirler? Bunun nedenini bilmiyoruz; tıpkı Mezopotamya'da 5000 yıl önce milyonlardan, Harappa'da da 4000 yıl önce milyarlardan oluşan hesapları, o uygarlıkların insanlarının niçin yaptığını bilemediğimiz gibi.

Maya "uzun hesap" dönemiyle ilgili birimleri sıralamaya, 1 Baktun'dayken ara verdik; bunun nedeni, Orta Amerika "zaman kültürü"nde birbirini izleyen uzun "dünya çağları"nı oluşturan sistemin, Baktun'dan yukarısını kullanmıyor olması. Bir üst birim olan Pictun'un "20 Baktun" ettiğini gördük az önce. Ama Mayalara göre dünya çağları, bu süreden çok daha kısadır: Yaşlı gezegenimiz bir dünya çağını ya da Mayaların verdiği adla bir "Güneş"i, 13 Baktun'da tamamlar: Yani, 1,872,000 günde. Bu sürenin sonunda, yerküreyi sarsan afetlerle birlikte bir çağ biter ve bir yenisi başlar.

Maya çağlarının başlangıç ve bitiş günlerinin bizim Gregoryen takvimimizdeki karşılıklarını bulmak için uzun araştırmalar yapan Maya uzmanı Eric Thompson; tarihsel olaylar, arkeolojik veriler ve yapıların yönlendirildiği gök cisimlerinin belirli tarihlerdeki konumlarından yararlanarak, oldukça uyumlu iki tarih saptadı: Mayalara göre içinde bulunduğumuz "Beşinci Güneş" çağı İ.Ö. 3113'ün 13 Ağustos günü başlamıştı ve 2012 yılının 23 Aralık günü büyük depremlerle sona erecekti. Toplam 5125 yıl 4 ay 10 gün süren bir devrenin trajik sonu olacaktı bu, Mayalara göre.

Maya uzun dönem esaslarına göre bir olayın tarihi kaydedilirken, o çağın başlangıcından beri kaç Baktun, kaç Katun, kaç Tun, kaç Uinal ve kaç Kin geçtiği, ayrı ayrı basamaklar halinde ve dikey olarak, aşağıdan yukarıya doğru yazılır. Bu rakamları bizim yazı sistemimize çevirirken, genellikle soldan sağa doğru azalan bir düzene göre sıralamayı ve basamak aralarına noktalar koymayı yeğliyoruz. Buna göre, sözgelimi 3.0.7.4.1 biçiminde yazılan bir tarihi bizim takvimimize çevirmek için, ilkin çağın başlangıcından bu olaya dek geçen zamanı gün cinsinden hesaplayıp yazmamız gerekiyor:

3 Baktun = 3 x 144,000 = 432,000 gün
0 Katun = -
7 Tun = 7 x 360 = 2520 gün
4 Uinal = 4 x 20 = 80 gün
1 Kin = 1 gün

432,000 + 0 + 2520 + 80 + 1 = 434,601 gün

Bunu, yıla çevirdiğimizde, 1189 yıl 9 ay dolayında bir rakam çıkar karşımıza. Çağın başlangıcı İ.Ö. 3113 yılının Ağustos ortası olduğuna göre, yukarıdaki örnek tarihimiz de buradan yapacağımız hesapla İ.Ö. 1924 yılının Mayıs ayına rastlayacaktır.

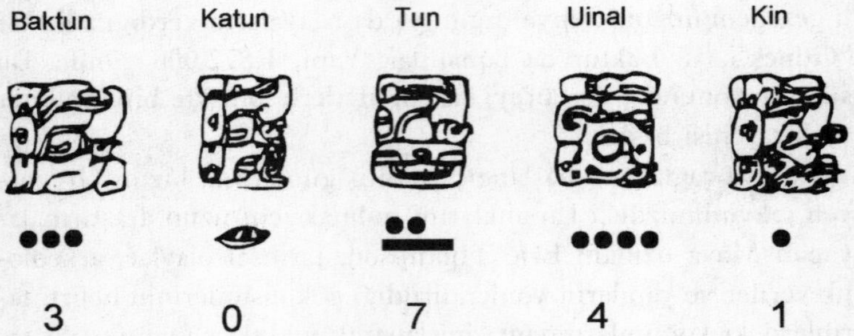

Baktun	Katun	Tun	Uinal	Kin

3.0.7.4.1 = 434,601 gün

Şekil 9: Maya Uzun Hesap (Long Count) tarih yazım sistemine örnek: 3.0.7.4.1

Maya sistemine göre yazacak olursak, içinde bulunduğumuz çağın başlangıç günü, 0.0.0.0.0 ve bitiş günü de 13.0.0.0.0 olacaktır. Bütün temel sayı sistemini 20 tabanını kullanarak yaratan; ancak zaman hesabında bir kez 18 rakamına başvuran Mayalar, böylece 13 rakamını da, Tzolkin'den sonra ikinci kez kullanmış olurlar. "13 Baktun" uzunluğundaki bir dünya çağı, bu durumda tam 7200 Tzolkin döngüsüne eşit olmaktadır. Bu süre aynı zamanda 5200 Tun'a, yani "360 günlük yıl"a da eşittir. Bir anlamda, "Takvim Turu"nda gerçekleşen 52 güneş yılına 73 Tzolkin çevrimi oranına oldukça yakın bir buluşma, 13 Baktun süren bir dünya çağında çok daha büyük ölçekli olarak yinelenmektedir. Ama bütün bu benzerlikler ve oranlar bir yana, bir tek şeyi net olarak söyleyebiliriz: Bir dünya çağının 5125 yıl, daha doğru bir deyişle 13 Baktun sürmesinin Maya takvim sisteminde tek anlamı olabilir, o da çağ kavramıyla Tzolkin çevrimi arasında bir bağlantının varlığıdır. 13 Baktun periyodu, büyük ölçekli bir "Takvim Turu"na çok yakındır. Diğer yandan, bütün bu sistemin kurulmasında, bir dünya çağının 13 Baktun olmasının payı yadsınmamalı: Bir çağ 13 Baktun sürdüğü için, küçük ölçekli, 20'şer günlük 13 aydan oluşan Tzolkin, onun minyatürü olarak tasarlanmış ve kutsanmış olabilir. Tipik bir "yumurta mı tavuktan, tavuk mu yumurtadan" sorunudur bu.

Mayalar, dünyanın "dört güneş" yaşayıp tamamladığını; halen "Beşinci Güneş"i yaşamakta olduğumuzu anlatırlar. Bu inanışa göre "Dördüncü Güneş"in sonunda su elementiyle ilgili felaketler, yani büyük seller ve sağanaklar yaşanmıştı (tıpkı Tufan mitlerinde olduğu gibi); "Beşinci Güneş"in sonunu da, büyük depremler getirecekti.

Şekil 10: Aztek Takvimi. Dairenin merkezinde, geride kalan dört çağ ve şu an içinde bulunduğumuz beşinci çağı simgeleyen glifler görülüyor.

Aynı anlayışın biraz erozyona uğrayarak da olsa, Azteklere de taşındığını görüyoruz. Meksika'nın bu ürpertici uygarlığı, dünyanın dört çağ yaşadığını anlatıyordu yaratılış hikâyelerinde:

"Birinci Güneş – *Matlactili.* 4008 yıl sürdü. Bu çağda yaşayanlar, mısır yiyen devlerdi. Çağın sonu, suyla geldi. (...)

İkinci Güneş – *Ehecatl.* 4010 yıl sürdü. Bu çağda yaşayanlar, Acotzintli adı verilen bir meyveyi yediler. Çağın sonunu Ehecatl (rüzgâr tanrısı) getirdi ve insan, yaşayabilmek için ağaçlara muhtaç olan maymunlara dönüştürüldü. Yalnızca, bir kayanın üzerinde duran bir adamla bir kadın bu yıkımdan kurtulabildi. (...)

Üçüncü Güneş - *Tleyquiyahuillo.* 4081 yıl sürdü. İkinci Güneş'in sonundaki felaketten kurtulan çift, Tzincoacoc adı verilen bir meyve yediler. Dünya, Chicunahui Ollin gününde ateşle yok edildi. (...)

Dördüncü Güneş – *Tzontlilac.* 5026 yıl sürdü. (...) İnsanlar açlıktan, ateş ve kan yağmurundan öldüler."[156]

Aztek modeline göre de, Mayalarda olduğu gibi, içinde bulunduğumuz "Beşinci Güneş", son çağdır. Ama onlar, bitiş yılını Mayalar kadar büyük bir kesinlikle bilmezlerdi ve takvimlerinde işaretli değildi. Bununla birlikte Beşinci Güneş'in sonunun yaklaştığını hissediyorlar; tanrıları bu korkunç sondan vazgeçirebilmenin tek yolunun da onlara insan kurban etmek olduğunu düşünüyorlardı! Bu kıyamet korkusu o kadar yoğundu ki, Aztek savaşçıları salt tanrıları oyalayabilecek yeni kurbanlar bulabilmek için düzenli aralıklarla insan avına çıkıyorlardı. Çağın sonunun nasıl geleceğine ilişkin kutsal yazılarda da Maya inanışına benzer bir ifade vardı: "Yerde bir hareket başlayacak ve dünyadaki her şey altüst olacak."

Biçimsel olarak, Güney Amerika'daki İnka uygarlığının kozmolojisinde de dünyanın tarihine ve evrendeki döngülere ilişkin Maya ve Azteklere oldukça paralel bir anlayış karşımıza çıkar. And Dağları'nın bu egzotik imparatorluğunun sakinlerinin de, uzak atalarından dünyanın belli kritik tarihsel evreleri birer birer tamamladığına ilişkin bir geleneği teslim aldıklarını görürüz.

---

[156] Adrian Gilbert – Maurice Cotterell, "The Mayan Prophecies", s: 82

Dünya Çağları kavramının İnka kültüründeki varlığını ilk fark edenlerden biri de, bir önceki bölümde sözünü ettiğimiz Don Fernando de Montesinos'tur:

"Montesinos, Peruluların ortak bilgi dağarcığında, diğer tarihçilerin araştırmalarını doğrular biçimde, İnkaların kendi çağlarını Beşinci Güneş olarak adlandırdıklarına ilişkin izler buldu. Birinci Çağ, Viracocha'ların, yani sakallı beyaz adamların çağıydı. İkinci Çağ, devler çağıydı; bu devlerin bazıları hiç de yardımsever değildi ve devlerle tanrılar arasında çatışmalar yaşandı. Ardından İlkel Adamın Çağı geldi, yani kültürü olmayan insanların dönemi. Dördüncü çağ, yarı-tanrı olan kahramanların çağıydı. Ve nihayet Beşinci Çağ geldi, İnkaların da dahil olduğu insan kralların çağı."[157]

Bir başka dikkate değer benzerliğe, Kuzey Amerika'nın güneybatısındaki kızılderili kabilelerinde rastlıyoruz. Navaholara göre evrende bugüne dek dört çağ yaşanmıştır ve bunlar "Birinci Dünya", "İkinci Dünya" gibi adlarla anılırlar. İçinde bulunduğumuz beşinci çağ, hem Navaholarda, hem de New Mexico dolaylarındaki oldukça eski ve ileri bir kabile olan Hopilerde, "değişimler çağı" olarak düşünülür. Bu inanç sistemi içinde, zamanın hesaplanması ve takvimin işletilmesi de son derece önemli ve kutsal bir görev olarak ortaya çıkar Navaho ve Hopilerde. Bu amaçla, izleri sürülmeyecek denli eski bir zamandan beri "günlerin sayıldığı" ve zaman hesaplarının "Takvim Taşı" üzerine işlendiği biliniyor. Bu kutsal objeyi denetimi altında tutmak ve zaman hesabını sürdürmek, onurlu ve kritik bir statünün de altını çiziyor aynı zamanda.[158]

Aralarında doğrudan ilişki ve bağlantı olduğuna dair elle tutulur bilgilere sahip olmadığımız Meksika ve Peru uygarlıklarının aşağı yukarı birbirine çok benzer "dünya çağları" kavramlarına sahip olmaları, henüz izlerini tam olarak gün ışığına çıkarmayı başaramadığımız, çok daha eski ve ortak bir uygarlığın ipuçlarını veriyor gibi. Belki arkeolojik bulgular biriktikçe ve

[157]Zecharia Sitchin, "The Lost Realms", s: 138
[158]Bkz. Aileen O'Bryan, "The Dîne: Origin Myths of the Navaho Indians", s: 16-17

daha derin sonuçlara ulaşmayı sağlayacak kritik belgeler bulundukça, Olmeklerin de öncelleri olan Orta Amerika sakinleriyle, Peru'da, Caral kenti yakınlarında bulunan yeni ve sürpriz uygarlığın kurucuları arasındaki olası bağlantılar da açığa çıkabilir. Şu anda elle tutulur hiçbir somut kanıt olmamasına rağmen, salt sezgileri harekete geçiren işaretler yardımıyla bile böylesi bir bağlantının gerekliliğini hissedebiliyoruz. Amerika'da uygarlığın tarihinin, bugün genel kabul gören anlayışın ileri sürdüğünden çok daha eskilere dayandığı neredeyse kesin.

Aztekler ve İnkaların dünya çağlarına ilişkin inanç ve gelenekleri aynı döngüsel zaman anlayışının altını çizse de, Mayalar kadar elle tutulur ve somut hesaplar yapmayı beceremediklerini görüyoruz. En azından şimdilik, bu konuyu adeta görev bilerek sonuna dek gitmiş ve hassas hesaplara ulaşmış tek uygarlığın Mayalar olduğunu söyleyebiliriz. İçinde bulunulan son çağın başlangıç ve bitiş tarihlerini günü gününe saptayan bu uygarlığın, hangi astronomik olay ve verileri temel alarak bu hesapları gerçekleştirdiğiyse, henüz çözülememiş bir sır. Gerek Aztek inanışlarında, gerek Popol Vuh'ta rastlanan hikâyelerde, beş dünya çağının farklı uzunlukları içerdiği anlamını verebilecek ifadelere rastlanıyor. Ama Maya astronomisinin ve takvim sisteminin astronomik sabitlere ve değişmez döngülere nasıl bağlı olduğunu yakından bildiğimiz için, bu insanların farklı uzunluklara sahip çağlardan değil, süresi bütünüyle birbirine eşit çevrimlerden söz ettiklerini söyleyebiliriz. Elimizdeki kodekslerde önceki çağlara ilişkin hiçbir hesap ya da takvim parçacığına rastlanmaz; her şey, Beşinci Güneş'le ilgilidir. Bu durumda, üzerinde bunca kesin hesaplar yapılan söz konusu çevrimin, bütün çağlar için geçerli bir döngüsel uzunluğu kastettiğini düşünüyorum.

Beşinci Güneş, Maya hesaplarına göre 5125 yıl, 4 ay ve 10 gün sürmektedir; daha farklı bir ifadeyle bu süre, 5125,36 güneş yılıdır. Bu durumda, Mayalar için "zamanın başlangıcı"ndan itibaren 2012'ye, yani "son çağın bitişi"ne dek geçen toplam süre, 25,626 yıl 10 ay gibi bir zaman dilimine denk olacaktır. Yani, Birinci Güneş'in başlangıç günü, İ.Ö. 23,614 yılının ilkbahar aylarıdır. Bu tarih ya da beş çağın toplam süresi olan yaklaşık 25,627 yıl, astronomik ya da tarihsel olarak nasıl bir öneme sahiptir acaba?

Presesyon: Astronominin "cilve"si

Dünya, güneş çevresinde yıllık turunu tamamlarken, bir yandan da kendi ekseni çevresindeki dönüşlerini sürdürür. Bir güneş yılı bitinceye dek, 365,2422 kez eksen turunu tamamlayan gezegenimiz, çok daha uzun vadeli olarak, kolay fark edilemeyen iki farklı döngüyü de izlemektedir aslında. Bunlardan biri, ekseninin, yörünge düzlemine yaptığı açıyla ve bu açının çok uzun zaman dilimleri içinde değişmesiyle ilgili bir döngüdür.

Bilindiği gibi gezegenimizin ekseni, güneş çevresinde döndüğü yörüngesinin düzlemine dik değildir; aşağı yukarı 23.5 derecelik bir açı oluşturur. Bu açı yüzündendir ki dünyanın kuzey ve güney yarıkürelerinde mevsimler "karşıt" olarak yaşanır; Mayıs ayında kuzey yarıküre yaz mevsimine girilirken, güney yarıküre kış bastırmaya başlar. Aynı biçimde, Kasım sonundan itibaren kuzeyde kışın etkisi hissedilir, güneyde de yazın ilk habercileri belirmeye başlar. Eğer dünyanın ekseni yörünge düzlemine dik olsaydı, gündönümü ve ekinoks noktalarında her iki yarıküre de eşit miktarda ve (yaklaşık) eşit açıyla güneş ışığı alacak; dolayısıyla dünyanın her yerinde aynı mevsim yaşanacaktı.

Diğer yandan, dünya ekseninin sahip olduğu bu açı, sabit ve değişmez bir eğim değildir. İçinde bulunduğumuz yıllarda 23.5 derece dolaylarında seyretse de, zaman içinde bundan daha yüksek ya da daha düşük açılar oluşturduğunu biliyoruz; bu farklılığın alt ve üst limitleri olduğunu da. Çok kabaca belirtmek gerekirse, eksen ile yörünge düzlemi arasındaki bu açı, çok büyük zaman dilimleri içinde yaklaşık 21,5 dereceyle, 24.5 derece arasında değişir. Bu iki uç nokta arasındaki bir tam tur; yani eksenin yaklaşık 21,5 derece açı yaptığı konumdan 24.5 dereceye ulaşması ve yeniden 21,5 dereceye dönmesi arasında geçen süre, yaklaşık olarak 41,000 güneş yılına eşittir.

Dünya ekseninin bir diğer uzun vadeli hareketi, kutuplardan geçtiğini varsaydığımız sanal eksen çubuğunun durağan olmayıp; yine uzun zaman dilimleri içinde, küçük bir daire çizmesidir. Bunu tıpkı çocukken oynadığımız topacın, dönme hareketi sırasında gerçekleştirdiği bir "yalpalama"ya benzetebiliriz. Eksen çubuğu, süreç içinde gökyüzünde bir çember çizer yavaş yavaş. Astronomi dilinde dünyanın bu eksen hareketine "Presesyon" adı verilir.

Astronomik anlamda, dünya ekseninin izlediği bu döngünün doğal sonuçları, dünyadan gözlem yapan biri için, gökyüzündeki "sabit" yıldızların konumlarının belli bir düzene göre değişmesidir. Bu nedenle, sözgelimi bugün kuzey yönünü saptamakta hâlâ yararlandığımız Kutup Yıldızı'nın, bundan 2000 yıl önce tam kuzeyi göstermediğini büyük bir rahatlıkla söyleyebiliriz. Presesyon nedeniyle gökyüzünde belirlenen kuzey kutbu noktası, o tarihlerde bir başka yıldızı gösteriyor olmalıdır çünkü. Benzeri biçimde, kutuplardan "göksel ekvatora" indikçe de, arka planda görülen takımyıldızların bulundukları konum da presesyon nedeniyle zaman içinde değişim geçirir. Bunun en tipik göstergesi, dünyanın güneş çevresinde izlediği yörüngenin dört tipik noktası olan ve mevsimlerin başlangıcını oluşturan ekinoks ve gündönümü noktalarının, bin yıllarla ölçülen zaman dilimleri içinde kaymalar sergilemesidir.

Bundan 2500 yıl kadar önce, gece ve gündüzün eşit olduğu ilkbahar ekinoksunda güneş, Koç takımyıldızıyla aynı hizadaydı. Dünyadan bakıldığında güneş, ay ve gezegenler, "ekliptik" ya da "tutulum çemberi" adını verdiğimiz düşsel bir çizgiyi izleyerek hareket ederler. Güneş, bu çizgi üzerindeki hareketi süresince, 12 farklı takımyıldızın her birinde yaklaşık 30 gün süreyle konaklar. Elbette aslında ne böyle bir göksel "yol" vardır, ne de o yol üzerinde belli aralıklarla oluşmuş takımyıldızlar. Ama Sümerlerin kullandığı altmışlı matematik sistemine temel oluşturan bir yaklaşım doğrultusunda güneş, ay ve gezegenlerin gökyüzündeki hareketlerini izlemek isteyen eskiçağ astronomları, ilkin 360 dilime bölünmüş bir çember, ardından da bu çember üzerinde 30'ar dilimi içeren 12 "istasyon" belirlemişlerdi.

Bu istasyonların gökyüzünde kolay tanınabilmesi ve işaretlenebilmesi için de, her bir dilimin içine yerleşen yıldız toplulukları belli doğal biçimlere, hayvanlara benzetilerek, "takımyıldız" dediğimiz gruplar yaratıldı. Uzayın ve evrenin derinliği içinde aslında birbirlerinden çok uzaklarda ve aykırı açılarda yer alan yıldızlar, gökyüzü iki boyutlu bir arka plan olarak düşünüldüğünde bir arada gruplanabiliyor ve böylece astronomik ölçümlerde büyük bir pratiklik sağlanıyordu. Tutulum çizgisi üzerinde otuzar derecelik 12 "istasyon" halinde saptanan ve "Zodyak Kuşağı" olarak bildiğimiz çemberi oluşturan takımyıldızların adlandırılması bu nedenle son derece önemli bir astronomik buluştur. (Bugün bazı astronomların, salt astrolojiye duydukları, neredeyse genlerine işlemiş nefret nedeniyle Zodyak Kuşağı'ndaki takımyıldızların aslında birbirleriyle ilgisiz ve "üç boyutlu uzayda" çok farklı açılar oluşturan gök cisimleri olduklarının ısrarla altını çizmeleri ve Zodyak'ın varlığını, gök cisimlerini sanki bağlantılı birer grup oluşturuyorlarmış gibi, sunan eski insanların "cehaletini" vurgulamakta kullanmaları, bu nedenle, çok ironiktir doğrusu.)

12 takımyıldızı birer "burç" olarak niteleyen ve ortalama otuzar günlük zaman aralıklarına yerleştiren klasik astroloji, bugün de kullanılan son biçimini eski Yunan zamanında almıştı. Bu nedenle, dönemin "takvim ilkeleri"ne uygun olarak yılı ilkbahar ekinoksuyla başlatıyor; ilk burcu da Koç olarak belirliyordu. Az önce de belirttiğimiz gibi bu son derece normaldi, çünkü bundan 2500 yıl önce ilkbahar ekinoksunda güneş, Koç takımyıldızının hizasındaydı. Aradan yaklaşık dört yüz yıl geçtikten sonra bu durum değişti. İsa'dan önce birinci yüzyıldan başlayarak ekinoksa rastlayan dönemde güneş, Balık takımyıldızıyla birlikte görünmeye başladı. Günümüzde söz konusu göksel konum yeniden değişmekte ve güneşin ilkbahar ekinoksunda uğradığı istasyon, Kova'ya doğru yaklaşmaktadır. Ancak astroloji eski Yunan'daki popüler biçiminden sonra bir daha revizyona uğramadığından, Zodyak günümüzde bile hâlâ Koç ile başlatılır. Yine bu nedenden ötürü, benim gibi Haziran ayı sonlarında, yaz gündönümünün hemen öncesinde doğanlar klasik

astrolojinin sunduğu biçimiyle kendilerini İkizler Burcu olarak düşünürler; oysa, doğdukları günde güneş İkizler'de değil, Boğa'dadır.

Dünya ekseninin izlediği bir "yalpalama döngüsü" olarak ortaya çıkan presesyonun görünürdeki etkileri üzerine daha fazla örnek vermenin gereği yok. Belki buna, İ.Ö. 4000 ile 2000 yılları arasındaki imparatorluklarda boğanın kutsal kabul edilmesinin nedeninin, söz konusu dönemde güneşin ilkbahar ekinoksu sırasında Boğa takımyıldızında olması eklenebilir. Aynı biçimde, İ.Ö. 2000'den sonra, eski Mısır tapınaklarında tanrısal önem atfedilen koç heykellerinin yer almasının, güneşin, ekinoks sırasında artık, Koç'ta olmasından ileri geldiğini söyleyebiliriz. Hatta, İ.Ö. birinci yüzyılın sonlarına doğru Kumran'da ortaya çıkan Essene mezhebinin ve aynı dönemde "Mesihçi" bir çizgiyi benimseyen Nasorilerin kendilerine amblem olarak balığı seçmeleri de bir biçimde presesyonla bağlantılıdır (İsa'nın balıkla ve balıkçılıkla bağdaştırıldığı Yeni Ahit metinlerini de anımsayabiliriz). Söz konusu tarihlerde, ilkbahar ekinoksunda güneş, Balık takımyıldızıyla birlikte doğmaktaydı çünkü.

O halde, dünyanın ekseninde ortaya çıkan presesyon hareketi, ölçülebilir ve sabit bir döngüdür. Peki nasıl bir hıza sahiptir ve bir tam çevrim ne kadar sürede tamamlanır? Modern astronomik hesaplara göre, presesyon çemberinin 1 derecelik bölümü, yaklaşık 71.6 güneş yılında tamamlanmaktadır. Bu durumda, ilkbahar ekinoksunda güneşin takımyıldız değiştirmesine neden olacak büyüklükte bir hareketi, yani çemberin 12'de birini oluşturan 30 derecelik bölümü dünya ekseni, 2148 yılda tamamlayacaktır. Dolayısıyla, aşağı yukarı her 2148 yılda, ilkbahar ekinoksunda güneşin aynı hizada bulunduğu takımyıldızın değiştiğini söyleyebiliriz. Eksen çubuğunun başladığı noktaya geri dönmesi, yani presesyon döngüsünün tamamlanmasıysa, 12 x 2148 = 25,776 yıl sürecek; bu döngü boyunca güneş, ilkbahar ekinokslarında 12 farklı "istasyonda" eşit süreler geçirecektir.

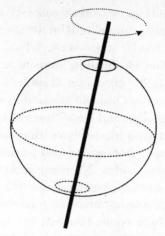

Şekil 11: Presesyon, dünya ekseninin yaklaşık 26,000 yılda tamamladığı bir "yalpalama" hareketidir.

Elde ettiğimiz sonuç, Mayaların beş çağ toplamına eşit olan 25,627 yıllık zaman dilimiyle şaşırtıcı biçimde yakınlaşır. İster istemez akıllara takılan kritik bir soruyu, yüksek sesle sorabiliriz şimdi: Acaba Mayalar presesyon olgusunu fark etmişler miydi?

Tam bu noktada, ortodoks bilimle yenilikçi araştırmacılar arasında yoğun ve sert tartışmalar yaşanmaya başlar. Akademisyenler, yani "bilim bürokrasisi" tarafından genel kabul gören teze göre presesyon olgusu, ancak Eski Yunan'da İ.Ö. 200 dolaylarında yaşayan Hipparchus tarafından fark edilip hesaplanmıştı. Dolayısıyla presesyondan söz eden ya da onu temel alan kavramlara bu tarihten önce yaşayan ve Hipparchus'un ait olduğu Yunan kültürüyle tanışmamış hiçbir uygarlıkta rastlamak mümkün değildi. Bu son derece tutucu yaklaşıma göre presesyon eski Mısır'da, Mezopotamya'da, Hindistan'da asla bilinmeyen bir olgu olduğu gibi, zaman olarak Hipparchus'la bağdaşan ancak Yunan kültürünün coğrafi anlamda çok uzağında yer alan Mayaların da haberdar olmadıkları bir göksel döngüydü.

Ne var ki, yirminci yüzyıl boyunca giderek artan sayıda araştırmacı ve bilim adamı, bu inanılmaz katılıktaki teze itiraz

ettiler ve yapıtlarıyla presesyonun çok eski dönemlerden beri
birçok uygarlık tarafından bilindiğini ve izlendiğini kanıtlayan
verileri sıraladılar. Bunlar arasında en çarpıcısı, Giorgio de San-
tillana ve Hertha von Dechend'in imzasını taşıyan ve arkeoast-
ronominin tarihinde bir çığır açan "Hamlet'in Değirmeni" adlı
kitaptır.[159] Santillana ve Dechend bu kitabı ortaya çıkarabilmek
için dünyanın dört yanındaki eski uygarlıkların yıldız izleme
kültürlerini ayrıntılarıyla incelemiş ve itiraz edilmesi çok zor ka-
nıtları sıralamışlardır. Benzeri biçimde, arkeoastronominin ilk
kurucularından kabul edilen Norman Lockyer da ünlü yapıtı
"Dawn of Astronomy"de (Astronominin Şafağı), eski uygarlık-
ların mimarilerinde sık rastlanan bir olgudan; tapınakların ve
anıtların çevrili olduğu yönün (orientation) zaman içinde sürek-
li olarak değiştirilmesinden söz etmişti. Tapınak ve anıtlar ço-
ğu kez bir gök cismine hizalanarak inşa edildiğinden, belli ara-
lıklarla yinelenen bu restorasyon bir tek şeyi gösterebilirdi: Es-
ki astronomlar, sabit yıldızların açılarının uzun yıllar içinde de-
ğiştiğini biliyorlar ve zaman içinde bozulan yönelimi, tapınağı
yeniden inşa ederek düzeltiyorlardı. Bu durumda presesyonun
Hipparchus'a dek bilinmediğinden söz edebilir miydik? Daha
eski uygarlıklarda bu olgunun bir bilimsel metin halinde formü-
le edilmemiş olması, o insanların presesyonu buna gerek duy-
mayacak kadar doğal bulduklarını gösterirdi; fark etmediklerini
ve hiç bilmediklerini değil.

Buna göre, yüksek bir astronomi bilgisine sahip olan ve
uzak atalarından belli bilgileri kültürel miras biçiminde edindi-
ğinden kuşku duymadığımız Mayalar, presesyondan habersiz
olabilirler miydi? Artık birçok bilim adamı, bunun tersini dü-
şünüyor: Orta Amerika'da presesyon kesinlikle uzun süredir bi-
liniyor ve hesaplara dahil ediliyordu. O halde, Mayaların beş
güneş çağının toplamına karşılık gelen 25,627 yıllık "büyük
döngü"leri, 25,776 yıllık presesyon döngüsüyle bağlantılı olabi-
lir mi?

[159]Giorgio De Santillana – Hertha von Dechend, "Hamlet's Mill"

Aradaki yaklaşık 150 yıllık farkın toplam süre içinde ne denli önemli ya da önemsiz olduğuyla ilgili yorum yapmadan önce, yanıt vermemiz gereken başka sorular var: Mayalar niçin 25,627 yıllık bir döngüyü, güneşin ilkbahar ekinoksunda 2148 yılda bir "istasyon değiştirmesi" olgusuna paralel olarak 12 parça halinde değil de, 5 çağ olarak düşünmüşlerdi? Eğer bu büyük döngü içinde presesyon bir biçimde belirleyici olarak kabul edildiyse, toplam sürenin 12 ile bölünebilir bir sayı olması gerekmez miydi?

Başka bir noktadan yola çıkıp, eski Yakındoğu toplumlarının 360 derecelik gök çemberini 30'ar derecelik 12 parçaya bölmelerine karşılık, Mayaların aynı hesabı farklı bir biçimde ve çemberi 13 parçaya bölerek yaptıklarını düşünelim. Bu durumda, 25,627 yıllık, yani 9,360,000 günlük (65 Baktun) toplam sürenin bir burca ait dilimi, yaklaşık olarak 1971 yıl 4 ay olur ki, bu dilimlerin her birine rastlayacak birer takımyıldızı Mayaların gökyüzünde tanımlamış olmaları gerekir. Gerçekten de, Maya astronomisinde tutulum çemberine 13 takımyıldız yerleşmektedir ve belki de bu, takvimlerde 13 rakamının vazgeçilmezliğini açıklayabilir.

Diğer yandan, belli bir noktaya kadar bu yaklaşımı doğru kabul etsek bile, 5 rakamını bu sistem içine rahat rahat yerleştirmek de mümkün değil. Geriye tek bir açıklama kalıyor: 13 rakamının hem Tzolkin'de hem de Uzun Hesap'ta bir şekilde önemsenen bir sayıyı temsil ettiğini biliyoruz. Eğer aynı durum 5 rakamı için de söz konusuysa, Mayalar, evrenle ilgili büyük ölçekli hesaplarını yaparken bu iki "kutsal" sayıyı bir biçimde bağdaştırma gereğini hissetmiş olabilirler. Bu durumda, 5 ile 13'ün en küçük ortak katı olan 65 rakamına ulaştıklarını varsayabiliriz. Bu da, aynı mantık uzantısında 65 Baktun süren "insanlığın toplam tarihi" yaklaşımını, yani 25,627 yıllık bir döngüyü oluşturmuş olabilir. Acaba gerçekten Mayalar böyle mi düşündü?

Maya matematiğinde 5 rakamının belli bir öneme sahip olduğunu; hesaplamalarda ve sayı sisteminde "sıfır" ve "bir" ile birlikte, belli bir simgeyle gösterilen üçüncü değerin 5 olduğunu biliyoruz. Ama bunun nedeni, son derece basit bir ilkeyle bağlantılı olarak, sayı sayarken kullanılan bir eldeki parmakların 5 tane olmasıdır. Eğer "batıl inanç" şemsiyesi altına girmeyecek bir açıklamayla, dünya çağları kavramını 5 rakamıyla bağdaştırmak istiyorsak, bunun astronomik dayanağını bulmak zorundayız. Maya astronomisinde 5 rakamının kullanıldığı bir başka hesap biliyor muyuz?

İlk akla gelen, 5 Venüs çevrimiyle 8 dünya yılını yaklaşık olarak eşitleyen 2920 sayısıdır ama bu astronomik bir göstergeden çok, tıpkı yukarıdaki "65 Baktun" hesabında belirttiğimiz türde, en küçük ortak kat mantığına dayalı bir matematik hesaptır ve 584 günlük Venüs çevrimiyle 365 günlük "eksik güneş yılı"nı eşitlemeyi amaçlar. Diğer yandan 2920 sayısı, 5 dünya çağının gün cinsinden toplamı olan 9,360,000'i kalansız olarak bölemez. O halde aradığımız yanıt, burada değildir.

Güneş sisteminin çıplak gözle görülebilen beş gezegeni, bu anlamda etkili olmuş olabilir mi? Venüs'ü en sevdikleri tanrıyla özdeşleştiren ve onun gökyüzündeki hareketlerini özel olarak izleyen Mayaların, diğer dört gezegenin de yörüngeleriyle ilgilendiklerini biliyoruz. Ancak çıplak gözle görülebilen gezegenlerin sayısını 5 dünya çağının esin kaynağı olarak düşünmek de (somut bir dayanağa sahip olmaması bir yana) astronomik bir hareketten çok, mistik bir bağdaştırmayı akla getirmektedir ve bu nedenle, bu da aradığımız yanıt olamaz.

Eldeki bilgilerin hiçbiri, 5 rakamının herhangi biçimde ortaya çıktığı astronomik bir döngüyü işaret etmediği gibi, 5125,36 yıl gibi "garip" bir periyodu açıklayacak hiçbir astronomik çevrim olmadığını da görüyoruz. Bu durumda, presesyon sürecine çok yakın bir dönemi içeren 25,627 yılı Mayaların niçin beş parçaya ayırdıkları hakkında da fikir yürütme şansına sahip değiliz.

Maya çağlarıyla ilgili çalışmalar yapan araştırmacıların da, en çok bu nokta üzerinde durduklarını görüyoruz. Mayaların çağ anlayışlarını açıklamaya çalışanlar arasında son yıllarda en çok öne çıkan yazar, John Major Jenkins. Maya astronomisi ve mitleri arasında ortaya çıkan bağıntıları titizlikle incelediği araştırmasının giriş bölümünde, ilkin "5 büyük çağ" ile presesyon döngüsü arasındaki yakınlığa dikkat çeken Jenkins, ardından içinde bulunduğumuz son çağın bitişini işaretleyen 23 Aralık 2012 tarihinin astronomik olayları üzerinde yoğunlaşıyor:

"Mevsimsel dönüm noktaları (Mart ekinoksu, Haziran gündönümü, Eylül ekinoksu ya da Aralık gündönümü) ile Samanyolu, presesyon etkisiyle her 6450 yılda bir aynı hizaya geliyordu. Bununla birlikte, 2012'deki dizilim, ancak 25,800 yılda bir ortaya çıkar!"[160]

Jenkins'in sözünü ettiği dizilim, 23 Aralık 2012 günü, kış gündönümü konumunda olan güneşle, Samanyolu'nun, yani bizim ait olduğumuz galaksinin güney göklerinde izlenen yıldızlarla dolu şeridinin aynı hizaya gelmesidir. Jenkins'e göre bu dizilim, ekliptik ile Samanyolu'nun kesiştiği noktaya, "galaktik merkez" olarak adlandırılan karanlık bölgenin rastlaması nedeniyle, ancak 25,800 yılda bir gerçekleşecek ender bir olgu haline gelmektedir.

Etkileyici olmakla birlikte, Jenkins'in bir presesyon döngüsünün başına ve sonuna yerleştirdiği dizilimin "sıradışılığı" çok da açık ve anlaşılır bir şey değildir. Ekliptik ve Samanyolu şeridinin kesiştiği bölgeye güneşin yolu da bin yıllar içinde defalarca düşer. Bu, Jenkins'in dediği gibi ara sıra dört önemli tropik noktaya, yani ekinokslar ve gündönümlerine rastladığı gibi, görece daha önemsiz "ara tarih"lerde de gerçekleşebilir. Sözgelimi son dört yüz yıldır Yaz Gündönümü'nde güneş, ekliptik ile Samanyolu'nun kesişme noktasıyla aynı hizaya gelmektedir ki bu da çok "sıradışı" bir dizilim değildir. Diğer yandan, yalnızca 2012 yılındaki "bitiş günü"yle ve beş çağın toplamı olan 25,627 yıllık süreyle ilgilenir görünen Jenkins'in yaklaşımı, aynı sürecin başlangıcını işaretleyen İ.Ö. 3113 Ağustos'unu açıklamaz. Dört sıradışı dizilim, Jenkins'in teorisinde, 25,800 yıllık presesyon döngüsünün "çeyreği" olarak açıklanan 6450 yıllık zaman dilimlerinde (ve tropik noktalarda) dört kez gerçekleşir. Mayaların çağlarının toplamının 25,800 değil, 25,627 yıl etme-

---

[160] John Major Jenkins: "Maya Cosmogenesis 2012",   s: XVIII

sini bir yana bırakalım; Jenkins'in hiçbir rahatsızlık hissetmeden dörde böldüğü bu süreç, Mayalarda 5 ayrı dönemin toplamı olarak ortaya çıkmaktadır. Dünya çağlarının toplamını içeren süreci Mayaların niçin beş zaman dilimi halinde düşündükleri sorusunun da Jenkins'in yaklaşımında yanıtı yoktur.

Bütün bunları bir yana bırakıp, 23 Aralık 2012'de ortaya çıkacak dizilimin sıradışılığını kabul ettiğimizde de, yine belirsizlikler çıkar karşımıza: Mayalar dünya çağlarının bitimini büyük doğal afetlerle bağdaştırmışlar ve yeni çağın ancak bu afetlerin bitiminde başladığını vurgulamışlardır. O halde, 2012 diziliminde dünya üzerinde herhangi bir büyük afeti tetikleyecek ne gibi bir etkiden söz etmektedir Jenkins? Yanıt, tam bir düşkırıklığıyla gelir: Hiçbir şey. Yirminci yüzyıldan itibaren Batı kültüründe iyice yaygınlaşan bir eğilimin uzantısında Jenkins, Mayaların çağ bitimlerini "maddi afetler" ile değil, "spritüel değişimler"le iç içe algılamaktadır. Onun teorisine göre (Mayalar böyle olacağını net bir biçimde öne sürmüş olmalarına rağmen) çağ bitiminde afetler falan gerçekleşmeyecek; büyük değişim "spiritüel alanda" yaşanacaktır. Sayfalar boyunca Maya efsanelerinden, tanrılarından, astronomi geleneklerinden söz eden ve 2012 yılındaki "bitiş" için okuru somut bir açıklama beklentisine sokan Jenkins, böylece mistik bir açıklamayla yetinip, kenara çekilir ve "insanlığın düşünsel yapısında ve bilinç biçimlerinde" ortaya çıkacak ezoterik "kutup kayması"nı beklemeye başlar.

Mayaların dünya çağı anlayışını açıklamaya yönelik bir başka dikkate değer çaba, astrolojiye bilimsel bir eksen kazandırmak amacıyla "Astro-genetik" teorisini ortaya atan[161] Maurice Cotterell'den gelir. Dikkatini güneşte oluşan patlamalara ve manyetik alan değişimlerinin düzenli olarak birbirini izleyen döngülerine veren Cotterell, Dresden Kodeksi'nde rastladığı bir rakamın dikkatini çekmesi sonucu, Maya takvimi ve kozmolojisiyle yakından ilgilenmeye başlamıştır. Söz konusu rakam, 1,366,560 günü işaretleyen, "Uzun Hesap" yöntemine göre yazılmış bir tarihtir ve bizim tarihimizde İ.S. 625 yılına karşılık

[161]Maurice Cotterell, "Astrogenetics"

gelmektedir. Güneşteki manyetik alan değişimleri ve "güneş lekesi çevrimleri"ni (sun spot cycles) ayrıntılı olarak inceleyen Maurice Cotterell, kendi hesapları arasında yer alan ve uzun süreli döngüleri belirlemek için hesapladığı 1,366,504 günlük bir rakamın, Dresden Kodeksi'ndeki tarihle çok benzeştiğini düşünür. Maya kozmolojisi ve mitlerini ayrıntılı olarak inceleyen Cotterell, inanç sistemlerinde güneşe ayrı bir önem veren ve dünya çağlarını "güneşler" olarak adlandıran Mayaların, güneşteki bu manyetik döngülerin bir biçimde farkında oldukları kanısına varır. Dresden Kodeksi'ndeki tarih, İ.Ö. 3113'te başlayan son çağın içinde, İ.S. 625 yılına denk gelir ki bu tarih aynı zamanda Maya imparatorluğunun gerileme döneminin başlangıcıdır. Güneşteki hareketliliğin ve "güneş lekesi çevrimleri"nin dünya üzerindeki verimliliği; dolayısıyla uygarlıkların doğuş, yükseliş ve çöküşlerini derinden etkilediğini düşünen Cotterell için Maya kodeksindeki tarih, çağın başlangıcından Mayaların gerilemesine neden olan etkenlerin ortaya çıkışına dek süren bir çevrimi simgelemektedir. 2012 yılındaki bitiş için Cotterell'in açıklamasıysa, daha önce defalarca gerçekleşen bir doğal olayın yineleneceği düşüncesi üzerine kuruludur: Güneşteki manyetik alan değişimleri, bu tarihte yeryüzünün manyetik kutuplarının da değişmesi sonucunu doğuracaktır.

Cotterell ile ortak kaleme aldıkları kitapta,[162] "Orion Mystery"nin yazarlarından Adrian Gilbert, Orta Amerika'daki gizemli uygarlıkların kökeninde, bin yıllar önce bir felaket sonrasında yok olduğuna inandığı Atlantis uygarlığının yattığını yineler. Gilbert'a göre Mısır ile Maya kültürleri arasındaki benzerlikler, her ikisinin de Atlantis çıkışlı olmasının doğal sonucudur ve bin yıllar önce Atlantis'i yok eden doğal afetlerin 2012'de yineleneceğini bir biçimde bilen Mayalar, bize çok uzaklardan bir mesaj yollamışlardır takvimleriyle. Her iki araştırmacı da, dünyadaki uygarlığın varlığı ve gelişimini doğrudan etkilediğine inandıkları kozmik çevrimlerden ve bunların belli aralıklarla katastroflarla bitmesinden söz ederler ve bir biçimde

---

[162]Adrian Gilbert – Maurice Cotterell, "The Mayan Prophecies"

Maya uygarlığının da bundan haberdar olduğunu ileri sürerler çalışmalarında. Ancak bütün bunlar, Orta Amerika'da Mayalara dek uzanan derin astronomi geleneği içinde "dünya çağları" denen beş döngünün varlığını ve bir döngünün süresinin 5125 yıl olmasının nedenini, Maya astronomisi ve kültürü sınırları içinde kalarak açıklamakta yetersizdir. Atlantis gibi bir köprüye ihtiyaç duymadan Maya astronomisinin üzerine giden; ancak sonuçta ezoterik bir açıklamayla yetinen Jenkins gibi.

Bu durumda, yanıtlamamız gereken soruların oluşturduğu baskıdan uzaklaşmak için, çoğu karmaşık matematik problemini çözerken uyguladığımız gibi, olguları ve sorunları baş aşağı ederek duruma farklı bir açıdan bakmayı denemekten başka çare kalmıyor. Bir başka deyişle, mantıklı görünen sırayı bir yana bırakıp, sondan başa doğru giderek belki daha açıklayıcı sonuçlara varmayı başarabiliriz. İlkin, 5125,36 yıl süren son Maya çağının, toplam 25,627 yıllık bir döngünün beşte birini oluşturmadığını; tam tersine, böyle bir sürecin varlığının "ilk bilgi" olarak ortaya çıkmasından sonra, Mayaların onu temel alarak daha uzun ve büyük bir zaman dilimine, 25,627 yıla ulaşmaya çalıştıklarını varsayarak başlayalım. Diyelim ki Mayalar, İ.Ö. 3100 dolaylarında oluşan bir doğal afetle ilgili, sözlü olarak kendilerine aktarılan bir bilgiye sahiptiler. Ardından yine diyelim ki, derin astronomik bilgileriyle, bu sürecin uzak bir tarihte (bizim takvimimizle 2012'de) yeni bir afetle sonuçlanacağını hesapladılar. Her iki durumda da, afetlere neyin neden olduğu konusunda hiçbir fikrimiz yok. Ancak sözü edilen "dönüm noktalarının" neler olabileceği üzerine (spekülasyon yapmaktan hiç tedirginlik duymaksızın) tahminlerde bulunabiliriz.

Birinci referans noktasının, önceki bölümlerde İ.Ö. 3150 dolaylarında gerçekleştiği yolundaki görüşümüzü ilettiğimiz Tufan olduğunu söyleyebiliriz. İkinci tarihi bir katastrofun işaretçisi haline getiren olgu ne olabilir? Mayalar niçin 2012 yılında "depremlerle" gelecek bir büyük küresel afetten söz etmektedirler?

Benzeri bir jeolojik hareketlilik dizisine ve küresel felakete, İ.Ö. 1650 dolaylarında dünyanın büyük bölümünün tanık olduğunu biliyoruz. Birbirini tetikleyen depremlerle başlayıp, son aşamada binlerce kilometre uzakları bile etkileyecek olan Thera'nın patlamasına dek varan ve Eski Ahit'in Exodus kitabına esin kaynağı oluşturan bu afetler zinciri, onuncu gezegen Nibiru/Marduk'un olağan yörünge periyodu içinde dünyaya tehlikeli biçimde yakın geçişiyle ortaya çıkmıştı. Sümer kaynaklarında yörünge periyodunun ilahi 3600 sayısıyla ifade edildiği bu gizemli gezegen, bir dahaki yörünge geçişini 2012 yılında gerçekleştirecek olabilir mi?

Mezopotamya kaynaklarında, "Şar" kavramıyla da ifadesini bulan 3600 sayısı, Nibiru'nun kesin ve tam yörüngesini değil, "yuvarlatılmış" bir sayıyı verir. Evrenin hiçbir yerinde, altmışlı ya da onlu sistemle yazılmış olsun, böylesine net ve yuvarlak bir sayıyı doğrulayan bir döngüye rastlayamazsınız. Dünya, güneş çevresindeki bir tam turunu 365,2422 günde tamamlar; bütün kültürlerde bu bilindiği halde çoğu kez (Mayaların "Tun" biriminde de olduğu gibi) 360 günü "yıl" kabul eden sembolik hesaplara rastlarız. Ay'ın bir tam çevrimi yaklaşık 29,53 gün sürer ama bu sayı her zaman 30 rakamına yuvarlanmıştır. Benzeri biçimde, Mezopotamya astronomları da Nibiru/Marduk'un yörüngesini 3600 gibi ideal bir rakamla simgelemiş olabilirler; ancak söz konusu yörünge periyodunun daha farklı bir süreyi içerdiğini düşünmek çok daha mantıklı olacaktır. Dahası, Nibiru/Marduk'un tam ve kesin yörüngesini ayrıntılarıyla bilme ayrıcalığının yalnızca tapınak rahiplerine ait olacağını; bu bilginin "inisiye" olmayan sıradan insanlarla paylaşılamayacak denli hassas hesaplara dayandığını akıldan çıkarmamak gerek. Eski Yakındoğu kültürlerinde, Tanrı'nın adlarının bilinmesi ve telaffuz edilmesi bile kurallara aykırı görülürken, "tanrısal gezegen"in tam dönüş süresini ayrıntılarıyla bilme hakkının kamuya mal edilmesi düşünülemez bile. Kültlerin ve rahip gruplarının egemenliği, ayrıntılı hesaplara "Ephemeris" denen gök günlükleri ve Zigguratlarda yapılan hesaplarla, ancak üst düzey rahiplerin ulaşabileceğinin ipuçlarını veriyor. Bu durumda Mezopotamya'da sıradan halk, Marduk'un dönüşünü asla kesin olarak bilemeyecek, ama onun "Şar" ile simgelenen, 3600 yıllık "yuvarlak" yörünge süresinden haberdar olmakla yetinecektir.

Anahtar rakam: 3661

Eğer Nibiru/Marduk'un son yörünge geçişi yaklaşık İ.Ö. 1650 tarihinde gerçekleştiyse ve eğer Maya takviminde ortaya çıkan 2012 "bitiş yılı" onun geri dönüşünü vurguluyorsa, bu durumda gezegenin yörünge süresi 3661 ya da 3662 yıl olacaktır. O halde, 2012 yılında eskiçağ uygarlıklarına ait iki farklı döngünün bitişleri çakışıyor demektir: Nibiru/Marduk'un yörünge geçişi ve Maya "Beşinci Güneş"inin sona erişi. Her ikisi de birer büyük doğal afeti çağrıştıran bu olgular, 2012 yılında üst üste geliyorlarsa, tarihin derinliklerindeki bir önceki karşılaşmaları hangi yıla rastlar acaba? Mayaların birbirinden farklı döngüleri "en küçük ortak kat" aracılığıyla ortak ve daha büyük bir süreçte buluşturmalarından yola çıkarak, aynı şeyi Nibiru/Marduk yörünge geçişleri ve Maya güneşleri arasında yaparsak, nasıl bir sonuçla karşılaşırız?

Bunu hesaplamak için, 5125 ve 3661 (ya da 3662) yıllık döngüleri tamsayı olarak içerebilecek bir "en küçük ortak kat" arıyoruz. Sürprizler de burada başlıyor zaten: Karşımıza çıkan rakam, Maya çağlarının toplam süresi olan 25,627 yıldır! Bu uzun zaman dilimi, bildiğimiz üzere 5 Maya çağına ve Nibiru/Marduk'un 7 yörünge periyoduna eşittir! (Bu bağıntıya şöyle ulaşıyoruz: Bir dünya çağı, 13 Baktun ya da 1,872,000 gündür. 5 dünya çağı toplamıysa, 9,360,000 güne eşittir. Bu sayıyı 365.24'e böldüğümüzde, 25626.98 güneş yılına ulaşırız ki, aradaki çok küçük farkı görmezden gelerek 25,627 yılı dünya çağlarının toplam süresi olarak kabul etmek mümkündür. Bu sayı da, 3661'in tam 7 katıdır. İşlemin sağlamasını yapmak üzere bir başka yoldan giderek, toplam gün sayısı olan 9,360,000'i 7 ile bölersek, gün cinsinden bir zaman dilimi elde ederiz: 1,337,142.8. Bu rakamı 365.24 ile bölerek yıla çevirdiğimizde, 3660.99 rakamı çıkar karşımıza: Yani, 3661 yıl.)

Bunun anlamı nedir? Birincisi, Nibiru/Marduk'un, Maya çağlarının ilki (yani "insanlık tarihinin başlangıcı") olan "Birinci Güneş"in başlangıcında yörünge geçişi yapmış olması gibi, çarpıcı bir sonuç çıkar ortaya. Yani onuncu gezegen, bu hesaba

2012: Marduk'la Randevu 327

göre, Mezopotamya'da olduğu gibi, Orta Amerika'da da "zamanların başlatıcısı"dır.

İkincisi, bu buluşmanın sağlanması için, 5 Maya çağının ve 7 Nibiru yörünge sürecinin geçmesi gerekmiştir ki, her iki sayı da, sırasıyla Orta Amerika ve Mezopotamya kültürlerinde belirgin öneme sahiptir. Mayalar için bunun anlamı, söz konusu buluşmayı sağlayan büyük dönemin, insanlık çağlarının tamamını kapsamasıdır. Mezopotamya'daysa 7 rakamının kozmik bir öneme sahip olduğunu biliyoruz: Yaratılış Destanı, 7 tablet üzerine yazılmıştır; Marduk'un yolculuğu "7 istasyon"dan geçer; zigguratlar, 7 katlı yapılardır.

Maya kültüründe, onuncu gezegenin varlığından söz eden bir metne rastlamıyoruz. Ancak bu, söz konusu gök cisminin Orta Amerika'da bilinmemesi gibi bir sonuca yönlendirmez bizi; çünkü Mayalara ait belge ve kitapların tamamına yakınının misyoner din adamlarınca yok edildiğini biliyoruz. Diğer yandan, bütün Yakındoğu'da böylesine iz bırakmış, bu denli sıradışı bir göksel olgunun, astronomi bilgileriyle öne çıkan Mayalarca bilinmiyor olduğunu düşünmek pek akla yakın değildir zaten. Bu durumda, olguları baş aşağı getirerek sonuca varmaya çalıştığımız çözümleme yöntemimizde, şöyle bir varsayıma ulaşırız: Mayalar, ilkin içinde bulunduğumuz son çağın başlangıcı olarak, İ.Ö. 3150 dolaylarında tüm dünyadaki uygarlıkları derinden etkileyen Tufan'ın ortaya çıktığı dönemi seçmişler; ardından çağın bitişi için de, onuncu gezegenin bir dahaki yörünge geçişine denk geleceğini hesapladıkları 2012 yılını belirlemişlerdir. İki olay arasındaki zaman dilimi, takvim konusunda çok hassas olan Mayaların zaman ölçme birimlerine mutlaka tam olarak yerleşmek durumundadır. Bu amaçla, hesaplar yapılır ve 1 Pictun fazlasıyla uzun geldiği için, süreç 144,000 günlük Baktun cinsinden ifade edilir: Söz konusu zaman aralığına en iyi oturan ve tamsayı olarak ifade edilebilen süre, bu durumda 13 Baktun olarak ortaya çıkar. Tufan'dan, onuncu gezegenin yeniden dünyaya yaklaşacağı 2012 yılındaki afetlere dek yaklaşık 13 Baktun geçeceğine ilişkin hesap, takvim tutkunu Mayaları 13 sayısına özel bir değer vermeye yönlendirir; bu amaçla Tzolkin,

13 aylık özel ve kutsal bir takvim olarak belirlenir. Buradaki ay, elbette Uzun Hesap'taki 20 günlük Uinal'e eşit olacaktır. Böylece, 260 günlük Tzolkin döngüsü ortaya çıkmış olur.

Diğer yandan, takvimle ilgili detaylı ve hassas hesaplara ulaşmayı seven; bu amaçlarla farklı döngüler arasında bağlantı kuran Mayalar; hiç görmedikleri (çünkü son geçişini Mayalar ortaya çıkmadan çok önce, İ.Ö. 1650'de yapmıştır) ama varlığı ve yörünge süresiyle ilgili olarak haberdar edildikleri onuncu gezegenin yaklaşık 3661 yıllık periyoduyla, kendi belirledikleri Tufan ile 2012 arasına rastlayan 5125 yıllık döngüyü, tıpkı bizim yaptığımız gibi en küçük ortak kat hesabıyla buluştururlar: Ortaya çıkan rakam, bir önceki buluşma noktasını; yani yaklaşık İ.Ö. 23,613 yılını, "bütün çağların başlangıcı" olarak takvimlerinde işaretlemeleri sonucunu doğurur. Buna göre, 5125'er yıllık dört çağ geride kalmış ve beşincisinin içine girilmiştir. Bu çağ, belki de insanlığın son çağı olacaktır, çünkü bitiş tarihi, yine o "yıkıcı gezegen"in yörünge geçişine denk gelmektedir.

Bu varsayımla, sondan başa doğru ilerleyerek çözüme ulaşmaya çalışmış oluyoruz. Yani başlangıçta var olan bir "25,627 yıl" bilgisi yerine, salt son Maya çağını belirleyen Tufan ve onuncu gezegenin bir dahaki yörünge geçişi bilgilerinin varlığından çıkıyoruz yola. Bu iki olay arasında kalan sürenin, ilkin Maya zaman ölçüsü birimleriyle mümkün olan en yakın değer olarak (13 Baktun) saptandığını varsayıyor; ardından da Maya astronomları ve rahiplerinin, bu zaman dilimiyle onuncu gezegenin "bilinen" yörünge süresi arasında bağlantı kurmalarıyla "5 Dünya Çağı" kavramına vardıklarını düşünüyoruz. Dahası, 13 rakamına verilen değerin, söz konusu sürenin 13 Baktun olarak formüle edilmesinden kaynaklandığını; bu değerden yola çıkarak 13 Uinal uzunluğunda mini bir "kutsal döngü" biçimlendirildiğini ekliyoruz varsayımlarımıza.

Fazlasıyla "spekülatif" görünüyor, değil mi? İzleyen bölümlerde, yola spekülasyonla çıkmamıza rağmen öngördüğümüz çözümün gerçeğe en yakın model olduğunu göreceğiz. Bazen "disiplinli" ve "kuralcı" yaklaşımlarla bir türlü içinden çıkılamayan sorular, kravatı gevşetip kuralları bir yana bırakarak, spekülasyonlardan yola çıkarak yanıtlanabilir ancak. Bu biraz, Büyük İskender'in kördüğümü bir kılıç darbesiyle kesmesine benzer. Ancak, bizim indirdiğimiz kılıç darbesinin gerçekten işe yaradığını görebilmemiz için, bazı sorulara yanıt getirmemiz gerekecektir:

1. Mayalar onuncu gezegenin varlığından ve yörünge süresinden haberdar idiyseler, niçin takvimlerini doğrudan onu temel alarak biçimlendirmediler ve son çağı çok daha önceki Tufan ile başlattılar?

2. Venüs'e verilen bunca önem ortadayken, üstelik son çağın başlangıcı olan İ.Ö. 3113 tarihi Mayalarca "Venüs'ün Doğumu" gibi ilginç bir biçimde adlandırılmışken, niçin takvimlerini adı hiç anılmayan bir gezegene göre ayarlamış olsunlar?

3. Nibiru/Marduk'un "gerçek" yörünge süresinin 3661 yıl olduğuna dair Mezopotamya ve Eski Yakındoğu kaynaklarında doğrulayıcı bir veriden söz edilebilir mi?

4. Ve hepsinden önemlisi, eğer Tufan'a Nibiru/Marduk'un yörünge geçişi neden olmadıysa, hangi faktörler bu afetin yaşanması sonucunu doğurdu?

Bu dört sorunun yanıtlanabilmesi durumunda, Maya çağlarıyla ilgili olarak yukarıda önerdiğimiz model de ayakları üzerine oturacak ve şaşırtıcı bir hızla spekülasyon olmaktan çıkacaktır. İzleyen bölümlerde, bunu yapmaya çalışacağız.

6

Venüs ve Tufan

Modern bilim, oldukça uzun bir süredir Amerika kıtalarını Eski Dünya ile ilk tanıştıran gezginin Christoph Colombus olmadığını; bu yolculukların sanıldığından oldukça eski tarihlerde, bildik "deniz halkları"nın seferleri sırasında gerçekleştirildiğini biliyor. Ne var ki, arkeolojik bulguların gerçekten (şimdilik) çok sınırlı olması, bu tanışıklığın "sıfır noktasını" saptayabilmemizin önündeki en büyük engel. Bugün gelinen nokta her ne kadar küçümsenmesi mümkün olmayan bir bilgi birikimine yaslansa da, bir bilim dalı olarak arkeolojinin henüz çok genç olduğunu; sistematik çalışmaların ancak bundan 200 yıl önce başladığını unutmamak gerek. Elde edilen bilgi birikiminin ağırlıklı bölümünü, yirminci yüzyılda büyük bir ilgi ve coşkuyla gerçekleştirilen araştırmaların meyveleri oluşturuyor. Orta ve Güney Amerika arkeolojisiyse, belki de bu bilim dalının en genç çalışma alanı durumunda. Yucatan ve Meksika platosundaki düzenli araştırmaların başlangıcını, yirminci yüzyılın ilk yılları olarak işaretleyebiliriz.

Bilimsel disiplinlerde, herhangi bir alan çalışmasında elde edilen sonuçların ilkin akademik düzeyde genel kabul görecek duruma ulaşması; ardından da bir anlamda "tescil" edildikten sonra artık kamuoyuna sunulacak hale gelmesi, gerçekten çok fazla zaman alan; ağır ve sancılı bir süreçtir. Orta Amerika'da yapılan çeşitli araştırmalar sırasında elde edilmiş bulgular ya da bu bulguların değerlendirilmesiyle ileri sürülmüş kimi varsayımlar, bu nedenle şimdilik yalnızca "bekleme" halinde tutulan, üzerinde karar verilememiş "eksik tezler"in parçalarını oluşturuyor.

Eski Dünya'dan Amerika'ya yapılan ilk seferlerin, 10. yüzyıl sırasında Kuzey Avrupalı denizciler tarafından başlatıldığına artık kimsenin itirazı yok. Bu seferlerin gönüllü liderliğini, İrlandalı rahip Brendan'ın üstlendiği de aşağı yukarı artık genel kabul gören bir bilgi. Amerika yerlilerinin kültürlerinde pek de iz bırakmayan bu keşif seferleri, Kuzeydoğu Amerika'da, dar bir bölgeyle sınırlı. Ancak yine de, bunun gerçekten "ilk tanışıklık" olup olmadığından emin değiliz; çünkü Orta Amerika'nın değişik yerlerinden elde edilmiş, kafaları fena halde karıştıran arkeolojik bulguların oluşturduğu bir "muamma yığını" var önümüzde. Bu nedenle araştırmacı Gerald Messadie, bir önceki bölümde altını çizdiğimiz La Venta kültüründeki Afrikalı çizgiler taşıyan Olmek heykellerinden ve Okyanusya yerlileriyle eski Orta Amerika kültürünün paralelliklerinden yola çıkarak, bölgenin Okyanusya ve Afrika'dan insanların "ziyaretine" büyük olasılıkla uğramış olacağını belirtip, başka "gariplik"lerden söz ediyor:

"Ayrıca 1976 yılında Venezuela'da yüzlerce Roma parasının bulunduğu bir hazine keşfedilmiştir. Bu paraların en yakın tarihlisi, İ.S. IV. yüzyıla kadar geliyordu; Meksika'da Veracruz eyaletindeki bir mezarda, 1967 yılında, Romalılara ait bir Venüs heykeli ve İngiliz Kolombiyası'nda İ.Ö. XII. Yüzyıla uzandığı sanılan bakırdan Çin paraları bulunmuştur; bu keşifler üzerinde elbette görüş birliği yoktur; yine de günümüzde en tartışmasız olanı, Meksika'da XII. Yüzyıldan kalma bir mezarda keşfedilmiş olan, İ.S. III. Yüzyıla ait bir Roma başıdır."[163]

Bu bulgular gerçekten de fazlasıyla kafa karıştırıcıdır ve tarihçilerin iki yüz yıldır üzerinde çalışarak kusursuz hale getirmeye çalıştıkları insanlık tarihi kronolojisine ciddi biçimde za-

[163]Gerald Messadie, "Şeytanın Genel Tarihi", s: 353-354

rar verici etkiye sahiptirler. Bu nedenle bilimsel ortodoksinin şimdilik bunları değerlendirmeye almamasını doğal karşılayabiliriz. Ama gerçek, yalnızca gerçek, saf gerçek nedir acaba? Olmek, Maya, Toltek ve İnkaların toprakları, gerçekten de bildiğimizden çok eski tarihlerde birtakım karşılaşmaları yaşamış olabilirler mi?

Varsayımlara dayanan yanıtlarla, Roma paralarını ve Venüs heykelini, Eski Dünya hazinelerini de bir biçimde yağmalamış olan Avrupalı korsanların, "Fatihler Dönemi" sırasında Amerika'ya taşıdıklarını düşünebiliriz ve bu açıklama ortodoks tarih anlayışını da zedelemeyen, rastlantısal bir istisna olarak rahatlatıcı bulunabilir. Kesinlikle Roma dönemine ait olduğu belirlenen Roma heykel başı, biraz daha çetin bir varsayım silsilesini gerektirir, çünkü 12. yüzyıla ait bir Aztek mezarında bulunmuştur. Diyelim ki, yine bu "fatih korsan"lardan biri, olasılıkla kendi için hazırladığı bir antik hazinenin parçalarından biri olarak düşündüğü bu Roma başını Meksika'ya getirdi ve yine mantığı epey zorlayarak, diyelim ki bu korsan, o heykeli saklayabileceği en güvenli yer olarak eski bir Aztek mezarını seçti ve sonra onu oradan çıkaracak fırsatı da bulamadı. Büyük olasılıkla kuşkucu dudak bükmeleri beraberinde getirecek böylesi bir zorlama çözüm yine de olanaksız değildir ve çok güven vermese de elimizdeki kronolojilerin zarar görmesini engelleyecek, "kaderin bir cilvesi" olarak görülebilir. Peki İ.Ö. 12. yüzyıldan kalma, bakır Çin paralarını ne yapacağız? Fatihlerin Orta ve Güney Amerika'yı yağmalamaya başladıkları dönemde, Avrupalıların Çin kültürü ile tanışıklıkları, çok da ileri boyutlarda değildi. Asya'nın uzak köşelerine sömürgeci büyük askeri seferlerin başlaması, ancak 17. yüzyıldan itibaren görülür ki bu tarihlerde bile Çin İmparatorluğu, binlerce yıl önceki atalarına ait değerli paralardan oluşan bir hazineyi Batılı işgalcilere kaptırabilecek denli zayıflamış değildir. Böylesi bir hırsızlığın bir biçimde gerçekleştiğine inansak bile, söz konusu bakır paraların Batılı krallıkların hazinelerindeki yerini almak yerine okyanusun diğer yakasındaki Kolombiya'ya taşınmasını ve orada gizlice gömülmesini, mantık sınırları içinde kalarak açıklayamayız.

Yeni Dünya'daki kronolojik sorunlar, görece yakın tarihler diyebileceğimiz İ.Ö. 1200 dolaylarıyla sınırlı kalmaz; asıl sorun, çok daha derinlerde, insanlığın bu kıtalarda ilk ortaya çıkışında saklıdır. Oldukça yakın zamanlara dek modern bilim, tartışmasız biçimde, Amerika kıtasında insan türünün varlığını, İ.Ö. 12,000 dolaylarında, buzul çağı bitiminde gerçekleştiği düşünülen büyük ve uzun bir göçe bağlıyordu. Bu teoriye göre Asyalı mongoloid bir ırk, Bering Boğazı'nı kullanarak Amerika'ya doğru göç etmiş ve kıtaya ulaştıktan sonra ayrı kollara dağılarak içlere, daha güneye doğru ilerlemişti. Aslına bakılırsa, bu teori daha ilk aşamada kendi içinde açıklanması güç çelişkileri birlikte getiren, oldukça zayıf bir temele sahipti: Varsayımın doğruluğunu kabul ettiğimizde, göçlerin kuzeyden güneye doğru oldukça yavaş bir seyir izlediğini dikkate alarak, ilk yerleşimlerin Kuzey Amerika'da başladığını ve yüzyıllar, bin yıllar içinde göç kollarının ilkin Meksika'ya, ardından da And Dağları dolaylarına doğru indiğini düşünmek durumunda kalıyorduk. Çok temel bir yaklaşım uyarınca, göçler sonrasında kuzeyde kalmayı yeğleyenlerin zaman içinde daha sağlam ve yoğun bir bilgi birikimi oluşturacaklarını; buna karşılık dağınık kollar halinde yola devam eden ve Meksika'ya, Peru'ya, Bolivya'ya dek gidenlerin, "yarışa geç başlamak" gibi bir faktörün etkisiyle diğerlerinden daha "geri kalacaklarını" düşünmek son derece mantıklıydı. Ne var ki, elde edilen bulgular bunun tersini gösteriyordu aslında: Topraklarını daha önce seçen ve mevsimsel göçebelik ilkesine göre yaşayan kuzeyli kabileler, sömürgeciler Amerika'ya vardıklarında bile bizon ve ayı avlayan, çadırlarda yaşayan topluluklar olmanın ötesine geçememişken; Meksika platosuna yerleşenler büyük ve görkemli taş binalar, tapınaklar inşa edecek; basit de olsa tarıma dayalı bir yerleşik kentleşme ekonomisi oluşturacak; kendi dilini ve yazısını ortaya çıkaracak; şaşırtıcı hassaslıkta bir takvim ve ona temel oluşturan büyüleyici bir astronomi bilgisine ulaşacak düzeyde, kuzeyli "akrabalarına" fark atmışlardı! Bu şaşırtıcı ve karmaşık durumu açıklayabilmek ve Bering Göçü teorisinde ısrarcı olabilmek için ortodoks bilimin elinde tek bir dayanak kalıyordu: Kızılderililerle Asyalılar arasındaki etnik ve şaman geleneğine dayalı kültürel benzerlikler. Tarihsel bulgular, gerçekten Bering yoluyla birtakım göçlerin sözü edilen tarihlerde (belki biraz daha önce) yaşandığını ortaya koyuyordu ama bu, Yeni Dünya'da insan soyunun "ilk varlığı" gibi fazla atak bir sonuca varmamızı sağlayabilir miydi?

Antropoloji ve arkeoloji cephesinde bu tezi çürütecek bulgular, yirminci yüzyılın sonlarına doğru engellenemez bir hızla ortaya çıkmaya başladı. İlkin, Niéde Guidon ve Georgette Delibrias'ın, 1986 yılında Brezilya'da yaptıkları araştırmanın sonuçları, ortodoks tezleri sallamaya başladı. Bu sonuçlara göre Amerika'da insanın varlığı, İ.Ö. 35,000 yılına dek geri gidiyordu. Egemen teorinin savunucusu bilim ortodoksisi, başlangıçta bunlara şiddetle karşı çıktı. Ne var ki, hemen ardından yapılan Karbon-14 testleri, varılan sonucun doğruluğunu bir kez daha onaylayınca, söylenecek fazla bir şey kalmamıştı. Ardından, kıtada yapılan daha yeni araştırmalar, Amerika'da insan varlığını bundan 70,000 yıl önceye, Wisconsin buzul dönemine dayandıran sonuçlar vermeye başladı. "Bering Göçü" teorisi, doksanlarla birlikte iskambilden yapılmış bir şato gibi çöküyor; söz konusu göçün ancak Kuzey Amerika'daki kimi kabileler için geçerli olabilecek bir "ayrıntı" olduğunu ortaya koyuyordu. Ancak soru işaretleri bu bulgularla birlikte yok olmamış, tersine daha da artmıştı: Modern insanın atası olan Cro-Magnon adamı, ancak bundan 35,000 yıl önce ortaya çıktığına göre, 70,000 yıl önce Amerika'da yaşayan bu insan ırkı kimdi? Bir Neanderthal göçü gibi son derece radikal bir yaklaşımdan söz edilebilir miydi? Diğer yandan, eğer Bering'den gelen Asyalılar yalnızca bazı kuzey kabilelerinin ataları oldularsa, Orta ve Güney Amerika yerlilerinin kökeni nereye, kimlere dayanıyordu?

Başta da vurguladığımız gibi, üzerinde yürüdüğümüz yol, henüz çok yeni, çok taze bir toprak patika. Bu nedenle, araştırmalar derinleştikçe, yeni bulgular elde edildikçe, soru işaretlerinin de sayısı azalmaya başlayacak. Daha bundan on yıl öncesine dek And Dağları'ndaki İnka uygarlığının kökleri, en fazla İ.Ö. 1200 dolaylarına rastladığı sanılan "Chavin de Huantar" kültürüyle başlatılıyordu. İnka inanışlarında İ.Ö. 3000 yıllarına dek dayandığı belirtilen kökler, bu nedenle Batılı modern bilim adamlarınca tebessümlerle karşılandı ve "mitoloji" denip geçildi hep. Ama 2001 yılında Ruth Shady'nin Caral'da ortaya çıkardığı görkemli kent gösterdi ki, İnkalar iddialarında haklıydı ve Peru'da uygarlığın başlangıcı (eğer daha da eski değilse) en azından İ.Ö. 3000 dolaylarındaki bu kente dek dayanıyordu. Benzeri biçimde, Orta Amerika'da derinleştirilecek ve yaygınlaştırılacak araştırmaların çok yakın tarihte La Venta'daki Afrikalı izlenimi veren insan başlarını ve Izapa'da, Chichen Itza'da bulunup gözlerden telaşla uzaklaştırılan aslan ve fil kabartmalarını açıklayacağına inanmamamız için hiçbir neden yok. Tabii bilim ortodoksisi izin verirse.

Ortodoksiden söz etmişken, bu eğilimin ünlü temsilcilerinden Gordon Childe'ın, uygarlığın gelişimiyle ilgili yorumlarını anımsamakta yarar olabilir. Yaygın olarak kullanılan "neolitik uygarlık" deyişinin yanlış bir kavram olduğunu ve herhangi bir belirleyicilik içermediğini vurgulayan Childe, insanlık tarihi boyunca elde edilen kazanımların çok yavaş ilerlemeler sonucu ortaya çıktığından; ancak bu sürecin "neolitik devrim" sonrası hızlandığından söz eder:

"İ.Ö. 6000 ile 3000 yılları arasında insan ata ve yele gem vurmasını öğrenmiştir; sabanı, tekerlekli arabayı; yelkenli kayığı bulmuş, bakım cevherini arıtmayı ve madenlerin fiziksel niteliklerini öğrenmiştir; güneş takvimini oluşturmaya başlamıştır. Böylece kendini kentsel yaşama hazırlamış, yazı, sayı, ölçü birimlerini geliştirmiş, kısaca bilgi ve salt bilimin aktarılması için yeni yollar gerektiren bir uygarlığın yollarını açmıştır. Galileo'ya dek tarihin hiçbir döneminde bilgi gelişimi böylesine çabuk, büyük buluşlar böylesine sık olmamıştır."[164]

Elbette Childe'ın sözleri, "uygarlık" kavramını ve "insan kazanımları"nı Eski Dünya'yla sınırlayan bir resim çizer bize. İnsan topluluklarının Yeni Dünya'da elde ettiği gelişimlere ilişkin herhangi bir referans yoktur. Bunun, Childe'ın kitabının kaleme alındığı yıllarda Orta Amerika'yla ilgili bilgilerin çok az ol-

---

[164]Gordon Childe, "Kendini Yaratan İnsan", s. 110

masıyla bağlantılı olduğu düşünülebilir. Ama diğer yandan, uygarlığı daha önce sözünü ettiğimiz "çizgisel tarih" anlayışına göre yorumlayan Childe'ın, bilimsel bilginin edinilmesi sırasında ilk basamakları atın evcilleştirilmesi, madenciliğin başlaması, sabanın bulunması ve yelkenli teknenin yapımına ayırması çok tipiktir. Childe bu gelişimleri sıralarken, "yazı, sayı ve ölçü birimleri" geliştirmenin bir anlamda "ön koşulları"nı da formüle etmektedir aslında. Orta Amerika uygarlıklarına baktığımızda, söz konusu "aşamaların" hiçbir kültürde var olmadığını fark ederiz: Olmekler ve Mayalar saban kullanmamışlar, bu nedenle tarımla ilgili birtakım sorunlar yaşamışlardır; karmaşık alaşımlar elde etmeyi içeren hiçbir madencilik çalışması (Childe'ın kullandığı anlamda) bu toplumlarda karşımıza çıkmaz, çünkü demiri bile işlememişlerdir henüz; atın evcilleştirilmesi bir yana, bu hayvanın Orta Amerika kültürlerinde yeri bile yoktur; tekerlek icat edilmemiş, yelkenli tekne yapılmamıştır. Bütün bunlara rağmen, Childe'ın Yakındoğu için sıraladığı gelişim dizisinin son evreleri olan "yazı, sayı ve ölçüm birimlerinin geliştirilmesi", hem de oldukça yetkin biçimde ortaya çıkmıştır Maya kültüründe. Bu karşılaştırmayı yapmamızın nedeni, Childe'ın temsilcisi olduğu ortodoks anlayışa çatmak değil. Yalnızca şunu söylemek istiyoruz: Eğer bütün bu "çizgisel akış"a rağmen Yakındoğu'da yazının ve matematiğin ortaya çıkması 3000 yıllık bir birikim sürecini gerektirmişse ve eğer bu süre "Galileo'ya dek tarihin hiçbir döneminde olmadığı kadar" hızlı bir ilerleme olarak değerlendiriliyorsa, İ.Ö. 6. yüzyıl dolaylarında yazı, matematik ve astronomiyle ortaya çıkan Mayalara da benzeri bir "avans" tanımamız gerekir. Bu da hiç değilse, İsa'dan önce dördüncü bin yılın ilk yarısında yerleşik düzene geçmiş bir toplumun varlığını kabul etmekten geçer. Orta Amerika'da insanın ve uygarlığın varlığına daha geniş hareket alanları tanıyarak; sözlü aktarım geleneğinin biriktirebileceği bilgi toplamına ulaşılması için daha esnek zaman dilimleri öngörmek gerekecektir bunun için. Ama ortodoks yaklaşım, kronolojik çerçeveyi "sil baştan" noktasına getirecek böylesi bir çalışmaya asla yanaşmak istememektedir. Durum böyleyken, Amerika'da insanın Cro-

338 Burak Eldem

Magnon öncesi varlığı, değil üzerinde düşünmek, tahammül bile edilemeyecek bir iddiadır "Akademik Olimpos" için.

"Ocak 1987'de Allan Wilson ve Kaliforniya Üniversitesi, Berkeley'den meslektaşları Rebecca Cann ve Mark Stoneking, *Nature* dergisinde 'Mitokondriyal DNA ve İnsanın Evrimi' başlıklı bir makale yayımladılar. Bu biyokimyacılara göre, yaşayan tüm insanların genetik özelliklerinin bir kısmı, yaklaşık 200 bin yıl önce Afrika'da yaşamış bir dişi bireye dek izlenebilir."[165]

Bu yaklaşım, "izi sürülen dişi"nin Eski Ahit'e gönderme yapılarak Havva adıyla anılmasından dolayı, bilim dünyasında "Mitokondriyal Havva" olarak adlandırılan yeni bir teorinin çekirdeğini oluşturur. Böylece, yalnızca anatomik anlamda değil, davranışsal olarak da bugünkü insana benzeyen ilk ataların Afrika çıkışlı olduğu tezi, önemli bir desteğe sahip hale gelir. Çok merkezli evrim teorisi, yani dünyanın farklı coğrafi bölgelerinde eş zamanlı ya da birbirine yakın dilimlerde gerçekleşen bir evrimi savunan yaklaşım, bugüne dek bulunan arkeolojik kalıntıların yeterince desteğini alamadığı için, "Afrika merkezli evrim" teorisine göre daha zayıf, daha savunmasız durumdadır. Ancak her iki durumda da, Amerika'da insanın nasıl ortaya çıktığına ilişkin sorularımız, doyurucu bir yanıtla buluşamaz. Daha güçlü ve kabul edilmeye yakın durumdaki Mitokondriyal Havva yaklaşımına göre, hepimizin ortak atası (daha doğrusu "annesi") olan Afrikalı bir Havva'nın varlığı söz konusudur; ancak onun torunlarının dünyaya nasıl dağıldığına ilişkin arayışlarda yaşanan farklılaşmalar, Asya ile Avrupa kıtalarının dışında bir coğrafyayla bağlantı kuramaz. Olası göç yolları üzerine fikir yürütülürken, Amerika hep dışta bırakılır —ta ki, ünlü "Bering Boğazı Göçü"ne gelinceye dek. Bu teori ayrıca, "bugünkü insan"ın belirleyici kabul edilen temel özelliklerini, yani kas ve iskelet yapısını dikkate almaktan daha ileriye gitmez; dolayısıyla farklı "ırk"ların ortaya çıkışıyla ilgili sorular da büyük oranda yanıtsız kalmaktadır.

[165]Roger Lewin, "Modern İnsanın Kökeni", s: 111

Zamanda geriye gidildikçe elle tutulur veriye ulaşmanın zorluğu, en büyük engeldir aslında. Dünyanın, Neanderthal ve Cro-Magnon'un ortaya çıkışından sonra bile kimbilir kaç kez büyük çaplı doğal afetlerle karşılaşmış olabileceği üzerine şöyle bir fikir yürütmek bile, verilere (bozulmamış kanıtlara) ulaşmanın zorluğunu görmeye yetecektir. Bu durumda, hem bunca değişik insan ırkının hangi evrim koşulları altında farklılaştığına yanıt getirmek zordur; hem de izi sürülebilen ortak ataların dünyaya nasıl yayılmış olabileceğine. Antropoloji böylesine zor şartlar altında çalışırken, La Venta'daki Olmek başları ya da Chichen Itza'daki fil ve aslan kabartmaları; Orta ve Güney Amerika'da görülen Roma heykelleri ya da Kolombiya'daki kazılarda bulunan İ.Ö. 1200'e ait Çin paralarını açıklamak, bunaltıcı bilmeceleri çoğaltmaktan başka işe yaramayacaktır. İnsan türünün ilk örneklerinin 70.000 yıl önce Amerika'da ortaya çıkmış olmasına ilişkin bulgularsa, karmaşaya tuz biber ekecektir elbette.

"Sır öyle şaşırtıcıdır ki, Orta ve Güney Amerika'ya, az da olsa kuzey yoluyla Asya'dan gelen Mongoloid göçmenler yerleşmiştir. Fakat Navahoları, Ojibwayları çok küçük bir çabayla 'anlayabildiğimiz' halde, Olmekler, Toltekler, Aztekler ve Mayalar genellikle anlaşılmazdır."[166]

Şu an için elde somut kanıtlar bulunmadığından dolayı biraz "afaki" göründüğünü bile bile, Amerika'daki insan toplulukları ve uygarlığın başlangıcıyla ilgili olarak, üç faktörün geçerli olduğuna ilişkin inancımı vurgulamak istiyorum: Bunların ilki, Orta ve Kuzeydoğu Asya çıkışlı, çok eski göçlerden oluşuyor ve bu olasılığın (zaman konusundaki anlaşmazlık dışında) Bering Boğazı Göçü teziyle oldukça uyumlu olduğu söylenebilir. İkinci faktör, kıtada zaten var olan insan topluluklarına ek olarak, İ.Ö. dördüncü bin yılda küçük bir Afrikalı grubun, bilinmeyen bir yolu izleyerek Orta Amerika'ya ulaşmasıdır büyük olasılıkla. Bu denli erken bir çağda Hint Okyanusu'nu, hele Pasifik'i aşmaya elverecek bir denizcilik bilgisi hiç inandırıcı görünme-

---

[166] Geral Messadie, "Şeytanın Genel Tarihi", s. 355

mekle birlikte, söz konusu göçlerin bir biçimde deniz yoluyla gerçekleştiğini varsaymaktan başka çaremiz yoktur. Son olarak, İ.Ö. 1650 afetlerini izleyen yüzyıllarda Doğu Asya'dan ve Okyanusya'dan, yine sayıca az bir grubun Meksika dolaylarına bir tür "iltica"yı andırır biçimde geldiğine inanıyorum.

Bütün bunlar, kanıtlanamaz görünmekle birlikte, aynı zamanda "yadsınamaz" bir değişime de işaret eder. Orta Amerika'daki Afrikalı izleri La Venta ve Chichen Itza bulgularıyla fena halde aşikâr haldedir. Bölgedeki Afrikalı varlığını açıklayacak somut bulguların bugüne dek elde edilememiş olması, bu varlığı yadsımak sonucunu doğuramaz. Evrendeki "kara delik"lerin de hiçbirini somut olarak görüp inceleyebilmiş değiliz (zaten bu fiziksel olarak da mümkün değildir) ama bu onların varlığını yadsımamız anlamına gelmiyor.

La Venta'nın bilgeleri

Orta Amerika'da bilinen, bugüne dek elde edilmiş ilk "uygarlık" izlerinin La Venta kültürüne ait olduğundan söz etmiştik. Efsanevi Olmeklerle iç içe düşünülen bu kültür, bilinmeyen bir biçimde ortaya çıkar ve yine bilinmeyen bir biçimde (bilgi birikimini aktardıktan sonra) ortadan yok olur gider. Birçok bakımdan "Meksika uygarlığının ana damarı" olarak nitelemek mümkündür bu insanların oluşturduğu kültürü. Üzerinde sisler dolaşsa da, bu melez kültürün yerli Amerikalılar, Doğu Asyalılar ve Afrikalılardan izler taşıdığı yavaş yavaş su yüzüne çıkmaktadır.

"Olmeklerin nerden geldiklerini bilmediğimiz gibi, nasıl yok olduklarını da bilmiyoruz. İ.Ö. IV. yüzyıla doğru aniden ortadan yok olmuşlardır. Onların ardından, etkisi bütün Orta Amerika'ya uzanan, Veracruz'daki Totonaklar ve Oaxaca'daki Zapotekler gibi komşu halkları ele geçiren müthiş site-devlet olan Teotihuacan uygarlığı gelmiştir. Teotihuacan Meksika kültürünün beşiğiydi. Ancak hakkında pek bir şey bilinememektedir, çünkü Teotihuacan yazısından örneğe sahip değiliz. Kesinlikle bir yazısı vardı, fakat kullanılan kâğıt ya da deri, resimli ya da diğer belgeler zaman içinde yok olmuştur."[167]

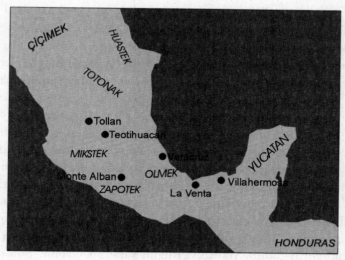

Harita 5: Orta Amerika'da ilk kentler (İ.Ö. 1650 ve sonrası)

Her nasıl olmuşsa olmuş; ama Amerika'ya hem Bering'den Orta ve Kuzeydoğu Asyalılar ulaşmış; hem de çok daha geç bir tarihte Afrikalılar. Büyük göçle kuzeyden gelenler bugün bildiğimiz Kuzey Amerika yerlilerinin ataları olurken, Güney Amerika'da (nedenini ve kökenini henüz bilmediğimiz biçimde) zaten var olan yerlilerin bir bölümü, büyük olasılıkla Tufan'ı izleyen yıllarda And Dağları'nı aşıp Pasifik sahillerine ve oradan da Orta Amerika'ya yönelmişler. Aynı tarihlerde Meksika platosuna Arizona dolaylarından gerçekleşen göçle gelenler ve beklenmedik biçimde La Venta'ya ulaşan Afrikalılar, yerli halkla kaynaşarak İ.Ö. 3000 dolaylarında, o şaşırtıcı uygarlığın ilk büyük adımlarından birini atmasını sağlamışlar. Zaman içinde, ortaya çıkan melez bir etnik grup Meksika'nın ilk yerlileri haline gelirken, Afrikalılar da yine nedenini bilemediğimiz biçimde tecrit edilip izleri silinmiş. Bu değişimin ikinci büyük zincirle-

---

[167]Geral Messadie, a.g.e., s. 358

me afet sonrasında, yani İ.Ö. 1650'den başlayarak gerçekleştiğini düşünüyorum.

"Zacatenco kültürünün temelini oluşturan köylü yapısı İ.Ö. 1000 yıllarında, dışarıdan gelen yabancı etkilerle daha üst seviyelere yükseldi. (...) Covarrubias bu değişimi, Körfez kıyılarından veya Meksika'nın güneyinden Meso-Central'e doğru ilerleyen aristokrat bir azınlığın göçüne bağlar. (...) Hiç şüphe yok ki bu azınlık, Meksika topraklarındaki çok eski, göçebe ve yüksek bir kültürden geliyordu."[168]

O kültürel mirası devralanlar, Olmekler olarak adlandırdığımız halkın öncüleri olabilir. Sahip oldukları kültürel birikimin de hem Tolteklerin atası olan kuzey yerlilerinin yaşamlarında, hem de Yucatan Mayalarının şaşırtıcı uygarlığında olgunlaştığını söyleyebiliriz. Bunlardan birincisi, süreç içinde Teotihuacan kültürünü ortaya çıkarırken, ikincisi Monte Alban, Palenque, Izapa, Uxmal ve son dönemde de Chichen Itza'da en çarpıcı izlerini gördüğümüz Maya uygarlığını yaratmış olabilir. Son olarak, İ.Ö. 1650'den itibaren en az 500 yıl boyunca Doğu Asya'dan gerçekleşen küçük çaplı, ama düzenli göçlerin, hem Orta Amerika'da hem de And Dağları'nda ciddi kültürel etkiler bıraktığı iddiası, çok da "fantastik" bulunmamalıdır. La Venta sanatının tipik örnekleriyle Doğu Asya'nın kült objeleri arasında en azından biçimsel bir yakınlık sezilir çünkü:

"Taş heykellerin yanı sıra, La Venta kültürünün diğer bir özelliği, yeşim taşına olan düşkünlükleriydi. Çinlilerle paylaştıkları bu tutku, yine onlar gibi yeşime kutsal bir anlam yüklemelerine neden oldu."[169]

Bu tutkunun La Venta ve Olmek kültürüyle sınırlı kalmayıp sonraki yüzyıllarda Mayalarca da yaşatıldığını biliyoruz. Ama elbette yalnızca yeşim taşıyla sınırlı değildir Meksika ve Çin kültürlerinin ortak noktaları. Evrenle ilgili kimi temel kavramlarda ve astronomide, Çin ve Orta Asya düşüncesine çok benzer unsurların Orta Amerika'da belirdiğini göreceğiz.

---

[168] Walter Krickeberg, "Azteklerin ve Mayaların Dinleri", s. 20-21
[169] Walter Krickeberg, a.g.e., s. 24

Bu uzun girişin ardından, Orta Amerika kültürlerinin gelişim evrelerini çok kabaca da olsa belli bir çizelgeye oturtabiliriz:

- İlkin, Yucatan'ın güneybatısında, Meksika Platosu'na yakın bölgelerde, ilk önemli topluluğun melez bir kültür oluşturduğu söylenebilir. Bütün kronolojik belirsizliklere karşın bu değişimin, yaklaşık İ.Ö. 3000 dolaylarında başladığını düşünmemize neden olacak verilere sahibiz. Söz konusu kültür, başlangıcı bilinmeyen, sonrasındaysa Olmekleri bağrından çıkardığı açık olan La Venta kültürüdür.

- İkinci büyük afet zincirinden, yani İ.Ö. 1650'den sonra La Venta kültürünün yavaş yavaş çözülmeye başladığını; sahip olduğu kültürel mirasın da iki büyük etnik grup tarafından paylaşıldığını görüyoruz. Bunlardan birincisi, hakkında çok az şey bildiğimiz; kuzeye doğru göç edip bugünkü Mexico City yakınlarında başkentlerini kuran Teotihuacan kültürüdür. Zaman içinde çok farklı öğelerin devreye girmesiyle değişimler yaşamış; bir ara bütünüyle ortadan yok olmuş görünse bile İ.S. altıncı yüzyıldan itibaren Tollan'a yerleşen Toltek ve sonrasında da aynı bölgedeki Tenochtitlan'ı merkez yapan Aztek kültürlerini yakından etkilemiştir. Tolteklerin onuncu ve on birinci yüzyıllarda Yucatan Yarımadası'na yönelmeleriyle bu kültürün başta Chichen Itza olmak üzere geç Maya kentlerini de etkilediği düşüncesi yaygındır. Ancak burada da yumurta-tavuk ikilemi karşımıza çıkar: Toltekler kendi kültürlerini Yucatan'a zorla kabul mü ettirmişlerdir, yoksa onlara ait kimi kültürel unsurların Maya kentlerinde gönüllü olarak asimile edilip kısmen değiştirilmesi mi söz konusudur? Buna henüz çok net yanıtlar veremiyoruz.

- La Venta'dan çıkan ikinci büyük kol, İ.Ö. altıncı yüzyıldan itibaren klasik Maya kültürünü yaratan ve ağırlıklı olarak Yucatan Yarımadası'na ve kısmen Guatemala'ya yerleşen insanlardan oluşur.

Bu çok genel gelişim çizelgesinde, Mikstek, Zapotek, Huastek kültürleri, önemleri yadsınmamakla birlikte "ikincil aktörler" olarak ele alınmıştır. Bütün kültürlerin ana kaynağı olarak kabul ettiğimiz La Venta insanlarına sonradan ne olduğunu bilmediğimiz gibi, sahip oldukları uygarlığın Güney Amerika'daki diğer baskın kültürlerle herhangi bir biçimde doğrudan etkileşime geçip geçmediği konusunda da elimizde net veriler yok. Ama La Venta'dan çıkan ana damarlardan biri olduğunu söylediğimiz Teotihuacan kültürünün daha sonra bir biçimde Toltek ve Aztek kültürlerine zemin hazırladığını; bu toplumların mitlerindeki "tüylü yılan" Quetzalcoatl/Kukulkan figürünün Peru'daki Viracocha efsanesiyle büyük benzerlikler taşıdığını düşününce, henüz bilimsel bir dayanağı olmasa bile, her iki bölgenin de "ortak ziyaretçiler"den etkilenmiş olma olasılığı akıllara takılıyor. Eğer böyle bir ortak nokta varsa, en yakın adayın Çin ya da Orta Asyalılar olduğunu belirtmekte bir sakınca görmüyorum.

Teotihuacan: Bir kültür kavşağı

Orta Amerika'nın kültürel yapısında "dönüm noktası" olma işlevini La Venta/Olmek kültürüne yükledikten sonra, sözünü ettiğimiz iki farklı göç kolunu sırasıyla ele almaya başlayabiliriz. Üzerinde duracağımız ilk grup (son dönemde bir biçimde diğerini de etkileyecek olan) kuzeye göç edenler, yani Teotihuacan'la bağlantılı görülen kabileler olacaktır. Burada, Meksika Platosu'nda ve kuzeyinde biçimlenen kültür, Orta Amerika'nın bugün en iyi bilinen "mitolojik" motiflerini yaratacaktır zaman içinde.

İlkin şunu belirtmekte yarar var: Meksika'da değişik toplumların yaşam biçimlerinde ve kültürlerinde izlerini bırakan kozmoloji ve inanç sistemi, çoğu kez bütünüyle Orta Amerika'ya özgü gibi görünse de, hiç değilse bazı temel ilkeler açısından eski Yakındoğu'yla benzerlikler içerir. Sözgelimi, Mısır'da ve Hindistan'da izlerini gördüğümüz, "tanrıların farklı rolleri" kavramı, hem Toltek hem de Maya inançlarında çok benzer biçimde karşımıza çıkar. Tanrıça Hathor'un şarap, aşk ve güzelliği temsil eden kişiliğinin Sekhmet rolüne büründüğünde yırtıcı bir aslana ve yıkım getiren tanrıçaya dönüşmesi gibi, Meksika'da da tanrıların çoğu belli durumlarda değişen ikinci kimliklere sahiptirler. Orta Amerika'nın tamamında varlığını hissettiren Quetzalcoatl, insanlara bilgi ve uygarlık getiren barışçı ve öğretici tanrı kimliğini, Ehecatl, yani fırtına ve rüzgâr tanrısı haline geldiğinde bambaşka bir yöne çevirir ve yıkım getirebilir; ama her iki kimliğinde de simgesi, ilginç bir biçimde hep Venüs olur. Bu "çift kişilikli tanrı" modeli sık sık karşımıza çıktığı gibi, "karşıt kutuplardaki tanrılar"a da çok sık rastlarız ki bu da hem Mısır'da hem de İran'da yakından tanıdığımız bir dualizmin Meksika'daki varlığını hissettirir. Nil vadisinde Seth karanlığın ve gecenin, Osiris (ve sonrasında oğlu Horus) ışığın ve aydınlığın temsilcisidir. Aynı ikicilik, İran'daki Zerdüşt öğretisinde Ahura Mazda'nın ışık, Ahriman'ın karanlık ile özdeşleşmesi biçiminde yer alır. Meksika'da bunun karşılığı, iyiliği ve ışığı temsil eden Quetzalcoatl (ya da Quetzalcaan) ile gecenin ve karanlığın temsilcisi Tezcatlipoca çatışmasıdır. Ancak bu, Tezcatlipoca'yı bir tür "kötü tanrı" haline getirmez; korkulan, saygı duyulan, ancak fazla sevilmeyen bir tanrı gibidir Tezcatlipoca; Meksika kültüründe oldukça önemli bir yeri vardır. Tıpkı Mısır'da Seth'in olumsuz nitelikleri vurgulanmış olsa da ona yapılan ritüel ve tapınımın sürmesi gibi.

Teotihuacan kültürünü bütün boyutları ve derinliğiyle bilmemiz ne yazık ki mümkün değil. Bize kalan, yalnızca bu kültürün kırıntıları diyebiliriz. Bölgede egemen olan ve Teotihuacan çöktükten sonra yüzyıllar boyunca varlığını sürdürmeyi başaran kültürlerin benimseyip bize aktardıkları biçimleriyle ancak bir fikir sahibi oluyoruz. Belki ilkin antik kentin yapısından biraz söz etmek yararlı olabilir:

İlk kuruluşunun çok daha eskilere dayanabileceği yolunda oldukça güçlü belirtiler olsa da, ortodoks arkeoloji Teotihuacan'ın İsa'dan Önce 150 dolaylarında inşa edildiğine inanıyor. Kentin bir astronomi ve dinsel tören merkezi işlevi gördüğü, içerdiği görkemli piramit ve tapınakların düzenli dağılımıyla kendini belli ediyor; sanki diğer her şey, bu yapıların çevresine inşa edilmiş dekorlarmış gibi. Ünlü Güneş ve Ay piramitlerinin, kent merkezinin ve sarayların yer aldığı yapılaşma, kuzey-güney ekseninden 17 derecelik bir sapmayla, hafifçe kuzeydoğuya doğru hizalanmış. Bu, Meksika'nın çoğu antik kentinde Anthony Aveni ve diğer ünlü arkeoastronomların saptadığı bir oryantasyon: Ana eksen, doğu ve batı yönlerini tam olarak ekinokslarla aynı hizaya getirmek kaygısıyla 17 derece kadar saptırılıyor. Teotihuacan'da bu doğrultu, kentin merkezinden geçen ve "Ölüler Bulvarı" olarak adlandırılan caddeyle çakıştırılmış. Aveni, "17 derecelik sapma geleneği"ni ilk başlatanların Teotihuacan'ı inşa edenler olabileceğini düşünüyor.[170]

Bu kenti kuranların, bir biçimde La Venta kültüründen etkilenen, hatta belki onun içinden çıkmış bir etnik grup olduğunu belirttik. Buna rağmen, kimlikleriyle ilgili bilgilerimiz çok az. Dahası, kentin inşa edildiği İsa'dan önce birinci yüzyıl tarihiyle ilgili de çok fazla anlaşmazlık ve soru işareti söz konusu. Vadinin güneyinde yer alan Cuicuilco yanardağının eski çağlarda etkinleşmesi ve patlaması sonucu, piramitlerden birinin basamaklarını lavların kapladığını biliyoruz. Bu basamaklar üzerinde tarihleme çalışması yapmak isteyen arkeologlar işin içinden çıkamayınca lavları incelemek için bir jeolog grubundan yardım istemişlerdi. İncelemenin sonucu, hiç de arkeologların beklediği gibi değildi: Lav kayaları üzerinde çalışan jeologlar, patlamanın muhtemelen İ.Ö. 5000 dolaylarında gerçekleşmiş olabileceğini söylüyorlardı![171] İzleyen yıllarda bunun bir "hata" olduğu belirtilip, jeolojik tarihlemeden çok daha sağlam olduğu öne sürülen arkeolojik araştırmalarla, eski kronoloji doğrulanıp mesele kapatıldı. Ancak itirazların ve farklı görüşlerin varlığını sürdürdüğünü belirtmeliyiz.

"Çöküşünden yedi yüzyıl sonra Teotihuacan, Aztekler için ilk zamanlarda yaşayan devler tarafından kurulmuş mitolojik bir kent olmuştu. Yıkılmış tapınakları çok eski kralların mezarları olarak kabul etmişlerdi, bu nedenle Aztek dilinde 'Ölenlerin

[170]Edwin C. Krupp, "In Search Of Ancient Astronomies", s. 164
[171]C. W. Ceram, "Tanrılar, Mezarlar ve Bilginler"

Tanrılaştığı Yer"[172] anlamında Teotihuacan adı verilmişti ve her iki piramit Güneş ve Ay'ın oluşumuyla ilişkilendirilmiş, böylece piramitlere bu yanıltıcı isimler verilmişti. Gerçekte bu kentin insanlarının hangi soydan geldiğini ve kentin kurucularının kimler olduğunu bilmiyoruz."[173]

Yazılarını elde edemediğimizi, bu nedenle somut verilerden uzak olduğumuzu belirtmiştik. Ancak Teotihuacan'ın kültürel birikiminin hiç değilse bir parçasının Azteklerde yaşadığı kesindir. Gerçi Walter Krickeberg'in de belirttiği gibi Aztekler kentteki piramitleri bile doğru yorumlayamamışlar ve bugün dahi kullandığımız Güneş ve Ay Piramidi gibi yanlış isimlerin ortaya çıkmasına neden olmuşlardı ama Teotihuacan'ın onlara, bugün bize olduğundan çok daha yakın geldiği tartışma götürmez. En azından, Aztek dininin temel direği diyebileceğimiz ünlü Quetzalcoatl'ın, yani "Tüylü Yılan"ın gelişmiş bir kült olarak ilk ortaya çıktığı yerin Teotihuacan olduğunu söyleyebiliriz. Kentin doğu ucunda, Orta Amerika'nın en iyi korunmuş yapılarından biri olarak adlandırılan, 24 metre yüksekliğinde, altı basamaklı Quetzalcoatl Piramidi yer alır. Yukarı tırmanan basamakların kenarlarında, bu tanrının simgesi olan tüylü yılan kabartmaları ziyaretçileri karşılar.

Aztek mitolojisi, geride bırakılan son çağ olan "Dördüncü Güneş"in büyük seller ve tufanla bittiğinden söz eder. Bu öylesine büyük bir felakettir ki, güneş ortadan yok olmuş, ülke karanlıkta kalmıştır. Yalnızca, "yaratılışın kutsal ateşi", yani başlangıçta her şeyi yaratan ve yaşam veren tanrı olan Huehueteotl'un maddeleşmiş biçimi görülmektedir. Bunun üzerine tanrılar, Teotihuacan'da toplanırlar. Dördüncü Güneş yok olmuştur; şimdi içlerinden birinin kendini feda etmesi ve Beşinci Güneş olmayı üstlenmesi gerekmektedir. Bunun yolu da, yaratılış ateşine atlayıp yanmaktan geçmektedir:

[172]Bu sözcük Ulusal Antropoloji Müzesi'nin kitapçığında "Tanrıların Doğduğu Yer" olarak çevrilirken, Graham Hancock "İnsanların Tanrılaştığı Yer", Gerald Messadie ise "Tanrıların Ortaya Çıktığı Şehir" karşılığını kullanmaktadır. Her durumda, Yunanca'da tanrı anlamına gelen "theo" sözcüğünün Meksika'daki paralel kullanımı son derece ilgi çekicidir.
[173]Walter Krickeberg, a.g.e., s. 32

"Bu drama, iki tanrının (Nanahuatzin ve Tecciztecatl) çoğunluğun yararı için kendilerini ateşe atmalarıyla devam etti. Biri, kutsal ateşin ortasına atladı ve hemen yandı; diğeriyse kenardaki korların üzerinde yavaşça kızarmaya başladı. Tanrılar, sonunda şafakta gökyüzü yeniden kızıl ışıklar saçana dek beklediler. Doğuda, güneşin yaşam veren büyük küresi akkor halinde belirmişti. Tam bu an, Quetzalcoatl'ın kendini ortaya koyduğu kozmik yeniden doğumuydu. Onun misyonu, Beşinci Çağ boyunca insanlarla birlikte olmaktı."[174]

Bu yaratılış efsanesi, Meksika'nın birçok farklı bölgesinde, farklı versiyonlarla karşımıza çıkar. Çoğu, değişik zaman dilimlerinde dönüşümlere uğramıştır, ama ana tema, hepsinde aynıdır: Bir doğal afet sonrasında, kendini feda eden tanrının yeniden doğması. Quetzalcoatl, yani "Tüylü Yılan", en büyük tanrı değildir; hatta yaratıcı büyük tanrılardan biri de değildir ama öyle büyük bir özveride bulunur ki, onun yeniden doğuşunun karşılığı olarak düşünülen Beşinci Güneş çağı, Tüylü Yılan'ı en sevilen tanrı yapmıştır. Aztek mitolojisindeki temel sahnelerden biri olan bu özveriyi ve sonucunda ortaya çıkan dirilişi (resurrection) ileride çok daha ayrıntılı olarak ele alacağız. Şu an için önemli olan, Meksika kültüründeki en parlak figür olan Quetzalcoatl'ın "insanlığı kurtaran" bir özveride bulunmuş olması, bunun sonucunda göklerde yeniden doğması ve bütün bu olayların Teotihuacan'da yaşanmasıdır.

Orta Amerika'nın oldukça "geç" uygarlıklarından biri olan Azteklerin, çok büyük oranda Toltek etkisi altında kaldıklarını ve kültürlerini bu sert, savaşçı kabileden aldıkları motiflerle zenginleştirdiklerini biliyoruz. Teotihuacan'ın da Aztek uygarlığında "büyülü" bir merkezi simgelemesi, Tolteklerin Teotihuacan kültürünü Azteklere taşıyan köprü olduğunu düşündürüyor:

"Aztekler için tarih, Tolteklerle (Tollan'dan gelenler) başlar; Aztekçe 'Kamışlık Şehri' anlamına gelen Tollan, bugün Hidalgo eyaletinde Mexico City'nin 80 km. kuzeyindeki Tula'dır.

---

[174]Graham Hancock, "Fingerprints Of The Gods", s. 177

Toltekler öncesindeki iki bin beş yüz yıllık geçmişleri, Aztekle-
rin belleğinden tamamen silinmiştir. Geçmişleri Toltek impara-
torluğundan önce tüm yaratılanlarıyla beraber doğal afetlerle
yok olan dört dünya devriyle efsaneleştirilmiştir."[175]

Azteklerin Meksika'daki varlığı oldukça eskiye dayanmakla
birlikte, kültürlerinin ve tarih bilinçlerinin ortaya çıkmasında
Toltek etkisinin belirgin olduğunu anlıyoruz buradan. Tollan
kenti, Teotihuacan'a oldukça yakındır. Bu durumda Aztekler,
bu ana damardan beslenen bir kabile durumundaki Tolteklerle
tanışıklıkları sonucunda (ve o oranda), Teotihuacan kültürüne
yaklaşmışlardır diyebiliriz. Meksika tarihinde Teotihuacan kül-
türüyle Toltek uygarlığı çok net olarak birbirini izler. Bu ne-
denle, dinamiklerini çok da iyi bilmediğimiz bir süreçte, Teoti-
huacan kültürünün merkezine yerleşen "Dünya Çağları" ve Qu-
etzalcoatl mitinin Toltekler ve Aztekler tarafından benimsenip
yüceltildiğini söyleyebiliriz.

Bu noktada, Meksika kültürlerinde ortak olan, ilginç bir
nokta dikkatimizi çekiyor: Kentlerde, insanlar arasında çok
önemsenen, saygı duyulan birkaç grup tanrı olmakla birlikte,
evreni yaratan ve ilahi hiyerarşinin en üstünde yer alan, tek bir
tanrı motifiyle karşılaşıyoruz. Evrendeki süreçler, bu yaratıcı
tanrının iradesiyle gerçekleşiyor, ancak diğer tanrılar "katılımcı"
olarak sürece belli oranda etkide bulunabiliyorlar. Tıpkı, Quet-
zalcoatl'ın ateşten yeniden doğması gibi. Bu anlamda, eski Mek-
sika uygarlıklarının "Yaratıcı"yı kozmik düzenin varlığıyla iliş-
kilendirip, çok tanrılı sistemin diğer güçlü figürlerini "göksel
olaylarla" bağdaştırdıklarını söyleyebiliriz. Mitlerin ve efsanele-
rin, başroldeki tanrısal figürleriyle birlikte astronomik olaylar-
dan kişileştirilerek oluşturulmasına işaret eder bu eğilim. Quet-
zalcoatl da dahil tanrıların çoğu, bizim güneş sistemimizi yakın-
dan ilgilendiren olayların kahramanlarıdırlar; ölçek büyüyüp
bütün evreni kapladıkça, hepsini aşan büyük yaratıcı tanrının
varlığı hissedilir.

---

[175]Walter Krickeberg, a.g.e., s. 58-59

Teotihuacan'da "kahraman tanrı" rolü, yine büyük yaratıcı-
nın gerisinde kalmak şartıyla, tartışmasız biçimde Quetzalcoatl'a
aitti. Beşinci Güneş çağında oldukça aşina olduğumuz özveri ve
yeniden doğuş süreciyle, yazgısı insanların yanında olmak biçi-
minde belirlenen bu tanrı, Teotihuacan'ın yaşam biçimine de-
rin etkilerde bulunmuş gibi görünüyor. Her şeyden önce, ol-
dukça yaygın olan ve süreklilik taşıyan "insan kurbanı" ayinle-
ri, Quetzalcoatl tarafından yasaklanıyor. Bu "tanrı emri"nin ka-
lıcılığı, Quetzalcoatl'a tapan sonraki uygarlıklarda insan kurban
etme ritüellerinin sürmesi nedeniyle tartışılır durumdadır, ama
yine de Teotihuacan'da "Tüylü Yılan"ın isteği üzerine "vejetar-
yen" bir dönemin başladığını söyleyebiliriz. Artık törenlerde su-
nu olarak, yiyecekler, çiçekler ve meyveler kabul edilmektedir
yalnızca; kurbanları bir taş sunak üzerine uyuşturulmuş halde
yatırıp, taş bıçakla kalplerinin sökülmesi biçiminde gerçekleşti-
rilen kurban geleneği, hiç değilse bir dönem için ya da bölgesel
olarak, ortadan kalkmıştır.

Diğer yandan, bundan çok daha önemlisi, Quetzalcoatl'ın
Beşinci Güneş'te insanla birlikte olmasının en verimli sonucu
diyebileceğimiz, "bilgilendirme misyonu"dur. Sözlü gelenekle
aktarılan mitlerde, tarımdan astronomiye; tapınak inşasından
araç gereç yapımına dek birçok yeni teknolojiyi insanlara Quet-
zalcoatl'ın öğrettiği vurgulanır durur. Bu yönüyle "Tüylü Yı-
lan", And Dağları'nın İnka öncesine dek dayanan mitlerinde, en
sık da Tiahuanacu'da karşımıza çıkan Viracocha figürüne çok
benzer:

"O, Tiahuanacu'nun efsanevi kurucusu Ticci Viracocha ya
da Thunupa'dır; Titikaka gölünün ortasındaki bir adada, zama-
nın başlangıcında ortaya çıkar ve müritleriyle birlikte toplu ola-
rak 'Viracochalar' olarak adlandırılır, Tiahuanacu kentini kur-
duktan sonra, gittiği her yerde uygarlığı yaymak üzere kuzeye
doğru yola çıkar."[176]

Bu şaşırtıcı benzerlik, Meksika ve Peru'da aynı efsanenin
(çoğu kez ayrıntılara dek) uyuşması sonucunu çıkarır ortaya ve

---

[176]Andrew Collins, "Gods Of Eden", s. 70

araştırıcıyı bir bağlantı oluşturmaya zorlar. Efsanevi Titikaka gölü çevresinde anlatılan Viracocha efsaneleri, fetihler sonrasında bölgeye gelen İspanyol gezginlerini ve misyoner rahipleri derinden etkilemiştir. Bölge sakinleri, bilinen İnka mimarisinden belirgin biçimde farklı ve çok daha eski olduğu anlaşılan bazı binaları kimin yaptığını soran meraklı beyazlara ilkin yalnızca gülerler, "cehaletleri" nedeniyle. Ardından, o binaların "bir gecede" inşa edildiğini anlatırlar. Efsaneler deşildikçe, Viracocha ve müritlerinin bölgeye uygarlık getirdiği inanışı açığa çıkacaktır. İnkalardan binlerce yıl önce bölgede bir uygarlık kuran esrarengiz ziyaretçiler ve onların yetiştirdiği yerel halk teması, çok uzun süre tarihçilerce yalnızca efsane olarak görülür ama Caral'da bulunan antik kentten sonra bu eğilimin değişme arifesinde olduğunu söyleyebiliriz.

İnkalar için Viracocha neyse, Meksikalılar için de Quetzalcoatl odur. Barışçılık, iyilikseverlik ve bilgelik gibi niteliklerin yanı sıra, ani geliş ve birden ayrılışları da çok benzer bu iki tanrının. Eğer İnka efsanelerinin dayanağı yeni keşfedilen Caral (ve arkeolog Shady'nin belirttiği gibi aynı uygarlık tarafından bölgede inşa edilen 17 yerleşim birimi daha) ise ve eğer Teotihuacan uygarlığı, sahip olduğu temaları bizim düşündüğümüz gibi La Venta kültüründen edinmişse, ortaya çıkışları birbirine yakın tarihlere rastlayan iki toplumun da "ortak ziyaretçileri" olduğunu düşünmememiz için hiçbir neden yok.

Quetzalcoatl adı iki parçadan oluşuyor: Bölgede yaşayan çok renkli ve güzel bir kuş olan "Quetzal" ile yılan anlamına gelen "coatl". Doğal olarak, neredeyse isimleşmiş biçimde "Tüylü Yılan" ya da "Yılan Kuşu" sözcüklerini bu öğretici tanrıyla birleştiriyor ve onu bu adla anıyoruz Meksika kültürünü incelerken. Ancak pratiklik sağlayan bu tanımın, aslında tanrıyı yılan olarak yüceltmek anlamına gelmediğini de akıldan çıkarmamak gerekiyor. Tüylü Yılan, bir benzetme, belki biraz yılan arketipine bağlı bir "marka" ve bütün bunlara paralel olarak öğretici tanrı için göklerde ve yeryüzünde belirlenmiş bir "amblem"dir aslında. "Coatl" sözcüğü, bazen Toltek dilinde bile Quiche Mayalarından edinilmiş "Caan/Kan" sözüyle yer değiştirir ve tanrının adı "Quetzalcaan" halini alır. Bu biçimiyle, artık göklerde yeniden doğmuş tanrı için değil, onun adına yaratılmış kültün rahipleri için kullanılan bir "unvan"a dönüşmüştür: Bilgeliği, olgunlaşmayı, evreni kavramayı simgeleyen ve çok özel bir değeri olan bir unvan:

"Yılan ve Fallus'un Güneş Kültü'nde *quetzalcoatl* bir tanrıyı belirtmez; kültün inisiye okulundaki en büyük ustanın derecesini belli eden bir rütbedir. Bu terim orta Meksika'da kullanılırken güneyde caan sözcüğü kullanılır. Coatl gibi, caan da yılan anlamındadır ve üstatlara kısaca yılanlar denir."[177]

Adalberta Rivera'nın yukarıdaki satırları, Chichen Itza kentinde ve geç dönemde ortaya çıkmış bir ezoterik kültü anlatır; ancak tıpkı kentin sakinleri gibi, bu kültün varlığı da çok eskidir ve "inisiye okulu"ndaki rahiplerden önce söz konusu "rütbe", Meksika'nın birçok bölgesinde "Efendi" ya da "Kral" anlamında kullanılmıştır. Rivera, Quiche Mayalarıyla Toltek kültürünün buluştuğu Chichen Itza'da yoğunlaşan araştırmasında Quetzalcaan adını kullanmayı yeğler. Oysa bu tanrının adının Maya dilindeki karşılığı, aynı anlama gelmek üzere Kukulkan ya da Kucumatz'dır. Chichen Itza'da Quetzalcaan sözcüğünün yaygınlığı ve olası eskiliği, terimin "kral" ile eş anlamlı kullanıldığı dönemlerde de bu biçime sahip olduğunu düşündürür:

"Meksikalıların en eskisi olan Olmekleri ele alırsak, yeryüzü dünyası topraktan ve sudan oluşmuştur ve bu temsili, en eski denizde yüzen timsahlarla simgeliyorlardı. Bu timsah, daha sonra bereket tanrısı olacaktır. Su, bir balıkla, elbette köpekbalığıyla simgelenmişti ve arkeolojik kazılarda hakiki köpek balığı dişlerinin bulunmuş olması, bu tanrının kurban törenlerinin bir parçası olduğunu gösteriyor gibidir. Olmeklerin kısıtlı ve hayvan-biçimli panteonunun üçüncü kutsal hayvanı yılan, egemen sınıfların sembolüydü."[178]

Üçüncü sırada sayılan kutsal yılanın "egemen sınıf"ları simgelemesi ne demektir? Son derece teokratik ve katı bir toplum-

---

[177]Adalberto Rivera A., "The Mysteries Of Chichen Itza", s. 38
[178]Gerald Messadie, a.g.e., s. 357

sal yapının ilk dönemlerden itibaren baskın olduğunu bildiğimiz Meksika'da aslında bir tek egemen sınıf net olarak görülür: Rahipler. Sahip olunan büyük uygarlığın altını dolduramayacak kadar cılız olan tarımsal üretimde "artı-ürün" bütünüyle bu din adamları kastına aittir ve bu dar grup adına yetkiyi, kendisi de Başrahip olan Kral kullanır. Dolayısıyla, Quetzalcoatl ya da Quetzalcaan adlarını, "tanrı adına yönetimi üstlenen" hükümdar kullanıyordu Meksika uygarlıklarında. Tollan'da ve başka kentlerde aynı adı taşıdığı düşünülen krallara ilişkin efsanelerin varlığı, bunu bir unvan olarak seçen hükümdarların varlığını gösteriyordu. Yılan kavramı da, Avrupa'da ortaçağ derebeylerinin şatolarına ve kalkanlarının üzerine işlenen bir amblem niteliği taşır gibiydi. Sözcük, işlevsel olarak "hükümdar" demekti; hem kullanım biçimi ve işlevi, hem de fonetik olarak, Orta Asya Türklerinin "Kağan" (Kaan) unvanıyla da şaşırtıcı biçimde örtüşüyordu. Bu durumda, doğrudan doğruya aynı anlamı karşılamasalar bile, kullanım biçimi ve ses benzeşmesi açısından Quetzalcaan ile "Kutsal Kağan" deyişleri arasındaki benzerliğe dikkat çekmek çok mu abartılı bulunur acaba?

Asyalıların ayak izleri

Çin'in kuzeyinde ve Orta Asya bozkırlarında yaşayan, şaman inançları ve buna paralel bir kozmolojiye sahip eski Türklerde yılanın bir kült simgesi olduğuna ilişkin herhangi bir ize rastlamıyoruz. Ama büyük oranda Çin inançlarına paralel olarak ejder ve yılanların, tanrısal anlama sahip Gök (Kök) ile ilişkilendirildiğini görüyoruz. Eski Türklerde "gök" sözcüğü hem gökyüzünü anlatıyordu, hem de en büyük tanrının adıydı. Sümer'de "An" sözcüğünün hem gökyüzü hem de büyük Gök Tanrısı olması gibi. Buna paralel olarak (ve yine Sümer'le benzeşim içinde) aynı zamanda hem gökyüzü hem de genel anlamda "tanrı" karşılığını verecek "tengri" sözcüğüne rastlıyoruz Türklerde: Bunun, Sümer dilinde aynı anlama ve işleve sahip DİN.GİR sözcüğüyle benzerliği, dikkat çekicidir. Bu paralelliği Meksika gibi okyanus ötesi mesafelere taşıyan unsurlar da söz konusudur: La Venta'dan başlayarak bütün Meksika kültürlerinde görüldüğü gibi, Asya'da da, tanrısal ve göksel unsurların hepsinin üzerinde, yaratıcı ve her şeyin egemeni olan Gök vardır. Bu Türk şaman geleneğinde; adı üzerinde, Gök Tanrısı'dır. Tıpkı, Meksika'da evreni yaratan ve Mayalarda "Hunab Ku" adını alan güçlü Gök Tanrısı gibi.

Evrenin yapısına bakışta da benzeri kavram ve yaklaşımlara rastlarız: Eski Türklerde yaratılışın başlangıcında "yir-su" vardır; yani yeraltındaki sular. Bu, aslında başta Sümer olmak üzere çoğu eskiçağ kültüründe karşımıza çıkan "ilksel deniz" (AB.ZU) kavramıyla eşdeğerdir. Ama tıpkı az önce Messadie'nin yorumuyla aktardığımız gibi, Olmeklerin "dünya su ile topraktan gelmiştir" yaklaşımıyla da bire bir örtüşmektedir bu kavram. Eski Türklere göre "yir-su"nun üzerinde Dağ, yani toprak/dünya; onun da üzerindeyse Gök vardır. En eski Meksika kozmolojik ilkeleri, bu sıralamayla oldukça uyumludur; "dağ" kavramına karşılık olarak, suların üzerinde ortaya çıkan, yaşadıkları dünya Meksika kültüründe "ada" olarak anılır. Dahası, yalınlaştırılmış Olmek evren anlayışında, Messadie'den aktardığımız satırlarda da gördüğümüz gibi, yeraltı suları "timsah"a aittir ve zaman içinde bu yırtıcı hayvan bereket tanrısına dönüşmüştür. Eski Türklerde benzeri bir arketip, yani Çin'den alınan "ejder" aynı işlevi karşılayacak biçimde evren modeline yerleşir:

"Somutlaştırılmış tezahürüyle ejder, kışın *yer-su*'nun derinliklerinde yaşayan, baharda ise kanatlanıp uçan, böylece hem yer-su hem gök ilkelerine bağlı bir efsanevi ruh olarak düşünülüyordu."[179]

Bu oldukça tipik mevsimsel dönüşüm ve zamanın akışı yaklaşımına göre ejder yer-su içinde geçirdiği zamanda olumsuz nitelikleriyle ortaya çıkarken, baharda olumlu unsurlara, yani Gök'e yaklaşacak; bir başka deyişle mevsimlerin bereketini sağlayacaktır. Tıpkı, Olmek kozmolojisinde yeraltı sularında yaşa-

---

[179] Emel Esin, "Türk Kozmolojisine Giriş", s. 82

yan timsahın sonradan bereket tanrısına dönüşmesi gibi. Ancak ejder motifi, bu kadarla kalmaz ve ilginç çeşitlilikler gösterir:

"Kanatlı ejderin somut şekildeki görünüşlerinden biri, eski Çin'de kuzeyli göçebelerin sınırındaki bölgede yaşayan tarihi bir kişilik olmakla beraber, rüzgâr ejderi olarak resmedilen Fei-lien'di. Fei-lien, geyik başlı, kırmızı saçlı, yılan vücutlu, kuş kanatlı, insan elli ve ayaklı bir canavar olarak anlatılmaktadır. Rüzgâr ejderi sıfatıyla Fei-lien, Kâşgarî'nin sözünü ettiği *yil* cinleri ve yil (yel)-büke kavramının eski bir tezahürü olarak görülmektedir. Kâşgarî, Yil-Büke'yi yedi başlı büyük bir yılan olarak anlatmakta ve Büke adının, ongun niteliğindeki kahramanlara verildiğini bildirmektedir."[180]

Yılan vücutlu, kuş kanatlı ve insan gibi elleri, ayakları olan; göklerde uçan bir ejder. Üstelik referanslar, söz konusu yaratığın dehşet verici bir hayvan olarak değil, bir "kahraman" olarak değerlendirildiğini gösteriyor. Uçan bir yılanı Gök ile bağlantılandırmak ve onun adını kahramanlara vermek, Meksika'daki Tüylü Yılan ya da Yılan Kuşu'na ve onun adının kahramanlara, yani krallara verilmesine benzemiyor mu? Ejderler, gökle yer arasında sürekli döndükleri varsayılan yaratıklardı ve bu nedenle hem Çin hem de Türk kültürlerinde yer ve gök tanrılarını simgelemek için kullanılıyorlardı. Ejder tapınımının Göktürk dönemi gibi geç bir tarihte bile sürdüğü biliniyor. Daha da ilginci var: Göktürk anıtlarındaki bazı ejder resimlerinin, yağmuru meydana getirdiğine inanılan "Kök-luu" adlı gök ejderini simgelediği düşünülüyor:

"Köl-Tigin kitabesinin doğu cephesinde kağan tamgası (damga) üzerinde bulunan ve Yollug Tigin'in eseri olduğu bilinen çift ejder, bunun bir örneğidir. (...) Kök-luu, gökgürültüsü ve yağmur simgesi olarak, Türk budist metinlerinde de hükümdar değerinde yer almaktaydı."[181]

Emel Esin'in büyüleyici çalışmasında yer alan bu satırlar, iki açıdan bizim için çok önem taşıyor: Birincisi, ejder kavramı-

---

[180]Emel Esin, a.g.e.
[181]Emel Esin, a.g.e., s. 84-85

nın (yani zaman zaman "uçan yılan" olarak düşünülen bir tanrısal varlığın) Türklerde "kağan" olarak kullanılması ve ejderin hükümdar değerinde görülmesi; ikincisiyse, yağmur ve fırtına getiren bir ejderden söz edilmesidir. Hemen dikkatimizi yine Meksika'ya çeviriyoruz: Quetzalcoatl'ın farklı kişiliklerinden birinin, yağmur getiren fırtına ve rüzgâr tanrısı Ehecatl olduğu geliyor aklımıza. Bu hoş benzerlikten daha çarpıcısıysa, "çift ejder" simgesinin bir hükümdar damgası olarak kullanılması. Meksika'da çok benzer bir motifin, kimi zaman Gök Tanrısı Itzamna'nın betimlenmesinde ortaya çıktığını biliyoruz:

"[Itzamna] Yaxchilan rölyeflerinde açıkça belirtildiği gibi, Gökyüzü tanrısıydı. Buradaki resmi, bir büst tarzında, astronomik hiyerogliflerle birlikte bir 'Gökyüzü Şeridi' üzerinde, güneş ve ay sembollerinin arasında verilmiştir. Bazen kafası, 'iki başlı' gökyüzü canavarının ağzının içinden çıkar."[182]

İki başlı gök canavarı ve ağzından çıkan gök tanrısıyla, çift ejder biçiminde betimlenen ve yağmur simgesi olarak kullanılan bir göksel varlığın benzerliği, eskiçağ kültürlerinde bazen rastlanabilecek olan doğal paralellikler arasında değerlendirilebilir; ama ben, bundan fazlasının söz konusu olduğunu düşünüyorum. Çift ejder, "kağan" ile eşdeğerdir; yağmur ve fırtına simgesi olan Kök-luu (tıpkı Quetzalcoatl'ın diğer kişiliği Ehecatl gibi) hükümdar değerindedir. Bütün bunlar, Meksika kültürüyle Orta Asya Türk kültürü (ve elbette Çin kültürü) arasındaki ilginç yakınlıkların ipuçlarını verir gibidir.

Quetzal kuşunun Meksika kültürlerinde yüceltilmesinin de Türk şaman kültüründe benzerlerine sık rastlarız. Doğal olarak kuşun cinsi coğrafi bölgeye ve faunaya göre değişecektir:

"Su kuşları, özellikle kaz ve korday (bir cins kuğu), kut ve beylik işareti sayılırdı; Alp-Er-Tonga'nın kızının adı Kaz'dı. (...) Oğuzlar turnayı kutsal saymaktaydı."[183]

Bu durumda, "kutsal" sayılan bir kuşun, sözgelimi Türklerde "turna"nın ve Meksika'da "quetzal"ın birbirleri yerine ikâme

[182]Walter Krickeberg, a.g.e., s. 127
[183]Emel Esin, a.g.e., s. 89

edilerek kullanılması çok şaşırtıcı sayılmamalı. Şöyle bir varsa-
yım yürütelim: Yaşadıkları toprakta aşina oldukları bir kuşu
"kutsal" kabul eden insanlar, göç ettikleri yeni ve farklı coğraf-
yada ona en yakın buldukları kuşu aynı nitelemeyle anarlar. Za-
man içinde kültürler yeni "yurt"ta hızla değiştiğinden, bir süre
sonra dilbilimsel hiçbir değeri kalmasa da, fonetik olarak o hay-
vana yapışan bir isim ortaya çıkar: "Kutsal" kuş, "Quetzal" ha-
lini alır. Onu bir "uçan yılan"la, yani ejderle ve "kağan"la bir-
leştirdiğinizde, saygı duyulan ve hükümdar yerinde görülen
uçan yılan kavramı, yerleşilen yeni topraklarda yılana aynı fo-
netik değere sahip "kaan" adını verecek ve zamanla kökenlerle
ilgili bilgi silinse de, isimler yerleşecektir. Bu nedenle, Meksi-
ka'da tanrı yetkisiyle teokratik örgütlenmenin başına geçen kra-
lın unvan olarak seçtiği Quetzalcaan adının, "Kutsal Kağan" ile
benzerliğinin hafife alınmaması gereken bir ipucu olduğuna ina-
nıyorum. Bu konuda, işleri karıştıran bir tek nokta vardır ki
"Kağan – Caan" paralelliğinden derhal vazgeçmemizi gerektire-
bilir: Eski Türk toplumlarında yönetici ve hükümdara verilen
en eski ad, "Yabgu". Uzun süre "Yabgu" sözcüğünün kullanıl-
dığını ve Göktürklerden itibaren bu sözcüğün yerini "Kağan"a
bıraktığını biliyoruz. Eğer antropolojik çalışmalar Kuzey
Çin'deki kimi Türk boylarında Kağan sözcüğünün çok daha er-
ken tarihlerde kullanıldığına ilişkin ipuçları sunmazsa, bu ayrın-
tı yalnızca bir "fantezi" olarak bir yana bırakılabilir. Ama Mek-
sika ve Türk kültürleri arasındaki benzerlikler bu kadarla kal-
mıyor:

"Lo ırmağı tanrıçası, Yi adlı bir avcı-hükümdarla evlenmiş-
ti. Aynı tarzda efsane ve gelenekler, Hotan'da yeşim taşı (kaş)
çıkan bir dere çevresinde bulunmaktaydı. Bu nehirlere adak ola-
rak yeşim taşı atılırdı."[184]

Çin'de olduğu gibi, Orta Asya Türklerinde de yeşim taşı-
nın, halkın günlük kullanımının ötesinde tanrısal bulunmasının
bir göstergesi diyebileceğimiz bu ritüel, Meksika'da La Venta
kültüründen itibaren yeşim taşının önemsenmesini ve sunu ola-

---
[184]Emel Esin, a.g.e., s. 85

rak kullanılmasını çağrıştırır. Çok az uygarlıkta yeşim taşı böylesine yüceltilmiştir.

Astronomi ve evrene bakışla ilgili de oldukça tipik paralellikler çıkar karşımıza. Bunların en belirgin olanı, Pleiades (Ülker) yıldız kümesine yönelik ilgidir. Azteklere dek varan bir geleneğin, başucu noktasında (zenith) Pleiades'in belirdiği döngüleri nasıl önemsediğinden söz etmiştik. Benzeri biçimde, Türklerde ve Çinlilerde de Pleiades kozmik düzenin belirleyici unsurlarından biri olarak görülür ve gökyüzünde dikkatle izlenirdi.

"Baykal Gölü'ndeki bir adada bulunan ve gök *çıgrı*'sı simgesi olan *kadırık agırçak*'ta (çıkrık) Ülker'in de adı yazılıydı. L. Bazin, Türk takviminde Ülker'in önemine işaretle, mevsimlerin Ülker'in hareketiyle belirlendiğini sanmaktadır."[185]

Meksika'da, 52 yıllık döngünün sonunda Pleiades'in başucu noktasında yeniden belirmesi, bir afetin olmayacağını, evrenin normal düzeninde dönmeyi sürdürdüğünü belirten bir işaret olduğu için şenliklerle kutlanıyordu. Türkler içinse, çok benzer biçimde Pleiades, zamanı işaretleyen, "gök çıkrığı"nı çeviren, mevsimleri değiştiren bir takımyıldızdı. Daha da ilginci, Çinlilerin Pleiades'i doğrudan Türklerle ilişkilendirmesidir; çünkü takımyıldızı, gökte aldığı biçimden yola çıkarak, Türkler gibi uzun saçlı biri olarak düşünüyorlardı. Bütün Meksika yerlilerinde uzun saçın bir gelenek olduğunu anımsayıp gülümsemeye başlayabiliriz artık.

Moğol kültürünün ardındaki astronomi bilgisinden söz ederken Edwin Krupp, Çin ve Türk gelenekleriyle akraba olduğu kesinlik taşıyan, astronomik olgularla iç içe bir teolojinin varlığına işaret ediyor. Gökyüzü, Moğollar için de "tengri"dir. En çok saygı duyulan tanrılar arasındaysa, Venüs, Pleiades ve Büyük Ayı takımyıldızı ilk sıralardadır.[186] Tıpkı Orta Amerika uygarlıklarını yaratanlar gibi, Moğollar da izleri İ.Ö. 17. yüzyıla dek sürülebilen bir astronomi anlayışı içinde söz konusu gök

[185]Emel Esin, a.g.e., s. 71
[186]Edwin Krupp, "Skywatchers, Shamans & Kings", s. 188

cisimlerini ve takımyıldızları ilahi düzenin kilit noktalarına yerleştirmişlerdi.

Anımsanması gereken bir diğer şey de şu: La Venta'da ve Meksika Platosu'nda yerleşik kültürün ilk izleri belirdiği sıralarda, Boğa takımyıldızında yer alan Pleiades de astronomik anlamda belirleyici konumların işaretleyicisi olarak kullanılıyordu. Yaklaşık İ.Ö. üçüncü binyılın başlarında, ilkbahar ekinoksunda Pleiades, güneşle birlikte yükselirdi. Aynı dönemlerde, kış gündönümündeyse, tam geceyarısında başucu noktasına yerleşirdi. Bu olgunun hem Orta Asya Türklerinin, hem Çinlilerin, hem de Meksika insanlarının dikkatlerini fazlasıyla çekmiş olması doğaldır. Ancak tüm benzerlikleri alt alta yazıp topladığınızda, göz ardı edilemeyecek bir sonuç çıkar ortaya. Nedir bu sonuç? Asyalı Türklerin ve Çinlilerin, Meksikalı yerlilerin ataları olduklarını söylemeye çalışmıyoruz elbette. Ama Meksika'ya Asya'dan göç edenler her kim idilerse, büyük olasılıkla hem Türklerin ataları, hem de Meksika'da ilk uygarlığın kurucularıydılar.

Bu bizim için ne ifade eder? Eğer Orta Amerika'da, bilinen ilk ana kültür damarını La Venta'ya yerleştiriyorsak ve süreçlerini izlemeye çalıştığımız Teotihuacan kültürünün buradan kaynaklandığı (ya da en azından "etkilendiği") söylenebilirse, Eski Dünya uygarlıklarıyla Orta Amerika arasındaki olası köprülerden birini Asyalı Türklerin oluşturmuş olması ilginç bir bağlantıdır. Asya'nın ve Yakındoğu'nun, İ.Ö. dördüncü bin yıl dolaylarında yoğunlaşan göç hareketlerine sahne olduğunu biliyoruz. Sümer öncesi Mezopotamya'ya Batı İran'dan göçenlerin, bölgedeki ilk büyük uygarlığa imza attıklarından da söz etmiştik. Üçüncü bin yılın başlarında bilinmeyen bir yerden Mezopotamya'ya gelip bu uygarlığın mirasını üstlenen Sümerlerin, Asya göçleriyle oluşan hareketlilik sırasında yoğun kültür alışverişi yaşamış bir kavim olduğu düşünülebilir. Hatta Sümer olarak adlandırdığımız insanların doğrudan Asya'dan gelmiş olmaları bile mümkündür. ("Gök" ve "tanrı" kavramlarının paralelliğini; bunlara iliştirilen "DİN.GİR" ve "tengri" sözcüklerinin fonetik ve anlamsal yakınlığını dikkate alalım.) Bütün bunlar, dördüncü bin yılda Asya'dan başlayan göçlerin yalnızca Yakındoğu'yu

360 Burak Eldem

değil, çok uzaklardaki Meksika'yı da etkilemiş olabileceklerini düşündürüyor. Buna bağlı olarak da, en "çekirdek" haliyle Yakındoğu kültürlerinde birbirine yaklaşan kozmolojik kavramların, Yeni Dünya'ya da bir biçimde ulaşmış olabileceğine dikkatimizi çekiyor. O tarihte böylesi büyük deniz yolculuklarının gerçekleştirilebilmesi, hele Pasifik Okyanusu'nun basit teknelerle aşılabilmesi ortodoks teoriye göre olanaksızdır; ama Norveçli araştırmacı Thor Heyerdahl'ın altmışlı yıllarda okyanusu ufacık bir yelkenliyle aşarak bunun olabilirliğini şaşırtıcı biçimde kanıtladığını da unutmamak gerek. Belki adalardan ve adacıklardan mola yerleri olarak yararlanıldı, belki o dönemde okyanusta şu an suların altında bulunan çeşitli mercan kayalıkları yolculukları etaplara bölmeyi sağlıyordu; belki de popüler mitlerde sık sık sözü edilen efsanevi "kayıp kıta Mu" bir ölçüde gerçeklik taşıyordu ve sulara gömülmeden önce Pasifik Okyanusu'nun ortasında Afrikalı ve Asyalılara ev sahipliği yapan bir takımadaydı, bilemiyorum. Ama bilim dünyasının, Amerika'ya dördüncü bin yıl sonlarına doğru Asya çıkışlı bir göç yaşanmış olabileceği savını hafife almaması gerektiği inancındayım.

"Bilim adamları genel olarak kuzeydeki Asyalıların Bering Boğazı yoluyla Yeni Dünya'ya, buzulların köprü oluşturma durumuna göre değişik zamanlarda göç ettikleri konusunda anlaşıyorlar. Bu göçler olasılıkla değişik dalgalar halinde, altmış, otuz beş ve on bin yıl önce gerçekleştiler. Coğrafyacı ve tarihçi Paul Shao, bu rotayı izleyerek Kuzey Çin'den çok daha yakın tarihlerde de göçler yapılmış olabileceğini öneriyor. Hatta Polinezyalıların Pasifik'i aşarak Yeni Dünya'ya varmış olabilecekleri tezi bile yabana atılamaz."[187]

Diğer yandan böylesi bir göçün varlığı, yalnızca Eski Dünya kültürel unsurlarının bir biçimde Amerika'ya taşınmış olmasını açıklamakla kalmaz, aynı zamanda Peru ve Meksika dolaylarındaki kimi mitlerin benzeşmesini de anlaşılır kılabilir. Quetzalcoatl ile Viracocha benzerliği, her iki örnekte de "küçük bir grup bilge"nin denizden gelişi ayrıntısında iyice ortaya çıkmak-

[187] John Major Jenkins, a.g.e., s. 31

2012: Marduk'la Randevu 361

tadır. Şu ana dek elde edilmiş arkeolojik bulgularla, kent kuracak düzeyde ilk uygarlığın, Caral'da arkeolog Shady'nin açığa
çıkardığı site olması, bu göçün izlediği seyirle ilgili de fikir yürütmemizi sağlayabilir: Asyalılar ilkin Peru'nun Pasifik kıyılarına gelmişler, buradaki yerlilerle dostça ilişkiler kurarak bildiklerini onlara öğrettikten sonra, ilk kentlerin mimarları olmuşlardır belki. Viracocha efsaneleri, "tanrılar"ın kuzeye doğru, uygarlığı yaymaya devam etmek üzere yollarına devam ettiklerini
de anlatır. Gerçekten de, Meksika'ya dek uzanacak olası bir deniz yolu üzerinde yer alan her ülkenin kültüründe, Viracocha
izleri kendini belli eder. Sözgelimi Kolombiya'daki Muiscaların
geleneklerinde bu tanrı, Bochica adıyla karşımıza çıkar:

"Tanrı günün birinde öfkelenir ve Bogota Platosu'nu göle
dönüştürür. Bu anda beline kadar uzanan saçları ve sakalı ile,
üzerine bir gömlek ve pelerin giyinmiş yalın ayaklı Bochica bir
gökkuşağı üzerinde belirir. Efsanenin başka versiyonlarında bu
uygarlık kahramanları Nebterequeteba (Neuterequeta, Nemterequeteba) ve Chimizagagua olarak adlandırılırlar. Bochica elindeki altın sopayı kayalara doğru fırlatır, kayalar açılır ve su oradan dışarı akar, böylece Tequendama'nın ünlü şelalesi oluşur.
(...) Bochica her biri yetmiş yıl olan yirmi yaşam dönemi boyunca Muisca ülkesini doğudan batıya kadar dolaşmıştır ve
Muiscalar onun, kayalarda ayak izleri bıraktığına inanırlar. Sogomaso'da kaybolur, ancak bütün kudretini Idacansalara, Iracaların efsanevi atalarına miras bırakır."[188]

Aniden ortaya çıkıp uygarlık taşıyan ve sonra başka yerlere
gitmek üzere yola devam eden tanrılar motifi, "deniz gezginleri" çağrışımı yaratacak biçimde Ekuador, Panama ve Nikaragua'da da karşımıza çıkar. Son olarak, aynı temayı Orta Amerika'da Quetzalcoatl ile buluruz. Burada, iki noktayı ayrıştırmaya
çok dikkat etmek gerekir: Birincisi, göksel olaylarla bağdaştırılan ve o olayların kahramanları olan kozmoloji merkezli tanrı
kavramları; diğeriyse göçler sırasında ortaya çıkan daha bilgili
ve yetkin "ziyaretçi"lerin yerel kültürde tanrılaştırılması, sonuç-

---

[188]Hermann Trimborn, "İnkaların Dinleri", s. 21-22

ta aynı kültürü sürdüren toplumda hükümdarın da Rahip-Kral olarak Tanrı temsilcisi nitelemesini üstlenmesidir. Çoğu kez bu olgular halkların tarihlerinde iç içe girerler. Mısır'da Thoth hem Ay ile bağdaştırılan bir tanrısal kişiliktir, hem de Mısırlılara yazıyı ve sanatları öğreten, tanrılaştırılmış bir bilgeyi çağrıştıracak unsurları bünyesinde barındırır. Thoth'un gerçekte yaşamış yetkin bir bilim adamı mı, yoksa Ay'la birleştirilen bir göksel tanrının yeryüzündeki yansısı olarak kişileştirilmiş bir "antropomorf" figür mü olduğunu ayrıştırmakta zorlanırız. Sümer'de İnanna uygarlık sanatlarını Eridu'dan alıp Uruk'a getiren bilge bir yönetici kadın mıdır, yoksa gökyüzünde Venüs'le özdeşleştirilen bir kozmik tanrıçanın Mezopotamya uygarlıklarında kişileştirilmiş biçimi midir (hatta Sitchin'in zaman zaman çok inandırıcı belgelerle öne sürdüğü gibi Nibiru gezegeninden gelen uzaylı ziyaretçilerden biri midir)? Bu karışıklık Quetzalcoatl/Viracocha mitleri için de geçerlidir. Onları hem uygarlık getiren bilge tanrılar olarak görürüz, hem de Meksika versiyonlarında olduğu gibi Venüs'le bağdaştırılan ve insanlık için ölüp yeniden dirilen göksel bir varlık olarak. Bu durumda, kültürün biçimlenme sürecinde, bilgiyi getirenlerin, bizzat getirdikleri bilgi içinde yer alan göksel motiflerle özdeşleştirilmesi gibi bir olgu da çıkabilir karşımıza. Orta Amerika'ya Asyalı kozmolojik fikirlerin göçlerle taşınmış olması hafife alınacak bir özellik değildir. Bu kültür unsurlarını iletenler süreç içinde hem "insantanrı" olurlar, hem de gökyüzünde, bizzat kendilerinin empoze ettiği kozmolojinin elemanlarına dönüşürler. İnsan düşüncesini ve kültürün yaratılmasını analiz etmek, hiç de temel antropoloji kitaplarında anlatıldığı kadar kolay değildir.

Güney Amerika'da Kolombiya'dan Şili'ye dek etkisi hissedilen Viracocha motifi, şaman gelenekler, uygarlık sanatları ve "deniz yolculuğu"yla benzeşmektedir. Eğer Amerika'ya ulaşanların efsanelerde anlatıldığı gibi kuzeye doğru yeniden yolculuğa başlamalarını doğru kabul edersek, rotayı izleyen her bölgede benzer ayrıntılarla karşımıza çıkan efsanelerin, Orta Amerika'ya ulaşması şaşırtıcı değildir. Ancak burada göçmenlerin daha kozmopolit ve daha hareketli bir toplumsal yapıyla ve göreceli olarak daha ileri bir bilgi düzeyiyle karşılaşmış olabilecekleri de göz ardı edilmemeli. La Venta'da, nasıl ulaşmış olabilecekleri konusunda en küçük bir fikir bile yürütemeyeceğimiz, Afrikalıların varlığıyla ve çok daha sofistike yaşam süren yerli kabilelerle karşılaşmış olduklarına inanıyoruz. Bu yalnızca Viracocha benzeri bir Quetzalcoatl mitini değil; derin bir kozmolojiyi, Pleiades merkezli bir astronomiyi ve hem dev bazalt heykelleri, hem de yeşim taşı kullanımını hızla oluşturmuş gibi görünüyor Meksika'da. Mayalarda son derece tipik olan Venüs'ün dikkatle ve titizlikle izlenmesi geleneğinin de, bu dönemde, hatta belki daha önce başlayan bir astronomik anlayıştan kaynaklandığını ekleyelim.

Asya ve Afrika'dan olası göçlerle Amerika kültürünün ivme kazanması olasılığına dikkat çektikten sonra, kaldığımız yere, Teotihuacan'a dönelim yine. Quetzalcoatl – Venüs kozmolojisi çevresinde oluşan mitolojiyi incelemeye devam edelim.

Aztek ve Toltek kültürlerinde de "beş dünya çağı" anlayışının yer alması ve bu evrensel çevrim sisteminin Teotihuacan kültüründen kaynaklandığına ilişkin net veriler, takvimin La Venta kaynaklı olduğu da düşünüldüğünde, Olmeklerle Teotihuacan'ı bir biçimde birbirine yakınlaştırır. Beşinci Güneş'e Teotihuacan'da, Quetzalcoatl'ın kendini kutsal ateşe atıp gökte yeniden doğmasından sonra girilmiştir. Ancak bunun hassas zamanlaması, Maya uygarlığında çıkacaktır karşımıza. La Venta–Olmek zaman anlayışı ve takvim ilkeleri, Yucatan'da çağların "ince ayar" yapılarak ölçülmesi ve kesinleştirilmesi sonucunu verecektir. Toltek ve Azteklerdeyse, biten dört çağ ve yaşanmakta olan beşincisine ilişkin kesin zamanlar yoktur; yalnızca göksel olayların efsaneleştirilmesine tanık oluruz. Toltekler, Teotihuacan'daki Quetzalcoatl sistemine, kendi getirdikleri "karşıt figür" Tezcatlipoca'yı da ekleyecekler; bu iki göksel gücün çatışmasını merkez alan kozmoloji ve mitler, Azteklerce de olduğu gibi benimsenecektir.

"Sonuncu devrin bitiminde gökyüzü yerin üstüne düştükten sonra, Tezcatlipoca ve Quetzalcoatl iki ağaca dönüşürler ve alt düzeydeki dört tanrının yardımıyla onu tekrar yukarı kaldırırlar; ödül olarak en yüce tanrı onlara gökyüzünün hükümdarlığını verir ve yardımcıları 'Gökyüzünün Taşıyıcıları' olur; bu tema daha önce Toltek sanatında işlenmiştir."[189]

İki karşıt kutup oluşturmalarına rağmen, Quetzalcoatl ve Tezcatlipoca'nın göklerdeki düzeni korumak noktasında birlikte çalıştıklarına tanık oluyoruz, efsanenin bu versiyonunda. Büyük yaratıcı, yüce Gök Tanrısı da onlara "gökyüzünün hükümdarlığını" veriyor. Göksel olayların zamanla ve çağlarla bağlantısını çok iyi kurmuş Meksika toplumları için bu, "takvimin ve çağların hükümdarlığı" demektir aynı zamanda. Yani bu iki karşıt tanrı, yüce tanrının verdiği vekaletle zamana ve çağlara da hükmedeceklerdir. "Alt düzeydeki" dört yardımcının, bu evrensel çevrimin işlemesinde daha küçük roller üstlenen gök cisimleri olduğu bellidir. Aynı tema, Güney Amerika'da da çıkar karşımıza: Sonuçlarından tanrının hoşnut olmadığı dört yaratılışın her biri, büyük afetlerle sona erer. Dördüncüsünden sonra, gökyüzünün yukarıda tutulmasını ve dünyanın üzerine düşmemesini, dört tanrısal ağaç sağlar. (Bu arada, yağmur ve fırtına tanrısının, Peru kültüründe de "iki başlı yılan" olarak betimlenmesi ilginç bir benzerliktir.[190])

Tezcatlipoca: "Dumanlı Ayna"

Quetzalcoatl'ın kişiliğini büyük oranda biliyoruz: Bilgelik, merhamet, yardımseverlik ve özveri gibi nitelikler, Tüylü Yılan'ın bilindiği ve saygı gördüğü her yerde öne çıkıyor. Peki onun karşıt kutbu olan Tezcatlipoca nasıl bir tanrıdır?

 "Tezcatlipoca, kuzeyin beyidir, gece ve soğuğun efendisidir, en büyük büyücüdür, gizli olan her şeyi görür ve keyfince hareket eder, ne zaman ne yapacağı kestirilemez. Resim tasvirlerinde onu simgeleyen, tek ayağının kopuk olması, şakakla-

[189]Walter Krickeberg, a.g.e., s. 79
[190]Hermann Trimborn, a.g.e., s. 84

rında adının anlamı olan 'Puslu Ayna' taşıması gibi özellikler daha sonra onun kozmik biçimini de belirlemiş ve 'tek bacaklı' görünümündeki Büyük Ayı takımyıldızıyla özdeşleştirilmiştir. Tezcatlipoca'nın 'diğer ben'i jaguar, Quetzalcoatl'ın ise tüylü yılandır. Araştırmacılar, bu yaratıkların kozmik anlamlarını da şu şekilde açıklamaktadırlar: Jaguar benekli postuyla gökyüzünü, tüylü yılan ise burçlar kuşağını temsil etmektedir."[191]

Böylece Tezcatlipoca, gecenin ve karanlığın temsilcisi olarak Quetzalcoatl'ın karşısındaki yerini alır. Ancak, gece ve soğuğa paralel olarak kuzey göklerine yakıştırılması bir yana, onun göksel simgesi konusunda yukarıdaki alıntıda yer alan ifadeler bence fazlasıyla kuşkulu. Bilinmeyen bir nedenle onun mitlerde tek bacaklı bir tanrı olarak ortaya çıkması, acaba Krickeberg'in belirttiği gibi kozmik biçimini mi belirlemiştir, yoksa 'kozmik biçimi' ve göklerde yaşanan olaylar mı onun tek bacaklı tanrı olarak mitlere girmesine yol açmıştır? İşin en çetrefil yanı da burası gibi görünüyor.

Çok genel bir kural olarak, mitlere esin kaynağı oluşturan olayların ilkin göklerde yaşandığını düşünüyorum. Bu nedenle, Quetzalcoatl'ın gökyüzünde Venüs'ten esinlenerek mitleştirilmesi ve insan kimliğinin "uygarlık getiren ziyaretçi" temasıyla yakınlaşması gibi, onun karşıtı olan Tezcatlipoca'nın da mutlaka bir göksel olgudan yola çıkmış olması gerekiyor. Dolayısıyla, ilkin efsanenin yaratılıp sonra ona 'kozmik biçim' aramak için gözlerin gökyüzüne çevrilmesi fikrini daha işin başında bir yana bırakmak gerek. Ne var ki burada Meksika mitleri, tek bacaklı tanrı için göklerde Büyük Ayı'nın kozmik simge olarak belirlenmesine kaynak oluşturmuş gibi sunulmakta. Sanki aranıp taranıp, çaresizlikle bulunmuş ve sonradan seçilmiş bir simge gibi. Acaba çoğu mitte olduğu gibi, Tezcatlipoca kişiliğinde de bir gök cisminin mite esin oluşturan varlığı söz konusu muydu? Eğer böyle bir şey varsa, bu sonradan unutulmuş ve mitin kozmik karşılığındaki boşluğu doldurmak üzere Büyük Ayı mı seçilmişti?

[191]Walter Krickeberg, a.g.e., s. 82-83

Tüylü Yılan ile Jaguar arasındaki karşıtlığın, Quetzalcoatl – Tezcatlipoca kutuplaşmasına paralel bir mistisizm unsuru olarak Meksika sanatında kullanıldığını biliyoruz. Ancak Krickeberg'in belirttiği "araştırmacılar"ın bu hayvanlarla ilgili yorumu, inandırıcılıktan oldukça uzak: Jaguar'ın benekli postu gökyüzünü, Tüylü Yılan ise, burçlar kuşağını temsil ediyor bu yaklaşıma göre. Meksika uygarlıkları, astronomiye düşkün ve bu konuda deneyimli toplumların eseridir. "Gökyüzü" ile "Burçlar Kuşağı"nı karşıt kutuplar olarak görmeleri anlamlı mıdır acaba? Burçlar kuşağı, yani tutulum çemberi (ekliptik) gökyüzünün tam ortasında yer alır ve aslına bakılacak olursa gökyüzü dendiğinde ilk akla gelen bölgedir; yıldızlı gökyüzünün karşıtı falan değil. Burada Jaguar ile Tüylü Yılan'ın karşıtlığı, göksel anlamından büyük oranda uzaklaşıp, yerel dinin şaman özellikleriyle "okült" hale getirilmiş, mistik bir betimleme gibi görünüyor: Tıpkı Ahura Mazda ile Ahriman'ın karşıtlığı gibi, Quetzalcoatl ışığı, Tezcatlipoca da geceyi temsil eder. Onların Gök Tanrısı'nın verdiği yetkiyle gökyüzüne ve çağlara birlikte hükmettiklerini akıldan çıkarmamak gerekir. Bu durumda jaguar ve tüylü yılan benzetmelerini kozmik anlamlardan sıyırmak ve ayrı ele almak durumundayız. İşin göksel yanıysa, hâlâ soru işaretleri içeriyor: Niçin Büyük Ayı? Gerçekten kepçenin sapının "tek bacak" izlenimi vermesinden dolayı sonradan mı benimsenmiştir bu benzetme?

Her durumda, Tezcatlipoca mitinin doğmasına neden olan ilksel unsuru, yani esin kaynağı durumundaki gök cismini bulmamız gerekir. Bu gök cisminin, ekliptik üzerinde olması ya da en azından onu kesen bir yörüngede seyretmesinin zorunluluğu konusunda ısrarcıyım. Çünkü, karşıtı olan Quetzalcoatl ekliptik üzerindedir, burçlar kuşağındadır ve Venüs'le anlatım bulur. İki tanrının gökyüzünü birlikte taşımaları ve hükümdarlığı paylaşmaları ne anlama gelir? Buna "karşıt" olma halini de eklersek, zamana hükmeden ve gökyüzünü parselleyen tanrılar, rekabeti sürdürmek üzere "aynı kulvarda" koşuyor olmalıdırlar. Ama çıplak gözle görülebilen diğer dört gezegenden hiçbiri, Tezcatlipoca'yla bağdaştırılmaz; onlar büyük olasılıkla, gökyüzünü yukarıda tutmaya yardımcı olan şu dört "alt düzey" tanrıdır. O halde Tezcatlipoca nerede?

Bu soru, mitin ortaya çıkmasına neden olan gök cisminin ve kozmik olayların yüzyıllar, belki bin yıllar içinde bir biçimde "unutulması" sonucu olsa gerek, Meksika yerlilerinin de aklını kurcalamış olmalı. Sonuçta, Tezcatlipoca'nın "tek bacaklı" figürüne en yakın göksel obje olarak Büyük Ayı takımyıldızı seçilmiş. Eğer onu "karanlığın ve gecenin tanrısı" olarak düşünürsek, kuzeyin en belirgin takımyıldızı, üstelik "tek bacaklı" görüntüsüyle birlikte, bu tanım için ideal görünüyor ve ışık–karanlık gibi bir karşıtlığı da sergiliyor. Ancak Tezcatlipoca ile Quetzalcoatl böylesi bir durumda, kozmik yasalara göre "karşıtlaştırılmış" olmuyorlar. Kuzeydeki Büyük Ayı ile ekliptik üzerindeki Venüs, gündüzde ya da gecede, aynı anda gökyüzünde olabilir, birbirlerine çok yakın yerlerde görünebilirler. Oysa mitin merkezinde, oldukça net bir olgu vardır: Bu iki tanrı hem gökyüzünü birlikte yönetecek; dolayısıyla gökte aynı yol üzerinde karşılaşma yaşayacaklardır; hem de tıpkı Vahşi Batı'da kovboyların birbirlerine "Bu kasaba ikimize dar gelir" ifadesiyle meydan okumaları gibi, aynı anda var olamamak ya da birbirlerinden uzak durmak gibi bir yazgıyı yaşayacaklardır. Bu garip ve çelişkili görünen durum, Quetzalcoatl'un ekliptikteki Venüs, Tezcatlipoca'nın da kuzeydeki Büyük Ayı olması durumunda tam olarak ortaya çıkmaz.

"... Tezcatlipoca Tollan Kralı'nı pülk [bir Meksika içkisi] ile sarhoş eder ve kızını baştan çıkarır. Sonuçta ondan bir oğlu olur. Çocuk büyülü bir gün olan Dokuz Rüzgârlar günü doğar. Tezcatlipoca Tollan Prensi'nin babası olduktan sonra Toltek krallığına nifak tohumları eker, öyle ki, Quetzalcoatl orada kalmayı reddeder ve Tollan'ı terk eder."[192]

İki tanrı arasındaki kutuplaşma, bu Toltek efsanesinde, hanedan ilişkileri çerçevesinde vurgulanıyor. Quetzalcoatl, karşıt kutbunda yer alan Tezcatlipoca ile, zorunlu olarak Tollan'da karşılaşıyor, ama bu karşılaşma sırasında kutuplaşma iyice belir-

---

[192]Gerald Messadie, "Şeytanın Genel Tarihi", s. 367

ginleştiği için, onunla aynı krallığın sınırları içinde kalmayı kabul etmeyerek uzaklaşıyor. Niçin zorunludur bu karşılaşma? Çünkü karşılaşma olmasaydı, karşıtlığın şiddetinin ölçüsü de fark edilemeyecekti. Sonrasındaysa, artık bir arada olamayacakları anlaşılmıştı. Bu durumda, dünyayı kurtaran ve gökyüzünü yerinde tutan iki tanrı, paylaştıkları hükümdarlık görevlerini bir anlamda "dönüşümlü" sürdüreceklerdir artık; biri varken, diğeri oradan uzaklaşmak durumunda kalacaktır. Bunun gökyüzündeki kozmik anlamı ne olabilir?

Hiç kuşkusuz, Büyük Ayı gibi bir kuzey takımyıldızıyla, bütün gökleri kat eden Venüs arasındaki bir karşıtlık değildir bu. Venüs hiçbir zaman kuzey göklerinde Büyük Ayı'yla buluşmayacağı için, aynı krallıkta birlikte var olmayı reddederek uzaklaşması anlamlı değildir; birbirlerinin "yolu üzerine" çıkmamışlardır ki hiç. John Major Jenkins, bu konuya farklı bir açıklama getirir:

"Bir astronomik özellik, çok sayıda değişik yolla mitolojiye dahil edilebilir. Sözgelimi Aztek tanrısı Quetzalcoatl Venüs'ün sabah yıldızı haline karşılık gelirken, karanlık ikizi Tezcatlipoca, akşam yıldızı halini temsil eder. Burada, Orta Amerika tanrılarının objelere değil, zaman dilimlerine hükmettikleri bize hatırlatılır."[193]

Jenkins'in kendinden çok emin biçimde verdiği örnekteki sabah yıldızı–akşam yıldızı kutuplaşmasına katılmak ya da bunu destekleyecek veri bulmak zor. Böyle bir "Dr. Jekyll/Mr Hyde" sendromu, Venüs gibi önemli bir gezegen söz konusu olduğunda geçerli değildir. Farklı fazlar, gök cisimleri için değil, tanrıların kişilikleri için yaratılır mitolojilerde. Daha önce sözünü ettiğimiz gibi Quetzalcoatl "ikinci ben"ine dönüştüğünde fırtına tanrısı Ehecatl olarak ortaya çıkar ama her durumda gökteki karşılığı yine Venüs'tür. Tezcatlipoca'ysa "Venüs'ün farklı rollerinden biri" değil, düpedüz Quetzalcoatl'ın karşıtıdır ve az önce vurguladığımız gibi, bir arada olamasalar bile en az bir kez karşılaşmalarını gerektiren bir ilke söz konusudur burada. Orta

[193]John Major Jenkins, a.g.e., s. 50

Amerika astronomisini, yaratanlar, Venüs'ün Sabah Yıldızı ve Akşam Yıldızı olarak iki farklı görünüme sahip olduğunun elbette farkındaydılar ve her iki görünümün de aynı gök cismini, yani "aynı tanrıyı" simgelediğini biliyorlardı.

Jenkins'in verdiği örnek, kimi Aztek geleneklerinde rastlansa da, bu şizofren yapıyla iki tanrının karşıtlığını açıklayamaz. Ama doğrusunu söylemek gerekirse, Büyük Ayı'dan daha mantıklı bir yaklaşımdır bu; çünkü en azından "ekliptik" dolayında kalmanın gerekliliğini vurgular. Diğer yandan Jenkins, tanrıların objelere değil, zaman dilimlerine hükmettiğini anımsatırken çok haklıdır. Ne var ki, "obje" kavramını tanrının bizzat kendi yansısı olan gök cisimleri için kullanamayız. Tezcatlipoca ve Quetzalcoatl, farklı gök cisimleri olarak, aynı yol üzerinde en az bir kez karşılaşmış ve sonra birlikte varolamayacaklarını anlamış olmalıdırlar. Bu, neresinden bakarsanız bakın, yolu ekliptiğe yakın geçen bir başka gök cismini, tam adıyla bir "gezegeni" gerektirir.

Aynı çalışmasında Jenkins, aşağı yukarı on beş sayfa kadar sonra, Tezcatlipoca'nın bir başka niteliğinden söz eder; bu, onun kuzey göklerindeki Büyük Ayı konumunu doğrulayan bir niteliktir:

"Tezcatlipoca'nın Mayalardaki karşılığı Hunrakan'dır (ya da Hurakan), Quiche ve diğer Maya gruplarının 'tek bacaklı' tanrısıdır. Popol Vuh'ta, tahta adamların çağı olan önceki çağlardan birine yıkım getirmesiyle ünlüdür. Dünyaya evrensel bir sel getirerek ortalığı temizler. İlginç bir biçimde, İngilizce *hurricane* sözcüğü [kasırga] Hurakan'dan türetilmiştir. Hunrakan'ın 'anafora yakalanmış' olarak düşünülmesi –yani kendi ekseninde dönmesi- ve tam olarak 'tek bacak' anlamına gelmesi, onu kutup ekseniyle ilişkilendirir."[194]

Jenkins burada, Venüs üzerinde gerçekleşen karşıtlığı bir kenara bırakıp, Quiche Maya kültüründeki Hunrakan'ın kuzey gökleriyle olan bağlantısını ele alır. Ona göre Büyük Ayı takımyıldızı tek bacağının üzerinde kutup ekseninde "anafora kapıl-

---

[194]John Major Jenkins, a.g.e., s. 63

mış gibi" dönmektedir ve Tezcatlipoca'nın Quiche kültürünteki karşılığı olan tanrı, presesyona bağlı olarak bin yıllar içinde kuzey kutupyıldızının değişmesini de simgelemektedir. Bunu nasıl yapar? Mitlerdeki farklı kişilikleriyle. Dört ayrı Tezcatlipoca'nın anlatıldığı Aztek mitlerinde bunlardan her biri, farklı bir dünya çağında var olmuşlardır. O halde, Jenkins'in alıntı yaptığı araştırmacı Eva Hunt'ın da belirttiği gibi, Tezcatlipoca ya da Hunrakan, Kutupyıldızının yerinin bu dört çağ içinde dört kez değişimini simgelemektedir![195]

Jenkins bu noktada Tezcatlipoca figürünü, Quiche Mayalarındaki adı ve kişiliğiyle ele alır; bunu yaparken de, Orta Amerika'daki presesyon bilincini dayanak olarak seçer. Buna göre dünya eksenindeki yalpalamanın, yani presesyonun farkında olan Meksika halkları, bu harekete bağlı olarak Kutupyıldızının yerinin de sürekli olarak değiştiğini bilmektedirler. Dolayısıyla, kozmogonilerinde var olan geçmiş dört dünya çağı, aslında bir anlamda presesyon olgusunun sonucunda göksel kutupta da kayma olduğunu vurgulamaktadır. Tezcatlipoca ve Hunrakan bu presesyon bilinci uzantısında, kutuplardaki kaymayı kontrol eden bir tanrıyı simgeleyen adlardır. Dört ayrı çağda, dört ayrı kutup yıldızıyla beliren bir "kuzey gökleri" tanrısıdır bu.

Söz konusu yaklaşıma ilk itirazımız, presesyonu algılamış bir toplumun, hem de Meksikalılar gibi astronomiye ve hassas hesaplara düşkün bir toplumun, bu eksen hareketi sonucunda oluşan kutup kaymalarını çok net olarak belirleyeceği önermesiyle birlikte gelecektir. Bir önceki bölümde sözünü ettiğimiz gibi presesyon, 71.6 yılda bir derecelik bir kaymaya neden olur. Buna bağlı olarak da, ekinoks zamanı güneşin konakladığı burç, 2148 yılda bir değişir. Aynı değişim, göksel kutup noktasına denk gelen yıldız için de geçerli olacaktır; üstelik daha da karışık bir biçimde. Gök küresinin kuzey kutup noktasında, zodyak üzerindeki 30 derecelik dilimlerden çok daha küçük bir alan söz konusudur ki, buraya belli bir düzenle, büyük ve parlak yıldızlar rastlamazlar. Aslına bakılırsa, bugünün göklerinde tam ku-

[195]John Major Jenkins, a.g.e., s. 65

zey kutup noktasında bulunan Kutupyıldızı (Polaris) bile, Tol-
teklerin Mayalarla Chichen Itza'da kültür alışverişine girdiği
dönemde bu göksel noktanın epey uzağında kalıyordu. Bu ne-
denle, iri ve parlak bir Kutupyıldızı bile göremiyorlardı gök kü-
resinin kuzey noktasında. Meksika kültürlerindeki "çağ" sürele-
riyle örtüşecek biçimde, aşağı yukarı her beş bin yılda bir, gök
küre için belirgin ve parlak bir Kutupyıldızı bulmak çok güç-
tür. Zaten toplam presesyon döngüsü içinde bugün Küçük
Ayı'nın kepçesinin ucunda yer alan Kutupyıldızı dışında, fark
edilir parlaklıkta bir tek Draco (Ejderha) takımyıldızındaki
Thuban İ.Ö. 3000 dolaylarında kuzey kutup noktasına rastla-
mıştır. Eğer Meksikalıların büyüklük ve parlaklığı önemsemek-
sizin, kutup noktasına rastlayan yıldızları hesapladıklarını düşü-
nürsek de, beş çağa yayılan uzun zaman dilimi içinde Cepheus,
Draco, Lyra ve Herkül takımyıldızlarına ait en az bir düzine
yıldızın kutup noktasının yakınından geçtiğini görürüz. Bu du-
rumda, hangi dört yıldız, hangi dört çağla, nasıl ilişkilendirile-
cektir? Bugünkü Kutupyıldızını bile kuzey kutbunda görteme-
miş olan eski Meksika halkları için "çağ" kavramlarını prese-
syon olgusuyla bağdaştırmak ve Kutupyıldızının değişimi ilkesi-
ni ileri sürmek, pek de inandırıcı gelmiyor. Hele bütün dikkat-
lerini zodyak kuşağına ve gökyüzündeki başucu (zenith) nokta-
sına veren bir astronomiyi yaratan insanların, kutup noktasıyla
ilgili bu denli hassas ve açıkçası "zorlama" bir presesyon hesa-
bına başvuracaklarına ihtimal vermiyorum.

İkinci itiraz, Tezcatlipoca ya da Hunrakan'ın, "tek bacağı
çevresinde dönerek" göklerde "anafora kapılması" ve kutup
noktasındaki değişimi denetlemesi iddiasıyla ilgili olacak. Kutup
noktasının bir hayli güneyinde kalan Büyük Ayı takımyıldızı, ne
günün saatleri içinde, ne de presesyon sürecinin uzun yılları bo-
yunca "tek bacağı çevresinde" döner. Aslına bakılacak olursa,
eğer tek bacak "kepçenin sapı" olarak düşünülüyorsa, Büyük
Ayı, sırtüstü yatıp gövdesinin çevresinde dönen birini andırır.
Gerçekleştirdiği büyük tur da, kutup noktasını belirleyecek ro-
tadan epey uzaktır. Eğer 15. yüzyıldan bu yana göklerdeki pre-
sesyon hareketini dikkate alırsak, söz konusu "tek bacak çevre-

sinde dönme" işlemini yapan, Küçük Ayı takımyıldızıdır ve bacağın ucu, yani ayak da Kutupyıldızıdır. Ne var ki Meksika mitlerinde bu takımyıldızın sözü edilmez; çünkü Küçük Ayı'nın kutup noktasına yerleşmesi, bölgedeki son yerli uygarlık olan Azteklerin yıkılışından 100 yıl sonra, 17. yüzyılda gerçekleşmiştir.

Bu durumda, söylenecek bir tek şey var: Tezcatlipoca ya da Hunrakan ya da adı her ne olursa olsun, "karşıt tanrı", gökteki karşılığı bulunamadığı ve görülemediği, çok eskilere dayanan kökeni de unutulduğu için; efsanenin farklı versiyonlarıyla söz konusu boşluk doldurulmaya çalışılmış ve göklerin, yani "zamanın" diğer hükümdarı, Quetzalcoatl, Kukulkan ya da adı her neyse "iktidarın diğer ortağı"nın karşısına, gece göklerinde varlığı bilinen bir takımyıldız olarak çıkarılmıştır. Kuzeyle ilişkilendirilmiştir, çünkü yaşamın kaynağı ve destekleyicisi olan tanrının karşısında ölümle ve yıkımla bağdaşan karşıt tanrı, bu nitelikleri içerdiğine inanılan kuzeyde aranmıştır. Çok kısa olarak, gökyüzünde yedi belirgin parlak yıldızın biçimlendirdiği "Yedi Macau", yani Büyük Ayı takımyıldızı, aslı bulunamadığı ve görülemediği için Tezcatlipoca figürünün "dublörü" olarak benimsenmiştir.

Meksika mitleri, ilk karşılaşmadan sonra "aynı anda, aynı yerde barınamayan" Quetzalcoatl ve Tezcatlipoca'nın arasında bir de savaştan söz ederler. Bu savaşın sonunda Quetzalcoatl ilkin uzaklara gitmiş, sonra gökte Venüs olarak yeniden belirmiştir ve bu kez Tezcatlipoca yok olmuştur ortadan. Ama yakınlarda olduğu, zamana ve göklere Quetzalcoatl ile birlikte hükmettiği kesindir. O halde nedir bu savaş ve Tezcatlipoca neredadir?

Meksika'da La Venta kültüründen çıkan ikinci büyük kol, Yucatan Mayalarının uygarlığıdır. Yaklaşık İ.Ö. altıncı yüzyıldan sonra yalnızca Meksika'da değil, Guatemala, Belize ve Honduras'ın belli bölgelerinde de Maya ağırlığının hissedilmeye başladığını biliyoruz. Sahip oldukları kültürün temel unsurlarını, tıpkı Teotihuacan ve kuzey kültürü gibi, La Venta'dan ve Olmeklerden aldıkları bugün genel olarak kabul ediliyor. En yalın haliyle bu mirasın takvim, astronomi ve matematiğin ilkeleri olduğunu söyleyebiliriz.

Maya uygarlığında tanrıların elçisi olarak Rahip-Kral'ın iktidarının, altındaki bir rahipler sınıfı ve onları yetiştiren inisiye okullarıyla kısmen paylaşıldığını; üretim üzerindeki mutlak mülkiyet hakkının da bundan halk kitlelerine oranla daha çok pay alan savaşçı gruplarla sağlandığını görüyoruz. Çoğunluğu oluşturan, o görkemli yapıların olduğu kent merkezlerinde değil, çevredeki "varoş"larda yaşayan ve hem tarım işçiliği yapıp hem de tapınak inşaatıyla bakımında çalışan insanlara, bu sisteme bağlı kalmalarını sağlayacak tek bir dayanak verilir: Tanrısal mitler ve takvim. Maya halkı, rahipler sınıfınca onlara dayatılan ritüel ve ayinleri tartışmasız kabul edip benimsemiş gibi görünüyor (başka seçenekleri olduğu da söylenemez zaten.) Diğer yandan, kutsal takvimin hükmediciliğine ve onu denetleyen ilahlara o denli içten inanmış ki, insan kurban edilen ayinlerde "kurban" olmayı sessizce kabullenmeye varacak kadar "uslu" olmuş. Bunu sağlayan unsurların yalnızca Rahip-Kral'ın sahip olduğu despotik askeri güce ya da "kitlelerin cahil bırakılmaları"na bağlı olduğu yönündeki klasik anlayış, bana pek inandırıcı gelmiyor. Maya halkı, takvime ve onu belirleyen, yöneten tanrılara son derece içten bağlanmış çünkü. Bu, toplumdaki yöneten sınıfın despotizminin ve egemen dinin zorla empoze edilmesinin ötesinde, Mayaların kuşaklar boyu ataları aracılığıyla onlara ulaşan kimi "tanıklıklara" gönülden inanması ve açıkça "takvimin gazabı"ndan korkmasıyla ilgili gibi görünüyor. Bu nedenledir ki, rahipler yönetimindeki dinin kodlanmış mitlerine paralel olarak, halk da sahip olunan inanç sistemini ve mitolojiyi kendi katkılarıyla zenginleştirmiş. Yucatan Bölgesi'nin kuzeyinde, Quiche Mayalarına ait sözlü geleneğin yüzyıllar sonra kâğıda aktarılmasıyla oluşan ünlü kutsal kitap "Popol Vuh" bunun göstergelerinden biri. Rahip sınıflarınca yaratılan geleneğin kitaplaşmış hali diyebileceğimiz, "Jaguar Rahipler" sınıfına ait dinsel gelenekleri içeren "Chilam Balam" (Jaguar Rahip) kitabıyla Popol Vuh arasındaki ince fark, halkın rahip geleneğine değil, anonim kutsal kitaba sahip çıktığını düşündürüyor.

Yılanlar ve Jaguarlar

Quetzalcoatl ve Tezcatlipoca figürlerinin Mayalara, Yucatan'ı işgal eden Tolteklerce benimsetilmiş olabileceği son derece akla yakın olmakla birlikte, hiç değilse "fikir" olarak benzeri bir göksel düalizmin bu kültürde her zaman var olduğunu hissettiren pek çok unsura rastlıyoruz. Kukulkan ve Hunrakan karşıtlığı Toltek inanç sisteminden ithal edilmiş görünse de, bu düşüncenin köklerinin aslında La Venta'dan (hatta belki daha eskilerden) beri varlığını sürdürmesi olasıdır. Walter Krickeberg, La Venta'da bulunan bazı kabartmalardaki dövüşen insan figürlerinin Matthew Stirling tarafından "bulutyılanları" olarak adlandırıldığını, dolayısıyla bunun gökyüzünde geçen bir savaşı temsil edebileceğini belirttikten sonra, La Venta'da muhtemelen iki farklı insan tipinin (etnik grubun) yaşamış olabileceğine değinir:

"La Venta kültürü anıtlarındaki, birisi şişman, yassı burunlu diğeri daha uzun, zayıf, ince burunlu ve çene sakallı iki insan tipinin karşılaştırması, bu kültürü yaratanların sadece tek bir halk ve belki de tek bir dinden gelmedikleri sonucunu çıkarır. Covarrubias'a göre, şişman tipli insanlar jaguarı, zayıflar ise yılanları koruyucu ruh veya totem olarak kabul ediyorlardı; ince olanlar, bu büyük anıtları yaptıran yönetici sınıfını oluşturuyorlardı. La Venta kültürü, gelişip yükselmeye başlayan klasik dönem kültürü tarafından her yönden birden kuşatılınca, ufak tefek şişman insanlar balta girmemiş ormanların derinliklerine çekildiler ve kentleriyle birlikte yok olup gittiler; zayıf olanlarsa yaşamlarını devam ettirdiler ve büyük olasılıkla, Aztekler zamanında bile Veracruz kentinin güneyinde, La Venta kültürünün eski yerleşim bölgesinde yaşayan ve bu kültürün bazı özelliklerine hâlâ sahip olan Mikstekler'in ataları oldular."[196]

Krickeberg'in tarihçi Miguel Covarrubias'tan aktardığı bu görüşler, (farklı etnik kökenlerle ilgili varsayımları bir yana) klasik dönemin, La Venta kültüründen ikili bir karşıtlığı miras ola-

[196]Walter Krickeberg, a.g.e., s. 27

rak aldığını net biçimde ortaya koyar: Bu, jaguar ile yılanın karşıtlığıdır. Söz konusu kutuplaşma gerçekten var olan iki farklı etnik gruba da simgesel olarak yakıştırılmış olsa bile, neredeyse bütün Meksika'ya damgasını vurmuş yılan–jaguar mücadelesinin (ve her ikisinin de güçlü arketipler olarak varlıklarını sürdürüşünün) La Venta'ya ait olduğunu anlarız buradan. Toltek ve sonrasında Aztek kültürlerinde Quetzalcaan–Tezcatlipoca figürlerinin yılan ve jaguarla özdeşleştirilmesi de belli ki "ana kaynak" durumundaki La Venta'ya aittir. Bu durumda, Yucatan Mayaları için de, Toltek işgaliyle kabul edilen Kukulkan–Hunrakan dualizmi ortaya çıkmadan önce bile, yılan ve jaguarla anlatımını bulan evrensel bir karşıtlığın varlığı söz konusudur. Astronomi ve gökyüzü gözlemi geleneğinin bütün mitolojilerin çekirdeğinde yer aldığı gerçeğinden hareket ederek, jaguar ile yılanın ya da Kukulkan ile Hunrakan'ın karşıtlığının, La Venta'dan itibaren "göksel bir karşıtlık" olduğunu da vurgulamamız gerekir. Matthew Stirling'in yorumunda yer alan "bulutyılanları" kavramının göklerde geçen bir savaşa işaret ediyor olması da, Orta Amerika mitlerine damgasını vuran karşıtlığın çok eskiden beri "göklerde geçen bir mücadele"yi çağrıştırmak üzere yaşatıldığının göstergesidir.

Yazarlar ve araştırmacılar çoğu kez Orta Amerika kültüründe Quetzalcaan–Tezcatlipoca mücadelesine ilişkin var olan ayrıntıları, eski Yakındoğu'nun bilinen mitleriyle, en çok da Eski Mısır'ın ünlü Osiris–Seth çekişmesiyle yakın bulurlar. Aradaki onca uzaklığa karşın gerçekten her iki mitolojide de benzer temalar vardır. Osiris ve Seth, Ra'nın izniyle göksel krallığın yetkisini paylaşan iki kardeştirler. İki de kız kardeşleri vardır: İsis ve Nephtys. Osiris İsis'le, Seth de Nephtys'le evlenirler. Ancak Seth, iktidarın kendi payına düşen kısmıyla yetinmez ve daha güçlü konumdaki Osiris'i yok ederek krallığı tek başına sahiplenmeyi düşünür. Bu amaçla, Osiris'i kandırıp bir sandığın içine girmeye ikna eder, ardından da sandığı kilitleyip nehre atar. Kocasının yokluğunu fark eden İsis bütün Mısır'ı arayıp kuzeye doğru yola çıkar ve Doğu Akdeniz liman kentlerinden Byblos'un yakınlarında sandığı bulur. Planlarının işe yaramadığını gören Seth bu kez iyice öfkelenir ve Osiris'in bedenini 14 parçaya ayırıp Mısır'ın değişik yerlerine atar. İsis bu kez sabırla tek tek bu on dört parçayı bulacak ve mumya sanatı ustası tanrı Anubis'in yardımıyla parçaları bir araya getirerek Osiris'i yeniden yaşama döndürecek, bu kısa süre içinde de ondan hamile kalmayı başaracaktır. Osiris, ölümden yaşama dönmüş olsa bile artık varlığını bu dünyada değil gökyüzünde sürdürecektir ve bu nedenle göğe yükselip Orion takımyıldızına yerleşir. İsis'in üstün çabaları sonucu doğan oğlu Horus ise babasının intikamını almak için amcası Seth'le gökyüzünde büyük bir savaşa girişecektir. Savaşın net bir kazananı yoktur; iki tanrı da birbirlerine ağır hasar verirler. Ancak Ra'nın da onayıyla Horus tanrıların desteğini alır, Seth ise iktidarı paylaşma yetkisini bütünüyle yitirmemekle birlikte gözlerden uzaklaşır, Horus'u yalnız bırakır.

Söz konusu popüler mit, tıpkı Quetzalcaan ile Tezcatlipoca'nın "aynı krallıkta aynı anda var olamamaları" gibi bir sonla biter. Ama diğer yandan, yine Orta Amerika efsanesine benzer biçimde, göksel krallıkta yetkilerin paylaşımı söz konusudur. Seth ilkin Osiris'le, ardından da Horus ile paylaşır bu yetkiyi. Her durumda, kendi tanrılığı ve gücü sürmekle birlikte ikinci planda kalır, geriye çekilir, iktidarı ilkin Osiris, ardından da Horus'un inisiyatifine bırakır.

Eski Mısır'da Osiris ile Seth arasında yaşanan karşıtlıkla, Meksika'da Quetzalcoatl ve Tezcatlipoca'nın kutuplaşmaları arasında, daha da şaşırtıcı benzerlikler vardır: Seth'in Osiris'i hile yoluyla kandırıp sandığa sokması gibi, Tezcatlipoca da Quetzalcoatl'ı "Puslu Ayna"sı ile büyülemiş ve içki içirerek sarhoş etmiştir. Hikâyenin devamı, Mısır'da olduğu gibi Meksika'da da bu hileli tuzağın ardından iktidarın el değiştirdiğini gösterir. Tezcatlipoca, hem Quetzalcoatl'ın kız kardeşine sahip olur, hem de halk üzerindeki yetkiye. Onun büyülediği insanlar, dik ve derin bir uçurumdan bilinçsizce kendilerini aşağı atarlar: Tezcatlipoca, yıkım getirmiştir ülkeye. Quetzalcoatl da bunun üzerine, yakında geri döneceği sözünü vererek oralardan uzaklaşır. Bir başka ilginç paralellik, Seth ile Tezcatlipoca'nın sisler ardında kalmış göksel karşılıklarında saklıdır: Efsanenin nispeten geç döneme ait versiyonlarında Seth, tıpkı Orta Amerika'daki Tezcatlipoca gibi, Büyük Ayı takımyıldızıyla özdeşleştirilir göklerde.

Benzer temaları Eski Dünya'nın birçok kültüründe; Yunan mitolojisinde, Hindu efsanelerinde ve Mezopotamya'da izleyebiliriz. Ancak ilginç olan, bunun çok uzaklarda, Meksika'da karşımıza çıkmasıdır.

Yucatan'daki Quiche Mayalarının, geç dönemde Toltek etkilerini de içerecek biçimde oluşturdukları kutsal kitapları Popol Vuh'un orijinalinin başına ne geldiğini bilemiyoruz. Büyük olasılıkla sağlam kopyaları rahip Diego de Landa'nın kutsal ateşinde yakılıp yok edilmiştir. Elimizdeki kopyasıysa, daha önce de belirttiğimiz gibi, İspanyol işgalinden çok sonra, Maya dilinde ama Latin alfabesiyle yazılmış, ardından da Batı dillerine çevrilmiştir. Doğal olarak bu kopyanın ne kadar "özgün" olduğunu ve ne oranda fatihlerin empoze ettiği fikirlerle deforme edildiğini tahmin edemiyoruz. Ama yoğun sisler arasında bile Popol Vuh'un çekirdeğinde temel figürlere, göksel savaşa ve karşıtlığa, bunun dünya çağları üzerindeki etkisine rastlıyoruz. Hem sözlü gelenekle yaşatılan Maya mitlerinde hem de Popol Vuh'ta, her şeyin üzerinde olan, büyük Gök Tanrısı'nın oğlu İtzamna çıkıyor karşımıza:

"İtzamna'nın adı, 'Damlanın Evi'dir, yani gökyüzü. En yüce tanrının oğlu olarak kabul edilir ve Güneş Tanrısı Kinich Ahau (Güneşyüzlü Bey) ile özdeşleştirilirdi."[197]

İtzamna o denli güçlü bir figürdür ki, Gerald Messadie, diğer faktörler olmasa bir tür "tektanrı" haline bile gelebileceğinden söz eder Gök Tanrısı'nın oğlunun. Ancak bu "kozmik olarak" mümkün olmayacaktır, çünkü göklerde yaşanan net bir karşıtlık ve bir savaş söz konusudur. Bu durumda İtzamna, Gök Tanrısı'nın yerini alarak, Kukulkan ile Hunrakan arasındaki karşıtlığın bir anlamda "hakemi" olur ve gök hükümdarlığını ikisine o devreder. Diğer yandan, zamanın ve gökyüzünün üze-

---

[197]Walter Krickeberg, a.g.e., s. 145

rindeki bu ortak yönetime rağmen, iki tanrı, tıpkı Osiris ve Seth gibi kıyasıya bir savaş yaşayacak ve bu savaşın sonuçları, bir biçimde hem Toltek hem de Maya takvim sistemlerine damgasını vuran "dünya çağları"nın değişimi üzerinde etkili olacaktır. Çağ dönüşümleriyse her zaman büyük doğal afetler ve yıkımla özdeş düşünülür. Eldeki az sayıda belgeden Dresden Kodeksi, böylesi bir sahneyi canlandıran dehşet verici resimler içermektedir:

"Dresden Kodeksi'nin son resminde, gökyüzü canavarının ağzından fışkıran suların dünyayı kaplaması ve iki kötü tanrının (Ixchel ve Ekhcuah) yok edişe yardım etmesi tasvir edilir. Chilam Balam kitaplarından birisi de kıyamet günü benzeri tasvirlerle, bir Venüs döngüsünün son gününde 'Damlanın Evinden gelen Krokodil' (gökyüzü canavarı) ile beraber ölüm tanrısı ve yeraltının dokuz tanrısının 'Ada'yı (Mayalara göre yaşadıkları dünya) yok etmelerini anlatır."[198]

Popol Vuh'un en bilinen temalarının başında, "kahraman ikizler" mitini sayabiliriz. Söz konusu mit, böylesi bir doğa felaketinin sonrasında, dünyada ve evrende her şeyin normale dönmesini sağlayan fedakâr ve kahraman iki kuzeni anlatmaktadır. Kardeş olan babaları, top oyunu için hileyle "yeraltı dünyasına" çağrılan ve orada tuzağa düşürülüp öldürülen iki genç, Hunahpu ve İxbalanque, bütün "düşman" doğa tanrılarını (Volkan tanrısı Zipacna ve Deprem tanrısı Cobrakan gibi) teker teker yenerek intikam alırlar, ardından da "top oyunu"nda yeraltı tanrılarını mağlup edip, babalarını yeniden canlandırır ve onları Güneş ve Ay olarak yeniden gökyüzüne yerleştirirler. Sahne, bir dünya çağını sona erdiren büyük afetlerin ardından, yeni bir çağın başlamasını betimlemektedir.

Dünya çağları, deprem, yanardağ patlamaları ve sellerle anlatım bulan felaketlerle noktalanır Meksika mitlerinde. Bunlara, "gökten yağan ateş"ler de eşlik eder. Eğer takvim, zaman ve çağlar bir biçimde göklerde belirleniyorsa (ki tüm Orta Amerika'daki inanç budur) o halde gökyüzünün, yani zamanın efen-

[198]Walter Krickeberg, a.g.e., s. 135

dileri durumundaki Kukulkan ve Hunrakan'ın da bunda bir etkisinin olması gerekir. Walter Krickeberg, Venüs'le anlatım bulan Kukulkan ile "her yerde olan ve her şeye gücü yeten" Hunrakan figürlerinin, yaratılışı gerçekleştiren tanrılar olarak kabul edildiğini belirtir. Tezcatlipoca'nın Maya kültüründeki karşılığı olan Hunrakan "her yerdedir, çünkü aynı anda gökyüzü, yeryüzü ve yeraltı dünyasında yaşar, ancak eski Güney Amerika Dağ ve Mağara tanrısının bazı özelliklerini de taşır."[199] Bunlar, hiç zorlanmadan Venüs'le özdeşleştirilen Kukulkan (Quetzalcoatl) figürüne karşılık, Hunrakan'ın (Tezcatlipoca) göksel bir karşılığının bulunamadığı fikrini pekiştirir. O "her yerdedir ve her şeye gücü yeter", çünkü yaratılışta da çok önemli bir payı olmuştur. Görünmediği zamanları gökyüzünün uzak köşelerinde ya da "yeraltı dünyasında" geçiriyor olabilir Mayalara göre. Her şeye rağmen, onun göksel varlığına vekalet etmek üzere Yedi Macau (Büyük Ayı) bulunmuş ve boşluk doldurulmuştur.

Gökyüzünde "yıldız savaşları"

Aynı zamanda Griffith Enstitüsü'nün de yöneticisi olan arkeoastronomi uzmanı Edwin C. Krupp, Azteklerde Quetzalcoatl (ya da Quetzalcaan) Mayalardaysa Kukulkan (ya da Kucumatz) olarak adlandırılan "tüylü yılan" figürünün Orta Amerika'daki bilinen en eski örneğinin, La Venta'daki Olmek kabartmalarında bulunduğunu belirtir. Sonradan Teotihuacan'da filizlenen ve hem Toltek hem de Azteklerin benimsediği, Mayaların da kendi kültürleri içinde kabul ettikleri bu figür, ilk zamanlardan beri Venüs gezegeniyle ilişkilendirilmiş gibidir. Krupp aynı zamanda iri gözlü yağmur ve fırtına tanrısı Tlaloc'un da Venüs gezegeniyle simgelendiğinden söz eder – tıpkı Ehecatl gibi.

"Hem Aztekler hem de Mayalar için Venüs, tehlikeli bir göksel güçtü. Aztekler onu, sabah yıldızı olarak yeniden belirdiği günlerde kurban edilen tutsakların kanıyla besliyorlardı ve

---

[199]Walter Krickeberg, a.g.e.

hem Aztekler hem de Mayalar, sistematik gözlemlerle onun hareketlerini izliyorlardı."[200]

Venüs'e gösterilen büyük astronomik ilgi ve Orta Amerika'da epey yaygın olan insan kurbanı, bilinmedik şeyler değil; ancak Krupp'tan yaptığımız alıntıyla bu olguyu yinelememizin nedeni, Meksika toplumlarında, ancak 1980 sonrasında yapılan araştırmalar sonrasında fark edilen çok ilgi çekici bir geleneği vurgulamak. Uzmanlar buna "Venüs-Tlaloc Savaş Geleneği" ya da doğrudan "Yıldız Savaşları" diyorlar.

Venüs'ün savaşla ya da tutsakların kurban edilişleriyle bağlantısı, gerçekten dikkat çekici. Astronomik anlamda bu, gezegenin 584 günlük döngüsü (synodic period) yani sabah yıldızı olarak kaybolduktan sonra ilkin akşam yıldızı, ardından yeniden sabah yıldızı olarak belirdiği süreçteki tipik konumlarıyla ilişkilendirilmiş. Maya anıtlarında, önemli savaşların ya da tutsak kurban törenlerinin tarihlerinin vurgulanarak belirtildiği, eskiden beri biliniyordu. Ancak 1982 yılından sonra antropolog Floyd Lounsburry'nin yaptığı araştırmalar, söz konusu tarihlerin Venüs'ün 584 günlük döngüsü içindeki kritik noktalara rastladığını ortaya koydu. Yani savaşlar ya da kurban ayinleri, Venüs'ün gökyüzündeki konumuna göre ayarlanıyordu!

Söz konusu bağlantıların en net ve tipik örnekleri, Chiapas Bölgesi cangıllarındaki Bonampak kent-devletinde bulundu. Buradaki son derece çarpıcı duvar resimleri, savaş sahnelerini ve kimi kutlama törenlerini ayrıntılarıyla gözler önüne seriyordu. Resimlerin üzerinde yer alan hiyeroglifler, betimlenen olayların gerçekleştiği zaman aralığını anlamamıza da yardım ediyordu: 14 Aralık 790 ile 14 Kasım 791 arasındaki zaman dilimini kapsıyordu bu savaş ve törenler. Bu 336 günlük dönem içinde gerçekleştirilen her şey de, Bonampak kralı Chaan-Muan'ın oğlunu taç giymeye hazırlamak için yapılmıştı!

"Bonampak'ın birinci resimli odasında, tahtta oturan Chaan-Muan ve ona eşlik eden kraliyet ailesinin diğer üyeleri betimlenirken, diğer yanda bir lord ya da temsilci, genç varisi kol-

---

[200]Edwin C. Krupp, "Skywatchers, Shamans And Kings", s. 258

ları arasında tutuyor ve onu bu olay için beyaz giysilere bürünmüş diğer soylulara tanıtıyordu. Bu odadaki diğer bir sahne, çocuğun tanıtılmasından 336 gün sonraki bir töreni resmetmekteydi. Chaan-Muan, tören dansı için özenle hazırlanmış tüylerle süslü giysiler içinde görünürken, Bonampak resimleri uzmanı Mary E. Miller'ın 'Bonampak bandosundaki çocuklar' diye nitelediği, soylular ve müzisyenlerden oluşan bir tören alayı ona eşlik ediyordu. Ellerindeki su kabağından yapılmış çıngırakları, davulları, kaplumbağa kabuklarını ve trampetleri çalıyorlardı; içlerinden bazılarıysa suyla ve belki verimlilikle bağlantılı hayvanları temsil eden grotesk maskeler takmışlardı. Tören, binayla ilgili adakların bir parçası olarak yapılmıştı ve tahminen, duyurulan varisi onurlandırma amacını taşıyordu. Olay, 15 Kasım 791'de (Julian takvimine göre) gerçekleşmişti ve Venüs yeniden akşam yıldızı olarak belirmeye başlamıştı."[201]

Diğer odalar da, benzeri biçimde aynı zaman aralığına yönelik resimlerle doluydu. Kral bu resimlerde, yendiği düşmanlarından tutsak edilenlerin kurban edilmesi törenlerini yönetir halde betimlenmişti. Tüm bu ayrıntılı Maya yönetici sınıf propaganda malzemeleri, yalnızca genç varisi tahta ısındırma işlemleri için kullanılmıyordu elbette. Bunların oluşturduğu mağrur krallık ideolojisi, hem düşmanlarına hem de kendi halkına gözdağı veriyordu.

Bu tür siyasi simgeler alışılmadık şeyler değil; çoğu eskiçağ kültüründe kralın yönetiminin mutlak gücünü "dosta düşmana" anlatacak resimlere ve kabartmalara rastlıyoruz. Ancak Bonampak'ta ilginç olan, betimlenen olayların, tarihleriyle birlikte verilmesi. Olayların niteliği ve gerçekleşen tarihlerdeki astronomik olgular araştırılıp yan yana konduğunda, şu gerçek çıkıyor ortaya: Mayalar savaş ve tutsak kurbanı ayinlerine sıradan olaylar gibi bakmıyorlar ve bunları Venüs'ün merkezde yer aldığı bir göksel takvime uygun düşecek biçimde düzenliyorlardı! Mağlup edilen Ceibal'in esir kralının 12 yıl boyunca tutsak olarak bekletilmesi ve sonunda Venüs'ün sabah yıldızı olarak doğarken

[201] Edwin C. Krupp, a.g.e., s. 260

güneşle birleştiği (dolayısıyla gözle görülemediği) bir gün kurban edilmesine dek varan bir saplantıydı bu. Büyük savaşlar ve fetihler için, Venüs'ün akşam yıldızı olarak belirmeye başladığı dönem seçiliyordu. Kısacası, çok net ve kesin biçimde Mayalar, savaşlarını Venüs'e, yani "göksel savaşçı"ya göre ayarlıyorlardı.

Seksenli yılların ortalarına doğru Carlson'ın kanıtladığı bu olgudan sonra derinleştirilen araştırmalar, söz konusu "Venüs savaş kültürü"nün Mayalarla sınırlı olmayıp, bütün Orta Amerika'ya ait çok güçlü bir inanışla paralel olduğunu ortaya çıkardı. Toltekler, Aztekler hatta bölgenin en eski uygarlığı sayılan Olmeklerde de Venüs savaş kültürünün net izlerine rastlanıyordu. Tüylü Yılan geleneğinin görüldüğü ve Venüs'ün dikkatle izlendiği her yerde, aslında hemen bütün Orta Amerika'da, savaş ve kurban törenleri bu kültürün gerekleriyle sıkı sıkıya bağlanmıştı. Bölge kültürünün uzmanları bu olguya "Venüs-Tlaloc Savaşçılığı" adını verdiler.

Yucatan Mayalarının son dönem güçlü imparatorluğuna sahne olan ünlü Chichen Itza kenti de Venüs-Tlaloc savaş kültürünün merkezlerinden biriydi. "Itza" sözcüğü, bölge halkının kendi kökeniyle ilgili kullandığı bir terim ve soylarının o bölgede "zamanın başlangıcından beri" yaşadığına inanan bu insanlara göre, atalarını simgeliyor. Yerel dillerdeki sözlük anlamıysa, "büyücü" ya da "şaman". Chichen Itza, ikili anlama sahip: "Itzaların Kuyusu" ya da "Şaman'ın Kuyusu". Atalarının bölgenin en eski yerlileri olmakla kalmayıp güçlü şamanlar olduğuna inanan Chichen Itza sakinleri, kentlerine bu adı vermelerine yol açan bir de büyük kuyuya sahiptiler. Chichen Itza'nın en önemli kült merkezlerinden biri olan "Kutsal Kuyu", adakların yapıldığı, kimi zaman da insanların kurban edildiği bir mekân. İnsan yapısı olmadığını kesin olarak bildiğimiz, doğal bir kuyu bu; kent merkezindeki Kukulkan piramidinin güneyinde, cangıl ortasında yer alıyor. Su seviyesi, çapı 60 metre kadar olan kuyunun yaklaşık yirmi metre altında başlıyor. Suyun derinliği de yine yaklaşık 20 metre kadar.

Bu dev doğal kuyunun nasıl oluştuğunu tam olarak bilemiyoruz. Bölgede başka örneği olmayan bu doğal harika, binlerce yıl önce düşen bir meteorun açtığı çukurla ortaya çıkmış olabilir; ancak bilim adamları bu konuda kuşkucu davranıyorlar. Yine de, kenarları sonradan insanlarca düzeltilmiş ve biraz genişletilmiş de olsa, yerel dilde *"cenote"* adıyla bilinen bu kutsal kuyuya atfedilen tanrısal önem, söz konusu çukurun bir göktaşı tarafından açıldığını akla getiriyor. Kutsal Kuyu o denli önemli ki Itza Mayaları için, ona sahip olmaları nedeniyle kimse tarafından mağlup edilemeyeceklerine ve gücü ellerinde taşıdıklarına inanıyorlar.

Yirminci yüzyıl başlarından itibaren kuyuda yapılan incelemelerde, bol miktarda değerli eşya, takı ve kapkacağın yanı sıra, insan kemiklerine de rastlandı. Bu, yerel kültürce vurgulanan, kuyunun insan kurbanı için de kullanıldığı tezlerini destekliyor. Chichen Itza'daki çoğu yapı gibi, bu kuyu da Venüs'e ve çağlara adanmış kurbanları yutmuş yüzyıllar boyu. Tıpkı, savaş esirlerinin taş sunaklarda kalplerinin söküldüğü, Venüs-Tlaloc savaş kültürünün tipik merkezlerinden birini oluşturan Jaguar Tapınağı gibi. Kukulkan piramidinin batısında kalan ve bölgede epey popüler olduğu düşünülen bir top oyununa ait sahada da, bu oyunda yenilenlerin, kafaları kesilerek öldürülmüş olabileceğini düşündüren kabartmalar yer alıyor. Söz konusu oyun, sahanın ortasında yer alan bir çemberden topu geçirmek amacını taşıyordu tahminlere göre. Resimler, oyuncuların vücutları ve kalçalarıyla topa vurduklarını ve topu çemberden geçirenin oyunu kazandığını ortaya koyuyor. Aslına bakılırsa, yenilmenin bedelinin kafanın kesilmesi olduğu bir oyunda, insanların ustalaşacak fırsat bulmaları da olanaksız görünüyor. Ama yine de tutsaklara halkı eğlendirmek için Itzalı usta oyuncularla bir maç yaparak kendilerini kurtarma "fırsatı" verilmiş olabilir. Oyunun yapısı ve kurallarıyla ilgili de kozmolojiye gönderme yapan, ezoterik yorumlar birbirini izliyor. Bu yorumlara göre top, doğudan batıya sürekli yer değiştiren güneşi simgeliyormuş. Kutsal top oyununu evrenle bağdaştırma amacı güden bu yorum, uzmanlar kusura bakmasın, bana hiç inandırıcı gelmiyor.

Maya ve Toltek unsurlarınca oluşturulan bir tür melez kültüre evsahipliği yaptığı düşünülen Chichen Itza'nın sakinleri, kendi geçmişleriyle ilgili farklı bir yaklaşım sunuyorlar. Onlara göre, Itzaların bölgeye gelmesi diye bir şey söz konusu olmadı, çünkü onlar hep oradaydılar. Chilam Balam kitaplarına göre bu, "gizli" bir bilgidir:

"Itzalar, Chichen Itza'daydı... 'Uzaktan mı geldiler, yoksa hep orada mıydılar?' 1 Imix'te, göklere ulaşılan günde, Kral kuyunun doğu yakasına, tapınağın açıldığı yere gider; 1 Imix Chichen Itza'da 'Geldiler mi, burada mıydılar?' deme günüdür. 'Bu gizlidir, bu gizlidir!' diye bağırırlar. Bunu ölülerin ruhları bilir!"[202]

Chichen Itza'yla ilgili net bir çözümleme yapmak çok güç. Hem bölgede çok eskilerden beri var olan bir şaman kültürü inkâr edilecek gibi değil; hem de Mayalarla Tolteklerin Yucatan'ın kuzeyinde Tüylü Yılan kültürünün yeni doruklarını birlikte yarattıkları gerçeği. Kentin ve kültürünün, büyük oranda Teotihuacan ve hatta onun öncesindeki Olmek kozmolojisinden kaynaklandığını bilsek de, Chichen Itza'da Kukulkan/Quetzalcoatl merkezli inanç ve tören sisteminin bir kez daha (ve hayli abartılı biçimde) yüceltilmesine tanık oluyoruz. Bu yüceltme, dozu belirgin biçimde artan insan kurban etme sistemiyle dikkat çekiyor. Yucatan kültürünün çözülmesi sonrasında aynı kan dökme furyası, iyice abartılarak Aztek toplumunda yaşatılıyor. Merkezdeyse, hep Tüylü Yılan var.

"Böylesi şeytani bir davranışı nasıl bir kültür beslemiş ve yüceltmiş olabilir? Burada, Chichen Itza'da, 1200 yıl önceye dayanan harabelerin ortasında, Maya ve Toltek unsurlarının karışımıyla bir melez kültür biçimlenmiş. Bu toplumun barbarca ve gaddar törenlere olan düşkünlüğü, bölgede bir istisna değil. Tam tersine, Meksika'da yeşeren bütün büyük yerli uygarlıkların insan kurbanını törenleştirdikleri biliniyor."[203]

Aslına bakılacak olursa, insan kurban etme olgusu uygarlık tarihinde rastlanmadık bir tapınma biçimi değil. Kutsal Kitap'ta

[202]Adalberto Rivera A., a.g.e., s. 26
[203]Graham Hancock, "Fingerprints Of The Gods", s. 105

bile bir zamanlar insan kurbanının Yakındoğu'da uygulandığına ilişkin verilere rastlıyoruz. Meksika'da şaşırtıcı olan şey, bu törenlerin yüzyıllar, hatta bin yıllar boyunca, zaman içinde hızını ve şiddetini giderek artırarak varlığını sürdürmesidir. Bu öylesine garip bir "göksel korku" uzantısında yapılmıştır ki, tapınakların çoğu fiili olarak birer mezbahaya dönüşmüştür Orta Amerika'da. Rahiplerin ellerindeki taş bıçaklarla kalpler canlı canlı yerinden sökülmüş; kimi zaman da sunaklarda kafalar kesilmiştir. Tüm bunlar, Teotihuacan'ın ilk dönemlerinde barışçı ve öğretici bir tanrı olarak ortaya çıkan Quetzalcoatl/Kukulkan'ı hoşnut etmek içindir sonuçta. Görülen o ki, insan kurbanını yüzyıllar önce yasakladığı söylenen bir tanrı adına, kan dökmeye devam edilmiştir. İyi ama, niçin?

Birer "korku imparatorluğu" olarak beliren Orta Amerika uygarlıklarında yönetici sınıfın kendi konumunu sağlamlaştırmak üzere bu dehşet kültürünü sürdürmüş olması da geçerli nedenlerden biridir belki, ama Orta Amerika'da "modern beyazlar"ın anlamakta güçlük çektiği sistematik insan kurbanları, gerçekte "afet tanrıları"nı doyurmak için yapılmıştır hep. Böylece, "çağların sonu" geciktirilmiş, yakınlaşması engellenmiş ve 2012'den önce "erken" bir felaketin yaşanmasının önüne geçilmiştir. Afetlerde ölenler, evrenin büyük tanrılarını besleyen "kan ve et"tir; o halde onlara bu ihtiyaçları düzenli olarak ve canı gönülden sağlanırsa, takvim normal düzeninde yürümeye devam eder, tanrılar da yazgıları öne alıp sürpriz afetlerle kitlesel kıyımlara gitmezler. La Venta kültüründen itibaren, astronomik gözlemler ve sözlü gelenekle aktarılan tanıklıkların sistematik analizi yardımıyla "çağlar" hesaplanmış, "kutsal takvim" ortaya çıkmıştır aslında. Teotihuacan'ın ilk dönemlerinde bu nedenle Venüs'ü mutlu etmek için insan kurban etme geleneği durdurulmuş ve uygarlıkta önemli adımlar atılmıştır. Çağların ne zaman biteceği, büyük afetin ne zaman geleceği, göklerdeki yazgının ne olduğu saptandıktan sonra, çok uzak dönemlerdeki "bitiş"i ertelemek için kurban vermek gibi bir gereklilik yükü, insanların üzerinden kalkmıştır. Ne var ki, Orta Amerika uygarlıklarında sınıfsal karşıtlıkların daha sofistike yapılar içinde ve olanca sertliğiyle belirdiği daha geç dönemlerde, bu alışkanlığın çok daha güçlü biçimde yeniden dirildiğine tanık oluruz. Bu kez "ilahi gerekler" ve afet korkuları, despotik yönetimin baskı ve göz korkutma araçlarına hizmet etmek üzere halkın inançları üzerinde yeniden etkinleştirilmiştir; tıpkı Bonampak resimlerinde gördüğümüz gibi.

Diğer yandan, insan kurbanıyla ilgili bir diğer ideolojik/dinsel dayanak da Quetzalcoatl'ın Beşinci Çağ'ın başlayabilmesi için kendini feda etmesi temasından alınır. Ateşe atlayan ve fiziksel olarak ölen; ancak doğuda, şafakla birlikte Sabah Yıldızı olarak yeniden doğan Tüylü Yılan, kendini feda etmiş ve güneşin yeniden doğmasını sağlamıştır. Aynı mitin kimi versiyonlarında, Quetzalcoatl'ın bu özverisinin yine de her şeyi düzeltmeye yetmediğine ilişkin ifadelere rastlıyoruz. Evet, güneş doğmuştur, ama hiç hareket etmemekte, olduğu yerde çakılı kalmaktadır. Evrendeki düzen henüz tam olarak yerli yerine oturmamıştır yani. Bu durumda, kutsal ateşin önünde durumu izleyen diğer tanrılara da, Quetzalcoatl gibi, özveride bulunmak düşer: Onlar da kendilerini feda edecekler ve kozmik düzen yeniden sağlanacaktır. Zamanın devamı, ancak bu şekilde gerçekleşebilmiştir. Bu mit, özellikle Aztek kültüründe insan kurbanlarını açıklamak ve kutsamak için bol bol kullanılır. Tanrılar evrensel düzen için nasıl kendilerini kurban ettilerse, onun sürekliliğini sağlamak amacıyla da insanlar aynı şeyi yapacaktır!

Buradaki garip çelişkiyi gözden kaçırmak mümkün değil: Bir yandan zamanın devam etmesi ve işlemesi isteniyor, bir yandan da zaman çevrimlerinin sonunun gelmesinden müthiş korkuluyor. Çünkü çevrim bitimleri "dünyanın ve kozmosun yenilenmesi" anlamına gelir Orta Amerika'da ve bu yenilenme süreci büyük yıkımların sonrasında yaşanır. Dolayısıyla hem zaman işlemeli, evrende işler yolunda gitmeli ve süreçler yaşanmalıdır, hem de bu süreçlerin bitiminden korkulmalıdır. Açık-

2012: Marduk'la Randevu 387

lamak ve bir mantığa oturtmak çok kolay görünmüyor, ama aslında günlük yaşamda hepimizin tattığı bir paradokstur bu: Sürekli olarak zamanın işlemesini ister; okulu bitirmeyi, evlenmeyi, sonra çocuk sahibi olmayı, işimizde yükselmeyi iple çekeriz. Ama bütün bu süreç aslında sınırlı yaşam süremizin de giderek azalması anlamına gelir ve geçen zaman bizi ölüme yaklaştırır. Hem bunun farkındayızdır, hem de zamanın geçmesini istemeye devam ederiz. Orta Amerika'dakine benzer bir çelişki; neyse ki biz birbirimizi taş masalara yatırıp bıçakla kalp sökmeye çalışmıyoruz. (Aynı işlevi gören, daha yumuşak ve "insani" izlenim veren yöntemlerimiz var bunun için!)

Rahipler ve okültizm

Maya, Toltek ve Aztek düşünce sistemleri, evrenin bitmeyen bir yaratım-yıkım-yeniden yaratım süreci içinde olması ilkesine bağlıdır. Küçük zaman çevrimleri, küçük çaplı değişim ve yenilenmelere, dolayısıyla görece daha küçük yıkımlara neden olur onlara göre. Ancak evrendeki çarkların asıl belirleyicileri, büyük dünya çağlarıdır. Yani, eğer İ.Ö. 3113'te dünya büyük bir değişimin ardından (Tanrıların özverisinin de yardımıyla) yeni bir çağa başladıysa, bu çevrimin bitimi olan 2012 yılında da aynı şey yaşanacak; eskiye ait her şey yerle bir olurken, büyük afetler sonrasında hayatta kalanlar yeni bir çağa tanıklık edeceklerdir.

Bütün bunların, gökyüzü gözlemciliği ve matematik saplantısı içindeki bir toplumun kültüründe, bütünüyle astronomik dayanaklara sahip olduğunu hiç unutmamak gerek. Söz konusu evren modelini ortaya çıkaran felsefe, köken olarak çok net ve temel gözlemlere yaslanmıştır aslında: İlkin gökyüzünde başlayan, sonra dünyaya doğrudan etkide bulunan bir olay saptanmış; ardından bu olay bütün kozmolojinin temel ilkesini oluşturmuştur. Toplumsal yapı giriftleşip sınıfsal yapılar net biçimde ortaya çıkmaya başladıkça, evrensel bilginin sahibi olma ayrıcalığını edindikleri varsayılan "zaman izleyiciler", yani gökyüzü gözlemcisi astronom rahipler, otoritenin merkezine doğru yer almış ve iktidarla iç içe geçmiştir; çoğu eskiçağ devletinde olduğu gibi. Bu "gökyüzünü okuma" ayrıcalığı, sınıflar arası çelişkilerin keskinleştiği despotik yönetimlerde kralları başrahip haline getirirken, inanç sistemini derinden etkileyecek "kodlama"ları da başlatacaktır.

Astronom rahiplerin sahip olduğu bilgelik eğer toplumdaki mutlak iktidarın sahibi kralın elindeki güç haline geliyorsa, bu bilginin "çıplak gerçeklik" olarak bütün halk tarafından erişilir biçimde serbest bırakılması artık mümkün değildir. Dolayısıyla, bilemediğimiz kadar eski dönemlerde doğal gözlemcilik ve olgu izleme alışkanlığıyla başlayan evreni açıklama çabaları, neredeyse kaçınılmaz bir evrimden geçer: İlkin gözlem sonuçları ve çok basit de olsa, tutulan kayıtlarla nesnel bir evren gözlemi çıkar ortaya. Sonra zaman içinde bu bilgiye sahip olan ve bu alanda kendine "yatırım yapanlar", yani doğal süreçte kendiliğindenlikle öne çıkan astronom rahipler, bilgi avantajını korumak için yalın verileri perdeleyecek kodlara başvururlar. Olgular giderek mistik ve ilahi şifrelerle gizlenmiş biçimde anlatılmaya başlar ve şifreleri çözme yeteneği ancak "inisiye olmuş" rahip ve rahip adaylarına özgü bir ayrıcalıktır. Söz konusu kült, sınıfsal yapı içinde de bir ayrıcalık sağlamaya başladığında ve iktidarla iç içe geçtiğinde, artık "sırları koruma" yalnızca mesleki kaygılarla değil, sınıfsal kaygılarla, iktidarı koruma dürtüsüyle uygulanmaya başlar. Bundan böyle takvim ve gökyüzü bilgisi, kral denetiminde bir rahipler grubuna aittir bütünüyle. Çoğunluğu oluşturan ve bilgilendirilmemiş kitle, rahiplerin onlara sunduğu biçimiyle, "perdelenmiş" evren yorumlarına erişebilir ancak ki bu da yalnızca tapınım ve ritüelleri yerine getirmek içindir. Binlerce yıl önceden başlayarak izlenen göksel ve dünyaya ait olguların kayıtları, artık sıradan insanlara ve halka ancak birkaç kademeden geçmiş simgesel paravanlarla, karmaşık mistik anlatılarla iletilecektir.

Söz konusu süreç salt Orta Amerika'ya özgü değildir; bütün eskiçağ toplumlarında astronom rahip ayrıcalığının sınıfsal üstünlük ve iktidar paylaşımıyla örtüşmesi, evrene ilişkin yalın gözlemlerle edinilmiş ve binlerce yıl boyunca biriktirilmiş bilgi parçacıklarının mistik faktörlerle gizlenmesi sonucunu doğurmuştur. Bu kritik ve belirleyici olguya, din ve bilimin ayrışma noktası diyebiliriz. İlginç bir biçimde, modern, pozitivist bilim adamlarının çoğu kez bu olguyu gözden kaçırdıklarına tanık oluyoruz. Sözgelimi yirminci yüzyılın büyük düşünürlerinden Bertrand Russell bile, din ile bilim arasındaki kutuplaşmanın köklerine doğru yaptığı yolculuğu modern çağdan geriye doğru giderek gerçekleştirdiği için, saptamalarında Ortaçağ Hıristiyanlığına takılıp kalıyor ve sanki *en baştan beri var olan* bir bilim–din karşıtlığı üzerinde duruyor:

"Din ile Bilim, toplumsal yaşamın iki yönüdür. Bunlardan birincisinin önemi, insan düşüncesinin tanıdığımız ilk basamaklarından başlar, oysa ikincisi eski Yunan'da, Araplarda bir ara belli belirsiz ortaya çıkmış, sonra on altıncı yüzyılda birdenbire büyük bir önem kazanarak, o zamandan bu yana içinde yaşamakta olduğumuz düşünceleri, kurumları yoğuragelmiştir."[204]

Bu düşünce, iki kritik önyargı içeriyor: Birincisi, bilimin "bir ara eski Yunan'da ve Araplarda görünüp kaybolan" bir disiplin olup, gerçek formunu Rönesans sonrasında ve esas olarak sanayi devrimiyle birlikte bulması. İkincisiyse, dinin en eski evren yaklaşımı olarak mistik değerlerle birlikte baştan beri olması. Russell, bilim ve uygarlığı klasik Batı anlayışı içinde tanımlamaya eğilimli olduğundan, ilk bilimsel "çekirdeği" Yunan ve Arap toplumlarında görüyor ve bunu günümüz pozitivizminin kökeni olarak değerlendiriyor. Ona göre, Yunan ve Arap bilimi öncesinde var olan disiplinler, yalnızca ve yalnızca dogmatik dinler olabilir. Modern bilim, yani Batı uygarlığının temeliyse eski Yunan felsefesinde ve Arap matematiğinde, astronomisinde kırıntılar halinde başlar; gerçek formunu ancak Rönesans sonrasında, sanayi devrimini gerçekleştiren "modern toplum"da bulur. Bir başka deyişle, Yunan öncesindeki eskiçağ kültürlerinin tümü, din egemenliği altındadır ve dolayısıyla din, bilimden önce ortaya çıkmış bir disiplindir.

---

[204]Bertrand Russell, "Din İle Bilim", s. 11

Bütün düşünce sistemini, pozitivist yöntemle egemen din (yani hıristiyanlık) arasındaki çelişki üzerine oturtan Russell, eğer kökene doğru yaptığı yolculuğu modern çağdan geriye doğru sürdürmek yerine, doğrudan kökenden, en eskiden başlamayı deneseydi, elbette çok farklı yerlere varırdı. Ne var ki bunu yapmış göründüğü "Batı Felsefesi Tarihi" gibi bir temel yapıtta bile aynı önyargıları süzgeç olarak kullanmıştır. Kurumlaşmış, köklü ve güçlü dinsel yapıların bilimin önündeki engellerin en büyüğü olduğu konusunda Russell haklıdır elbette; ancak onun düşündüğünün aksine, hıristiyanlık, eskiden beri var olan bir dinsel motifin evrimleşmiş hali falan değil, bir doz daha ket vurulmuş versiyonudur. Önyargılardan sıyrılıp olgulara tüm çıplaklığıyla bakmaya çalıştığımızda şunu görürüz: İnsan davranışı ve güdüleri gözlemci, meraklı ve deneycidir –tıpkı bilim gibi. Dolayısıyla "en eski" atalarımızın "batıl inançlı vahşiler" değil, ampirik, her şeye ilgi duyan gözlemciler olduklarını kabul etmemiz gerekir. Çok temel olduğunu düşündüğümüz kimi buluşlar da (tarım, el baltası, tekerlek gibi) ancak bu doğal güdüler sayesinde gerçekleştirilebilmiştir. Ne var ki, ilkel komünal yapı doğal süreçleri içinde çözüldükçe ve sofistike hale gelen toplumsal yaşam "iktidar" olgusunu dayattıkça, sınıfsal çelişkiler, sahip olunan bilginin "evren gözlemi"yle ilgili olan parçalarını günlük yaşamın pratik bilgi birikiminden koparma eğilimi içine girmişlerdir. Artı-ürünü sağlayan teknik bilgiler (yine denetimli olmak koşuluyla) paylaşılır, çünkü üretim ve rant gerekmektedir iktidar sahiplerine. Ama antik bilginin gökyüzü ve evrenle ilgili olan parçaları, koparılıp ayrı bir odağa yerleştirilir: Bu odak, o gözlem birikimine, bilgiye ve kayıtlara sahip, ayrıcalıklı insanlar, yani astronom rahiplerdir.

Kralın iktidar ortağı olan rahipler, evren, zaman ve takvimle ilgili çıplak gerçeği geniş kitlelerden saklamak ve bir tür "ilahi ayrıcalık" halinde ellerinde tutmak için, göksel olguları büyülü bir perdeyle örterler; bu perdenin ardına ustaca gizlenmiş evren felsefesi, artık simgelere boğulmuş "okült" bir anlayışa dönecektir. Rahip ayrıcalığı, bununla da yetinmez: Bilginin ancak "inisiye"lerin anlayıp ayıklayabileceği biçimde kodlanması ve kitlelere simgelerle yüklü bir versiyonunun sunulmasının yanı sıra, bunun tek gerçeklik olarak kabul edilmesini güvence altına almak üzere, *gökyüzü ve evrenle ilgili gözlem ve araştırmalar yasaklanır.* Hemen bütün eski toplumlarda gördüğümüz bu eğilim, evrenle ilgili bilgiyi salt rahiplere özgü hale getirecektir doğal olarak. Kitlelere sunulansa bunun, kafa karıştırıcı biçimde simgelerle yoğrulmuş, üzeri örtülmüş, ilahi güçlerle ilişkilendirilmiş, zaman içinde anlamını yitiren ritüellerle renklendirilmiş bir versiyonu, yani "din"dir.

Çoğu antik toplumda krallar, tanrıların da temsilcisi olarak dini kurumun başında yer alırlar. Toplumsal yapı karmaşıklaşıp, hem devletin yapısı hem de iktidardan elde edilen rant büyüdükçe, din kurumunu teslim alanlar da, iktidar mücadelesi içinde, var olan felsefe ve uygulamalarda değişikliklere gitmeye çalışmışlardır. Bazen bu değişimler "devrimci" nitelikler bile taşıyabilir kimilerine göre. Ancak bir temel yöntem hiç değişmez: Din içinde reformlara gidenler ya da yeni ve büyük dini akımlar yaratanlar, teslim aldıkları geleneğin temel ilkesine bağlı kalarak, "perdeleme" sistemini sürdürürler. Dolayısıyla Russell'ın hesaplaştığı hıristiyanlık, en az üç ya da dört kez şifrelenmiş, tarih öncesi kökenli kozmolojik yaklaşımdır aslında. Bunca filtreden sonra, atalarımızın gözlem ve basit kayıtlara dayanan kozmolojileri, beş bin yıllık bir sürecin bitiminde "teslis" (trinity) gibi, din adamlarının bile içinden çıkamadığı paradoksları yaratmıştır.

Orta Amerika'da göksel bilginin simgelerle perdelenmesi süreci, söz konusu toplumlar görece daha izole yaşadıkları için, dış etkilerle fazla değişmeksizin aynı temalar ekseninde varlığını sürdürür. Bin yıllara dayanan zaman ölçüm ve sayım geleneğiyle, ayrıntılı gökyüzü gözlemciliği alışkanlığı, rahiplik zanaatının merkezinde yer alan "çekirdek" olmuştur hep. Aynı şekilde, bu çekirdeğin şifrelenmesinde de sürekli aynı temalar kullanılır: Evrensel düzenin devamı için kendini feda edip gökyüzüne çıkan ve sabah yıldızı olarak beliren tanrı ya da uzlaşmaz çelişkilerini bir gökyüzü savaşıyla ile çözmeye çalışan; buna rağmen göklerin ve zamanın efendiliğini birlikte yürütmek zorunda olan karşıt tanrılar gibi. O halde yapılması gereken, çıplak gözlem kayıtlarının ve bilginin üzerini örten perdeleri ortadan kaldırmak; dolayısıyla sisleri dağıtmak için mitlerdeki mistik simgelerle donatılmış olguları yeniden ait oldukları yere, gökyüzüne taşımaktır. Tıpkı, "ilk zaman"da olduğu gibi.

Venüs'ün bilinmeyen serüveni

İçinde bulunduğumuz Beşinci Çağın başlangıcı, Mayalara göre İ.Ö. 3113 yılının Ağustos ayıdır. Gökyüzünün o günlerdeki görünümünü yeniden canlandırmayı sağlayan bilgisayar yazılımlarıyla takvimin başlangıcı olan 13 Ağustos İ.Ö. 3113 tarihine gittiğimizde, Venüs'ün sabah yıldızı olarak Aslan takımyıldızının ayakucunda yükseldiğini görüyoruz. Bu, mitlerde "kendini feda eden Quetzalcoatl'ın göklerde yeniden canlandığı" andır. Ancak Mayalar, büyük olasılıkla Olmeklerden devraldıkları bir yaklaşım uzantısında, son çağın başlangıcını işaretleyen bu güne ayrıca "Venüs'ün doğumu" adını da yakıştırırlar. Şimdi, bu perdelenmiş mitlerden "ters filtreleme" yoluyla perdeleyici unsurları arındırmaya çalışalım: Kendini kutsal ateşe atan Quetzalcoatl çok uzun süren ve tanrıları bile kaygılandıran bir kaos dönemini bu özverisiyle noktalamış ve yeniden doğuşunu Venüs kimliğiyle şafak göklerinde gerçekleştirerek evrenin yeniden düzene kavuştuğunu müjdelemiştir. Diğer yandan, yine "takvim bilimine" göre 13 Ağustos İ.Ö. 3113 günü, Venüs'ün doğduğu gündür. Bundan nasıl bir sonuç çıkarılabilir? Mitsel unsurlar ayıklandıktan sonra, söylenebilecek bir tek şey vardır aslında: O tarihten önce Venüs "doğmamıştır", yani, bilinen, alışılmış yörüngesine ve düzenine Venüs, ancak sözü edilen tarihte yerleşmiştir! İki doğum birden söz konusudur burada: Hem bir gök cismi olarak Venüs'ün, Merkür'le Dünya arasındaki bildiğimiz yörüngesinde huzur bularak yerleşmesi, hem de Quetzalcoatl'ın sembolik yeniden doğumu.

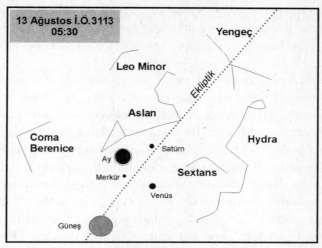

Şekil 12: "Beşinci Güneş" başlangıcında (13 Ağustos İ.Ö. 3113) doğu gökleri

Venüs İ.Ö. 3113 öncesinde, bugün bildiğimiz yörüngesinde değilse, hangi konumdaydı? Quetzalcoatl, göklerde yeniden doğmadan önce, yani büyük özveriyi gerçekleştirmesinin arifesinde, neredeydi? Bu soruların yanıtları, Olmek-Maya-Toltek-Aztek kültürlerindeki okült unsurları ayıklayıp, kökendeki göksel olayları ortaya çıkaracak biricik ipuçlarıdır. Gök tanrısının verdiği kesin hükümle, Tezcatlipoca ile birlikte gökleri ve zamanı yöneten Quetzalcoatl, bu mantığa göre Venüs olarak yeniden doğumundan önce de göklerdeydi ve elbette bir gök cismiydi. Yani Venüs 13 ağustos 3113 günü "bir başka görünümle" yeniden doğmuş olsa bile, göklerdeki bilinen gezegenlerden biriydi; ancak, *farklı bir konumda, farklı bir yörüngeyi izliyordu.* Bu kritik tarihte, göklerdeki yeniden doğuşunun hemen öncesindeyse, tanrıları bile ürküten bir kaos vardı. Diğer mitlerden biliyoruz ki, Tezcatlipoca gelip kendini kabul ettirdikten ve egemenliği hileyle ele geçirdikten sonra, onunla aynı çatı altında kalamamıştı Quetzalcoatl. Demek ki, farklı bir konumda ve yörüngede seyreden Venüs, onu "rahatsız edecek" bir göksel karşılaşma sonrasında ortadan kaybolmuş; evrende bir kaos dönemi yaşanmaya başlamış; bunun dehşet verici sonuçları dünya üzerinde de görülmüş ve nihayet, Quetzalcoatl'ın yeniden doğması gibi, kararlı yörüngesine oturup sabah yıldızı olarak göklerde belirmişti.

Peki Venüs daha önce neredeydi ve nasıl bir olay sonrasında yörüngesi değişmişti? Quetzalcoatl, rakibi (ve aslında göklerdeki ortağı) Tezcatlipoca ile nasıl bir karşılaşma yaşadı ki sonunda ortalardan kayboldu? Bu sorulara verilecek yanıtlar da, mitlerdeki perdeleri kaldırma işlemini bir sonraki aşamaya taşıyor:

Quetzalcoatl, zamanı ve gökleri birlikte yürüteceği Tezcatlipoca'yla, *kendi hükümranlık* alanında karşılaştı. Yerini terk etmesine neden olan etken de, küçük çaplı, kısa süren bir göksel savaştı. Sonuçta, net olarak yenilmiş sayılmasa bile "kendi krallığındaki otoritesi" sarsıldığı için, oralardan uzaklaştı. Perdeyi çektiğinizde, bunun bir tek açıklaması vardır: Şimdikinden daha farklı bir yörüngede olan Venüs, aynı doğrultudan yaklaşan bir başka büyük gök cisminin güçlü çekim etkisiyle, yörüngesinden çıkmış; dolayısıyla Quetzalcoatl bulunduğu yerden uzaklaşıp gözden kaybolmuştur. Uzun süren kararsız hareketleri ve göklerdeki düzensiz yolculuğu, mitlerde tanrıları bile kaygılandıran kaos dönemine denk düşer. Yörüngeden çıkışa neden olan çarpışmanın, dünyada da şiddetle hissedilen etkiler yarattığını kolaylıkla öngörebiliriz: Ürkütücü meteor yağmurları ve sisteme güçlü bir gök cisminin beklenmedik girişiyle ortaya çıkan, çekim etkisine bağlı gelgit olayları gibi. Sonuçta Venüs, bugün bildiğimiz yörüngesine oturmuş ve sabah yıldızı olarak yükselişi de kaosun bitimini, yeni çağın başlangıcını müjdelemiştir. Bu durumda bir sonraki soru belirir: Venüs'ü eski yörüngesinden "kovan" büyük ve güçlü gök cismi nedir? Başka bir ifadeyle, Quetzalcoatl'ı kovan Tezcatlipoca kimdir? Yanıtımız, okurun kolayca tahmin edebileceği gibi Nibiru/Marduk olacaktır; yani, güneşin çevresini 3661 yıllık sıradışı yörüngesini tamamlayarak dönen, efsanevi onuncu gezegen.

Varsayımlara dayanarak da olsa, açıklayıcı bir model oluşturmak mümkündür: Venüs, binlerce yıl önce, Mars ile Jüpiter arasındaki (bugün "asteroid kuşağı" olarak bildiğimiz) konumda, farklı bir yörünge izliyordu. 3661 yılda bir sistemimize yaklaşıp, her yörünge geçişinde ciddi sorunlara neden olan onuncu gezegen Marduk, sondan bir önceki geçişinde, Venüs'e tehlikeli biçimde yakınlaştı. Bu tarih, bizim Marduk'la ilgili yörünge hesabımıza göre yaklaşık olarak İ.Ö. 5310 olmalıdır. Yakınlaşmanın sonucunun, iki gezegenin doğrudan çarpışması olmasa bile, uydularının çarpışması, en azından çok tehlikeli yakın geçişleri olduğunu düşünmek mümkündür. Bu çarpışmalar (belki göksel ölçeğe göre "itişmeler" demek daha uygun olur) sonrasında Venüs ciddi yaralar alıp yörüngesinden çıkarken, Marduk da olasılıkla uydularından birini kaybetmiştir; tıpkı, yeraltı suları canavarı timsaha bir bacağını kaptıran Tezcatlipoca gibi. Çarpışmanın kalıntıları, Venüs'ün eski "hükümranlık alanında" kalan ve dağılan uydu(lar)ın artıkları olan molozdur: Yani, asteroid kuşağı. Marduk, yani Tezcatlipoca bir süre sonra savaş alanından uzaklaşır; Venüs, yani Quetzalcoatl ise 2200 yıl süren uzun, kararsız turlarının sonunda, eskisinden daha parlak ve etkileyici bir görüntüyle şafak göklerinde yeni yörüngesine oturmuş olarak belirir.

Bu göksel olayın, henüz sosyalleşmeye yeni başlayan ve yerleşik yaşamın ilk örneklerini veren; tarımı keşfetme aşamasındaki atalarımızı derinden etkileyeceğini rahatlıkla söyleyebiliriz. Çok büyük olasılıkla o muhteşem göksel olay kuşaklar boyu sözlü gelenekle aktarılmış; çarpışmadan itibaren geçen yıllarsa, olasılıkla, güneş yılını fark etmiş olan bilgelerce ağaç kütüklerine, tahta parçalarına ya da taşlara atılan çentikler aracılığıyla sayılmıştır: Tam iki bin iki yüz yıl boyunca, bir tür ritüel halinde yapılmış olmalıdır bu işlem. Bu çok uzun süre boyunca zaman zaman etkileri sertçe hissedilen göksel kaos, Venüs'ün dünyaya eskisinden çok daha yakın bir konuma gelmesi sırasında, altüst olan iklim dengeleri sonucu yaşanan bir büyük afetle, Tufan'la son bulmuştur. Kurtulanlar, atalarından aktarılan gelenekle çarpışmadan itibaren geçen yılları çentiklerle hesaplamayı sürdürürlerken, bu yeni büyük afeti de "ajandalarında" işaretlerler: Artık tufan da belirleyici bir olgu olarak dikkate alınmaya başlamış ve hesaplara dahil edilmiştir. Çünkü, bütün o korkunç sellere, kabaran sulara rağmen, bu olayın sonunda kaos sona ermiş ve yeni dönemin başlangıcının göklerdeki işaretçisi de Venüs olmuştur: Yani, Quetzalcoatl'ın yeniden doğuşu. Astronomik hesaplar ve takvim konusunda saplantılı olan Orta Amerika halklarının, Olmeklerin de ataları olan "eskiler" tarafından onlara miras bırakılan, çetelesi tutulmuş iki büyük olayın kayıtlarını izlemeyi sürdürdüklerini düşünebiliriz.

Çok uzaklarda kalan göksel çarpışmanın izleri, toplumsal bellekten silinmiş olsa bile "perdelenmiş mitler" halinde yaşamaktadır; üstelik üzerinden kaç yıl geçtiği de bilinmektedir kayıtlar sayesinde. Tufan ve ardından Venüs'ün göklerdeki yükselişi, çok daha taze ve "çağ başlatan olay" olarak Orta Amerika kayıtlarında yerini alır. Aradan yüzyıllar geçtikten sonra, İ.Ö. 1650'de atalarından dinledikleri "göklerdeki kötü tanrı" bir kez daha çıkar ortaya. Yaşadıkları bölge, depremler ve yanardağ patlamalarıyla sarsılmaktadır. Değişik yerlerden kaçanlar, La Venta'nın görece huzurlu ortamında bir araya gelirler ve ellerindeki bilgi parçalarını birleştirerek kozmolojilerini netleştirirler: Takvim yapmak ve bunun ayrıntılarını dikkatle hesaplamak, yaşamsal önem taşıyan bir olgudur artık. İçinde bulundukları yeni çağ, Tufan'la başlamıştır; ancak Quetzalcoatl'ı yerinden eden güçlü tanrının hangi aralıklarla ortaya çıktığını artık hesaplayabilmektedirler, çünkü atalarından aktarılan "göksel çarpışma" kayıtlarından bu yeni belirişe dek geçen zaman, 3661 yıldır. Bu veriden yola çıkarak, gezegenin ne zaman geri döneceği hesaplanır: Bizim takvimimize göre 2012 yılına denk gelen bir tarihtir bu. O halde, söz konusu çevrimin tamamlandığı tarih, büyük depremler ve yıkımlarla gelecek bir dönemi işaretlemektedir yine: Bu, atalarının Tufan'la başladığını söyledikleri son çağın noktalanışı olacaktır. Bir önceki bölümde ayrıntılarını anlattığımız, 20 ve bir kez de 18 rakamları kullanılarak oluşturulan takvim ortaya çıktığında, çağın başlangıcı, kullanılan birimlere uygun olarak en yakın tarihe işaretlenir: Bu, artık çok iyi bildiğimiz 13 Ağustos 3113 tarihidir ve tam 13 Baktun, yani 1,872,000 gün sonra, 23 Aralık 2012'de bitecek bir çağın ilk günüdür.

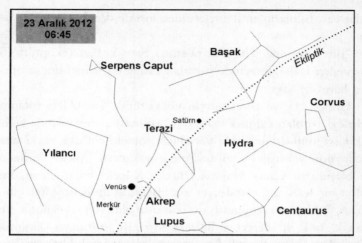

Şekil 13: "Çağ bitimi"nde (23 Aralık 2012) doğu gökleri

Böylece ünlü Maya takvimi, dolaylı olarak onuncu gezegenin yörünge periyodu tarafından belirlenmiş olmaktadır, ama bir farkla: Ortaya çıkan astronomik hesaplarda başrolü Venüs oynamakta, böylece melez bir "Venüs–Marduk kültü" çevresinde merkezlenen bir evren modeline varılmaktadır.

Büyük oranda varsayımlardan yola çıkarak kurguladığımız bu "çağlar takvimi" senaryosu bire bir gerçekleşmiş olmasa bile, olayların buna yakın bir seyir izlediğini tahmin ediyorum. Venüs'le ilgili farklı eskiçağ kültürlerinde yeşermiş mitler ve kimi astronomik kayıtlar, bunun sanıldığı kadar spekülatif bir yaklaşım olmadığını düşündürecek oranda ilginç. Aynı şekilde, esas olarak Mezopotamya kültürlerinde yaşatılan onuncu gezegen Marduk düşüncesi de tezimizi destekliyor. Maya mitlerindeki Tezcatlipoca – Quetzalcoatl kutuplaşmasını dile getiren kimi ilginç ayrıntıları da bunlara ekleyebiliriz. Sırasıyla gidelim.

Yaklaşık 12. yüzyıla ait bir astronomik kayıtlar tablosu, çok sayıda ayrıntılı gök haritası ve değişik çağlarda tutulmuş, gezegen hareketlerine ilişkin kayıtları içeriyor. Çin'de keşfedilen ve *Soochow Astronomi Haritaları* olarak bilinen bu dokümanlarda, yazıldıkları çağdan çok daha eskilere dek giden astronomik kayıtlar var. Bunların en ilginçlerinden biri de, Venüs ile ilgili olanı:

"Bir keresinde T'ai-P'ai (Venüs) Sarı Yol'un (ekliptik) 40 dereceden fazla güneyinde yer alan Hsing'e (Sirius) doğru aniden harekete geçti..."[205]

Güneş, Ay ve gezegenlerin gökyüzünde izledikleri rotanın belirleyicisi olan ekliptik (tutulum çemberi) aynı zamanda zodyak kuşağının da üzerinde yer aldığı göksel "yol"dur ve 12 ana takımyıldız yaklaşık bu yol üzerinde sıralanırlar. Ancak, Sirius'u da barındıran Canis Majoris (Büyük Köpek) takımyıldızı, bu yolun bir hayli güneyinde yer alır. Belgede de belirtildiği gibi, Sirius Yıldızı'nın konumu söz konusu olduğunda ekliptik ile aradaki fark 40 dereceyi bulmaktadır. Bu durumda, ekliptik üzerinden giden düzenli bir yörünge izlediğini bildiğimiz Venüs gezegeninin Sirius'a doğru harekete geçtiği bilgisi üzerine söylenebilecek iki şey var: Ya bu tümüyle "uydurma" bir bilgidir ya da bilinmeyen, eski bir dönemde Venüs ekliptik üzerinde gitmek yerine onu kesen bir yörünge izlemiştir. Soochow kayıtlarında Venüs'ün bu düzensiz hareketi, bir kez gerçekleşmiş bir olgu gibi anlatılır. Ancak sekizinci yüzyıla ait bir başka Çin astronomik belgesinde "Venüs'ün Sirius'un önüne dek giderek onun ışığını perdelediğinden" söz edilmektedir. Bir tür "Sirius Tutulması"dır yani anlatılan. Her iki kaynakta da, zamanı net olarak belirtilmeyen, çok eski gözlemler olarak sunulan bu olgular, yalnızca sözlü gelenekle yayılan efsaneler midir, yoksa gerçekten Venüs, bilinmeyen eski dönemlerde Sirius'un yanına gidecek denli farklı bir yörünge mi izlemiştir?

Fatihler döneminin yükselişi sırasında Meksika'ya gelen ünlü tarihçi Bernardino de Sahagun, Aztek kültürünün ayrıntılarını derlediği çalışmasında[206] Venüs gezegenine verilen bir adın da "Tüten Yıldız" (La estrella que humeava) olduğundan söz eder. Benzer biçimde, Tezcatlipoca'nın bir bacağının "puslu ay-

---

[205]W. Carl Rufus - Hsing-Chih Tien, "The Soochow Astronomical Chart", s. 5.
[206]Bernardino de Sahagun, "Historia General de las Cosas de la Nueva Espana"

na" ya da daha farklı bir çeviriyle "dumanlı ayna" olduğunu biliyoruz. Gökyüzündeki bir gezegen için kullanıldığında "tütmek" fiili akla ilkin arkalarında uzayan "duman" ile beliren kuyrukluyıldızları getiriyor. Ancak Orta Amerika astronomilerinde kuyrukluyıldızların iyi tanındığını ve onları belirtmek üzere özel bir glif bile kullanıldığını biliyoruz. O halde Venüs'ün "tüten yıldız" olarak anılması bir kuyrukluyıldıza gönderme yapmak değil, Venüs'ün belli bir dönemdeki halinin kuyrukluyıldıza benzediğini vurgulamak amacını taşıyor olabilir. Burada ilginç olan, karşıtı Tezcatlipoca'nın da "dumanla gölgelenmiş ayna" biçiminde bir bacağa sahip olmasıdır. Göksel bir çarpışma sonrasında ortaya çıkabilecek alev, meteorik toz bulutu ve gaz kütlesini akla getirmek için düşgücünü çok da fazla çalıştırmaya gerek yok. Ardında sürüklediği çarpışma artığı molozlardan ve alevden oluşmuş uzun "kuyruk"la Venüs elbette bir kuyrukluyıldız olarak değil, "tüten yıldız" ya da gökteki hareketiyle "tüylü yılan" olarak algılanacaktı. Aynı şekilde bu sürüklenen dumanlı ve yılansı kuyruk, Tezcatlipoca'nın, yani bizim tezimize göre Marduk'un da parlaklığını ve uydularını "puslu ayna" haline getirecek biçimde gölgeleyecekti. (Çok benzer biçimde, İnka kültüründe de Venüs'ün ilginç çağrışımlar yaratmaya aday bir adı var: Kendisi de İnka soyundan gelen on altıncı yüzyıl tarihçisi Garcilaso de la Vega, gezegenin "uzun ve kıvırcık saçlı" anlamına gelen *Chasca* adıyla anıldığını yazıyor.[207] Bir gök cisminin böyle adlandırılabilmesi için, görünüşünde "uzun ve kıvırcık saç" imgesi yaratmaya elverişli bir sıradışılık olması gerekirdi, diye düşünüyorum.)

Ana Tanrıça'ya "hükümet darbesi"

Eski Yakındoğu astronomilerinde Venüs, tıpkı Meksika'da olduğu gibi en çok önem verilen gök cisimlerinden biridir. Güneş ve Ay'dan sonra gökteki en parlak nesne olmasının yanı sı-

---

[207]Anthony F. Aveni, "Stairways To The Stars", s. 151

ra, Merkür'den sonra güneşe en yakın gezegendir ve hem sabah hem de akşam yıldızı olarak belirerek zaman hesaplamaya yardımcı olacak ilginç bir yörünge hareketine sahiptir. Bu dikkate değer konumu, elbette onu bölge mitolojilerinde ve inançlarında da çok özellikli bir yere taşır. Ancak yine de Venüs'ün Mezopotamya panteonundaki karşılığı olan İnanna/İştar, "En Büyük Tanrı" payesini alamamış ve çok önemsenmekle birlikte Enlil ya da Enki'nin yanında hep ikinci derecede kalmıştır. Oysa Sümer ve Babil'de onu temsil eden gezegen, göklerde bugünkünden çok daha az parlak görünürken, çünkü çok daha uzaklardayken bile, Tanrıça yeryüzüne egemen olan en güçlü göksel varlıktı.

Eski Mezopotamya ve Anadolu'daki ilk tarım yerleşimlerinde karşımıza çıkan "Ana Tanrıça" figürünün ardında "Ay kültü"nün olduğunu düşünmek için yeterince nedenimiz var. O hem gökleri parlak ışığıyla kat eden bir zaman ve verimlilik simgesidir, hem de doğurgan kadınlığın göklerdeki yansısı. (Ay'ın bir tam döngüsü olan 29.5 gün, en eski toplumlarda menstrüasyon–âdet döngüsüyle özdeş görülmüştür.) Bu nedenle, güçlü ve saygın bir ilahi varlık olarak betimlenen (Anadolu ve Yakındoğu'nun çoğu yerinde yüzlerce örneği bulunmuş) heykelcik ve idollerindeki imajının, bölgedeki anaerkil yapıya ideolojik dayanak sağladığını belirtebiliriz. En bilinen Ana Tanrıça heykelciklerinde, ayaklarının dibinde usulca bekleyen bir aslan eşliğinde doğum yapan iri yapılı, heybetli bir kadın figürü çıkar karşımıza. Söz konusu kültün en yaygın olduğu antik yerleşimlerin başında, Konya'da Çumra yakınlarındaki Çatalhöyük gelir. 1961'de bölgede ilk kapsamlı kazı çalışmasını gerçekleştiren arkeolog James Mellaart, elde ettiği bulguları "Earliest Civilizations Of The Near East" (Yakındoğu'nun En Eski Uygarlıkları) adlı kitabıyla sunar bilim dünyasına.

"[Mellaart] 'Sanatın ilk ortaya çıkışı hayvan oymaları ve en yüce tanrı, Ana Tanrıça yontucukları biçiminde olmuştur' diye yazar. 'Yedi bininci yılda Çatalhöyük'te en büyük tanrı, Tanrıça'ydı' der. İ.Ö. 5800 dolaylarında yaşayan bir cilalı taş çağı topluluğunun eski Hacılar yerleşimini anlatırken 'Yontucukların

Tanrıça'yı tanımladığına, erkeğinse yalnız çocuk ya da sevgili olarak ikinci işlevde görüldüğüne' dikkat çeker."[208]

Çatalhöyük ve (Burdur yöresindeki) Hacılar, Anadolu'daki eski yerleşimlerdir; ancak "tarih öncesi"nin Tanrıça kültü üstünlüğünü sergileyen kentlerine Anadolu'nun uzağında da rastlarız. Kenan bölgesinin en eski yerleşimi olan ve İ.Ö. 7000'lere dayanan Eriha (Jericho) kentinin ilk katmanlarına ait kazılarda o denli çok Tanrıça heykelciği bulunmuştur ki, kentte o dönemde Ana Tanrıça (ve muhtemelen Ay) kültünün egemen olduğu neredeyse kesindir.

Büyük tufanı izleyen dönemde, yaklaşık İ.Ö. 3000'lerde bölgede ilk büyük krallıklar oluşurken, toplumsal yapının erkekegemen bir ideoloji çerçevesine doğru oturmaya başladığına tanık oluruz. Ancak yine de, güçlü tanrıça figürü ortadan kaybolmamış, astronomik ve doğal olguların örtülü versiyonu olan yerel dinlerin panteonlarında kendine sağlam bir yer bulmuştur. Mezopotamya'da oluşan Sümer krallıklarında bu tanrıça, İnanna adıyla çıkar karşımıza. Büyük Gök Tanrısı Anu'nun oğulları Enlil ve Enki kadar güçlü ve forslu olmasa da, aklını, güzelliğini ve savaşçılığını kullanarak zaman zaman onlara üstün gelmeyi bilecektir. Ne var ki, Tanrıça'nın astronomideki karşılığı konusunda oldukça radikal bir değişim yaşanmış ve Ay artık "eril" niteliklerle anılmaya başlarken, bir "erkek tanrı"yı, yani Nanna'yı simgeler hale gelmiştir aniden. Tanrıça'nın göklerdeki simgesi, bundan böyle "Ay Tanrısı Nanna"ya ait olacaktır. İnanna'ysa, panteonda "Nanna'nın kızı" olarak belirecek ve göksel karşılığını da dünyaya çok yaklaştığı için iyice parlak hale gelen, "Sabah ve Akşam yıldızı" Venüs'te bulacaktır. İnanna Utu'nun, yani "Güneş tanrısı"nın da kardeşi olduğu için, elbette çok büyük bir "düşüş" değildir yaşadığı. Yine çok önemsenmekte ve göklerdeki parlak yıldızla eş görülmektedir ama artık "Ay Tanrıçası" değildir.

İnanna'nın "uygarlık sanatları ve bilim" olarak niteleyebileceğimiz Me'leri, Eridu'daki Enki'den onu kandırarak alıp ken-

---

[208]Merlin Stone, "Tanrılar Kadınken", s. 55-56

di kenti olan Uruk'a taşımasını anlatan mitten söz etmiştik. Bu aslında, bölgedeki ilk yüksek uygarlığı Samilerle melez bir kültür oluşturarak yaratan Batı İran kökenli aryanların erkek-egemen ideolojilerine karşı, Ana Tanrıça'ya bağlı göçmen savaşçı Sümerlerin zaferiydi. Uruk kentiyle başlayan fetih sürecinin sonunda Aşağı Mezopotamya, bütünüyle Sümer egemenliğine girdi üçüncü bin yılın başlarında. Kentlerin sahip olduğu "Me'ler" yani uygarlık ve bilgelik de bu toplumun eline geçti. İnanna'yı bu nedenle kimi zaman Enki'yi, hatta kimi zaman da büyük gök tanrısı Anu'yu yanına alarak gücünü koruyan bir tanrıça olarak görüyoruz erken Sümer kentlerinde. Bu ilk dönemlerde, güzellik ve aklının yanı sıra, net biçimde "savaş tanrıçası" olma niteliğini de sürdürüyor.

Ancak egemen üretim ilişkilerindeki, dolayısıyla siyasal yapıdaki iktidar eksenli değişimlere paralel olarak İnanna'nın yavaş yavaş savaşçı kimliğinden uzaklaştığına, daha "kadınsı" öğelerle anılmaya başladığına tanık oluyoruz. İ.Ö. 2000 dolaylarının Babil'inde İştar adıyla anılmaya başlayan tanrıça, gücünü ve forsunu korusa da artık savaştan çok verimlilikle iç içe geçmeye başlamıştır. Kralların (ünlü Sargon da bunlara dahildir) koruyucusudur İştar. Çapkın, baştan çıkarıcı, ihtiraslı ve sevecendir, ama tam anlamıyla "egemen" değildir artık. Yavaş yavaş, aşkın, şarabın, güç tutkusunun ve cinsel ihtirasın simgesi haline gelmeye başlamıştır. İnanna ve İştar'a biçilen kadınlık modelinde "doğurganlık" ve bağlılık yoktur; çünkü bu roller insanın yaratılışında başrolü oynayan ve bir inek glifiyle temsil edilen Ninmah/Ninhursag'a verilmiştir. Tanrıça geri çekilirken, tanrılar da ağırlıklarını koymaya başlarlar: Değişim hem göklerde yaşanmıştır, hem de yeryüzündeki sosyal/siyasal süreçlerde. Bundan böyle Yakındoğu'da "güçlü kadınsı imgeler", erkeklerin arzuladıkları ve uygun gördükleri biçimde ortaya çıkacaktır: Hoppa, güç ve iktidar ihtirası içinde, seksi, akıllı ve güzel kadın. (Beş bin yıl sonra durumun hâlâ aynı olması insanı ürkütmüyor değil!) Göklerde de benzeri bir dönüşüm yaşandığı düşünülmüş; Ay erilleştirilirken, göklerdeki savaşı yitirip sabah ve akşam yıldızı olmakla yetinen Venüs'e tanrıçalık uygun görülmüştür.

Mezopamya'da Sümer kent-devletlerinin örgütlenme biçimlerinde iki değişik form çıkıyor karşımıza. Bunlardan ilki, astronom-rahip sınıfına bağlı, dinsel tabanlı bir yönetsel yapı olan genel valilik ya da bilinen adıyla "patesi"lik. Süreç içinde, erkeksi unsurlar ve savaşçılığın ağır basmasıyla birlikte de, bir başka form olan "lugal" modeli ortaya çıkıyor. Lugallik, askeri yetkeye dayanan bir yönetim çekirdeği anlamına geliyor. Sümer kent devletlerinde zaman ilerledikçe lugal ve patesi sistemlerinin iç içe girdiğini ama patesiliğin eriyerek ilksel niteliklerini yitirmeye başladığını görüyoruz:

"*Patesi*'lik din erkine dayanıyordu, *lugal*'likse askeri güce. Bu ayrım, krallığın anaerkil düzenin gerileme sürecindeki olağan gelişmesine uygundur. Sümer tarihinin başlarında, Lagaş *patesi*'si Lugalanda'nın karısı Baranamtarra'nın kenti kocasıyla ortak yönettiğini görüyoruz. Saygın 'Kadın' sanını taşıyan Baranamtarra'nın, *patesi*'nin 'Erkek Ocağı'ndan ayrı olarak kendi maiyeti, 'Kadın Ocağı' var. Bir sonraki *patesi* Urugakina'nın karısı da aynı konumdaydı. Adı Şagşag, sanıysa 'Tanrıça Bau' idi. Devletin baş yöneticisine Lugalanda yönetiminde 'Kadın Ocağı Yazmanı', Urugakina yönetimindeyse 'Tanrıça Bau'nun Yazmanı' deniyordu. Demek ki her iki yönetimde de *patesi*'nin karısının maiyetindeydi baş yönetici. Dahası, her iki yönetimde de *patesi*'nin karısı adına tarih düşülmekteydi. Bütün bunlar, Langdon'ın da belirttiği gibi, *patesi*'nin yalnızca bir eş olduğunu, gerçek yetkeninse karısının elinde bulunduğunu gösteriyor."[209]

Mezopotamya'da ağırlığını artıran erkek-egemen ideoloji uzantısında, göklerdeki değişimin biraz daha farklı algılandığını görüyoruz: Ay erilleştirilirken Venüs tanrıçayla eşleştirilir ve Marduk'la savaşan İnanna/İştar, burada "savaşı kaybetmiş" olarak değerlendirilir gizliden gizliye. Meksika'da Venüs, savaştan yara alarak ama muzaffer çıkmış, göklerde Quetzalcoatl'ın yeni doğumu (reencarnation) olarak belirmiştir. Oysa Yakındoğu'da

---

[209]George Thomson, "Tarih Öncesi Ege I", s. 200-201

bu, tam anlamıyla yenilgi olmasa bile en azından "statü kaybı"dır belli ki.

"Öncülleri Sümerlerle kıyaslandığında Babilli kadınlar yüksek toplumsal konumlarını yitirmelerine karşın yine de belirli bazı bağımsızlık haklarını elde tutmayı sürdürüyordu —Babilli kadınların bu konumu yitirmelerinin yanında, söylencelerde kendi konumunu güvenceye alıp, durumunu iyileştirmek için Yaratıcı Tanrı Tiamat'ı öldürdüğü söylenen Marduk gibi erkek tanrıların üstünlük kazanması da yer alıyordu."[210]

En eski Sümer versiyonlarına ne yazık ki ulaşılamayan, Babil Yaratılış Destanı'ndan, yani ilk dizesinden aldığı popüler adıyla Enuma Eliş'ten daha önce söz etmiştik. Güneş sisteminin oluşumunu ve gezegenlerin "kader tabletlerine", yani yörüngelerine kavuşmalarını anlatan bu epik destanda Marduk, evrensel düzenin sağlayıcısı olarak başrolü üstlenir. Bütün destan, uzaklardan gelen büyük tanrı Marduk'un, güneş sisteminde (yani evrende) kaosa neden olan canavar tanrıça Tiamat'ı yenmesi ve iki parçaya ayırması üzerine kuruludur. Söz konusu destanın yoğun simgelerle güneş sisteminin düzene girmesine yönelik Babil felsefesini anlattığından bilim adamlarının kuşkusu yoktur. Bulunan en eski kopyaları yaklaşık 3700 yıl öncesine ait olan bu destan, Babil kozmolojisinin eriştiği şaşkınlık verici nokta konusunda da tipik bir örnektir. Ancak sorunlar, Tiamat'ın kimliğini sorgulamaya başladığımız zaman ortaya çıkar: Tiamat bir tanrıçadır, yani "dişi"dir. Erkek tanrı, yani Marduk, uzaklardan gelip onun karnını yarmış ve göksel savaştan rakibini iki parçaya ayırarak galip çıkmıştır. Kopan parça unufak olup, kozmosa dağılırken, geriye kalan büyük parçası da, çoğu yoruma göre bizim dünyamızı oluşturmuştur.

Babil düşüncesinin bu çarpıcı "tümevarımı" elbette büyük sorunlar yaratacaktır: Her şeyden önce, Enuma Eliş'te dile getirilen gözlem, eğer parçalanan Tiamat bizim gezegenimizin ilk haliyse, "dünyadan yapılmış" olamaz. Olayları bütünüyle yaşayıp destan haline getirebilmek için, gözlemin çok uzak bir yer-

---

[210]Merlin Stone, a.g.e., s. 73

lerden yapılıp, sonrasında dünyaya ulaştırılmış olması gerekmektedir. Evet, Enuma Eliş adı üstünde bir mittir ve gözlemi yapanlar da, aktaranlar da anonim tanrılardır metne göre. Ama eğer bu kozmik düzen tasarımı Babillilerin atalarına "uzaydan gelen ziyaretçiler" tarafından açıklanmadıysa, nasıl bir düşgücü, çarpışan, parçalanan ve yörünge değiştiren gezegenleri 4000 yıllık Enuma Eliş'in merkezine yerleştirmiştir? Tanık olunmayan, benzeri örnekleri görülmeyen (ve uzayda gerçekten son derece ender gerçekleşebilecek) böylesi bir olay, Babillilerce nasıl tasarlanmış olabilir? Bilginin onlara "uzaylı ziyaretçilerce" aktarılmış olması gibi fantastik bir olasılığı küçümseyip bütünüyle reddettiğim sanılmasın[211]; ancak sağduyu, daha makul bir açıklamayı öne çıkarmaktadır ki bu da dünyamızda binlerce yıl önce yaşayan insanların, göklerde böylesi bir çarpışmaya tanıklık etmeleri olasılığıdır. Bu, sıradan bir meteor düşmesi olamaz; ayrıntılı bir kozmolojiye esin kaynağı oluşturabilecek oranda büyük, uzun süreli, çok aşamalı ve çarpıcı bir göksel olayı izlemiş olmalıdır bu insanlar. O denli derin izler bırakmış olmalıdır ki zihinlerde, çarpışmanın ayrıntıları kuşaklar boyunca imgelerle süslenerek anlatılmış ve aktarılmış; sonuçta, Tufan'ı izleyen dönemde artan bilgi birikiminin de harekete geçirici gücüyle, böylesi bir başlangıç çok uzak geçmişte ("Tanrılar Çağı"nda) dünyamız için de öngörülmüştür.

Nibiru/Marduk'un yalnızca Enuma Eliş'te değil, Zecharia Sitchin'in başarıyla sergilediği gibi çoğu Mezopotamya mitinde ve Akat silindir mühürlerinde betimlendiğini; bütün matematik sisteminin onun yörünge periyodu üzerine kurulduğunu biliyoruz. Bu ilahi gezegen, toplumsal/sınıfsal yapının tümüyle erkek-egemen ilişkiler üzerine yerleşmeye başladığı "büyük krallar" çağında, son derece tipik bir simgecilikle "büyük erkek tanrı" olarak yorumlanmaya başlar. Sümer'de panteonda yeri bile olmayan, yalnızca Enki'nin oğullarından biri olarak sözü edilen Marduk'un hem en büyük tanrı payesine erişmesi, hem de

---

[211] Ancak söz konusu "uzaylılar" Sitchin'in sözünü ettiği "Anunnakiler" de olamaz; çünkü onlar da çarpışmayı yaşayan gezegenin, Marduk'un sakinleridirler ve böyle bir olayda "tanık" değil, ancak "kurban" olabilirler!

onuncu gezegenle özdeşleştirilmesi, iki farklı dönüşümün de göstergesidir aslında: Mezopotamya'da bayrak ve taht Sümer krallarından Akat krallarına, yani Babil'e geçmiştir; sınıfsal yapıysa hızla tipik "köleci devlet" karakteristiklerini sergiler hale gelirken, cinsiyete dayalı dengeler de yükselen bir ivmeyle erkekler lehine ve kadınlar aleyhine değişmektedir. Bunun hem toplumsal ilişkiler dinamiğinde karşılığı vardır, hem de göklerdeki iktidarın değişiminde. Hermetik felsefenin tipik ilkelerini doğrularcasına, Ay bir hükümet darbesiyle el değiştirir, Venüs göklerdeki savaşı yitirirken, tanrıça kültürü ve kadınlar da yeryüzünde sahip oldukları konumdan uzaklaşırlar: "Yukarıda nasılsa, aşağıda da öyledir."

Bundan üretim ilişkilerine bağlı sosyopolitik değişimleri küçümsediğim ve göksel olguları yeryüzünde yaşananların belirleyicisi olarak gösterdiğim sonucu da çıkarılmasın; yalnızca, tıpkı kralların iktidarlarına ilahi "kefil" olarak tanrısal unsurları göstermeyi alışkanlık haline getirmeleri gibi, kadınların toplumsal yapı içinde geri saflara itilmesini sağlayan erkek-egemen yönetim ilişkilerinin de, göklerden bu değişimi destekleyen bir onay bulmaya çalıştıklarını söylüyorum. Dünyada krallar yükselmeye başlamıştır artık "Ece"lerin yerine; bunun karşılığı da göklerde Ay'ın cinsiyet değiştirip erilleşmesi, tanrıçanın da "göksel savaşı yitirdiği" varsayılan Venüs'le yetinmek durumunda kalmasıdır. Bin yıllar içinde kemikleşecek bu değişimin kritik dönüm noktalarından biri, Eski Ahit'le birlikte tek ve en büyük yaratıcı tanrının da maskülen imgelerle donatılmasıyla ortaya çıkacaktır. Tek tanrılı dinler, erkek-egemen dünyanın tanrı katında onaylanması için atılan büyük adımlardan biridir. Artık kadınlar bir daha tanrıça ya da kurtarıcı olamayacaklardır: Onlara en fazla "Kutsal Ruh"tan hamile kalıp Mesih'e analık etme payesi verilecek ya da Maria Magdalena gibi "yanlıştan dönen fahişe" rolü uygun görülecektir.

İ.Ö. 5310'da göklerde meydana gelen büyük karşılaşma, hangi açıdan bakılırsa bakılsın, "uzaklardan gelen yabancı ilah"ın neden olduğu büyük bir göksel savaştır ve bu savaşın izleri günlük yaşamı etkileyecek biçimde yeryüzünde de yüzyıllarca hissedilmiş olmalıdır. Çatalhöyük, Hacılar ve Eriha gibi yerleşim yerlerine baktığımızda, bunun izlerini kolayca görürüz: Kentler bitişik nizam, arı peteği gibi birbirine yaslanmış evlerden oluşmuştur. Çatalhöyük'te evlerin kapı ve pencereleri yoktur; tavandaki bir delikten aşağı sarkıtılan bir merdivenle içeri girilmektedir. Evlerin alt katlarında, tapınımların yapıldığı kült merkezi odalara rastlanır ki, duvarlardaki betimlemeler ve objeler, kent insanlarının bilinmez bir şeyden dolayı müthiş bir korku yaşadıklarına dair ipuçları vermektedir. Eriha'da da kenti çevreleyen kalın sur duvarlarının yanı sıra, cephelere yerleştirilmiş büyük kulelerin sırrı hâlâ çözülememiştir. Neydi acaba bu insanları bu kadar korkutup tedirgin eden?

Bu korkunun kaynağı, başka kabile ya da göçebe yağmacılar olamaz; evlerin içinde ya da tavanlarında, savunmaya yönelik yapılanmalara, saldırıyı püskürtecek mevzilere rastlanmamıştır. Diğer yandan, dünyanın oldukça "tenha" olduğu bir çağda, zamanlarının en ileri uygarlığına sahip olan ve kalabalık yerleşim merkezleri kuran insanları hangi zavallı barbar kabile böylesine korkutabilir ki? Tedirginliğin kaynağı vahşi hayvanlar da olamaz; yaptıkları resimlerden ve sahip oldukları aletlerden anlıyoruz ki, vahşi hayvanlardan kaçmak ve saklanmak bir yana, o hayvanları düzenli olarak avlıyormuş bu insanlar. O halde geriye bir tek şey kalıyor: Doğal olay ve afetler. İ.Ö. 5300'den itibaren, sürekli olmasa bile sık sayılabilecek aralıklarla meteor yağmurları, iklim dengesizlikleri ve seller yaşandığını düşünüyorum. Felaketlerin doruk noktası da, Venüs'ün uzun süren kararsız dengesinin bitiminde, dünyaya görece çok daha yakın yeni yörüngesine oturması süreci içinde hızla yoğunlaşan atmosfer hareketleri, seller ve gelgitler oldu büyük olasılıkla.

Gökyüzünde 2200 yıllık serseri turlar, İ.Ö. 3150 dolaylarında sona erdi[212]; bu yeni ve yakın yörünge ilkin şiddetli afetlere neden oldu ve izine bütün kutsal metinlerde rastlanan Tufan

[212]Bu turlar sırasında, sistemin içine doğru yaklaşırken Venüs'ün (belki birkaç kez) Mars'ı da tehdit eder biçimde ona yaklaştığını ve yeni "savaş olasılıkları" yarattığını düşünebiliriz. Akat dilinde bu iki gezegene "savaşmak" kökünden gelen "Lahmu" ve "Lahamu" adlarının verilmiş olması da dikkat çekicidir.

yaşandı; ardından da dengeler yerli yerine oturunca, birden çok daha güvenli ve yumuşak iklimli bir hale gelen dünyada motivasyonu yükselen insan toplulukları, baş döndürücü bir hızla gelişen yeni uygarlıkları biçimlendirmeye başladılar. Göksel savaşın destanı da, elbette "erkek bakışıyla" yazıldı: "Uzaklardaki tanrıça" olarak yorumlanan Venüs, "bütün gece gökyüzünde gezme" niteliğini yitirip yalnızca şafak ve alacakaranlıkta gözlenen bir gezegene dönüşmüştü artık; Enuma Eliş'teki Marduk'un parçaladığı Tiamat figürüne de esin kaynağı oluşturmuştu. İ.Ö. 1650'de Marduk'un yeniden geçişi sırasında göksel çarpışma yaşanmadı belki ama depremler, yanardağ etkinlikleri ve onuncu gezegenin sürükleyip getirdiği meteor fırtınalarıyla "erkek tanrı"nın bir başka gövde gösterisi izlendi. Marduk'un geçişi sırasındaki afetler nedeniyle kısa süreli bir kaos yaşandığını ve bunun Yakındoğu'daki siyasal dengeleri altüst ettiğini görmüştük. Ancak imparatorlukları sarsan bu afetler geçtikten sonra yeniden toparlanan Babil'de, son belirişinin belleklerdeki taze etkileriyle Marduk yeniden rakipsiz üstünlüğünü ilan etti. Tıpkı, Mısır'daki Ra gibi.

Osiris'le Seth'in göksel savaşı

Eski Mısır'da da bağımsız küçük yerleşimlerin yerine İ.Ö. 3100 dolaylarında bütün Nil vadisine yayılan merkezi bir krallığın kurulduğunu vurgulamıştık. Delta yakınlarındaki Aşağı Mısır ve kuzeyde Aswan'a dek uzanan Yukarı Mısır'ın tek bir krallık halinde birleştirildiği bu dönemde Hanedanlar Devri de başlıyordu artık. Büyük olasılıkla mitolojik bir kişilik olan Menes (Men) ve onu izleyen firavunların, Tufan öncesinde Ana Tanrıça kültüne daha yakın olduklarını gösteren çok sayıda veriye sahibiz. Her şeyden önce, Mısır'da bilinen ilk büyük ilahi figür olarak, eskiliği bilinmeyen devirlere dek uzanan tanrıça Hathor çıkıyor karşımıza. İzlerine Doğu Akdeniz'de, Byblos kentinde ve Libya'da da yoğun olarak rastlanan Hathor, aynı zamanda Sümer'in ana tanrıçası Ninmah (Ninhursag) ile de büyük paralelliklere sahiptir. Her şeyden önce, iki tanrıça da iri

2012: Marduk'la Randevu 409

boynuzlu inek simgesiyle betimlenir ve her ikisi de yaratıcı güce sahiptir. Yine hem Hathor hem de Ninmah, bilinen ilk Ana Tanrıça figürlerinin evrimleşmiş modelleridir ve çok eski tanrıçalardır. Diğer yandan, Ninmah'ın olgun ve sakin yapısına karşın Hathor ateşli, çoğu zaman hırçın, hatta saldırgan niteliklere sahiptir ve farklı kimliklere büründüğünde savaş tanrıçası rolünü de ustalıkla üstlenir.

"Narmer levhasının iki yüzünde de, üst bölümlerde, köşelerde inek tanrıça Hathor'un koca boynuzlu iki başı yer almaktadır; toplam baş sayısı dörttür. Gök katları dört tanedir ve tanrıça dört defa gösterilerek ufku çevrelediği anlatılmak istenmiştir. Tanrıça ufukların Hathor'u olarak bilinir ve kutsal hayvanı inektir – fakat Sümer sütçülük tanrıçası Ninhursag kültündeki gibi evcilleştirilmiş inek değil, bataklıklarda yaşayan yabani inek. Böylece bölgesel bir farklılık olduğu görülüyor; iki kült bilgince incelendiğinde aynı değildir. Fakat aydınca incelendiğinde gerçekte ikisi aynıdır; neolitik kozmik inek tanrıçalardır."[213]

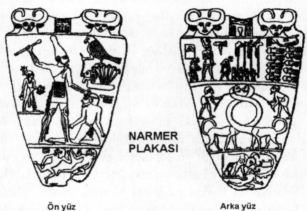

NARMER
PLAKASI

Ön yüz   Arka yüz

Şekil 14: Yukarı Mısır'da bulunan ve arkeologlarca yaklaşık İ.Ö. 3000 dolaylarına tarihlenen ünlü Narmer Plakası. Her iki yüzünde yer alan kabartmalarda, efsanevi kralın tanrıça Hathor'un desteğiyle "İki Ülke"ye egemen olması betimlenir.

---

[213]Joseph Campbell, "Tanrının Maskeleri: Doğu Mitolojisi", s. 69

Burada Campbell'ın sözünü ettiği "bilgince" ve "aydınca" incelemelerde ortaya çıkan farklılık, Hathor'un değişik rolleri ve kimlikleri dikkate alındığında anlaşılır hale gelmektedir aslında. İkinci kişiliği olan Sekhmet'e dönüştüğünde Hathor, "aslan tanrıça" halini alır ve artık çok tehlikelidir. Savaşçı ve kan dökücüdür çünkü. Yeniden Hathor kimliğine büründüğündeyse, Ninmah'la paylaştığı çok özellik olmasına karşın, şaşırtıcı biçimde İnanna'ya da fazlasıyla benzediği görülür: Onun kadar güzel, seksi, baştan çıkarıcı ve hoppadır; tıpkı İnanna gibi o da şaraba ve biraya bayılmakta, içkili eğlenceleri çok sevmektedir. Bu durumda, Hathor'un hem Ninmah hem de İnanna'yla ilginç benzerliklere sahip bir tanrıça olduğunu söyleyebiliriz. İnanna'nın bilim ve sanatın gizli formülleri olan Me'leri elde etmesi gibi o da kozmik dünyanın düzenini ve bilgeliğini simgeleyen *Maat*'ın sahibidir.

"Gerçek, *maat*, doğru düzen, mitolojik olarak inek tanrıça Hathor kişiliğinde canlandırılan ilkedir. Ebedi dünyayı ayakta tutan ilke odur: Aynı anda dünyayı biçimlendiren, dünyada işlev sahibi olan analık gücüdür, gerçekleşen tanrıyı doğurur, hem de onun eylemiyle üretkenliğinin meyvesini verir."[214]

Sümer'de Me, Mısır'da Maat, İndüs'te Dharma olarak karşımıza çıkan, kozmik düzen ve bilgeliğe ilişkin esaslar ve ilkeler, her üç kültürde de "dişi" sözcüklerdir ve tanrıçalarla ilişkilendirilirler. Hathor da, Maat'ın temsilcisidir ve zaten zaman zaman da evrensel düzeni simgeleyen tanrıça Maat, aslında Hathor'un maskelerinden biri olarak karşımıza çıkar. Sonuçta burada üzerinde durmak istediğimiz nokta, Mısır'ın en eski belgelerinden biri olan ve kuruluşu müjdeleyen Narmer Levhası'nda bile Hathor'un baskın gücünün hissedilmesidir. Demek ki Mısır devleti Tufan sonrası ortaya çıkarken, bölgede tanrıça kültü hâlâ son derece güçlü ve etkindi.

[214]Joseph Campbell, a.g.e., s. 71

 Değişimi, hanedanlar döneminin ilerlemesiyle birlikte aşama aşama izlemeye başlıyoruz. Birincil önemdeki yaratıcı tanrıça, ilkin yalnızca Sekhmet kişiliğindeyken, zanaatçılığın tanrısı ve evrenin mimarı tanrı Ptah'ın eşidir. Bu evlilikten Nefertum doğmuştur ki, üçüncü hanedan döneminin efsanevi mimarı İmhotep'le özdeşleştirilir bu tanrı. Firavun Coser'in veziri ve piramitlerin ilk mimarı olan İmhotep'in, Ptah ve Sekhmet'in oğlu olarak tanrılaştırıldığı düşünülmektedir. Ptah, Zecharia Sitchin'e göre Sümer'in su ve mühendislik tanrısı, büyük bilim ustası Enki ile bire bir aynıdır ki, figürler ve mitler karşılaştırıldığında bu son derece makul görünür. Ancak Hathor, bölgede tarihsel ve kültürel olarak Ptah'tan bile daha eskidir ve Sekhmet kimliğinde Ptah'la yaptığı evlilik bir yana, Hathor kimliğinde özgürdür –tıpkı İnanna gibi. Adı, iki sözcüğün bileşimiyle oluşur; "Hat", ev ya da ülke anlamına gelmektedir, "Hor" ise ünlü Horus'tur, yani Osiris'le İsis'in oğlu.[215] Bu durumda, "Horus'un Evi" anlamına gelen adı, daha ortada İsis ve Osiris kültü yokken Hathor'un "Ufukların Şahini" Horus'un annesi olarak düşünüldüğünü göstermektedir. Bu, biyolojik bir annelik değil, kozmik bir yaratıcılıktır aslında:

"Hathor öyle durmaktadır ki, dört bacağı dört bucağın sütunlarıdır. Karnı gök kubbedir. Ayrıca güneş, altın güneş şahini, tanrı Horus doğudan batıya uçarak her akşam onun ağzına girer, ertesi şafak tekrar doğar. Horus böylece 'annesinin boğası', kendi babasıdır. Adının anlamı 'Hor'un Evi' olan kozmik tanrıça da böylelikle aynı anda alıcı kuş olan, kendini doğuran tanrının eşi ve annesidir."[216]

Bu noktada başlayan karışıklık, Mısır'daki ideolojik değişime paralel olarak Eski Krallık çağında, muhtemelen dördüncü hanedan ile birlikte panteona İsis-Osiris modelinin entegre edil-

---

[215]İsmin Mısır dilindeki orijinali "Het-heru"dur (Ht.hrw.)
[216]Joseph Campbell, a.g.e., s. 69-70

mesiyle iyice ilginç bir hal alır. Babası olmaksızın her gün güneşi, yani Horus'u kendi bünyesinden doğuran Hathor birden geri plana doğru itilirken, Horus'un soyağacıyla ilgili farklı ve o çok bilinen mit ortaya çıkar: Anne olarak artık ortaya İsis çıkmıştır ve kocası Osiris'in Seth tarafından parçalanan bedenini bir araya getirerek ondan hamile kalmış, Horus'u doğurmuştur. Horus ile Hathor arasındaki ilişkiyi koparıp İsis-Osiris modelini öne çıkartan gelişme ve eğilimleri açıklamaya çalışmak zordur. Ancak yine de birkaç yorumda bulunabiliriz: İsis-Osiris-Seth-Horus modeli, "göksel savaşın" fazlasıyla önemsendiğini ve yeniden yazıldığını akla getirmektedir. Savaşın bu Mısır versiyonunda, Venüs'ün yerini belirlemek bile zordur. Seth ile Nibiru/Marduk birbirlerine yakın bulunabilir; çünkü Seth'in de (tıpkı Hathor gibi) Doğu Akdeniz kökenli olduğunu ve Mısır'a dışarıdan geldiğini biliyoruz. Bu durumda, doğulu Mezopotamya kültürlerinde yüceltilen onuncu gezegenin Seth ile paralel düşünülmüş olması son derece mantıklıdır. Osiris üzerindeki gizeminse, oldukça yoğun olduğunu söyleyebiliriz: Savaş sırasında (ya da hileyle) öldürülmesinin ardından, İsis'in çabalarıyla yaşama döndürüldüğünde, yeniden doğuşunu Orion takımyıldızında gerçekleştirir. Ancak *ölmeden önce göksel karşılığının ne olduğu* Mısır kaynaklarında son derece belirsizdir. Savaşın iki tarafından biri onuncu gezegense, diğeri eskiden farklı bir yörüngede olan Venüs'tür tezimize göre. Bu durumda göksel savaşta Seth (tıpkı Tezcatlipoca gibi) onuncu gezegenin yerine geçiyorsa, Osiris de Venüs olmalıdır. Üstelik bu, göksel senaryoyla da son derece uyumludur. Soochow astronomi haritalarında ve eski Çin kaynaklarında Venüs'ün Sirius'la birleşecek oranda ekliptikten farklı bir yörünge izlediğinden söz edildiğini anımsayalım şimdi.

Tanrıça İsis'in gökteki karşılığı, Sirius (Sothis) yıldızıdır. Osiris'le büyük aşkları ve mutlu birliktelikleri, göksel anlamda ancak İsis'i temsil eden Sirius ile Osiris'i temsil eden bir gök cisminin "buluşmasıyla" mümkün olacaktır. Eğer Çin kaynaklarının kayıtları doğruysa ve gerçekten Venüs eski dönemlerde ekliptik çemberini kesen farklı bir yörünge izleyip Sirius'a doğru yaklaşıyorsa, Osiris'in göksel karşılığının Venüs olması her şeyi anlamlı hale getirir. Bir zamanlar İsis ile Osiris gökte Sirius ve Venüs kimlikleriyle buluşurken, yollarına çıkan onuncu gezegen, yani Seth, Venüs'ü yörüngesinden çıkarıp uzaklara yollar; böylece İsis ile Osiris'i fiilen ayırır. Ancak hikâyenin "reenkarnasyon" motifi Meksika'dan oldukça farklı bir yol izleyecektir. Maya kültüründe yeniden doğum Venüs'ün yeni rotasıyla ortaya çıkarken, Osiris'in yeniden doğumu Orion takımyıldızının ortasında gerçekleşir. Artık Osiris "ölüler dünyası"ndadır ve gökyüzünde ekliptik çemberinin hemen altında yer alan Orion'da, "Duat" (Dwt) olarak bilinen tanrısal bölgede yaşayacaktır. Bu, fiziksel olarak İsis'le bir daha asla buluşamayacakları anlamına da gelir: Sirius ile Orion arasındaki uzaklık, İsis ile Osiris arasındaki fiziksel engeldir ve onlar artık ancak "metafizik" anlamda buluşacaklar, bedenleri yerine ruhları birleşecektir.

Mısır'ın çok dereceli okültizmi, derin bir ezoterik yaklaşımla işleri oldukça karıştırıyor görüldüğü gibi. İlginç olan, bu derinlikteki bir mistisizmin Mısır'da çok erken ortaya çıkması. Başka hiçbir çağdaşı kültürde, aynı ezoterik dallanmayı bulamıyoruz. Bu nedenle, yukarıda yerli yerine oturtmaya çalıştığımız göksel bağlantılarda, iki nokta açıkta kalıyor: Horus'un kimliği ve Venüs'ün sabah yıldızı olarak yeniden ortaya çıkan formunun, mitlerdeki karşılığı. Çoğu kez güneş, "Ra-hor-akhti" adıyla nitelenir İsis-Osiris kültünde. "Ufuktaki Ra" anlamına gelen bu ad, Horus'u da Ra ile özdeşleştirir gibidir. İlk dönemlere ait mitlerde Hathor'un her sabah Horus'u yeniden doğurduğunu ve akşamları yuttuğunu anımsayalım: Bu durumda Horus güneş olmaktadır, Hathor ise onu bir babaya ihtiyaç duymaksızın bünyesinden her gün yeniden yaratan evren tanrıçası. Ancak mitler İsis-Osiris kültüyle birlikte yeniden düzenlendiğinde, Horus'un yeni annesi İsis olacaktır artık. Hathor, "Evren Ana" olarak Horus'u kendi bünyesinden yaratmıştır ama İsis bu doğumu gerçekleştirmek için kocasının parçalanmış bedenini kullanacaktır. Bir araya getirilen parçalarla yalnızca bir an için yeniden canlandırılan Osiris, salt İsis'i gebe bırakmış olur bu kısa reenkarnasyon sırasında ve yeniden göğe yükselir. Bu gebe-

liğin sonrasında İsis, *Osiris'in parçalarından* Horus'u doğura-
caktır; yeni doğan genç varise de *Ufuktaki Ra* (Ra-hor-akhti)
adı verilir.

Bu karmaşa, ancak bir tek anahtarla açılır artık: Ufuktaki
Ra, yani şafakta yükselmekte olan parlak gök cismi, sanıldığı ve
yorumlandığı gibi güneş değil, *sabah yıldızı olarak yeni yörün-
gesinde doğan* Venüs'tür! Çünkü Horus, babasının parçaların-
dan, onun oğlu olarak, onun yetki ve haklarıyla donanmış bi-
çimde doğar. Bunun göksel karşılığı da çok nettir: Eski yörün-
gesinde Osiris kimliğinde dolaşan Venüs'ün, çarpışma sonrasın-
da ortadan yok oluşu, "Osiris'in ölüler dünyasına gidişi"yle pa-
raleldir. Bu sürecin sonunda İsis onun parçalarını bir araya ge-
tirmiş ve Horus'u doğurmuştur —gerçekten de sabah yıldızı ola-
rak ufukta yeniden doğan Horus, babası Osiris'in bir *parçasıdır,*
çünkü *o da Venüs'*tür. Hathor da böylece Horus'un annesi ol-
ma yükünden kurtulur ve ilk bölümlerde söz ettiğimiz bir mit-
te de görüldüğü gibi, bu özgürlüğünü "Ra'nın Gözü" olarak,
yani *güneş* kimliğiyle kullanır. Aynı zamanda Hathor, evrensel
kuralların sahibi Maat kimliğine de bürünecek ve Sekhmet ol-
duğu zamanlarda da yaratıcı yüce mimar Ptah'ın karısı, Nefer-
tum'un da annesi rolünü üstlenecektir.

Bütün bunlar, toplumsal örgütlenmedeki değişime paralel
olarak, göklerde olup bitenlerin kayıtları diyebileceğimiz "şifre-
li mitler"in, hanedanlar döneminde yeniden elden geçirilmesiy-
le düzenlenir. Hathor önemini ve gücünü yitirmemiştir ama
baskın Ana Tanrıça kültünün yerine Mısır'a, Heliopolis'te (An-
nu) merkezlenen İsis-Osiris-Horus kültü egemen olmuştur.
Hathor, artık daha geri plana yerleşerek Ra ve Ptah ile birlikte
yaratıcı büyük tanrısal varlıklardan biri olma onuruyla yetinir.
Yeryüzündeyse bundan böyle ölen her firavun Osiris olarak
göklere yükselecek, onun yerine geçen genç oğluysa Horus kim-
liğini taşıyacaktır. Ölen baba, Orion'da sonsuzluğa çekilir; tah-
ta çıkan oğulsa, şafakta doğan sabah yıldızı Venüs olarak ülke-
sinin üzerinde ışır. Artık o, ölene dek "Ra-hor-akhti"dir.

"Venüs'e 'Geçiş Yapan' ya da 'Geçen Yıldız' denir ve ba-
lıkçıl kuşu ya da ona çok benzeyen Bennu adlı kuşun başıyla

simgelenirdi. Sonraları, Venüs'e de Horus'un şahin başı verildi ve daha da sonra bu, çift şahin başı ya da çift-başlı şahin simgesine dönüştü. Venüs'e verilen ad ve bu gizemli çift baş, onun hem sabah hem de akşam yıldızı olduğunun bilindiğini gösteriyor."[217]

Mısır'ın tüm kültürel yapısına nüfuz etmiş ezoterik düşünce, şaşırtıcı karmaşık motiflerle doludur görüldüğü gibi. Bu metinleri deşifre edip arkalarındaki astronomik gerçeklikleri ayıklayabilmek, gerçekten pek kolay iş değildir. Yukarıda, İsis-Osiris mitindeki, Sirius ile Venüs'ün bir zamanlar aynı hatta buluşurken, Seth, yani onuncu gezegen Marduk tarafından ayrılmaları olgusunu deşifre ettik. Eğer okur, Osiris ile Venüs arasında kurduğumuz bağlantıdan kuşkuluysa, Mısır'daki ezoterik yeniden doğuş kültüründen başka ilginç unsurları da masaya yatırabiliriz. Özellikle de, "gökten düşen gezegen parçaları"ndan başlayarak Mısır tipi reenkarnasyonu sorgulamak bu noktada oldukça tamamlayıcı işlev görebilir.

Eski Krallık döneminde Mısır'ın ezoteri ve kült merkezleri içinde en önemlisi, Heliopolis'tir. Bugün Kahire'nin varoşları arasında sıkışıp kalmış birkaç kalıntıdan ibaret olan bu büyüleyici bilgi ve felsefe merkezinin, İskender'in İ.Ö. dördüncü yüzyılda Mısır'ı işgali sonrasında kenti ziyaret eden Yunan düşünürlerini nasıl derinden etkilediğini yakından biliyoruz. "Piramitler Dönemi" olarak da anılan üçüncü, dördüncü ve beşinci hanedanlar süresince Heliopolis ün ve prestijinin doruğundaydı. Mısır'a egemen olan teozofik çözümlemeler ve çok düzeyli olarak şifrelenmiş mitler, buradaki astronom rahiplerce üretilip, geliştirilirdi. Bir anlamda Eski Krallık döneminin resmi ideolojisini de biçimlendiren Heliopolis'in, tufan öncesi çağda "Horus'un İzleyicileri" (Şem-su-hor) olarak adlandırılan bir grup yarı-tanrı tarafından kurulduğuna inanılır. Böyle bir mirası devralan kent rahiplerinin bu nedenle İsis-Osiris mitini biçimlendirip Mısır'a yayanlar olduklarını düşünebiliriz. İnanışa göre

---

[217]Edwin C. Krupp, "In Search Of Ancient Astronomies", s: 198

kent, Tufan'dan sonra "eski tanrıları yeniden canlandırmak" gibi bir işlevi de üstlenir.

Heliopolis rahipleri tarafından kaleme alınan metinlerin en önemlileri, beşinci hanedan firavunlarına ait piramitlerin ve mezar odalarının duvarlarına yazılan ve bugün ejiptolojide genel olarak "piramit metinleri" adıyla bilinen kutsal yazıtlardır. Mısır'ın ünlü "Ölüler Kitabı"nı da bunlara dahil edebiliriz. Temel olarak bu metinler, evrenin varoluşuna ilişkin ezoterik yaklaşımları içeren ilahi ve dualardır. Hermetik düşüncenin çekirdeğine de yine Heliopolis yazıtlarında rastlarız: Evren, gözle görülemeyen büyük yaratıcı tanrı Atum'un eseridir bu düşünceye göre. Diğer tanrılar, ancak o büyük ve eşsiz gücün iradesini yerine getiren göksel unsurlar olabilirler. Bu nedenle piramit metinleri, Atum'a övgülerle doludur ve bol miktarda da Osiris'e ithaf edilmiş ilahiler içerir.

"... 'eski tanrıları yeniden canlandırmanın manifestosu' Edfu Metinleri'nde, üzerinde bir büyük kuşun, İlahi Şahin'in durduğu bir 'tünek' görünümündeki yüksek sütun biçimini alır. Heliopolis'te de böyle bir sütun (daha doğru sözcükle, Heliopolis'in Mısır dilindeki adı olan *Innu*) vardır ve üzerinde bir başka ilahi kuşun, *Bennu* ya da Anka kuşunun düzenli olarak gelip tünediğine inanılır."[218]

Mısır ezoterik düşüncesinde, özellikle de Heliopolis felsefesinde çok temel bir yere sahip olan Bennu kuşuyla ilgili efsaneler başka mitolojilerde de benzeri biçimde karşımıza çıkarlar. Kökeni Heliopolis'e ait olan Bennu, "küllerinden yeniden doğan" ünlü kuştur. Hikâye size oldukça tanıdık gelebilir: Kendini kutsal ateşe atan ve yanarak ölen Bennu'nun küllerinden, onun bir parçası olan oğlu, yani genç Bennu yeniden doğar. Bu olgu eski Mısır'ın en temel düşünce sistemlerinde, ölümsüzlüğün ve yeniden doğuşun simgesidir ve Bennu'nun küllerinden kendi oğlunu (bir anlamda kendi gençliğini) yeniden yaratması, Heliopolis düşüncesinde Osiris'in parçalarından

---

[218]Robert Bauval – Graham Hancock, "The Keeper Of Genesis", s. 215

Horus'un dünyaya getirilmesi temasıyla özdeşleştirilir. Birçok yönüyle, Meksika'da rastladığımız, Quetzalcoatl'ın kendini ateşe atarak ölmesi ve sabah yıldızı olarak yeniden doğmasıyla oldukça benzeşen bir mittir bu. Daha da çarpıcısı, Bennu kuşunun astronomik anlamında yatar: Küllerinden doğan efsanevi yaratığın Mısır düşüncesindeki göksel karşılığı, Venüs gezegenidir! Dahası, Kutsal Ateş'te yandıktan sonra küllerinden yeniden doğup Heliopolis'e dönmesi, Orta Amerika mitleriyle bire bir örtüşürcesine "bir çağın bitişini ve bir diğerinin başlamasını" simgeler.[219]

Eski Krallık döneminin Mısır'ında Bennu kuşuyla doğrudan ilişkilendirilen bir başka ilginç nesne, fonetik olarak da aynı kökenden gelen "Benben" taşıdır. Söz konusu nesnenin hem mitolojik hem de astronomik anlamda oldukça net karşılıklarına rastlarız. Benben, göklerden gelen ve "bu dünyaya ait olmayan" tanrısal bir taştır; yani meteor parçacığı. Heliopolis düşüncesinde kutsal kabul edilen bu taş, aynı zamanda Bennu kuşunun da yeryüzüne düşen külleridir.

"Benben taşının Eski Mısırlıların çok değer verdiği, demir cevheri içeren bir meteorit olduğu ve yıldız tapınımıyla ilişkili olduğu düşünülür. Birçok yazar tarafından geliştirilen bu yaklaşım yine de henüz varsayım düzeyindedir çünkü metinler bu konuda sessiz kalır. Dahası, orijinal Benben taşı, piramit çağının çok öncesinde, olasılıkla hanedan öncesi dönemde kaybolmuştur. Heliopolis rahiplerinin orijinal parça yerine ince uzun bir sütunun tepesine onun taklidi olan konik bir taş yerleştirdiklerini ve bunun sonraki dönemde Mısır mimarisinde oldukça aşina olduğumuz dikilitaşların prototipi olduğu genel anlamda kabul görse de, bu taşın niteliği konusunda kimse emin olamaz."[220]

Varlığından söz edilen, ancak yapısı ve niteliği mistik unsurlarla gizlendiği için net olarak anlatılmayan bu gizemli taşın,

---

[219]Andrew Collins, "The Gods Of Eden", s. 181
[220]Andrew Collins, a.g.e., s. 161

yalnızca dikilitaşlarda değil, Mısır'ın bir başka ünlü yapı modelinde, piramitlerde de kullanıldığını biliyoruz.

"Bütün piramitlerin en tepesine yerleştirilen taşın Eski Mısır dilinde Benben olarak adlandırılması ve Bennu kuşunun (ve dolayısıyla ölümsüzlüğün ve yeniden doğuşun) simgesi kabul edilmesini rastlantı olarak değerlendirmek çok zordur. Bu tepe taşları, 'göklerden düştüğü' söylenen ve Heliopolis'te 'Bennu Kuşunun Sarayı' olarak bilinen yapıdaki bir sütunun üzerinde muhafaza edilen – muhtemelen konik biçimli, 'yönlendirilmiş' bir meteorit olan - orijinal Benben'in taklitleriydi. (...) Giza'daki Büyük Piramit'in tepesindeki taş elbette yok olmuştur. Heliopolis'in Benben'iyse Yunanlılardan beri kayıptır."[221]

Büyük olasılıkla atmosfere girip yandıktan sonra irice bir parça halinde Mısır topraklarına düşmüş bir göktaşı olan Benben'in ezoterik Heliopolis düşüncesindeki kilit unsurlardan biri olduğunu görüyoruz. O denli önemliydi ki bu parça, piramitlerin tepesine onun bir modeli yerleştirildi, Heliopolis'te orijinali özenle korundu. Ne var ki, İ.Ö. dördüncü yüzyıldan sonra bir daha izine rastlanmadı.

Meteoritlerin genellikle iki tür olduğunu ve demir ya da kaya içerdiklerini biliyoruz. "Orion Gizemi"nin yazarlarından Robert Bauval'e göre Benben, büyük olasılıkla demir içeren bir meteoritti ve Mısır dilindeki "bja" sözcüğü, demir anlamı vermek üzere Benben'e atıfta bulunuyordu. Diğer yandan Bauval, piramit metinlerinden yaptığı alıntılarla, "bja"nın yıldızlara ait bir madde olduğuna inanıldığını, hatta tanrıların kemikleriyle özdeşleştirildiğini koyuyordu ortaya. Dünyaya düşen meteoritlerin, yani "yıldız parçalarının", eski Mısır'da "tanrıların kemikleri" olarak sunulması, hoş bir benzetme. Plutarchus da, "İsis ve Osiris Üzerine" adlı yapıtında bundan söz ediyor:

"Typhon, aynı zamanda Seth, Bebon ya da Smy adlarıyla da bilinirdi ve bu adlar şiddetli ve engelleyici bir dizginlemeyi ya da muhalefeti ve ters dönmeyi vurgulardı. Dahası, Manet hon'un kaydettiği gibi, mıknatıs taşına 'Horus'un kemiği', demire de 'Typhon'un kemiği' denirdi."²²²

Bütün bu ayrıntılarda, bizler için önemli olan birkaç çok kritik nokta var: Birincisi, Bennu kuşunun ölüp kendi küllerinden yeniden doğmanın simgesi olarak görülmesi ve Osiris'in parçalarından oğlu Horus'un doğmasıyla ilişkilendirilmesi. İkincisi, bu yeniden doğumu gerçekleştiren kuşun gökyüzünde Venüs ile özdeşleştirilmesi. Üçüncüsüyse, Bennu kuşunun parçaları olarak düşünülen, "gökten inmiş" taşlara Benben adı verilmesi ve (muhtemelen rastlantısal biçimi nedeniyle) hem piramitlerin tepelerine hem de dikilitaşların üzerine bu taşın (ya da kopyalarının) yerleştirilmesi. Dördüncüsü, Benben'in, yani meteoritlerin, "tanrıların kemikleri" olarak düşünülmesi.

Bütün bunlar, İsis–Osiris mitindeki tezimizi doğruluyor: Göklerde İsis'in Sirius olduğu, Osiris'inse öldükten sonra Orion takımyıldızına yükseldiği biliniyordu. Ancak "parçalanarak" ölmeden önce Osiris'in göksel karşılığının ne olduğu konusunda Heliopolis rahipleri oldukça ketum davranmışlar ve yine yalnızca inisiye rahip adaylarına açıklanan gizli kodlara başvurmuşlar. Bennu kuşu ve Benben motiflerinden yararlanarak şifrenin ilk parçasını çözüyoruz: Osiris, göklerde Venüs gezegeniyle simgeleniyordu. İsis ile buluşabilmeleri için, "aynı yol" üzerinde bulunmaları ve kesişebilmelerinin gerektiği açıktır. Bunun anahtarını da, eski Çin metinlerinde buluyoruz: Venüs bir zamanlar ekliptikle belli bir açı yaparak kesişen farklı bir yörüngedeydi ve Sirius'a doğru yaklaşıyor, hatta onunla üst üste geliyordu. Onuncu Gezegen, yörünge geçişlerinden birinde onun üzerinde güçlü çekim etkisi oluşturarak, yerini değiştirdi. Olasılıkla, bu sırada yaşanan çarpışmada Venüs yara da aldı. Bilinen rotasından çıktıktan sonra gökyüzünde onu bulmak da zorlaştı. Bu arada, yörünge geçişini tamamlayan Onuncu Gezegen, yeniden uzaklaştı ve o da gözden kayboldu. Venüs yüzyıllar sonra yeniden kararlı bir dengeye geldi ve büyük olasılıkla bu olaydan önce dünyaya daha yakın konumda olan Merkür'ü de

---

²²²Gerald P. Verbrugghe – John M. Wickersham, "Berossos and Manetho", s: 169

güneşe doğru yeni ve farklı bir konuma ittikten sonra, bugün bildiğimiz yörüngesine yerleşerek, çok daha parlak biçimde sabah yıldızı olarak göklerde belirdi. Çarpışmayı izleyen dönemde, dünya yüzeyi belli yoğunluklarda göktaşı yağmurlarına da maruz kaldı. Bu nesnelerden biri, olasılıkla Mısır topraklarına düşmüştü.

Bütün bu olaylar, ezoterik düşünce sistemi içinde şöyle şifrelendi: "İsis (Sirius) ve Osiris (Venüs) karı koca tanrılardı ve yetkiyi Seth (Onuncu Gezegen – Nibiru/Marduk) ile paylaşıyorlardı. Seth hakkına razı olmadı, Osiris'i parçalara bölerek öldürdü ve yerini almak istedi. Ancak İsis, parçaları bir araya getirip son bir çabayla Osiris'ten hamile kaldı, oğlu Horus'u doğurdu (Sabah Yıldızı olarak Venüs.) Tanrılar yönetim yetkisini Horus'a verdiler ve Seth gücünü yitirmemekle birlikte, sürgüne gönderildi." Belki işleri biraz daha karıştırmak, belki tam tersine şifreyi çözecek anahtar sunmak için de "küllerinden yeniden doğan" Bennu kuşu mitosu biçimlendirildi; bu hem Osiris'le, hem de Venüs'le ilişkilendirildi. Hepsinin üzerine, bilinmeyen bir zamanda, bilinmeyen bir biçimde Mısır'a düşmüş bir göktaşı "Bennu'nun külleri" ya da "tanrı kemikleri" olarak şifrelendi ve onu örnek alan taş parçaları, yüksek dikilitaşların ve piramitlerin tepesine yerleştirildi.

Görüldüğü gibi, İsis–Osiris mitini deşifre ederken ilk aşamada oluşturduğumuz model, Bennu ve Benben unsurlarının "anahtar" olarak devreye girmesiyle, varsayım olmaktan bir anda çıkıyor. Eski Mısır'da Hathor merkezli Ana Tanrıça kültünden İsis-Osiris kültüne geçiş sırasında ortaya çıkan yeniden düzenlemenin deşifre edilmesi, Meksika'da kurduğumuz Quetzalcoatl–Tezcatlipoca karşıtlığıyla ilgili modelle de neredeyse bire bir örtüşen bir resim çıkarıyor karşımıza. Bu, aynı zamanda Maya takviminin "dünya çağları" hesabında gizliden gizliye Onuncu Gezegen'in belirleyici olduğunu da gösteriyor.

Babil: İştar'ın başına gelenler

Kimi eski Mezopotamya kayıtlarında da bu buluşmanın doğrulandığını gösteren veriler, Sirius'u kafa karıştırıcı bir biçimde İştar'la ilişkilendiren astronomik metinlerde saklıdır. Son dönem Asur krallarından Asurbanipal'in Nineve'deki kütüphanesinde, arkeolog Sir Austen Henry Layard tarafından bulunan kil tabletlerdir bunlar. MUL.APİN adı verilen ve gökyüzünü üç parçaya bölerek içerdikleri takımyıldızları sıralayan astronomi tablolarında Sirius yıldızı, Orion ile bağlantılı olarak "Yay Takımyıldızı" içinde değerlendirilir. MUL.BAN olarak adlandırılan bu takımyıldızda Sirius'un rolü, "İştar'ın Oku" olarak belirlenmiştir. Sirius'la İştar arasında böylesi bir bağlantı kurmanın tek gerekçesi, Venüs'ün yörüngesiyle ilgili sıradışı bir bilgi olabilir ancak. Eğer Sirius İştar'ın okuysa, göklerde Venüs olarak dolaşan tanrıçanın, bu oku kullanabilmek için onun yakınına gitmesi gerekecektir. Babil astronomi metinleri, uzak geçmişte böyle bir olayın mümkün olduğunu hissettiren gizemli ifadelerle doludur: "Amu ayında Ok Yıldızı DIL.BAT olur" gibi. DIL.BAT, Venüs'ün Sümer dilindeki adıdır. "Sirius'un yılın belli günlerinde Venüs olması" gibi bir ifade, ancak Soochow kayıtlarını ve eski Çin astronomi metinlerini doğrular biçimde, Venüs'ün eski çağlarda Sirius'la üst üste gelmeye elverişli bir yörünge çizmesiyle anlamlı hale gelir. Aksi taktirde bu yakınlığı sadece "sabah yıldızı" olma haline indirgemiş ve Sirius'un şafak yükselişi (heliacal rising) gerçekleştirdiği yaz ortası günlerindeki görünümünü, Venüs'e benzetmiş oluruz ki bu da çok anlamlı değildir. Yıl boyunca şafak yükselişi yapan, belirgin parlaklıktaki çoğu yıldız (sözgelimi Regulus, Spica, Antares, Aldebaran) için de bu tanımlama yapılabilir o zaman. Ne var ki, Sirius diğerlerinden farklı bir yere konmuş ve Venüs'le çok yakın düşünülmüştür: Mezopotamya'da, "İştar'ın Yıldızı" adıyla anılacak kadar.

Diğer yandan, eski Babil mitlerinde de Venüs'ün başına gelenleri doğrulayacak şifrelenmiş metinlere rastlarız bazen. Bunların en tipiği, İştar'la ilgili en bilinen ve sevilen mitlerden biri diyebileceğimiz "Ölüler Dünyasına Yolculuk"tur. Çok daha eski ve özgün versiyonu, "İnanna'nın Aşağı Dünya'ya İnişi" olarak adlandırılabilir. Bu mitte tanrıça, Aşağı Dünya'nın yöneticisi olan kız kardeşi Ereşkigal'i ziyaret etmek için bir yolculuğa çıkar. Sıkı güvenlik önlemleri altındaki "yeraltı dünyasına" girebilmek için art arda geçtiği yedi kapıda bütün silahlarını ve giysilerini çıkarıp görevlilere teslim etmek zorunda kalır. Sonunda korunmasız ve çıplak biçimde içeri girmeyi başardığında, aslında orada tutsak edildiğini anlar.

"Kutsal Ereşkigal tahtında yerini aldı,
Anunnaki, yedi yargıç, onun huzurunda hükümlerini bildirdiler
Ölüm bakışlarını, gözlerini ona diktiler
Sözleri üzerine, ruha işkence eden sözleri
...
Güçsüz kadın bir cesede dönüştü
Ceset bir kazığa asıldı."[223]

Metnin bütün parçaları sağlıklı olarak ele geçmediği ve yer yer boşluklar içerdiği için, Sümer versiyonunda İnanna'nın (istemeden yaptığı açıkça belli olan) bu yolculuğu niçin ve nasıl bir zorunluluk yüzünden gerçekleştirdiğini anlamayız. Aynı şekilde, kız kardeşi Ereşkigal'in onu niçin böylesi bir tuzağa düşürdüğü de belli değildir. Sonuçta, İnanna etkisiz hale getirilmiş biçimde Aşağı Dünya'da tutsak kalır. Üç gün üç gece ortalarda görünmeyince de, yeryüzündekiler onu merak etmeye başlarlar. Ulağı Ninşubur, hanımına yardım edilmesi ve bulunup getirilmesi için bütün tanrılara yalvarır, ancak yalnızca Enki ilgilenmiş görünür. Ulağa "hayat içeceği ve hayat yiyeceğini" verir ve bunları altmışar kez İnanna'ya dokundurmasını ister. Yeraltı dünyasına inip hanımını yarı ölü halde bulan ve Enki'nin dediklerini birer birer yapan Ninşubur, İnanna'yı yeniden yaşama döndürecek ve Aşağı Dünya'dan kurtulmasını sağlayacaktır.

---

[223]Samuel Noah Kramer, "Sümer Mitolojisi", s. 167

Babil mitolojisinde ayrıca, Bennu kuşuyla ilgili efsaneleri akla getiren, dikkat çekici bir hikâyeye de rastlarız. Ancak buradaki kuş Bennu gibi olumlu nitelikler taşımaz: O, evrenin düzenini bozan ve kaosa neden olan "Kötü Anzu Kuşu"dur. Evreni onun yarattığı kargaşadan kurtarmak ve kozmik düzeni yeniden sağlamak için tanrı Ea (Enki), becerikli bir avcı olan Ninurta'yı görevlendirir ve onu kuşu nasıl etkisiz hale getireceği konusunda bilgilendirir:

"... Anzu'nun boğazı kesilmelidir, kanatları 'gizli bir yere' atılmalıdır. Anzu'nun evrende neden olduğu kaosa uygun olarak 'tufan ve kargaşa'dan söz edilir. 'Tufan ve kargaşa', dağların tam ortasına gönderilir."[224]

Mitolojik kuş bu kez tufana neden olan yıkıcı özelliklerle çıkmıştır karşımıza. "Gizli bir yere atılan kanatları", çarpışmada yok olan uydu(lar) ile ilişkilendirilebilir. Mitin sonunda, Ninurta başarıya ulaşacaktır.

Orta Amerika'da, Quetzalcoatl ile Tezcatlipoca göksel bir rekabet yaşarlar; bu aynı zamanda gökler üzerinde ortak hakimiyettir ama kutuplaşma buna imkân vermez ve Tezcatlipoca'nın gelişiyle Quetzalcoatl ortadan kaybolur. Yaratılış mitinde de, kendini kutsal ateşe atarak yok olur, "sabah yıldızı" olarak göklerde yeniden doğar. Mısır'da Osiris ve Seth, iktidarı paylaşma durumundaki kardeşlerdir ama burada da ikisi arasında savaş çıkar, sonuçta parçalara ayrılan Osiris ölüp Orion yıldızına yerleşir. Ama onun yerini, bir an için birleştirilen parçalardan hamile kalan İsis'in doğurduğu Horus alacaktır. "Ufuktaki Ra" olarak adlandırılan Horus, Osiris'in parçalarından yeniden doğmuş ve göklerde belirmiştir. Buna paralel mitlerde Osiris, kendi küllerinden yeniden doğan Bennu kuşudur; Bennu'ysa göklerde Venüs'le özdeşleştirilir. Kutsal Bennu'nun külleri, yani parçaları, Benben taşıdır ve dikilitaşlardan piramitlere dek önemli anıtların tepesine bu taşın kopyaları yerleştirilir. Benben, Mısır topraklarına bilinmez bir zamanda gökten düşmüş parçalardır. Mezopotamya'da yaratılış destanı Enuma Eliş, gök-

---

[224]Samuel Noah Kramer, "Sümerlerin Kurnaz Tanrısı Enki", s. 297

sel bir savaşı anlatır ve güneş sisteminin düzenini simgesel bir dille şiirleştirir. Uzaklardan gelen Marduk, kötü tanrıça, canavar Tiamat'ın karnına vurmuş ve onu iki parçaya ayırmıştır. Geriye kalan parçasıyla Tiamat artık Marduk'un onu yolladığı yeni yörüngeye yerleşir. Çin'deki eski astronomik kayıtlarda, bir zamanlar Venüs'ün Sirius'la aynı hizaya gelecek denli farklı bir yol izlediği anlatılmaktadır. Sümer'de Venüs'le simgelenen tanrıça İnanna, "Aşağı Dünya"da tuzağa düşürülüp tutsak edilir ve uzun süre ortadan kaybolur. Ancak Enki'nin yardımı ve Ninşubur'un çabalarıyla dünyaya geri dönebilecektir.

Velikovsky ve "Çarpışan Dünyalar"

Mitlerden üzeri örtülü unsurları ayıklayarak içerikleri deşifre ettiğinizde, alt alta yazılan bu bilgiler en azından bir tek şeyin altını net biçimde çizer: Oldukça eski bir dönemde, Venüs gezegeniyle ilgili çok sıradışı bir olay yaşanmış olmalıdır göklerde. Dünyanın farklı yerlerinde "kutuplaşma–savaş–ölüm–yeniden doğma" temaları vurgulanarak anlatılan mitler, bu sıradışı olayın Venüs'ün yörünge değiştirmesiyle sonuçlandığına dair ipuçları sunar. Böyle büyük ve güçlü bir karşılaşmayı, ancak bir tek gök cismi gerçekleştirebilir: Varlığıyla ilgili kuşkular her geçen gün azalmaya başlayan, efsanevi Onuncu Gezegen.

Yukarıda özetlemeye çalıştığım tez, Venüs'ün göklerdeki alışılmadık serüveniyle ilgili ilk teori sayılmaz pek. 1950 yılında Immanuel Velikovsky adlı bir psikanalistin yayımladığı, çok sansasyon yaratan "Çarpışan Dünyalar" (Worlds In Collision) adlı kitap, Venüs'ün göksel çarpışmalarıyla ilgili şaşırtıcı iddiaları içeriyordu. Velikovsky, Ipuwer Papirüsü'nden de yola çıkarak Mısır'da Eski Ahit'in Exodus kitabında anlatılan çıkış olaylarına kaynak oluşturan gelişmeleri ele alarak başlamıştı işe ve bütün o karmaşaya, Venüs'ün Jüpiter'le yaşadığı bir çarpışmanın neden olduğunu savunmuştu. Aslına bakılacak olursa, söz konusu çarpışmanın öncesinde Venüs diye bir gezegen de yoktu Velikovsky'ye göre; Jüpiter'in kendi bünyesi içinden oluşturup dışarı fırlattığı, yoğunlaşmış bir gaz kütlesiydi o; bir "serseri" gezegendi.

"Velikovsky'ye göre Venüs, Jüpiter'den patlamalarla fırlatıldıktan sonra, neredeyse dünyaya çarpacak kadar yakınından geçmişti. İlk karşılaşma Exodus zamanında oldu ve Venüs gündüzleri duman, geceleriyse ateş olarak göründü. Dünyanın üzerine kızıl tozlar, kurbağalar, pireler, sinekler, çekirgeler, böcekler, dolu, yanmış yağ, manna ve göktaşları yağdırmıştı. Lav patlamalarına, felaketlere, karanlığa ve depremlere yol açmıştı. İkinci karşılaşma elli iki yıl sonra gerçekleşti ve sonrasında Venüs Kuyrukluyıldızı bugün izlediği hemen hemen kusursuz dairesel yörüngeye yerleşti."[225]

Astronom Edwin Krupp'un aktardığımız biraz alaycı satırlarında da anlatıldığı gibi, Velikovsky'nin "Çarpışan Dünyalar"ı, çok kısa olarak böyle bir model sunuyor ve Eski Ahit'te anlatılan felâketlere Venüs'ün neden olduğunu ileri sürüyordu. Dahası, bu olaylar için uygun gördüğü tarih olan İ.Ö. 1500 öncesinde, Venüs diye bir gezegen bile yoktu Velikovsky'ye göre. Bu serseri kuyrukluyıldızın gökyüzünde çizdiği kararsız yörünge Mars üzerinde de etkili olmuş, ortaya çıkan yörünge rahatsızlığı nedeniyle İ.Ö. sekizinci yüzyılda Mars da dünyaya oldukça yakın geçerek tehlikeler yaratmıştı. Bütün bu tehlikeli göksel geçişler hem dünyanın manyetik kutupları, hem ekseni, hem de dönme hızı üzerinde güçlü etkilerde bulunmuş ve dehşet verici katastroflara neden olmuştu.

Bilim dünyası, Immanuel Velikovsky'ye alışılmadık derecede büyük bir tepki gösterdi. Akademik çevrelerin bu tepkisi o denli şaşırtıcı boyutlara vardı ki, "Çarpışan Dünyalar"ın yayımlanması "bilim adamları"nın girişimleriyle engellendi. Velikovsky, tezlerinin benimsenmeyeceğini, hatta küçümseneceğini tahmin etmişti, ama bu denli yoğun bir tepki sonrasında düpedüz sansürleneceği aklına bile gelmemişti.

"Gerek bilimadamları, gerekse konunun uzmanı olmayanlar tarafından öne sürülen varsayımların yanlışlığı er geç ortaya çıkar. Ne var ki, bilim kendini düzelten bir girişimdir. Varsayımların bilim tarafından kabul edilebilmesi için ciddi kanıt sına-

---

[225]Edwin C. Krupp, "In Search Of Ancient Astronomies", s. 222

vından geçmesi gereklidir. Velikovsky olayının en kötü yanı, bu kişinin öne sürdüğü varsayımların yanlış olması ya da kesinliği kabul edilmiş olgulara ters düşmesi değildi. En kötü yanı, kendilerine bilimadamı diyen bazı kişilerin Velikovsky'nin kitabını ortadan kaldırmak istemeleriydi. Bilime gücünü veren, özgür araştırma ve ne denli garip gelirse gelsin, ortaya atılan bir varsayımın değeri üzerinde araştırma yapılması gerektiği düşüncesinin yerleşmesidir. Alışılmış fikirlere benzemediği için insanı tedirgin eden yeni fikirlerin boğulması, din ve siyaset çevrelerinde görülebilir. Fakat böyle bir şey, bilgiye götüren bir yol değildir. Bilimsel çaba kavramıyla bağdaşamaz. Yeni ufuklara yol açacak görüşleri kimin öne süreceğini önceden kestirip atamayız."[226]

Bu sözler, ünlü bilim adamı Carl Sagan'a ait. Velikovsky'nin tezleri ortaya çıktığı sıralarda onun muhaliflerinden biri olan Sagan, yaşını başını almış, kürsü sahibi meslektaşlarının "Çarpışan Dünyalar" kitabını Nazi düşüncesine ya da engizisyon mantığına yakışır biçimde büyük bir öfkeyle yakmak, yok etmek istemelerinden epey rahatsız olmuştur belli ki. Sagan, uzay projelerinin başında bulunmuş; bilim dünyasının en heyecanlı serüvenlerini yönetici olarak yaşamak mutluluğunu tatmış bir bilim adamıdır ve fazlasıyla idealist bir "bilim adamı prototipi" vardır kafasında. Bu ütopik prototipe bağlılığı nedeniyle, aslında "ayrıcalıklı bilim insanları" kastına hayranlık duyduğunu; onun yüceltmeye ve savunmaya çalıştığı gibi "mutlak nesnel ve sınıflarüstü" bir bilim olamayacağını hiç fark edememiştir ne yazık ki. "Din ve siyaset"ten ayrı bir yere koyduğu bilimin bağımsız olmadığını ve içinde yaşatıldığı kurumlarda ortaya çıkan hiyerarşik yapının dört bin yıl önceki "inisiye okulları"ndan farksızlığını görmek istememiştir. Başrahip ve rahip öğretmenlerin yerini kürsü başkanları ve öğretim üyelerinin; inisiye tapınaklarının yeriniyse üniversitelerin aldığını elbette kabul etmek istemeyecektir. Oysa, tıpkı binlerce yıl önce tapınak rahipleri dışındakilere gökyüzünü incelemenin yasaklanması gi-

---

[226]Carl Sagan, "Kozmos", s. 116

bi, bugün de akademik kariyer sahibi olmayanlara bilimle aktif olarak uğraşma yolu dolaylı ama kesin engellerle kapatılmıştır. Yasal bir engel yoktur elbette insanların bilimle uğraşmasında ama bir görüş, düşünce ya da teorinin "bilimsel"liğini sınama ve onaylama ayrıcalığı yalnızca üniversitelerin elindedir. Lisans eğitimini bitirdikten sonra fakültede kalarak "inisiye olan" ve akademik kariyere adım atanlar, başrahipten icazet alırcasına içinde bulundukları kurumda kabul gördükçe yeni buluş ve tezlere imza atabilirler. Bunlar da çoğu kez, kendilerini yetiştiren hocalarının başlattığı ya da ilk aşamasını tamamladığı tezlerin sonlandırılmasından ibarettir. Yıllar geçip akademik bürokrasi içinde kemikleşildikçe, o yapı iyice benimsenir. Artık "devrimci" bir şeyler ortaya koyma yolunda istek ya da motivasyon da son derece azalmıştır bilim adamında. Dahası, böyle bir şeyin gerekliliğine bile karşı çıkabilecek oranda duygu ve sezgileri kemikleşmiştir. Bir üniversitede, bir kürsü başkanı profesörün gözetimi ve bir bilim adamları kurulunun desteği olmadan hiçbir projenin "bilimsel" sıfatını taşımayacağı fikri, bütün düşünce sistemine nüfuz eder. Ancak ortodoks bilim ve akademisyen bürokrasinin onaylayacağı kişi, düşünce ve yöntemler incelenmeye değer bulunabilir; hiçbir yasal engel bulunmadığı için akademik bürokrasiye hiç yaklaşmadan kendi tezlerini geliştirenlerse, geniş kitlelerden ilgi ve kabul görseler bile yaptıkları ve yazdıkları "sahte bilim" (pseudo-science) etiketi vurularak küçümsenecektir. Kimler sergileyecektir bu tavrı? Yukarıdaki satırda Velikovsky'ye gösterilen tepkiyi eleştiren ve idealist bilim adamı davranışının altını çizmeye çalışan Carl Sagan'ın da içinde yer aldığı, bilim oligarşisi. Geçerli ve kabul edilebilir bilim çevresi dışında, "outsider" olarak nitelenen "amatörler"den gelecek her teori ve düşünceyi "sahte bilim" ilan etmeye eğilimli olduğu gibi, çoğu kez o tezleri oturup incelemeye bile değer görmeyecektir bu oligarşinin içinde yer alanlar. Carl Sagan'ın hem iyi bir bilim adamı, hem de bu oligarşinin içindeki en açık fikirli, en idealist insanlardan biri olduğunu biliyoruz. Bakın televizyonda gördüğü bir belgeselle ilgili neler söylüyor Sagan:

"İşte rasgele bir örnek: Pluton'un ardında büyük bir gezegen bulunduğunu ileri süren bir yazar sunuluyor. Kanıtı, teleskopun icadından çok önce oyulmuş eski Sümer silindir mühürleri. Görüşlerinin profesyonel gökbilimcilerce giderek artan oranda kabul gördüğünü söylüyor yazar. Neptün, Plüton ve bu iki gezegenin ardındaki dört uzay aracının devinimlerini inceleyen gökbilimcilerin, söz konusu gezegenin izine bile rastlamadıkları konusunda tek bir söz bile edilmiyor."[227]

Sagan'ın kimden söz ettiğinin farkındasınız tabii: Televizyonda, Zecharia Sitchin'le yapılmış bir söyleşiyi izlemiş. Ama "sahte bilim" olarak gördüğü ve medyayı bunları tek yanlı yansıtmakla suçladığı tezlerin sahibini, adını bile anmaya değer görmüyor Sagan. "Bir yazar" diyor yalnızca. Otuz yıllık bir araştırma sonucunda (beğenirsiniz ya da beğenmezsiniz) altı cilt kitaba imza atmış, bu kitapları milyonlarca satmış, sansasyonel bir araştırmacının kimliğiyle bile ilgilenmemiş ve dikkate almamış görünerek, kaynak gösterilen Sümer silindir mühürlerinin "teleskoptan çok eski olması"yla hafifçe dalga geçiyor. Bir kanıtın değerini, onun yapılış tarihiyle ölçerek bilim ötesi, garip bir karşılaştırma sunuyor yani. Ardından, Neptün ve Plüton ile onların ötesindeki dört uzay aracını izleyen gökbilimcilerin "bu gezegenin izine bile rastlamadıklarını" söylüyor, Onuncu Gezegen teorisini küçümsemek için. Bu satırları yazdığı sıralarda, IRAS'ın izini bulduğu ve dünyaya duyurduğu "esrarengiz gezegen"le ilgili sansasyonel haberlerin yayımlanmasının üzerinden on yıldan fazla zaman geçmişti; NASA'nın başında yöneticilik yapmış birinin bundan haberdar olmaması mümkün müdür? Bırakın onu, Gezegen X arayışının gökbilimciler arasında nasıl gizliden gizliye bir "keşif yarışı" yaşanmasına neden olduğunu bilmeyecek ya da önemsemeyecek denli duyarsız mıdır Sagan? Elbette değildir; bunların çok iyi farkındadır o satırları yazdığı sıralarda ama mesele başkadır: Bilim adamı olarak yıllarını verdikleri çalışma alanlarına "dışarıdan" birileri müdahale etmekte, üstelik bir de teori geliştirmektedirler! Ne kadar esnek

[227]Carl Sagan, "Karanlık Bir Dünyada Bilimin Mum Işığı", s: 298

ve olgun davranmaya eğilimli olsa da Sagan'ın içten içe buna tepki duyduğunu, Sitchin'in adını anmayıp, ondan herhangi biri gibi söz etmesinden anlamak mümkündür. "12. Gezegen" kitabını, dünyanın en ünlü uzaybilimcilerinden birinin duymamış olmasına inanabilir misiniz?

Bu durumda, Velikovsky'ye, hem de bundan elli yıl önce (tam da Senatör Joe McCarthy'nin yasakçı paranoyası ABD'ye egemen olmuşken) bunca tepki gösterilmiş olmasını hiç yadırgamamak gerek. Bir bilim adamı olmasına rağmen, kendi alanının (psikiyatri) çok dışındaki bilimsel disiplinlere bir "outsider" olarak adım atmakta sakınca görmeyen bu garip adam, elbette şiddetle dışlanacaktı. Bilim dünyası açısından talihsiz olan, bunun kitap yasaklamaya dek varan bir histeri içinde gerçekleştirilmesidir.

Immanuel Velikovsky, Yahudi asıllı bir yazardır. Eski Ahit'in, üzerinde oldukça yoğun etkisi vardır ve onu araştırmaya iten faktörlerin başında bu inançlarının geldiğini çok da saklamaya çalışmaz. Kendi ifadesiyle, "Çarpışan Dünyalar"ı yazmaya onu yönlendiren süreç, 1937 yılında, babasının ona armağan ettiği Bar-Droma'nın "Negeb" (Güney) adlı kitabını okumasıyla başlamıştır. Bu kitapta, Sina Dağı'nın volkanik olduğuna ilişkin görüşlerle tanışacaktır. Ardından, Sigmund Freud'un "Musa ve Tektanrıcılığın Kökleri" adlı, makalelerinin derlenmesinden oluşan kitabıyla karşılaşır. Freud'dan, Mısır'ın Yeni Krallık döneminde "Güneş Tanrı Aten" tapınımını başlatan Akhenaten'i öğrenecek ve en çok da bu firavunun Musa'yı yetiştirmiş olması olasılığıyla ilgilenecektir. 1940 yılında, Sodom ve Gomorra'nın yok oluşlarının doğal bir afetle ilişkili olabileceğine ilişkin bir makale okur ve konuya ilgisi derinleşir. Sonuçta, Akhenaten'in yazışmalarını içeren ve "Amarna Mektupları" adıyla bilinen metinleri bulup okuyacak; giderek Mısır'da Exodus zamanı bir facia yaşandığını düşünmeye başlayacaktır. Ipuwer Papirüsü, olgunlaşmaya başlayan düşüncelerini destekler ve Velikovsky, afetleri tetikleyen ana faktörün ne olduğunu belirleme fikri üzerinde yoğunlaşmaya başlar. Dini ve mistik metinlerde ipucu yakalamaya çalışırken, Meksika'da misyoner olarak çalışan ve Maya yazılarını ilk deşifre etmeye çalışanlardan biri olan Brasseur de Boubourg'un bir kitabında, Aziz Augustine'den yapılmış bir alıntıyla karşılaşır: Buna göre Augustine, antik Roma'nın bilgelerinden Varro'nun, "Ogyg'ler devrinde Venüs'ün yörüngesinin değiştiğine" ilişkin satırlarına rastladığını aktarmaktadır. Velikovsky, sözü edilen "Ogyg'ler"in, Eski Ahit'te Amelekilerin kralı olarak adı geçen "Agog" olduğu sonucuna varır. Buradan yaptığı hesapla da, İ.Ö. 1500 dolaylarında, Venüs'ün uzayın farklı bir noktasından çıkıp gelerek dünyaya çarpacak kadar yaklaştığını düşünmeye başlar. 1950'ye dek geçecek zamanda kuyrukluyıldızlar ve gezegenlerin yapılarıyla ilgili bilgi toplama çabasına girişecek; sonuçta Venüs'ün Jüpiter'den kopan bir "kuyrukluyıldız" olarak evrende büyük tehlikeler oluşturduktan ve katastroflar yarattıktan sonra bugünkü yörüngesine yerleşerek "gezegen olduğunu" öne süren "Çarpışan Dünyalar"ı yazacaktır. İlginç bir benzerlikle, Velikovsky de tıpkı Sitchin gibi gönülden inandığı Eski Ahit'i doğrulama heyecanıyla girişmiştir bu çalışmaya. Ne var ki, bütün sansasyonel yapısına karşın çok kolay çürütülebilecek bir teoridir bu:

"Venüs, kayalık ve madeni yapıda bir gezegendir. Hidrojen olarak fakirdir. Oysa Jupiter –ki Velikovsky kometin [kuyrukluyıldızın] Jüpiter'den geldiğini öne sürüyordu– hemen hemen tümüyle hidrojenden oluşuyor. Jüpiter'den komet ya da gezegen fırlamasına uygun enerji kaynakları yoktur. (...) Mezopotamya yazıtlarında Venüs'ten söz edilmektedir. Bu yazıtlarsa Velikovsky'nin Venüs'ün kometten bir gezegene dönüştüğünü söylediği tarihten öncesine rastlar. Bir hayli eliptik yörüngeli bir cismin, bugün dairesel biçime çok yakın olan Venüs'ün yörüngesine öyle çabucak geçmesi olanak dışıdır. Velikovsky'nin kitabında buna benzer olanaksız daha birçok varsayımının yer aldığından söz etmek mümkün."[228]

Astronomi ve astrofizik alanlarına biraz fazla cüretkâr bir giriş yapan ve savlarını üzerinde oluşturduğu dayanakları fazla

[228]Carl Sagan, "Kozmos", s. 115-116

sınamayan Velikovsky, çok temel bazı olgulara ilişkin aceleci yargılara varmasıyla da teorisini bir hayli zedeler:
"Velikovsky, İ.Ö. 1500'den önce dünyanın güneşe daha yakın olduğunu iddia eder. Bu konuda daha spesifik bir şeyler söylememiş olsa da onun izinden gidenler, dünyanın yörüngesinin şimdikinin yüzde 81'i kadar olduğu sonucuna vardılar. Bu ölçüler, bir yılın yirmi dört saatlik 317 günden oluşması demektir."[229]

Benzeri birçok aceleci hata "Çarpışan Dünyalar"ı dayanaklarından yoksun bırakmış olmakla birlikte, Velikovsky izleyen çeyrek yüzyıl içinde teorisini genişletme yolunda uğraş verirken, aralarında "Kaos Çağları" (Ages In Chaos) da olmak üzere çok sayıda kitap ve makaleye imza atmış, yaptığı çok sayıda hatanın yanında, çok da doğru saptamalarda bulunmuştur.

"Yaşadığı sürede Velikovsky, 50'li ve 60'lı yıllarda bile teknolojinin dünyadaki her sorunun çaresi olduğuna inanan zamanın bilimsel tutuculuğu tarafından haksızca tartaklandı. Eski Mısır zamanında dünyaya bir kuyrukluyıldızın yaklaştığına ilişkin inancıyla alay edildi, ancak söylediği birçok şey de bu arada doğru çıktı. Sözgelimi kuyrukluyıldızların kayalardan oluşmayıp bol miktarda hidrokarbon ve buz içerdiğini ilk söyleyen o oldu ki, bunun doğruluğu çok daha sonra ortaya çıktı. Daha birkaç yıl önce Jüpiter'e, yolundan sapan bir kuyrukluyıldızın parçaları çarptı. Olayın ayrıntıları astronomlarca fotoğraflandı ve gezegenlerin taşıdığı riskin grafikli bir gösterisi olarak kaydedildi."[230]

Velikovsky, doğru sezgiler ve mantıklı referans noktaları yakalamıştı aslında: Kutsal metinler ve mitlerdeki kıyamet modellerinin astronomik olgulardan kaynaklandığını hissetmiş, olan bitenin sorumlusu olarak da, "hakkında çok kuşkulu kayıtlar olan" Venüs'ü seçmişti. Ne var ki, "inanç" Velikovsky'nin doğru verileri kullanarak yanlış sonuçlara ulaşmasına neden oldu. O da tıpkı Sitchin gibi, Eski Ahit'i doğrulamaya çalışmış, bu ne-

[229]Edwin C. Krupp, a.g.e., s. 228
[230]Adrian Gilbert – Maurice Cotterell, "The Mayan Prophecies", s. 218

denle tarihlemeleri, Exodus için üzerinde anlaşılmış yıllara
oturtmaya çaba harcamıştı. Antik toplumların kozmolojileri ve
astronomilerine biraz daha dikkat etse ve dini metinlerin nasıl
deşifre edilmeleri gerektiği konusuna eğilmiş olsa, muhtemelen
bu hataları yapmayacaktı. Venüs'ün yaşadığı yörünge değişiklik-
lerini, onun Jüpiter bünyesinde yaratılıp fırlatılması gibi acele-
ci bir varsayımla açıkladı. Bu olayın tarihini, İ.Ö. 1500'lere ge-
tirdi; oysa bu bir gezegenin yörüngeye oturması için yeterli sü-
re bırakmıyordu. Eğer Velikovsky haklı olsaydı, Venüs şimdiki
yörüngesine ancak Batı Roma'nın çöküşünden, hatta İslamiye-
tin doğuşundan sonra, yedinci yüzyılda yerleşmiş olabilirdi. Di-
ğer yandan, sezgileri onun kadar gelişmiş, zeki biri için "Geze-
gen X" olgusunu görememek de büyük bir handikap. Eski Ya-
kındoğu kozmolojilerinde Marduk'un izlerini bulmuş olsaydı,
Velikovsky 1950'ler gibi erken bir tarihte çok daha sansasyonel
bir teoriyle ortaya çıkabilirdi. Ne yazık ki, Venüs ve "göksel çar-
pışma" odaklarına oturtulmuş teorisi, Eski Ahit saplantılarının
da etkisiyle bir tür "erken doğum" yaşadı. Belki aşırı tepkili ba-
zı bilim adamları kitabını sansürlemeye ve engellemeye kalkma-
salardı, çok daha önce unutulup gidecekti "Çarpışan Dünyalar",
tozlu kütüphane raflarında.

Bilim adamlarının, "çarpışan gezegenler" ya da "kuyruklu-
yıldızın çarptığı gezegen" modellerine nedense garip bir alerji-
leri ve tepkileri var. Oysa kimi büyük doğal afetleri ancak böy-
lesi göksel olguların beklenmedik ortaya çıkışlarıyla daha makul,
açıklanabilir hale getiriyoruz. Gezegenimizin tarihinde böylesi
kozmik felaketlerin bulunduğunu, hatta bunların uygarlık tari-
hini bile yakından etkilediğini kabul etmek çok da zor olmasa
gerek. Bundan 60 milyon yıl önce dinozorların nasıl ortadan
yok olduğunu hâlâ bilmiyoruz; yanıtın büyük olasılıkla asteroid
çarpması türü bir felakette gizlenmiş olabileceği düşünülüyor.
Çok daha yakın bir tarihte, Sibirya'nın kuzeyindeki Tunguz-
ka'ya düşen bir göktaşının (kanıtlanamasa bile başka açıklama
yok) binlerce mil uzaktan duyulacak büyüklükte bir gürültüyü
nasıl çıkardığını ve çok büyük bir alanı nasıl yakıp yıktığını iyi
biliyoruz. Niye 7-8 bin yıl önce yaşanan bir göksel çarpışmanın

olası büyük etkilerini kabul etmek bu denli zor geliyor bilim adamlarına acaba?

"Tüm tarih boyunca kuyrukluyıldızlar yok oluşa dair kehanetlerin odak noktası olarak görülmüşlerdir. Bu yoğunlaşma çoğunlukla batıl inanç olarak değerlendirilmiştir; ne var ki kuyrukluyıldız parçalarının ve asteroidlerin çarpışmaları, medeniyetlerin gelişiminde insanoğlunun varsaydığından çok daha fazla etkili olmuştur. Kuyrukluyıldızlar artık 'kirli kartopları' olarak yorumlanmak yerine, parçaları –meteorlar– ile gezegenleri sağanağa tutan büyük taş ve diğer katı maddelerden oluşan yığınlar olarak değerlendirilecektir."[231]

Ronald Bonewitz'in yukarıdaki sözleri fazla iddialı, hatta dayanaksız bulunabilir. Ancak kuyrukluyıldızlar felaket getiren başıboş gök saldırganları olmasalar bile, evrende "çarpışma" dediğimiz olaylar hiç de bilim adamlarının bize anlattığı kadar ender değildir. En azından, yaşlı uydumuz Ay'ın ve yakın komşumuz Mars'ın yüzeyindeki derin kraterlere baktığımızda bile, bu kozmik karşılaşmaların izlerini görürüz. 1994'te Shoemaker-Levy Kuyrukluyıldızı'nın Jüpiter'e çarpması dünyadan heyecanla izlenirken, NASA yönetiminin bu olaya çok da coşkulu yaklaştığını hiç sanmıyorum. Uzayın engin karanlığı içinde birer toplu iğne başı gibi duran gezegenlerle, minicik birer toz zerresine benzeyen kuyrukluyıldız ya da asteroidlerin çarpışmaları, son derece küçük olasılıklar gibi görünüyor gerçekten. Ama istatistikler, yalnızca ön yorum yapmak içindir; gözlenen olay gerçekleştikten sonra ilk olasılık hesapları bir anlamını yitiriverir. Eğer zarı attığınızda 6 gelmesi, altıda bir olasılıksa, bu ancak atmadan önceki yaklaşık bir tahmin olarak işinize yarar. Ama yerde yuvarlanıp 6 rakamı tepede olmak üzere durduğunda, artık olasılığın hiçbir yararı yoktur sizin için: Yüzde yüz 6 gelmiştir çünkü! Uzayda da durum bundan farklı değil. Geniş yörüngeleri üzerinde büyük elipsler ve dairemsi yollar çizen gök cisimleri arasındaki çarpışmaların olasılığı çok çok düşük de görünse, olay gerçekleştiğinde yaptığınız hesaplar hiçbir işe yara-

---

[231]Ronald Bonewitz, "Maya Mitolojisi", s. 52

maz. Shoemaker-Levy'nin parçaları büyük bir hızla Jüpiter'in bedenine çarptığında, "bir kuyrukluyıldızın bir gezegene çarpma olasılığı şu kadar milyonda birdir" demenin anlamı yoktu. O gezegen Jüpiter değil, pekâlâ dünya da olabilirdi –çok çok düşük bir olasılıkla da olsa.

Aslında konu, dünyaya çarpma olasılığı olan kuyrukluyıldız ya da asteroidler üzerinde yükselen "korku teorileri" yaratmak değildir elbette. Bütün mesele, göksel çarpışmaların, ne denli ender olurlarsa olsunlar, dünyadan da izlenecek biçimde binlerce, on binlerce, milyonlarca yıl içinde defalarca gerçekleşmiş olduklarını kabul etmekten ibarettir. Benzeri biçimde, dünyaya yakın geçen büyük kütleye sahip, yoğun bir gök cisminin, yalnızca jeolojik hareketliliklere değil, manyetik kutupların kaymasına dek varacak fiziksel etkilere neden olabileceğini de anlamaktır. Velikovsky, Sagan ve Krupp gibi ortodoks bilim adamlarınca Newton mekaniği konusunda "cahil" olmakla suçlanır, kendisine yönelik eleştirilerde. Ama söz konusu mekaniğin evrensel anlamda "tek belirleyici" olmadığı gerçeği bir yana, büyük çaplı göksel hareketliliklerde Newton kuramının nasıl sonuçlar yaratabileceği üzerine görüşler de bütünüyle "teorik" düzeydedir henüz. Modern astronomi ve astrofizik hızla gelişmeye başladığından beri, dünya böylesi bir olaya tanık olmadı; dolayısıyla gezegenlerin yörüngeleri ve güneş sisteminin yapısı, milyonlarca yıldır değişmemiş gibi algılanıyor. Bu durumda, son 500 yıl içinde gelişen modern bilimin henüz somut olarak kanıtlayamadığı Onuncu Gezegen'in varlığına da kuşkuyla bakılıyormuş gibi bir izlenim yaratılıyor dünyada. Oysa kuyrukluyıldızların ne denli düzensiz yörüngelere sahip olduklarını biliyoruz: Güneşin milyarlarca kilometre uzağından başlayan eliptik dönüş hareketleri, Kohutek örneğinde olduğu gibi binlerce yıllık yörüngeler çizebiliyor ve bu gerçeğin Kepler yasalarına aykırı hiçbir yanı yok. Dolayısıyla, aynı uzun ve düzensiz harekete sahip olabilecek, kuyrukluyıldız özellikleri taşımayan katı, kayalık ve büyük kütleye sahip bir gezegenin (hatta birden çok gezegenin) varlığı da son derece akla yakın. Eğer 75,000 yılda bir, dünyanın yakınından geçen, kuyrukluyıldızlar gördüysek,

3661 yılda güneşin çevresinde turlayan bir gezegenin var olmayacağını öne sürmek "bilimsel tavır"la nasıl bağdaşabilir ki? Sagan'ın mantığına göre, "teleskopu icat ettiğimizden beri" geçen 500 yıl içinde, hele bugünün modern dev teleskoplarıyla göremediysek, böyle bir gezegenin varlığı da (eski metinlerde söz edilmesine rağmen) kuşkuludur. Demek ki, eğer geçen yüzyılın sonlarında Kohutek'i görmüş olmasaydık ve bir yerlerde eski bir yazıtta 75,000 yılda bir görülen büyük bir kuyrukluyıldızdan söz edilseydi, bunu "saf mitoloji" kabul edip başını çevirecekti modern uzay bilimcilerimiz. Oysa Kohutek gerçektir; modern insanın ortaya çıktığı İ.Ö. 73,000 dolaylarında dünyaya yakın geçmiştir; ardından yirminci yüzyılda bilim adamlarının gözleri önünde bir turunu daha tamamlamıştır ve 76,970 yılında yine dünyaya yakın geçecektir. Tıpkı, Nibiru/Marduk gibi: İ.Ö. 5310'da, 1649'da dünyaya yakın geçmiştir ve 2012'de bir kez daha sistemimizde belirecektir. İşin "komplo teorisi" boyutlarına yönelmenin anlamı yok; ama yine de, modern bilimin bu dev gezegenden hiç de habersiz olmadığını, önceki bölümlerde Gezegen X arayışları ve IRAS'ın bulgularından söz ederken vurguladığımızı anımsatalım. Bilim dünyası, hiç değilse bir grup "elit", Nibiru/Marduk'un varlığını bizden çok daha ayrıntılı olarak ve muhtemelen net bulgularla biliyor şu anda. Ne yazık ki, bizim neyi ne kadar bilmemiz gerektiğine de onlar karar veriyorlar –şimdilik.

Alan Alford ve "Patlayan Gezegen" kültü

Dünyadan net olarak gözlemlenebilecek bir "göksel çarpışma" olgusunun, insanlık kültüründe ne denli belirleyici bir rol üstlenmiş olabileceğine ilişkin bir başka çarpıcı teori de, İngiliz araştırmacı Alan F. Alford'a aittir. İlk büyük çıkışını 1996 yılında bütünüyle Zecharia Sitchin'in izinden gittiği "Gods Of The New Millenium" (Yeni Binyılın Tanrıları) adlı kitabıyla gerçekleştiren Alford, 1999 yılında Mısır'da gerçekleştirdiği yoğun araştırmalardan sonra, büyük bir hızla "eskiçağda uzaylı ziyaretçiler" teorisinden uzaklaştı ve bir tür "U-Dönüşü" gerçekleştirdi. Düşüncelerindeki bu köklü değişime neden olan etken, Mısır'da, antik Heliopolis kentinde merkezlenen ezoterik kültü incelerken elde ettiği bulgular ve vardığı çözümler oldu. Alford en çok, Bennu kuşu ve Benben temalarından etkilenmiş; İsis-Osiris kültünü derinlemesine araştırmış ve Eski Mısır'a ilişkin dokümanlar arasında gerçekleştirdiği uzun yolculuğun sonunda, "Phoenix Solution" (Anka Kuşu Çözümü) adlı kitabını yayımlamıştı. Eski Mısır'da izleri sürülen mistik kültler, Alford'a göre bire bir tarihsel kayıt gibi kabul edilmeye elverişli olguları (yani "uzaylı ziyaretçiler"in burada "tanrı" olmalarını) değil, yoğun simgelerle şifrelenmiş bir kozmolojiyi merkez alıyorlardı. Belli çevrelerde yankı yaratan bu derin çalışmanın ardından Alford, artık Sitchin ve Däniken gibi araştırmacıların temsil ettiği "uzaylı astronot" teorisiyle yollarını kesin olarak ayırmaya karar verdi ve U-dönüşünün en keskin virajını, 2000 yılında yayımladığı sansasyonel kitabı "When The Gods Came Down" (Tanrılar Aşağı İndiğinde) ile gerçekleştirdi. Alford'ın seçtiği yeni kulvar ve değişen düşünceleri, eski okurları için tam bir düşkırıklığı olmuştu ve bu nedenle kitabı çok da büyük satışlara ulaşamadı ama bilimsel çevrelerde bir miktar ses getirmeyi başardı. Beş bin yıl önceki Mezopotamya ve Hint kültürlerinden bu yana, dünyada var olan bütün gizem kültleri ve büyük dinler, gökyüzünde parçalanıp dağılan bir gezegenle ilgili mistik düşlere dayanıyordu Alford'a göre. Bu nedenle yeni teorisine, "patlayan gezegen kültü" (exploded planet cult) adını verdi. Her dini düşüncenin özünde bir biçimde "tanrının öldüğü ve göklerde yeniden dirildiği" imgesi bulunuyordu: Osiris'ten, İsa'ya dek. Bu motif, insanın dünyevi varlığına karşılık tanrının (ya da tanrıların) göklerdeki ölümsüzlüğü fikrinin anahtar temasıydı.

"İyi ama Tanrı kimdir ya da nedir? Tam bu noktada devreye geleneksel olarak *bağlılık* girer. Tanrı'nın kim ya da ne olduğunu, nereden geldiğini bilmemiz beklenmez, çünkü Tanrı gizemli ve bilinemeyen bir varlıktır. Onun yerine bize, dinin özünün bu kavranamayan varlığa ve Tanrı'yla insan arasındaki biricik bağlantı olarak Kilise'ye *bağlılık* olduğu anlatılır. Böylece *bilgi*nin kökünden uzaklaştırılır ve onun yerine ikame etmek üzere bize *bağlılık* önerilir."[232]

Alford, araştırmasını temel olarak iki büyük gelenek üzerinde gerçekleştirmişti: Mezopotamya ve Mısır. Her iki gelenekte de kültürün merkezinde gibi görülen kozmoloji ve dinsel olguların birbirleriyle aynı imgelere sahip olduğunu; göksel olgulara ilişkin çıkarsamaların yoğun simgelerle şifrelenerek, geniş kitlelere "inanç ve bağlılık" ritüelleri olarak sunulduğunu vurguluyordu. Mısır ve Mezopotamya'nın kavşağında bulunan İbrani kültürü, dolayısıyla Eski Ahit de, bu şifrelenmiş öğretinin bir doz daha okült hale getirilmesiyle oluşmuştu Alford'a göre. Hıristiyanlık, Eski Ahit'i benimseyen bir kitlenin bağrında, geniş ölçüde Mısır ve Pers temalarına yaslanarak doğmuştu ve aynı okültizmi daha yoğun olarak içeriyordu; öyle ki, artık simgelerle yüklenmiş simgelerin altında yatan gerçek iyice sisli bir görüntüye bürünmüştü. Buna göre, bugünün modern dünyasında bile insanların üçte ikisi (hatta daha fazlası) tektanrılılık adı altında simgelerle yüklü bir düşünce sistemine inanıyorlardı. İyi ama, neydi bu kitlelere sunulmak üzere çok dereceli olarak şifrelenmiş inanç sisteminin çekirdeğindeki göksel gerçeklik? Alford bunun, yalnızca ve yalnızca "patlayan gezegen kültü" olduğunu ileri sürüyordu. Bu, ilk başta akla gelebileceği gibi bir "kuyrukluyıldız kültü" basitliğine indirgenecek bir töz değil, çok daha temel bir kozmik olay olmalıydı. Bazı modern bilim adamları, dünyaya yaşam tohumlarının kuyrukluyıldızlarca taşınmış olabileceği olasılığı üzerinde dursalar da, Alford'a göre, bu eskiçağ temel düşüncesini açıklayamazdı:

"Ne var ki, daha yakından incelendiğinde kuyrukluyıldız teorisinde sorunlar çıkar. Bu sayfalarda anlattığımız gibi eskiler kuyruklu yıldızı kaotik bir beden olarak görürlerdi –katastrofun nedeni değil, sonucuydu; Tanrı'nın kendisi değil, parçasıydı; kral değil, onun elçisiydi. Dahası, bana öyle geliyor ki eskiler kuyrukluyıldızlar (ya da meteoritler) ile ilgili çağdaş gözlemler yapmakla değil, bu kaotik bedenlerin nereden geldiğine ilişkin

---

[232]Alan F. Alford, "When The Gods Came Down", Önsöz

teolojik açıklamalar yapmakla ilgileniyorlardı. Dolayısıyla eski yazmanlar en büyük önemi, çok eskiden, milyonlarca yıl önce, göklerin, Dünya'nın ve sonrasında da insanlığın nasıl yaratıldığını açıklamaya veriyorlardı.

Bu, bizi, parçalanmış bir gezegen fikrine götürür. Her ne denli modern bilimsel düşünce bu fikri dışlasa da, unutulmamalıdır ki burada bir *dini inanç sistemini* inceliyoruz. Dolayısıyla, parçalara ayrılmış –meteoritler ve *belki de kuyrukluyıldızlar* halinde– bir gezegen fikri, eskilerin hipotezlerindeki göksel 'dağın' parçalanmasıyla ilgili makul bir çözümlemedir.

Bu sorunu kuşkuya yer bırakmayacak biçimde çözebilmek için meteoritler, kuyrukluyıldızlar ve gezegenlerle ilgili modern önyargıları bir yana bırakıp yalnızca eskilerin ne dediğiyle ilgilendik. Sonuçta, üzerinde konuştuğumuz şey, onların *inançlarıydı.*"[233]

Alford gerçekten göz kamaştırıcı bir çalışma gerçekleştirmişti "When The Gods Came Down"da. Yüzlerce doküman, mit ve kutsal metinde iz sürmüş; yoğun emek ürünü bir araştırmanın ardından, eskiçağ düşünce ve inanç sistemlerinde karşımıza çıkan muğlak kavramların tümüne "patlayan gezegen kültü" çerçevesi içinde yanıt getirmişti. Eski ve Yeni Ahit kitaplarını da içeren araştırması, modern kültürel antropolojinin "çizgisel tarih" anlayışı içinde çoktanrılılıktan daha "ileri" bir aşama olarak değerlendirdiği "tektanrıcılık" (monotheism) fikrinin aslında yalnızca soyutlama (daha doğrusu "şifreleme") düzeyi olarak daha "ileri" olduğunu; anafikrin bütünüyle eskiçağ antik dinlerinden geldiğini yadsınamaz biçimde ortaya koyuyordu. Bu çözümlemeleri sırasında, özellikle Yeni Ahit'le ilgili yorum ve çeviri hatalarını da bulup bunlara dikkat çekmesi, bulanık görünen kimi noktaların daha açık ve anlaşılır hale gelmesini sağlıyordu. Sözgelimi, hıristiyan düşüncesinde "Tanrı'nın Oğlu" olarak nitelenen İsa'dan Yeni Ahit'te "İnsanoğlu" adıyla söz edilmesi böylesi karmaşalardan biriydi ve Alford'a göre doğru terim "İnsanın tohumu" olmalıydı: Çünkü insanın tohumu,

---

[233]Alan F. Alford, a.g.e., s. 102

bu gezegene dünya dışından gelmişti eski düşünce ve inanç sistemine göre. Onu, Tanrı getirmişti. O halde "insan suretinde" dünyaya inen Tanrı'nın oğlu, milyonlarca yıl önce gerçekleşen "tohumun ekilmesi" olgusunun da temsilcisiydi.

Alford'ın çözümlemeleri arasında bundan çok daha çarpıcısı, biraz Kabbala gizemciliğini çağrıştırır biçimde, Genesis'in ilk ayetleriyle ilgili bir "gizleme"ye dikkatleri çekmesiydi. Buna göre, açılış harfinde yapılacak bir değişiklikle "Başlangıçta Tanrı gökleri ve yeri yarattı" ayeti, bütünüyle farklı bir anlam içerecek biçimde değişiyordu:

"Genesis'in açılış ayetinin, İbrani alfabesinin ilk harfi olan Alef yerine ikinci harfi olan Bet ile başlaması merak uyandıran bir olgudur. Dahası, bu eksik Alef harfinin en başa eklenmesiyle açılış ayetinin anlamının da radikal biçimde değişeceğine dikkat çekilmiştir. Aşağıdaki benim çevirimde, alfabetik değişikliği yaptıktan sonra *Bereşit* (Başlangıçta) sözcüğünün nasıl *Ab-reşit* (Başlangıcın Babası) haline geldiğine bakın:

Başlangıcın babası tanrıları [Elohim'i] yarattığında, ve dünya biçimlenmemiş ve boşken, ve karanlık Derin'in üzerindeyken ve Tanrı'nın Soluğu suların üzerindeyken, Tanrı 'Işık olsun!' dedi. Ve ışık oldu.

Burada gördüğümüz şey, Tanrı'nın −patlayan gezegenin− diğer tanrıları nasıl kendi fiziksel varoluşundan yarattığı fikridir."[234]

İlginçtir, aynı olguya Alford'dan çok önce Zecharia Sitchin de dikkat çekmişti −ama tümüyle farklı bir yorumla:

"... İncil'in ilk kitabının ilk ayeti Alef'le başlatıldığında ortaya çok çarpıcı bir sonuç çıkar, çünkü cümle şu biçimde okunur:

Ab-reşit bara Elohim
Et ha Şamaim v'et Ha'aretz

Başlangıcın Babası Elohim'i yarattı
Ve göğü ve yeri

---

[234] Alan F. Alford, a.g.e., s. 227

Yalnızca başlangıçtaki harf üzerindeki bu küçük değişiklikle, sonsuz güce sahip [omnipotent], her zaman varolan Her Şeyin Yaratıcısı, ilksel kaosun içinden ortaya çıkar: Ab-reşit, 'Başlangıcın Babası'."[235]

Sitchin, Genesis'in ilk ayetindeki Alef değişikliğiyle ortaya çıkan sonucu, Alford'dan son derece farklı bir biçimde, Yahve'nin varlığını kanıtlamak, böylece en büyük teorik ve psikolojik açmazlarından birine çözüm bulmak amacıyla yorumlamaktadır. Altı kitaplık "Dünya Tarihçesi" dizisi boyunca Eski Ahit'teki ifadelerin çok daha eski Mezopotamya kaynaklarından alındığını bizzat kendisi kanıtlayan Sitchin, bu noktada inançlarıyla hesaplaşma yerine onları doğrulamayı seçmektedir. Böylece, "Madem Anunnaki dünyaya indi ve insanlığı yarattı, o halde Yahve kimdi?" biçimindeki kaçınılmaz soruya, fazlasıyla kaçamak bir yanıt vermiş olur: "Elohim'i, yani Anunnaki'yi de Yahve yarattı. O en büyük yaratıcı ve Başlangıcın Babası'dır." Ne var ki, bir Alef eklemesi, Sitchin'in altı kitap boyunca sergilediği Anunnaki teorisinde, Yahve inancından vazgeçilmedikçe varlığını koruyan çelişkiyi ortadan kaldırmaya yetmeyecektir. Sorular peş peşe gelir çünkü: Madem Nibiru/Marduk en son İ.Ö. 200 yılında görülmüştür (bu tarih, Kudüs'teki fundementalist Yahudi Uyanışı tarihidir ve salt o nedenle Sitchin'in kronolojisinde Nibiru'nun yörünge geçişiyle çakıştırılmaktadır) o halde Yahve ve Anunnaki aynı anda gezegenimizde bulunmuşlar ve farklı şeyler yapmışlardır: Anunnaki sürtüşme ve kavgalarla uğraşırken, Yahve (nedense) kendine İsrailoğullarını kavim olarak seçmiş ve onları sürekli desteklemiş demektir bu durumda. Yahve, onlardan biri olmayıp, Başlangıcın Babası –yani onların da yaratıcısı olduğuna göre, Anunnaki ile karşıt mıdır ki Sümer, Babil ya da Mısır gibi büyük Anunnaki uygarlıklarına yardım etmek yerine, göçebe bir çöl kabilesini seçmiştir? Bu sorulara inandırıcı yanıtlar getiremeyen Sitchin, Yahve'nin her şeyin ötesinde bir büyük yaratıcı, bir "kozmik yolcu" olduğunu

[235]Zecharia Sitchin, "Divine Encounters", Avon Books, s: 376

söyleyerek sıyrılmaya çalışır. Anunnaki de Sitchin'e göre Yahve'nin elçisidir. Tıpkı, başka gezegenlere yaşam ve uygarlığı taşımaya başladığımızda, bizim de olacağımız gibi. O halde niçin Anunnaki metinlerinden hiçbirinde Yahve'den söz eden bir tek satıra bile rastlamayız? Elçisi oldukları Büyük Yaratıcı'yı tanımıyor mudur Anunnaki grubu? Sitchin, katı inancı nedeniyle sıradışı teorisini gölgeleyen açmazlardan kurtulamaz ve *Bereşit* yerine *Ab-reşit* yazmakla Yüce Yahve'nin varlığının ortaya çıktığını düşünmek ve bizi de buna inandırmaya çalışmakla yetinir.

Biz yine Alford'a dönelim. Genesis'in ilk ayetine Alef ekleyerek o da kendi teorisi için dayanak bulduğu inancındadır. Başlangıcın Babası (Ab-reşit) ifadesi, Alford'a göre eskiçağ düşüncesindeki "patlayan gezegen" kültünün merkezidir. Buna göre, binlerce yıl önceki atalarımız, aslında bugünün Big-Bang (Büyük Patlama) teorisine benzer bir konsepte düşünce yoluyla ulaşmışlar ve büyük Yaratıcı Tanrı'yı "patlayan gezegen" olarak yorumlayıp, bütün yıldız ve gezegenlerin onun parçaları olduğu, dolayısıyla yaşam tohumlarının da onun parçalarıyla dünya üzerinde ortaya çıktığı sonucuna varmışlardır.

Peki Genesis gibi, çok daha eski metinlerden ödünç alınıp "şifrelenerek" oluşturulmuş bir metin, bize ondan en az üç bin yıl daha eski bir düşüncenin çekirdeğiyle ilgili fikir verebilir mi? Eğer aynı temaya, yani "Ab-reşit"e eski dokümanlarda net olarak rastlasaydık, belki bu düşünülebilirdi. Oysa böyle küçücük harf oyunları içine gizlenecek "büyük sırlar" yoktur eski metinlerde. Ya bütünüyle üzeri örtülmüş mitlere, yani göksel olayların kişileştirilmiş kahramanlarla yeniden yazılmış efsanelerine rastlarız ya da doğrudan doğruya yaratılışın nasıl olduğuna ilişkin dini ve felsefi metinlere. Bunların hiçbirinde, "patlayan bir gezegenin kendi parçalarından diğer bütün gök cisimlerini yarattığı"na benzer bir temayla karşılaşmayız. O halde kaynak olarak bu eski metin ve düşünceleri kullandığından çok büyük oranda emin olduğumuz Eski Ahit'te artık hâlâ Kabbalistik küçük harf oyunlarıyla "derin sırlar" bulmaya çalışmak anlamsızlığın da ötesindedir. Evrenin varlığına ilişkin felsefi "gerçek kö-

ken"in ancak, mümkün olan en eski metinlerde ve düşüncede
gizli olabileceği varsayımından yola çıkarak, Eski Ahit'i yalnız-
ca kimi kaynaklarla karşılaştırılacak yardımcı bir referans unsu-
ru olarak görebiliriz. Hele Pers gizemiyle beslenmiş ve Yunan
efsaneleriyle çeşnilendirilmiş eski Essene düşüncesinin, Ro-
ma'da sentetik bir biçimde yeniden düzenlenmesiyle oluşturul-
duğunu bildiğimiz Yeni Ahit, "kökene yönelik" bir kozmolojik
araştırmada asla birinci elden kaynak kabul edilemez. Oysa Al-
ford, tıpkı Sitchin gibi, teorisinde ağırlıklı bir bölümü Eski ve
Yeni Ahit metinleri üzerinde biçimlendirmiştir. Çalışmanın bü-
tün kapsamıysa, salt Yakındoğu'yu merkez almaktadır zaten;
Mısır ve Mezopotamya'nın kavşak noktasında, İbrani ve Hıris-
tiyan kültürleri analiz edilir. Ne İran'ın Ahura Mazda/Zerdüşt
düşüncesiyle kurulmuş sağlam köprülere rastlarız, ne de Hint
düşünce ve mitolojisinden destekleyici izlere. Eski Dünya çer-
çevesinde bile bu denli sınırlı kalan bir araştırma, elbette Yeni
Dünya'yı, Orta Amerika ve And Dağları uygarlıklarını hiçbir
biçimde dikkate almaz ve şaşırtıcı biçimde, yalnızca Eski ve Ye-
ni Ahit'le doğrudan ilişkisi bulunan Mısır ve Mezopotamya'yla
sınırlı bir araştırmanın (bol miktarda subjektif yorum içeren)
sonuçlarını Alford "evrensel" bir tümevarım olarak, hiçbir kay-
gı duymaksızın açıklar. Kitabının kapaktaki alt başlığı, "Dinin
katastrofik kökleri açıklanıyor" gibi iddialı bir ifade içermekte-
dir. Yalnızca Aztek, Maya, Olmek, Toltek ve İnka kültürlerini
dikkate almaksızın Yeni Dünya'dan soyutlanmış bir teori ol-
makla kalmaz bu; aynı zamanda, Hint, Çin ve İran kültürlerini
de dışlayarak "Eski Dünya'ya özgü" olma niteliğine bile ulaşa-
mayan, aslında bütünüyle Judeo-hıristiyan eksenli bir "eksik
yaklaşım" düzeyinde kalır.

Alford'ın, bütün dinlerin kökeninde yer aldığını kendinden
son derece emin biçimde (çoğu kez —ilk kitabında olduğu gibi—
"Bütün bilinmeyenlere bir yanıtım var" dercesine) savunduğu
tezlerindeki bu "patlayan gezegen" nedir peki? Kitabı okuduk-
ça anlarız ki, bu aslında sanal bir gezegendir. Yani Alford, es-
kiçağ astronom rahiplerinin göklerde bir patlamaya tanık olduk-
larını değil, "böyle bir fikri geliştirdiklerini" önerir bize. Bu bel-

ki dünya atmosferine girip yanarak düşen göktaşlarıyla, belki de
gökyüzünde izlenen kuyrukluyıldızlara bakarak, zihinlerde ge-
liştirilmiş bir kuramdır yani. Eskiçağ insanları, gökyüzündeki
hareketlere bakmışlar, belki arada bir düşen meteoritleri de in-
celedikten sonra düşünüp taşınıp, evrenin böyle dev bir geze-
genin patlamasıyla oluştuğuna inanmışlar; hatta bununla da ye-
tinmeyip, o ilksel dev gezegenin parçalanarak evrendeki her şe-
yi yaratan tanrı olduğu fikrini bir de oturup şifreleyerek, gizem
kültlerinin tohumlarını atmışlardır. Nerededir o patlayan geze-
gen? Yoktur, görülmez —dolayısıyla Tanrı da eskiçağ insanları-
nın gözünde "görünmez"dir. Var olmayan bir gezegenin, ger-
çekleşmeyen patlaması üzerine, insanların subjektif çabalarıyla
düşgücü kullanılarak yaratılmış bir "temel din" ve onun bin yıl-
lar içinde üzeri örtülmüş yeni versiyonları. O yoğun ve zekice
araştırmanın sonucunda Alford'ın ancak buralara varabilmiş ol-
ması, gerçekten üzücü.

Görünüşe bakılırsa Alan Alford, ilk kitabı "Yeni Binyılın
Tanrıları"nda ateşli bir heyecanla (ve kimsenin yanıt getireme-
diği gizemleri kendinin çözdüğünü öne sürerek) savunduğu gö-
rüşlerinden U-dönüşü yaparken, geride bıraktığı ve terk ettiği
tek temel düşünce "uzaylı atalar" teorisi olmamış; o "kamptan"
bütünüyle uzaklaşmak isteyen yazar, Onuncu Gezegen teorisini
de tümüyle bir yana bırakmıştır. Üstelik, "patlayan gezegen"
adını verdiği tezini savunurken yapmıştır bunu. Bu durumda
teorisi, soyut, eskiçağ insanlarının düşgücü ve düşünme biçimi
üzerine sübjektif yorumlara dayalı, elle tutulamaz bir hale gelir.
"Bütün dinler, bir patlayan gezegen kültü üzerine kuruludur.
Ama o gezegenin patladığı hiç görülmemiştir. Aslında böyle so-
mut bir gezegen de yoktur. Patlayıp patlamadığı da önemli de-
ğildir." Peki sonuç? "Dinlerin katastrofik kökleri açıklanıyor!"
Nasıl yani?

Epey hüzünlü bir durum. Çünkü başta da belirttiğimiz gi-
bi Alford çok yoğun emek vererek, eski metinler üzerinde çok
ilginç ayrıntılar yakalamıştır. Her şeyden önce, bütün gizem
kültleri ve dinlerin, "göksel olayların şifrelenmiş hali" olduğu-
nu vurgulaması açısından bu kitabı oldukça önemlidir. Gerçek

"sır" bir avuç yönetici rahibin ayrıcalığına bırakılırken, halk kitlelerine bunun mitolojik simgelerle üzeri örtülüp anlaşılmaz hale getirilmiş bir versiyonunun sunulduğunu (bildiğim kadarıyla), ilk vurgulayanlardan biridir Alford ve bu gerçekten çok önemlidir. Ne var ki, her şeyin merkezinde olduğu öne sürülen bir göksel olayın kitap boyunca görülmeyen bir hayalete dönüştürülmesi; diğer yandan araştırmanın eskiçağ kültürünün yalnızca bir bölümüyle sınırlı bırakılıp Yeni Dünya uygarlıklarının hiç dikkate alınmaması; üstüne üstlük, Alford'ın dinle fazla yakınlığı olmamasına rağmen "Sitchin Sendromu"nun etkisinde kalmayı sürdürerek Eski ve Yeni Ahit'i "birincil kaynaklar" olarak görmesi, ölü doğan bir teori çıkarmıştır ortaya. Hüzün, buradadır.

Onuncu Gezegen, Sitchin için Yahve inancından ayrı düşünülemeyecek derecede simgesel bir öneme sahipti. Alford, U-dönüşünden sonra onun varlığından bile söz etmez. İşin ilginci, göksel katastrof fikrine dayalı bir teori geliştirirken ve bu teori için araştırmayı Mısır–Mezopotamya–İbrani kültürleri üzerinde gerçekleştirirken, aynı yollarda ondan elli yıl önce yürümüş bir araştırmacıyı, Velikovsky'yi dikkate bile almamıştır Alford. "Patlayan Gezegen"den söz eden bir teoriyle ortaya çıkarken bu kavramı ilk kez kullanmış ve sansasyon yaratmış bir yazarın görmezden gelinmesi, etik bir problemin de altını çizer aslında, ama bunun fazla üzerinde durmuyoruz.

Sonuçta, din ve mitolojinin kökeninde şifrelenmiş göksel olguların yattığını söyleyen Alford'ın tezleri, önemlidir. Eski metinlerden yola çıkarak güneş sistemimizde bir Onuncu Gezegen'in varlığını çarpıcı kanıtlarla sergileyen Sitchin'in tezleri de önemlidir. Venüs'ün yörünge düzensizliğiyle ilgili eskiçağ kayıtlarını fark eden ve buna dikkatleri çeken, ayrıca Exodus benzeri olaylarda dünyayı şiddetle etkileyen bir katastroftan başka bir açıklama olamayacağını cesurca vurgulayan Velikovsky'nin tezleri de önemlidir. Her birinde ayrı ayrı gedikler bulabilir ve (kendi açınızdan) çürüttüğünüzü düşünebilirsiniz. Ama bu üç önemli anafikir, evrenle ve eskiçağ tarihiyle ilgili yeni ve devrimci bir konsepte ulaşma yolunda atılmış, değerli adımlardır.

Venüs: "Dünyanın İkizi"nin acılı tarihi

Bu noktada artık, belki biraz da, Venüs'le ilgili bilinenleri gözden geçirmekte yarar olabilir. Güneş ve Ay'dan sonra en parlak gök cismi olan bu gezegen, tanrısal güzellikle sık sık özdeşleştirilmesine karşın, son elli yıldaki bulgularımızın bize sunduğu sonuçlara göre, bir "cehennem"i andırmaktadır. Kütle, boyut ve yoğunluk açısından dünyaya son derece yakın değerlere sahip olan ve bu nedenle "kardeş gezegen" olarak görülen Venüs'ün hiçbir yaşam biçimine olanak vermeyecek biçimde sıcak oluşu, yalnızca güneşe bizden daha yakın olmasından kaynaklanmaz. Güneşe ondan çok daha yakın olan Merkür bile, hiç değilse "gece olduğunda", Venüs'ün yanında "serin bir gezegen" olarak kalır. Bunun nedeni, Venüs'ün bütün çevresini yoğun ve kalın bir tabaka halinde saran atmosferidir. Geçirgenlikten o denli uzaktır ki bu atmosfer, dünyanın en güçlü teleskopuyla baktığınızda bile, Venüs'ün yüzeyini göremezsiniz. Oysa ortalama bir ev teleskopuyla çok daha uzaklardaki Satürn'ün ünlü halkalarını ya da Jüpiter'in yüzeyindeki lekeleri net olarak seçebilmeniz mümkündür. Yoğun ve kalın atmosferi, Venüs'e yönelen meraklı bakışlardan gezegen yüzeyini gizleyen bir engel olmakla kalmaz, son derece güçlü bir "sera etkisi" yaratarak ısıyı da içerde hapseder. Bu nedenle, gezegende, yüzey sıcaklığı 480 dereceyi bulmaktadır. Atmosferini oluşturan yoğun bulutlar da, bir zamanlar sanıldığı gibi "yağmur bulutları" değil, hidroklorik asitle sülfürik asit karışımıdır.

"Venüs yüzeyine 45 km. kalana dek sülfür renkli sis aşağı doğru yayılır. Bu noktadan itibaren yoğun fakat kristal beyazlığında bir atmosferle karşılaşıyoruz. Bununla birlikte atmosfer basıncı öylesine yüksek ki, yüzeyi görünmüyor. Güneş ışığı atmosferik moleküllere çarpıp geri döndüğünden, yüzey şekilleri meçhulümüz kalıyor."[236]

Neredeyse yüzde 96 oranında karbondioksitten oluşan bu atmosferde herhangi bir canlı varlığın soluması elbette mümkün

---

[236]Carl Sagan, "Kozmos", s. 123

değil. Buna anormal yüzey sıcaklığını da eklediğimizde, Venüs'e, inceleme amaçlı insanlı bir uzay yolculuğunun şimdilik epey uzak bir düş olduğunu söyleyebiliriz. Neyse ki, bu yakın gezegenin yüzeyini incelememizi sağlayan yapay uydular, bugüne dek, hiç de azımsanmayacak bilgiler yolladılar dünyaya. İlk yüzey fotoğraflarıysa, 1975 yılında yollanan, Sovyet Venera uzay sondasından geldi. Bunlar bildiğimiz anlamda fotoğraf değil, yüzeye gönderilmiş radar dalgaları ölçülerek çıkarılan yüzey haritalarıydı. Yoğun atmosfer nedeniyle yörüngede kalarak Venüs'ün yüzeyini fotoğraflamak mümkün değildi zaten. Elde edilen verilere göre çıkarılan haritalar, Venüs'te çok sayıda büyük kıta olduğunu ortaya çıkardı; bir de, yüzeyde sıradışı bir volkanik etkinlik olduğunu.

"Venüs yüzeyinin yüzde 80'inden fazlasının, gezegende bulunan binlerce volkandan akarak soğumuş ve katılaşmış lavdan düzlüklerle kaplı olduğu anlaşıldı. Yüzeyin her yerinde volkanik etkinlik izleri bulunur. Çevresinde örümcek ağını andıran çatlaklar, çizgiler olan yuvarlak kraterler vardır. Yalnızca Venüs yüzeyinde bulunan bu yüzey şekillerinin, erimiş kayaların yüzeye çıkmaları sırasında kabuğa yaptıkları basınç nedeniyle oluştuğu düşünülüyor. Yüzeyde lavdan oluşmuş tepeler de vardır."[237]

Venüs'te diğer gezegenlerin hiçbirine benzemeyen, oldukça "huzursuz" bir jeolojik yapı olduğu anlaşılıyor. Gezegen yüzeyine dağılmış çok sayıda etkin volkan, durmaksızın lav püskürtüyorlar. Yakın dönemde Magellan uzay aracının gönderdiği daha net fotoğraflarda, çapları 40-50 kilometreye varan dev kraterler görülüyor. Bunları bir ağ gibi birbirine birleştiren derin ve uzun çatlaklarda dehşet görüntüsünü tamamlayan unsurlar.

"Magellan uydusu Venüs'e Ağustos 1990'da ulaştı. Kalın atmosfer katmanlarını ve bulutları delmek için radar kullanan uydu, gezegenin bir haritasını hazırladı. Birçok krater, hâlâ lav püskürten volkanlar, birbirinden kilometrelerce uzak ve paralel

[237]Stuart Atkinson, "Astronomi", s. 11

parlak kırık çizgilerin bulunduğu bölgeleri gören bilim adamları çok şaşırdılar. Bu kuvvetli jeolojik aktivitenin kaynağı halen bilinmiyor."²³⁸

Yüzey gerçekten bir korku filminin seti gibi Venüs'te. Eğer herhangi bir insan kısa bir süre için gözlem yapmak amacıyla inebilseydi, dev kraterlerin arasındaki derin çatlaklar ve sürekli patlayan volkanlara ve gökyüzünü iyiden iyiye puslu hale getiren kirli-sarı, asit yüklü bulutlara baktıktan sonra, 480 dereceyi bulan sıcaklığı ve dünyadakinin yaklaşık doksan katı atmosfer basıncıyla bu gezegenin gerçekten Şeytan'a ait bir mesire yeri olduğunu söyleyebilirdi döndüğünde.

"Venüs'e benzer bir yer insanoğlunun batıl inançlarında, kültüründe ve efsanelerinde yaratılmıştır. Buraya Cehennem diyoruz. (...) Sıradan bir kimsenin Cehennem hayali –yakıcı, boğucu, kötü kokulu ve kırmızı- Venüs'ün yüzeyini tanımlayabilir."²³⁹

Bütün bu dehşet verici fiziksel niteliklerinin yanı sıra, Venüs'ün yörünge hareketleri de epey ilginçtir. Her şeyden önce, kendi ekseni çevresinde dönme hızı, güneşin çevresinde dönme hızından çok daha azdır. Bu nedenle, ekseni çevresindeki bir tam turunu 243 günde, güneş çevresindeki yörünge turunu da 224 günde tamamlayan bu gezegenin bir günü, bir yılından daha uzundur. Diğer yandan, dönüş hareketi, bütün gezegenlerin tersine, batıdan doğuya doğru değil, doğudan batıya doğrudur. Yani eğer Venüs'ün yüzeyinde "sabah olmasını" bekleyen biri olsaydınız, güneşin ufukta doğuşunu görmek için doğuya değil, batıya dönmeniz gerekecekti. Her şeyiyle ters, aykırı, garip, ürkütücü bir gezegenden söz ediyoruz yani. Sanki Quetzalcoatl göklerde yeniden doğarken, "öbür taraftan" yalnızca kendi dönmemiş, bütün cehennemin bir maketini de yanında getirmiş gibi. Venüs niçin bu denli korkunçtur?

Bunun yanıtını vermek zor. Dünyaya çok yakın olmasına karşın sunduğu olumsuz koşullar nedeniyle yeterince araştırma

---

²³⁸Alan Lightman, "Yıldızların Zamanı", s. 10
²³⁹Carl Sagan, "Kozmik Bağlantı", s. 97

yapma olanağı bulunamadı bugüne dek. Bilinenler, Venüs'ün sakladığı gizler düşünüldüğünde oldukça az birkaç kırıntıdan ibaret denebilir. Ancak bu kadarıyla bile, Venüs'ün bildiğimiz gezegenlerden hiçbirine benzemediğini söylemek mümkün. İlkin, henüz tam anlaşılamamış olan o korkunç, boğucu atmosferi bir bilmece yumağı gibi çıkar karşımıza. Isaac Asimov'un deyişiyle, "Güneş sisteminde esaslı bir atmosfere sahip dört tane dev olmayan dünya vardır: Yer, Venüs, Mars ve Titan".[240] Eğer Satürn'ün en büyük uydusu Titan'ı saymazsak, Venüs "sağlam" bir atmosfere sahip üç gezegenden biridir yani. Ancak bu atmosferi dünyanın atmosferinden çok daha yoğun hale getiren bulutlar ne zaman, nasıl ve nereden çıkmışlardır? Bu bulutların su içermediği, Venüs'ün atmosferinde su olsa bile bunun çok üst tabakalarda ve buhar halinde olabileceği düşünülüyor. O halde, yüzeyin uzaktan görünmesine bile fırsat vermeyen o korkunç, amansız bulutlarla dolu, asit deposunu andıran atmosfer nasıl oluşmuş olabilir? Güneş'e çok daha yakın olan Merkür'de de, çok daha uzak olan Mars'ta da bu koşullar oluşmamış: Merkür'de atmosfer zaten yok; Mars'takiyse, çok daha seyreltik. Dünyamızın atmosferiyse, bu anlamda bir "evren harikası" sayılabilecek düzeyde ideal yapıda. Acaba Venüs'ün bu olumsuz ayrıcalığı nereden geliyor?

Bir diğer sıradışı özellik, gezegen yüzeyindeki çok sayıda iri krater ve derin çatlakların yanı sıra, müthiş bir tempoyla devam eden jeolojik aktivite. Veriler bu denli az oldukça, somut bir şey söylemek elbette mümkün değil. Ama genel bir ilke olarak, yoğun volkanik ve jeolojik aktivitenin, gezegenlerin "genç" aşamalarında görülen bir durum olduğunu söylemek mümkün. Laplace'ın klasik nebula teorisine göre güneş sisteminde merkeze yakın gezegenler, uzak olan gezegenlerden daha gençtir. Bu durumda Dünya'nın Mars'tan, Venüs'ün de Dünya'dan daha genç olduğu söylenebilir. Ama çok yoğun volkanik ve jeolojik aktiviteyi gerektirecek kadar değil. Genel kurama göre gezegenler yaşlandıkça dıştan başlayarak soğuma ortaya çıkar ve kabuk gi-

[240]Isaac Asimov, "Dünya Dışı Uygarlıklar", s. 162

derek kalınlaşıp sertleşir. Bu gelişme yüzeyin her alanında eşzamanlı olarak gerçekleşmeyeceği için, sıvı kısmın üzerinde hareketli halde kalan plakalar oluşur ve bunlar milyonlarca yıllık süreçler içinde birbirleriyle çarpışırlarken yüzeyde depremlere neden olurlar; kimi noktalarda büzüşüp yükselerek sıradağları ve yüksek yüzey biçimlerini ortaya çıkarırlar. Yaşlanma sürdükçe, kabuğun (litosfer) sertleşip soğumasına paralel olarak iç kısımlardaki sıvı da yoğunlaşmaya başlar ve bu çok uzun zaman dilimleri içinde depremler ve volkan patlamaları gibi jeolojik etkinlikler de giderek azalır. Bundan 100 milyon yıl önce, gezegenimizin yüzeyi bugünküne oranla çok daha hareketli ve istikrarsızdı. Bir milyar yıl önceyse, muhtemelen değil görmek, düşünü bile kurmak istemeyeceğimiz kadar dehşet verici bir yerdi. Yaşlandıkça, dünyamız da görece daha sakin bir gezegen haline geldi –tabii yalnızca yüzey hareketleri açısından!

Bu durumda, Venüs dünyamızdan (Laplace teorisine göre) daha genç bir gezegen olarak kabul edilse bile, durmak bilmeyen bir jeolojik aktiviteyi açıklamak da güçtür. Venera ve Magellan gibi uzay sondaları sayesinde, yüzeyin oldukça sert ve kuru olduğunu biliyoruz, ki bu da belli bir "yaşlanmayı" gösteriyor. O halde bir gezegendeki volkanik aktivitenin, o gezegenin yaşından bağımsız faktörlere; sözgelimi organik bileşimine ve yüzey ısısına bağlı olabileceğini de dikkate almak gerekiyor. Laplace teorisine göre oldukça yaşlı gezegenlerden biri olması gereken Jüpiter'in uydularından İo'nun, güneş sisteminde volkanik açıdan en aktif gök cismi olduğu biliniyor sözgelimi. Dünyamızdan çok daha yaşlı olması beklenen İo'daki bu garip durum nasıl açıklanabilir?

"Aslında İo, güneş sistemindeki en aktif volkanik uydudur. Volkanik patlamalar öylesine sık ve yaygındır ki, güneş sisteminin tarihi boyunca İo'nun yüzeyi birçok kez kükürtlü lavlarla kaplanmış olmalıdır. Volkanların dikkatlice izlenmesi, uydunun içinden dışına doğru ısı akış miktarının saptanmasına olanak verdi. Bu enerji nereden geliyor? İo'nun içindeki radyoaktivite yeterli gibi görünmüyor. Bunun yerine astronomlar, volkanik enerjinin kaynağının Jüpiter'in ve diğer uydularının İo üzerindeki çekimsel etkilerinden kaynaklanan gelgit sürtünmesi olduğunu ileri sürüyorlar."[241]

Volkanik aktiviteyi sağlayacak iç enerjiye bir alternatif olarak sunulan "yakın gök cisimlerinin şiddetli çekim etkisi" Venüs için de açıklama kabul edilebilir mi? Şu anki konumuyla ilgili olarak böyle bir olguyu destekleyecek veriler elimizde yok. Ama daha uzak bir geçmişte, bugünkünden farklı bir yörüngedeyken yaşadığı "yakın geçişler" ve olası "uydu çarpışmaları" sırasında oluşan olağanüstü çekim etkilerinin bugün gözlenen yoğun jeolojik aktivitenin başlatıcısı olduğunu düşünme hakkına da sahibiz gibi geliyor bana.

Bugün sahip olduğumuz kozmolojik bilgiler, evrende en fazla bulunan maddenin, hidrojen olduğunu gösteriyor; hemen ardından da helyum gelmekte. Oksijen ve karbon gibi yaşam için çok önemli temel elementler, görece çok daha az olmakla birlikte, üçüncü ve dördüncü sırayı alıyorlar. Magnezyum, demir, silisyum ve alüminyum gibi, gezegenlerin "katı" yapıları içinde varolan elementlereyse, gazlara göre oldukça ender rastlanıyor diyebiliriz. Güneş sistemimizde, "iç gezegenler" dediğimiz, kütleleri görece küçük olan Merkür, Venüs, Dünya ve Mars; ağırlıklı olarak kaya ve metalleri içeriyorlar. Gezegenlerin güneşe olan uzaklıkları arttıkça ve kütleler büyüdükçe, yapılarında "uçucu" maddelerin daha çok arttığını ve içerdikleri katı maddelerin çok azaldığını görüyoruz. Sözgelimi Jüpiter, Satürn ve Neptün gibi dev gezegenler, büyük oranda gazlardan oluşurlar. Yörüngesi güneşe bizden daha yakın olan ve kütlesi dünyamıza çok yakın olan Venüs ise, Asimov'un deyişiyle "metal bir çekirdeğin üzerinde kayalık bir mantoya sahiptir."[242] Yani sert bir kabuğu vardır ve kayalar ve metallerden oluşmuştur.

"Kayaların ve metallerin atomları ve molekülleri birbirine sıkı sıkıya tutunmuştur, kuvvetli kimyasal bağlarla bağlıdırlar, bu yüzden akkor sıcaklıklarına kadar katı halde kalırlar. Bir arada bulunmak için yerçekimi kuvvetlerine ihtiyaç duymazlar."[243]

[241]Alan Lightman, a.g.e., s. 10
[242]Isaac Asimov, a.g.e., s. 76
[243]Isaac Asimov, a.g.e., s. 75

O halde, Venüs'ün kaya ve metallerden oluşan sert ve kuru kabuğu üzerinde "akkor sıcaklığı" oluşturacak bir gelişme mi yaşanmıştır ki, geniş kraterler ve derin yarıklar oluşmuş; bunlardan düzenli olarak kabuğun altındaki lavlar dışarı fışkırmaya başlamışlardır? Venüs yüzeyinin, sözünü ettiğimiz asit bulutlarıyla kaplı yoğun atmosferinin yarattığı "sera etkisi" nedeniyle kaçamayan güneş ışınlarına bağlı olarak son derece sıcak olduğundan söz etmiştik. Bu ısı ilkin Venera'nın yaptığı ölçümlerle 200 derece dolayında olarak tahmin edilmiş, ancak ilerleyen zamanla birlikte kesin ölçümler elde edildiğinde, çok daha fazla olduğu ve 480 derecelik bir ortalamaya sahip olduğu belirlenmiştir. Peki bu ısı, yüzeydeki ya da kabuğun hemen altındaki kaya ve metalleri "akkor haline" getirmeye yeterli midir? Hayır. Ergime için gerekli ısı, sözgelimi demir söz konusu olduğunda 1535 derecedir; diğer katı maddelerden bakır 1083 derecede, nikel 1455 derecede, gümüş 960 derecede ergimeye başlarlar. Gerekli ısı miktarının en düşük olduğu, yaygın bulunan katı maddeler arasında sayabileceğimiz magnezyum ve alüminyum için ergime noktası, 650 derece dolayındadır. Bu durumda, yüzeydeki 480 derecelik sıcaklığın, küçük çatlak ve yerkabuğu çöküntülerinin zayıf noktalarında metal tabakaları yumuşatıp ergittiğini ve çatlakları artırdığını düşünmek bile saçmadır. Venüs'teki yoğun magma hareketinin kabuğun altındaki iç kısımda süregelen bir etkinlik olmasının dışında bir açıklama getiremeyiz. Neredeyse tümü etkin halde bulunan yüzlerce volkan da bu durumun sonucu olsa gerektir. O halde, kabuğu sert ve katı; kaya ve metallerden oluşmuş; dünya boyutlarında bir gezegende yaşanan yoğun jeolojik aktiviteyi, İo örneğinde olduğu gibi, güçlü bir çekim etkisiyle açıklamayı deneyebilir miyiz? Böyle bir iddia için, var olan konumda Güneş dışında bir aday yoktur. Ancak, devasa kütlesiyle büyük bir çekim gücüne sahip olsa bile Güneş'in, kabuğu katılaşmış bir gezegen üzerinde böylesine sıradışı bir aktiviteye yol açacak oranda şiddetli bir etkiyi *sürdürmekte olması* çok anlamlı gelmiyor. Merkür Güneş'e çok daha yakındır ve yüzeyinde kayda değer bir jeolojik etkinliğe rastlamayız. Dünya, biraz daha uzak bir mesafede yer almakla birlikte Güneş'ten Venüs'ünkine yakın sayılabilecek bir etki almaktadır, ama yerkabuğumuz üzerindeki etkinliklerin sorumlusunun güneş olmadığını biliyoruz. Kaldı ki, eğer Venüs milyonlarca yıldır bugün bulunduğu konumunda dönmekteyse eğer, güneşten aldığı yoğun etkilerin çoktan bir denge noktasına gelmiş olması gerekirdi. Ama ya durum böyle değilse ve Venüs bugünkü konumuna ancak birkaç bin yıl önce geldiyse?

Yüzeydeki kraterlerin ve yanardağların büyük oranda kabuktaki kırılmalar ve çöküntülerden, basınç farkı nedeniyle dışarı püsküren lavlar nedeniyle oluştuğunu biliyoruz. Birçok değişik tipte krater var ve bunların çoğu, sözünü ettiğimiz kabuk hareketlerine bağlı. Ancak görece az bir oran oluştursa da, büyük meteoritlerin ya da asteroidlerin şiddetli çarpmalarıyla ortaya çıkmış kraterlere de rastlıyoruz. Bunlar, oldukça geniş çaplı, ancak çok fazla derin olmayan çukurlar. Uydumuz Ay'ın yüzeyinde çarpmalarla oluşmuş bu tür kraterlerin izlerine çok sık rastlıyoruz. Atmosferi olmadığı için meteoritlere karşı güçlü bir kalkandan yoksun olan Ay, büyük çarpmaların işaretlerini taşıyor üzerinde. Dünyamız, kalın bir atmosferi olduğu için Ay'dan az da olsa daha şanslı; çünkü üzerine gelen gök cisimleri bazen çok büyük bile olsalar, atmosfere girerken şiddetli sürtünmenin yarattığı ısıyla eriyip parçalanıyor ve ufalanıyorlar. Venüs söz konusu olduğunda, "atmosfer kalkanı"nın önemi daha artıyor: Bu gezegenin asit bulutlarıyla kaplı kalın ve yoğun atmosferini parçalanmadan geçip yüzeye çarpabilecek dev meteoritlerin varlığı, çok akla yakın değil. Olsa bile, son derece ender çarpmalardır bunlar. Oysa Venüs'ün yüzeyinde, tam da meteorit çarpmalarını çağrıştırır biçimde açılmış geniş çaplı çok sayıda krater vardır. Bu durumda şu soruyu sormamız gerekir: Venüs'ün bu zırh benzeri atmosferi ne kadar eskidir ve ne zaman oluşmaya başlamıştır?

Olmasını asla dilemeyiz elbette, ama eğer dünyamıza çok büyük bir asteroid çarpacak olursa, insanların çok uzağına, sözgelimi Pasifik'in ıssız derinliklerinden birine bile düşse, oluşturacağı olumsuz koşullarla gezegenin tümünde yaşam koşullarını ortadan kaldırabilir. Her şeyden önce, çarpma sırasında çok büyük bir enerji açığa çıkacak ve bu da yerkabuğu üzerinde jeolojik etkinlikleri tetikleyecektir. Daha kötüsü, çarpmayı izleyen saniyelerde son derece yoğun bir su, toz ve gaz bulutu binlerce millik bir alana dek yayılarak gökyüzüne yükselecek ve atmosferimizin bütün dengesini bozacaktır. Aniden yoğunlaşan ve ısısı yükselen atmosfer soluk almayı dünyanın birçok yerinde güçleştireceği gibi, çarpmayı izleyen günlerde yavaş yavaş etkisini hissettirmeye başlayan bir "sera etkisi" oluşturacaktır. Yaşamı bütünüyle ortadan kaldırabilecek denli tehlikeli olan böylesi bir olay, birkaç yüzyıl içinde dünyamızı kurumuş denizleri, çürüyüp dağılmış bitkisel dokusu ve puslu, boğucu atmosferiyle bir cehenneme çevirecektir. Peki, ya bir değil de, dağılan büyük bir kütleden kopmuş birkaç asteroid parçası, yakın aralıklarla değişik yerlere çarparsa? Böylesi bir felaketi düşünmeyelim bile. Ama hemen belirtelim ki, dünyamız birkaç yüzyıl içinde Venüs'ün bir kopyası haline gelirdi.

Venüs'teki yerkabuğu hareketliliği, içsel etkenlere bağlı olabilir. Gerçi böyle bir durumda bile açıklayıcı bir nedene ihtiyaç duyarız, ama ya yüzeydeki geniş kraterlerin bazıları, birkaç binyıl önce gerçekleşen bir çarpışma sonucu oluştuysa? Böylesi bir teori, Venüs'ün bugün çevresini saran asit yağmurlarıyla dolu kalın bulutlardan oluşan atmosferini açıklamaya da yardımcı olabilir. Bu atmosfer çarpmalara karşı koruyucu görev yapamamıştır, çünkü zaten o çarpmaların sonucunda ortaya çıkmıştır. Buna paralel olarak, çarpmaya neden olan büyük gök cisminin çok yakında bulunması nedeniyle, oluşan krater ve çatlaklarda çekim etkisine bağlı bir jeolojik aktivite ortaya çıkmıştır. Hiçbir kesin kanıta dayanmadığını peşin olarak bilmekle birlikte (zaten böylesi bir olaya ilişkin somut kanıt nasıl elde edilebilir ki?) Venüs'ün bugünkü konumuna ilişkin önerdiğim model şudur:

Gezegen, bundan 7300 yıl öncesine dek, bugünkünden oldukça farklı ve çok daha geniş çaplı bir yörünge üzerindeydi ve bu yörünge ekliptikle çakışmıyor, 40 derece kadar sapma gösteriyordu. Konumu, muhtemelen Mars ile Jüpiter arasında, bugün "asteroid kuşağı" olarak bildiğimiz yerdeydi ve olasılıkla, bir de uydusu vardı çevresinde dönen. İ.Ö. 5310'da, uzayın derinliklerinden çok uzun bir eliptik yörünge çizerek gelen Onuncu Gezegen, Nibiru/Marduk, oldukça tehlikeli bir yakın geçiş gerçekleştirdi ve Venüs'ün bütün dengesini bozdu. (Büyük bir olasılıkla bu olay, Nibiru/Marduk'un sicilindeki tek "sabıka kaydı" değildir. Merkür'ün yapısını inceleyen bilim adamları, bu gezegenin milyonlarca yıl önce en az iki kez, kendisi büyüklüğünde bir gök cismiyle çarpıştığını ve bu nedenle yüzeydeki metallerin çekirdeğe gömülerek gezegenin "sıvı çekirdek"ten yoksun kaldığını düşünüyorlar.[244] Bu çarpışmayı gerçekleştirmeye en uygun adayın, Nibiru/Marduk'un uydularından biri olduğu düşünülebilir.)

Yine varsayımlara bağlı olarak, Marduk'un uydularından biriyle, Venüs'ün uydusu çarpıştı; bu çarpışma sonrasında ufalanan uyduların parçacıklarının bir bölümü bugünkü asteroid kuşağını oluşturmak üzere dağılırken, görece iri sayılabilecek parçalar Venüs'ün yüzeyine şiddetle çarptı; ortaya çıkan enerji, gezegeni yörüngesinden çıkarıp sistemin içlerine doğru itti. Eski konumundayken Venüs'ün atmosferi, olasılıkla Mars'ın atmosferi gibi ince ve seyreltikti. Bu çarpmalar sonrasında atmosferin içine dağılan toz ve gaz bulutu, bugün açıklamakta güçlük çektiğimiz o korkunç yoğun atmosferi yaratmaya başladı. Çarpma sonrası açılan kraterlerden ve oluşan derin çatlaklardan iç kısımdaki lav ve gaz da püskürerek bu atmosferi kükürt ve ateşle yoğunlaştırdı. Diğer yandan, zaten yakın geçen Nibiru/Marduk'un sıradışı çekim gücüyle hızlı jeolojik hareketler başlamıştı kabuğun hemen altında. Atmosfere karışan kükürt ve sülfat, hidrojenle reaksiyona girerek bugün Venüs'ün atmosferinde çok yoğun olarak saptamış bulunduğumuz sülfürik asidi ortaya çıkardı. Gezegen giderek kalınlaşan ve yoğunlaşan bir bulut tabakasıyla kaplanıyordu.

Diğer yandan, sistemin içlerine doğru başlayan beklenmedik hareket, Venüs'ü, ilkin Mars'la tehlikeli biçimde yakınlaştırdı, ardından da Dünyamızla yakın bir geçişe zorladı. Bu sırada gezegen, çarpmanın sonucunda oluşan moloz, artık ve toz

---

[244]Stuart Atkinson, a.g.e., s. 9

bulutlarını da birlikte sürüklüyordu göklerdeki garip yolculuğunu sürdürürken. Başka bir deyişle, "Tüten Yıldız" imgesine son derece uygun bir görünüm veriyordu. Güneşin de yoğun çekim etkisiyle gökyüzünde iki bin yıl kadar süren bir "güçler savaşı" yaşandı ve sonunda Dünya tarafından itilip Güneş'in çekim gücüne yakalanan Venüs, Merkür ile Dünya arasında, bugün bildiğimiz konumuna oturdu. Daha önce maruz kalmadığı yoğun bir gelgit etkisini, şimdi de Güneş'ten alıyordu ki, bu da jeolojik hareketin hızını yitirmemesine yol açtı.

Çarpmanın ve eski yörüngesinden çıkmanın bir büyük etkisi de, gezegenin dönüş hareketinde görüldü. Ekseni çevresindeki dönüşü, son derece yavaşlamış ve bu nedenle güneş çevresindeki bir turundan daha uzun sürer hale gelmişti. Dahası, yavaşlamakla da kalmamıştı bu dönüş; aslına bakılırsa ilkin durmuş, ardından da ters yönde ağır ağır dönmeye başlamıştı. Bu nedenle, güneş sisteminin oluşumu sırasında bütün gezegenlere ilk momentumu veren saat yönünün tersi doğrultusundaki dönüş, Venüs'ün yaşadığı olağandışı gelişmeler sonucunda kuralı bozmuştu. Saat yönünde dönüyordu artık gezegen. Bu dönüşün son derece yavaş olması da, bu yüzdendi: Doğal hareket tersine dönmüştü çünkü.

"Astronomlar Venüs'ün 'ters yönde dönüş' hareketini 'oldukça dikkat çekici' buluyorlar. Genellikle kabul edilen açıklama, tarihin belli bir noktasında —olasılıkla dev bir asteroid ya da kuyrukluyıldız tarafından— gezegene şiddetle çarpıldığı ve bunun etkisiyle dönüşünün bir an için durup, ardından 'ters yöne doğru devam ettiği' yolunda. Bu felaketin milyarlarca yıl önce, güneş sisteminin ilk oluşum aşamalarında yaşanıldığı düşünülmekle birlikte, böylesi bir çarpışmanın çok daha yakın tarihli olduğuna ilişkin de işaretler var."[245]

Venüs'ün göksel bir çarpışma yaşamış olması fikri bilim adamları için çok "radikal" bir fikir değil görüldüğü gibi. Ama bu çarpışmanın zamanı konusunda ortada derin görüş ayrılıkları var. Her ne kadar bunun milyarlarca yıl önce gerçekleşmiş

---

[245]Graham Hancock, "The Mars Mystery", s. 223

olabileceği gibi teorik bir açıklama bilim dünyasında egemense de, Graham Hancock'un da belirttiği gibi, çok daha yakın tarihli bir çarpışmanın izleri görülüyor Venüs yüzeyinde. Bu öyle bir çarpışma ki, "Venüs'ün yüzeyini dümdüz etmiş... Jeologlar bu olayı, iç kısımdaki lavların, büyük bloklar halinde çatlayan ve çöken yüzeyden sızarak gezegenin yüzeyini yeniden biçimlendirmesi olarak tanımlıyorlar."[246]

Çağlar Takvimi: "Jaguar – Tüylü Yılan" koalisyonu

Bir kez daha yineleyeyim: Elbette, bu açıklamayı destekleyecek somut kanıtlar değil, yalnızca birtakım veriler uzantısında sezgisel fikir yürütmeler söz konusu burada. Son 7300 yıl içinde olayların bu şekilde gerçekleştiğini kanıtlamanın tek yolu, uzman bir jeolog grubunun Venüs yüzeyine inerek uzun ve kapsamlı araştırmalar yapmasıdır ve bu da şimdilik mümkün değil. Ancak yine de şunun altını çizmek isterim: Burada önerdiğim çözüm, hem binlerce yıl öncesine dayanan eskiçağ kültürlerinin (üzerleri örtülüp şifrelenerek de olsa) bize aktardıkları evren anlayışları ve mitolojileriyle örtüşen; hem de Venüs'ün kraterler ve çatlaklarla dolu "hasar görmüş" yüzeyine; yoğun, kalın ve asit yağmurlarının hüküm sürdüğü cehennem benzeri atmosferine ve güneş sistemindeki bütün gezegenlerin ters yönünde ve çok yavaş olarak gerçekleştirdiği sıradışı dönme hareketine aynı anda açıklama getirebilen, olası tek çözümdür.

Uzak atalarımızın "Tüylü Yılan"ını, Bennu Kuşu'nu ve "yeraltı dünyasına" yolculuğa zorlanan güçlü tanrıçasını, ancak Venüs'ün yaşamış olduğu bu ürperti verici serüvene dikkatimizi vererek anlamaya başlayacağımızı sanıyorum. Bu, son yedi bin yıl içinde bu gezegen üzerinde biçimlenen düşünce, inanç ve mitoloji sistemlerine damgasını tartışılmaz biçimde vurmuş bir "çift gezegen" kültüdür: Venüs–Marduk Kültü. Kendini feda ederek ateşe atlayıp son dünya çağını başlatan ve göklerde

---

[246]John – Mary Gribbin, "Fire On Earth" Aktaran: Graham Hancock, a.g.e.,

yeniden doğan Quetzalcoatl; kardeşi tarafından parçalanmış bedeninin eşinin çabalarıyla bir araya getirilmesi sonucunda kendi bedeninden oğlu Horus'a son bir gayretle can veren ve sonra Orion'da dinlenmeye çekilen Osiris; yeraltı dünyasının kapılarında çıplak bırakılıp tutsak edilen ve ancak Enki'nin yardımıyla kurtulabilen "Çarpışmaların Hanımı" İnanna/İştar; Kutsal Ateş'te yandıktan sonra küllerinden kendini yeniden yaratan efsanevi Bennu Kuşu; dünya kültürlerinin çoğunda yaşayan ve büyük dinlerde bile varlığını sürdüren "reenkarnasyon" ve "diriliş" (resurrection) geleneği, ancak bu yaklaşımla, Venüs–Marduk kültünden yola çıkarak derinlemesine anlaşılabilir.

Eğer Meksika'ya ve Maya takvimine geri dönersek, bu bölümde çizdiğimiz rotayı artık kısa ve somut bir formüle indirgememiz gerekebilir. Orta Amerika kültürlerindeki çağ kavramı, Olmek ve Mayalara dek sözlü gelenek ya da basit işaret kayıtlarıyla, iki önemli tarihi iletmiştir: İ.Ö. 5310'da Nibiru/Marduk'un Venüs'ü yörüngesinden çıkarmasıyla yaşanan kaos ve İ.Ö. 3150 dolayında, Venüs'ün yeni yörüngesinde kararlı hale geçmesinden biraz önce alçak düzlükleri ve ovaları derinden etkileyen büyük Tufan. Bu olaylardan ikincisinin sonunda Venüs'ün sabah yıldızı olarak göklerde belirmesi, Tufan'ın bitişinin (muhtemelen İ.Ö. 5310'dan beri dünyanın farklı yerlerinde belli aralıklarla yinelenen afetlerin sonuncusu ve en etkilisidir bu) ve kozmik düzenin yeniden sağlanışının habercisi olarak görülmüş; "Çağ Başlangıcı" olarak nitelenmiştir eski Orta Amerika halkı tarafından.[247] Bu nedenle, Venüs'ün yaşadığı "yeniden doğuş"a tanrısal önem de atfedilmiştir –tıpkı Mısır'da olduğu gibi. Takvimin ilk biçimleriyle birlikte, yıllar da sayılmaya de-

[247]Aynı olgunun, İ.Ö. 3000 dolaylarında Britanya Adaları'nda yaşayan yerli halk tarafından da fark edildiğini ve sonuçta "göklerdeki yeni dengeyi" işaretlemek üzere, Stonehenge'in inşa edilmeye başladığını söyleyebiliriz. Sümer'de, göksel değişimin getirdiği telaş ve heyecanla Nippur Takvimi formüle edilmiş ve başlatılmıştır. Mısır'daysa İ.Ö. 3100 yılında Venüs'ün sabah yıldızı olarak belirmesi, Osiris'in parçalarından Horus'un doğumu olarak yorumlanmış ve bu tarihte tanrıların ve yarı-tanrıların yönetimlerinin ardından gelen "insan krallar çağı"nın başladığı düşünülmüştür. İndüs/Harappa uygarlığındaysa, bin beş yüz yıl sonra yazıya geçirilecek Veda'larda da yankısını bulan son insanlık çağı "Kaliyuga"nın başladığına inanılmıştır.

vam eder. Ancak İ.Ö. 1649'da Nibiru/Marduk yeniden göklerde belirir ve bu kez etkin fay hatları üzerindeki Orta Amerika'da şiddetli depremler yaşanır, volkanik dağlar faaliyete geçer. Kısa süreli olması ve Tufan kadar yıkıcı görülmemesine rağmen, bu jeolojik aktivite de bölge halkları üzerinde derin izler bırakır. Yıl hesaplarına yeniden bakılır ve çok eskilerde kalan "göksel savaş"ın üzerinden 3661 yıl geçtiği görülür. Bu kez Venüs, yani Tüylü Yılan, bir önceki savaştaki gibi, yenik düşüp gözden kaybolmamış ve onları korumuştur, ama bir dahaki karşılaşma "Jaguar'ın Zamanı", yani Tezcatlipoca'nın göksel zaferi olacaktır. Buna dayanarak hesaplar yapılır ve çağın sonu 2012 olarak belirlenir. Bu bitişin, "ayaklarının altındaki yerin şiddetli hareketiyle", yani büyük depremlerle geleceği kehaneti de eklenir takvime. Çağın başlangıcı, elbette atalarının anlattığı gibi, Quetzalcoatl'ın göklerde yeniden doğumuyla gerçekleşmiştir. Harcında 20 ve 18'in bulunduğu uzun zaman birimlerini içeren "büyük çağ" takvimleri hazırlanır ve söz konusu zaman aralığına en hassas biçimde oturan sürecin "13 Baktun"luk bir periyot olduğu hesaplanır; başlangıç da İ.Ö. 3113'e karşılık gelecek şekilde takvime işaretlenir. O halde çağ, toplam 5125 yıl sürmektedir. Zaman hesabı ve takvimle ilgili saplantılar arttıkça, özellikle Maya döneminden itibaren, daha karmaşık hesaplara girişilir: "Çağ uzunluğu" ile Marduk'un yörünge süresi arasında "en küçük ortak kat" aranarak "her şeyin başladığı ilk çağın şafağı" hesaplanmaktadır şimdi. Net bir biçimde bu hesap, Marduk'un 8 yörünge geçişi arasına sıkışan 25,627 yıla bütünüyle oturmaktadır. Yani, tam 5 eşit "Büyük Çağ" yaşanacaktır bu 8 geçiş arasında.

Başlangıçtan beri, Orta Amerika'da farklı kaynaklardan beslenmiş izlenimi veren unsurların bir araya gelmesiyle çeşitli melez kültürler oluştuğunu vurguladık. Bunların ilki, Asyalı, Afrikalı ve "yerli" kültürlerinin bileşimiyle bir kolaj gibi ortaya çıkan La Venta–San Lorenzo kültürüydü. "Venüs'ün doğumu"nun ve "Tüylü Yılan" mitlerinin bu ilk melez kültürde ortaya konduğundan sıkça söz ettik. Ancak daha sonra, iki büyük ana kol çıktı La Venta uygarlığından: Biri Teotihuacan'da merkezlendi, diğeriyse Yucatan'a doğru yöneldi. Her ikisinde de "Tüylü Yılan" inanışının var olduğunu bilmekle birlikte, İ.Ö. 1650 afetleri sonrasında, çok şematik de olsa, gökyüzünün değerlendirilmesine bağlı bir "Jaguar – Tüylü Yılan" farklılaşmasının yaşandığını düşünebiliriz. Tezcatlipoca'nın büyük oranda Toltek kökenli olduğunu, Tolteklerin de Teotihuacan'dan beslendiklerini biliyoruz. O halde, muhtemelen İ.Ö. 1650 sonrasında Nibiru/Marduk'un yörünge periyoduyla ilgili hesaplar ve ona verilen önem, ilkin kuzeyde belirginleşmeye başladı ve Tezcatlipoca imgesi güçlendi. Böylece, Orta Amerika'nın bütününde Venüs – Tüylü Yılan astronomisi yaygınlığını korumakla birlikte, farklı bir coğrafi bölgede "çağ işaretçisi" olarak Tezcatlipoca'nın, yani Nibiru/Marduk'un da önemsenmeye başladığını söyleyebiliriz. Bu kültüre göre, İ.Ö. 1650'de yaşananlar, 3661 yıl sonra yinelenecek ve felaketler dünya üzerindeki yaşamı tehdit edecekti.

Diğer yandaysa, Tufan'ı ve sonrasındaki "Venüs'ün doğumu"nu temel alan bir kozmolojik yaklaşım vardı. Her iki kültürün, hızlı göç hareketlerine sahne olan Orta Amerika'da ortak bir noktada buluştuğunu; "Uzun Hesap" takviminin esas olarak İ.Ö. 1649 afetleri sonrasında biçimlendiğini düşünebiliriz. Bu "jaguar–yılan buluşması"nın mistik/metafizik boyutu Quetzalcoatl'da kalacak ve çağın başlangıcını dinsel anlamda Venüs belirleyecekti; Orta Amerika halkları ondan vazgeçemezlerdi. Ancak çağların gerçek "işaretçiliği", sisler ve perdeler ardına gizlenen ve yörünge süresi artık net olarak bilinen Nibiru/Marduk'a aitti. Bir başka deyişle, aslında Orta Amerika halkları da 3661 yıllık Onuncu Gezegen yörüngelerini temel aldılar ama bu sisteme, Tufan sonrasında "ateşlerden yeniden doğan" Venüs'ü de entegre etme zorunluluğu hissettikleri için 5125 yıllık çağlar doğdu. "Uzun Hesap", bütün örtüler üzerinden kaldırıldığında, aslında 3661 yıllık 7 çağdan oluşuyordu.

Sonucun, matematiğe, astronomiye ve takvime büyük mistik önem atfeden Maya toplumunda son derece sihirli bir formülle de uyuştuğu açıktır: 8 Güneş yılının 5 Venüs sinodik döngüsüyle çakıştığı kutsal 2920 günlük döngüye benzer biçimde, 8 yörünge geçişi 5 çağı kapsamaktadır. Bir farkla: Venüs–Güneş Yılı döngüsünde 8 ve 5 rakamları birer "süreci" temsil eder. Ancak 25,627 yıllık dönemde, 5 rakamı süreçle ilgiliyken, 8 rakamı yalnızca "geçiş" ifade etmektedir –yani başlangıç ve bitişlerin işaretçisidir. Marduk yörünge geçişleri büyük olasılıkla "uğursuz" sayıldığı için döngü olarak hesaplanmaz; aksi taktirde aynı süre, 7 yörünge periyoduna denk gelecektir. Ancak yörünge geçişleri yalnızca "işaretçi" olarak kabul edildiğinde, kutsal "5'e 8" modelinin bir benzerine ulaşılır. Dolayısıyla, insanlığın başlangıcından beri 5 çağ yaşandığı düşünülür matematiğe ve takvime tutkun Orta Amerika dünyasında. Bunlardan sonuncusu, 2012'de büyük depremlerle sona erecektir.

Diğer yandan, Nibiru/Marduk'un yörünge süreci, doğrudan kullanılmasa bile bir başka takvim hesabı içinde "şifrelenerek" vurgulanmış olabilir ki, benim görüşüme göre bu, Tzolkin'dir; yani neyi hesapladığı, işlevinin ne olduğu bir türlü net olarak çözülemeyen, "1 Imix" ile başlayıp "13 Ahau" ile biten; 260 günlük garip ve "eksik" döngü.

Maya çağları, 5125 yıl sürer; yani 365,24 gün uzunluğundaki 5125 yılı kapsar. Eğer bu çağdaki yıl birimini değiştirirsek; başka bir deyişle "güneş yılı" yerine "Tzolkin" koyarsak, yani 5125 tane 260 günlük sürenin toplamını hesaplarsak ne olur? Çarpımın sonucu, 1,332,500 güne eşittir; yani 3648.26 güneş yılına. Görüldüğü gibi, bu süre, bizim teorimize göre Nibiru/Marduk'un yörünge periyodu olan 3661'e oldukça yakındır. Eğer bu rakamın tamsayı bölümü olan 3648'e, Mayaların kutsal 13 gök tanrısını "düzeltme faktörü" olarak eklerseniz, elde edeceğiniz sayı 3661'dir. Yani, tam olarak Nibiru/Marduk'un yörünge süresi.

Tzolkin, 20'şer günlük 13 aydan oluşan; 20 "gün adı" ve 13 rakam üzerine kurulu, 260 günlük bir dinsel takvimdir demiştik. İşlevi ve amacı bir türlü anlaşılamayan bu döngü, benim tezime göre, hem 13 Baktun'luk dünya çağının, hem de Nibiru/Marduk'un yörünge periyodunun minyatür bir modelidir. Bileşiminde 13 ve 20 rakamları kullanıldığı, bir anlamda "13 Uinal" yani 13 kutsal aya denk geldiği için; 20 Katun'luk 13 birimden, yani 13 Baktun'dan oluşan dünya çağının "maketi" gibidir bu süreç. Diğer yandan, bir dünya çağı içindeki güneş yılı sayısıyla çarpıldığı; yani "Dünya Çağı"nda güneş yılı yerine kullanıldığı zaman, kutsal 13 sayısının da eklenmesiyle tam olarak Nibiru/Marduk'un yörünge süresi olan 3661'i verdiği için, bu periyodun da "gizlenmiş" bir modelidir.

Benzer biçimde, Maya ve Azteklerde oldukça önemsenerek kullanılan 18,980 günlük "Takvim Turu" döngüsü de, "Dünya Çağı" kavramının farklı ve bir ölçek daha büyük bir modelini oluşturur. Bilindiği gibi "Takvim Turu" (Calendar Round) 365 günlük güneş yılıyla 260 günlük Tzolkin'in 52 yılda bir buluştukları bir başka kutsal çevrimdir Orta Amerika'da. Bu iki zaman biriminin aynı noktada buluşabilmeleri için, 52 güneş yılı ve yaklaşık 73 Tzolkin geçmesi gerekmektedir. Toplam 18,980 günlük bu turun sonunda, iki takvim de başlangıç noktalarında buluşurlar. Bir dünya çağında da 1,872,000 gün yer alır; yani 7200 Tzolkin ve 5200 Tun (360 günlük yıl.) Dolayısıyla, güneş yılı yerine 360 günlük Tun birimini kullandığımızda, "Takvim Turu" bir dünya çağının 1:100 oranında küçültülmüş bir modelidir diyebiliriz.

Bütün bunlar, Orta Amerika toplumlarının takvimle ve sayı mistiğiyle ilgili ne denli saplantılı olduklarını ortaya koyuyor. Ama bir sonraki bölümde, Eski Dünya halklarının da göksel olayları şifreleyip, gizemli sayıların arasında kaybolmakta onlardan aşağı kalmadıklarını göreceğiz. Venüs'ün, uzun zaman aralıklarıyla beliren Nibiru/Marduk'la İ.Ö. 5310'daki dramatik göksel karşılaşmasından bu yana, dünyadaki bütün düşünce ve inanç sistemlerine damgasını vuran Venüs-Marduk Kültü'nün doğal sonuçlarından biridir bu.

7

Denizden Çıkan Canavar

Eskiçağa ait kutsal metinler arasında belki de üzerinde en çok tartışılan ve insanların merak güdülerini en çok harekete geçireni, Yeni Ahit'in son bölümünü oluşturan "Yuhanna'nın Vahyi"dir (The Revelation Of St. John.) İncil'in bütününden oldukça farklı bir karaktere sahip olduğunu söyleyebileceğimiz bu "kıyamet senaryosu"nda Yuhanna, iyilikle kötülüğün; karanlıkla aydınlığın; Tanrı'yla Şeytan'ın hesaplaşacağı son savaşa ilişkin "vizyon"larını hıristiyanlarla paylaşır. Anlattıkları, metindeki ifadeye göre, "Tanrı esiniyle gelmiş" bir vahiydir ve bütün hıristiyanların merakla bekledikleri o müthiş günün; yani "Tanrı'nın Krallığı'nın gökten yere inmesi"nin hemen öncesinden başlayan gelişmeleri sıralamaktadır.

Yoğun simge kullanımıyla büyük bir bölümünde iyiden iyiye karmaşıklaşarak anlaşılmaz hale gelen metin, Eski Ahit'in sonlarına doğru Daniel'in haber verdiği "Günlerin Sonu"nu fantastik bir dille anlatmaya çalışmaktadır aslında. Buna göre, Tanrı'nın (bir başka deyişle İsa'nın) göklerden geri dönüp yeryüzünde yeni bir "altın çağ" başlatmasının hemen öncesinde, "hesaplaşma günü"nü de içeren bir dizi ürpertici olay art arda gelecektir. Tanrı ve Melekleri (daha doğrusu İsa ve havarileri) göklerde ortaya çıkmadan hemen önce de, "Kötülüğün Güçleri" insanları kandırmak için "Tanrı'ymış gibi" yeryüzünde belirecek ve güç gösterisi yapacaklardır. Yuhanna'nın vizyonuna (vahyine) göre insanların çoğu bu "sahte Tanrı"ya inanacak ve tapınacak, onun gücü karşısında büyülenecektir. Ama hesap günü geldiğinde, yani "gerçek İsa" göklerde belirdiğinde, bu sahte tanrı yok olacak ve ona inananlar da sert biçimde cezalandırılacaklardır.

Yuhanna'nın Vahyi, çeşitli hıristiyan kiliselerine mesajlar veren bir açılışla başlar; ardından, Daniel'in de çok önceden haber verdiği (Kutsal Kitap dışı bırakılan Enoch'un Kitabı'nda da sözü edilen) "Günlerin Sonu"yla ilgili ayrıntılı vizyon anlatılır:

"O anda Ruh'un beni yönetimine almasıyla, gökte bir taht ve tahtın üzerinde oturan birini gördüm. Tahtta oturanın yeşim ve kırmızı akik taşına benzer bir görünüşü vardı. Zümrüdü andıran bir gökkuşağı tahtı çevreliyordu. Tahtın etrafında yirmi dört ayrı taht vardı. Bu tahtların üzerinde, başlarında altın taçlar olan, beyaz giysilere bürünmüş yirmi dört ihtiyar oturmuştu. Tahttan şimşekler çakıyor, uğultular ve gök gürlemeleri işitiliyordu. Tahtın önünde alev alev yanan yedi meşale vardı. Bunlar Tanrı'nın yedi ruhudur." (Vahiy 4:2-5)

Çoğu eskiçağ kutsal metnine benzer biçimde arketipler, simgeler ve setler halinde yinelenen belirli rakamlarla sürüp gidecek olan anlatım başlar böylece. Yuhanna'nın gökyüzünde gördüğü tahtlar ve taçlar, İsa (Tanrı) ve göksel krallığın temsilcileridir. Beklenen büyük zaman, yani "Günlerin Sonu" yaklaşmıştır artık, ama öncesinde bir dizi korkunç felaket ve kıyım yaşanacaktır. İnananlar ve bağlı olanlar, bütün bu zorlu süreçten kazançlı çıkarken, iman sahibi olmayanlar acılardan acı beğeneceklerdir.

"Tahtın üzerinde oturanın sağ elinde, iki tarafı da yazılmış ve yedi mühürle mühürlenmiş bir tomar gördüm. Yüksek sesle 'Tomarı açmaya, mühürlerini çözmeye kim layıktır?' diye seslenen güçlü bir melek de gördüm. Ama ne gökte ne yeryüzünde, ne de yeraltında tomarı açıp içine bakabilecek kimse yoktu. O zaman acı acı ağlamaya başladım. Çünkü tomarı açmaya ve içine bakmaya layık kimse bulunamadı. Bunun üzerine ihtiyarlardan biri bana 'Ağlama!' dedi. 'İşte Yahuda oymağından gelen Aslan, Davud'un kökünden olan galip geldi. Tomarı ve tomarın yedi mührünü o açacak. Dört yaratığın ve ihtiyarların çevrelediği tahtın ortasında boğazlanmış gibi duran bir kuzu gördüm. Kuzu'nun yedi boynuzu ve yedi gözü vardı. Bunlar Tanrı'nın bütün dünyaya gönderilmiş yedi ruhudur." (Vahiy 5:1-5)

Bütün metinde, yedi rakamı yoğun bir simgesellik içinde sık sık kullanılır. Kimi zaman Tanrı'nın yedi ruhu, kimi zaman meleklerin çaldığı yedi boru, kimi zaman da kitabın üzerindeki yedi mühür. Bu mühürlerin ne olduğu ve hangi olaya gönderme yaptığı, son derece açıktır. Eski Ahit'te, "Günlerin Sonu"yla ilgili bilgiyi, olacak şeyleri içeren simgesel kitaptan ve onun mühürlenmesinden, Daniel söz eder. Babil sürgünü sırasında yaşayan Yahudi peygamberlerinden biri olan ve Yusuf gibi vizyonları ve düş yorumculuğuyla ünlü olan Daniel, Tanrı'nın meleğinden "Günlerin Sonu"nun yakın olduğunu; çok büyük sıkıntı ve afetlerin yaşanacağını; ama "kitapta adı yazanların" kurtulup güzel günlere yetişeceğini öğrenir bir vizyonunda. Bu büyük günün ne zaman geleceğini meleğe sorar, ancak yanıt alamaz:

"Ve ben işittim, fakat anlamadım; ve dedim: Efendim, bunun en sonu ne olacak? Ve dedi: Git Daniel, çünkü sonun vaktine kadar bu sözler saklıdır ve mühürlüdür." (Daniel 12:8-9)

İşte Daniel'in Eski Ahit'e de giren bu vizyonundan 500 yıl kadar sonra, bu kez Yeni Ahit'in yazarlarından Yuhanna, kitabın en sonuna o ünlü "mühürlü tomarı" anlatan kendi vahyini eklemektedir. Gerçekten, Yeni Ahit için fantastik ve dramatik bir finaldir bu. Ayrıntıları Daniel'den esirgenen "Günlerin Sonu", Yuhanna tarafından simgelerle yüklü biçimde anlatılmakta; Daniel zamanında mühürlenen kitap, yavaş yavaş açılmaktadır. "Tanrı'nın yedi ruhuyla" gökteki tahtın üzerinde beliren "boğazlanmış Kuzu", İsa'nın ta kendisidir ve elbette "Günlerin sonu"nu anlatan kitap tomarının mühürlerini çözmeye bir tek o layıktır. Yuhanna'nın vahyinin bundan sonrası, art arda açılan yedi mühürle devam eder. Her mührün açılışının sonrasında, yeryüzünde ve göklerde olağanüstü şeyler olmaya başlar.

"Sonra Kuzu'nun yedi mühürden birini açtığını gördüm. O anda dört yaratıktan birinin, gök gürültüsüne benzer bir sesle 'Gel!' dediğini işittim. Bakınca, beyaz bir at gördüm. Bu ata binmiş olanın bir yayı vardı. Kendisine bir taç verildi ve galip gelen biri olarak zafer kazanmaya çıktı." (Vahiy 6: 1-2)

Tahtta oturan boğazlanmış kuzu, mühürleri birer birer açmayı sürdürür. İkinci mühür açıldığında, bu kez kızıl bir ata binmiş savaşçıya, dünya üzerinden barışı kaldırma yetkisi verilir. Üçüncü mühür açıldığında, kıtlığı simgeleyen birinin siyah bir ata bindiği ve dünyaya doğru yola çıktığı görülür. Dördüncü mühür, soluk renkli ata binen birini, Ölüm'ü temsil etmektedir ve salgın hastalıklarla ve yırtıcı hayvanların saldırılarıyla dünyadaki insanlara felaket getirmek üzere yeryüzüne doğru iner. Beşinci mühür açıldığında, başlangıçtan beri dünyada yaşamış ve Tanrı'ya inandığı için öldürülmüş olanların hepsi dirilir. Altıncı mührün açılmasıyla birlikteyse, yeryüzünde taş üzerinde taş bırakmayan korkunç bir deprem olur.

Yuhanna'nın vahyi, "Tanrı'nın krallığı"nın dünyaya egemen olacağı güzel günleri anlatan pembe düşler değil, dehşet verici bir korku filmi gibidir. "Mahşerin dört atlısı" dünyaya her türlü felaketi getirir; savaşlar, kıtlık, salgın hastalıklar ve depremler yaşanır. Bütün bunlar, çok önce mühürlenmiş olan kitapta yazılıdır ve gerçekleşmek zorundadır çünkü. Hıristiyan düşüncesi, "zamanında yapılmış kehanetlerin gerçekleşmesi gerekliliği" üzerine kurulmuştur. Yaşanacağı söylenenler yaşanmadan, Tanrı'nın Krallığı'yla gelecek güzel günler başlayamaz. Okuyanın ruhuna kasvetler basmasına neden olacak dehşet verici olayların ortasında, Kuzu nihayet yedinci mührü açar ve "gökte yarım saatlik bir sessizlik olur." Ardından, yeni bir "yedili set" alır sırayı. Kitabın yedi mührü birer birer açılmıştır ve şimdiden yeterince felaket yaşanmıştır, ama bunlar yeterli değildir. Bu kez yedi melek, sırayla yedi boruyu üfleyeceklerdir. Her boru çalınışında, mühür açıldığı sıralarda olanlardan daha şiddetli, daha korkunç felâketler gerçekleşmeye başlar dünyada: Gökten ateşler yağar; deniz kanlar içinde kalır ve balıklar ölür; sulara zehirli bir meteorit düşer ve o suyu içenler ölürler; gökyüzündeki ışıkların üçte biri kararır ve hem gündüz hem de gece karanlığa bürünür.

Karabasan bu kadarla da kalmaz: Beşinci boru sesinden sonra, gökten yere düşmüş bir yıldıza "Dipsiz derinliklere inen kuyu"nun anahtarı verilir; bu kuyu açıldığındaysa, yoğun bir duman her yanı kaplar ve hava kararır. Ardından, dünya üzerine çekirgeler yağmaya başlar. Ancak bunlar, farklı çekirgelerdir: Otlara ve bitkilere değil, "alnında Tanrı'nın mührü olmayan insanlara" zarar vereceklerdir yalnızca. Öldürmeyecek, acı çektirerek işkence edeceklerdir ve bu işkence için onlara beş ay izin verilmiştir!

Altıncı boru sesi, bir başka kitlesel kıyımı başlatır: "Fırat nehrinin yanında bağlı duran" dört melek çözülür ve bunlar o gün yanlarındaki iki yüz milyon atlıyla birlikte saldırıp, dünya üzerindeki insanların üçte birini yok ederler. Yedinci melek, yedinci boruyu çaldıktan sonra, göklerde Tanrı'nın Tapınağı, Kutsal Ahit Sandığı'yla birlikte belirir; gökgürültüleri duyulur ve dünyaya şiddetli bir dolu yağmaya başlar. Yeni depremler, yeri sarsar.

Bitti sanıyorsanız, yanılıyorsunuz: Bu kez gökyüzünde, ayağının altında ay, başının üzerinde de on iki yıldız olan bir kadın belirir; doğum yapmak üzeredir. Tam o sırada, yedi başlı ve on boynuzlu bir ejderha da beliriverir gökyüzünde. Bütün amacı, kadın doğum yapar yapmaz çocuğu yutmaktır. Neyse ki melekler, "bütün dünyayı elinde bir değnekle güdecek olan" erkek çocuğunu doğduğu anda alır ve Tanrı'nın göklerdeki tahtına yerleştirirler. Kadınsa, ejderhadan saklanmak üzere bir çöle götürülür.

Buradaki simgelerin tümü çok yalın ve çok sıradan görünüyor: Doğum yapacak olan kadın, Bakire Meryem'dir; doğurduğu çocuksa, elbette İsa. Onu doğar doğmaz kapmak isteyen ejderha, Şeytan'ı simgelemektedir. Bebek melekler tarafından kurtarıldıktan sonra, Tanrı'nın tahtında oturan "boğazlanmış Kuzu"nun yerini "yeniden doğan İsa" almıştır artık. Böylece, çarmıha gerilmiş İsa'nın dirilişi, göklerde bir kez daha canlandırılmış olur. Ardından, Mikail ve onun emrindeki melekler

("Gözcüler") ejderhayla göklerde Enuma Eliş'i çağrıştıran bir savaşa girişirler. Ejderha direnir ama sonunda yenilmekten kurtulamaz. Yenilip yeryüzüne düşen ejderha, bu kez "çocuğu doğuran kadını" bulup yakalamaya çalışır; ancak ne kadar uğraşırsa uğraşsın, iyiliğin güçlerinin kadına yardım etmesi nedeniyle bunu başaramaz bir türlü.

Derken, Yuhanna'nın Vahyi'nin en "muamma" bölümü başlar. Yüzyıllardır kafaları karıştıran, çeşitli mistik yorumlara neden olan ünlü 13. bölümdür bu:

"Sonra, on boynuzlu, yedi başlı bir canavarın denizden çıktığını gördüm. Boynuzlarının üzerinde on taç vardı ve başlarının üzerinde küfür niteliğinde adlar yazılıydı. Gördüğüm canavar, parsa benziyordu. Ayakları ayı ayakları, ağzı ise aslan ağzı gibiydi. Ejderha, canavara kendi gücü ve tahtıyla birlikte büyük yetki verdi. Canavarın başlarından biri, ölümcül bir yara almışa benziyordu. Ne var ki bu ölümcül yara iyileşmişti. Bütün dünya şaşkınlık içinde ejderhanın peşinden gitti. İnsanlar, canavara yetki veren ejderhaya taptılar." (Vahiy 13: 1-4)

İşler bu noktada birden çatallaşmaya başlıyor: Ejderhanın, Şeytan'ı simgelediğini biliyoruz; zaten bu açık açık da belirtiliyor. Ancak Mikail ve meleklere karşı gökyüzündeki savaşı yitirerek yeryüzüne düşen ve orada da Meryem'i yakalamayı başaramayan Şeytan'ın, "kendi gücü, tahtı ve yetkisini" verdiği, "denizden çıkan" bu canavar da kim? Niçin başında sonradan iyileşmiş bir "ölümcül yara" var? Şeytan'ın bu denli yakın ve güçlü bir yardımcısı ya da ortağı olduğu fikri nereden çıktı? Bu sorular kafaları kurcalarken, Vahiy, ortalığı toz duman içinde bırakmaya devam eder:

"[Canavar] Küçük büyük, zengin yoksul, özgür köle, herkesin sağ eli ya da alnı üzerine bir işaret vurduruyordu. Öyle ki bu işareti, yani canavarın adını ya da adını simgeleyen sayıyı taşıyanların dışında hiç kimse bir şey satın alamıyor ya da satamıyordu." (Vahiy 13: 15-17)

Muamma zinciri, "canavarın adını ya da bu adın sayısını" taşıyan bir damgadan, işaretten söz ederek sürmektedir şimdi.

Dünyadaki bütün insanları kendine tapmaya ikna eden canavar, onları bir "sayıyla" işaretlemektedir. Nedir bu işaret? "Bu konu bilgelik gerektirir. Anlayabilen, canavara ait sayıyı hesaplasın. Çünkü sayı, bir insanı simgeliyor. Onun sayısı, altı yüz altmış altıdır." (Vahiy 13: 18)

İşte bu son derece merak uyandırıcı ayet, yüzyıllardan bu yana yalnızca hıristiyan dünyasının din adamlarını değil, gizem meraklısı araştırmacıları, yazarları, şairleri, sanatçıları, hatta modern çağda Hollywood yapımcılarının da bütün ilgisini üzerinde toplamış; yüzlerce, belki de binlerce farklı yoruma neden olmuştur. "Yaratığın sayısı altı yüz altmış altıdır." Ne demektir bu?

Bu ayetin etkisiyle, çok yaygın bir biçimde, 666'nın "Şeytan'ın sayısı" olduğu düşünülür hıristiyan dünyasında. Ancak bu bir yanılgıdır; Yuhanna'nın vahyinde Şeytan'ın "yenik düşen ejderha" olduğu, Canavar'ınsa onun tarafından yetkilendirilmiş ve güç verilmiş bir "yardımcı" niteliği taşıdığı net biçimde anlatılmaktadır. Tanrı'nın Krallığı'nın gökten yeryüzüne inmesinden, yani Mesih'in geri dönüşünden hemen önce birdenbire ortaya çıkan bu gizemli yaratık, hıristiyan düşüncesine göre "Mesih'in Düşmanı"dır (Anti-Christ.) Çok benzer bir kavram, İslam dünyasında da "Mehdi'nin (kurtarıcı) gelmesinden önce insanları kandıran Deccal" olarak ortaya çıkar. O, doğrudan doğruya Şeytan değil, yalnızca Şeytan'ın "kuklası" niteliğindeki bir "sahte tanrı"dır. Göksel Kurtuluş Günü gelmeden önce, insanları Tanrı olduğuna inandırıp kendine tapmaya zorlayacak, ancak sonunda yenik düşecektir. Birçok yönüyle, İran'ın antik Zerdüşt dinindeki, aydınlığın temsilcisi Ahura Mazda'nın (Ormazd) amansız düşmanı Ahriman'a benzer. Tıpkı Zerdüşt düşüncesinde ezelden beri iyilikle kötülük arasında süren savaşın sonunda Ahura Mazda lehine sonuçlanacağı yönündeki inanç gibi, İncil'de de Deccal, yani "Mesih Düşmanı" Canavar'ın sonunda savaşı yitireceği vurgulanır Yuhanna'nın Vahyi'yle. O andan itibaren de, inananlar için dünyada huzur dolu, altın bir çağ başlayacaktır.

Ancak bütün bunlar, 13. Bölüm'deki bilmeceyi çözmemize

yardımcı olmaz: Bu canavar niçin "denizden" çıkmıştır ve "numarası" niçin 666'dır? Bu sayının özel bir anlamı, gizemli bir şifresi var mıdır?

Hıristiyanlığın ilk yıllarından itibaren bu konuda birçok insanın kafa yorduğunu biliyoruz. Vahiy'de "Bu aynı zamanda bir insanın numarasıdır" denmesi, eski Yahudi gizemci öğretisi Kabbala'nın etkisiyle, çoğu kişinin bilmeceye "Gematria" olarak adlandırılan bir sistemin perspektifinden bakmasına neden olmuştur. Bir tür "sayı gizemciliği"dir Gematria; Yahudi ve Yunan düşüncelerinde eskiden beri var olan; çok sonraları Arap dünyasına da "ebcet hesabı" biçimiyle giren; isim ve sözcüklerde gizli, büyülü rakamlar bulma eğilimidir. Buna göre, alfabedeki harflerin hepsinin, birer sayısal değeri vardır. Dolayısıyla, herhangi bir isim ya da sözcüğün içerdiği harflerin sayısal değerleri toplamı, o isme karşılık gelen gizemli rakamı vermektedir. Eskiçağ'da neredeyse Doğu Akdeniz'in tamamında, bu alfabetik sayılama sisteminin örnekleriyle karşılaşırız. Bazen sayısal değerler yerine o toplamı verecek harflerden oluşan bir sözcük; bazen de bir ad ya da sözcük yerine onun rakamsal değeri yazılarak bir tür "şifreleme" yaratan bu sistem iki bin yıldır gizem meraklısı insanların ilgisini çekmeye devam etmektedir.

Aslında her şey, alfabelerin oluşmaya başladığı dönemde simgelerin yalnızca "harfler" için yaratılması, sayısal işlemler için ayrı bir rakam seti oluşturulmamasıyla ortaya çıktı diyebiliriz. Bu durumda, Yunan ve Fenike alfabelerinde (daha sonra da İbrani alfabesinde) harflere karşılık gelen işaretler için, düzgün bir sıralamayla sayısal değerler de belirlendi. Sözgelimi Yunan alfabesinin ilk harfi Alfa'nın sayısal değeri 1; beşinci harfi Epsilon'un da sayısal değeri 5'ti. Tıpkı, "Roma rakamları" dediğimiz sayısal simgelerin aslında Latin alfabesinin harfleri olması gibi bir şeydir bu. Latin alfabesinde M harfinin değeri 1000, C harfinin değeri 100, D harfinin değeri 500'dür. Aynı biçimde, bu sistemin öncüleri olan Yunan ve Fenike alfabelerinde de, rakam simgeleri geliştirilmeden önce, harfleri kullanarak istediğiniz her sayıyı yazabiliyordunuz. Süreç içinde harfleri kullanarak, çok büyük rakamları bile yazabilmek mümkün hale gelmişti. İşte bu pratik yöntem, harfler ve rakamları bir tür "şifre oyunu" gibi aynı amaçla kullanmayı başlatınca, "sayı gizemciliği" de kendiliğinden ortaya çıktı. Alfabesini oluştururken hem diğer Sami toplumlarının kullandığı simgelerden, hem de Akdeniz halklarının yazılarından etkilenen İbraniler de, harfler için kullandıkları işaretlerle rakamları da yazma yöntemine başvurdular. Bu yöntem, tarih atmak ve Eski Ahit'teki ayetleri numaralandırmak gibi işlerde kullanılınca, harflerdeki sayısal gizem iyice derinleşti.

İsa'dan önce ilk yüzyıla ait olduğu sanılan ve Ölü Deniz Yazmaları olarak bilinen Kumran belgelerinde, İbrani harflerinin sayılama sistemi olarak kullanılmasının ilk örneklerine rastlanması, iki şeyi ortaya koyması açısından önemlidir: Birincisi, bu belgelerden, alfabetik rakamların İbrani tarihinde ilk kez hıristiyanlık çağının şafağında kullanılmaya başladığını anlarız. İkincisiyse, hıristiyanlığın ilk çekirdeğini oluşturan ve Yeni Ahit'e zemin yaratan Kumran'daki Essene mezhebi mensuplarının, sayı gizemciliğiyle tanışmış oldukları sonucu çıkar bu bilgiden. Bu durumda, Yuhanna'nın Canavar'la ilgili bilmecesini çözmek için meraklıların "666 sayısal değerini tutturan isim" peşinde koşmaları, bir ölçüde anlaşılır hale gelir.

Sayı gizemciliğinin kutsal metinlerle birlikte kullanıldığında nasıl sonuçlar yarattığına ilişkin küçük bir örnekle, biraz fikir vermeye çalışalım: İbrahim'in Filistin bölgesindeki dört büyük kralın ittifakına karşı verdiği öne sürülen savaştan söz ettiğimiz bölümü okur anımsayacaktır. Eski Ahit'te, yeğeni Lût'un rehin alındığını duyan İbrahim'in, "evinde yetişmiş 318 uşağıyla birlikte" bu kralların ordularına saldırdığı anlatılıyordu. Bir başka ayetteyse, çocuğu olmayan İbrahim'in sahip olduğu bütün malları ve evlerinin, bu durumda uşağı Eliezer'e kalacağından söz edip yakındığına tanık oluyorduk. İşte Gematria gizemciliği bu noktada devreye giriyor ve bize İbrahim'in yanında 318 kişi falan değil, yalnızca bir tek kişi, sadık uşağı Eliezer olduğunu söylüyor: Çünkü alfabetik sayılamaya göre "Eliezer" adının sayısal değeri 318'dir!

Bir başka örnek, yaratılışa ilişkin ayetlerden seçilebilir:

"Tanrı'nın Havva'yı, Adem'in kaburga kemiğinden yarattığı"na ilişkin ifade, sayı gizemcilerine göre bu durumu matematiksel olarak da açıklar. Tanrı'nın bilinen adlarından Yahve'nin (YHVH) sayısal değeri, 26'dır. Adem'in adı 45'e, Havva'nın adı da 19'a eşittir bu hesaba göre. İki ismin sayısal değerleri arasındaki fark, Tanrı'nın rakamı olan 26'ya eşittir.[248]

Benzeri örnekler çoğaltılabilir. Sayı gizemcileri, isimlerin ve sözcüklerin ardında rakam; rakamların ardındaysa isim ve sözcük aramaya müthiş bir ilgi duyarlar. Hele söz konusu isim, sözcük ya da rakamlar, kutsal metinlerde yazılıysa. Yuhanna'nın sözünü ettiği 666'nın neyi temsil ettiğini bulmak için harfler ve rakamlar iki bin yıldır birbirleriyle çarpıştırılıp duruyor bu yüzden.

En çok önerilen karşılıklardan biri, hıristiyanlığın ilk yıllarında bu inanca mensup insanları yakarak, çarmıha gerdirerek ya da aslanlara atarak toplu halde öldürttüğünden söz edilen Roma İmparatoru Neron olmuştur. Eğer bu ismi İbrani harfleriyle "Caesar Neron" (QSR NRWN) biçiminde yazarsanız, bir hesaba göre harflerin sayısal değerleri toplamı 666'yı verir. Çoğu hıristiyan din adamı, bu hesaptan hoşnuttur ve Canavar'ı Neron olarak düşünmekle yetinir. Ancak Yuhanna'nın aktardığı "vizyon" açısından bu hiç de mantıklı ve anlamlı bir sonuç olmaz; çünkü Vahiy İncil'in son bölümü olarak yazıldığında, Neron çoktan ölmüştü. (Eğer metnin öncelini Esseneler zamanına dayandırırsak da, Neron henüz doğmamıştı bile.) Dolayısıyla geçmişte kalmış bir insan, çok daha ileride gerçekleşeceği söylenen Tanrı'nın Krallığı'ndan hemen önce ortaya çıkacak Deccal olabilir mi? Canavar ortaya çıktıktan sonra İsa ile savaşacak ve yenik düşecektir; bu durumda söz konusu "isim" Neron olamaz elbette.

Bir başka görüşe göre, Canavar bir tek kişinin değil, bir "topluluğun" adını taşıyordu ve bu nedenle bilmecenin çözümü bir imparator değil, bütün Romalılar olmalıydı. İncil'in yazıldığı Yunan alfabesini temel alan bir sayı gizemciliğiyle bu görü-

---

[248]Georges Ifrah, "Rakamların Evrensel Tarihi III", Tübitak Yayınları, s. 232

şün destekçileri, "Romalılar", daha doğrusu "Latince konuşanlar" anlamına gelen "LATEINOS" adını önerdi. Bu da benzeri nedenlerden dolayı mantıklı değildir. Üstelik, Roma hıristiyanlığı "devlet dini" haline getirerek bütün dünyaya yayılmasına neden olan bir devlettir. Eğer böyle bir ima olsaydı, hıristiyanlığı kabul eden İmparator Konstantin'in danışmanları bunu bilir ve Yuhanna'nın Vahyi'nden söz konusu rakamı derhal çıkarıp sansürlerlerdi.

Aslına bakılırsa, alfabetik sayılama sistemi aracılığıyla harfler ve rakamlar arasında köşe kapmaca oynayarak 666'nın ardında yatan gizemi aramak, yanlış sularda balık avlamaya çalışmaktan başka bir şey değil. Yuhanna'nın Vahyi'ndeki bilmeceyi çözmek için, Gematria'dan çok daha fazlası gerekiyor.

Göklerde yazılı rakam

Yuhanna'nın gizemli 666 bilmecesini aklımızın bir köşesinde tutarak, dikkatimizi kısa bir süre için başka bir yöne çevirelim şimdi: Yahudi-Hıristiyan kültürünün geleneksel "simge" düşmanı Babil'e; onun matematiğine ve astronomisine biraz daha yakından bakalım.

Mezopotamya'nın tüm kültürlerine egemen olmuş matematik ve sayılama sisteminin (belki kurucuları olmasalar bile) ilk yaygın kullanıcıları, bölgede Tufan sonrası kurulmuş olan ilk büyük uygarlığın sahibi diyebileceğimiz Sümerler. Sayı sayma ve çoklukları ifade etme ya da hesap yapma gibi işlemlerde, en erken dönemden beri Sümerlerin "altmışlı" (sexagesimal) olarak adlandırılan bir sistem kullandıklarından söz etmiştik. Nasıl bizim sistemimiz 10 tabanını esas alıyorsa ve nasıl Orta Amerika uygarlıkları sayı sistemlerinin temeline 20 rakamını yerleştirdilerse, Sümer uygarlığı da bütün matematik anlayışının merkezine 60'ı oturtmuştu. Bunun net ve makul bir açıklamasını yapamıyoruz. Onlu sistem söz konusu olduğunda el parmaklarının sayısı açıklayıcı olabilir; Mayaların yirmili sistemlerinde ise işe el ve ayak parmaklarının toplamı olarak bakabiliriz. Ancak 60 sayısı için böyle bir doğal/mantıksal açıklama bulmak çok güçtür. (Bu nedenle Zecharia Sitchin, Sümer matematiğinin temelinde Nibiru/Marduk'un yörünge periyodu olan 3600'ün yer aldığını söyler.) Söyleyebileceğimiz tek şey, dairesel hareketler (360 derece) ve astronomik hesaplar (yörüngeler) için altmış sayısının çok uygun olduğu üzerine fikir yürütmekten öteye gidemez.

Sümer matematiğinin ve altmışlı sayı sisteminin zihinlerde ne zaman doğduğunu bilemesek de, bu sistemin simgelerle ifade edilmeye başlamasının İ.Ö. 3200 sonrasında başladığını biliyoruz. İlk yazı ve rakam sistemleri, Mezopotamya'da bu tarih dolaylarında ortaya çıkıyor çünkü. Altmış tabanını temel alan matematiğin izlerine İ.Ö. dördüncü bin yılın sonlarından itibaren rastlıyoruz.

Altmışlı sistem kullanmak ne demektir ve pratikte bu nasıl bir hesap anlayışına dayanır? Çok basit olarak, sayma ve bu sayıları ifade etmede belirleyici birim olarak kullanılan değerin 60 olması demektir bu. Yani altmışın katlarını kullanarak hesap yapmaktır. Onlu sistemin kolaylığına alışmış olan bizler için hesaplama sisteminin temeline 60 gibi "garip" bir rakamı yerleştirmek biraz şaşırtıcı gelse de, biraz düşününce günlük yaşamımızda Sümer mirasını yoğun olarak kullanmaya devam ettiğimizi fark ederiz:

"Bizim kültürümüz de böyle bir tabanın izini görülür biçimde korumuştur; çünkü zaman ölçüsünü saatlerle, dakikalarla, saniyelerle, yay ve açı ölçülerini derecelerle, dakikalarla, saniyelerle dile getirirken hâlâ onu kullanıyoruz."[249]

Gerçekten de modern yaşamımızda en çok kullandığımız araçlardan biri, saatlerimizdir. Günün herhangi bir anında saate baktığımızda, sözgelimi 10:54 gibi bir değerle karşılaşıyorsak, 6 dakika sonra bir çevrimin tamamlanıp saatin 11:00 olacağını bilir ve bunu son derece doğal algılarız. Denizciler, rotaları üzerinde ilerlerken yönlerini belirlemede dereceden sonra 60'lık birimler halinde küçülen dakika ve saniyeyi kullanırlar. Aynı yönteme, açılar üzerine hassas ölçümler yaparken de büyük bir do-

---

[249] Georges Ifrah, "Rakamların Evrensel Tarihi II", s. 12

ğallıkla başvururuz. Ancak bunlar, bütün bir sayılama sisteminin 60 tabanına dayandırılmasını çok da pratik kılmaz elbette.

Sümer matematiğinde süreç içinde altmışa yaslanan sayılama sisteminin astronomik ve matematik hesaplarda yoğun olarak kullanıldığını; ancak, günlük yaşamın sıradan hesaplarında işleri biraz karmaşık hale getiren bu yapının basit bir formülle biraz daha pratik hale getirildiğini söyleyebiliriz.

"Bir sayılama dizgesinin tabanı olarak altmış, belleğe epeyce yük getiren bir sayıdır; çünkü −en azından kuramsal olarak− 1'den 60'a kadarki sayıları karşılamak için altmış ayrı sözcüğün ya da imin bilgisini gerektirir. Ama Sümerler belleği rahatlatan bir birim olarak, yani farklı altmışlı birimlerin (1, 60, 60^2, 60^3) arasına ara sahanlık olarak on ekleyip güçlüğü aşmışlardı."[250]

Bu, en basit ifadeyle şu anlama gelir: Sümer matematiğinde "tanrısal" önem atfedilen 60'lı sistemden vazgeçilmemekle birlikte, günlük hayatı basitleştirmek için 60 tabanıyla 10 tabanı arasında bir orta yol bulan, bileşik bir sistem zaman içinde yerleşmiştir. İlahi değer taşıyan göksel hesaplarda altmışlı tabana yaslanan hesap kaçınılmaz olsa da, günlük ticaret, depolama, alım-satım gibi basit ve sıradan işler, onlu sistemin sadeliğini de içerecek biçimde bir miktar revizyona uğrar böylece. Bu durumda, Sümer matematiğinde sayısal çokluklar gösterilirken, altmış tabanının temel rakamları olan 60, 3600 ve 216,000 gibi değerlerin yanı sıra, bunların her birinin 10 ile çarpılmasıyla oluşan "ara rakamlar" da sisteme eklenmiş olur. Sonuçta ortaya çıkan, bütünüyle 60'ın kuvvetlerinden (60, 60^2, 60^3 vb) oluşan "ilahi ideal sistem"e, bunların 10 ile çarpımlarını da içeren değerlerin eklenmesiyle biçimlenmiş; bileşik ama günlük basit kullanımda daha pratik bir sayılama mantığıdır:

60^0	60^0 x 10	60^1	60^1 x 10	60^2
1	10	60	600	3600

[250]Georges Ifrah, a.g.e., s. 12-13

Hemen anlaşılacağı gibi, yalnızca 60 sayısının 0, 1, 2 gibi kuvvetlerinden (üs) oluşan "kutsal hesap" bir yanda dururken, bunların 10 rakamı ile çarpılmasıyla ortaya çıkmış birimlerin eklenmesiyle sayıların yazıya geçirilmesi işi de bir hayli basitleşir. Kutsal sistemde 59 rakamını yazmak için 1'i (yani 60^0'ı) simgeleyen işaretten 59 tane birden yazmak gerekirken, bu bileşik sistemde artık 10 sayısını (yani $60^0 \times 10$'u) belirten 5 işaretin yanına, 1'i simgeleyen 9 işaret yazmak yeterli olacaktır. Dolayısıyla hem Sümer yazmanlarının bir hayli angaryadan kurtulduğunu, hem de kil tabletlerde ciddi bir yer tasarrufu sağlandığını söyleyebiliriz!

Kil tabletler dedik. Yazıyı en erken kullanan uygarlıkların başında Sümerlerin geldiğini biliyoruz. Bunun ne kadarı Obeyt dönemi uygarlığından devraldıkları mirastır, ne kadarı bütünüyle onlara aittir bilemiyoruz. Ama ilkin rakamlar, ardından da fonetik değerleri ve heceleri simgelemek üzere gelişmiş bir sistem yarattıklarını biliyoruz. Rakamların gösterilmeye başladığı ilk aşamalarda, görece çok daha ilkel ve basit bir işaret sistemi çıkıyor karşımıza. Buna göre, 1 rakamı küçük bir çentik; 10 rakamı küçük bir yuvarlak; 60 rakamı büyük bir çentik ve 3600 rakamı da büyük bir yuvarlak olarak gösteriliyor. Süreç içinde, bu iki temel biçim kullanılarak bileşik simgelere de ulaşılıyor: Büyük çentiğin içine yerleştirilmiş küçük bir yuvarlak 600; büyük dairenin içine yerleştirilmiş küçük daire de 36,000 sayılarını veriyor. Aşağıdaki çizelgede, bu ilk simgelerin birer örneği görülmekte:

60^0	$60^0 \times 10$	60^1	$60^1 \times 10$	60^2	$60^2 \times 10$

Aşağı yukarı İsa'dan önce dördüncü binin sonlarıyla, üçüncü binin başlarında kullanılmaya başlayan bu basit ve ilkel sayı gösterim sistemi, Sümerlerin en etkileyici buluşlarından biri olan "çivi yazısı"nın ortaya çıkmasıyla birlikte, giderek daha ince ve şematik bir biçim almaya başladı. Yazının ilk örneklerinden biri olmasına karşın şaşırtıcı biçimde karmaşık bir yapıya sahip olan çivi yazısı (cuneiform), yumuşak kilden yapılmış ince ve yassı, düzgün "tablet"ler üzerine keskin uçlu "kalem" uçlarının değişik açılarla bastırılmasıyla ortaya çıkan, son derece pratik, standartlara sahip ve hızlı yazıma olanak veren bir sistemdi. Tabletler daha sonra fırınlarda pişirilip sertleştiriliyor ve birer belge olarak saklanabilir hale geliyordu. Çivi yazısı simgelerinin kullanılmaya başlamasıyla, yukarıdaki çizelgede gördüğünüz rakamların yerini de farklı işaretler almaya başladı:

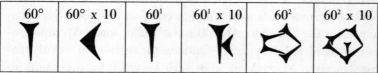

$60°$	$60° \times 10$	60^1	$60^1 \times 10$	60^2	$60^2 \times 10$

Artık Sümer ülkesinde standart hale gelmiş kamış kalemlerle kil üzerine yazılan simgeler, bu yazıyı bilen herkes tarafından rahatça okunabilir hale geliyordu böylece. Basit, standart işaretlerle ifade edilen ve hızlı yazılabilen stilize bir yazı, matematiği ve sayı sistemini de fazlasıyla rahatlatacak, önünü açacaktı. Mezopotamya'daki bu büyük buluş o denli verimli sonuçlar doğurdu ki, geliştirilen bu yazı yaklaşık üç bin yıl boyunca bölgedeki birçok halk tarafından benimsendi ve kullanıldı. Arkeologların bu sayede Mezopotamya'nın değişik yerlerinde onbinlerce tablet bulduklarını ve elimizdeki bu paha biçilmez hazine yardımıyla Sümer, Babil ve Asur uygarlıklarına ilişkin bilgilerimizin yirminci yüzyılda hızla arttığını söyleyebiliriz. Çivi yazısıyla birlikte, kil tablet kullanımı gibi, zekice bir buluşun da bunda payı büyüktür. Pişirilmiş kilin dayanıklılığı sayesinde binlerce yıl toprak altında kalan belge ve yazılar, zamana direnerek bize kadar ulaşabildiler. Bu buluşları için Sümerlere ne denli teşekkür etsek azdır.

Altmışlı sistemin "çekirdek halde" kullanımının, göksel hesaplar ve astronomide, yörünge hesaplarında yer bulmaya devam ettiğinden söz ettik. Şimdi belki, Mezopotamya kültüründe son derece kritik bir değeri bulunan Nibiru/Marduk'un yörünge süresinden biraz söz edebiliriz. Daha önce de belirttiğimiz gibi, Onuncu Gezegen'in bizim hesabımıza göre 3661 yıl olan yörünge periyodu, Mezopotamya matematiğinde 3600 sayısına "yuvarlanmış" ve kutsal kabul edilen bu değere "Şar" adı verilmişti.

"Şar'ın ya da Şaroş'un (3600) çivi yazısında başlangıçta bir daire olan, yavaş yavaş biçimi bozulan bir imle betimlendiği gözümüze çarpar; bu im aynı zamanda Bütün, Bütünlük, Kozmos *(Gök-Yer-Yıkım)* anlamına gelir."[251]

Sümer mitolojisinde gök tanrısı An'ın sürekli ikamet yeri olarak bilinen ve "Geçiş Gezegeni" anlamına gelen Nİ.Bİ.RU böylece kozmogonide sahip olduğu çok özel ve değerli yeri, matematikte de elde edecektir. Bin yıl kadar sonra Mezopotamya'nın Sami Babil uygarlığı Onuncu Gezegen'e en büyük tanrısı ilan ettiği Marduk'un adını verir ve farklı bir dile sahip olmakla birlikte gökbilim ve matematik terimlerinde, Sümer dilini kullanmaya devam eder. Dolayısıyla Onuncu Gezegen'in yörünge süresi olarak simgeleştirilen 3600 sayısı, Babil dilinde de Şar olarak kullanılır. Diğer yandan Babil'de Şar sözcüğü "kral" anlamını da verecek biçimde kullanılmış ve İ.Ö. 2300 dolaylarında Akat'ın efsanevi hükümdarı olan Sargon da adını bu sözcükten almıştır: Sharru-Kin, yani "Adil Kral".

Mezopotamya'da 3600 sayısının Nibiru/Marduk'un yörüngesini belirtmek üzere kutsal bir değer olarak kabul edilmesi, en büyük ve en önemli zaman biriminin de yine Şar olarak adlandırılmasına yol açar. Babilli tarihçi Berossus, uzun yaşam süreleriyle dikkatleri çeken ve bu nedenle tarihçiler tarafından "efsane" olarak kabul edilen hükümdarların yer aldığı Krallar Listesi'nden söz ederken, yönetim sürelerini yıl olarak değil, Şar cinsinden verir. Yani 10 Şar boyunca tahtta oturmuş bir kral, 10 x 3600 = 36,000 yıl hüküm sürmüştür bu hesaba göre. Tufan'dan önceki kralların toplam iktidar süreleriyse, 432,000 yıldır; yani 120 Şar.

Bu ilginç rakam, yani 432,000, merak uyandırıcı bir biçimde antik uygarlıkların çoğunda "tanrısal" imgelerle karşımıza çı-

[251]Georges Ifrah, a.g.e., s. 41

kıp durur. Hindu felsefesine göre içinde bulunduğumuz son çağ, yani Kaliyuga, 432,000 yıl sürecektir. Kuzey mitolojisinin Edda'larındaysa, Odin'in göksel savaş salonunun 540 kapısı vardır ve bu kapıların her birinden 800'er savaşçı çıkar; böylece savaş alanında 432,000 simgesel savaşçı belirecektir.[252] Zecharia Sitchin, aynı gizemli rakamın "şifrelenmiş" biçimde Eski Ahit'te de yer aldığını düşünür ve Genesis'teki bir çeviri hatasına işaret eder: Tufan öncesinde Tanrı'nın insandan hoşnutsuzluğunu dile getiren ve ona yaşam biçip "Ve zamanı yüz yirmi yıl olacaktır" dediğini belirten altıncı bölümdeki ayetin doğru çevirisi, Sitchin'e göre gelecek zaman değil, geçmiş zaman kipi içerir ve bu nedenle doğru çeviri "Zaman yüz yirmi yıl idi" olmalıdır. Büyük oranda Mezopotamya'dan alınmış eski kaynaklarla oluşturulduğunu bildiğimiz Genesis'teki bu ayet, aslında bildiğimiz güneş yılını değil, Şar'ı ima etmektedir ve dolayısıyla Tufan öncesinde 120 Şar, yani 432,000 yıl geçtiğini vurgular: Tıpkı, Berossus'un hesabında olduğu gibi.[253]

Şar sayısı (3600) ilkin bir daire olarak basit bir simgeyle gösterilmiştir, çünkü doğrudan doğruya kutsal gezegenin yörüngesiyle ilişkilidir ve gökyüzünde sanal dairelerin varlığına dayanan Mezopotamya düşüncesinde gezegen yörüngeleri de daireseldir. Ifrah'nın belirttiği gibi bu biçimin daha sonra bozulmasıysa, çivi yazısının stilize özelliklerine bağlı olabileceği gibi, Nibiru/Marduk'un yörüngesinin aslında dairesel olmadığının anlaşılmasıyla da ilişkilendirilebilir. En ilginç ve çarpıcı olan noktaysa, Şar sözcüğünün ve içerdiği kavramın Sümer düşüncesinde "bütünlük" ve Kozmos ile olduğu kadar, "yıkım-yaratım" ile de özdeş algılanmasıdır elbette. Tarih boyunca Nibiru/Marduk'un yakın geçişleriyle dünyada ve güneş sisteminde neler yaşandığını düşününce, gezegenin "yıkım-yaratım" ile paralel düşünülmesi çok da şaşırtıcı gelmiyor. Ama aynı sözcüğü hem bir sayısal değer, hem kutsal bir zaman ölçüsü, hem hükümdar, hem de kozmolojik bir temel kavram olarak kullanan

---

[252]Joseph Campbell, "Tanrı'nın Maskeleri: Doğu Mitolojisi", s. 142
[253]Zecharia Sitchin, "12. Gezegen", s. 269-272

Sümer düşüncesinin yüksek soyutlama yeteneği karşısında şaşkınlığa düşmekten de kendimizi alamıyoruz.

Mezopotamya yazı ve sayı sistemlerinin gelişim süreci içinde, Nibiru/Marduk'un yörünge süresinin rakamlarla nasıl ifade edileceğine geçmeden önce, kritik bir noktayı vurgulamakta yarar var: Şar rakamı ile 3600'e "yuvarlanan" yörünge süresinin gerçekte 3661 yıl olduğunu baştan beri yineliyoruz. Ancak Mezopotamya'da yapılan işlem, yalnızca matematiksel bir sadeleştirmeyle "küsuratı atmak" ve rakamı altmışlı sisteme uygun biçimde yuvarlak hale getirmek değildir. (Biraz sonra, 3661'in, altmışlı sistem içinde çok daha "eşsiz" bir rakam olduğunu göreceğiz.) Asıl amaç, Nibiru/Marduk'un yörünge süresiyle ilgili olarak "düz" bir rakamı kitlelere sunarken, hassas ve doğru hesabı astronom rahiplerin bir ayrıcalığı haline getirmektir. Göksel olaylara dayalı evren bilgilerinin, eskiçağ toplumlarında sınıfsal çelişkilerin keskinleşmeye başlamasıyla birlikte çok genel olarak "din" denebilecek bir sistem içinde okült (gizlenmiş, üzeri örtülmüş) hale getirildiğini ısrarla belirttik. Mezopotamya'da olan da, bundan farklı bir şey değildir. Gerçek astronomik hesaplar ve gökle ilgili hassas, kesin veriler, ancak "üst sınıf" olan ve iktidarı paylaşan rahiplere ait bir ayrıcalıktır. Hele çok büyük önem verilen ve "tanrısal" olarak değerlendirilen göksel olguların, inisiye olmayanlara açıklanması gibi, bir bilgi paylaşımı, söz konusu bile olamaz. Halka, yaratılış hikâyeleri, tanrısal mitler ve Şar örneğinde olduğu gibi, "yuvarlatılmış" sayılar verilir. Gerçek bilgiye sahip olmak ve gökyüzüyle ilgili gözlem ve araştırmaları sürdürmekse, bir tür sınıfsal "mülkiyet" ile eş anlamlıdır. Egemen üretim biçimi ne olursa olsun, o sürece aktif olarak katılmadan artı-ürünün önemli bir bölümüne sahip olma hakkı, tüm eskiçağ imparatorluklarında olduğu gibi Sümer ve Babil'de de rahiplere "bilgileri sayesinde" verilmiş bir ayrıcalıktı. Bu durumun getirdiği avantajdan yararlanarak, tarlalarda ya da sulama kanallarında güneş altında çalışmaları; dağlarda bayırlarda sürü otlatmaları; ateş önünde metal eriterek araç üretmeleri; depolara kan ter içinde un çuvalları taşımaları gerekmeden; başka bir deyişle fiziksel emek harcamadan, üretimin en kaliteli dilimini elde edebiliyor ve saygınlıklarını koruyarak özgür zamanlarını, "evreni incelemek" gibi, daha yüce işlere ayırma lüksüne sahip olabiliyorlardı. Rahipleri birer "soylu" haline getirip krala yakınlaştıran ve onlara bu avantajları sağlayan tek unsursa, sahip oldukları bilgiydi. Dolayısıyla, bunu tüm halkla paylaşıp bilgiyi kamulaştırarak eşsiz sosyal konumlarından vazgeçmeleri düşünülemezdi bile. Sistemin ve rahip ekolünün devamını sağlamak üzere zekâsıyla öne çıkan çocuklar sınavlardan geçirilerek çok küçük yaşlarda inisiye olmak üzere okullara alınıyor ve bilgi onlara aktarılıyordu. Diğer yandan, bilgilerinin gücünü, yaptıkları şaşmaz tutulma ve göksel olay tahminleriyle halka (ve krala) gösterip sahip oldukları konumu ellerinde tutarken, yönetici sınıf adına "yararlı" bir başka işlev de görüyorlardı: Halk kitlelerini kralın tanrılarca onaylanmış bir iktidara sahip olduğu yolunda inandıracak bir dini yaşatmak ve geliştirmek. Bu amaçla, gerçek bilginin simgelerle yoğrulup şifrelenmiş farklı bir versiyonu, çoğunluğa inanç sistemi olarak sunulurken, aslında başlangıçta meraklı, zeki ve bilgili araştırıcılar, bilim adamları olan astronomlar, sınıfsal çelişkilerin içinde "rahiplere" dönüştüler. Aynı süreç, din ile bilimin de şizofrence birbirinden ayrılmasına tanıklık ediyordu. Evrendeki işleyişi, devinimleri ve olguları izleyip araştırarak giderek yükselen bir bilgi birikimine sahip olma amacı güden bilim, aslında net olarak, kelimesi kelimesine "Tanrı'yı arama ve onunla bağlantıya geçme"nin tek yoluydu. Ne var ki, Marx'ın dediği gibi, "tarih sınıf savaşımlarının tarihi" oldukça, bilim ve din de bu zorunlu ayrışmayı yaşamaya yazgılı görünüyordu.

Nibiru/Marduk'un net yörünge süresi gibi "kritik" bir bilgi de, işte bu nedenlere bağlı düşünce biçimleri uyarınca, kitlelerle paylaşılamazdı. Onlara, "Tanrı'mız Marduk göklerin efendisidir" dendi; "Şu anda görünmüyor olabilir ama gözü hep üstümüzde" dendi; "Göklerdeki Şar tamamlandığında gelecek ve kötüleri cezalandıracak" dendi. Süre olarak da, Şar'la eşdeğer olan 3600 yıl sunuldu. En doğru, en hassas, en kesin kaydedilmiş süreyi, yani 3660 yıl, 11 ay 20 günlük periyoduysa, yalnızca zigguratlarda gözlem yapan rahipler biliyordu. Tanrı'nın ne zaman geri döneceği bilgisine sahip olup zamanı geldiğinde bu dönüşü duyurmak ayrıcalığı da onların olacaktı elbette.

Şimdi, 3661 yıllık gerçek yörünge süresinin, Sümer sayı sisteminin gelişimi içinde nasıl yazılabileceği meselesine eğilmeye başlayabiliriz. Aşağıdaki çizelge, ilk basit simgelerle ve daha sonra geliştirilmiş çivi yazısı işaretleriyle 3661 rakamının nasıl yazılabileceğini aynı anda sergiliyor:

	360^0 (60^2)	60 (60^1)	1 (60^0)
İlkel simge			
Çivi yazısı			

Hemen dikkatinizi çekmiş olmalı: 3661, altmışlı sistem içinde son derece özel ve eşsiz bir sayıdır. Temel rakam olan 60'ın sırasıyla 0, 1 ve 2'nci kuvvetlerini birer kez içerir ve yalnızca üç simge kullanarak yazılabilir. Dolayısıyla, hem ilkel işaret sistemiyle, hem de çivi yazısıyla 3661 yazarken, bir kez Şar, yani 3600; bir kez Geş, yani 60 ve bir kez de Aş, yani 1 simgesi kullanmak yeterlidir. Böylece, 60 rakamının kuvvetleri üzerine kurulu bir sayı sisteminin en ideal rakamına ulaşırız; çünkü sırasıyla ilk üç kuvvet (60^0, 60^1 ve 60^2) birer kez kullanılarak elde edilmiş; sistemin bütün özünü içinde barındıran, gerçekten çok tipik bir rakamdır bu.

İlkin, oluşabilecek bazı soru işaretlerini ortadan kaldıralım: Mezopotamya'da "sıfır" rakamı çok uzun süre bilinmedi. Bu durumda, 1 rakamının aynı zamanda 60^0'e eşit olduğu gibi, çok sonra keşfedilmiş bir soyutlamanın Sümer'de fark edilmiş olamayacağını düşünen okur bundan rahatsızlık duyabilir. Ne var ki, söz konusu eşitliğin varlığının bilinmesi ya da 1 rakamının 60'ın sıfırıncı kuvveti olarak ele alınması, hiç de belirleyici değildir burada. Bütün matematik sayı sistemlerinde, taban ister

10 olsun, ister 20, ister 60; ilk ve en temel sayı 1'dir. Eskiçağ uygarlıklarında bu o denli önemsenmiştir ki, çoğu kez tanrının küçük bir modeli olarak görülmüştür 1 rakamı. Sözgelimi eski Hindu düşüncesinde "başlangıçsal ve her şeyi kapsayan ilkenin ikincisiz Bir olduğu söylenirdi." Mezopotamya'da da 1'in (tıpkı Şar gibi) "bütünlük" ve "eksiksizlik" anlamları verecek biçimde kullanıldığını biliyoruz. Hatta, 1 rakamının karşılığı olarak kullanılan "Aş" sözcüğü yerine çoğu kez 60 anlamına gelen "Geş"in kullanıldığı da kesindir.[254] Sistemin çekirdeğinde yer alan ve gök tanrısı An için ayrılan 60 rakamına verilen ad, niçin 1 rakamı için de kullanılır? Bunu bir tek biçimde açıklayabiliriz: Aş (1) aynı zamanda Geş'in (60) de temel bileşeni ve bir modelidir. Başka bir deyişle 60 sistemin temel direğidir ve tanrı An'ı simgeler; An da 1'dir, bölünemeyen en temel bütündür. Bu durumda, 1 rakamının 60'la aynı ve onun küçültülmüş bir görünümü olarak da düşünüldüğünü söyleyebiliriz. "Geş hem 1'dir hem de 60" demekle, "60'ın sıfırıncı kuvveti 1'e eşittir" demek arasında *teknik* bir fark vardır yalnızca, anlayış açısından değişen bir şey yoktur. Aslına bakılacak olursa, 3600 rakamı, yani Şar da, "60'ın ikinci kuvveti" olarak değil, "60 kez 60" olarak ifade edilen bir mükemmel rakamdır: "An kez An"dır yani.

Sümer'de, An'a 60 rakamının uygun görüldüğünden söz etmişken, belirleyici göksel tanrıların eşleştirildiği sayılara da değinelim biraz. Sayı sisteminin temel taşını oluşturan 60'dan başlayarak, tanrılarına 10'ar sayı farkla azalan rakamlar vermişti Sümerler. En büyük tanrı, göklerin efendisi, tanrısal gezegen Nibiru'da ikâmet eden ve çoğunlukla görünmeyen An, rakamsal değerlerin de en temelinin sahibiydi. Aşağıdaki çizelge, Sümer panteonunun en güçlü tanrılarını ve onlara atfedilen rakamları sergiliyor:[255]

[254] Georges Ifrah, a.g.e., s. 117
[255] Zecharia Sitchin, a.g.e., s. 140

Rakamsal değer	Tanrı
60	An
50	Enlil
40	Enki
30	Nanna
20	Utu
10	İşkur

Bu liste, Sümer dönemine ait. En üst sıradaki 60 rakamı, "göksel" bir değer ve yalnızca An'a ait. Gözle görülmeyen, insanlarla muhatap olmayan bu en yüce tanrının dışındakiler, aslında fazlasıyla "dünyevi" tanrılar. Her biri, dünya yönetiminde belli bir bölgeden ya da olgudan sorumlu liderler olarak görev alıyorlar. Göksel olduğu için ayrı bir kategoride değerlendirilmesi gereken An'dan sonra listede gördüğümüz ilk tanrı, Enlil, 50 değerine sahip ve bu rakam "dünya gezegeninin efendiliği" anlamına geliyor. Bu nedenle Sümer metinlerinde Enlil, dünyadaki en büyük yönetici tanrıdır.

Bin yıl kadar sonra Babil'de durumun değiştiğini ve Marduk'un Enlil yerine 50 değerine sahip olduğunu görüyoruz. Bunun manifestosu, "Marduk'un 50 Adı"nı sıralayan ve ona birbirinden etkileyici adları layık görürken yönetimle eş anlamlı 50 rakamını da Enlil'den "gasp eden" metinlerde saklı. Sümer panteonunda Enki'nin oğlu olan ve çok önemsenmeyen Marduk'un Babil'deki ani ve hızlı yükselişi, tıpkı bir "hükümet darbesi"ne benzer. Altılı listede adı bile geçmezken, bir anda Enlil'in yerini ve 50 değerini üsteleniverir; dahası, An'ın (Babil'de Anu) yerini alamasa bile, onun hükümranlığı altında olan gezegene de kendi adını verir. Aslına bakılırsa Babilli rahiplerin bu durumu vurgulamak için kullandıkları karmaşık sayı mistisizmi içinde, yukarıdaki tablo da büyük oranda değişir ve tanrıların sahip oldukları, onları simgeleyen rakamlar arasında ilginç bağıntılar kurulmaya çalışılır. Bunu daha açık biçimde görebilmek için, İsa'dan önce 7. yüzyıla tarihlenen, Asurbanipal Kütüphanesi'nde bulunmuş "Tanrılar Listesi" tabletine bir göz atalım (K 170 adıyla bilinen tabletin orijinali British Museum'dadır ve çevirisi J. Bottero tarafından yapılmıştır). Tabletin ön yüzünde şu liste yer alır:

Rakamsal değer	Tanrı
60 ya da 1	A-num
50	En-lil
40	E-a (Enki)
30	Sin (Nanna)
20	Şamaş (Utu)
6	Adad (İşkur)

Görüldüğü gibi, önceki versiyonla aradaki fark (isimlerin bazılarının Akatça olması dışında) İşkur'a verilen değerin 10 değil, 6 olmasıdır. Diğer yandan Anum (An) hem 60 hem de 1 sayısına sahip olarak "60'ın 1'liğini" vurgulamaktadır. Arka yüzdeki listede, tanrı adlarının hiyerarşik sıralanması devam eder:

Rakamsal değer	Tanrı
10	Bel Marduk (Tanrı Marduk)
15	İştar be-lit ilî (Tanrıların efendisi İştar)
50	Nin-urta mâr (Enlil'in oğlu Ninurta)
12	U-gur Nergal
10	Gibil ve Nusku

Bu tabloda biraz daha karışık bir durum çıkıyor karşımıza. Marduk, 10 rakamını alıyor. Enlil'e ait 50 sayısıysa, oğlu Ninurta'da görünüyor. Diğer yandan, 10 rakamının bir ortağı da Gibil ve Nusku ikilisi. Gibil, Mezopotamya'da yaygın olarak tanınan "Ateş Tanrısı"dır; Nusku'ysa, "Abzu'nun çocuğu, Enki tarafından yaratılan" unvanlarını taşıyarak "Tanrıların Danışmanı" sıfatıyla anılır.[256] Çoğu araştırmacının "aslında bir ve ay-

---

[256]Theophilus G. Pinches, a.g.e.

nı göksel varlık" olduklarını düşündüğü bu iki tanrıya da Marduk gibi 10 rakamının verilmesi, tablette şöyle açıklanıyor: "Onlar Tanrı 20'nin (Şamaş) ortaklarıdır: 2 x 10 = 20."[257] Ninurta, Enlil'in oğlu olduğu için, ona ait 50 sayısının da "varisi" durumundadır. Ne var ki, küçük bir matematik bağıntıyla da doğrulanır biçimde, Marduk 50 sayısının, yani "dünyanın efendiliği"nin de sahibi olacaktır. Bu durum, Enuma Eliş'in sonuna eklenen ve Marduk'un kutsal adlarını sayan bir listeyle vurgulanır. Bu listenin ilk öbeğinde, 10 adet isim yer alır; çünkü Marduk'un "asıl" sayısı 10'dur. Ardından, 40 adının daha sıralandığı ikinci bir öbek gelir; yani, Marduk, Ea'nın (Enki) oğlu olduğu için, ona ait 40 sayısına da sahip olmaktadır. Bu durumda, "Marduk'un 50 Adı", 40 + 10 bağıntısıyla onu 50'ye, yani Enlil'in rakamına ulaştırmaktadır ki, bu da güçlü tanrıyı ("varis" durumundaki Ninurta'yı da çiğneyerek) "dünyanın efendisi" haline getirir.

Babil astronomisi okültizm aracılığıyla "kritik" metinlerde alabildiğine karmaşık hale getirildiği için, bu mantık silsilesi içinde günümüz bilim adamlarını da fena halde yanıltan, biraz çapraşık bir göksel çözümleme de çıkar ortaya: Enlil'in 50 sayısını elde eden Marduk, aynı zamanda göklerde onunla ilişkilendirilen Jüpiter'in de hükmedicisi olma sıfatını kazanır. Bizzat kendisini simgeleyen gezegen çok uzun aralıklarla belirdiği ve 3661 yıl boyunca geri dönmediği için, rahiplerin okültizmi göklerde "yedek" bir ışıklı cismi Nibiru'nun yerine ikâme etmiştir —tıpkı Orta Amerika'da Tezcatlipoca'nın ve Mısır'da Seth'in yerine zaman zaman "Büyük Ayı"nın ikâme edilmesi gibi. Bu oldukça kafa karıştırıcı durumun bilim adamlarının bir kısmınca (belki biraz da kasıtlı olarak) yanlış anlaşıldığını ve "Nibiru, Jüpiter'dir" yanılsamasına yol açtığını görüyoruz.

Evrende en büyük söz sahibi güç olmasına rağmen dünyanın yönetimine hiç karışmayan ve bu işleri diğer tanrılara bırakan An'ın 60 rakamıyla birlikte göklere egemen olması, Sümer sayı sisteminin çekirdeğini de çok net biçimde sergiler: An hem

[257]Georges Ifrah, a.g.e., s. 202-204

60'tır, yani göklerin en büyük tanrısıdır; hem 1'dir yani tek ve en güçlüdür; hem de 3600'dür, yani Şar'dır, kraldır. Bu üç temel rakam da, Nibiru'nun yörünge süresi olan 3661'in bileşenleridir. Şimdi, belki de en çok dikkat edilmesi gereken noktaya geliyoruz: Sümer sayı sisteminde 3661'in "kaderin bir cilvesiyle" bu denli ilginç ve özel bir rakam oluşturması gibi bir rastlantı değildir söz konusu olan. Tam tersine, Nibiru/Marduk'un 3661 yıllık yörünge süresi, bu sayı temel bileşenlerine ayrıştırıldığında, "matematiğin bir cilvesiyle" binlerce yıl önce Mezopotamya'da altmışlı (sexagesimal) sistemin yaratılmasına neden olmuştur. Başka türlü ifade etmek gerekirse, tanrısal gezegenin dünyadan yapılan ölçümlere göre 3661 yıl olarak hesaplanan yörünge süresi, eğer 60 rakamı temel alınırsa çok özel bir sayı sistemine yol açabilecek denli ilginçtir. Nibiru/Marduk gezegeninin henüz kabul edilmiş bir gök cismi olarak tanınmaması nedeniyle kanıt sunamasam da, Mezopotamya'daki 60'lı matematik sisteminin doğuşu için, 3661 yıllık yörünge periyodunun örnek alınmış olduğu görüşünü öneriyorum. Buna göre, en önemli ve en ürkütücü göksel varlığın iki ziyareti arasında geçen sürenin güneş yılı olarak hesaplanmasıyla ortaya çıkan 3661 rakamı, Mezopotamya halkları tarafından bir tür sayı gizemciliği içinde incelenmiş ve bu rakamın yalnızca 60 kullanılarak elde edilebileceği fark edilmiştir:

$$
\begin{array}{l}
60 \text{ tane } 60 \\
1 \text{ tane } 60 \\
\underline{1 \text{ tane } 1} \\
3661
\end{array}
$$

Burada bir diğer anahtar sayı da 1 oluyor ki, hem 60'a hem de 1'e "Geş" adı verilmesinin ardında yatan nedenlerden birinin de bu olduğunu söyleyebiliriz. Kısacası, burada rastlantısal olan, var olan bir altmışlı sisteme "cuk" oturacak bir yörünge süresi değil; o yörünge süresinin bileşenlerine ayrıldığında 60 sayısını veren niceliğidir. Bu durumda, büyük tanrısal gezegenin yörünge süresini oluşturan temel rakam olarak ortaya çıkan 60'a doğal olarak tanrısal önem verilecek ve doğrudan gök tanrısı An ile ilişkilendirilecektir.

Mezopotamya matematiği 60 tabanlı bir sistem üzerinde yapılanırken, onun simgelerle yazıya dökülme biçimlerinde de yüzyıllara yayılan yavaş, ama düzenli bir gelişme yaşandığını görüyoruz. İlkel çentikler ve yuvarlaklarla başlayan rakam yazma yönteminin, çivi yazısından sonra daha stilize bir hale geldiğinden söz etmiştik. Babil döneminde bu ilerleme, sonunda en temel kavramlardan birinin, "basamaklı yazma" anlayışının da doğmasına neden oldu.

"Tam olarak belirlenemeyen –ama aşağı yukarı M.Ö XIX. Yüzyıl dolaylarına yerleşen– bir çağda, konumlu sayma kuralı fikri ilk kez Babilli matematikçiler ile gökbilimcilerde görülür. Mezopotamyalı bilginlerin, eski dünyada kullanılmış tüm sayısal gösterimlerden çok daha üstün olan bu soyut dizgesi, tabanı ve rakamlarının oluşma biçimi bir yana, bizim bugünkü sayılamamızın tam bir benzeridir."[258]

Bu, sayıları yazarken, onların birbirlerine göre konumlarının, değerlerini etkilediği anlamına gelir. Bizim onlu sistemimizden bir örnek verelim: Bir rakam yazarken, en sağdaki hane "birler basamağı", onun bir solundaki hane "onlar basamağı" ve onun da bir solundaki hane "yüzler basamağı" olarak kabul edilir. Biz bu hanelere 0 ile 9 arasında sayılar yazarız ve bu sayılar, bulundukları basamağa göre farklı değerleri belirterek, yazmak istediğimiz sayıyı oluştururlar. Yani, birler basamağına 5 yazdığımızda, bu 5 değerini verir. Hemen yanına, onlar basamağına 2 yazarsak, bu 20'yi ifade eder. Yüzler basamağına da 3 yazarsak, bu konumda 300 değerini vurgulamış oluruz. Dolayısıyla, sıralı olarak 3-2-5 sayılarını yan yana yazdığımızda, 325 rakamı çıkar ortaya. Bu, sayılama sisteminde büyük kolaylıklar sağlayan bir buluştur. Babil'de de, altmış tabanına bağlı kalmak şartıyla aynen bu sistem uygulanmaya başlamıştır ikinci bin yılın sonunda.

---

[258] Georges Ifrah, a.g.e., s. 165

$3600\ (60^2)$	$60\ (60^1)\ 1$	(60^0)
𒐈	-	𒐊

Yukarıdaki değeri, basamaklarına göre toplamaya çalışalım şimdi:

$5 \times 1 = 5$

...

$2 \times 3600 = 7200$

$5 + 7200 = 7205$

Görüldüğü gibi, altmışlı Babil sistemi içinde basamakları kullanarak, 7205 sayısını yazabildik. Ancak gözünüzden kaçmış olduğunu sanmadığım bir sorun var burada: Ortadaki basamakta, yani "60'lar basamağı"nda hiçbir değer yer almıyor. Biz tablomuzda bu haneyi boş bırakarak bunu belirttik ama normalde Babil sistemiyle rakamları yazarken böyle bir tablo yoktur. Kendi ondalık sistemimizde, herhangi bir basamakta hiçbir sayı olmayacaksa oraya "sıfır" rakamını yerleştirerek sorunu çözeriz. Ancak Babil matematiğinde çok geç bir döneme dek sıfır yoktur. O halde çözüm nasıl olacak?

Babilli matematikçilerin bu sorunu yaşadıklarını ama pratik bir biçimde çözdüklerini biliyoruz: Yalnızca arada küçük bir boşluk, bir "es" bırakarak. Bu durumda, yukarıdaki sayıyı yazarken biz de Babilliler gibi davranırsak, 5 çivinin yer aldığı "birler basamağı"ndan sonra 1 çivinin yer aldığı "altmışlar basamağı"nı yazarken, arada normalden biraz daha fazla boşluk bırakmamız gerekir. Böylece okuyan, 1 çentiğin onlar basamağına değil, altmışlar basamağına ait olduğunu anlar. Eğer arada iki basamakta hiç değer olmayacaksa, o zaman boşluğu biraz daha geniş bırakıyoruz. Babilliler, günlük yaşam içinde bu basamakları ve boşlukları kolayca ayırt etmeye alışmışlardı. Eğer Mayalar gibi onlar da sıfır kavramını bulmuş olsalardı, elbette çok daha rahat edeceklerdi.

Şimdi, altmışlı sistem içinde Babil'de geliştirilen basamaklar yardımıyla, Nibiru/Marduk'un yörünge süresi olan 3661'i yeniden yazmaya çalışalım:

3600 (60²)	60 (60¹) 1	(60⁰)
Y	Y	Y

Görüldüğü gibi, basamakların sağladığı kolaylıkla, 3661 rakamı çok daha yalın biçimde yazılabildi. Altmışın 0, 1 ve 2'nci kuvvetleri için geçerli olan üç basamağa, 1 anlamına gelen çiviyi yerleştirmemiz, bu son derece temel ve önemli sayıyı, yalnızca aynı simgeyi üç kez yineleyerek yazma olanağı verdi bize. Sonuç son derece açık ve basit: Bir tane 1, bir tane 60 ve bir tane 3600 var 3661 sayısının içinde ve her üç basamağa da 1 yazarak Mezopotamya kültürlerinin bu belirleyici ve kutsal rakamını oluşturabiliyoruz. Bu tıpkı, bizim ondalık sistemimiz içinde, her basamağında aynı sayı olan bir rakamı yazmamız gibi bir şey: Sözgelimi, 111 yazmak için, üç basamağa da 1 rakamını yerleştiriyoruz. Benzeri şekilde, 333 yazmak için, bu kez 3 rakamıyla dolduruyoruz basamakları. Peki ya 666'ya ne dersiniz?

Sanıyorum mesaj alındı: Babil sayı sisteminde, Nibiru/Marduk'un yörünge süresini çivi yazısıyla yazmak için, her hanede aynı sayıyı kullanarak 3 basamaklı bir rakam yazıyoruz ve bu tıpkı, ondalık sistem içinde her basamağında aynı sayıyı içeren 666 rakamına benziyor.

"Bu konu bilgelik gerektirir. Anlayabilen, canavara ait sayıyı hesaplasın. Çünkü sayı, bir insanı simgeliyor. Onun sayısı da altı yüz altmış altıdır." (Vahiy 13:18)

Acaba Babil altmışlık sisteminde üç basamakta aynı sayı art arda kullanılarak yazılan Nibiru/Marduk'un yörünge süresiyle, Yuhanna'nın Vahyi'nde sözü edilen 666 numaralı canavar arasında "basamakların cilvesi"nden başka bağlantı olabilir mi? Bunun yanıtını verebilmek için, ilk hıristiyanların Babil mitolojisi, kozmolojisi ve matematiğiyle herhangi bir yakınlıkları ve ilişkileri olup olmadığını sorgulamak ve Nibiru/Marduk'un Yeni Ahit'te Şeytan olarak yorumlanmasını makul kılacak verilerin varlığını kontrol etmek gerekecektir. Bu durumda, ilkin İbranilerin Kenan'da yerleşik yaşama geçmeye başladıkları İsa'dan Önce 11. yüzyıla, ardından da Babil sürgünü günlerine kısa bir yolculuk yapıp, oradan da hıristiyanlığın şafağına, yani Essene mezhebinin Ölü Deniz yakınlarındaki Kumran mağaralarında inzivaya çekildiği İsa'dan önce birinci yüzyıla yöneleceğiz. Bu, aynı zamanda bugün dünyanın en yaygın dinlerinden biri olan hıristiyanlığın Yakındoğu ve Roma topraklarında yaşadığı sürece biraz daha yakından bakmamızı gerektirecek.

Sina Çölü'nden Kudüs'e

Yahudi tarihinde "kavim olma" duygusunu formüle eden temel fikrin, bizim teorimize göre İsa'dan önce 17. yüzyılın ortalarındaki "Mısır'dan Çıkış" fikrinde yattığını ve bunun yazıya geçirilmiş hali olan Eski Ahit'in Exodus kitabının aslında İ.Ö. 1650'de Nibiru/Marduk'un yörünge geçişi sırasında yaşanan facialardan kaçan göçebe kabileleri anlattığını belirtmiştik. Eski Ahit mitlerinde kırk yıl Sina çöllerinde dolaştıktan sonra "Söz Verilen Topraklar"a giren ve yoluna çıkan kentleri "RABBİN yardımıyla" fetheden İbranilerin yaşadıkları inişli çıkışlı, kronikleşen bunalımlarla dolu günler anlatılır. Sözü edilen tarihlerde yerleşik yaşamı hiç denememiş olan bu göçebe halkın bir yazısı da yoktu; dolayısıyla tarihlerinde çok önemli bir dönüm noktasını oluşturan "Mısır'dan çıkış" hikâyeleri, aradan uzun yüzyıllar geçtikten ve yazı İbrani yaşamına girdikten sonra Yahve rahipleri tarafından kaleme alınmaya başladı. Bu aşamada, henüz bugün vurgulandığı anlamıyla bir tektanrıcı (monotheist) düşünceden söz edilemezdi İbrani toplumunda. Göçtükleri topraklarda komşu oldukları ve iç içe yaşadıkları halkların kendi tanrıları olması gibi, İbranilerin de "Terafim"in²⁵⁹ evrimleştirilmiş ve bütün halka hükmeder bir güçle özdeşleştirilmiş hali olan kendi tanrıları vardı. Yakındoğu'da ülkeler ve toplumlar bir yana, kentlerin bile kendilerine özgü güçlü tanrıları yüceltilirdi o dönemde. Aynı olgu, henüz bir "kabile" görüntüsü veren İbranilerin için de geçerliydi: Diğer kentlerin ve halkların tanrılarından çok daha güçlü bir tanrının "seçilmiş halkı" olduklarına inandılar. Bu tanrı onları "kol gücüyle" Mısır'dan çıkarmış ve Kenan'a getirmişti.

İbrani inanışının kutsal yazılar biçiminde kayda geçirilmesine, yani Filistin dolaylarında yerleşik yaşama geçilmesine dek yaşanan süreç içinde, Sina'nın doğusundan ve kuzeydoğusundan, birbiriyle az çok akraba olan ama yine de ayrı yaşayan kabilelerin yavaş yavaş Filistin ve Kenan dolaylarına yerleştiklerini görüyoruz. Bu hareket kimi zaman İ.Ö. 1650 afetleri sırasında güçsüz düşmüş kentlerin ve kasabaların işgal edilip yağmalanması; kimi zaman da gücünü koruyan kentlerin yakınlarında küçük göçmen kamplarının oluşturulması biçiminde sürüyor. Bu anlamda, İbranilerin yerleşik yaşama uzun bir süreç içinde yavaş yavaş ısınarak geçtiklerini; bu süreçte de göçebe hayvancılık ve ticaret ekonomisini sürdürdüklerini vurgulamak gerek. Bu kabileler ancak, bölgeye uzun süre egemen olan Mısır'ın "deniz halkları"na yenilerek Filistin'deki denetimini yitirmesinden sonra yerleşebilmişlerdir ki, bu da yaklaşık olarak İsa'dan önce 12. yüzyıla rastlar.

"Düzenli bir askeri sefer değildi bu hareket; birbirinden kopuk kabilelerin bir sızmasıydı: Kimi zaman önlerine çıkan yerlileri öldürüyor; kimi zaman da boş topraklara, Kenanîlerle yan yana yerleşiyorlardı. Bu göç hareketinden sonra İsrail kabileleri, özellikle Filistin'in güneyinde yarı-çöl bölgede yerleşmiş olan Juda [Yahuda] kabileleri ile komşuları, bir zaman için klan rejiminde yaşadılar. Daha sonra bu göçebe yaşamı terk edip yerleşik tarım yaşamına geçtiler; bu tarım yaşamı, XI. Yüzyıldan

²⁵⁹Teraphim, Eski Ahit'te İbrahim'le ilgili bölümlerde de sözü edilen ve küçük bir heykelcikle temsil edilen eski İbrani "aile tanrısı"dır.

başlayarak, Kenanelinin kuzeyinde ve ortasında ağır basmaktadır."[260]

Söz konusu dönem, Eski Ahit'te Samuel'in kitabında anlatılan, "RABBİN isteğiyle İsrail'e kral olan" Saul'un kurduğu ilk monarşiyle bağdaştırılabilir. Bu dönem, birbiriyle sürekli olarak geçimsizlik yaşayan ve çatışmalar içine giren İbrani kabilelerinin, az çok bir çıkar birliği içine girerek aynı çatı altında toplanmalarına da tanıklık etmiştir. Birleşmenin ardındaysa, çok ciddi bir tehlike vardır: Demir devrinin nimetlerini yaşayan güçlü kılıçlarıyla bölgeye yerleşen; büyük olasılıkla Mısır'ın Doğu Akdeniz'deki gücünün kırılmasındaki nedenlerden birini de oluşturan "deniz halkı", yani Filistinliler. Böylece, İ.Ö. 1650'deki afetlerden 500 yıl sonra, dağılan İbrani kabileleri bir kez daha bir araya geliyorlardı. Saul kral seçildikten sonra, Filistinlilerle uzun ve kanlı savaşlar yaşanmaya başladı.

"İlk girişim, Saul adlı bir kabile şefinden geldi. Kral olunca, Filistinlilere savaş açtı. Juda da içinde olmak üzere güneydeki İsrail kabileleri de katıldılar savaşa. Saul'den sonra Juda kabilesinden Davut geçti yerine ve onun kumandasında sürdürüldü savaşlar. Juda Kralı olunca Davut, Kenanelinin güneyi ve ortasındaki İsrail kabilelerini egemenliği altında birleştirdi. Bu devlet, İsrail ya da Juda Krallığı diye bilinir. Filistinlileri yenmeyi ve ülkeden sürüp çıkarmayı başardı."[261]

Bu savaşların ortasında gerçekleşen dönüşüm, yani Saul'un yerine Davut'un kral olması, sıradan bir iktidar değişiminin çok daha ötesinde, tanrısal emirle gerçekleşmiş bir olay olarak sunulur Eski Ahit'te. Saul, Tanrı'nın isteğiyle ve iradesiyle İsrail'e kral olmuş, ancak bunun sonrasında "yoldan çıkmış" ve hırsıyla, gaddarlığıyla, inançsızlığıyla halkına ihanet ettiği için bir süre sonra Tanrı tarafından terk edilmiştir. İlahi desteğe sahip yeni kral adayı, Yahuda kabilesinden Davut'tur ve tahtı ele geçirişi, oldukça uzun ve gerilimli bir iç savaşın sonrasında gerçekleşecektir ancak. Söz konusu dönem, İsrail tarihinde olduk-

---

[260]Server Tanilli, "Yüzyılların Gerçeği ve Mirası: İnsanlık Tarihine Giriş – Cilt I", s: 150
[261]Server Tanilli, a.g.e., s. 150-151

ça önemli bir dönüm noktasıdır, çünkü egemenlik, Tanrı eliyle artık Yahuda kabilesine verilmiş olur.

Filistinlilerle çatışma ve savaş, Davut döneminde de sürer ve sonunda İsrail'in zaferiyle biter. Ancak Eski Ahit'e de yansıyan biçimiyle bu savaş, yalnızca iki halkın askeri güçleri arasında değil, inançları arasında da gerçekleşmiş gibidir. I. Krallar Kitabı'nda, söz konusu dönemde bölgede yaşayan diğer halklardan Kenan ve Ugarit'in de inanç sistemlerinde yaşayan Baal sürekli olarak aşağılanır; İsrailoğulları arasında ona inanmaya ve tapmaya başlayanlar şiddetle yerilir. Filistinlilere karşı zafer kazanmalarına, onların tanrılarından çok daha güçlü olan Yahve yardım edecektir ama bunun karşılığında, Davut da Yahve için "büyük bir ev" yaptıracaktır Kudüs'te. Bu, aslında İbrani halkının gerçek anlamda yerleşik kültüre, kent yaşamına geçişinin de ilk adımını oluşturacaktır. Filistin topraklarında tarımla uğraşmaya başlamış, göçebeliği bırakmış ve "krallık" olarak adlandırılabilecek bir yönetim sisteminin çekirdeğini yaratmışlardır, ama henüz sağlam temeller üzerinde oturmaktan çok uzaktır bu sistem. Kabilelerin büyük çoğunluğu, hatta Davut bile, çadırda yaşamaktadır. Eski Ahit'te, yine temel düşünce biçimlerinden biri karşımıza çıkar bu noktada: Eğer İsrailoğulları Tanrı Yahve'ye bir ev yaparlarsa, onların da evleri ve kentleri olacaktır:

"Ve o gece vaki oldu ki Natan'a RABBİN şu sözü geldi: Git ve kulum Davut'a söyle: RAB şöyle diyor: Oturmam için sen mi bana ev yapacaksın? Çünkü İsrailoğullarını Mısır'dan çıkardığım günden bugüne kadar bir evde oturmadım, fakat çadırda ve meskende yürüdüm." (Krallar I, 7:5-6)

Burada hem İsrailoğullarının bir krallık kurmuş olmalarına rağmen henüz eski göçebe yaşamlarının çadır alışkanlığından kurtulamadıklarını görüyoruz, hem de Tanrı'nın o güne dek "bir evde oturmadığını". Bu düşünce, Yahve'nin henüz "her yerde olan ve göze görünmeyen büyük Tanrı" motifiyle tektanrıcı kabul edilen dinlerin merkezindeki konumundan çok daha farklı değerlendirildiğini ve bölgedeki diğer yerel tanrılara paralel biçimde düşünüldüğünü gösterir: Evrenin her yerinde olan ve hiçbir yere sığamayacak kadar yüce olduğu vurgulanan, göze görünmez bir tanrı, "bir evde oturmaya" gereksinim duyabilir mi? Bu ifadeler, İsrailoğullarının Davut'un zamanında, Yahve'yi henüz, Mısır'ın Ra'sı ya da daha yakın bir benzerlikle Kenan'ın Baal'i gibi (ama elbette onlardan çok daha güçlü olarak) gördüklerini ortaya koyar. Tanrı için "oturacağı bir ev yapmak", bütün eskiçağ toplumlarından aşina olduğumuz bir kavramı, "tapınak" inşa etmeyi gündeme getirmektedir. Yüzyıllar boyunca göçebe yaşamlarını sürdüren İbraniler, hiçbir zaman kalıcı evleriyle bir kent yaşamına sahip olamadıkları için, diğer komşu halklar gibi tanrıları için bir tapınak inşa edememişler, onu "çadırlarda ve meskenlerde" oturmak durumunda bırakmışlardır. Dolayısıyla Krallar'daki bu ayetler, artık İsrailoğullarının kalıcı yerleşik yaşama geçmelerinin ve sağlam evlerde oturmalarının yanı sıra (ve bunun koşulu olarak), Tanrı için tapınak yapmalarını da bir zorunluluk olarak vurgulamaktadır.

"O benim ismime ev yapacaktır ve krallığının tahtını ebediyen sabit kılacağım. Ben ona baba olacağım ve o bana oğul olacaktır." (Krallar I, 7:13-14)

Böylece önemli bir ahit daha gerçekleşir: Tanrı onları Filistinliler önünde zafere ulaştıracak, onlar da tanrıları için bir "ev", yani bir tapınak inşa edeceklerdir. Böylece İsrailoğulları hak ettiği kentlerde, evlerde yaşamaya başlarken, Yahve de tıpkı Baal ya da Ra gibi bir "eve" sahip olarak halkıyla birlikte yerleşik hale gelecektir artık. Peygamber Natan'a vahiylerle gelen bu anlaşmadan sonra Yahve, yeni bir adla daha anılmaya başlar: "Orduların RABBİ".[262] Çünkü, İsrailoğullarına Filistinlilere karşı zafer kazandırmış ve elbette orduları o yönetmiştir. Böylece İsa'dan önce ilk bin yılın hemen başlarında Yahve, bir "savaş tanrısı" kimliğiyle karşımıza çıkar ki bu yönüyle Suriye dolaylarındaki Samilerin Adad; Hititlerin Teşub; Sümer ülkesinin İşkur gibi "fırtına tanrıları" ile büyük paralellik içindedir. Ancak diğer yandan, bölgedeki en eski ve en büyük yaratıcı tanrı olan El ile çok daha yakın benzerlikler sergiler ki bu, İbrani dilinde El sözcüğünü Tanrı ile eş anlamlı hale getirecek oranda

---

[262]İngilizcesiyle, "Lord of the Hosts" (Holy Bible, King James Edition)

yoğun bir kültür etkileşiminin sonucudur. Göçebe İbrani halkı, yerleşmeye başladığı topraklardaki Sami halkları tarafından İ.Ö. 2500'den beri bilinen ve tanınan El'den yoğun biçimde etkilenmişlerdir besbelli. İbrani inanç sisteminde (uzun süre yerleşik bulundukları iddia edilen) Mısır kültüründen çok, Kenan bölgesinde yaşayan Sami halklarının dinleri etkili olmuştur ki bunu iki önemli olguyla açıklayabiliriz: Birincisi, baştan beri vurguladığımız gibi, Mısır'da hiçbir zaman yerleşik olmayan; dolayısıyla firavun tarafından zorla alıkonmak bir yana, ülkeye bile sokulmayıp Nil deltasının doğusunda tutulan göçebe İbrani kabileleri, Mısır kültürünü ve geleneklerini neredeyse hiç tanımamaktadırlar zaten. Mısır ile İbraniler arasındaki sınırlı ilişki, Exodus kitabını yorumlarken fikir yürüttüğümüz gibi afetlerden kaçış sırasında onlara Mısır'ı kısmen tanıyan birinin rehberlik etmesinden ibarettir büyük olasılıkla. Buna belki de yoğun sezonlarda dönemsel işçi olarak Mısır'da çalışma olanağı bulan gençlerin kulaktan dolma bilgileri eklenebilir. Sonuçta İbrani düşüncesinde ve inanç sisteminde "sünnet" hariç Mısır'dan edinilmiş neredeyse hiçbir şey bulamayız.

İkincisi, göçebelikleri süresince çok daha yoğun biçimde bulundukları Kenan topraklarında onlardan en az iki bin yıl önce tarım yerleşimi aşamasına geçmiş halkların köklü ve yaygın kültürleri İbraniler üzerinde doğal olarak çok daha etkili biçimde iz bırakmıştır. Astronomiyi, tapınakları ve mitlerde yaşayan panteonları içeren inanç sistemleri, ancak yerleşik tarım yaşayışına geçmiş toplumlarda var olabilir. Yaygın düşüncenin aksine, Filistin'e geldikleri sırada tektanrıcı düşüncenin içerik ve teknik anlamda (doğal olarak) çok uzağında bulunan ve bir tür "kabile şamanizmi"ni daha ileri noktalara götürmeye çalışan İbraniler için, bölgede iki bin yıldır varlığını sürdüren El tapınımının çok çarpıcı bir model oluşturacağı açıktır.

"Günümüzün bilginleri, Kenan'ı istila eden ve İ.Ö. 1200' den az sonra Filistin'in dağlık topraklarına yerleşen İbranilerin çölden yeni gelmiş bir halk oldukları, ancak pek azının (belki de on iki kabileden birinin ya da ikisinin) Mısır'da bulundukları ya da Musa'nın dininden haberli oldukları görüşündedirler. Bu-

2012: Marduk'la Randevu 497

nunla birlikte, bir yasalar derlemesinin ve halkını Mısır'ın öfkesinden kurtaran bir savaş tanrısının siyasal ya da kültürel birlikten yoksun bir kabilenin yararına olacağı açık. Bundan dolayı Yehova dininin Kenanlılara karşı girişilen askeri eylemler için derlenip toplanma merkezi durumuna gelmesine şaşmamak gerek. Öte yandan İbraniler tarım yapmak için toprağa yerleşir yerleşmez, doğal olarak bu ülkenin, ürünü koruma ve tarlaların verimini artırma yolundaki kudretleri uzun deneyimlerle kanıtlanmış olan Baallere başvurdular."[263]

William McNeill, olgulardan yola çıkarak rasyonel bir açıklama getiriyor Filistin'deki İbrani yerleşimine bu satırlarda. Ancak okurun gözünden kaçmadığını sandığımız biçimde, bütün bu çabasına karşın çoğu bilim adamının içinden sıyrılamadığı düşünce yumağına yakalanıyor ve Eski Ahit'teki "12 Kabile"yi bir somut olguymuş gibi ele alıyor (bunun astroloji ile bağlantılı bir simge olduğunu ilk bölümlerde açıklamıştım). Yine de, bu ayrıntıyı dışta bırakırsak, McNeill'in yorumunun akla uygun olduğunu söyleyebiliriz. Gerçekten de, yerleşik ve köklü inanç sistemlerinin tarım kültleriyle yakın ilişkisi vardır ve tarım yapmamış, verimlilik tanrı ve tanrıçalarını günlük yaşamında tanımamış İbraniler kabile dinleriyle geldikleri Filistin'de tarımla uğraşmaya başladıklarında, toprakla verilecek mücadelede "Orduların RABBİ"nin onlara yardımcı olamayacağını sezmişlerdir. Tarım ciddi ve çetin bir iştir; hele yeni yaşam düzeninde ekonominin merkezine yerleştiyse. Dolayısıyla, toprakla uğraşmanın; iklimle baş etmenin ve verimlilik sorununa çare bulmanın güçlükleri karşısında, aynı bölgede iki bin yıldır varlığını sürdüren tarım kültlerinden İbranilerin yoğun biçimde etkilenmeleri kaçınılmazdır. Bu nedenle, Filistin'deki yeni yaşamlarına başladıklarında "Baaller" inanç sistemlerinin içine girecek ve bu da Yahve dininin peygamberlerini öfkelendirecektir. Davut dahil olmak üzere birçok kralın ve İsrail halkının "RABBİN gözünde kötü olanı yapmak"la suçlandığı metinler, bu aşamaları anlatan bölümlerden itibaren giderek yoğunlaşır Eski Ahit'te.

---

[263]William H. McNeill, "Dünya Tarihi", s. 63-64

Yahve'nin öfkesi, defalarca kralların ve halkın üzerine gelir; İsrail yöneticileri ve halkı sık sık peygamberlerce lanetlenir.

Bir Hitit kadını olduğu Eski Ahit'te belirtilen Bat-şeba ile evlenen Davut'un bu evlilikten doğan oğlu Süleyman, İsrail tahtının varisi de olacaktır aynı zamanda. Davut'un ölümüne yakın iktidar boşluğunu fırsat bilen Adoniya ile kısa süreli bir çekişme yaşansa da, sonunda taht Süleyman'ın olur Eski Ahit'e göre. Filistinlilere karşı kazanılan zaferin öncesinde Tanrı'ya verilmiş sözü yerine getirmek de, Davut'un oğlu Süleyman'a kalacaktır: Yahve için bir büyük "ev" yapmak.

"Ve Kral Süleyman'ın RAB için yaptığı evin uzunluğu altmış arşın ve genişliği yirmi ve yüksekliği otuz arşındı. Ve evin mabedi önünde olan eyvanın uzunluğu evin genişliğine göre yirmi arşındı; ve onun genişliği evin önünde on arşındı." (Krallar I, 6:2-3)

Süleyman'ın yaptırdığı tapınak, yalnızca Davut zamanındaki Filistin zaferinden doğan bir minnet borcunu karşılama işlevini yerine getirmiyordu. Aynı zamanda bu tapınak, ülkenin gücünün de temsilcisi de olacaktı, çünkü o Tanrı'nın eviydi artık ve bu da Tanrı'nın İsrail'de, hep onlarla birlikte oturacağını gösteriyordu. Güçlü tanrısı başkentin içinde olan bir ülkeye, kim saldırabilirdi ki?

"Ve Süleyman'a RABBİN şu sözü geldi: Bu yaptığın eve gelince, eğer benim kanunlarımda yürürsen, ve hükümlerimi yaparsan, ve bütün emirlerimde yürümek için onları tutarsan; o zaman baban Davut'a söylediğim sözümü seninle pekiştireceğim. Ve İsrailoğullarının ortasında oturacağım ve kavmim İsrail'i bırakmayacağım." (Krallar I, 6:11-13)

Görüldüğü gibi, kavram olarak Yahve Süleyman'ın tapınağı yaptırdığı sıralarda bile "evrenin sahibi ve bütün insanlığın tanrısı" olma noktasının çok uzağında, İsrail'i "kavmi" ilan eden bir yerel tanrıdır. Yapımı yedi yıl sürdüğü belirtilen tapınağın iç odasına, İsrail'in kutsal Ahit Sandığı yerleştirildi. Bu, içinde Yahve'nin olduğuna inanılan ve çölde Musa'ya en ince ayrıntısına dek tarif edilerek yapılmış, altın Kerubilerle süslü, gösterişli bir ahşap sandıktı anlatılanlara göre. O güne dek gittikleri her yerde bir çadırın içinde özenle korunmuştu; artık Süleyman'ın yaptırdığı tapınakta saklanacaktı. Tapınaktan sonra bir de kendine büyük saray yaptıran Süleyman'ın, komşu ülkelerle girdiği ticari ilişkiler ve çevre bölgelere yaptığı seferler sayesinde (ve elbette Yahve'nin yardımlarıyla) İsrail'i bölgenin en zengin ülkelerinden biri yaptığı anlatılır Eski Ahit'te. Bu zenginlik, biraz da babası Davut gibi, soylu ve yabancı kadınları haremine alması[264] sayesinde artmıştır. Ne var ki, yabancı kadınlarla içli dışlı olması ve sahip olduğu büyük zenginlik, sonunda onu da "RABBİN gözünde kötü olanı" yapmaya yöneltecektir.

"Saray ve tapınak, ölçü olarak şaşırtıcı değildi; ancak metinlere bakılırsa içi ve dışı pek süslüydü. Süleyman ayrıca birçok kale ve hisar yaptırdı. Kenanelinin yerlilerini de angaryaya koştu. Fenike, Mısır, Suriye, Arabistan'la ticaret ilişkileri kurdu; oralardan at, köle, altın, gümüş, mücevherat, kokulu yağlar ve başka lüks maddeler getirtiyordu."[265]

Yerleşik yaşama büyük bir zaferin ardından kesin olarak geçişin verdiği güçlü motivasyonla başlayan bu zenginlik ve ihtişam tutkusu, Davut'la başlıyordu aslında. Ama doruğunu, Süleyman zamanında buldu. Daha da önemlisi, Yahve peygamberlerinin katı tutumlarına ve itirazlarına rağmen, Kral Süleyman, bölgedeki yerel tanrılara tapınımı ülkede serbest bıraktı ve meşru hale getirdi. Başta da belirttiğimiz gibi, bu aslında halkın da eğilimleriyle örtüşüyordu yerel tarım kültlerinin etkisiyle. Göçebe bir kavimken, inanç ve birliklerini korumaları için onlara din adamlarınca koşulsuz biçimde dayatılan "güçlü, cömert, ama aynı zamanda öfkeli ve intikamcı" bir tanrıya itaat, yeni yerleştikleri topraklarda onlar için hem anlamını yitirdi, hem de çekiciliğini. Yahve dininden çok daha esnek ve özgür

---

[264]Bunlardan biri, Eski Ahit'te "Mısır firavununun kızı" olarak anlatılır ki, destekleyecek hiçbir tarihsel kanıt olmaması bir yana, söz konusu dönemde gücünü hâlâ koruyan Mısır'da, firavunun kendi kızını Filistin'deki küçücük bir krallığın haremine göndermesi de mümkün değildir. Eski Ahit'in bu gözü kapalı abartmalarından etkilenerek, Süleyman'ın bir diğer sevgilisi olarak anlatılan Şeba Kraliçesi'nin, Mısır'ın kadın firavunu Hatshepsut olduğunu ilan eden; hatta Davut'un aslında Mısır Kralı II. Tutmosis olduğunu iddia etmeye dek varan, çok sayıda semitik milliyetçi teoriyle karşılaşabilirsiniz.
[265]Server Tanilli, a.g.e., s. 151

bir yaşam sunan yerel tarım kültlerinin Baal, Anat, Astarte gibi tanrı ve tanrıçaları, refahın hızla yükseldiği İsrail ülkesinde çabuk benimsendi. Hatta daha Süleyman döneminde o denli yaygınlaştı ki bu yerel kültler, Yahve tapınımı, bırakın egemen din olmayı, belirgin biçimde azınlıkta kaldı.

"... Davut'un krallığının (İ.Ö 1000 – 961 dolaylarında) hızla genişlemesi, saray lüksüne ve komşu devletlerle daha sıkı ilişkilere giden yolu açtı. Bu da, uygarlaşma akımından doğan ve ilk kez karşılaşılan ahlak bozukluklarını Yehova adına lanetleyen ve Baallere saldırıları yenileyen bir peygamberler takımının harekete geçmesine yol açtı."[266]

Eski Ahit'te Süleyman zamanına ilişkin anlatılanların, bu peygamber ekolünün düşünce çizgisinde kaleme alındığını söyleyebiliriz. Ancak Süleyman gibi güçlü bir kral tahttayken onu "hain" ilan etme cesaretini gösterebilecek metinlerin yazılabilmesi, hatta kutsal kitaba girmesi elbette mümkün değildir. Bütün bunlar, İ.Ö. yedinci yüzyılda iyice fundementalist hale gelen din adamları (Rabbiler) tarafından, Süleyman'dan 300 yıl kadar sonra kaleme alınmıştır. (Bu da hem üzerinden çok zaman geçen olaylara ilişkin kronoloji ve mantık hatalarını, hem de fundementalist ve siyasi amaçlarla metinlerin köktendinci bir ifadeyle yoğrulmalarını anlaşılır hale getirir.)

Diğer yandan, inançlardan ve dinden tümüyle bağımsız biçimde, Süleyman yönetimi sırasında yerleşik yaşamın hızla biriktirip çoğalttığı zenginlikten fazla pay alan bir yönetici sınıfın oluşması, sınıfsal çelişkileri de keskinleştirmişti. Saray ve yönetici soylular, bir anda gelen lüks ve zenginliğe gömülürken; sarayların ve tapınağın yapımında zorla çalıştırılan, tarlalarda angarya yükü sırtlarına bindirilen ve aynı hızla yoksullaşan ağırlıklı bir kesim, tepki duymaya başlamıştı.

"Kral kuzeydeki kabilelerin çıkarlarını hesaba katmadığı ve Juda soylularını desteklediği ölçüde daha da vahimleşiyordu durum. Hoşnutsuzluk, İsrail'in en büyük kabilelerinden birinde, Efraim kabilesinde özel bir ağırlık kazandı ve bu kabile baş-

[266]William H. McNeill, a.g.e., s. 64

kaldırdı. Gerçi bu ayaklanma bastırıldı; ancak Süleyman'ın ölümünden sonra keskinleşen mücadele, devleti iki krallığa ayırmakla sonuçlandı: Juda ve İsrael krallıkları ortaya çıktı (İ.Ö. 935)."[267]

Böylece, kuruluşunun üzerinden çok da fazla zaman geçmeden, Yahve'nin seçilmiş halkı kuzeyde ve güneyde sınır komşusu olan iki krallığa, Yahuda ve İsrail krallıklarına bölünmüştü. Kuzeydeki İsrail Krallığı'nın egemenliği de oldukça kısa sürdü. Bölgenin büyüyen gücü Asur İmparatorluğu'nun kralı II. Sargon, İ.Ö. 722'de başkent Samara'ya dek girip yağmaladı ve İsrail Krallığı'nı yıktı. Kurtulabilenlerin bazıları güneydeki Yahuda Krallığı'na; işini daha sağlama almak isteyenlerse uzaklara, Mısır'a kaçıp sığındılar. Birçoğuysa ya öldürüldü ya da tutsak edilip götürüldü. Bu olaydan sonra, benzeri bir sonu yaşama korkusu bu kez Yahuda halkını sarmıştı.

Filistin'e yerleşilmesinin ardından, İbrani halkı yeni topraklarda pek çok teknolojik gelişmeyle de tanışıp özümlemeye başlamıştı. Ülkenin kuzey kesimlerinde, demir saban kullanılarak bağcılık ve zeytincilik yapılıyor; Fenikelilerden öğrenilen teknikle zanaatçılık da tarımdan ayrılarak ayrı ve etkin bir meslek halini alıyordu. Güneydeki dağlık kesimlerde hâlâ eski yöntemlerle sürdürülen hayvancılık faaliyetleri sayılmazsa, İsrailoğullarının son derece hızlı ve aslında bir hayli gecikmiş bir ilerlemeyi yaşadığı söylenebilir. Ne var ki bu geç gelen ilerleme ve yeni ülkelerinde içine girdikleri farklı ve yoğun üretim ilişkilerinin dinamizmi, kabile toplumunun geleneksel tutuculuklarıyla bezeli toplumsal üstyapısının kabuklarını da çatırdatacak ve bu geçiş oldukça sancılı gerçekleşecekti.

"Filistin'de sosyal ilişkilerin gelişmesini belirleyen bir olay vardı: göçebe İbrani kabileleri, yeni bir ekonomik ve sosyal ortama gelip girmişlerdi; bu ortamda, zanaatçılığın ve ticaretin, giderek tefeciliğin ve özel mülkiyetin, Fenike ile Kenanelinin merkezlerinde çok önceden doğmuş sağlam gelenekleri vardı. İbrani toplumunda, görünürde çelişmeli olaylara yol açtı bu: Bir

---

[267]Server Tanilli, a.g.e., s. 153

yandan, klan rejiminin kalıntıları –bütün açıklığıyla– sürerken, öte yandan özel mülkiyet, tefecilik, servet farklılığı hızla gelişiyordu."[268]

Eşitsizliklerin yoğunlaşması ve servet farklılıklarının çarpıcı boyutlara ulaşması, Yahuda ülkesinde çok kısa bir süre içinde yoğunlaşan hoşnutsuzluk ve iç karışıklıklara neden olmaya başladı. Yoksul kesimden yükselen tepkiler, ilginç bir biçimde, çözülmekte olan eski klan yapısının direnişiyle birleşiyor ve muhalefet son derece tutucu ve giderek katılaşan bir dini çizgi içinde ortaya çıkmaya başlıyordu. Karşı çıkışlar ve homurdanmalar, daha çok kırsal kökenliydi. Kudüs gibi kentlerdeyse görece çok daha yüksek olan refah düzeyinden dolayı yönetici sınıf yerel dini yöneticileri avucunun içinde tutabiliyor; kentleşme olgusu içinde çok sayıda farklı inanç sistemi ve kült yan yana var olabiliyordu. Toplumsal muhalefetin ağır vergiler ve tefecilere olan borçlar nedeniyle yoksullaştırılmakta olan kırsal bölgelerdeki çiftçilerce üstlenilmesi üzerine, bu rüzgârı yakalamak isteyen fundementalist din adamları tarım bölgelerine doğru çekildiler. Muhalefet, din desteğiyle artık kırsal alanlarda yapılıyor ve peygamberler, dinin kurallarına uymayan ve "RABBİN gözünde kötü olanı yapan" yöneticiler yüzünden bütün Yahuda'nın, tıpkı kuzeydeki İsrail Krallığı gibi cezalandırılacağı yönünde vaazlar veriyorlardı.

Kargaşanın iyice arttığı bir dönemde, din adamlarının da destek verdiği ayaklanmalar sonucunda Kral Amon devrildi; yerine sekiz yaşındaki çocuk kral Yoşiya tahta çıkarıldı. Bu, ayaklanmaları destekleyen ve yönlendiren Yahve rahiplerinin denetimindeki bir "darbe" niteliği taşıyordu; bu nedenle, çocuk kralın tahta geçtiği ilk yıllarda din adamları, zaferlerinin keyfini katı bir baskı rejimiyle çıkarmaya başladılar. İpler artık onların ellerindeydi. Kudüs'teki bütün yerel kültler yasaklandı ve tapınaklar yıkıldı, rahipler öldürüldü. Bütün Yahuda ülkesinde tek tanrı olarak Yahve ilan edildi; diğer dinlere inananlar sert yöntemlerle sindirilip, yok edildi. Yoşiya iktidarının on ikinci

---

[268]Server Tanilli, a.g.e., s. 154

yılında Rabbilerin gizli iktidarı, Yahuda sınırları içinde bütün diğer inançları silip yok etmişti.

"Yoşiya kral olduğu zaman sekiz yaşında idi ve Yeruşalim'de otuz bir yıl krallık etti. Ve RABBİN gözünde doğru olanı yaptı, ve atası Davut'un yollarında yürüdü ve sağa sola sapmadı. Ve krallığının sekizinci yılında, henüz gençken, atası Davut'un Tanrı'sını aramaya başladı; ve on ikinci yılda Yahuda'yı ve Yeruşalim'i yüksek yerlerden, ve Aşerlerden, ve oyma putlardan ve dökme putlardan temizlemeye başladı. Ve onun önünde Baallerin mezbahlarını yıktılar; ve yukarıda onların üzerinde olan güneş putlarını kesip devirdi; ve Aşerleri ve oyma putları ve dökme putları parçaladı, ve onları ezip toz etti, ve onlara kurban kesenlerin kabirleri üzerine saçtı. Ve kendi mezbahları üzerinde kâhinlerin kemiklerini yaktı ve Yahuda'yı, Yeruşalim'i temizledi." (Tarihler II, 34:1-5)

Bu büyük "temizlik" döneminin, aynı zamanda iktidarı elinde bulunduran Rabbiler tarafından Eski Ahit'in yazıya geçirilmiş biçimlerinin düzenlenmesi ve yeni bölümlerin yazılması amacıyla da kullanıldığı sanılıyor. Kutsal Yazılar, artık bir Yahudi Kutsal Kitabı oluşturmak üzere elden geçirilirken, peygamberler de yeni vahiyleri insanlara duyuruyor ve bunlar kaleme alınıyordu.

Altıncı yüzyıla girildiğinde, dini anlamda yapılan bu büyük değişikliğin de krallığı kurtaramayacağı hissedilmiş ve Yahuda'nın da İsrail'in yazgısını paylaşacağı korkusu yavaş yavaş ortaya çıkmaya başlamıştı yine. İlk büyük tehdit, "ezeli düşman" Mısır'dan geldi: Firavun II. Nekho, tahta çıktıktan sonra Mezopotamya ve Orta Doğu ülkeleriyle aradaki dengeyi Mısır lehine bozmak istemiş ve hem Doğu Akdeniz'de hem de Suriye bölgesinde yeniden etkinlik sağlama yolları aramaya başlamıştı. Tanrı'nın yanlarında olduğunu düşünen Yahuda yöneticileri, Nekho'ya meydan okudular. Ne var ki çıkan savaşta Yoşiya öldü, Yahuda yenildi ve bütün gücünü yitirdi. Nekho, ülkeyi ağır bir vergiye bağlarken, Yoşiya'nın küçük oğlu Eliyakim'i "kukla hükümdar" olarak tahta çıkardı ve adını Yehoyakim olarak değiştirdi. Kardeşi Yoahaz'ıysa, beraberinde Mısır'a götürdü.

Bu gerçekten büyük bir şok olmuştu Yahuda için. Din adamları da vahiyler yoluyla Tanrı'dan haber almaya çalışıyorlar, içine düştükleri durumun nedenini sorguluyorlardı telaşla. Yahve'yi tek tanrı olarak ilan etmişler, bütün diğer dinleri Yahuda'dan silmişler, Kudüs'teki tapınağı yeniden canlandırmışlardı. O halde, onlarla birlikte olması gereken tanrıları, bu ağır yenilgiye nasıl ve niçin izin vermişti? Yahuda ülkesi içinde dini rüzgârlar yine değişmeye, farklı yönlerden esmeye başladı. Uzunca bir süre peygamberler, ülkenin başına gelenleri Yahve'ye ve onun kurallarına saygı gösterilmediği için yaşanan cezalar olarak yorumlamışlardı. Ancak bu kez olanları bu mantıkla açıklamak oldukça zor görünüyordu.

Asurbanipal'in ölümünden sonra çökmeye başlayan Asur'un yerine, bölgede yeniden parlayan Babil, İsa'dan önce altıncı yüzyılın başlarında Yahuda için ikinci büyük tehlike oldu. Tarihi imparatorluğun bu yeniden doğuşu "Kaldeliler" olarak bilinen yerel Arap asıllı kabilelerin omuzları üzerinde gerçekleşmişti; bu nedenle hem "Yeni Babil" hem de "Kalde" devleti olarak adlandırılır. Büyük yükselişin öncülüğünü üstlenen kral II. Nabukadnezar, Orta Doğu'ya egemenlik konusunda Mısır'la büyük bir çekişme içindeydi ve "yol üzerindeki" Yahuda'nın kendisine sorun çıkarmasını istemiyordu. Üstelik, rakibi Mısır'ın ülkeye egemen olması ve Nekho'nun tahta Yehoyakim'i çıkarması Nabukadnezar'ı oldukça rahatsız etmişti. Mısır'la hesaplaşmaya hazırlanırken ilkin Suriye ve Filistin üzerine yürüdü, Yahuda'ya girdi ve Yehoyakim'i zincire vurup tutsak ederek Babil'e götürdü, oğlu Yehoyakin'i tahta çıkardı. Böylece çok kısa bir aradan sonra Yahuda bu kez Babil'e teslim olmuş durumdaydı.

Din adamlarının nasıl bir şaşkınlık ve panik içine girdiğini düşünmek zor değil. Yahuda büyük bir kaos içine girmişti ve bağımsızlığını yitirmek üzereydi; ülkede yeniden anarşi egemen olmuştu çünkü. Bu noktada, olayların üzerinden çok uzun zaman geçtikten sonra kaleme alınan Eski Ahit'in "Tarihler II" kitabında bu döneme ilişkin yazılanlara bir göz atmak fazlasıyla çarpıcı olacaktır:

"Yehoyakin kral olduğu zaman sekiz yaşında idi; ve Yeruşalim'de üç ay on gün krallık etti; ve Tanrısı RABBİN gözünde kötü olanı yaptı. Ve yılın dönümünde Nabukadnezar onu RAB evinin değerli takımlarıyla birlikte Babil'e getirtti ve kardeşi Zedekiya'yı Yahuda ve Yeruşalim üzerine kral etti." (Tarihler II, 36: 9-10)

Sekiz yaşında küçücük bir çocuk, işgalci yabancı kralın isteğiyle tahta çıkarılıyor; her şeyden habersiz biçimde topu topu üç ay on gün orada oturuyor ve Eski Ahit'i kaleme alanlara göre, "RABBİN gözünde kötü olanı yapıyor". Din adamlarının içine girdiği ruh halini sergilediği kadar, bağnazlığın hangi noktalara varacağını da gösteren çarpıcı bir örnektir bu ayetler.

Babil sürgünü

Zedekiya'nın Yahuda'da on bir yıl süren yönetiminin, oldukça sancılı bir kaos dönemine denk geldiği biliniyor. Art arda Mısır ve Babil'e boyun eğme ve haraca bağlanmanın getirdiği tedirginlik kadar, Tanrı tarafından korunmamanın yarattığı şaşkınlık da pay sahibidir bu kaosta. Yükselen anarşi, Zedekiya'nın İ.Ö. 586 yılında son bir çabayla Babil'e karşı isyan etmesiyle yatıştırılmak istenir; ancak bunun bedeli çok daha ağır olacaktır. Nabukadnezar'ın ordusu Kudüs'e girer, bütün kenti yağmalar, Süleyman tapınağı yıkılır ve bütün değerli eşyalara el konur. Erken davrananlar, yine Mısır'a kaçmayı başarırlar; ancak Kudüs'te büyük bir kıyım yaşanacak ve binlerce kişi öldürülecektir. Yahuda halkı içinden oldukça kalabalık bir grup, tutsak alınır ve Babil'e sürgüne götürülür.

"Nabukadnezar valiler atadı, ama yeni isyanlar çıkmaya devam edince Babil misillemeleri de arttı ve İ.Ö. 582-581'de yeni sürgünlerle sonuçlandı. Bu tarihte Yahuda'nın Samaria eyaletine bağlanması olasıdır."[269]

Böylece, yaklaşık yirmi yıl gibi, kısa bir süre içinde bir kez Mısır, üç kez de Babil'den büyük darbeler yiyerek sarsılan

---

[269] Michael Roaf, "Mezopotamya ve Eski Yakındoğu", s. 198

Yahuda Krallığı, Nabukadnezar'ın elleriyle yıkılmış olur. Bu son darbenin en önemli sonucu, aralarında din adamlarının da çoğunlukta bulunduğu oldukça kalabalık bir grubun tutsak olarak Babil'e götürülmesi ve orada Mezopotamya kültürünün çok renkli ayrıntılarıyla tanışmasıdır. Ancak gözden kaçırılmaması gereken bir başka sonuç daha söz konusudur: Sekizinci yüzyılda II. Sargon'un kuzeydeki İsrail Krallığı'nı yıkıp 28,000 dolayında İsrailliyi sınırdışı etmesinden (ve büyük bir grubun da Mısır'a kaçmasından) sonra, Nabukadnezar'ın altıncı yüzyılın başlarında Yahuda halkının bir bölümünü sürgüne göndermesiyle, topraklarından uzaklaşmış Yahudilerin sayısı gerçekten önemli boyutlara ulaşacaktır. Bu kitlenin önemli bir bölümü, Babil sürgünü bittikten ve Kudüs yeniden Yahudilerin olduktan sonra da ülkelerine dönmeyecekler ve yerleştikleri ülkelerde kalacaklardır ki, bu da "diaspora" denilen olgunun, yani dünyanın birçok ülkesinde oranın vatandaşı olarak yaşayan ciddi Yahudi kitlelerinin ortaya çıkmasının tarihsel başlangıcıdır:

"Sürgünler, eski ülkelerine bağlılıklarını korudular, çünkü önünde sonunda oraya dönmeyi umuyorlardı. Aynı zamanda ulusal kimliklerine de sıkı sıkıya sarıldılar, o andan itibaren Yahudilik ülkesel temelini fiilen kaybetti."[270]

Eski Ahit'in ilk kitabı Genesis'in, Babil sürgünü sırasında tanışılan Mezopotamya evren anlayışı ve kozmogonisi etkisinde, Yahuda'ya döndükten sonra kaleme alındığını ilk bölümlerde uzun uzun anlatmıştık. Eski Ahit'teki peygamberlerin kehanetlerine göre 70 yıl süren ancak bugünkü verilerle 47 yıllık bir süreyi kapsadığını bildiğimiz Babil sürgünü, hem Yahudi düşüncesinin ve inanç sisteminin yeni kaynaklarla desteklenmesi, hem de tektanrılı dinlerin ilk öncüsünün "kavim dini"nden, evrenselliğe doğru yol alması açısından oldukça kritik bir evreyi oluşturur.

"Sürgün Yahudi inancının duygusal yapısında önemli bir değişiklik yarattı. Yanlışları düzeltecek bir gelecek hakkında tumturaklı kehanetlerde bulunmak her zaman peygamberliğin

---

[270]Nicholas De Lange, "Yahudi Dünyası", s. 22

başta gelen özelliği olmuştur. Fakat Babil sürgünü deneyimi geleceğe daha da çok önem verilmesine yol açtı. Yahudiler kendilerine şu soruları sormak zorunda kaldılar: Tanrı niçin kötülerin üstün gelmelerine izin veriyor? Neden sadık hizmetkârları bu kadar şiddetle cezalandırıyor? Bu sorgulama sonucu iki kuram ortaya çıktı. Ezra ve Nehemya gibi bazı peygamberler, çekilen acılar açıkça Tanrı'nın geçmişte yapılan hatalara kızmasının sonucu olduğuna göre, kutsal yazılarda açıklandığı gibi Tanrı'ya daha titiz bir bağlılık gösterilmesi üzerinde durdular. Fakat başka peygamberler, özellikle büyük ozan İşaya, Tanrı'nın, dünyanın sonu gelip tüm adaletsizliklerin silinip süpürüleceği büyük mahşer günü geride kalabilenleri ödüllendirmek için, sabırlarını sınayıp dayanıklılıklarını ölçerek halkını terbiye ettiği düşüncesini geliştirdiler."[271]

Belki de Yahudi düşüncesinde Eski Ahit'e yansıyan ve sonrasında tüm tektanrılı dinlerin merkezine yerleşen en önemli kavram budur işte. Çekilen sıkıntılar şaşkınlıkla karşılanacak ya da kafaları karıştıracak anlaşılmaz olaylar değil, doğrudan doğruya Tanrı'nın emirlerinin gerçekleşmesidir. Tanrı için küçük zaman birimlerinin hiç önemi yoktur ve onun karar verdiği bir zamanda dünyada Tanrı'nın Krallığı yeniden kurulacak, inançlılar ödüllendirilecektir.

Yorumlar Yahudi dinine uygun olarak ve Yahve inancı çerçevesinde yavaş yavaş ortaya çıkmış olsa da bu düşünceye varılmasında ateşleyici olan düşüncenin Babil sürgünü sırasında bu kentin rahiplerinden edinilmiş olduğu neredeyse kesindir: Uzun zaman aralığından sonra dünyaya geri dönecek olan Tanrı! Bu, Babil bilgeleri için büyük bir kesinlikle Marduk'tur; çünkü ona ait olan gezegenin uzun zaman aralıklarıyla dünyaya yaklaşıp yeniden uzaklaştığını bilmektedirler. (Son yörünge geçişinden sonra, uzaklaşmasını izleyen yıllarda, yani İ.Ö. 1600'de Hititler tarafından yenilgiye uğratılmalarını "Marduk bizi bırakıp gittiği için bunları yaşadık" diye açıklamıştı Babil rahipleri.) İlahi gezegenin uzun bir zaman sonra yeniden dünyaya yak-

[271]William H. McNeill, a.g.e., s. 65

laşacağı fikri, elbette Babil halkına sunulduğu gibi, Yahudi tut-
saklara da okült şifrelemeyle aktarılacak ve "Marduk'un geri dö-
nüp Babil'in düşmanlarını ezeceği" bir gelecekten söz edilecek-
tir. Bu, Yahve'nin onları artık terk ettiğini düşünen daha genç
ve daha az tutucu Yahudi bilgeleri için, her şeyi açıklamaya yar-
dım edecek çok temel bir kavramı gündeme getirecektir bir an-
da: Yahve de günün birinde yaşananlara müdahale edecek ve
iyileri ödüllendirirken, kötüleri de cezalandıracaktır.

Babil sürgünü sırasında, ellerinde derlenmiş son haliyle kut-
sal kitabın nüshaları bulunan Yahudi din adamlarının,
Mezopotamya düşünce ve inanç sistemlerinden etkilenerek ev-
renin yaratılışını da içerecek bir "Başlangıç" yazma gereğini
duyduklarını ve Genesis'in ortaya çıktığını ayrıntılarıyla vur-
gulamıştık. Diğer yandan, Babil'de yaşanan süreç içinde, sür-
günün temel düşüncelerinden bir diğerinin, yani "uzun zaman
çevrimleri" sonunda Tanrı'nın dünyadaki gidişe müdahale ettiği
fikrinin de yeşerdiğini görüyoruz. Daniel'in kitabıyla bu düşün-
ce Eski Ahit'in sonlarına doğru aniden belirecektir: "Günlerin
Sonu" ve bu tarihte yaşanacak olanların anlatıldığı, zamanı
gelince açılmak üzere yedi mühürle kilitlenen kitap.

Burada ilginç bir durumla karşılaşıyoruz: Babil'in yüksek
astronomi bilgisinden ve canlı mitlerinden etkilenen Daniel ve
diğer peygamberler, hiç kuşkusuz kendilerini tutsak eden
Babil'i düşman olarak görüyorlardı. Ne var ki, "Günlerin Sonu"
düşüncesini de bu kentin bilgi birikiminden esinlenerek geliş-
tirmişlerdi. Bu durumda, uzun bir zaman sonra geleceği söy-
lenen Babil'in güçlü tanrısı Marduk, ancak bir "sahte tanrı" ya
da "Şeytan uşağı" olabilirdi; çünkü "seçilmiş halkı" tutsak alan
zalimlerin tanrısıydı. Göklere bakarak onun ileri bir tarihte geri
döneceğini söyleyen Babil rahiplerine karşı, Daniel gibi
düşünenler de yavaş yavaş karşıt modeli oluşturmaya başladılar:
Marduk'un ardından Yahve de geri gelecek ve zalimlerin tan-
rısını bir putu kırar gibi yok edecekti. Arka arkaya ortaya çık-
maları da ancak bir sınav olabilirdi: Marduk'tan etkilenip ona
tapanlar sınavda kaybedecek ve çok kısa bir süre sonra Yahve
tarafından cezalandırılacaklar; inançlılar ise bağlılıklarının kar-

şılığını uzun ve bolluk içinde bir yaşamla alacaklardı. Her ne kadar bu düşünce Eski Ahit'e bütünüyle girmediyse de, "Mahşer Günü" ya da "Günlerin Sonu" kavramını çok canlı biçimde yaşatarak sürgün dönüşü ortaya çıkan "ara kitaplar"da derin biçimde yankı buldu.

Babil'de geçirilen yıllar sırasında, Mezopotamya kültürüne hem hayranlık duyulduğunu hem de içten içe düşmanlık beslendiğini biliyoruz. Tutsak alınıp ülkesinden uzağa götürülmüş bir halk için bunlar son derece doğal duygular. Dolayısıyla, Yahudi kültüründe Nabukadnezar'ın "zalim", Babil'in de "bütün kötülüklerin anası olan fahişe" nitelemeleriyle anılması şaşılacak bir şey değildir. Aynı duygulardan nasibini almak üzere, bir üçüncü düşman unsur daha netleşmektedir Babil'de: Zalimlerin sahte tanrısı Marduk. Söz konusu tanrının adının Kutsal Kitap kaynaklarında "katliam" ve "yıkım" anlamlarıyla yüklendiğini görüyoruz. Çünkü Babil ordusu, yani Nabukadnezar'ın askerleri, Marduk'un adıyla Kudüs'te büyük bir kıyım gerçekleştirmişlerdir. Diğer yandan, Merodak adına (Marduk'un İbrani dilindeki karşılığı) denk görülen bu nitelemelerin Mezopotamya kültüründe Nibiru/Marduk'un yörünge periyodu olan Şar için aynen kullanılmış olması, rastlantının biraz fazlası gibi görünüyor. Şar, "yıkım" anlamını da taşır ama evrensel bir "yeniden yaratım" olgusunun ön koşulu olarak. Belli ki sürgünlük yıllarında Yahudi düşünürleri, Marduk'la yakından ilgilenmişlerdir.

Babil'de gerçek anlamda tutsaklık yaşamakla birlikte, İbranilerin çok kötü şartlar altında olmadıklarını da biliyoruz. Hatta içlerinden seçilen bazıları kent yöneticilerinin sofralarına dek ulaşmışlar, dahası saraya bile girebilmişlerdir ki, bunun izlerine Eski Ahit'te de (biraz abartılı olmakla birlikte) rastlamak mümkündür. Sürgün başladığında oldukça genç, muhtemelen bir çocuk olan Daniel, bunlardan ilk akla gelendir. Daniel'in, Kral Nabukadnezar'ın rüyasını başarıyla yorumladığı için sarayda çok özel bir muamele gördüğünden söz edilir Eski Ahit'te. Sürgünün gerçekleştiği altıncı yüzyılda "kehanet sanatı"nın doruklarını zorlayan Babil'de, onca kâhin rahip dururken, kralın

Burak Eldem

rüyasını tutsaklardan birine yorumlatmak pek inanılır bir şey değildir elbette. Ancak buradan net bir sonuç çıkarabiliriz: Rüya yorumlarına ve benzeri şamanik yetilere büyük ilgi duyan Yahudiler, Babil'de tanık oldukları kehanet kültüründen de çok derin biçimde etkilenmişlerdir. Daniel'in yaşadıkları, Genesis'te anlatılan Yusuf'un hikâyesiyle de büyük benzerlik gösterir. Anımsanacağı gibi, kâhinlerin hiçbiri firavunun rüyasını yorumlayamayınca, zindanda bulunan Yusuf'un yeteneğinden söz edilmiş ve huzura çağırıldıktan sonra yaptığı isabetli yorumlarla da Yusuf bir anda vezirliğe getirilmişti. (Oysa Firavun'un son derece basit ve düz imgeler içeren –yedi besili, yedi cılız inek gibi– rüyasını açıklamak Mısır kâhinleri için çok da zor olmasa gerekti.) Aşağı yukarı aynı olayların Babil'de Daniel ile ilgili olarak da anlatılması, "rüya yorumu" saplantısının İbrani kültüründeki önemini ortaya koyduğu gibi, kehanet sanatının Babil'de o çağda yaşadığı altın dönemin sürgünleri nasıl etkilediğine ilişkin de bir hayli fikir veriyor.

"Yahuda sürgünleri için Babil harika bir kent olmalıydı. Fırat'ın iki yakasında kenarları on beşer millik bir kare biçiminde kurulmuş, güzel ve kozmopolit bir kentti. Yunan tarihçi Herodot kenti İ.Ö. beşinci yüzyılda ziyaret etmiş ve kentin büyüklüğünü, bir ağ biçiminde yapılmış kusursuz düzlükte yollar ve çoğunlukla üç, hatta dört kat yüksekliğinde binalardan söz ederek anlatmıştı."[272]

Herodot'un abartıya dayanan tarihçiliği burada geçerli bir kaynak olarak değerlendirilmesini biraz güçleştirse de, yirminci yüzyılda yapılan kazılarda bulunan kent duvarlarının gerçekten de o çağda son derece etkileyici olduğunu söyleyebiliriz. Dört farklı girişte tanrılara adanan kapılar; yüksek Babil teknolojisini sergileyen kusursuz sulama kanalları; her yanda beliren palmiye ve hurma ağaçlarının yarattığı yeşillik ve elbette II. Nabukadnezar'ın onarıp yeniden inşa etmekle öğündüğü ünlü ziggurat, Yahudi sürgünleri büyülemiş olsa gerek. Ayrıca, "Dünyanın Yedi Harikası"ndan biri kabul edilen Asma Bahçeleri'nin, yine

---

[272]Christopher Knight – Robert Lomas, "The Hiram Key", s. 225

Nabukadnezar zamanında, Med kralının kızı olan karısı ülkesinin dağlık manzaraları özlemesin diye özel olarak yaptırıldığını biliyoruz.[273] Onarılan büyük Marduk Tapınağı'nın görkemi de kentteki muhteşem tabloyu tamamlamaktadır o yıllarda.

"Kudüs'ten getirilen rahip ve soylular için bu yeni varoluş bir hayli garip olmalıydı. Kılıçtan geçirilmedikleri için minnet, ülkelerini ve Tapınak'larını yitirdikleri için hüzün duyuyor olmalıydılar. Kudüs'ü ve onun tapınağının gözlerinde son derece alçakgönüllü kalmasına neden olan Mezopotamya'nın bu en büyük kentinde gördükleri ve duyduklarından son derece etkilenmiş olsalar gerek. Bu, yirminci yüzyılın başlarında Avrupa'nın küçük kent ve kasabalarından göçmen olarak gelen Yahudilerin New York'u gördüklerinde yaşadıkları kültür şokuna bezer bir durum olmalıdır."[274]

Ama bütün bunların dışında, üstlerinde en büyük etkiyi büyü, kehanet ve gizemcilik kültürünün Babil'de ulaştığı boyutlar yaratmıştı. Rüya yorumlarına verilen bunca önem ve hem Genesis'teki Yusuf olayında, hem de sürgün sırasında Daniel'in Babil'de yaşadıklarında, aradaki yaklaşık 1700 yıllık farka rağmen aynı unsurların vurgulanması bunun göstergelerinden biridir. Eski Ahit'te, İbrani bilgelerinin özel bir köşede düz ve sert bir yüzey üzerinde uzun süre yatarak "rüya iletişimi" kurmaya çalışmaları deneyiminden söz edildiğine tanık oluruz. Bu, şamanik "transa geçme" eylemiyle bire bir aynıdır. Kabile kültürü döneminden kalma çok eski bir gelenek olarak karşımıza çıkan rüya yorumları, yerleşik yaşamın başlamasından sonra da hep varlığını korumuş ve peygamberlerin tanrıyla iletişim kurma yöntemleri olarak kanıksanmıştır. Babil, bu tür deneyimlerin çeşitliliği açısından Yahudi tutsaklar için bir laboratuar gibiydi.

Benzeri biçimde, Yahudi sayı mistisizminin en çarpıcı örneği olan Kabbala'nın da, Babil sürgünü sırasında edinilen deneyimlerle geliştirildiğini söyleyebiliriz. Mezopotamya kül-

[273]Michael Roaf, a.g.e., s. 199
[274]Christopher Knight – Robert Lomas, a.g.e., s. 227

türünde matematiğin gelişmesine paralel olarak kimi "gizli" kavramları, onlara karşılık düşen özel sayılarla ifade etme yöntemi de, altıncı yüzyılda epey yaygınlaşmıştı. Bu anlamda, fikir olarak sayılarla sözcükler arasında bağlantı kurma eğiliminin Yahudiler tarafından Babil'de edinilmiş bir alışkanlık olduğu görülür. Peki Mezopotamya'nın sayı sistemi ve göksel hesaplar için kullanılan 60 tabanı da öğrenilmiş miydi Yahudiler tarafından? Sürgün sonrası yıllarda Yahudi matematiğinde bunun izlerine hiç rastlanmaması ve metinlerde söz edilmemesi, 60 tabanıyla yapılan hesaplara ilgi duyulmadığını gösteriyor. Babil'in kozmolojisi, mitleri ve kehanet geleneğiyle çok yakından ilgilenen tutsaklar, matematik ve sayı sistemiyle ilgili ilkelere fazla rağbet etmemiş olabilirler. Ancak, orada yaşanılan 47 yıl boyunca, hiç değilse Babil matematiğinin ve 60 tabanlı sayılamanın "neye benzediği" yolunda yüzeysel bilgi edinilmiş olduğunu göz ardı edemeyiz: İlgi göstermemiş olsalar bile Yahudiler, hesapların 60 ve 10 rakamlarının bir tür bileşimiyle yapıldığını, en azından "kulak dolgunluğuyla" biliyorlardı. Benliklerini ve inançlarını yitirmemek için değerlerine sıkı sıkıya bağlanmışlar ve Babil kültürü içinde asimile olmaya sert biçimde direnmişlerdi. Tapınak olmamasına rağmen tutsakların kendi aralarında düzenli olarak ayin ve toplantılarını sürdürdüklerini; din adamlarının derin tartışmalarla kutsal yazmaları geliştirme ve elden geçirme çabaları içine girdiklerini biliyoruz. Bu sürgün dönemi onlar için hem kültürel değerlerine sarılma anlamında birleştirici bir etki yaptı, hem de yepyeni düşünce sistemleriyle karşılaşarak daha zengin bir evren anlayışı geliştirmelerine katkıda bulundu. Babil yazısını ve matematiğini öğrenmeye istekli olmasalar da, en azından bazı temel simgeleri ve bunların sayısal birer karşılığı olduğunu biliyorlardı. "Zalim Babil"in görkemli tanrısı Marduk ve onu simgeleyen işaret de elbette bunların arasındaydı: Yani, yan yana üç dikey çivi ya da başka bir deyişle, her basamağında aynı sayı olan 3 haneli bir kutsal rakam.

Bu denli önemli bir simgenin içerdiği gizli anlam Babil halkından bile saklanırken, Yahudi tutsaklara açıklanmış olması düşünülemez. Ama Eski Ahit'te Daniel ile ilgili anlatılanların yüzde onu bile doğruysa, bu genç ve zeki peygamberin "büyük sır" ile bir şekilde tanıştığına ve bundan dehşete kapıldığına inanabiliriz. Zalim Babil'in tanrısı Marduk, "üç çizgiyle" simgelenen bir sürecin sonunda göklerde yine belirecektir. Ezilenler için bunu bilmek son derece ürkütücü duygulara kapı açacağı için, Daniel'in Marduk'la ilgili öğrendiklerini halkıyla paylaşmak yerine, "göklerdeki büyük final" için çok daha umut verici bir "karşı tez" geliştirdiğini ve anlatılarında "mühürlü kitap" simgesi ile bunu vurguladığını düşünebiliriz.

Babil'de yaşadıkları sürgünün sonlarına doğru, bölgeyi derinden etkileyen yeni bir siyasal gelişme yaşandı ve giderek güçlenen Pers ülkesinin hükümdarı Kyros, Batı'ya doğru hızla ilerlemeye başladı. Nabukadnezar çoktan ölmüştü ve tahtta bir hayli yaşlı ve güçsüz bir kral olan Nabonidus vardı. Annesi bir Sin rahibesi olan Nabonidus, kral soyundan gelmemesine karşın iç karışıklık sırasında bir darbeyle tahta çıkarılmıştı ve krallığının ilk günlerinden itibaren de Sin'e duyduğu güçlü bağlılığı sergileyerek Babil halkının tepkilerini toplamaya başladı. Marduk tapınımı silikleştirilirken, Ay kültü ve Sin inancı, Nabonidus tarafından ülkenin dinsel yaşamına egemen kılındı. Bu nedenle, krallığının ilk yıllarından itibaren halk onu "Deli Nabonidus" ya da "Sapkın" olarak anmaya başladı. Marduk'a gereken ilgi ve saygının gösterilmemesi durumunda ülkenin başına büyük dertler açılacağına inanan Babil halkının tepkileri sürerken, İran dolaylarından yaklaşan tehlikeyi haber alan kral (belgelere bakılırsa bir "kehanet"ten de ürkerek) başkenti terk etti ve güneye çekildi.

Kyros'un yolunun üzerindeki ilk hedef doğal olarak Babil'di ve fazla büyük bir direnişle karşılaşmaksızın İ.Ö. 539 yılının sonbaharında Pers ordusu Babil'i işgal etti. Aslına bakılırsa, direnç göstermek bir yana, Babil halkı Kyros'u onları sapkın Nabonidus'tan kurtaran bir kahraman gibi karşılamıştı kentte. Kyros, bu durumdan yararlanmayı oldukça iyi becerdi: Adamları, işgal altındaki Babil'in ileri gelenlerine, Marduk'un rüyasında Kyros'a göründüğünü ve Babil'i kurtarmak üzere onu görevlendirdiğini anlatarak sempati dalgasını büyütmeye, böylelikle de bir isyan girişimini doğmadan önlemeye başladılar. Denebilir ki Kyros'a Babil'de gösterilen ilgi ve sevgi, işgalci krala halkın kahraman gözüyle baktığı hemen hemen tek örnektir tarihte.

Yahudiler içinse bu yeni gelişme, 47 yıllık esaretin bitmesi anlamına geliyordu ve elbette peygamberler tarafından coşkuyla karşılandı. "Bütün kötülüklerin anası" Babil'i yenen hükümdar, mutlaka Yahve tarafından yollanmış olmalıydı ve bu, tanrılarının onları hâlâ sevdiği anlamına geliyordu. Kyros'un "yabancı halkların tanrılarıyla rüyalarda söyleşme" propagandasının, Yahudi din adamlarını da etkilediği, dahası, duruma böyle bakmanın rabbilerin işine geldiği de açıktı:

"Ve Fars kralı Koreşin birinci yılında, Yeremya'nın ağzı ile olan RABBİN sözü yerine gelsin diye, RAB Fars kralı Koreş'in ruhunu uyandırdı ve bütün ülkesinde şöyle diyerek ilan etti hem de yazdı: Fars kralı Koreş şöyle diyor: Göklerin Tanrısı Yehova dünyanın bütün krallıklarını bana verdi; ve Yahuda'da olan Yeruşalim'de kendisi için ev yapayım diye bana emretti. Onun bütün kavminden aranızda kim varsa, Tanrısı RAB onunla beraber olsun ve çıksın." (Tarihler II, 36:22-23)

Babil'in Kyros tarafından yıkılmasının Yahudiler açısından birinci sonucu, özgür kalmak ve ülkelerine dönme olanağı elde etmekti. Yukarıdaki ayetlerde, iki nokta dikkat çekicidir: Birincisi, "peygamberler tarafından önceden bildirilen" olayların gerçekleşme zorunluluğunun altını çizer. Yeremya'nın kehaneti gerçekleşsin diye, Yahve, Pers Kralı Kyros'un "ruhunu uyandırmıştır." Bu düşünce biçiminin Yahudi kültüründeki yerini iyi biliyoruz; ancak asıl yükselişi Babil sürgünü dönüşünde gerçekleşecektir kehanetlere düşkünlüğün. Yeni Ahit, çok daha önceden söylenmiş peygamber sözlerinin yerine gelmesi için yaşanmış olaylarla doludur. İkinci önemli noktaysa, fanatik inancın ve bunun propagandasının vardığı şaşırtıcı boyutlarla karşımıza çıkar. Eski Ahit'in yazarlarına göre Kyros'un Babil üzerine yürümesinin siyasi, ekonomik ve askeri nedenleri ya da Perslerin imparatorluk hayalleri hiçbir önem taşımaz. Asıl belirleyici olan, Yahve'nin Kyros'a "halkını özgür bırakması" yolunda verdiği emirdir. Eski Ahit'in propagandacı üslubunda bu, Kyros'un Yahve'yi "Göklerin Tanrısı" olarak kabul etmesine dek varır: Yahudilerin tanrısı, Pers kralına "dünyanın bütün krallıklarını" vermiştir çünkü.

Babil'in yıkılışının Yahudiler açısından bir diğer büyük sonucu, yeni bir kültürel karşılaşmadır: Perslerin Zerdüşt dini ve kutsal kitapları Avesta, sürgün topluluğun önünde farklı ve çarpıcı bir model olarak belirecektir.

"Zerdüşt, iyi ve kötü ruhlara olan inancı, ikiye ayrılmış bir evrenin yöneticileri olarak netleştirdi. Bu grupları da temel ilkelerine dek izledi: Ormazd (Ahura Mazda) ışığın kralıydı; Ahriman da (Ahura Mainyu) karanlığın prensi. Eski geleneklerin iyi cinleri Zerdüşt tarafından tahttan indirildi; ne var ki popüler inançlar arasında yaşamayı sürdürdüklerinden, onlara kötü ruhlar hiyerarşisinde bir yer bahşedildi. (...) Kötülüğün ordusu da, iyiliğin ordusu gibi örgütlenmişti. İki ordu sürekli savaş düzeni içinde yönetiliyordu. (...) Ne var ki zaferin ardından barış dönemi gelmiyordu, çünkü mücadele *zamanın sonuna dek* sürecekti."[275]

Zerdüşt dini, bu durumda tanrısallığı iyi ve kötü güçler olarak mutlak karşıt iki ayrı "ordu" olarak değerlendiriyordu ki, bu güçlerin arasında "zamanın sonuna dek" süregiden bir savaş yaşanmaktaydı. Her ne kadar Ahura Mazda "kral", Ahriman ise "prens" olarak düşünülüyorduysa da, tarafların birbirlerine kesin üstünlük sağlayamadığı bir savaştı bu; bazen biri, bazen de diğeri üstün geliyordu. Ancak Zerdüşt düşüncesi, nihai noktayı son derece kesin biçimde koyuyordu: Zamanın sonunda mutlak zafer kesin olarak Ahura Mazda'nın, yani iyiliğin olacaktı. Bu çarpıcı düalizm, Yahudi inanç sisteminde o zamana dek belirgin bir varlığa sahip olamamış yeni bir kavramı, "Şeytan"ı biçimlendirecekti. O zamana dek Şeytan, "Tanrı'nın ezeli düşmanı" gibi bir etiketi hiç taşımadığı gibi, aslında Orta Doğu'daki komşu kültürlerden aktarılmış sıradan cinlerin kimliğinde ara

---

[275]Kurt Selligmann, "The History Of Magic And The Occult", s. 13 (italikler bana ait)

sıra belirmenin dışında etkin bir işleve de sahip olamamıştı Yahudi düşüncesinde.

"İbranilerin Şeytan fikri, Tekvin'in yazılış tarihleri arasında, yani yaklaşık olarak İ.Ö. VI. Yüzyıl'la İ.S. I. Yüzyıl arasında değişir. Bu olgu önceden ortaya çıkarılmıştır: Şeytanlar Yahudiliği İ.Ö. 150 ile 300 arasında işgal etmişlerdir."[276]

Oldukça temel bir yeniliktir bu: Tanrı'nın ezeli düşmanı olarak kötülüğün temsilcisi güçlü Şeytan figürü, Yahudiler arasında sempatiyle karşılanan muzaffer Perslerin dinlerinden, derhal ithal edilecektir; çünkü matematikte negatif sayıların varlığı kadar önemli bir işlev görmekte ve boşlukları doldurmaktadır Şeytan. Demek ki, Tanrı kötülüğün temsilcisi bu sefile yeryüzünde, insanlar arasında zafer kazanması için geçici sürelerle izin vermiştir. Bu, inançlı Yahudi toplumunun çektiği bunca cefayı da Şeytan'ın sorumluluğu haline getirerek teolojik bir açmaza yanıt getirmektedir. Diğer yandan, "zamanın sonu"nda yaşanacak nihai savaşta Şeytan kesin olarak yenilecek ve zafer Tanrı'nın, yani iyiliğin gücünün olacaktır.

Kyros tarafından serbest bırakılan Yahudilerin önemli bir kısmının geri dönmediğini ve Babil'de kalmayı yeğlediklerini biliyoruz. Her ne kadar ulus bilinçlerini yitirmedilerse de, bu insanlar sahip oldukları değerleri koruyarak, inançlarına saygı gösteren Perslerin yönetimi altında Babil'de kalmayı sürdürdüler. Bunların içinde, Babil'e yerleşmeyi düşünmemekle birlikte, özgürlüğün tadını çıkararak yeni bilgiyle tanışmaya istek duyan, bu amaçla da Pers din adamları olan Magi'lerle (Magus) fikir alışverişinde bulunan Yahudi rabbileri de vardı.

Kumran'a giden uzun, ince yol

Böylece, yaklaşık 50 yıl gibi, kısa bir süre içinde Yahudi düşüncesinde son derece hızlı ve radikal bir zenginleşme yaşandı. Bütün bunlar bir yanıyla Eski Ahit'i evrenin yaratılışından başlayan bir kozmolojiyle buluşturacak, bir yanıyla da yeni bir

---

[276]Gerald Messadie, "Şeytanın Genel Tarihi", s: 396

köktendinci hareketin tohumlarını atacaktı. Kısa başlıklar halinde, Babil'de edinilen yeni bilgileri alt alta sıraladığımızda, tablo oldukça çarpıcı bir görünüm alacak:

- Yahudiler Babil'de, zengin bir mitoloji, çok eski ve köklü bir yerleşik kültür ve şiirsel bir kozmolojiyle karşılaştılar. Enuma Eliş, Atra-Hasis, Gılgamış Destanı gibi, eski metinlerden esinlenerek, bu birikimi Genesis'i yazmakta ve Exodus'a bağlayarak bir soyağacı oluşturmakta kullanacaklardı. Böylece, yüzyıllardan beri aşina oldukları ve içinde yaşadıkları Kenan, Filistin, Ugarit gibi Kuzey Semitik kabilelerin mitlerini ve inanç sistemlerini, bir anlamda Mezopotamya düşüncesiyle harmanladılar.
- Babil'de karşılarına "Krallığın göklerden inişi" gibi, bir kavram çıktı ve uzun zaman aralıklarıyla göklerde beliren; düşmanlarını yok eden bir tanrı kavramıyla, Marduk'la tanıştılar. Düşmanlarının tanrısı olduğu için ondan nefret ettiler ama Marduk'un "gizemli sayılar"la olan ilişkisiyle de çok ilgilendiler.
- Büyülü simgeleri, gizemciliği ve sayılarla isimlerin mistik özdeşleşmesini yine Babil'de tanıdılar ki, bu da Kabbala düşüncesini geliştirecekti.
- Perslerin gelişiyle, Zerdüşt düşüncesindeki "mutlak kötü" ve "ezeli düşman" kavramı olan Ahriman'ı tanıdılar. Bu, kültürlerinde var olan önemsiz cinlerin hepsini bir kenara atıp Tanrı'nın karşısındaki tek bir Şeytan düşüncesini benimsemeleri sonucunu doğuracaktı.
- Belki hepsinden önemlisi, Perslerden, "zamanın sonu"nda Ahura Mazda'nın Ahriman karşısındaki son ve mutlak zaferi fikrini aldılar. Bu, "Mahşer Günü" düşüncesini zihinlerde iyice pekiştirecekti.

Bütün bu birikimler, ülkelerine dönen Yahudi düşünürleri İsa'dan önce dördüncü yüzyılın başlarından itibaren inanç sistemlerinde hissedilir bir yeniden yapılanma çalışmasına yönlendirecek ve yeni kavramları yeşertecekti.

Ezekiel peygamber, daha sürgün yılları sırasında, Yahudilerin içine düştükleri karanlık günlerden sıyrılmalarının yolunun, Kudüs'teki tapınağı yeniden inşa etmekten geçtiğini düşünüyordu. Serbest kalan Yahudilerin ülkelerine döndükten sonra yaptıkları ilk iş de bu oldu. Aynı zamanda bilgeler ve rabbiler, çeşitli gruplar halinde Eski Ahit'in yazılması ve düzenlenmesiyle uğraşıyorlardı. Büyük düşman, zalim Babil yerle bir olmuş ve doğularında onlara sempatiyle bakan güçlü Pers İmparatorluğu kendilerini güvende hissetmelerini sağlamıştı. Üstelik Kyros bununla yetinmemiş, bir başka "eski düşman"ı, Mısır'ı da ezip geçerek Yahuda Krallığı'nın güneyini de tehlikesiz hale getirmişti. Kudüs, eski parlak günlerine dönme hazırlığındaydı yine.

Ancak bu huzurlu dönem fazla uzun sürmedi. İ.Ö. 331'de Batı Anadolu'dan tozu dumana katarak gelen yeni bir güç, İskender'in yönetimindeki Hellen ordusu, Pers kralı Darius'u büyük bir yenilgiye uğratarak bütün Yakındoğu'yu ve Mısır'ı ele geçirdi. Yahuda Krallığı, bu kez yeni bir tehdit altındaydı. Ülke, ilkin Mısır'ı da denetimi altında tutan Yunan Ptolemaios Hanedanı'nın, ardından da İ.Ö. 200 dolaylarında Selevkos sülalesinin vesayeti altında yönetildi. Gerçi hiç değilse ilk zamanlarda Hellenler onların inançlarına hiç karışmadılar ve iç yönetimlerine de müdahale etmediler, ama sorunlar da ufukta görünmeye başladı yavaş yavaş.

"Kudüs'te önderlik, babadan oğula geçen başrahiplerle Yunan örneğinde bir şehir meclisine emanet edilmişti. Bunların, bölgeyi 'atalardan kalma yasa'larla yönetmelerine ve aynı yasaları Yahudi olmayan bölge sakinlerine de uygulamalarına izin verilmişti. Her ne kadar Yahudiye, Ptolemaioslar ve daha sonraları (İ.Ö 200'den itibaren) Selevkoslar Krallığı'nın bir parçasını oluşturmuşsa da, Antiochos'un saltanat dönemine (İ.Ö. 175 – 164) kadar Yahudiye yönetiminin özerkliğine pek karışılmamıştır. Olayların tam akışı açık olmamakla birlikte, Antiochos, saltanat döneminin başlangıcında başrahip Onias'ı azledip, bu makama geleneksel 'teokrasi'yi yıkarak Kudüs'ü 'Kudüs'teki Anthiokhia (Antakya)' ismiyle bir Yunan *polis*'i olarak örgütleyen (Onias'ın kardeşi) Yason'u getirdi. Bunun üzerine oldukça karmaşık bir iç savaş patlak verdi. Sonuçta Antiochos Kudüs'ü zapt etti (169), buraya Suriyeli askerler yerleştirdi ve tapınakta putperest tapınmayı başlattı (167)."[277]

Yahuda Krallığı'nda huzur yeniden yitirilmişti. İç karışıklıklar Antiochos'un işgalinden sonra da bitmedi ve Makkabi Ailesi'nden Yuda'nın önderliğinde direniş epey uzun sürdü. Sonunda, Hellen baskısına direnen Makkabiler kazandılar ve Yahuda bağımsızlığını elde etmeyi başardı. Şimdi yönetim, Yuda Makkabi'nin kardeşi Yonathan'ın elinde, Hasmoniler olarak adlandırılan bir hanedanın denetimindeydi. Bu dönemden başlayarak başkomutanlık ve başrahiplik, "ulusal önder" (etnark) olarak adlandırılan yöneticinin tekelinde oluyordu yine.

Makkabi direnişinin getirdiği zafer sonrasında yaşanan Hasmoni iktidarının fanatik Yahudi köktendinciliğini ülkede yeniden egemen kılacağına ilişkin inancın, pratikte büyük bir yanılgıyla sonuçlandığını söyleyebiliriz. Çünkü Yonathan'dan itibaren Hasmoni krallar, Grek kültürüne ve Hellenizme duydukları büyük ilgi ve sempatiyi gizlemeksizin ülkede hızlı bir "Yunanlaşma"nın yolunu açacaklardır. Böylece Antiochos'a karşı yürütülen savaşın aslında bir "iktidar savaşı" olduğu çıkar ortaya. Yonathan, ilk iş olarak Sparta'yla bir dostluk anlaşması imzalayacaktır. Ardından iktidarı devralan Aristobulos ise kendi adını "Phil-Hellen", yani "Hellenizmin Dostu" olarak değiştirecektir. İktidar ve gücün sahibi soylu, zengin sınıf, Yahuda'yı neredeyse bir Yunan kolonisi görünümüne büründürürken, fundementalist kesimlerin tepkileri de yeniden şiddetlenecek ve Hasmonilere yönelecektir.

Din ve inanç sistemi açısından da ciddi bir bunalım doğmuştur yine. Eski Ahit'in yazılması neredeyse büyük oranda tamamlanmış, Tora (Tevrat) egemen rahiplerin elinde derlenmiştir. Ancak bu süreç içinde bazı grupların ellerindeki yazmalar ve onların sahip oldukları düşünceler, ya hiç dikkate alınmamış ya da kasıtlı olarak dışlanmıştır. Rahip gruplarının,

---

[277] Nicholas De Lange, a.g.e., s. 23

hahamların aralarında başlayan tartışmalar, "iktidara yakın" ve "iktidar karşıtı" iki din adamı grubunun aynı anda varlığını gündeme getirir. Azınlıkta kalan muhalifler, kendi kutsal yazılarını ve inançlarını, kendi grupları içinde yaymaya ve geliştirmeye başlarlar. Daha da önemlisi, "Tora'ya bağlı olmayan bir rejime duydukları büyük öfkeyi dile getirerek çöle çekilirler; bunlar Essenelerdir."[278]

Essene hareketinin, hem Yahudi hem de Hıristiyan düşüncesinde dönüm noktası oluşturacak bir çekirdek yarattığını, daha önceki bölümlerde vurgulamıştık. Eğer 1947 yılında Ölü Deniz yakınlarındaki Kumran mağaralarında bunlara ait yazmalar toprak kaplar içinde bulunmasaydı, bilinçli olarak tarihten silinmeye çalışılan bu ilginç mezheple ilgili yalnızca küçük ipuçlarına sahip olacaktık. Şimdi, bu rastlantısal buluşun sayesinde, o döneme büyük oranda ışık tutabiliyoruz. Eski Ahit'in kimi parçalarının yanı sıra "Enoch'un Kitabı" ve "Jübileler Kitabı" gibi Kutsal Kitap'tan din adamlarınca çıkarılıp aforoz edilmiş yazmaları içeren bu külliyat, son derece ciddi ve köktenci bir muhalif grubun 2100 yıl önce Yahuda'daki varlığını ortaya koyuyor; hatta çok daha fazlasını.

Başlangıçta Hasmoniler tarafından küçümsenen Essene hareketi, Yahudi düşünce ve inanç sisteminde yaşanan belki de en büyük ve en ciddi sonuçlar doğuracak kopuşu temsil eder. Birinci büyük kopuş, İ.Ö. onuncu yüzyılın sonlarında İsrail ve Yahuda krallıklarının ayrılışıyla başlamıştı. Çok kısa ömürlü olan İsrail Krallığı'nda Yahve'nin tıpkı Adad, Teşub ve Zeus gibi güçlü bir "Fırtına Tanrısı" olarak düşünüldüğü ve onun yanı sıra tarım kültlerinden alınan Baal ve Sami uygarlıklarının Sümerlerin Utu'suna karşılık gelen Güneş Tanrısı Şamaş'ın da mini bir yerel panteon içinde ele alındığı bilinmektedir. Aslına bakılırsa Fırtına Tanrısı için Yahve adı bile henüz kullanılmamıştı; kuzeydeki İsrail uygarlığı onu "El Şaday" adıyla bilmekte ve yüksek dağlarla özdeşleştirmekteydi. Sözcük anlamı olarak hıristiyan egemen anlayışında El Şaday'ın karşılığı "Her

---

[278]Gerald Messadie, "Şeytanın Genel Tarihi", s. 407

Şeye Kadir" (God Almighty) olarak verilmekteyse de, dilbilimsel veriler son derece açık bir biçimde El Şaday'ın "Dağlardaki El" yani "Dağların Tanrısı" anlamına geldiğini ortaya koymaktadır. İsrail Krallığı'nda kutlama ve ritüellerin de Mezopotamya ve Doğu Akdeniz çoktanrılı dinleriyle büyük paralellikler içinde olduğunu biliyoruz:

"Halk ayinleri tarla çalışmalarına göre ayrılmıştı ve üç ayrı bayramda uygulanıyordu: Arpa, ve buğday hasatı başında, yemişlerin toplanmasında ve tohum serpme zamanında. Tohum serpme hazırlıklarında yapılan bayram, asıl büyük bayramdı; tarım yılının kapanışında ve topluluk içinde kutlanıyordu."[279]

Ancak, sekizinci yüzyıl başlarında Asurlular tarafından kuzeydeki krallığın yok edilmesinden sonra, İbrani mirasını bütünüyle Yahuda Krallığı'nın üstlendiğini görüyoruz. Bu, söz konusu halkın tarihinde, Filistin ve Kenan'a yerleşilmesinden sonra yaşanan ilk büyük kopuştur. Bu tarihten itibaren İbrani kültürüne, "12 Kabileden biri" olan muhafazakâr Yahuda kabilesi egemen olacaktır. Nedir bunun anlamı? Her şeyden önce, Eski Ahit bütünüyle Yahuda'nın egemen din adamlarınca derlenip yazıldığı için, kuzeydeki İsrail krallığının halkı "RABBİN gözünde kötü olanı yapan sapkınlar" olarak sunulur. Yahve'nin İsrailoğullarının tek ve en büyük tanrısı olduğunu vurgulamak için, Eski Ahit'te Exodus bölümü El Şaday ile Yahve'yi özdeşleştirecek biçimde elden geçirilir. Sözgelimi Yahve Musa'ya şunları söyleyecektir:

"Ben RAB'im ve İbrahim'e, İshak'a ve Yakup'a El Şaday olarak göründüm; fakat onlara Yahova ismimle malum olmadım." (Çıkış 6:2-3)

Bunun anlamı açıktır: Güneydeki fundementalist Yahudi din egemenleri, El Şaday ile Yahve'nin aynı Tanrı olduğunu vurgulayarak İsrailoğullarının bütün mirasını tek bir noktada birleştirip ellerinde tutmak istemişlerdir. Kuzeyin sahip olduğu bütün kültür birkaç yüzyıl içinde yavaş yavaş silinip yok edilecek; bunun doruk noktası da Yoşiya dönemindeki baskı yöneti-

---

[279]Server Tanilli, a.g.e., s. 157-158

mi olacaktır. Yasaklanan "putperest tapınımlar"ın yerine bütün önemli bayram ve kutlamalar, "Mısır'dan çıkış" gibi, Yahve kültürüne özgü dönüm noktaları üzerinde yeniden biçimlendirilir. Tarım tapınımları sert biçimde ezilir ve yasaklanır, çünkü "Baal'lere tapmak" sapkınlıktır.

Bütün bunlara karşın, yaşamın içinde var olan ve bölgede köklü bir geçmişe sahip inanış ve kutlamaların önüne geçmekte zorlanıldığını; bu bunalımların, yönetsel sorunların yaşandığı iç kaos dönemlerinde muhalefetin hep daha köktendinci eğilimlerin denetimine geçmesine yol açtığını gördük. Makkabi direnişi, Yahuda'nın bağımsızlığını görünürde sağlamış ama aslında Yahudi egemen sınıfının Yunan vesayetine direnişinin ardında yalnızca ekonomik ve siyasi nedenler yattığını da sergilemişti. Hasmoniler yönetimiyle birlikte babadan oğula geçen "rahip kral" sistemi yeniden örgütlenir ve sağlamlaştırılırken, aslında egemen sınıf sahip olduğu zenginlik ve güçle birlikte, görkemli Yunan krallarına öykünmeye başlamıştı. Bu durumda, yeni köktendinci muhalefet Essene grubu çevresinde toplanacak ve "kurtuluş bildirileri" yazılmaya başlayacaktı. İsa'dan önce ikinci yüzyılın ortalarından sonra bu muhalefet o denli etkili olmaya başladı ki, Hasmoniler artık küçümseyen bakışlarla "zavallı münzevi fanatikler" diyerek gülüp geçemiyorlardı Essenelere. Kumran mağaralarındaki inziva, toplumdan soyutlanarak ikinci büyük kopuşu gerçekleştirmişti.

"Ölü Deniz'deki Kumran Cemaati (yaklaşık İ.Ö. 150 – İ.S. 64) Yahudi halkı içindeki teolojik farklılıklardan biriydi. Herkesin aynı biçimde uyguladığı tek bir 'Judaizm' ya da bütün Yahudileri kapsayan tek bir inanç yoktu. Aksine, tarih gösterir ki inançları, umutları ve gözlemleriyle geniş bir yelpaze üzerinde yer alan çoğul 'Judaizmler' söz konusudur. Ferisi Rabbilerinin Judaizm'inin bütün Yahudilerce benimsenmiş olduğu düşüncesi tarihsel anlamda yanlıştır ve yalnızca bir idealizmi ifade eder."[280]

---

[280]Paul Sumner, "Messianic Texts At Qumran", s. 1

Neydi bu kopuşun ana hatları? Esseneler, Kutsal Kitap'ın tahrif edildiğini ve hayatın bu ilahi buyruklara göre yaşanmadığını ileri sürerek, iktidardaki egemen Yahudi dinsel düşüncesiyle bütün köprüleri atmışlar ve kendi kutsal yazılarına dönmüşlerdi. Onlara göre, bu sapkın iktidarın İsrailoğullarını sürüklediği felaketten onları kurtarmak üzere, Tanrı bir "Mesih" gönderecekti. Bu Mesih, Daniel'in sözünü ettiği "Günlerin Sonu"nun da kahramanıydı ve yeni Yahudi Kralı olarak tahta çıkacaktı. Onun gelişi, İşaya peygamberin kehanetlerinde de net biçimde belirtilmişti:

"Bunun için RAB kendisi size bir alamet verecek; işte bakire gebe kalacak ve bir oğul doğuracak ve onun adını İmmanuel [Tanrı Bizimle] koyacak." (İşaya 7:14)

"Dağlar üzerinde müjdecinin ayakları ne güzeldir, o müjdeci ki, selamet sözünü işittiriyor, iyilik müjdesini getiriyor, kurtuluş ilan ediyor, Sion'a diyor: Tanrın krallık ediyor!" (İşaya 52:7)

Mesih fikrinin güçlenmesiyle birlikte, Essenelerde "kurtuluş günü" kavramıyla, Daniel'in mühürlü kitabında saklanan "Günlerin Sonu" da özdeşleşmeye başladı. Yavaş yavaş, Tanrı'nın Krallığı'nın hem gökte hem de yerde egemen olacağı o görkemli kurtuluş gününün aynı zamanda dünyanın altüst olacağı bir felaketler zinciri sonrasında geleceği fikri yerleşiyordu. Tanrı gökleri ve yerleri yeniden yaratacağını söylemişti İşaya peygamberin ağzıyla; bu yaratılış hem büyük bir kozmik yenilenmeyi gerçekleştirecek, hem de kötülerin cezalandırılıp inananların ödüllendirildiği "Mahşer Günü"yle gelecekti.

"Çünkü işte, öfkesini şiddetle ve tekdirini ateş aleviyle ödemek için RAB ateşle gelecek ve onun cenk arabaları kasırga gibi olacak. Çünkü RAB bütün beşere ateşle ve kılıçla hükmü icra edecek; ve RABBİN öldürdükleri çok olacak." (İşaya 66:15-16)

Bütün bu düşüncenin çevresinde, Babil'den ve Pers düşüncesinden alınmış esinlerin uçuştuğunu görmek zor değil. "Tanrı'nın göklerde yıkımla gelip, ardından selamet getireceği" inancı, Babil'de Marduk'un geri dönüşüne ilişkin anlatılanlarla örtüşür. Üstelik Marduk'un "Göklerin Kralı" olarak uzun aralıklarla belirdiği de yine Babil'de öğrenilmiştir. Ne var ki, Marduk "Kötü Babil"in tanrısıdır, bu durumda ancak "Şeytan"ın uşağı olabilir ki bu da Pers inançlarındaki Ahriman'la büyük benzerlikler içerir. Zerdüşt düşüncesi, nihai zaferin "Işık ve İyilik"ten yana olacağını söylemektedir; o halde, Şeytan'ın geri dönüşüyle birlikte Tanrı da göklerde belirecek ve karanlığın güçlerine zafer olanağı vermeyecektir. Pers inançlarının güçlü tanrısı, Ahura Mazda'nın vekili Mitra, bir mağarada "bakireden" doğmuştur, tıpkı İşaya peygamberin anlattığı gibi. Yahudilerin kurtarıcısı Mesih de günlerin sonu gelmeden önce bir bakireden doğacak ve "Tanrı'nın Ruhu"nun yeryüzünde bedenleşmiş biçimi olacaktır. Esseneler, inzivaya çekildikleri Kumran mağaralarında, giderek "dünyanın sonu"nun çok yaklaştığına iyiden iyiye inanmaya başlarlar. Tanrı'nın öfkesi göklerde fırtınalarla belirdiğinde, kurtarılan inançlılar arasında yer alabilmek için, kirlenmiş beden ve ruh temizlenip arındırılmalı ve Mesih'in gelişine hazırlanılmalıdır. Böylece vaftiz uygulamaları başlar ve Esseneler, Kutsal Kitap'a sokulmayan metinlerindeki fikirleri kentlerde insanlar arasında vaaz etmeye başlarlar. Liderleri, adı saklı tutulan, ancak "Adalet Sahibi" (The Righteous One) unvanıyla tanınan bir Essene rahibidir.

"Kumran'da bulunan belgelerde 'Mesih' kavramı (İbranice Maşiah) şu nitelikleri içermek üzere kullanılır:
• Kumran'da yaşayan 'meshedilmiş' bir kişi (olasılıkla bir öğretmen/rahip)
• Harun'un [Musa'nın kardeşi] rahip geleneğinden, gelecek zaman için, meshedilmiş biri
• Kral Davut'un soyundan, gelecek zaman için, meshedilmiş biri
• Göksel ya da ilahi bir 'mesih.'"[281]

Paul Sumner'a göre Kumran metinleri, İsa ve havarilerinin öğretisinin ana kaynağını oluştururlar. Yukarıda saydığı nitelik-

[281]Paul Sumner, a.g.e., s. 2

lere dikkat edince, "Adalet Sahibi" denen kişinin İsa'nın pro-
totipi olduğunu görmek de zor değildir: Bu gizemli lider de
Kumranlı seçkin bir "öğretmen/rahip"tir ve taşıdığı unvan,
sonradan İsa için de kullanılmıştır. "Mesih" sözcüğünün dil-
bilimsel kökleriyse, İşaya peygamberin vahiylerinden bile es-
kidir aslında. İbrani dilinde "kutsal yağ sürülerek yağlanmış
kişi" anlamına gelen "Maşiah" sözcüğü, Eski Ahit'in Yunan-
ca'ya çevrilen versiyonlarında da bütünüyle aynı anlamı vermek
üzere "Hristos" biçiminde kullanılır. Edward Carpenter'a göre,
Essene döneminde bile oldukça eskimiş ve içeriğini yitirmiş, bu
nedenle de anlaşılması güç bir hale gelmiş olan "kutsal yağla
meshedilme" kavramının orijini, günümüzden en az dört bin yıl
öncesinin Asyalı kültlerine aittir ve çıkış noktası "fallus"
tapınımına ilişkin ritüellerdir.[282] Carpenter, Hindistan'daki kimi
tapınaklarda bin yıllardan beri süren bir ritüelin objesi duru-
mundaki, fallik biçimli kutsal "lingam" taşının (ve çoğu antik
Asya kültlerindeki benzerlerinin) sözcük olarak "mesih"in köke-
ni olduğunu; bu taşın, tıpkı eski Filistin ve Kenan tapınımla-
rında aynı işlevi gören dikey sütunlar gibi kutsal yağlarla yağ-
landığını ve söz konusu objenin sembolik anlamının "kozmik
yaşamın kökeni" olduğunu ileri sürer. Bu taşlar, insanın geze-
genimizdeki varlığıyla bu varlığın devamının ardındaki kozmik
potansiyeli simgelemektedir Carpenter'a göre: Fallusun insan
soyunun üretimindeki "tohum aktarma" gücüyle iç içe düşünül-
mektedir yani. Çağdaş antropologların, yirminci yüzyıl sonra-
sında hızlanan bir eğilimle antik şamanik tapınımların çoğunun
kökeninde fallik unsurları aradıklarını biliyoruz; çoğu zaman da
oldukça akla yakın bir bakıştır bu. Ancak yeryüzündeki çoğu es-
kiçağ toplumunun inanç kültlerinde yerini bulan ve "insan so-
yunun gücü"nü simgelediği için tapınım sırasında "kutsal yağ-
lar sürülen" taş objelerin ve sütunların nasıl olup da "kurtarıcı"
kavramıyla eşdeğer anlama bürünen "Mesih" sözcüğünü doğur-
duğunu sorgulamak, oldukça ilginç noktalara götürüyor bizi.

---

[282]Edward Carpenter, "Pagan and Christian Creeds: Their Origin and Meaning", Chap-
ter XV

Edward Carpenter, lingam ve benzeri fallik rütel objelerinin, çoğunlukla meteorit olduğundan söz ediyor. Bir başka deyişle, "gökten düşen fallus biçimli taşlar" kimi inanç kültlerinde, dünya üzerindeki insan yaşamının ve varlığının simgesi haline gelmiş. Bu ilgi o denli büyük ki, kutsal olduğu düşünülen yağlarla söz konusu objeler "meshediliyor". Şimdi belki Alan Alford'ın "patlayan gezegen kültü" teorisini dile getirdiği kitabında rastladığımız ilginç bir değerlendirmeyi yeniden anımsayabiliriz: Alford, Yeni Ahit'te İsa için "İnsanın Oğlu" nitelemesinin kullanıldığını; ancak bir hayli kafa karıştırıcı görünen bu deyişin doğru kökeninin "İnsanın Tohumu" olması gerektiğini vurguluyordu. En eski düşünce ve inançlarda, yeryüzündeki yaşamın "göklerden geldiğine" ilişkin etkin bir yargının bulunduğuna da dikkatimizi çekiyordu Alford. Diğer yandan, okurun hemen anımsayacağı gibi, Venüs ile Marduk'un göksel karşılaşmasının Mısır kültlerindeki izlerini sürerken de, "meteorların tanrı kemikleri olduğu" temasına rastlamıştık. Burada, her iki kaynakla da uyum içinde bir yaklaşım çıkıyor karşımıza: "Mesih" sözcüğünün kökeninde de, "gökten düşen taşlar" ve bu taşlara kutsal yağlar sürülerek tapınılması biçiminde oldukça eski bir okült unsur var.

İlk akla gelen soru, göktaşları üzerine kurulu, kutsal yağlarla sürdürülen fallik tapınımın süreç içinde nasıl "insanlaştırıldığı" ve "Mesih" kavramının, yani "kutsal yağlarla meshedilen"in ne zaman bir "kurtarıcı insan" figürüne dönüştüğü. Yanıt, yine Edward Carpenter'ın oldukça çarpıcı çalışmasında veriliyor: "Sonraki zamanlarda, Rahip ya da Kral, bir tapınım objesi olarak Lingam'ın yerini aldı ve üretkenliğin ve verimliliğin temsilcisi olarak kutsal yağlarla meshedilmeye başladı."[283] Bu, "mesih" kavramında oldukça belirleyici bir anahtar nokta: Bilindiği gibi Yahudi düşüncesindeki "Maşiah", İşaya peygamberin söylediği gibi bir "kurtarıcı" olarak geliyordu ve oturacağı makam doğal olarak "krallık tahtı"ydı. Bu nedenledir ki Yeni

---

[283]Edward Carpenter, a.g.e.

Ahit'in başlangıcında İsa için "Yahudilerin Kralı" nitelemesi kullanılmıştı:

"İsa, Kral Hirodes'in devrinde Yahudiye'nin Beytlehem kasabasında doğduktan sonra bazı yıldızbilimciler doğudan Kudüs'e gelip şöyle dediler: 'Yahudilerin kralı olarak doğan çocuk nerede? Doğuda onun yıldızını gördük ve ona tapınmaya geldik.'" (Matta 2:1-2)

Yine bu nedenledir ki, çarmıha gerileceği sırada İsa'nın başına dikenlerden yapılmış bir taç giydirilmiş ve onunla "sahte kral" diye alay edilmişti Yeni Ahit'e göre:

"Askerler de yaklaşıp İsa'yla eğlendiler. Ona ekşimiş üzüm suyu sunarak, 'Sen Yahudilerin kralıysan kurtar kendini' dediler. Başının üzerinde şu yafta vardı: YAHUDİLERİN KRALI BUDUR." (Luka 23: 36-38)

Beklenen "Mesih", sonradan hıristiyanlıkta sunulduğu gibi "sembolik bir krallık" unvanıyla gelen "spritüel bir kurtarıcı" falan değil, somut olarak tahta çıkacak bir Yahudi kralıydı; çok eski çağlardan taşınan bir gelenekle fallik güç ve bereket simgesinin, yani göklerden düşen taşların yerini almış, tıpkı o taşlar gibi kutsal yağlarla meshedilen bir Başrahip, Öğretmen ve Kral'dı yani. Bir başka deyişle, "İnsanın Oğlu"ydu.

Yahudilerin ilkin Mezopotamya, ardından da Pers kültürleriyle tanışmaları sonrasında üzeri iyiden iyiye simgelerle örtülü olarak biçimlenmeye başlayan "Mesih" kavramı, aslında şiddetli bir biçimde Hellen muhalifi olmalarına karşın Yunan düşüncesinden ister istemez etkilenen Essene mezhebinde bütünüyle "semavi" imgelerle bezenecekti. En eski Essene yazıları arasında saydığımız "Enoch'un Kitabı"nın, Yuhanna'nın Vahyi'ni büyük oranda etkilediğine değinen Edward Carpenter, oldukça ilginç bir noktaya dikkat çekiyor: Çıkış noktasının "göklerden inen taşlar" olduğundan söz ettiğimiz "Mesih" kavramı, zaman içinde iktidar sahibi Başrahip ve Kral için yapılan bir "kutsal yağ ritüeli"ne kapı açtığı halde, Essene düşüncesiyle birlikte "hem yerde hem gökte iktidar" düşüncesiyle buluşmuştu. Yahudi Mesih'i hem bu anlamda "etten kemikten bir kral" olacak, hem de bilinen en eski inançlarda olduğu gibi "İnsanın Oğlu" kimliğiyle ezelden beri göklerde olduğu söylenecekti. Bu karmaşık okültizm, aynı zamanda, "yargılama günü geldiğinde Tanrı Krallığı'nı ilan edecek göksel Mesih"in insan formunda bir karşılığı olması gerektiği düşüncesini besliyordu.

Baba - Oğul - Kutsal Ruh

Bu büyük kopuşun çok kısa süre içinde Hasmoni iktidarı için ciddi bir tehlike oluşturacağı baştan itibaren bellidir aslında. Ülkede Tanrı'nın temsilcisi bir rahip-kral baştayken ve yanında din adamları, elinde de kutsal kitap varken, birilerinin çıkıp "gelecek olan Mesih'in Yahudilerin yeni kralı olacağını" söylemeleri elbette hoş karşılanmayacaktır. Esseneler bu tedirginliğin uzantısında Yahuda'da "yasa dışı" ilan edilirler bir süre sonra. Militanlar tutuklanıp zindana atılmaya, hatta öldürülmeye başlanır; mallarına el konur. İktidarı ellerinde tutanlar, ülke çapında Essenelere yönelik büyük çaplı bir operasyon başlatırlar.

"Sondan bir önceki kral II. Yohannes Hyrkanos Helen-karşıtı Esseneleri katledecektir. Bunların tümü XX. Yüzyıl'da yeniden yorumlanacaktır, çünkü içlerinden biri tüm hanedanlığın üzerine cehennemvari bir ün atmıştır: İsa'nın öncülü olan birini, Essenelerin liderini, son derece ünlü olduğu kadar gizemli de olan, sadece Adalet Sahibi adıyla tanınan kişiliği, vahşi bir şekilde ve belki de çarmıha gererek (bu tartışmalıdır) öldürmüştür. Hasmonilerin hangisi öldürmüştür? Bu yüzyılın sonunda bu hâlâ tartışılmaktadır."[284]

Essene muhalefetinin üzerine şiddetle gidilmesinin tam olarak hangi yıllara rastladığını bilemiyoruz; ancak en büyük olasılık birinci yüzyıl dolaylarına denk gelmesidir. Bu tarihten sonra Essene inananlarının büyük kısmı ülkeden kaçıp doğuya ve kuzeye; İran ve Anadolu'ya sığınacak ve inançlarını Yunan kültürünün baskın olduğu bu topraklarda yaymaya çalışacaktır. Diğer yandan, Kumran'daki topluluğun da bütünüyle ortadan

---

[284]Gerald Messadie, a.g.e., s. 406

yok olmadığını ve mağaralarda saklanmayı sürdürdüğünü iyi biliyoruz. Birinci yüzyılın ortalarında Essene düşüncesi bir yandan Yunan diliyle Anadolu'da taraftar bulmaya çalışmakta, bir yandan da Yahuda'da "yeraltına geçerek" muhalefetini ısrarla sürdürmektedir. Ülke, dönemin yeni büyük gücü Roma'nın vesayeti altına girdiğinde, kentlerdeki gizli Essene toplantıları yeniden başlayacaktır.

Yahudi Krallar ve din adamları oligarşisi büyük oranda iç egemenliklerini Roma gölgesi altında da olsa sürdürürken, Yahuda'da bir Mesih'e duyulan inanç ve özlem giderek büyür. Essenelerin vaaz ettikleri "Günlerin Sonu"nun yakın olduğunu düşünmektedir inançlı Yahudilerin bazıları. İsa'dan Önce 31 yılında Yahuda'yı yıkan büyük bir deprem, bu inanç ve beklentiyi iyiden iyiye yükseltecektir.

Essenelere göre Babil yıkılmış olsa bile, "Babil Düzeni" bütün saldırganlığı ve günahkârlığıyla dünya üzerindeki egemenliğini sürdürmektedir. Bu kez Roma kimliğiyle çıkmıştır inananların karşısına ama aslında gerçek durum, Babil'in ve onun kötü tanrısı Marduk'un hükümranlığını sürdürmesidir. Ne var ki "RABBİN günü" yakındır ve ilkin ortaya Marduk çıkacak ve dünyayı kasıp kavuracak; ancak ardından Tanrı ve onun Mesih'i eliyle kurtuluş gelecektir. Birinci yüzyılın sonlarında, Hasmonilerin katlettiği Adalet Sahibi'nin kişiliği altında "Göğe Yükselen Mesih" efsaneleri doğmaya başlar. Anadolu'ya ve Kuzey Suriye'ye, Batı İran'a sığınmış Essenelerin ikinci kuşağından itibaren, Mesih düşüncesi uzaklarda yaşamaya başlamıştır artık. Yahuda Roma'nın ellerinde yavaş yavaş bütün bağımsızlığını yitirir ve İ.S. 60'da başarısız bir ayaklanma girişiminin ardından Kudüs yerle bir edilirken, Kumran mağaralarında filizlenen bir düşünce, yaklaşık iki yüzyıl sonra Anadolu'da Yunan diliyle yazılan kutsal metinler ve Ermiş Paulus gibi inançlı sözcülerin ateşli vaazlarıyla, küçük mütevazı tapınaklarda hıristiyanlığı biçimlendirmektedir. Yunan düşüncesinden derin biçimde etkilenen ve aslında ateşli bir "Mesihçilik" karşıtıyken hıristiyanlığın bayraktarlarından biri haline gelen Paulus, büyük olasılıkla Mitra kültünü yeni inançla harmanlamaya çalışan ilk din adamıdır.

Yeni Ahit'in, yani "Müjde"nin (İncil) son bölümü olmasına karşın, bu bölümdeki ana konumuzun çıkış noktası durumundaki Yuhanna'nın Vahyi'nin en eski hıristiyan metni olduğu düşünülüyor:

"Hıristiyan edebiyatının elimizde bulunan en eski eseri, İsa'dan Sonra 68 ya da 69 yıllarında yazılmış 'Jean'ın Apokalipsi'dir. Kitabın yazarı, Patnos Adası'ndan, Jean adlı Mesih inancına bağlı biri. Jean bu kitapta Küçük Asya'da Mesih'in (Yunanca Hristos) gelişini bekleyen yedi kilisenin üyelerine hitap eder; ne var ki henüz hıristiyan demiyor, Yahudi diye adlandırıyordu onları."[285]

Anadolu'ya sığınan Essene Yahudilerinin inancı, iki yüz yıldan fazla bir süre sonra, doğuda İstanbul gibi, yeni ve göz kamaştırıcı bir kültür merkezini Roma İmparatorluğu'na armağan eden kral Konstantin tarafından devletin resmi dini yapılacak ve orijinal metinler büyük oranda elden geçirilerek yeni dini hareketin ayrıntıları belirlenecekti. İ.S. 325 yılında gerçekleşen bu dönüşüm, aslında kralın imparatorluk sınırları içindeki"güçler dengesi"yle ilgili başarılı bir manevrasını da oluşturuyordu: Roma topraklarında en yaygın dini hareketin, Pers ülkesinden ödünç alınan Mitra dini olduğu biliniyor. Ağırlıklı olarak ordudaki subayların mensubu bulunduğu bu inanç devletin resmi dini haline getirilirse, Konstantin hem askeri hem de ruhani iktidarın generallerin eline geçeceğini biliyordu. Bu nedenle, bir Mitra mezhebi olan "Sol Invictus" (Yenilmez Güneş) dinine mensup olmasına karşın ruhani iktidarı "sivilleştirecek" biçimde hıristiyanlığı seçti resmi din olarak; kendisi de aynı zamanda başrahip oldu ve Kilise'nin yöneticiliğini üstlendi. Böylece, dünyanın yazgısı dramatik biçimde değişmeye başladı: Konstantin, Kutsal Kitap'ın derlenip İncil'e alınacak metinlerle yeni dinin esaslarının belirlenmesi için, 325 yılında İznik'te bir İlahiyat Konseyi topladı.

[285]Server Tanilli, a.g.e s: 598

Roma İmparatorluğu, yüzyıllar boyunca egemenliği altında bulundurduğu toprakların yerel inançlarını ve kültlerini doğrudan ithal edip onları garip sentez işlemlerinden geçirerek tanınmaz hale getirme konusunda sağlam bir gelenek oluşturmuştu. Dolayısıyla, hiç de şaşırtıcı olmayan biçimde, Mısır'ın İsis kültünün ya da Perslerin Mitra'sının başına gelen, Yahudi kültürünün içinden doğmuş "İlk Kilise"nin, yani Essene kaynaklı Hıristiyanlık çekirdeğinin de başına geldi:

"Kudüs'ün İ.S. 70'deki düşüşünden itibaren Hıristiyanlık denilen inanç, Yahudi orijiniyle yollarını ayırmaya başladı ve kısa süre içinde Yehoshua [İsa] adlı kahramanla ilgili bütün görüntü, yabancı mitler ve efsaneler içinde kayboldu. Eski pagan hikâyeler derlenip, halkının kurtarıcı kralı olmaya çalışan bir adamın hikâyesi haline getirildi. Roma'da, Romus ve Romulus'un hikâyesi, iki başka Tanrı, büyük azizler Peter ve Paul için yeniden anlatılır oldu. Güneş Tanrısı Sol'un doğum günü 25 Aralık'tı ve bu tarihin İsa için de uygun olduğu düşünüldü, böylece büyük Tanrılar aynı bayram gününde anılabileceklerdi. Şabat, cumartesiden, Güneş Tanrısı'nın günü olan pazara kaydırıldı ve güneş sembolü, Tanrı ve azizlerinin başlarının arkasındaki haleye dönüştürüldü."[286]

Elbette, Ahura Mazda'nın vekili (aynı zamanda Güneş-Tanrı Sol olan) Mitra çevresinde yoğunlaşmış, İsa'yla olan ilginç benzerlikler hiç de şaşırtıcı değildi. Roma'nın doğudaki toprakları üzerinde en yaygın inanç kültü olarak ortaya çıkan Mitra dininin kimi unsurlarını yeni dine entegre etmek, yaygınlaşmayı kolaylaştırıcı etki yaratacaktı. Edward Carpenter, bu benzerliklerin yalnızca Mitra kültüyle sınırlı olmayıp, Osiris, Baal, Dionysos, Hercules ve Adonis gibi birçok Yakındoğu tanrısından izler taşıdığını vurguluyor ve tüm bu tanrılar için geçerli olan ortak özellikler arasında en temel olanlarını şöyle sıralıyor:

---

[286]Christopher Knight – Robert Lomas, a.g.e., s. 79-80

"1. Hepsi bizim Noel'imize çok yakın bir tarihte doğmuştur.

2. Hepsi Bakire-Anne'den doğmuştur.

3. Hepsi bir mağara ya da bir yeraltı odasında doğmuştur.

4. Hepsi yaşamlarını insanlık için sürdürmüştür.

5. Hepsi Işık-Getiren, İyileştirici, Aracı, Kurtarıcı gibi unvanlara sahiptir.

6. Hepsi Karanlığın Güçleri'nce yenilgiye uğratılmıştır.

7. Hepsi Ölüler Dünyası'na ya da Yeraltı Dünyası'na gitmiştir.

8. Hepsi sonradan dirilmiş ve Göksel Dünya'nın lideri olmuştur.

9. Hepsi, havarilerin vaftizcilik aracılığıyla dahil oldukları aziz birlikleri ya da kiliseler kurmuştur.

10. Hepsi Son Akşam Yemeği ile anılır."[287]

Roma, bütün gücü ve ihtişamına karşın zor günler yaşamaya adaydı ve bu durum tahtında çok rahat olmayan Konstantin'in büyük bir ileri görüşlülükle imparatorlukla özdeşleşecek yeni bir dinin geleceğe ilişkin olası yararını fark etmesini sağlamıştı. Dördüncü yüzyılın başlarında Küçük Asya ve Ege kıyılarındaki Roma toprakları üzerinde Mitra dininden sonra en yaygın inanç, Hıristiyanlıktı. Ne var ki, Yahudi kültürü içinde doğan ve sonra ondan kopan Esseneli Mesih inananları, kendi aralarında en az elli parçaya bölünmüşlerdi ve bu grupların her biri, diğerlerini "sapkın" ya da "dönek" olmakla suçluyordu. Dolayısıyla, Kudüs'teki "İlk Kilise"nin Roma iktidarı eliyle dağıtılmasından sonraki 250 yıl içinde birlikten ve bütünlükten oldukça uzaklaşan; sekter grupların tartışma, hatta kavga konusu haline gelmiş hıristiyanlık, hem geleceğinin parlak olduğuna ilişkin sinyaller veriyor, hem de büyük bir dağınıklığı yaşıyordu.

Kaderin garip bir cilvesi sonucu, ilk kilisenin dağılmasına

---

[287]Edward Carpenter, a.g.e., Introduction

yol açan Roma, ikinci ve en kalıcı kilisenin de kurucusu oldu. Konstantin, dağınık Hıristiyan gruplarını bir araya getirerek ondan yeni bir "devlet dini" yaratma fikrini, hem kendi konumunu güçlendirecek, hem de Roma'da asayişi sağlayacak büyük bir yenilenme olarak görüyordu. Bu amaçla, Konsey'i, Hıristiyanlığın en yaygın olduğu topraklarda, Anadolu'da toplayarak daha işin başında bir iyi niyet gösterisine girişti. Ardından, ülkedeki belli başlı Hıristiyan grupları arasında en kalabalık olanların liderlerini, İznik'e çağırdı. Konseye Konstantin başkanlık edecek, 12 cemaat lideri de onun çevresinde toplanacaktı; böylelikle bu kritik toplantıya "son akşam yemeği"nin rekonstrüksiyonunu sağlarcasına "ilahi" bir nitelik de atfedilmiş oluyor ve İznik Konseyi mistik bir atmosferde başlıyordu.

"Konseyi toplantıya çağıran ve görüşmeleri yöneten imparator, burada alınan kararlar üzerinde de geniş ölçüde etkili oldu. Kiliseye resmen mensup olmamakla beraber —bilindiği gibi ancak ölüm yatağında vaftiz edilmiştir— kilisenin fiili başkanıydı: O, bu hususta da Bizans tahtındaki haleflerine örnek olmuştur."[288]

Ostrogorsky, İznik'teki konseyde, üzerinde büyük tartışmalar kopan ana konunun "Baba" ile "Oğul"un aynılığı ya da ayrılığı olduğunu vurguluyor. İznik'le ilgili belgelere göre İskenderiyeli rahip Arius ve onu destekleyenler ("Aryanlar" olarak bilinen grup), iki ilahi unsurun ayrılığını, dolayısıyla Mesih'in Tanrı olamayacağını savunuyorlardı. Ne var ki Konstantin'in de ağırlığını koymasıyla Arius konseyde yenilgiye uğradı ve İsa'nın Tanrılığı büyük bir çoğunlukla kabul edildi. Doğal olarak bu yaklaşımın karşısında yer alanlar, yani Arius'un izinden gidenler, "sapkın" (heretic) ilan edilecek ve sonuçta Arius sürgüne yollanacaktı. Böylece, İmparatorluk sınırları içinde yeni ve geleceği parlak bir dini hareket devlet eliyle desteklenip öne çıkarılmaya başlanıyordu. Bir başka deyişle, Babil sürgününden taşınıp getirilen bilgilerle Kudüs ve Kumran'da

---

[288]Georg Ostrogorsky, "Bizans Devleti Tarihi", s. 44

"ikinci bahar" yaşamış olan Yahudi fundementalist Mesihçiliği, Anadolu sürgünündeki serüvenini Roma topraklarında noktalıyor ve Mitracılıkla harmanlanarak eklektik, paradokslarla dolu, üzerinde yüzyıllar boyu tartışmalar kopacak bir resmi din haline geliyordu.

Bu, büyük Roma Kilisesi'nin de kuruluşuydu ve on beşinci yüzyılda Batı'da "Katolik", Doğu'daysa "Ortodoks" adları altında kesin bir ayrışmayla ikiye bölünene dek, zaman zaman şiddetlenen, zaman zamansa uyumaya terkedilen, siyasi manevralarla karışık "iman çatışmalarını" yaşayacaktı bu kilise.

İznik Konseyi'nde, dinin çabuk yayılmasını sağlamak üzere hayli büyük kitlesi olan Mitracılıktan da bazı unsurlar ödünç alınarak, temel ilkeler netleştirildi. Baba-Oğul-Kutsal Ruh üçlemesi (Trinity), Kilise'nin yapısı ve örgütlenişi, İncil'e girecek anlatıların (gospel) seçimi üzerine uzun ve yoğun tartışmalar yaşandı. Sonunda, Essene inanışları, Mitra felsefesi ve Yunan gnostisizminin bir tür bileşimi halinde yeni dinle ilgili ayrıntılar kesinleştirilirken, Essene metinlerinin çoğu, tıpkı Yahuda'da olduğu gibi, İncil'den dışlandı. Yalnızca bir tek metin kalmıştı eski yazmalar arasında (kısmen) sansürden kurtulabilen: Yuhanna'nın Vahyi.

666 numaralı yaratık

Şimdi, bu en eski Hıristiyan metninin içindeki anafikri biçimlendiren unsurlara ve onları oluşturan esin kaynaklarına yeniden göz atabiliriz. Babil sürgününden Yahuda'ya taşınan iki önemli kavramın varlığından söz etmiştik: Babil tanrısı Marduk'un "göklerde yeniden kral olacağı" zaman ve Perslerden ödünç alınan "zamanın sonunda iyiliğin kötülüğe karşı üstünlüğü" teması. Daniel ve diğer peygamberlerin, "Günlerin sonu"na ilişkin kitabı mühürlemeleri ve bu konuyu fazla derinine inmeden geçiştirmeleri boşuna değildir. Çünkü, her ne kadar "şifreli anlatım" nedeniyle bunun göksel bir olgu (bir gezegen) niteliği taşıdığı anlaşılamasa ve onlara sunulduğu gibi, "Babil'in tanrısının dönüşü" biçimiyle algılansa da, Kaldeli rahiplerden öğrenilen "dönüş günü"ne ilişkin imalar Yahudi peygamberlerin pek hoşuna gitmemişti. Doğal olarak bu bir "kötü haber"di ve kutsal metinlere alınıp herkesle paylaşılamazdı. Yalnızca, karşıtı olan "iyi haber", yani Tanrı'nın gökyüzünü ve yeri yeniden yaratacağı, onları kurtaracağı fikri öne çıkarılmakla yetinildi. Marduk'un dönüş periyodunun simgesi olan "üç dikey çizgi" biçimindeki işaretse, altmışlı matematik sistemi içinde çözülmüş bile olsa, bir tür "sakıncalı" bilgi olarak saklandı.

Ancak Kudüs'e döndükten sonra yaşanan gelişmeler, inanç ve düşünce alanlarındaki iç bütünlüğü ortadan kaldırıp, farklı haham gruplarının tartışmalarıyla ortalık kızışınca, muhalif radikaller, yani Essene hareketinin öncüleri, Kutsal Kitap dışı bırakılan metinlere ve bilgilere sarıldılar. Marduk, düşman Babil'in tanrısı kimliğiyle "Şeytan'ın uşağı" bir güç olarak değerlendirildi ve onu simgeleyen işaretteki "uğursuz sayısı" araştırılmaya başlandı. Mesih teması, ilkin adı verilmeyen "Yaratık"ın ortaya çıkışı, ardından da "Günlerin Sonu"nun gelişiyle yaşanacak büyük savaş fikrinin de çekirdeği oldu bu arada. Bu, iyilikle kötülüğün son savaşıydı ve Tanrı'nın Krallığı ile sonuçlanacaktı. Gizemci eğilimler doğrultusunda Essene düşünürleri, büyük olasılıkla Marduk'u simgeleyen sayının "bir gezegenin yörünge periyodu" olabileceğini akıllarına getirmediler bile; onlara göre bu rakam, Babil inanışında bu tanrıyı simgeleyen gizli bir şifreydi. Üç hanede, aynı rakamın üç kez kullanıldığını anladılar; Babil'in sayı sisteminde 60 ve 600 sayılarının özel önem taşıdığını biliyorlardı; geriye, üçüncü ve son rakamı bulmak kalıyordu ki bu da ancak Mezopotamya geleneğinde "rahip inisiyasyon sistemi"nin temsilcisi olarak görülen tanrı İşkur'un rakamı, yani 6 olabilirdi. Essene hareketinin ortaya çıktığı dönemde İbrani sayı sisteminde basamak kullanımı yoktu; dolayısıyla yan yana yazılan üç rakamın aynı işareti taşımakla birlikte kullanıldıkları sıraya göre farklı sayıları simgelemesi gibi bir fikre çok yabancıydılar. Ancak, ilkelerinden haberdar olmasalar da bunun bir Babil sistemi olduğunu kulak dolgunluğuyla biliyor oldukları varsayımıyla; 60 ve 600 gibi, rakamlardan yola çıkarak bu şifreli sayının 666 olduğunu düşünmeleri son derece akla yakındır.

Babil teolojisindeki belirleyici rakamlar, Yahudi düşünürlerinin "yaratığın sayısı"yla ilgili yanılgıya düşmesini kolaylaştırıcı etki yapmış olabilir. Kutsal metinlere ve mitlere göre dünyaya "gökyüzünden gelen tanrılar", yani Anunnaki soyu, toplam 600 kişiden oluşuyordu (300 yer ve gök, 300 de yeraltı tanrısı) ve bu rakam sık sık vurgulanmaktaydı. En büyük Tanrı Anu'ya ait göksel rakamın 60 olduğu da biliniyordu. Çıplak gözle gökyüzünde izlenebilen 5 gezegen vardı ayrıca; uzun aralıklarla bunlara Marduk da eklenince sayı 6'ya tamamlanıyordu. Çok basit bir mantıkla, Babil inanç sistemindeki göksel bütünlüğün "Anunnaki grubu + Başlarındaki Büyük Tanrı An + Onların gökyüzündeki evleri olan Nibiru/Marduk" bileşenlerinden oluştuğu düşünülürse, Yahudilerin bakışıyla "düşman Babil"in inancını oluşturan kavramlara ilişkin rakamların toplamı da 666'dır.

Bütün bunlardan sonra, elimizdeki metnin Kumran'daki orijinalinin ilkin Yunancaya çevrildiğini; ardından da İ.S. 325' teki İznik Konseyi de dahil olmak üzere aradan geçen dört yüz yıl içinde defalarca değişikliğe uğradığını aklımızdan çıkarmadan, Yuhanna'nın Vahyi'ni yeniden inceleyelim:

Vizyonda söz edilen, tahtta oturan "boğazlanmış kuzu", hıristiyan felsefesi içinde, "çarmıha gerilen İsa" olarak yorumlanır. Ama Kumran'daki egemen düşüncenin bu metnin oluşumundaki yoğun "muhalif" etkisini göz önüne alarak, söz konusu simgenin çok daha başka anlamları vurguladığını belirtmeliyiz: Boğazlanmış Kuzu, egemen din adamları ve yönetici sınıfın elinde özünü yitirmiş ve katledilmiş Judaizm'dir; aynı zamanda da, doğruyu savunup halka anlattığı için Hasmonilerce öldürülen Adalet Sahibi. Geç Hıristiyan yorumlarında Boğazlanmış Kuzu'nun göklerde yeniden belirmesi, "ölüp göğe yükselen Mesih"in geri dönüşü olarak değerlendirilir. Gökyüzündeki Taht, Tanrı'nın Krallığı'nın simgesidir. (Diğer yandan, antik Zerdüşt metinlerinde kimi zaman Mitra için de doğrudan doğruya "Kuzu" nitelemesi kullanılması[289], rastlantının ötesinde bir benzerlik olsa gerektir.)

12. Bölümdeki Ejderha, kuşkulara yer bırakmayacak biçimde Şeytan'dır ve "bakireden doğacak Mesih'i", yani Büyük Kurtarıcı'yı, daha doğmadan önce yok etmek istemektedir. Ancak Tanrı'nın melekleri, ona gökyüzünde engel olacak ve yenilgiye uğratacaklardır. Bunun üzerine Şeytan, yeni bir yardımcı bulur kendine: Denizlerden çıkan canavar. Yani bizim ünlü, "666 sayılı canavarımız".

Bu canavarın, 13:1'de, "denizlerden geldiği" vurgulanır. Babil mitlerinden "yorumlama hatası"yla aktarılan bu temadaki "deniz", belirgin biçimde eski Sümer dilindeki AB.ZU'dur, yani "ilksel deniz"; bir başka anlamıyla da, "yeraltı suları". Her iki durumda da AB.ZU (Sami dilinde Apsu) bildiğimiz anlamda fiziksel bir deniz değil, dünyayı ve evreni çevreleyen, yeraltında da yer üstünde de var olan denizdir; yani kelimesi kelimesine "dış uzay". Babil efsanelerinde Marduk elbette AB.ZU'dan gelecektir, çünkü hem (bütün göksel cisimler gibi) onu yaratan AB.ZU'dur, hem de o aslında "tanrısal gezegen"dir. Dolayısıyla, Babillilerin "bir gün AB.ZU'dan çıkıp gelecek" dedikleri Marduk'la ilgili kozmolojik şifre çözülemeyince, Mezopotamya'nın "kutsal gezegen"i, Essene/Hıristiyan anlayışında "denizden çıkan canavar" haline geliverir.

Bu noktada, "deniz", "derin sular" ve "kaos" anlamlarını içeren, Mezopotamya'dan ithal edilmiş terimlerin Judaizm ve erken Hıristiyanlıkta kafa karıştırıcı biçimde paralel kullanımlarına dikkat çekmekte yarar olabilir. Enuma Eliş'te, bütün evrenin yaratıcısı AB.ZU, eril bir karakter olarak "her şeyin başlangıcını" simgelemektedir:

"Apsu, kişileştirilmiş büyük 'Okyanus'tur –her şeyi kaplayan 'Derinler'. Apsu'yla ilişkilendirilmiş biçimde, bir de Tiamat vardır. Tiamat, Genesis'in açılış bölümünün ikinci

---

[289]Edward Carpenter, a.g.e.

ayetinde sözü edilen, İbranice 'Tehom' kavramının karşılığıdır ve tıpkı Apsu gibi 'sulu derinler'in kişileştirilmiş halidir."[290]

Bu anlamda, Enuma Eliş'te evrenin oluşumu tanımlanırken her şeyin başlangıcı olan "Derinler"in, yani Abzu'nun, bir başka "Sulu Derinler"le, yani tuzlu suların temsilcisi Tiamat'la sularını birleştirmesinden söz edilir. Evren, görkemli yapının içindeki kaostan, radikal bir müdahaleyle çıkılması sonrasında dengesine ve ilahi formuna ulaşacaktır ki, burada kaosun yaratıcısı Tiamat, yeniden düzenin kurulmasının simgesi de göklerin uzak bir köşesinden çıkıp gelen Marduk'tur. İbrani kültürünün bütün bu kavramları, oldukça karmaşık bir yapı içinde ithal ettiğini ve uyarladığını biliyoruz. Babil mitlerinde kaosa neden olan "canavar" olarak gösterilen Tiamat, Eski Ahit'te de değişik biçimlerde karşımıza çıkar:

"Rahab, 'Leviathan' ve kıyamet gününün 'Canavar'ı, Tiamat'ı üreten düşünce dizisine aittir. Bütün bu canavarlar, büyük Tanrıların kontrolü ele geçirip göklerdeki ve yeryüzündeki düzeni yeniden oluşturmadan önce var olan kaotik koşulların resmini çizmek için yapılmış popüler bir girişimi temsil ederler."[291]

Bir başka deyişle, Genesis'te, "her şeyin başlangıcı" sırasında, Tanrı'nın ruhunun üzerinde yansıdığı "sular" da "Tehom", yani Tiamat'tır, Yuhanna'nın sözünü ettiği "denizden çıkan canavar" da. Ancak Vahiy'de paradoksal biçimde Tiamat, yani "canavar", göklerin uzağından gelen Marduk'la iç içe geçerken, Babil metinlerinde Tiamat'ı parçalayarak evrensel düzeni sağlayan Marduk'un yerini de Yahve ve İsa almıştır. Bir başka deyişle, Babil mitlerinde canavarı öldürüp evrensel düzeni sağlayan "göksel tanrı", Yuhanna'nın Vahyi'nde canavarın ta kendisi haline gelir!

Metnin 17. bölümünde, canavarın sırtına oturmuş bir de kadından söz eder Yuhanna. Bu kadın, "kutsalların kanıyla" sarhoş olan bir fahişedir:

[290]Morris Jastrow, "The Religion of Babylonia and Assyria", s. 411
[291]Morris Jastrow, a.g.e.

"Yedi tası olan yedi melekten biri gelip benimle konuştu. 'Gel' dedi. 'Engin suların kenarında oturmuş büyük fahişenin çarptırıldığı cezayı sana göstereyim. Dünyanın kralları onunla cinsel ahlaksızlığa düştüler. Yeryüzünde yaşayanlar, onun ahlâksızlığının şarabıyla sarhoş oldular.' Bundan sonra melek beni Ruh'un yönetiminde çöle götürdü. Orada yedi başlı, on boynuzlu ve üzeri küfür niteliğinde adlarla kaplı kırmızı bir canavarın üstünde oturan bir kadın gördüm. Kadın mor ve kırmızı giysilere bürünmüş, altın, değerli taş ve incilerle süslenmişti. Elinde iğrenç şeylerle ve cinsel ahlaksızlığının çirkeflikleriyle dolu altın bir kâse vardı. Alnına şu esrarengiz ad yazılmıştı: BÜYÜK BABİL, DÜNYA FAHİŞELERİNİN VE İĞRENÇLİKLERİNİN ANASI." (Vahiy 17: 1-5)

Babil'de üst rahipler sınıfının, yani toplumun ruhbani liderlerinin mor cübbe giydikleri yakından bilindiğinden ve Eski Ahit'te de buna gönderme yapılan satırlara rastlandığından dolayı "renk kodu" başlı başına son derece belirgin bir ipucudur zaten. Ama metinde, söz fazla döndürülüp dolaştırılmadan, "engin suların kenarındaki" fahişenin kimliği de simgeselliğe başvurmaksızın açık açık belirtilir: Bu kan içici kadın Babil'dir ve elbette üzerine bindiği, onu taşıyan canavar da Babil'in büyük ve kudretli tanrısı Marduk'tur. Renk kodu burada da açıkça "kırmızı canavar" ifadesinde kullanılıyor. Mezopotamya metinlerinde Nibiru/Marduk'un göklerdeki kızıllığından söz edilmesi, metinler ilk kez gün ışığına çıktığında, kimi bilim adamlarının onu "kızıl gezegen" olarak da nitelenen Mars'la karıştırmasına yol açmıştı.

Metnin 13. bölümünde, canavarın numarası 666 olarak verilmiştir, çünkü Babil altmışlı sistemi içinde yörünge süresi olan 3661'i simgeleyen Marduk'un "üç dikey çizgi" amblemi, bütünüyle yanlış yorumlanmıştır. Diğer yandan üç dikey çizgi, Yeni Ahit'in yazıldığı Yunan alfabesinin sayı sisteminde ve dönemin popüler Roma rakamlarında (tıpkı Babil'in "konumsuz sayılama" sisteminde olduğu gibi) 3 değerini verir ki, bu da doğrudan doğruya Hıristiyanlıkta "üçleme" (teslis – trinity) anlamına gelen kutsal rakamdır. Bu karmaşık görüntü içinde Marduk "Şeytan'ın uşağı" olarak 666 rakamını alırken, aynı sistemin Yunan ve Roma alfabelerindeki karşılığıyla 3, yani Baba-Oğul-Kutsal Ruh, canavarı yenilgiye uğratacaklardır.

Hem 13 hem de 17. bölümlerde ısrarla, "yedi başlı ve on boynuzlu" olduğundan söz edilir bu canavarın. Ardından da melek, "yedi başın, kadının üzerinde oturduğu yedi dağ ve aynı zamanda yedi kral" olduğunu açıklar. Diğer yandan, 13. bölümde bu yedi baş üzerinde "yaratığın küfürlü adı"nın yazılı olduğu vurgulanır. Nedir bu "küfür adı" ve nasıl "yedi baş üzerine" yazılır? Marduk'un İbranice'si olan "Merodak" adı, Yeni Ahit'in kaleme alındığı Yunanca'da 7 harfle yazıldığına göre, gerçek "şifre"nin bu olduğunu düşünmek son derece makul olacaktır. Aynı biçimde, "yedi başın üzerindeki on boynuz" şifresinde gizli 10 rakamı da "Tanrılar Listesi"nde Marduk'un sayısıdır. (Ayrıca Marduk, Anu ve Enlil gibi üst düzey Tanrılar, başlarında 10 çift boynuzla betimlenir.) Yuhanna'nın, "bu iş bilgelik gerektirir" demesine şaşmamalı. Canavarın kimliğini hileli ipuçlarıyla saklama konusunda oldukça başarılı bir şifreleme yöntemidir bu ve eskiçağ kültürlerini ve Babil'i biraz tanımayı gerektirir.

Geriye garip bir ayrıntı kalıyor: "Bu sayı, aynı zamanda bir insanın da numarasıdır." Yine "numara" yerine doğrudan doğruya Marduk'un adını koyarak devam edelim. Marduk sözcüğünü içeren bir ad olabilir mi bu?

Babil sürgününün sonlarına doğru, Yahudilerin esirliği devam ederken, "zalim kral" Nabukadnezar ölmüş ve yerine genç oğlu Amel-Marduk (İbranice'de Evil-Merodak) geçmişti. Belki tahta çıkışının verdiği heyecanla, belki de tutsaklar arasında hem yaşının hem de sosyal statüsünün kendisine benzemesi dolayısıyla, Yehoyakin'le oldukça iyi bir dostluk kurmuştu genç kral. Yehoyakin'i, henüz sekiz yaşındayken tahta çıkan ve üç aylık taht süresi içinde "RABBİN gözünde kötü olanı yapan" çocuk kral olarak anımsıyoruz. Elbette artık yaşı büyümüş, olgun bir adam olmuştur Yehoyakin. Bu arada, Nabukadnezar'ın oğluyla da arkadaş olmuştur. Bu dostluk o kadar ileri gider ki, Yehoyakin tutsaklıktan kurtulur:

"Ve Yahuda kralı Yehoyakin'in otuz yedinci sürgünlük yılında, on ikinci ayda, ayın yirmi beşinci gününde vaki oldu ki, Babil kralı Evil-Merodak, krallığının birinci yılında Yahuda kralı Yehoyakin'in başını yükseltti ve onu hapishaneden çıkarttı; ve ona iyi şeyler söyledi; ve onun tahtını Babil'de kendisiyle beraber olan kralların tahtından yukarı koydu, ve onun hapishane esvabını değiştirdi." (Yeremya 52:31-33)

Yeremya peygamberin kitabı, Yehoyakin'in apansız Evil-Merodak tarafından serbest bırakılışı ve ona hediyeler verilişini anlatan bu ayetlerle sona eriyor. Daha fazla açıklama yok. Nabukadnezar'ın oğlunun, Yahudi tutsakların kralına bu derece iyi davranmasının altında yatan nedeni anlayamıyoruz. Yeremya'nın satırları da, sanki "kesintiye uğramış" gibi, aniden yarım kalıyor. Dikkatli okunmadığı taktirde, gözden kaçabilecek bir ayrıntı.

İşin aslı, Eski ve Yeni Ahit'in ayetleri arasında biraz iz sürdükten sonra, yavaş yavaş ortaya çıkmaya başlıyor: Yeremya'nın kitabının 36. bölümünde, Yehoyakin'in babası Yehoyakim'in, Davut'un kral soyağacından bütünüyle çıkarıldığını belirten bir ifade var:

"Bundan dolayı Yahuda kralı Yehoyakim için RAB şöyle diyor: Davut tahtı üzerinde oturan kimsesi olmayacak; ve onun leşi gündüzün sıcağına ve gecenin ayazına atılacak." (Yeremya 36:30)

Belli ki, "günahkârlığı" nedeniyle Yehoyakim'in soyu, Davut'un soyağacından tümüyle soyutlanmıştır. Onun Nabukadnezar tarafından esir edilmesinden sonra, tahta sekiz yaşındaki oğlu Yehoyakin'in çıktığını biliyoruz. Demek ki, Tanrı'nın emri yerine getirilmemiş ve kraliyet Yehoyakim ailesinden alınamamıştır. Bu durumda, Babil sürgünü, onaylamadığı bir kralı tahta çıkaran Yahuda'ya Tanrı'nın verdiği bir cezadır. Ancak sürgün sonrasında krallık yine aynı soydan, Yehoyakin'in oğlu Şaltiyel'den devam etmiştir. Eğer Yehoyakim'in Davut soyunun devamı olarak krallığı sürdürecek bir soyu olmasını Tanrı istemediyse, sürgün dönüşü aynı soyağacından devam eden krallık da Tanrı'nın isteklerine aykırıdır. Böylece, İsa'dan önce altıncı yüzyıldan itibaren tahta çıkan Yahudi krallarının hiçbirinin meşruluğu kalmamaktadır. Yahuda din adamları, çözümü "Tanrı'nın Yehoyakim'e verdiği cezayı affettiğini" belirten düzeltmeler yapmakta bulur ve durumu kurtarırlar. Ancak Essene ve Hıristiyan hareketi, daha katı davranır bu konuda: Matta'nın İncil'inin ilk ayetlerinde İsa'nın soyağacı verilirken, Yehoyakim'in adı anılmaz, Yehoyakin'den ise "Yekonya" adıyla söz edilir. Böylece, "Davut'un kanından gelen son kral" unvanını da taşıyan İsa, Yehoyakim'in gölgesinden uzaklaştırılmaktadır.

Ancak, sorunlar burada da bitmez. Yekonya, Yehoyakin'in ta kendisidir, üstelik her nasıl olduysa daha sekiz yaşındayken "RABBİN gözünde kötü olanı" yapmayı başarmış bir kraldır. Daha da kötüsü, Evil-Merodak ile yıllar sonraki dostluğuyla ilişkili olarak ortaya çıkar: Yeremya'nın kitabında kısaca geçiştirilen serbest bırakılma sırasında, bir de "özel" hediye verilmiştir Yehoyakin'e. Bu, Babil geleneğine uygun, yılan biçiminde bir tahttır ve Yeremya'nın deyişiyle "tahtını bütün diğer krallardan yükseğe koyması", aslında ona farklı bir tahtın, bir "ritüel objesi"nin hediye edilmesidir. Bazı fanatik dini gruplara göre bu aslında, Evil-Merodak'ın Yehoyakin'e kendi inançlarını ve Babil'in gizem sistemini sunmasının simgesidir. Günahkâr babanın oğlu, bu hediyeyi kabul etmiş ve "sapkın inançları", serbest bırakıldıktan sonra Kudüs'e de beraberinde getirmiştir. Bir başka deyişle, Evil-Merodak'ın "Yılan Tahtı" kutsal kente sokulmuştur. Yılan, hem Babil sisteminin hem de kötülüğün temsilcisidir; dolayısıyla Mesih öğretisini savunan Hıristiyanlık şafağındaki fundementalist gruplar, bu iki simgeyi "Mesih Karşıtı" (Anti-Christ / Deccal) imgesiyle paralel değerlendirirler. Sonuçta, Yehoyakin hediyeyi kabul ettiği için "hain"dir, Evil-Merodak ise, adını taşıdığı Tanrı gibi, "Mesih Karşıtı".

Şimdi, Essenelerden itibaren ilk Hıristiyanların düşünce biçimlerinden yola çıkarak, bilmecenin son parçasını da doğrulayabiliriz: "Bu aynı zamanda bir insanın da numarası (adı)"dır; yani, Yehoyakin'i "yoldan çıkaran" Evil-Merodak'ın adı.

Luka'nın İncil'inde, dağda İsa'yı "deneyen" Şeytan, ona kendi tahtını teklif eder: Yani, tıpkı Evil-Merodak'ın Yehoyakin'e verdiği gibi, yılan simgeli tahtını. Mesih elbette onu reddedecektir; çünkü o Davut'un soyundan gelmekle birlikte "bakireden Kutsal Ruh aracılığıyla" doğmuş ve Yehoyakim–Yehoyakin soyundan bağlarını koparmıştır.

Şimdi, buraya kadar anlattıklarımızı alt alta yazıp toplayarak, Yuhanna'nın Vahyi'ndeki bilmeceyi bir kez daha gözden geçirelim:

1. Denizden çıkan yaratık: Babil/Sümer kozmolojisine göre bu deniz, "ilksel deniz", yani "uzay" anlamına gelen AB.ZU'dur ve bütünüyle bir yorum hatası sonucu metinde gerçek deniz olarak ele alınmıştır. Dahası, İbraniceye "Tehom" olarak giren, Enuma Eliş'in "canavarı" Tiamat da aslında "tuzlu suları" temsil eder.
2. Yedi başında yazılı küfür adı: Yunan alfabesiyle yazıldığında, Babil'in tanrısı Merodak'ın (Marduk) adı, yedi harflidir. Diğer yandan 7, sürekli olarak Marduk'la ilişkilendirilen bir rakamdır ("Marduk'un Göklerdeki 7 İstasyonu" gibi.)
3. Başların üzerindeki on boynuz: 10, Mezopotamya panteon listesinde Marduk'un sayısıdır. Diğer yandan, Mezopotamya'nın kudretli tanrıları (sözgelimi Anu ve Enlil) başlarının üzerinde yer alan on çift boynuzla betimlenir.
4. Adını simgeleyen sayı 666: Bu sayı aslında, Marduk'un yörünge süresini simgeleyen 3661'dir ve çivi yazısı simgelere gizlenmiş bu rakamın, altmışlı sistemin yanlış yorumlanması sonucu, 666 olduğu düşünülmüştür.
5. Bu konu bilgelik ister: Bilmeceyi çözmek için Mezopotamya kozmolojisini bilmek ve Babil'in tanrısı Marduk'u tanımak gerekir. Diğer yandan Marduk, Enki'nin oğludur ve Mezopotamya düşüncesinde Ea/Enki, "Derin Bilgelik" tanrısıdır.

6. Bu, bir insanın da adıdır: Yehoyakin'i "Mesih Karşıtı"nın simgesi yılanlı tahtla kandıran, Nabukadnezar'ın oğlu Evil-Merodak'ın adıdır.

Görüldüğü gibi, Yahudi kültürünün ezeli düşmanı ve kötülüğün simgesi Babil, en eski Hıristiyan metnine de damgasını vurmuş; Babil'in en büyük tanrısı Marduk, Hıristiyanlar için "Günlerin Sonu"nda ortaya çıkacak "Mesih Karşıtı"na dönmüştür! Tıpkı, Nietzsche'nin dediği gibi:

"Boyunduruk altına alınanlar, hangi içgüdüyle tanrılarını 'kendi başına iyi' durumuna indirmişlerse, aynı içgüdüyle, kendilerini boyunduruk altına alanların tanrılarının da iyi niyetini silip alırlar; efendilerinden, onların tanrısını *şeytanlaştırarak* öç alırlar."[292]

Zecharia Sitchin'e göre de 666 sayısı bir biçimde "Göksel Efendi'nin yeniden Göksel Savaş alanındaki ilk konumuna, yani yaratılış sırasında bulunduğu yere" gelişiyle ilişkilidir ve Anunnakilerin gizli sayısı (600), Anu'nun kutsal rakamı (60) ve İşkur/Adad'ın sayısının (6) toplamıdır.[293] Ancak Sitchin bu çözümlemeyi yaparken fundementalist bir İbrani din adamı gibi değil, Mezopotamyalı bir rahip gibi düşünmekte ve bileşenlerine ayırdığı bu rakamın kutsallığı üzerinden sonuca gitmektedir. Oysa Yeni Ahit'in sonuna eklenen Vahiyler'deki betimleme, kutsallığın ve tanrısallığın geri dönüşünün simgesi olarak bakmaz 666'ya; bu rakam, "Mesih Karşıtı"nın, "Deccal"in simgesidir. Geleceği, ortaya çıkacağı kesindir; ama kesinlikle "gerçek tanrı" değil, onun düşmanıdır. Yok edilişi de tanrı eliyle hem göklerde hem yeryüzünde gerçekleşecek ve sonrasında "Tanrı'nın Krallığı" geri dönerek yeni bir "Altın Çağ" başlatacaktır. Bu durumda 666 Mezopotamyalı rahiplerin kutsal rakamları çerçevesinde açıklandığında bir yönüyle eksik kalır Sitchin'in çözümlemesinde: Niçin bu sayı Tanrı'yı değil de, onun düşmanını simgelemektedir? Niçin hemen ardından Tan-

[292] Friedrich Nietzsche, "Deccal", s. 26
[293] Zecharia Sitchin, "The Cosmic Code", s. 171

rı'nın da geleceği ve bu "kandıran canavar"ı yeneceği anlatıl-
maktadır?

Bütün bu karmaşanın yanıtı, garip bir paradoksun içinde
gizlidir aslında. Marduk'un geri döneceği kesindir ve onu sim-
geleyen rakamların en büyüğü (aslında 3661 olan 666) de bir bi-
çimde bu geri dönüşle ilişkilidir. Esseneli düşünürler (ve son-
rasında ilk Hıristiyanlar) belli ki bu "kötü haber"i, ilginç bir fi-
kir yürütmeyle "Müjdeli Haber"e (İncil) bağlamak istemişlerdir:
"Kötü Babil'in Tanrısı geri dönecek, ama bizim Tanrımız da
aynı anda geri dönecek ve göklerde nihai büyük savaş yaşana-
cak." Hıristiyanlığın paradoksu, "Mesih Karşıtı" olarak nitele-
nenle, geri dönecek Mesih'in aslında aynı göksel varlık, yani
Onuncu Gezegen Nibiru/Marduk olmasında gizlidir, ilginç bir
biçimde. Teslisi vurgulayan çözümleme (Baba–Oğul–Kutsal
Ruh) bile bütünüyle Mezopotamya düşüncesiyle (Anunnaki–
Anu–Marduk) ilişkili olduğu gibi, gezegenin yörüngesini şifreli
olarak vurgulayan ve üç dikey "çivi" ile gösterilen sayı da bir
yanıyla "Mesih Karşıtı"nın 666'sı olarak yorumlanırken, diğer
yanıyla da Roma rakamlarıyla kutsal 3 sayısına, yani "Tanrı'nın
Krallığı"na bağlanmaktadır. Bir başka deyişle yalnızca eskiçağ
"pagan" toplumları değil, "semavi" olarak adlandırılan dinler de
binlerce yıldır aynı gezegeni "En Yüce Tanrı" olarak görmek-
tedirler. Hıristiyan düşüncesinde ortaya çıkan ilginç ve şaşırtıcı
"diyalektik", bu gezegende hem Tanrı'yı hem de Mesih Kar-
şıtı'nı görmesi ve farkında bile olmadan "karşıtların birliği"ne
dikkat çekmesidir!

Simgelerde gizlenen Marduk

Son olarak belki akıllara bir soru takılabilir: Madem Mar-
duk'un yörünge süresi olan 3661'in altmışlı sistemdeki yazılışı
üç dikey çizgi biçimindedir, o halde bunun örneklerine Babil'de
rastlanmış olması gerekmez mi? Yani kabaca şuna benzer bir
şeyden söz ediyoruz:

Elbette böyle bir simgeye rastlamamız gerekir ve zaten elimizde bunun örnekleri bol miktarda vardır. İşin aslı, Sümer ve Babil'in ünlü "Şar"ı, çivi yazısı ideogram halinde başlı başına bu üç dikey çizginin "şifrelenmiş" biçimini simgeler:

Bu ideogram, hem ilahi 3600 (60^2) sayısı olarak Şar'ı gösterir; hem de fonogram olarak Şar hecesini verir. Doğal olarak, tanrı Marduk'la birinci dereceden ilişkili bu sözcük ve işareti, Nibiru/Marduk'un yörünge süresi olan 3661'i de hem "yuvarlamakta", hem de yalnızca inisiye olanların bilip anlayacağı biçimde kodlamaktadır. Bir başka ilginç örneğe daha göz atalım:

Burada, yan yana kullanılmış iki ayrı simge görüyoruz. Soldaki, önceki bölümlerde sıkça sözünü ettiğimiz; Gök Tanrısı An (Babil'de Anu) için kullanılan, aynı zamanda Sümer dilinde "Tanrı" anlamına gelen DİN.GİR sözcüğünü belirten çivi yazısı işaretidir. Tek başına kullanıldığında An ya da "gökyüzü" anlamlarına gelen bu sözcük, bir tanrı adının yanına yazıldığında da, kendisinden sonra gelen simgenin "ilahi" bir isim olduğunu belirtir. Sümer dilinde "gökyüzü", Gök Tanrısı An ile aynı fonetik değeri taşır; Sami dilindeyse bu simge Gök Tanrısı için kullanıldığında Anu, gökyüzü anlamında kullanıldığındaysa "Şamû" fonetik değerlerini alır. Yukarıdaki Akatça örnekte yer alan kelimenin okunuşuysa "Şamû-u"dur ve yine "gökyüzü" anlamına gelmektedir.[294] Ancak biraz özel bir sözcük olmalıdır ki, yalnızca Anu işaretiyle yetinilmemiş, yanına bir işaret daha yerleşmiştir: Bizim ünlü "üç dikey çizgi"mizdir bu işaret. Dilbilimciler, Akatça kurallarına göre bu işaretin "u" sesini vermek üzere "fonetik tamamlayıcı" olarak kullanıldığını belirtmektedirler. Simgenin her iki yanında yer alan ikişer çentikse,

Nibiru/Marduk'un dört uydusunu akla getirmektedir. Belli ki, "Şamû-u" sözcüğü, biraz "farklı" bir gökyüzünü kast etmektedir. Belki de, içinde Marduk'un da yer aldığı bir gökyüzünü. Çivi yazısı rakamlarla Marduk'un 3661 yıllık yörüngesini simgeleyen "üç dikey çizgi" işaretinin oldukça çarpıcı bir başka kullanımı da, kimi Akatça tabletlerde karşımıza çıkıyor. Uzmanlara göre bu kullanım, doğrudan doğruya Babil rahiplerinin "şifreli sayı sistemi"yle ilişkili:

"Sus yazmanlarında sık görülen –örneğin orta Elâmlıların yazınsal metinlerinde gördüğümüz– bir kullanım da, Akatça'da şar (ya da şarru) diye okunan 'kral' sözcüğünün resim-yazı imi olarak '3; 20' birleşiminin kullanımıydı."[295]

Georges Ifrah'nın sözünü ettiği yazım sistemi, Akat ve Elâm yazmanlarının kimi metinlerde çok önemli kilit sözcüklerin anlamını şifreli gösterimlerle saklamalarına, oldukça güzel bir örnek oluşturuyor. Bu, tam da bizim üzerinde olduğumuz izle ilgili. Aşağı yukarı İsa'dan önce 12. yüzyıldan kalma, tuğla üzerine bir yazıttan söz ediyor Ifrah. Bu yazıt, Sus kenti kralı Şuşinak-Şar-İlani dönemine ait ve kralın adı içinde yer alan "Şar" sözcüğü yerine metinde sayısal bir değer kullanılıyor. Ifrah'nın "3; 20" olarak adlandırdığı bu sayısal simgenin, yazıt içinde tam olarak nasıl kullanıldığına yakından bakalım şimdi:

ŞUŞİNAK - ||| ‹‹ - İLANİ ||| ‹‹ SUSİ

Bu ifadenin anlamı, "Şuşinak-Şar-İlani, Sus Kralı". Ancak "kral" anlamı veren ve aynı zamanda "kutsal" bir döngüyle ilişkili olduğunu artık yakından bildiğimiz "Şar" sözcüğü yerine, Ifrah'nın "3; 20" olarak tanımladığı bir sayısal ifade kullanılmış. Bilim adamları, rakamsal değer "Şar" sözcüğünün yerini aldığı için bu sayının 3600'e eşitlenecek bir bilmece olduğunu düşünmüşler, ama işin içinden çıkamamışlar bir türlü. Çünkü 3 ve 20

[295]Georges Ifrah, "Rakamların Evrensel Tarihi – II", s. 199

değerlerini, Babil basamaklı yazım ilkelerine göre değerlendirmeye çalışmışlar ilkin ve bu durumda söz konusu değer (3 x 60) + 20, yani 200'e eşitlenmiş. 3 ve 20 sayılarını çarptıklarındaysa, 60 elde etmişler ki yine sorun çözümlenmemiş. Georges Ifrah, bilmecenin içinden çıkmanın güç olduğunu belirtmekle birlikte, verileri biraz zorlayarak farklı bir çözüm öneriyor: "Sus Kralı" ifadesinde yer alan "3; 20" için 60 değerini öngörüyor ilkin; sonra da, "Susi" sözcüğünün okunuşunu "Şuşi" olarak değiştirmeyi öneriyor. Bu durumda, Akatça'da 60 değeri için kullanılan sözcüklerden biri olan "Şuşi" yerine de 60 yazıyoruz ve ifadenin bir çarpımı gösterdiğini varsayıyoruz. Böylece, "Sus Kralı" ifadesi "60 x 60", yani 3600 haline geliyor. Ancak bu açıklamanın birlikte getirdiği sorunlar çok fazla: İlkin, yan yana kullanılan iki rakamın, yani 3 ve 20'nin bir çarpımı ifade ettiğini varsayıyorsunuz. Ardından, "Sus kenti" anlamına gelen "Susi" sözcüğünü, 60 rakamını ifade eden seslerden biri olan "Şuşi"ye benzetmek için deforme ediyorsunuz. Son olarak da, yine iki 60 arasında bir çarpım öngörüyorsunuz. Şartları çok fazla zorlamasına rağmen, ifadenin "Sus Kralı" bölümüyle ilgili bu açıklamayı kabul etsek bile, "Şuşinak-Şar-İlani"deki "3; 20"yi ne yapacağız? Bu kez de kralın adındaki son heceyi ("nak") atıp "Şuşi"yi 60 değeriyle mi ele almak gerekecek? Bütün bunlar, sorunu Sus kenti ve Kral Şuşinak'la sınırlı tuttuğunuzda, zorlama ve yapay çözümlere ulaşmanıza yardımcı olabilir. Ne var ki Şar yerine "3; 20" yazma alışkanlığının örneklerine, Ifrah'nın da belirttiği gibi, daha birçok Asur ve Babil kentinde rastlarız. Hatta Ifrah, işleri daha da karıştıracak biçimde bazı yazmanların yine Şar anlamı vermek üzere "3; 30" sayısal değerini kullandıklarından söz ediyor.

Çözüm aslında oldukça basit: "Şar" yerine kullanılan ifadelerden soldakinin 3 olduğu fikrinden vazgeçtiğinizde, her şey yerli yerine oturuyor. Bu rakam 3 falan değil, doğrudan doğruya onuncu gezegen Nibiru/Marduk'un yörünge süresini basamaklı konumlamaya göre veren 3661 rakamıdır. Simgeye bir kez daha yakından bakalım:

Burada gerçekten de birbirinden ayrı iki rakam var ama bunlar 3 ve 20 değil; 3661 ve 20. Soldakinin, yani 3661'in ne olduğunu biliyoruz; bu, "Şar" ile eşdeğer düşünülen, "tanrıların gezegeni"nin güneş çevresindeki dönüş süresi. Sağdaki 20 rakamıyla ilgili, "tamamlayıcı" nitelikte ne söylenebilir peki? Bir kralın yönetim süresiyle ilgili tahmini bir değer midir? Yoksa Güneş Tanrısı Şamaş'ın sayısı olan 20, kralla birlikte mi düşünülmüştür? Ben bu değerin, Nibiru/Marduk'un 3661 yıllık yörünge süresi içinde, dünyaya yakın geçtiği, izlenebildiği ve yeryüzü üzerinde etkide bulunduğu 20 yıllık bir dönemi simgelemiş olabileceğini düşünüyorum. Kuyrukluyıldız benzeri yörüngeye sahip gök cisimleri, güneşe yaklaştıkça çok hızlanır, uzaklaştıkça da yavaşlarlar. Bu nedenle, 3661 yıllık yörüngesi içinde Nibiru/Marduk en hızlı hareketini güneşe (dolayısıyla dünyaya) yakın geçtiği evrede yapacak, gözden kaybolmaya başladıktan sonra da yavaşlayarak uzaklaşmaya devam edecektir. 20 yıllık sürenin bu anlamda oldukça makul olduğunu söyleyebiliriz. Gezegen dünyadan fark edilir hale geldikten sonra etkileri de hissedilmeye başlayacak ve bu dönem, 20 yıl kadar sürecektir bu varsayıma göre. Gözden kaybolmaya başladığında, etkileri de ortadan kalkmış olacaktır. Burada ele aldığımız kronolojik yaklaşım açısından da bu 20 yıllık süre oldukça uygundur. Gezegenin son geçişini İ.Ö. 1650 dolaylarında yaptığını söylemiştik. Afetlerin finalinin de, bilim adamlarının İ.Ö. 1628'de gerçekleştiğini düşündükleri Thera'nın son patlaması olduğunu belirtmiştik. Bu durumda, 1628'den 20 yıl geriye gittiğimizde, İ.Ö. 1648 tarihine ulaşırız ki, bu da kitap boyunca öne sürdüğümüz, Onuncu Gezegen'in son yörünge geçişinin İ.Ö. 1649'da gerçekleştiği teziyle neredeyse bütünüyle uyumludur. Ancak yine de bunun spekülatif bir varsayım olduğunu unutmamak gerek. Bu durumda, kimi kentlerde karşımıza çıkan

"3; 30" ifadesini de benzer biçimde, "gezegenin dünyaya yakın geçtiği 30 yıl" olarak değerlendirmemiz gerekir ki, işler biraz karışır.

Elbette çok daha basit, çok daha düz bir çözüm de mümkündür burada: Rakamların yalnızca tanrı adlarını simgelediğini varsaymak. Bu durumda, "3", yani 3661, Marduk ile ilişkilendirilirken, birinci örnekteki 20 sayısının da Şamaş'ı vurguladığı söylenebilir. Böylece kral anlamına gelen kutsal Şar sözcüğü, Onuncu Gezegen ve Güneş'in göksel egemenliği fikrini içinde barındıran bir şifreye dönüşür. Benzeri biçimde, Ay tanrısı Sin kültünün yaygın olduğu kentlerde de yazmanlar bu ifadeyi "3; 30", yani "3661 ve 30" biçiminde kullanarak Marduk'un gökyüzündeki "iktidar ortağı"nın Sin, yani Ay olduğunu ima etmiş olabilirler. Çözüm ne olursa olsun, bir tek şey çok açıktır: "Üç dikey çizgi" simgesi 3 değil, konumlu sayılama sistemine göre 3661 rakamını, yani Onuncu Gezegen'in yörünge süresini gösteren bir astronomik şifredir.

Şar sözcüğünün rakamlara gizlenmiş bu şifreli anlatımı, yine kitabın başından bu yana sık sık yinelediğimiz, rahiplerin bilgiyi "perdelemeleri" ve yalnızca "inisiye"olanların anlayacağı hale getirmeleri geleneğinin de çok tipik örneklerinden biridir. Bu durum, Babil'deki büyük Marduk Tapınağı'nın ve Babil Kulesi'nin ölçülerini veren ünlü *Esagila* tabletinde, bizzat rahipler tarafından ifşa edilir. Tableti yorumlayan G. Contenan şöyle diyor:

"Yorumlanması zor olan bu metin, avluların, terasların boyutlarının ölçümü gibi önemsiz bir görünümle ortaya çıkar. Okunan şeyle hiç ilgisi yokmuş gibi görünen bir yan konu hakkındaki rakamlar dizisidir; oysa yazman, sergilemesi sırasında sözünü yarıda bırakıp sırrı bilenlere yönelik metinlerde sık sık görülen şu ifadeyi araya sıkıştırır:

Bu metnin açıklamasını bilen, yola yeni girene yapsın
Yola girmeyense, onu görmesin!

Her zaman oldukça kuru olan metinlerin verdiği bilginin yanı sıra, ustanın öğrenciye aktardığı sözlü bilginin oynadığı rol üzerinde durmanın yeri burası değil; biz yalnızca, en sıradan görünüşlü yazılarda akla bile gelmeyecek bir içreklik gizlendiğini anımsatmak istiyoruz."[296]

Sözü edilen durum, Mezopotamya'ya özgü değildir elbette. Mısır'da, Hint'te, Minos'ta, Orta Amerika'da da "kutsal metinlerin dokunulmazlığı"nın ve "tapınak gizleri"nin aynı biçimde sıradan insanlardan korunduğunun örneklerine rastlarız. Bu, aslında astronomiye ve doğa bilimlerine ait "gizli" bilgilerin, din ve mitoloji imgeleri kullanılarak perdelenmesiyle kendini belli eden bir okültizmdir ve hâlâ bütün inanç sistemlerinde yaşamaktadır.

Büyü ve okültizmin eskiçağ toplumlarından Rönesans sonrası Avrupa'ya uzanan tarihini kaleme aldığı kitabında Kurt Seligmann da rahiplerin "bilgiyi saklı tutma" eğiliminin son derece eski ve yaygın bir gelenek olduğunun altını çiziyor; dahası, bu gizliliğin altında Babil'den bu yana astronomi bilgeliğinin yattığını vurguluyor:

"[Gezegenlerle ilgili] Bu muammalı imgeler, yalnızca inisiyelerin anlayacağı biçimde Akatça ve Sümercenin eski lehçelerinde, yani 'tanrıların dilinde' ifade edilirdi. Kozmik sırlar halktan saklanırdı, çünkü geleceğe ilişkin bilginin onları umutsuzluğa düşüreceğinden ya da neşelenip günlük işlerini ihmal edeceklerinden kaygı duyulurdu. Yıldızların bilgisine sahip olanlar, kralın danışmanlarından çok daha nüfuz sahibiydi ve yabancı yöneticiler sık sık onlara danışırlardı. Sicilyalı Diodorus (Hıristiyanlık çağının ilk yüzyılı) onların prestijlerine tanıklık eder: 'Çok uzun yıllar boyunca yıldızları gözlemlediklerinden, onların hareketlerini ve etkilerini herkesten çok daha hassas olarak biliyor ve gelecek birçok olayı büyük kesinlikle tahmin edebiliyorlar' der."[297]

$$\Psi$$

Yukarıdaki işaret, okuyucuya oldukça tanıdık gelmiş olmalı. Bu, bir çivi yazısı simge değil; antik Yunan alfabesindeki "Psi"

---

[296]G. Contenan'dan aktaran: Georges Ifrah, a.g.e., s. 199
[297]Kurt Seligmann, "The History of Magic and the Occult", s. 6

harfi. Aynı zamanda da, eskiçağ panteonlarında çok iyi tanınan, Mezopotamya kökenli bir tanrının, EN.Kİ'nin işareti. Derin Suların Tanrısı olarak da bilinen Enki, Yunan Poseidon ve Romalı Neptün'ün de Yakındoğu'daki öncelidir. Üç sivri uçlu zıpkın (trident) neredeyse bütün mitolojilerde bu tanrının çok iyi tanınan simgesidir. Bu işaretle, ilahi 3661'i simgeleyen "üç çentik" arasındaki bağlantıyı kurarken, Mezopotamya panteonunda Enki'nin, Marduk'un babası olduğunu anımsamak, belki sisleri biraz daha dağıtabilir. Diğer yandan belki de Mezopotamya panteonunun kaynağını oluşturan Hint kültüründe de, "yıkım ve yeniden yaratım" süreçlerini denetleyen güçlü tanrıların elinde, düşmanlarının hiçbir biçimde karşı koyamadığı yok edici bir silah olarak, "üç uçlu zıpkın"ın varlığından söz edilir. Aynı silahı, Hitit tanrısı Teşub'un elinde de sık sık görürüz.

Şekil 15: Hitit Fırtına Tanrısı Teşub, elinde "yok edici" silahı "üç yıldırım" ile

Aynı işaretin, yani "üç uçlu zıpkın"ın, Hıristiyan kültüründe de oldukça yaygın bir kullanımı vardır: Neredeyse bütün betimlemelerde bu objeyi, boynuzlu ve keçi sakallı, hain bakışlı Şeytan'ın elinde görürüz. Boynuzlar, eski Mezopotamya ve Mısır simgeciliğinde, Tanrılarla bağlantılı düşünülen simgelerdir; Yuhanna'nın Vahyi'nde aynı göndermenin Marduk'la ilgili olarak "canavarın on çift boynuzu"nda kullanıldığını görmüştük. Benzeri biçimde, Hıristiyan kültüründe Şeytan arketipi hemen

2012: Marduk'la Randevu 553

her zaman kırmızı renkle bağlantılı düşünülür. Resim ve illüstrasyonlarda "kırmızı bir Şeytan" görürüz hep; tıpkı, Marduk'un eski metinlerde anlatılan ve Yuhanna'nın Vahyi'ne de yansıdığını gördüğümüz rengi gibi. Ama en tipik olan, Yunan döneminde Poseidon, Roma döneminde de Neptün'le ilişkilendirilen üç uçlu zıpkının, "666"nın esin kaynağı olan simgeyi çağrıştıracak biçimde Şeytan'ın ellerinde betimlenmesidir. Öyle görünüyor ki, bugün modern toplumda bile varlığını sürdüren Hıristiyanlığın Şeytan prototipi de, tıpkı "Mesih Karşıtı Canavar" gibi, bütünüyle Marduk'un damgasını taşıyor. Görünüşe bakılırsa Babil ve onun tanrısına duyulan nefret, dünyada en uzun yaşayan duygu olmuş.

Rakamlarla dans

Nibiru/Marduk'un yörünge periyodu olan 3661 yıl, gerçekten de oldukça ilginç bir sayıya dikkatimizi çekiyor. Altmışlı matematik içinde bu sayının ne denli ilgiye değer olduğundan söz ettik. Aynı zamanda, 3661 yıl, Maya çağlarının toplam süresi olan 25,627'nin de tam yedide biri olarak karşımıza çıktı. Gizemleri rakamlarla eşleştiren eskiçağ rahip/astronomları için böylesi bağıntıların son derece kritik işleve sahip olduklarını ve "kodlama sistemi"nin merkezinde yer aldıklarını biliyoruz. Nibiru/Marduk'un 7 rakamıyla ilişkisi de bu türden bir şifrelemeyi ortaya çıkarıyor.

Okyanusun diğer yanında 3661, dünya çağları toplamının yedide biridir. Mezopotamya'daysa, tanrısal gezegenin göklerde "7 istasyondan" geçtiği anlatılır. Bunun Orta Amerika'daki gibi bir dünya çağları mantığından çok, 3661 rakamının özelliklerinden kaynaklandığını söylemek mümkün. 3661, yalnızca 7 ile bölünebilir. Böylece, Nibiru/Marduk'un göklerdeki 7 istasyonunu, dünya zamanına göre 523'er yıllık 7 aşama olarak da değerlendirebiliriz. Zecharia Sitchin, "yedi istasyon" kavramına, gezegenin sisteme yaklaşmasından itibaren sırasıyla Pluton, Neptün, Uranüs, Satürn, Jupiter ve Mars'ı geçmesiyle bağlantılı olarak bakmıştı. Ona göre dünyamız, "dışarıdan" başlayan bu yolculuktaki yedinci gezegendi. Elbette bu da mümkün olabilir ama burada şu soruyu sormak gerek: Acaba Sitchin'in sözünü ettiği uzaylı uygarlık, yani Anunnakiler için Pluton bir gezegen miydi? Bugün bizim modern astronomlarımız (her ne kadar geleneksel şemalarda dokuzuncu gezegen olarak belirtilse de) Pluton'un bir gezegen sayılmaması gerektiğini vurguluyorlar.

Diğer yandan, Sümer metinlerinde 7'ye verilen önem, bu rakamın dünya ile bağdaştırılması biçiminde de karşımıza çıkar. Enlil, yani panteonun 50 rakamını taşıyan ve "dünyanın efendisi" unvanına sahip tanrısı, aynı zamanda "7'nin tanrısı" olarak da bilinir. Sitchin aynı mantıktan yola çıkarak, dünyanın dıştan içe doğru yedinci gezegen olduğunu ve bu nedenle söz konusu rakamın Enlil'e verildiğini ileri sürer. Oysa çok daha basit bir açıklama da mümkündür burada: Çıplak gözle görülen 5 gezegen ve uzun aralıklarla dünyaya yaklaşan bir altıncısı, yani Nibiru/Marduk söz konusudur Mezopotamya astronomisinde. Bu durumda, dünya da sistemdeki yedinci gezegendir. Dolayısıyla, 7 gezegenli bir güneş sistemi modelinde en güçlü tanrı Enlil de, dünyaya ait 7 rakamını sahiplenmektedir.

Yedi rakamının belirleyiciliğini ziggurtlarda da görürüz: Bu büyük gözlemevleri, yedi kattan oluşurlar ve her kat bir gezegeni simgeler, o gezegenle ilişkili olduğu düşünülen renge boyanırdı. Ortodoks yaklaşıma göre buradaki 7, çıplak gözle görünen 5 gezegeni ve Güneş ile Ay'ı içermektedir. Ancak çok daha makul görünen çözüm, her katın (Dünya ve Nibiru/Marduk dahil) birer gezegene ayrılmasıdır. Mezopotamya düşüncesinde Güneş ve Ay, evren modeli içindeki güçlü unsurlar olarak görülmekle birlikte, gezegenlerle aynı kategoride ele alınmazlar.

Görüldüğü gibi, 7 rakamının ardında da yine Nibiru/Marduk bize göz kırpar. Hem bu gezegenin varlığıyla hem de onun yörünge süresiyle ilgili olarak yapılan hesaplarda, sık sık 7 rakamıyla karşılaşırız. 3661'in çarpanı haline geldiğinde 7, Maya çağlarının toplamını elde etmemizi sağlar. Bu rakamın böleni olduğunda da (üstelik 3661 için "tek bölen"dir 7), "Marduk'un İstasyonları"nı vurgular. Bu durumda Yaratılış Destanı yedi

tablet üzerine yazılır; dünya da dahil "görülebilen" yedi geze-
gen olduğu için 7 rakamı güneş sistemimizin "uğurlu sayısı"dır;
Enlil panteonda 50 ile birlikte 7'nin de sahibi haline gelir.

Benzeri biçimde, 4 rakamı da kutsal metinlerde sık sık kar-
şımıza çıkar. Çoğunlukla "dört ana yön" ile ilişkilendirilen ve
"kusursuzluk" simgesi olarak yüceltildiği düşünülen bu rakam,
aslında eskiçağ mitlerinde çoğunlukla daha farklı anlamlara da
sahiptir ki bunlardan biri de "yıkım"dır. Hindu mitolojisinde
güçlü tanrı Şiva'nın, evreni yıkıp, yeniden yaratması üzerine
kurulu büyük döngülerin varlığından söz edilir ve bu yıkımları
da, izleyen yeni yaratımları da Şiva, bütün betimlemelerde vur-
gulanan 4 güçlü koluyla yapar. Enuma Eliş'te de 4 rakamının
yıkım ve yaratımla ilişkisinin, Nibiru/Marduk'la bağlantılı
olarak ele alındığını biliyoruz: Dev gezegenin dört uydusu var-
dır ve bunlardan "Tanrı Marduk'un yanındaki 4 yardımcı"
olarak söz edilir Yaratılış Destanı'nda[298]. Tiamat'a çarparak onu
parçalayan da, bu "yardımcı"lardan biridir. Aynı modelin İbrani
düşüncesine de yerleştiğini ve Yahve'nin de 4 "başmeleği"
(Archangel) olduğunu görüyoruz: Mikail, Cebrail, İsrafil ve
Uriel.

Bütün bunlar, Marduk'un yeniden dünyaya yakın geçişi
sırasında yaşanacaklarla ilişkili olduğunu gördüğümüz, Yeni
Ahit'in sonundaki "Yuhanna'nın Vahyi"nde söz konusu
sayıların sık sık yinelenmesini daha anlaşılır hale getiriyor: Gök-
te ortaya çıkan tahtın çevresinde, "4 yaratık" vardır Yuhanna'ya
göre. Kuzu "7 mührü" birer birer açmaya başlar; bu sırada,
düzenli bir sırayla "Mahşerin Dört Atlısı" belirir. Ardından,
bütün mühürler açıldıktan sonra, gökteki 7 melek, belli aralık-
larla 7 borazanı üflemeye başlarlar. Büyük bir deprem olur ve
7 bin insan ölür. Son olarak, 7 meleğin elinde, "Tanrı'nın öf-
kesiyle dolu" 7 altın tas belirir.

---

[298] Aynı zamanda, "Şar" simgesi olan ve "üç uçlu zıpkın"a benzeyen işaret, eğer 45 de-
recelik yatıklığı düzeltilir ve dikey hale getirilirse, Babil sayı sisteminde 4 rakamını sim-
geler. Diğer yandan dikey haliyle bu işaret, Sümer dilinde "ekmek" anlamına gelen
"ninda" sözcüğü için kullanılan bir ideogramdır. Ekmeğin bütün kültürlerde "kutsal" ve
"tanrı armağanı" olarak değerlendirildiğini anımsayalım.

Hıristiyan düşüncesinde 7, tıpkı 4 gibi, "tanrısal kusursuzluğun" simgesidir. Tanrı evreni ve insanı ilk 6 günde yaratmış ve yedinci günde dinlenmiştir. Buna karşılık 6, "eksik"tir; çünkü insanın rakamı olduğu ve insanın zaaflarını, hırslarını, yetersizliğini taşıdığı düşünülür. Bu durumda üç tane 6, yani "666", kimi hıristiyan düşünürlere göre, insanın günahkârlığı yüzünden Mesih Karşıtı'nı simgelemektedir ve "bu sayı insanın sayısıdır" ifadesi de bunu vurgulamaktadır. Yine aynı düşünceye göre, 7 mühür, 7 boru sesi ve 7 altın tas da Tanrı'nın kusursuzluğunun evrene müdahalesidir. Böylece, "3 kez 7", teslise (trinity) uygun biçimde "3 kez 6"yı yenilgiye uğratmaktadır.

666'nın tartışılmaz biçimde Marduk ve Babil'le olan bağlantılı olduğunu, ayrıntılarıyla ele almıştık. İşin ilgi çekici yanı, onun karşıt kutbu olarak görülen 7 rakamının, hatta teslisteki 3'ün bile "Marduk esinli" olmasıdır ("üç dikey çizgi"nin, Latin rakamlarıyla 3 rakamına eşit olduğunu anımsayalım.) Bu, bütün antik dinlerin "üzeri şifrelerle örtülmüş astronomik bilgi" kökenli olduğu yolundaki tezimizi desteklemesi bir yana, "karşıt" olduğu düşünülen inanç sistemlerinde de aynı biçimde Nibiru/Marduk'un belirleyici olduğunu ortaya koyar. Gelmesi beklenen "Mesih" bile, aslında bu gizemli gezegenin ta kendisidir.

8

Marduk'u Beklerken

Eskiçağ kutsal metinleri, farklı kültürlerin kozmolojileri ve mitler arasına yaptığımız yolculuk İbranilerin Mısır'dan çıkışını anlatan Exodus kitabındaki mitlerle başladı. Dünyanın birçok farklı kültürünün inanç ve düşünce sistemlerini evren ve uzayla ilgili bildiklerimizle buluşturmaya çalıştıktan sonra da, oldukça "radikal" bir kronolojiye ulaştık. Dünyanın son 7000 yıllık tarihini yeniden gözden geçirmeyi gerektirecek kadar dramatik olayları içeren bir kronolojidir bu. Şimdi, vardığımız noktadan geriye dönerek bu kritik döneme bir kez daha bakalım:

İ.Ö. 5310   Onuncu Gezegen Nibiru/Marduk yörünge geçişi sırasında, o zamanlar bugün "Asteroid Kuşağı" olarak bildiğimiz yörüngede dönen Venüs'e tehlikeli biçimde yaklaştı ve belki iki gezegenin uydularının çarpışmasını içeren bir "göksel savaş" sonrasında Venüs yörüngesinden çıktı. Göklerde olanlar, erken neolitik yerleşimlerdeki insanlarca dehşet içinde izlendi.

İ.Ö. 3150   Yaklaşık 2200 yıl süren "kaos" boyunca Venüs git gide daralarak dünyamıza yakınlaşan bir yörüngeye oturmaya başladı ve bu arada Merkür'ü de güneşe daha yakın bir konuma iterek onun yerine yerleşti. Yeryüzü üzerinde alışılmışın dışında gelgit etkileri yaratan ve büyük olasılıkla meteorit yağmurlarına da yol açan bu olay sonrasında dünya atmosferinde sıradışı gelişmeler yaşandı; şiddetli yağmurlar ve suların yükselmesi sonucunda alçak düzlükler sular altında kaldı. Bu, bütün mitolojilerde rastlanan "Tufan" efsanelerini doğuracaktı.

İ.Ö. 3113 Venüs'ün yeni yörüngesinde çok daha parlak bir "Sabah Yıldızı" olarak belirmesi, Orta Amerika'da Quetzalcoatl/Kukulkan'ın göklerde yeniden doğuşu olarak yorumlandı. Kökü Olmeklerin de öncesine dayanan Maya takvimi bu tarihi, "son dünya çağının başlangıcı" olarak görecekti. Aynı biçimde, Mısır'da tam bu tarihlerde kurulan krallığın resmi ideolojisinde Venüs, "küllerinden doğan Bennu Kuşu" ve Osiris'in oğlu Horus olarak değerlendirilecekti. İndüs kıyılarındaki Harappa uygarlığının sakinleri, İ.Ö. 3102 yılını "son dünya çağının (kaliyuga) başlangıcı" olarak nitelediler. Britanya'nın yerli halkı, gökyüzündeki değişimi Stonehenge ve diğer megalitik anıtları inşa ederek izlemeye çalıştı.

İ.Ö. 1649 Nibiru/Marduk bir sonraki yörünge geçişinde yine dünyaya tehlikeli biçimde yakınlaştı; çekim etkisiyle uzun süreli yerkabuğu hareketlerini tetikledi. Dünyadaki etkin fay hatlarında bu tarihte şiddetli depremler yaşandı ve yaklaşık 4 yıl sonra, Ege'deki Thera'nın da aralarında bulunduğu volkanlar İ.Ö. 1645 dolaylarında büyük patlamalarla yeryüzünü sarstılar. Etkinliği dört faz halinde süren Thera'nın nihai büyük patlaması yaklaşık İ.Ö. 1628'de gerçekleşti. Belirli aralıklarla Tsunamiler kıyı kentlerini vurdu; bu büyük jeolojik etkinliğin ardından Asya ve Yakındoğu'da kayda değer iklim değişiklikleri ve "Volkanik Kış" belirtileri ortaya çıktı. Bütün bu ürküntü verici görüntüler, İbranilerin Mısır'dan çıkışını anlatan Exodus mitlerine de esin kaynağı olacaktı.

Bu kronoloji, kralların ve imparatorlukların; ülkelerin ve savaşların; halkların ve kahramanların değil, "doğanın tarihi"ni temel alıyor ve bir soruyu da beraberinde getiriyor: Eğer gerçekten Mayaların "bitiş günü" olan 23 Aralık 2012 tarihi, Nibiru/Marduk'un bir dahaki yörünge geçişine dikkat çekiyorsa, neler olmasını beklemeliyiz acaba? Buna yanıt vermek son derece güç. Milyonlarca yıldır gökyüzünde, güneşimiz çevresindeki turlarını sürdüren dev gezegenin son iki geçişinde dünya kültürünü derinden etkileyen olgulara yol açtığını biliyoruz. Büyük bir olasılıkla İ.Ö. 8,971 ve İ.Ö. 12,632 dolaylarına rastlamış olan daha önceki geçişleri de, son buzul çağının finali üzerinde etkili olmuştu. Ama önemli olan, bu kez neler yapacağı. Milyonlarca yıl içinde tamamladığı yüz binlerce tur sırasında, Kuiper Kuşağı'ndaki asteroidlerden başlayarak güneş sistemimizin içlerine dek, yoluna her çıkanı ezip geçen Marduk'un artık herhangi bir "göksel çarpışma"nın kahramanı olmayacağını, çünkü "yolunun temizlendiğini" söyleyebiliriz. Bu nedenle, daha dolaylı (ama yine de oldukça sarsıcı) etkiler yaratacaktır büyük olasılıkla.

Mayalar, 2012 yılında gerçekleşecek "çağ bitişi"nin büyük depremlerle geleceğine inanıyorlardı. Nibiru/Marduk'un tetiklediği jeolojik aktivite düşünüldüğünde, bu akla yakın olasılıklardan biri. Gezegenimize bir başka büyük gök cisminin çarpması gibi tüyler ürpertici bir olasılığı bir yana bırakırsak, geriye iki büyük "kıyamet senaryosu" kalıyor:

Bunların ilki, Marduk gibi büyük bir gök cisminin dünyanın manyetik kutupları ve ekseni üzerinde sarsıcı etkiler yaratması ve sonuçta iklim kuşaklarının ani bir değişime uğraması. Böylesi bir dönüşümün yeryüzündeki yaşamı büyük oranda tehdit edeceği açık: Buzullar hızla eriyecek; kutsal metinlerdeki Tufan'ı anımsatan dehşet verici seller büyük kentleri vuracak ve buna paralel olarak verimli tarım alanlarındaki hızlı çölleşme açlık tehlikesini ortaya çıkaracak. Ne var ki, eğer bu kitapta ortaya koyduğumuz hesaplar doğruysa, Marduk'un bir önceki geçiş tarihi olan İ.Ö. 1649'da oldukça sarsıcı afetler görülmekle birlikte, yeryüzündeki yaşamı ve uygarlığı bütünüyle tehdit edecek denli büyük bir tehlike yaşanmadı. Bunlar üzerine fikir yürütmek spekülasyondan öte bir şey değil şu anda ama yine de bu senaryonun gerçekleşmesi uzak bir olasılık gibi görünüyor.

İkinci varsayım, tıpkı Orta Amerika halklarının geleneğinde taşınan inançta olduğu gibi, tehlikenin "topraktan" gelmesi; yani, büyük depremler, tsunamiler ve belki etkinliğini koruyan yanardağlarda güçlü patlamalar. Her ne kadar ilk senaryo kadar karamsar bir tablo çizmese de, bu varsayımdaki gibi bir afetler zincirinin de dünyayı ciddi biçimde sarsacağını biliyoruz. Ama şunu akıldan çıkarmamakta yarar var: 3650 yıl önce eskiçağ kentlerini yerle bir eden depremlerin bu çağda aynı etkiyi yapmaları söz konusu değil. Artık kerpiç tuğlalarla yapılmış, temelsiz, barakaları andıran evlerde yaşamıyoruz; binalarımız büyük depremlere çok daha dayanıklı. Evet, yine de 7 büyüklüğünü aşan depremler büyük trajedilere yol açıyor ama "dünyanın sonu" nitelemesini hak edecek afetler değil bunlar. Eğer gerçekten 2012 yılında böyle bir olasılıkla karşı karşıya kalacaksak, şu anda binalarımızı sağlamlaştırmak ve kentlerimizde (özellikle de denizlere kıyısı olan kentlerde) altyapıyla ilgili gerekli önlemleri almak için yeterince vaktimiz var demektir. Bütün mesele şu: Bunu becerebilecek miyiz, daha doğrusu buna "niyetli" miyiz? Yoksa birileri "Zaten dünyanın nüfusu da çok artmıştı, ölen ölür, kalan sağlar bizimdir" diye mi düşünüyor? Thomas Robert Malthus'un on dokuzuncu yüzyılın başlarında dikkat çektiği, "nüfus artışıyla bu nüfusu besleyecek kaynakların artışı" arasındaki makasın açılmasının doğal afetlerce dengelenmesi "gizli bir çare" olarak mı görülüyor acaba? Sümer mitlerine göre Enlil, yaklaşan tufanın insanlara haber verilmemesini istemiş, onların bu afetler sırasında ölüp yok olmalarını yeğlemişti. Şimdi de modern dünyanın "Enlilleri", 2012'de yaşanması muhtemel zincirleme depremler, volkan patlamaları ve tsunamilerle nüfusun "dünyanın besleyemeyeceği fazlalığının" yok olmasına göz yummaya mı karar verdiler?

Belki de bundan fazlası söz konusu. Belki de Sitchin ve Däniken haklıydı. Belki de 2012'de yalnızca Nibiru/Marduk değil, gezegenimizi binlerce yıl önce kolonileştiren "Sahipler" de burada olacaklar ve "birileri" bunu da biliyorlar. Belki de bunun için dünyanın yörüngesi ve dış uzay, nükleer silah deposu haline getiriliyor. Belki de...

Kritik geçişin zamanı

Enuma Eliş'ten Piramit Yazıtlarına, Popol Vuh'tan Eski Ahit'e dek dünyanın son yedi bin yılında ortaya çıkan bütün inanç sistemleri ve mitolojilerin merkezinde, Venüs – Marduk kültünün belirleyici etkisini buluyoruz. Astronomların artık "Oralarda bir yerlerde duruyor, her an ortaya çıkabilir" diye baktıkları gizemli Onuncu Gezegen'in yörünge geçişleri, güneş sistemimizin 3661 yılda bir ortaya çıkan "cilvelerinden" biri. Orta Amerika'daki Quetzalcoatl mitlerinden dünyanın her yerinde karşımıza çıkan Tufan efsanelerine; Osiris – Seth savaşından Exodus olgusuna dek her yerde bu ürkütücü (ve aynı zamanda büyüleyici) göksel olgunun esin kaynağını oluşturduğu düşünce ve inançlara rastlıyoruz. Eğer başta Exodus olmak üzere İ.Ö. 1650'lerde yaşanan büyük doğal afetlere gerçekten Nibiru/Marduk'un yörünge geçişleri neden olduysa, o zaman ister istemez biraz ürpermek durumundayız: Bu gezegenin bir dahaki yörünge geçişi ne zaman olacak?

Orta Amerika halkları, Maya takviminden söz ederken ayrıntılarıyla gördüğümüz üzere, bunu hesaplamış ve oldukça kesin biçimde belirtmişlerdi: 2012 yılının kış gündönümünde. Babil'de, en büyük tanrının gezegeninin kesin yörünge süresi biliniyor ve 3661 yıl olarak çivi yazısı simgelerin içine gizleniyordu; buna karşılık takvimler üzerinde işaretlenmiş bir "dönüş günü" takvimine rastlanmadı. Ancak, Seneca'nın aktardığı kadarıyla Babilli tarihçi Berossus'un, Marduk'la ilişkili olarak dünyayı bekleyen doğal afetlerden söz ettiğini biliyoruz:

"Bel'in kehanetlerini yorumlayan Berossus, doğal afetleri (dünyanın sonu ve onu izleyen dönem) gezegenlerin hareketlerine bağlar. Bundan o denli emindir ki Büyük Yangın ve Tufan için bir tarih bile belirleyebilmektedir. Farklı yörüngelere sahip olan bütün gezegenler Yengeç Burcu'nda toplandıklarında ve bir tek çizgiyle birleştirilebilecek biçimde aynı hat üzerinde dizildiklerinde dünya yanacaktır. Aynı gezegenler Oğlak'ta bir araya geldiklerindeyse, bir büyük Tufan daha olacaktır."[299]

Ancak Seneca'nın ne denli "doğru" bir çeviri yaptığı ve ne denli sağlam kaynaklardan yararlandığı belirsizdir burada. Her

---

[299]Gerald P. Verbrugghe – John M. Wickersham, "Berossos and Manetho", s. 66

şeyden önce, "Bel'in kehanetleri" deyişinin yanlış olduğunu biliyoruz, çünkü Bel, yani Marduk, kehanette bulunan bir tanrı değildi. Tam tersine, Marduk'un (bir gezegen olarak) konum ve hareketleri, kehanetlerin en büyüğünü oluştururdu. Bütün gezegenlerin (yani çıplak gözle görülebilen Merkür, Venüs, Mars, Jüpiter ve Satürn'ün) Yengeç'te toplanacakları ve aynı hat üzerinde dizilecekleri bir konumun ortaya çıkması çok akla yakın değil.[300] Burada Berossus'un, "bütün gezegenlerin efendisi"nin, yani Nibiru/Marduk'un Yengeç Burcu'nda belirmesini kast ettiği düşünülebilir. Ancak bunun için bir tarih saptamamız şu an için olanaksız.

Hindu mitolojisinde, büyük efendi Vişnu'yla ilgili metinlerde de, dünyanın sonuyla ilgili kehanetlere rastlarız. Ancak bunlar da tıpkı Berossus'a atfedilenler gibi, oldukça belirsiz "alâmet"lerden (omen) söz etmektedirler. Manu, bir sonraki yıkımın zamanını sorduğunda, Madhu İzleyicisi'nden şu yanıtı alacaktır:

"Bugünden itibaren yeryüzünde yüz yıl süren bir kuraklık olacak, yiyecek azalacak ve her yeri uğursuzluk kaplayacak. Sonra yedi acımasız ışın, kalan birkaç yaratığı da yok edecek ve yedi kez yedi ışın, kızgın kömür gibi yağacak. Denizaltı kısrağının ateşi Çağın sonunda dönüşecek ve zehirli ateş onun sıkışmış ağzından, cehennemden boşalacak."[301]

İbrani takvimi, nedeni pek de anlaşılamaz biçimde, İ.Ö. 3760 yılını başlangıç noktası olarak alıyor. Bu durumda, 2012 yılı bu takvimde 5772 yılına denk gelmekte. Bunun bizim ilgilendiğimiz konu açısından bir anlamı olabilir mi? Belki.

Eski Ahit'in ilk kitabı Genesis, bilindiği gibi yaratılış sürecini (Enuma Eliş'in yedi tabletinden de esinlenerek) yedi güne yayar. İlk altı günde Tanrı bütün evreni ve insanı yaratmış,

---

[300] 5 Mayıs 2000'de, söz konusu gezegenler Boğa Burcu hizasında, "aynı hat" üzerinde olmasa bile çok yakın bir açı içinde dizildiler. Amerikalı araştırmacı Richard Noone'un dikkat çektiği bu ilginç konum herhangi bir felaketle sonuçlanmadı elbette, ama belki de Berossus'un sözünü ettiği ilk "alâmet" buydu. Mayıs 2000'deki dizilimin Yengeç'te değil Boğa'da olması, presesyon nedeniyle Berossus'tan bugüne astronomik haritalarda gerçekleşen "iki burçluk kayma" ile açıklanabilir.

[301] Wendy Doniger O'Flaherty, "Hindu Mitolojisi", s. 155-156

yedinci günde de dinlenmiştir. Aynı birimler, daha makro ölçeklerde, büyük zaman dilimlerine yönelik olarak da karşımıza çıkar Yahudi kültüründe. Buna göre, yaratılıştaki günler, dünya ve insanlık için "bin yıllar" olarak el alınmakta ve gelecekte yaşanacak olan "altın çağ", bu sürecin sonuna bağlanmaktadır. İlk altı bin yıl, Tanrı'nın dünyayı yarattığı ilk altı gün gibi, insanlık için de "var olma" dönemidir. Bunun bitiminde, tıpkı Tanrı'nın yedinci günde dinlenmesi gibi, insanlığın Tanrı'nın krallığı altında bir "altın çağ" yaşayacağı yedinci bin yıl gelecektir. Acaba aradığımız tarih bu olabilir mi?

Eğer 2012 yılı Yahudi takviminde 5772'ye denk geliyorsa, "altın çağ" için insanlığın 228 yıl daha beklemesi gerekecek gibi görünmektedir; çünkü ilk altı bin yıl bu durumda ancak 2240'ta tamamlanacaktır. Ne var ki, tam bu noktada, Hıristiyanlarla Yahudiler arasında takvim üzerine sürüp giden tartışma ve husumet yeniden ortaya çıkıverir. Hıristiyanlar, Yahudilerin, salt Mesih'in, yani İsa'nın geliş tarihi kutsal yazılara uymasın diye, takvimlerinin başlangıcını değiştirdiklerini ve yakın tarihe aldıklarını öne sürerler. Bu durum, Mesih'in ortaya çıkışı ve göğe yükselmesinden sonraki ikinci gelişini çok daha ileri bir tarihe kaydırmıştır hıristiyanlara göre. Gerçekten de, Eski Ahit'teki zamansal veriler üzerinden giderek hesap yapıldığında, arada en az 200 yıllık bir "sıkıştırılmış zaman" farkı çıkmaktadır ortaya. Acaba Hıristiyan piskopos Ussher'in "Başlangıç" için önerdiği İ.Ö. 4004 yılı mı olmalıdır Yahudi takviminin gerçek sıfır noktası? Eski Ahit'e çok daha fazla uyan bu tarih doğruya daha yakın bir hesabı içeriyorsa, altı bin yıl çoktan dolmuş ya da dolmak üzere olmalıdır.

Hıristiyan kültüründe "İkinci Geliş" (Second Coming) adı altında sunulan ve inananlar arasında heyecanla beklenen olgunun gerçekleşme tarihi üzerine Yeni Ahit'te kesin bir veri sunulmaz; bunun yerine, gizemlerle ve bilmecelerle üzeri örtülmüş ipuçları sıralanır. Yine de, genel ve oldukça yaygın bir inanışa göre İsa "2000 yıl içinde" geri dönecektir ki bu düşünce "İkinci Geliş"in çoğu Hıristiyanın zihninde "İkinci bin yılın bitişi" ile çakışması sonucunu doğurmuştur. Yeni Ahit'i oluş-

turan kitaplarda (Gospel) "İnsanın Oğlu"nun göklerden geri dö-
nüşü bizzat İsa'nın ağzından simge ve mecaz yüklü "mesel"ler-
le (parable) anlatılırken, belirleyici tarih vermekten bilinçli ola-
rak ve ısrarla kaçınılır ama bu sıradışı olayın hemen öncesine
rastlayacağı söylenen "işaretler" ayrıntılarıyla sunulur:

"Savaş sesleri, savaş söylentileri duyacaksınız. Sakın dehşe-
te kapılmayasınız. Bu olayların olması gereklidir, ama daha son
gelmemiştir. Çünkü ulus ulusa, krallık krallığa karşı ayaklana-
cak. Çeşitli yerlerde kıtlıklar görülecek, depremler olacak. Bun-
ların tümü sancıların başlangıcıdır." (Matta 24: 6-8)

Matta'nın kitabında İsa'nın ağzından sunulan "İkinci geliş"e
ilişkin ipuçlarının kilit noktasına böylece "Büyük Sıkıntı" (Gre-
at Tribulation) olarak adlandırılan bir kaos dönemi yerleşir.
Kargaşanın hem oldukça net fiziksel belirtileri vardır (deprem-
ler, kıtlık, iklim dengesizlikleri), hem de bu belirtilerin günlük
yaşam üzerinde sosyal, siyasal ve psikolojik yansımaları (savaş-
lar, ayaklanmalar, şiddet, "sahte peygamber"ler). İsa, bu "Büyük
Sıkıntı"nın ardından gelecek olan "Büyük Sevinç"in (rapture)
müjdesini verir, ama kesin tarih isteyen müritlerine hiçbir açık
kapı bırakmaz:

"O güne ve saate ilişkin hiç kimsenin bilgisi yoktur: Ne gö-
ğün meleklerinin, ne de Oğul'un. Yalnız Baba bilir. Nuh'un
günlerinde nasıl olmuşsa, İnsanın Oğlu'nun gelişi de öyle ola-
cak. Çünkü Tufan'dan önceki o günlerde olduğu gibi, Nuh'un
gemiye bindiği güne dek insanlar yiyip içiyor, evlenip everili-
yordu. Tufan gelip de hepsini hepsini birden silip götürene dek
bilgisizdiler. İnsanoğlu'nun gelişi de öyle olacak." (Matta 24:
36-39)

Bütün bu kargaşanın, yani "Büyük Sıkıntı"nın bitimine ya-
kın, hemen ardından yaşanacak "Büyük Sevinç"in habercisi ola-
rak ortaya çıkan doğal afetleri anlatır İsa, Matta'nın kitabında.
Bu o denli belirleyici bir değişimdir ki, sonrasında artık hiçbir
şey, eskisi gibi yürümeyecektir:

"O acılı günlerin hemen ardından,
Güneş kararacak.
Ay ışığını vermeyecek.

Yıldızlar gökyüzünden düşecek,
Göklerin güçleri sarsılacak.
Bunun üzerine göklerde, İnsanın Oğlu'nun belirtisi görünecek." (Matta 24: 29-30)

Bütün okült maskelemelerin ardında, Matta'nın kitabında anlatılan "Büyük Sıkıntı", aslında hiç yabancısı olmadığımız, Yakındoğu kültürlerinde sık sık karşımıza çıkan, insanları dehşete düşürecek bir "göksel afet"ten başka bir şey değildir. Matta, İsa'nın ağzından bu kargaşayı "Büyük Sevinç"in izleyeceğini müjdeler, ama elbette bu "bütün insanlık" için geçerli bir kurtuluş olmayacaktır. İşaya'nın da dediği gibi "RABBİN öldürdükleri çok olacaktır" o büyük günün öncesinde; afetler, insanların çoğunu kırıp geçirecektir. Yine Matta'nın kitabında İsa, müritleri aracılığıyla inananları şöyle uyarır:

"Daniel Peygamber'in sözünü ettiği 'yıkıcılık getiren iğrenç şeyi' kutsal yerde gördüğünüzde, Yahudiye ülkesinde bulunanlar dağlara kaçsın. Damda duran, aşağı inip evinden bir şey almaya kalkışmasın. Tarladaki de giysisini almak için geri dönmesin. O günlerde çocuk bekleyenlere, emziklilere ne yazık! Dua edin ki kaçışınız kış dönemine ya da Şabat gününe rastlamasın. Çünkü bu dönemde 'dünyanın oluşumundan bu yana hiçbir zaman olmamış' ve bir daha olmayacak korkunç acı gelecektir. Eğer o günler kısaltılmış olmasaydı, hiçbir canlı varlık kurtulamazdı. Ama seçilmişler yararına o günler kısaltılacaktır." (Matta 24: 15-22)

Burada, ısrarla altı çizilerek, "Büyük Sıkıntı" döneminde yaşanacakların, bildik afetlerden kat kat daha güçlü ve etkili bir doğal olguyla ilişkili olacağına işaret edilmektedir. Bütün dinlerde insanları iman etmeye teşvik etmek için böylesi korkunç kıyamet betimlemelerine başvurulduğu ve bunların "yola getirici" işlev görmesi amacıyla teokrasi tarafından engin bir düşgücüyle yaratıldığı söylenebilir elbet. Ancak Mezopotamya'da, Levant'ta, Pers ülkesinde, Mısır'da, Anadolu'da, Hindistan'da ve Orta Amerika'da izlerine çok rastladığımız "gökten gelecek felaket" temasının sıklıkla "insanlık tarihindeki büyük ve köklü değişim"le ilişkilendirilmiş olması, yalnızca bütün bu insanların mistik eğilimlere sahip olmalarıyla ilgili bir rastlantı mıdır acaba? Binlerce yıla yayılmış bir dönem içinde üzeri değişik düzeylerde okült simgelerle örtülen ve neredeyse bütün dünya coğrafyasında kuşaktan kuşağa iletilerek yaşatılan "göksel değişim" inancı, "kuşkucu" bilim adamlarının düşündüklerinin aksine, "belli zaman aralıklarıyla yinelenip yeryüzündeki gidişatı etkileyen" çarpıcı ve sıradışı bir olguya ilişkin bilgiye insanlığın bir biçimde sahip olduğunu düşündürmektedir. Bu o denli net, o denli genlerimize işlemiş bir korkuyla iç içe yaşamıştır ki, "din adamlarının insanları korkutmak için uydurdukları hikâyeler" yaklaşımıyla açıklanamayacak denli güçlü köklere sahiptir. Burada tam tersi düşünce daha rasyonel görünmektedir aslında: Din adamları inancı güçlendirmek için hikâyeler uydurmak bir yana, zaten varolan hikâyelerden kendi dinleri adına pay çıkarmak ve bu güçlü korkudan yararlanmak için kıyamet temalarına sarılmışlardır. Tepeden inme, hegemonyacı ilişkilerin zoruyla empoze edilecek zorlama korkulardan çok daha eski, köklü ve etkili bir korku, binlerce yıldır bu gezegen üzerinde yaşayan en güçlü duygudur.

İşte bu nedenle Hıristiyan kültürü de Roma şemsiyesi altında Grek ağırlıklı bir editörlüğü Essene ve Mitra kültlerine uygularken, "Mesih'in İkinci Gelişi" motifini insanlık tarihinin bu en eski kaygısına yaslamak istemiştir. Ayrıntılarının Yuhanna'nın Vahyi'nde sunulduğunu gördüğümüz "Günlerin Sonu" ya da "Rabbin Günü" ile ilgili habercilik, Matta'nın kitabında üzeri şifrelerle örtülü biçimde çıkar karşımıza yine. "Yıkıcılık getiren mekruh şeyi kutsal yerde gördüğünüzde" diye başlayan ayetle ilgili din adamlarınca getirilen yorumlar, çoğunlukla "kutsal tapınakta putperest tapınım objelerinin ortaya çıkması" gibi beylik bir tema üzerine kuruludur. Oysa metnin genel yapısı göz önüne alındığında, "mesel"lerin çoğunun "dünyevi" değil "göksel" işaretlere yaslandığı fark edilir ki bu durumda söz konusu ifadeyi de bu yönüyle ele alma gereği ortaya çıkar. "Kutsal Yer" kavramıyla ilgili ilk akla gelecek, en basit çağrışımdır tapınak. Hiçbir perdeleme, hiçbir şifre gerektirmeyen böylesi bir yorumu olduğu gibi kabul etmek bu nedenle kutsal metinlerin, hele Yeni Ahit'in doğasına hiç de uygun olmayan bir kolaycılığı seçmek demektir. Bunun yerine, "Kutsal Yer"in göksel bir alanı, yani "Tanrısal bir yeri" işaret ettiğini; dikkatlerimizi bugüne dek tapınakların ve yakarışların yönlendirildiği bir bölgeye çektiğini düşünmek çok daha anlamlı hale getirecektir söylenenleri. Bu alan, Tufan'dan sonra insanlarla ahdinin simgesi olarak Tanrı'nın "yayını" yerleştirdiği; Osiris, Dumuzi ve daha pek çok Yakındoğu tanrısının "meskeni" olarak görülen "güney gökleri"dir. "Yıkıcılık getiren mekruh şey"in, Babil'in zalim tanrısı Marduk olduğunu, 666'yı analiz ettiğimiz bölümlerde net olarak görmüştük. Kısacası Matta'nın kitabında İsa'nın ağzından sunulan şifre, "Günlerin Sonu" ile ilgili işaretin, "güney göklerinde Marduk'un ortaya çıkması"ndan başka bir şey olmadığını ortaya koyan, astronomik bir referanstır aslında. "Mesih'in İkinci Gelişi", bütünüyle Marduk'un geri dönüşüyle ilişkilendirilmekte, ancak net bir zaman verilmemektedir. Bu doğrultuda, Kutsal Kitap içinde açıkça değinilmemekle birlikte Hıristiyan halk inanışları arasında güçlü biçimde varlığını sürdüren "2000 yılının hemen sonrası" fikri ciddiye alınabilir mi? Belki. Ama her şey bir yana, doğrulayacak herhangi bir dayanak bulunmasa bile, "yeni Milenyum"la ilgili yoğun Hıristiyan beklentileri, küçümsenmeyecek kadar dikkat çekicidir; çünkü bu beklentilerin yaslandığı inanç sistemi, son 5000 yıllık tarih içinde farklı biçimlerde yaşatılmış "göksel bilgi" ve mitlerden beslenmektedir.

Dendera gökleri altında

Mısır'ın gizem kültleri içinde, gelecekle ilgili bir işaret ya da açık ve net bir zaman hesabı çıkmaz karşımıza. Ama Mısır kültürünün en eski ve en bilinen tanrıçası adına yapılmış bir tapınakta, iki yüz yıldır Batılı bilim adamlarının ve meraklıların kafasını kurcalayan gizemli bir gökyüzü haritası vardır. Yukarı Mısır'ın Dendera kentindeki, ünlü Hathor tapınağıdır burası.

Tapınak, İ.Ö. 30 yılında, Ptolemaios Hanedanı yönetimindeyken ve Mısır bütünüyle Roma'nın ellerine düşmeden hemen önce inşa edilmiştir. Ancak "Dawn Of Astronomy" (Astronominin Şafağı) kitabının yazarı ve arkeoastronominin kurucusu Norman Lockyer başta olmak üzere çoğu uzman, tapınağın çok daha eski bir yapının kalıntıları üzerine ve aynı plana uyarak yeniden inşa edildiğini söylerler. Lockyer, orijinal tapınağın Eski Krallık Dönemi'ne, belki daha da eskiye ait olduğunu belirtir. Üst katın tavanında yer alan ve şu anda Louvre Müzesi'nde bulunan ünlü "Dendera Zodyak'ı", tapınağın en büyük bilmecesidir.

Şekil 16: Hathor Tapınağı'nın kubbesindeki ünlü "Dendera Zodyak"ı

Kalde çıkışlı Yunan astrolojisinde çok iyi tanınan "burç" simgelerini de içermesinden dolayı, yanlış çağrışım yapacak biçimde "Zodyak" olarak adlandırılan bu garip çizim, aslında oldukça ayrıntılı bir gökyüzü haritasıdır. Bilinen takımyıldızlardan bazılarının yanı sıra, bu yıldız gruplarının Mısır kültüründe tanındıkları biçimleri sergileyen harita, uzmanlar tarafından yıllardır tartışılır ama üzerinde anlaşılmış bir ortak çözüm henüz ortaya çıkmamıştır.

Haritanın merkezinde, gökyüzünün kuzey kutup bölgesinde yer alan, bazıları "tanıdık", bazılarıysa farklı biçimlerde yorumlanmış takımyıldızlarla karşılaşırız. İlk dikkat çeken figür, sırtına bir timsahın bindiği iri bir su aygırıdır. Konumu itibarıyla bu figür, kuzey göklerinin iyi tanınan takımyıldızı Draco'yu (Ejderha) simgelemektedir Edwin Krupp gibi ünlü arkeoastronomlara göre. Bu yorum doğrudur, ancak bir farkla: Su Aygırı'nı (bu mitolojik olarak da Nil'in tanrısı Hapi'dir) oluşturan betimleme, "bileşik" bir çizimdir aslında; Draco ile, kuzey göklerinin bir başka iyi bilinen takımyıldızı Cepheus (Kral) tek bir figür oluşturacak biçimde düşünülmüştür. Cepheus'un üçgeni Su Aygırı'nın başını oluştururken, Draco da onun gövdesini biçimlendirmektedir. Dendera haritasında buna benzer çok örnek çıkar karşımıza. Sözgelimi Büyük Ayı takımyıldızının "cezvesi", Mısır gök kültüründe "Boğa'nın ön ayağı"na benzetilir ve bu adla anılır. Kutup Yıldızı'nı da içeren Küçük Ayı'ysa, Dendera haritasında Su Aygırı'nın göğsüne yerleşen küçük bir kurttur; başı ve kulakları, kutbu gösterir.

Dendera haritası, kuzey ve güney göklerinin bilinen bütün önemli takımyıldızlarını oldukça titiz biçimde hazırlandığı belli olan figürlerle temsil ederken, dairesel çizimin çevresine de Mısır takvim sistemindeki onar günlük "hafta"ları (dekan) simgeleyen 36 farklı şekil yerleştirilmiştir. Bütün bunlar, Dendera tapınağının kubbesindeki gökyüzü haritasının, aynı zamanda farklı bir "takvim" olduğunu da ortaya koymaktadır ki sorunlar da, bu takvimin "işaretlediği" zamanla ilgilidir zaten.

Tapınağın yerleşimi kuzey-güney ekseninden yaklaşık 18 derecelik bir sapmaya sahiptir ve hafifçe kuzeybatı-güneydoğu doğrultusuna oturur. Merkezde yer alan kuzey takımyıldızlarının çevresine, daha geniş eliptik bir düzenle, burçlar kuşağını oluşturan, iyi tanıdığımız 12 takımyıldız yerleşmiştir. Biri hariç, bunların tümü, Kalde'den ithal edilmiş Yunan astrolojisindeki biçimlerine oldukça uygundur ki, tapınağın İ.Ö. 30 yılındaki yeniden inşası sırasında Yunan asıllı Ptolemaios Hanedanı'nın iktidarda olduğu düşünülünce bu oldukça normaldir. Ancak Yengeç takımyıldızına gelindiğinde işler biraz karışır Dendera haritasında: Bu figür Yunan astrolojisindeki gibi bir yengeç biçiminde değil, Mısır kültüründe ayrı bir öneme sahip kutsal Skarabe (bokböceği) biçiminde çizilmiştir.

 Ancak sorun Yengeç burcunun nasıl çizildiğiyle değil, nereye yerleştirildiğiyle ilgilidir. Bütün bir haritayı ince bir sanat eseri gibi zarif ve hassas bir gökyüzü planı biçiminde kusursuza yakın çizen Mısırlı rahipler, anlam verilemez biçimde Yengeç takımyıldızını olması gereken yerden bir hayli içe yerleştirmişlerdir. Böylece, İkizler'le Aslan arasına aynı doğrultuda yerleşmesi gereken Yengeç'in sanki "kasıtlı" olarak haritanın düzenini bozduğunu fark ederiz. Bu olgu çoğu araştırmacının dikkatini çekmiş olmasına rağmen inandırıcı bir açıklama bugüne dek ortaya çıkarılamamıştır. Kimi zaman, "Yeni Çağ" (New Age) ezoterik yazarlarının ve gizemci astrologların, efsanevi Atlantis'e gönderme yapan mistik açıklamaları belirse de, eskiçağ yıldız kültürünü inceleyen arkeoastronomlar bu konuda sessiz kalırlar. Astrolog Murry Hope'a göre Dendera Zodyak'ında "Yengeç ve Aslan burçları özellikle vurgulanmıştır. Mısırlılar bu şemaya kendi özel saklı anlamlarını da eklemişlerdir."[302] Graham Hancock ve Robert Bauval ile birlikte "Atlantis ekolü" içinde yer alan John Anthony West ise, "Yengeç burcunun diğer burçların oluşturduğu çemberin içine, bir spiralin iç noktası gibi" yerleştirildiğini belirtir ve bunu açıklayacak veri olmasa da Dendera'da Yengeç burcunun önemsendiği sonucunu çıkarır.[303]

Bilmecenin yanıtı, Mısır gökbiliminin Ptolemaios Hanedanı öncesinde, yani Yunan etkisinden bağımsız olduğu dönemlerdeki takımyıldız tanımlamalarına ulaştıkça, ortaya çıkmaya başlar. Dendera Zodyak'ında, burçlar kuşağı (Yengeç hariç) Kalde kökenli Yunan astrolojik benzetmeleriyle uyum içindeyken; daha az üzerinde durulan ve bu nedenle Yunan etkisinden bağımsız kalan Büyük Ayı, Draco (Ejderha) ve Cepheus (Kral) gibi takımyıldızların haritada nasıl farklı ve bütünüyle "Mısırlı" bir anlayışla çizildiğini gördük. Çok daha eski dönemlerdeki Mısır gökbiliminde, aynı farklılık "Zodyak Kuşağı" içinde de

[302]Murry Hope, "Eski Mısır–Sirius Bağlantısı", s. 24
[303]John Anthony West, "Serpent In The Sky", s. 113

geçerli olmuştur ve Yengeç de bunlardan biridir. Hemen yanıbaşında yer alan Aslan takımyıldızında, Aslan'ın başını simgeleyen ve Yengeç'e yakın duran yıldızların oluşturduğu "orak" biçimli diziliş, Mısır'ın en eski gök haritalarında, Yengeç'i oluşturan yıldızlarla birlikte, tek ve ayrı bir takımyıldız olarak düşünülmüştür: "Yay Yıldızı". Burada "orak" biçimi aslında bir yay, Yengeç'i oluşturan yıldızların bazıları da "yayı geren tanrıça"dır. Oldukça ilginç biçimde, yerleşim alanı son derece geniş olarak tasarlanan bu takımyıldızda "yaydan fırlatılan ok" da, bir hayli güneyde kalan Sirius (Sothis) yıldızıdır. Bu ilginç tanımlama, ister istemez akla Mezopotamya'nın "Yay Yıldızı"nı, MUL.BAN'ı getiriyor.

Sümer ve Babil çivi yazısında, hem Gök Tanrısı An(u) için kullanılan, hem isimlerin yanına eklendiğinde onları tanrı adı haline getiren, hem de gökyüzü anlamı veren simgeden daha önce söz etmiştik:

Bu simge, Sümer dilinde AN ya da DİN.GİR olarak okunur. Eğer iki tanesi yan yana gelmişse, DİN.GİR DİN.GİR halini alır ve çoğul tanrıları tanımlamakta kullanılır. Eğer bunlara bir üçüncüsü daha eklenirse de, ortaya çıkan sözcük MUL fonetik değerini alır ve tanrılarla ya da gökyüzüyle ilgili bir kavramı tanımlama işlevi görür. Çivi yazısında bu üçlü kullanım, tek bir simge halinde ve MUL olarak okunmak üzere bileşik hale getirilmiştir:

Görüldüğü gibi, simgelerden ikisi üst üste çakıştırılırken bir üçüncüsü hemen sağlarına bitiştirilmiş ve böylece göksel MUL sözcüğü ortaya çıkmıştır. Bu sözcük, tanımı gereği, gökyüzü cisimlerini, yani yıldız ve takımyıldızları belirtecektir. Dolayısıyla, kendi başına kullanıldığında silah olarak "yay" anlamı veren BAN simgesi, MUL ile birlikte yazıldığında MUL.BAN, yani "Yay Yıldızı" haline gelir ve bir takımyıldızı belirtir:

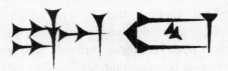

Sağda görülen ve "yay" anlamına gelen BAN sözcüğüne ait simgenin, Orion takımyıldızına olan benzerliğini okuyucu hemen fark edecektir. Buradan, MUL.BAN'ın eski Babil gökbiliminde Orion ve Büyük Köpek takımyıldızlarının bileşimiyle ortaya çıkmış olduğunu tahmin etmek çok zor değildir.[304] İşin ilginci, "yay" farklı yerde düşünülse de, "ok" tıpkı Mısır'da olduğu gibi Sirius yıldızına yerleşmiştir Mezopotamya'da.

Dendera haritasında, eski çağlara ait bu farklı takımyıldız tanımlaması, üzerine basılarak hissettiriliyor gibidir. Yengeç Burcu yerine, zodyakta Yunan orijinli biçimleriyle kullanılan takımyıldız simgelerinden farklı olarak, "Mısırlı" bir simgeye, Skarabe'ye yer verilmiştir. Üstelik, bu bile yeterince dikkat çekiciyken, Skarabe olması gereken yerin kuzeyine yerleştirilerek, garip bir sapmayla ilginin iyice buraya yoğunlaşması sağlanır. Tapınak tavanındaki gök haritasını yapan rahip/ressam, "Burada aslında Mısır düşüncesine göre bir başka takımyıldız olması gerekiyor" der gibidir ziyaretçilere. Cyril Fagan'a göre Aslan'ın başını oluşturan orak biçimli bölümün aslında bir yay; Sirius'un da ok olduğu bir takımyıldızdır bu.[305] İlginç bir biçimde, eski Mısır dilinde "orak" anlamına gelen "Maa" ve Aslan anlamındaki "Maai" sözcükleri aynı kökten gelirler.[306] Dendera haritasında, Aslan'ın hemen altında ve Sirius'u simgeleyen ineğin ar-

---

[304]John Heise, "Akkadian Language" – MUL.BAN simgesi ve tanımı, Heise'nin Internet sitesindeki elektronik dokümandan (PDF) alınmıştır.

[305]Cyril Fagan, "Astrological Origins"

[306]Fagan'ın dikkat çektiği bu nokta, James Allen 'ın "Middle Egyptian" adlı yapıtının sonundaki sözlükten de doğrulanabilir.

kasında yer alan, yayını germiş tanrıça figürü, Yengeç'in aslında "Yay Yıldızı" olduğunu iyice vurgulamaktadır.

Şimdi, belki de Tufan'dan söz ettiğimiz bölümlerde üzerinde fazla durmadığımız ilgi çekici bir noktaya, Genesis'in dokuzuncu bölümündeki bir ayete yeniden bakmakta yarar olabilir:

"Ve Tanrı dedi: Benimle sizin ve ebedi devirlerce sizinle beraber olan her canlı mahlûkun arasında yapmakta olduğum ahdin alâmeti şudur: Yayımı buluta koydum ve benimle yerin arasında bir ahit alâmeti olacaktır." (Tekvin 9:12-13)

Eski Ahit üzerinde çalışan ilâhiyatçıların çoğu, "bulutlara konan yay" şifresinin yağmurla doğrudan ilişkili bir optik doğa oyunu, yani "gökkuşağı" olduğunu ileri sürerler. Bu, o denli yaygın kabul gören bir değerlendirmedir ki, çoğu Eski Ahit versiyonunda söz konusu ayete dipnot düşülerek "gökkuşağı" açıklaması eklenir olmuştur. Kutsal Kitap araştırmacısı ve astronom Walter Maunder ise apaçık ortada olduğu halde üzerinde durulmayan bir olguya dikkat çekerek bu "yay" ifadesinin doğrudan takımyıldızlarla ilgili olduğunu vurgular:

"Sunaktan yükselen duman bulutu, Samanyolu'nun parlak boğumlarını simgelemektedir ve bu bulutun ortasında Yay vardır, yani ok atıcısı Sagittarius'un (Yay Burcu) yayı. Bunun yalnızca bir rastlantı olması mümkün müdür, yoksa Tanrı Nuh ve çocuklarıyla sonsuza dek sürmek üzere yaptığı anlaşmanın göklerdeki nişanını mı kastetmektedir aslında?"[307]

Maunder, söz konusu "yay" unsurunun, Samanyolu'na rastlayan Sagittarius olduğunu düşünüyor. Ancak gerek Eski Mısır, gerekse Babil astronomisi kaynaklarındaki "yay" unsurunu inceledikten sonra, bunun Yay Burcu değil, eski astronomların tanımladığı biçimiyle "Yay yıldızı" olduğunu söyleyebiliriz. Yani, Orion'u, Yengeç ve Aslan burçlarının bazı bölümlerini ve Sirius'u içeren belli bir göksel alana işaret edilmektedir burada. Büyük olasılıkla, Nibiru/Marduk'un göklerde belireceği alana ilişkin "koordinat" verilmektedir!

[307] E. Walter Maunder, "The Astronomy Of The Bible", s. 163

Dendera'daki yıldız haritasının güney göklerini gösteren bölümü, Mısır yıldız kültüründe en çok önemsenen gök cisimlerini ve takımyıldızları sergilemesi açısından, oldukça dikkate değer. Aşağıdaki resimde, haritanın bu ayrıntılarını görüyoruz:

Şekil 17: Dendera haritasının güney göklerini gösteren bölümünden ayrıntı

En sağda, Boğa takımyıldızı yer alır. Onun hemen altında, elinde bastonuyla Orion'u görüyoruz. Sol üstte, Aslan takımyıldızı var; biraz sağında da İkizler. Yengeç'in "garip" durumu, bu büyütülmüş ayrıntıda iyice öne çıkmış durumda. Aslan'ın hemen altında, boynuzları arasında Sirius yıldızını tutan inek ve onun arkasında da, yayını geren tanrıça figürü yer alıyor. Sirius ile Orion'un tam ortasındaysa, Dendera haritasının en gizemli figürü çıkıyor karşımıza: Tapınak eksenini belirleyen bu merkez figür, bilgeliği ve yazıyı simgeleyen bir papirüs rulosuyla, onun üzerine tünemiş bir şahinden oluşuyor. Şahinin başında, Aşağı ve Yukarı Mısır'ın hükümdarlığını simgeleyen "birleşik kraliyet tacı" var. Haritanın gizemini çözmenin ilk adımı, bu en çok önem verilen simgeyi doğru tanımlamaktan geçiyor.

Papirüs rulosunun üzerindeki şahin, Mısır kültüründe hem Ra hem de Horus için kullanılan bir simge. Başındaki taç, onun Mısır'da krallarla özdeşleştirilen Horus olabileceğini düşündürüyor daha çok. Ama iki nedenden ötürü, bu ilginç figürün "simgesel anlam" içermekten çok, belirgin ve oldukça önemli bir gök cismini vurgulama amacıyla haritaya yerleştirildiğini düşünebiliriz: Birincisi, bu figür tapınağın eksenini belirlemektedir ve bu eksen kardinal yönlere, yani kuzey-güney doğrultusuna göre ayarlanmadığına göre, bir gök cismine hizalandığını akla getirmektedir. İkincisi de, söz konusu figürün anlam verici bir "arma" gibi kullanılmayıp, doğrudan haritanın içine, göksel düzenin bir parçası gibi yerleştirilmesidir; Sirius ile Orion'un arasına, başı İkizler'in ayakucuna hafifçe değecek kadar içeri sokularak çizilmiştir.

Mısır'da tapınakların "oryantasyonu" için seçilen gök cisimleri, eğer güneş ya da ay değilse, genellikle Sirius yıldızı ya da Orion'un "kuşak" bölgesinde yer alan yıldızlardır. Ancak Dendera'da bunun söz konusu olmadığını görüyoruz. O halde bu gizemli figür, hangi gök cismini simgeliyor olabilir?

Bilgelik anlamına gelen papirüs rulosu, yazıyı Mısırlılara armağan ettiği düşünülen Thoth ile bağlantılıdır; "İki Ülkenin Tacı" ise, Horus'la. Bu iki simgenin iç içe geçmesi durumunda, çok daha bütünleyici, çok daha önemli bir kavram söz konusu olmalıdır: Mısır'ın varlığı kadar önemli. Ülkenin en eski yerleşim bölgelerinden birinde, en eski ve en iyi tanınan tanrıça için yapılmış tapınağın tavanında yapılmış gökyüzü haritasında karşımıza çıkan bu simgenin, doğrudan doğruya "yaratılışı belirleyen" bir gök cismini vurguladığını düşünüyorum: Yani, Eski Mısır'da "Milyonlarca Yılın Gezegeni" adıyla bilinen, Nibiru/Marduk'u. Bu, Mısır'a İsis-Osiris kültü egemen olmadan çok önce, Hathor tek ve en önemli tanrıçayken, mitlerde onun "kozmik oğlu" olarak beliren "İ-hi" (ya da "A-ha") ile özdeşleşen gök cismidir. Venüs'le göksel karşılaşmadan söz ederken belirttiğimiz gibi, Eski Krallık ile birlikte yavaş yavaş İsis-Osiris kültü ağırlığını hissettirirken, Nibiru/Marduk "Göklerdeki Kral" olma payesini yitirmiş ve Osiris'in düşmanı Seth'le iç içe geçmiştir.

Burada, çok temel bir noktayı akıldan çıkarmamakta yarar var: Eskiçağ uygarlıklarının inanç dünyalarında, bütün zamana yayılan tek ve her yerde geçerli, homojen bir panteonun varlığı söz konusu değildir ve bir ülke topraklarının her yerinde, her dönemi kapsayacak homojen bir "din"in varlığı yalnızca bizim bugünkü değer yargılarımızın yarattığı bir yanılsamadır. Mısır ya da Mezopotamya inançlarından söz ederken, bugünün kurumlaşmış ve merkezi olarak örgütlenmiş dinleri gibi bir "doktrin"i değil; zamana, mekâna ve toplumsal ilişkilere göre değişen "iktidar mitleri"ni kastettiğimiz unutulmamalı. Mısır'daki dinsel yapıyla ilgili olarak Afet İnan, yerel panteonların önemlerini vurgular ve ülke içinde "yönetim merkezi" konumuna gelen kente göre, egemen inanışların ve en büyük tanrıların değiştiğinden söz eder.[308] Bu durumda, hem Batı Asyalı hem de Yukarı Mısır kökenli unsurlara sahip olan Seth kişiliğinin, düşünce ve inanç sistemlerinin kuzeydeki Memphis'te, Heliopolis rahiplerince biçimlendirildiği bir dönemde "düşman tanrı" haline gelmesi doğal karşılanmalıdır. Ne var ki Osiris'i parçalara bölen Seth'in bu teoloji uyarınca Nibiru/Marduk'la özdeş hale gelmesi bütünüyle radikal bir değişimdir.

Eski Mısır düşüncesinin en eski merkezlerinden biri olduğunu daha önce vurguladığımız Heliopolis kenti, kendine özgü bir kozmoloji anlayışına ve bir panteona sahipti. Çok temel olarak bunu, evrendeki en büyük yaratıcı güç (bir anlamda evrenin kendisi ve bütünlüğü) olarak düşünülen Atum çevresindeki bir inanç sistemi olarak değerlendirebiliriz. Atum'un soluk ve can verdiği Ptah ise, onun iradesini yaşama geçiren "yüce mimar"dır.

"Mısırlılar 'en eski zamanlarda çok büyük bir tanrının ortaya çıktığına' ve ülkeye geldiğinde onu çamur ve suların altında kalmış bulduğuna inanıyorlardı. Bu tanrı büyük kanallar ve hendekler açma yoluyla toprağı ve araziyi düzeltmiş; sözcüğün tam anlamıyla Mısır'ı suların içinden çıkarmıştı —bu da Mısır'ın takma adlarından birinin 'Yükseltilen Ülke' olmasını açıklar— çok büyük bir mühendis ve mimar olarak değerlendiriliyordu."[309]

Sitchin, bu niteliklerin Mısır'dan daha eski bir panteon geçmişine sahip Mezopotamya'da en çok sevilen tanrı durumundaki Enki'ye de ait olduğunu anımsatır ve Enki ile Ptah'ın aynı tanrı olduklarını söyler. Sümer mitolojisinde büyük tanrılar

[308]Afet İnan, a.g.e., s. 222
[309]Zecharia Sitchin, "The Wars Of Gods And Men", s: 36

yeryüzünü paylaşırken Enki'nin payına Magan'ın, yani Mısır'ın düştüğünü anımsadığımızda bu iddia daha da mantıklı hale gelir. Üstelik bizzat Mısır mitleri Ptah'ın "uzaklardan geldiğini" söylemektedirler. Bu durumda, çok erken zamanlarda Mezopotamya'nın batısından Nil deltasına doğru gerçekleşen göçlerin, büyük Sümer tanrısı Enki'yi de Mısır'a taşıdığını düşünmememiz için hiçbir neden yoktur. Heliopolis düşünce sisteminin ayrıntılarına doğru indikçe, bu paralelliği destekleyen ve bizim bulunduğumuz nokta açısından oldukça ilgi çekici bir nitelik taşıyan başka verilere de ulaşırız.

Ptah ve onu izleyen tanrılar, Mısır dilinde "Neter" (Ntr) olarak adlandırılırlar. Hiyeroglif yazıda balta sembolüyle gösterilen bu sözcük "tanrı" yerine kullanılmakla birlikte, tam anlamı "bekçi" ya da "gözcü"dür; yani tıpkı, Enoch'un kitabındaki "Gözcüler" gibi. Manethon'un kral listesinde, ülkenin ilk yöneticileri olan Tanrı-Krallar, işte bu "Neter"lerdir ve hanedanları en büyük tanrı Ptah ile başlar. Onun 9000 yıllık yönetiminden sonraysa, sıra ilk doğan oğluna, yani Ra'ya gelir ve Mısır 1000 yıl boyunca Ra tarafından yönetilir. İlginç bir noktaya varmış oluruz böylece: Eğer Ptah, Sümer'in Enki'si ise, onun ilk doğan oğlu Ra da, doğal olarak Enki'nin ilk oğlu Marduk'la özdeşleşecektir. Zecharia Sitchin, panteonların paralelliğinin yanı sıra, Sümer metinlerinden yola çıkarak Ra'nın aynı adla Mezopotamya'da da tanındığını kanıtlar:

"Sümerlerin bu tanrının Mısırlı adı olan Ra'dan da haberdar olduğunu ortaya koyan yazılı kanıtlar vardır. Kişisel adlarına tanrısal ek olarak RA hecesini ekleyen Sümerlere rastlarız; ayrıca III. Ur Hanedanı'ndan kalma tabletlerde 'Dingir Ra'dan ve onun tapınağı 'E.Dingir.Ra'dan söz edilir. Bu hanedanın çöküşünün ardından Marduk'un Babil'de üstünlüğü ele geçirmesiyle birlikte kentin Sümer dilinde KA.DİNGİR ('Tanrıların Kapısı') olan adı, KA.DİNGİR.RA ('Ra'nın Tanrılar Kapısı') olarak değiştirilir."[310]

---

[310]Zechari Sitchin, a.g.e., s. 127-128

Bütün bunlar, Marduk ile Ra'nın aynı tanrı olduğunu kuş-
kuya yer bırakmayacak biçimde kanıtlamaktadır. Üstelik Mısır
metinlerinde, Ra'nın "Milyonlarca Yılın Gezegeni"ne ait oldu-
ğu da yazılıdır. Buradan yola çıkarak, Ra'nın o gezegene ait ol-
makla kalmayıp, bizzat ona adını veren tanrı olduğunu rahatlık-
la söyleyebiliriz. Bir başka deyişle Onuncu Gezegen Nibi-
ru/Marduk'un Heliopolis teolojisinin oluştuğu eski dönemdeki
Mısırlı adı, Ra'dır. Ne yazık ki, hiyeroglif metinleri ilk düzen-
leyen ve çevirenlerden biri olan Sir Wallis Budge'ın yaptığı bir
yorum hatası, yüz yılı aşkın bir süre Ra'nın yanlış biçimde "Gü-
neş Tanrısı" olarak sunulmasına yol açmış; onun simgesi olan
kutsal "Kanatlı Disk" ise güneş olarak değerlendirilmiştir. Oy-
sa Sitchin'in net biçimde ortaya koyduğu gibi Mezopotam-
ya'dan Pers ülkesine ve Kenan'a dek bütün eskiçağ uygarlıkla-
rında tanrısal değere sahip olan bu amblem, bütün kültürlerde
bir tek göksel varlığı simgeler: Onuncu Gezegen.

Heliopolis düşüncesinin hanedanlık öncesi döneminde adını
Ra'dan alan ve panteonun Ptah'tan sonra en büyük tanrısıyla
özdeşleşen bu gezegen, nasıl olmuş da Eski Krallık döneminin
ortalarında Osiris'i parçalayan Seth'le ilişkilendirilerek olumsuz
bir unsura dönüşmüştür? Bunun yanıtını, gezegenin çok uzun
yörünge süresinde aramamız gerektiğini düşünüyorum. İsa'dan
önce 5310 yılında dünyaya yaklaşan Nibiru/Marduk, binlerce
yıldır ortalarda görünmüyordu, Mısır hanedanlar dönemi baş-
ladığı sıralarda. Göksel olay toplumsal bellekten silinmemekle
birlikte, gezegen tanrısal "ikna ediciliği"ni yitirmişti. Bir kaos
döneminin ardından Memphis kentinde iktidar yeniden biçim-
lenirken, Heliopolis düşüncesi de bu nedenle revizyona uğratıl-
dı ve yeni iktidara teolojik arka plan sağlamak üzere Osiris kül-
tü öne çıkarıldı. Kuzeyin kralları, egemenlikleri altına aldıkları
kentlerin tanrısı Seth'i bu senaryoda olumsuz bir role taşıdılar.
Hathor ile Ra'nın himayesindeki "kral vekili" olan Horus ise,
yeni mitlerde Sabah Yıldızı olarak Osiris ve İsis'in oğlu haline
geldi. Peki Ra'ya ne olacaktı bu durumda?

Yaklaşık 2500 yıldır görünmeyen bir gezegen, yeni bir
motivasyonla güçlü bir krallık kuran Mısır hanedanları için silik

bir efsaneden ibaretti; ama Ra figürü öylesine güçlüydü ki, on-
dan hemen vazgeçilemezdi. Dolayısıyla Heliopolis düşüncesin-
deki konumunu ve saygınlığını Memphis yönetiminde de
korudu. Ancak "göklerde bir karşılığı" görülemediği için, adın-
da da küçük bir değişiklik yapılacaktı artık: Amon-Ra; yani,
"Görünmeyen Ra". Gökyüzünde görülmüyordu belki, ama o
her an her şeyi görüyordu, çünkü parlak güneş, tanrıça Hathor
kimliğiyle onun "gözüydü."

Yeniden Dendera haritasına dönersek, Ra ve onun
himayesindeki Horus için kullanılan şahin figürünün, niçin
merkeze yerleştirildiğini ve neyi simgelediğini bu kez daha net
söyleyebiliriz: Bilgeliğin simgesi papirüs rulosunun üzerine
tünemiş, başında Mısır'ın çifte tacını taşıyan şahin, "Göklerin
Bilge ve Güçlü Kralı"dır: Yani, adı Onuncu Gezegen'e verilen
Büyük Ra. Bu durumda, Dendera tapınağının ekseni, Onuncu
Gezegen Nibiru/Marduk'un göklerde belirmesi beklenen doğ-
rultuya yönlendirilmiş demektir: Sirius ile Orion'un tam or-
tasından, bir zamanlar "Yay yıldızı" olarak belirlenen Yengeç'e
doğru uzatılacak bir çizgi üzerinde ortaya çıkacaktır Onuncu
Gezegen. Tıpkı, eski bir Akat metninde anlatıldığı gibi:

"Jüpiter'in durağından başlayarak
Gezegenin parlaklığı artmaya başlar
Ve Yengeç Burcu'nda Nibiru haline gelecektir,
Akat bollukla dolacak,
Akat kralı güçlenecektir."[311]

Harita bu kadarıyla da kalmaz, "dönüş tarihini" de yaklaşık
olarak bize haber vermeye çalışır. Dairesel bir gök haritası
üzerinde zamanı belirtmenin en eski ve en basit yolu, doğal
olarak bu çember üzerinde ekinoks ya da gündönümü nok-
talarını işaretlemektir. Böylece, söz konusu belirleyici noktalar-

---

[311]Zecharia Sitchin, "12. Gezegen", s. 260-261. Metin, Sitchin tarafından R. Campbell
Thompson'ın "Reports Of The Magicians and Astrologs of Nineveh and Babylon" ad-
lı çalışmasından aktarılmıştır.

da güneşin de hangi takımyıldız hizasında olduğu (ya da olacağı) gösterilip, uygun zamanın hesaplanması kolaylaştırılmış olur. Dendera haritasını çevreleyen büyük çemberde, bu amaçla yerleştirilmiş iki özel işarete rastlarız: Bunlar, gökyüzünü elleri üzerinde tutar görünümü veren Hathor ve Ra figürleri arasına özenle çizilen karşılıklı iki noktadır ve bir çizgiyle birleştirildiklerinde, çemberi iki eşit parçaya bölerler.

Şekil 18: Dendera haritasındaki "güneş" işaretçileri

Haritanın tam ortasından geçen bu çizginin Zodyak Kuşağı'nı kestiği noktalarsa, iki tropik konumu verecektir bize. Eğer bu harita Mezopotamya kökenli olsaydı, söz konusu konumların ilkbahar ve güz ekinokslarını simgelediğini düşünecektik; çünkü söz konusu kültürlerde yıl, ilkbahar ekinoksuyla başlar. Oysa Mısır'da Yeni Yıl başlangıcı, yaz gündönümüdür. O halde haritada bize verilen karşılıklı iki konum da, yaz ve kış gündönümü noktalarıdır. Bunlardan Ra figürünün yanındaki, tapınağın doğrultusuna en yakın olan işaretin, yaz gündönümü olduğunu düşünebiliriz. Bu durumda, Dendera haritası bize güneşin yaz gündönümünde Boğa'dan çıkıp İkizler'e geçmek üzere olduğu; kış gündönümündeyse Akrep'e yerleşmeye hazırlandığı bir zamanı anlatır. Bir bilgisayar yazılımıyla (ben SkyGlobe kullandım) söz konusu konumlar incelendiğinde, Dendera haritasının verilerine en uygun dönem de ortaya çıkar: Yaklaşık İ.S. 2010 dolayları!

İsa'dan önce 30 yılında Dendera'da bu tapınağı inşa edenler insanlar, niçin iki bin yıl sonrasına dikkat çeken bir harita çizmiş olabilirler? Yanıt, Mısır'ın söz konusu dönemde yaşadığı olağanüstü dönemin içinde gizlidir. Helen Ptolemaios Hanedanı, son yönetici Kleopatra ile birlikte, çökmek üzeredir ve artık Mısır'ın bir Roma eyaleti olması an meselesidir. Ülkedeki en eski kült merkezinde binlerce yıldır eski gizem kültürlerini yaşatmaya ve bozulmadan korumaya çalışanlar, bunun tedirginliğini yaşamaktadırlar. Mısır bilgeliği, Roma sandalları altında ezilecek ve bilgi yok edilecektir büyük olasılıkla. Dendera rahipleri, bu düşüncenin verdiği rahatsızlıkla, son derece uygunsuz bir zaman olmasına karşın bu tapınağı inşa etmeye karar verirler ve onun değişik bölümlerine, sahip oldukları bilgeliği korumak amacıyla kabartma resimler, yazılar ve figürler yerleştirirler. Dendera tapınak kompleksi, bu kitabın sınırları içine sığamayacak denli çok sayıda gizem ve bilmeceyi içerir ki, incelediğimiz harita bunlardan yalnızca biridir. Böylece, Mısır'ın binlerce yıllık birikimi, Dendera tapınak geleneği içinde saklanmak üzere, Yukarı Mısır'ın bu Akdeniz'e görece uzak ve bu nedenle İskenderiye, Memphis ve Heliopolis'e göre daha güvenli sayılabilecek kentinde koruma altına alınır.

Rahiplerin kaygılarında hiç de haksız olmadıklarınıysa, ilerleyen zaman gösterecektir. Roma egemenliğine geçtikten sonra büyük darbe yiyen Mısır'ın kültürel yaşamı, 400 yıl kadar sonra, Hıristiyanlık döneminde acımasız bir saldırıya uğrayacaktır. Roma'nın bağnaz Hıristiyanları, Kilise'nin Hıristiyanlık dışındaki inançları "sapkın" ilan edip bunlara ilişkin bütün izlerin yok edilmesini emretmesinden sonra, eskiçağın (ve belki de dünya tarihinin) en büyük bilgi merkezini, İskenderiye Kütüphanesi'ni yakıp yıkacaklardır. Bu dehşet verici saldırganlık, Ortaçağ boyunca süren eski "pagan" kültürlere ait bütün izlerin kazınarak yok edilmesi sürecinin ve engizisyon döneminin de başlangıcıdır. Bütün bunlara karşın, Dendera'da saklanmış bilginin bugün hiç değilse "kırıntılarını" çözebildiğimiz için sevinebiliriz.

2012: Ejderha'nın Yılı

Elimizdeki antik bilgi kaynaklarının çoğu, çağları işaretleyen göksel olgunun yeniden ortaya çıkışına ilişkin zamanı, Maya takvimindeki 2012 yılıyla neredeyse bire bir çakışır biçimde gösteriyor. Bu sıradışı, son derece kritik dönüm noktasının, Nibiru/Marduk'un dünyaya yaklaşacağı yıl olduğunu vurguluyoruz baştan beri. Üzerinde yaşadığımız gezegende 3600 yıldır kemikleşen "kurulu düzeni" de temellerinden sarsacak bir yıldır bu aynı zamanda: Eski Çin kozmolojisinde tanımlandığı ve adlandırıldığı biçimiyle, "Ejderha'nın Yılı"dır.

Uzakdoğu'da kayıtları bize ulaşan en eski merkezi krallığın, Çin'deki Xia Hanedanı olduğundan söz etmiştik. Bu dönemden kalma (ya da bu dönemin başlarına gönderme yapan) antik belgelerde, ilk ortaya çıkış tarihinin (şimdilik) İ.Ö. 2600 dolayları olduğu düşünülen bir kozmoloji ve takvim sisteminden izler buluruz. İçinde yaşadığımız modern çağda Batılıların "New Age" eğilimlerine paralel olarak "Çin Astrolojisi" etiketiyle popüler kılınan bu takvim sistemi, yine "kutsal 12" rakamına yaslanır biçimde, zamanı 12 farklı hayvanla özdeşleştirilen dilimlere ayırır. Bilinen Kalde-Yunan astrolojisinden farklı olarak bu sistemde "burçlar" aylarla değil, yıllarla belirlenmektedir. Başka bir deyişle Çin yaklaşımında güneşin bir yıl boyunca ekliptik üzerinde ilerlerken "konakladığı" takımyıldızlar dikkate alınmaz; bunun yerine, ay takvimiyle belirlenen ardışık yıllık döngülerin her birine, bir "burç adı" verme yoluna gidilir. Dolayısıyla söz konusu sistemde 12 yıllık çevrimler halinde yinelenen zaman dilimleri dikkate alınır ve bu zaman dilimleri içinde her bir yıl, başlangıcı bilinmeyen bir zamanda hesaplanmış biçimiyle, bir yaratığın adıyla anılmaktadır. Çizelgenin akış sırası, asla değişmez; yalnızca döngüler yinelenir. Dolayısıyla 1978 yılı da "At Yılı"dır, 1990 yılı da, 2002 yılı da. Aşağıdaki çizelgede, Çin burçlarının sıralı dökümünü ve yakın tarihlerdeki karşılıklarını bulabilirsiniz:

At	2002, 1990, 1978, 1966 vb.
Yılan	2001, 1989, 1977, 1965 vb.
Ejderha	2000, 1988, 1976, 1964 vb.
Tavşan	1999, 1987, 1975, 1963 vb.
Kaplan	1998, 1986, 1974, 1962 vb.
Öküz	1997, 1985, 1973, 1961 vb.
Fare	1996, 1984, 1972, 1960 vb.
Domuz	1995, 1983, 1971, 1959 vb.
Köpek	1994, 1982, 1970, 1958 vb.
Horoz	1993, 1981, 1969, 1957 vb.
Maymun	1992, 1980, 1968, 1956 vb.
Keçi	1991, 1979, 1967, 1955 vb.

Bu sisteme göre yıllar, ilişkilendirildikleri yaratıkla birlikte adlandırılır: 1999 "Tavşan Yılı"dır; 1984 "Fare Yılı" ve 1977 de "Yılan Yılı". Hemen dikkatinizi çekeceği gibi, yukarıdaki listeyi oluşturan 12 yaratık içinde biri dışında tümü, günlük yaşamda insanların içli dışlı oldukları, "bilinen" hayvanlardır: Horoz, Maymun, Keçi, Yılan, Tavşan. Bütün bu 12'lik grup içinde hem adı hem de niteliğiyle diğerlerinden farklı bir yere yerleşense, "Ejderha"dır. Kırlarda gezintiye çıktığınızda ya da bir çiftliğe gittiğinizde, diğer hayvanların hepsine rastlayabilirsiniz ama bir Ejderha ile karşılaşma olasılığınız sıfırdır! Büyük oranda "mitolojik" nitelikler taşıdığı düşünülen bu masalsı yaratığın, Çin anlayışı içinde bütün diğer "sıradan" hayvanlardan farklı bir yere konduğu yakından bilindiğine göre, "Ejderha Yılı"nın da bu sistem uyarınca altı ısrarla çizilmiş zaman dilimlerini vurguladığını düşünebiliriz.

Gerçekten de popüler kültürdeki "Çin Astrolojisi" yorumlarına göre bile "Ejderha Yılı", sıradışı olayların, dönüşümlerin, olağanüstü gelişmelerin yılıdır. Bu sıradışılık Ejderha'nın hem olumlu ve yapıcı, hem de ürkütücü ve yıkıcı nitelikleriyle bağlantılı düşünülür Çin kozmolojisinde. Bu nedenle Ejderha Yılı beraberinde hem verimli, bereketli, heyecan verici güzellikleri getirebilir, hem de depremler, seller, volkanik patlamalar ve meteor yağmurlarını. Çok genel anlamıyla Ejderha, tarihsel dönüm noktalarının işaretçisidir. Bütün bunları kısaca belirttikten sonra da yineleyelim: 2012, Çin kozmolojisine göre "Ejderha Yılı"dır.

On iki yılda bir yinelenen bir döngü içinde oldukça sık olarak yaşanan "Ejderha Yılı"nın yakın geleceğimizde 2012 yılına denk gelmesi elbette bir "rastlantı" olarak düşünülebilir. Sonuçta "12'de 1" gibi epey yüksek sayılabilecek bir olasılıktan söz ediyoruz. Dolayısıyla, eğer Nibiru/Marduk'un geri dönüşü 2012 yılında gerçekleşecekse, bunun "değişim, dönüşüm ve doğal afetler" ile bağlantılı "Ejderha Yılı"na rastlaması çok da dikkate değer bulunmayabilir. Ne var ki, zamanda yolculuk yapıp geriye doğru gittiğimizde, işler biraz değişmeye başlar: İlginç bir biçimde, Nibiru/Marduk'un bir önceki yakın geçişi olan İ.Ö. 1649 sonlarında başlayan sürece baktığımızda da "Ejderha Yılı"yla karşılaşırız: İsa'dan önce Ocak 1648'de, yani gezegenin geri dönüşüyle yaşanan ilk büyük depremden yalnızca birkaç ay sonra, bir başka "Ejderha Yılı" başlamıştır. Bir gezegenin yörünge geçişleriyle işaretlediğimiz iki farklı yılın da Çin kozmolojisinde aynı spesifik dilime denk gelmesi, yukarıda yaptığımız olasılık hesabını "144'te 1" düzeyine indirir. Belki buna da "rastlantı" deyip geçebiliriz ama her iki tarihin de "herhangi bir yıl" değil, doğrudan doğruya "Ejderha Yılı"na, yani büyük dönüşümlerin ve aynı zamanda yıkımların zamanına rastlaması, kabul edelim ki çarpıcıdır.

Doğu kültürlerinde Ejderha mitini kapsamlı olarak inceleyen ilk araştırmacılardan M. De Visser, bu gizemli yaratıklardan söz eden ilk metnin İ.Ö. 27. yüzyıla tarihlenen "Yih King" olduğunu belirtiyor. Söz konusu metin, Ejderha'nın farklı "konumlarına" ilişkin "alametleri" yorumlayan bir belge ve De Visser'in belirttiğine göre "Göklerde uçan bir Ejderha'nın şans ve avantaj getireceğinden", hemen sonrasındaysa "büyük bir insanın [bir bilge lider] ortaya çıkacağından"[312] söz ediyor.

---

[312] D. M. De Visser, "The Dragon In China and Japan", s. 36

De Visser, Budist düşüncede karşımıza çıkan ve "kutsal yılan" olarak yorumlanan "Naga"nın da eskiliğine değindikten sonra, bu Hint arketipinin Çin kültüründeki Ejderha'yla olan bağlantısına dikkat çekiyor çalışmasında. Kendi sözcükleriyle, dravit inançlarına dek geri giden Kutsal Naga, Çin'de "dört bacaklı bir Ejderha" biçimine dönüşüyor. (İbrani dilinde ve Eski Ahit'te karşımıza çıkan, yılan anlamındaki "Nakaş" sözcüğünün "Naga" ile benzerliği de hayli dikkat çekici.)

De Visser'e göre Ejderha ve Naga, doğrudan doğruya "su" ile bağlantılı düşünülen göksel kavramlar ve mitolojik şifrelerde her iki yaratık için de "sularda yaşayan, evi sularda olan" benzetmesi yapılıyor. Tıpkı, Sümer tanrısı Enki'nin diğer adının E.A, yani "Evi Sularda Olan" biçiminde karşımıza çıkması gibi. Buradaki su kavramının bizim anladığımız fiziksel biçimiyle düşünüldüğünden kuşku duymamız gerektiğinin altını bir kez daha çizmek istiyorum. Eski Türk anlatılarında ve inançlarında "Yer-Su"nun yeraltındaki sular olarak yorumlanmakla birlikte, Mezopotamya metinlerinde olduğu gibi, "evreni kaplayan büyük deniz" anlamına sahip olduğunu anımsayalım. Benzeri kavram, yine okurun anımsayacağı üzere Maya ve Aztek kültürlerinde de karşımıza çıkmıştı: Ejderha, Orta Amerika'da "tüylü yılan" betimlemesiyle belirirken su ile doğrudan ilişkili düşünülmüş; Tlaloc, Ehecatl ve Chac gibi yağmur-fırtına tanrılarında "su getiren" olarak değerlendirilmişti. Aynı düşünce biçimi, antik Hint ve Çin metinlerinde Naga ve Ejderha'nın "yağmur getirici niteliği"ni vurguluyor bize.[313] Kısacası, Naga ve Ejderha'nın yaşadığı yer, bütün antik kültürlerde olduğu gibi "büyük ve derin sular" olarak tanımlanıyor. Bu ifade ve yaklaşım, hemen fark edileceği üzere, "Mesih Karşıtı"nı "Denizden Çıkan Canavar" olarak betimleyen Yeni Ahit ile de son derece uyumlu.

Elliot Smith de, neredeyse bütün eskiçağ kültürlerinde birbirine tıpatıp benzer niteliklerle betimlenen Ejderha'nın su ile olan ilişkisine dikkat çekenlerden:

---

[313]D. M. De Visser, a.g.e., s. 21

"Ejderhanın güçlerini oluşturan temel unsur, su üzerindeki denetimidir. Hem yararlı hem de yıkıcı niteliklerini ortaya çıkaracak biçimde suyu hareket ettirenin, aynı anda hem Osiris hem de düşmanı Seth rolüne bürünebilen ejderha olduğu düşünülürdü. Ama Su Tanrısı'nın nitelikleri Büyük Anne ile ve onun Mısır'da Hathor'un kötü kişiliği olan dişi aslan (Sekhmet) kimliği ya da Babil'deki Tiamat ile karıştırıldığında, ejderha hem düzensizlik ve kaosla, hem de tanrıçayla bağlantılı hale gelirdi."[314]

Smith bu noktada, Ejderha kavramını yalnızca Uzak Doğu ve Hint ile sınırlı tutmayıp, Mısır ve Eski Yakındoğu kültürlerindeki görünümleriyle de ele alma eğiliminde. Elbette bunun çok daha ayakları yere basan ve mitlerin üzerindeki toz dumanı dağıtmaya katkıda bulunan bir bakış olduğunun altını çizmek gerek. Ama Smith bunun da bir adım ötesine giderek, Doğu ve Hıristiyanlık sonrası Batı anlayışlarında Ejderha'nın yorumlanışındaki farklılığa işaret ediyor:

"Eğer Batı'da ejderha genellikle 'kötülüğün gücü' ise, Uzak Doğu'da da aynı oranda iyiliğin simgesiydi. Kendisi de gökyüzünün oğlu olan krallar ve imparatorlarla özdeşleştirilirdi; yalnızca doğrudan insanlığa değil, aynı zamanda dünyaya da bütün nimetleri bahşeden oydu."[315]

Smith, bu büyüleyici yapıtında Asya ile Orta Amerika kültürlerinde ejderha ekseninde de paralellikler olduğuna dikkat çekiyor ve Aztek ve Maya uygarlıklarında yağmur ile özdeşleştirilen Chac ve Tlaloc gibi tanrıları betimleyen simgeler için Hint filini andıran figürlerin kullanılmasını, bu kavramın Hindu Yağmur Tanrısı İndra'dan ithal edilmesine bağlıyor.[316]

Diğer yandan, Eski Mısır'da Osiris ile Seth arasında yaşanan göksel savaşın, hıristiyanlık şafağında Mesih ile Şeytan arasındaki mücadeleye dönüştürülerek sunulduğunu belirtiyor

[314]G. Elliot Smith, "The Evolution of the Dragon", s. 78
[315]G. Elliot Smith, a.g.e., s. 82
[316]G. Elliot Smith, a.g.e., s. 83

Smith. Elbette bunun en çarpıcı vurgulandığı metnin de, Yuhanna'nın Vahyi olduğunun altını çiziyor:

"Ama Kutsal Kitap'taki Şeytan ile ilgili referanslar, Vahiyler Kitabı'nda 'İblis ve Şeytan olan eski yılan' kimliği özellikle vurgulanarak, onun ejderha ile özdeşleştirildiğine ilişkin hiçbir kuşku bırakmaz."[317]

İşte böylesi "dumanlı ve sisli" bir Ejderha kavramına gönderme yaparcasına, Marduk'un geri dönüşüne ilişkin yörünge hesaplarımızla da örtüşen 2012 yılı, "Ejderha Yılı"na rastlıyor. Tıpkı bir önceki geçişinin (İ.Ö 1649 sonu–1648 başı) de bu yıla rastlaması gibi. De Visser'in aktardıklarına göre çoğu kez "göksel alamet"lerin baş aktörü olduğu düşünülen Ejderha, büyük kasırga, fırtına ve sellerin de işaretçisi.[318] Çin kozmolojisinin "alametler sistemi"ne göreyse Ejderha Yılı, doğal afetlerle gelecek, ama sonrasında bereketli bir yeni dönemi başlatacak bir dönüm noktası. Maya astronomisindeki "Dünya Çağları" anlayışı da bunları söylemiyor mu zaten? "Sularla bağlantılı" Ejderha, Yuhanna'nın Vahyi'nde, yeni bir çağın arifesinde beliren "Denizden Çıkan 666 numaralı Canavar" olarak anlatılmıyor mu?

Modern dünyada "Hiksos" avı

Dünyanın dört yanındaki eskiçağ kültürlerinin şifrelenmiş kozmolojileri, hep iki şeyin altını çiziyor: Venüs–Marduk kültü ve dünyanın son derece sıradışı bir dönemini işaretleyen yaklaşık 2010 yılı dolayları. Mayalar, büyük bir kesinlikle 2012'yi işaret ediyorlar; Dendera haritası yaklaşık aynı tarihe dikkat çekiyor; Yahudi "milenyumları"nın bitişinin aslında 2000 dolaylarına rastlaması gerektiği ileri sürülüyor; dünyanın değişik yerlerindeki kimi Hıristiyanlar, Mesih'in 2000'den sonra ortaya çıkacağına ilişkin inançlarını sürdürüyorlar; bilim adamları güneş sistemimizde dev bir Onuncu Gezegen'in varlığından söz

[317] G. Elliot Smith, a.g.e., s. 138
[318] D. M. De Visser, a g.e., s. 109-112

ediyorlar ve biz de, Mezopotamya kültürlerine damgasını vurmuş Nibiru/Marduk'un yörünge süresinin 3661 yıl olduğunu ve son geçişini İ.Ö. 1649 dolayında gerçekleştirdiğinden dolayı 2012 yılında geri döneceğini söylüyoruz. Bütün bunlar, ortodoks bilimin inatla savunduğu gibi yalnızca "düşgücü geniş birilerinin fantezileri" olabilir mi? Eskiçağ kültürlerinin kozmolojileri, "cahil ve batıl inançlı" atalarımızın uydurduğu "masallardan" mı ibarettir?

Hiç sanmıyorum. Modern dünyanın "elit" yöneticileri, yani yüz yılı aşkın bir süredir küresel iktidarı bütünüyle ellerine geçirmiş olan uluslararası büyük şirketler imparatorluğu, her şeyi olduğu gibi, bilimi de denetimi altında tutuyor ve tıpkı eskiçağ rahip/krallarının yaptığı gibi, elde edilen bulguları kitlelere "filtreden geçirip" sunarken, birçok "ayrıntı"yı kendine saklıyor. Son elli yılın en heyecan verici girişimi olan "uzay çalışmaları", medyada sunulduğu gibi insanlık adına ve bilim heyecanıyla değil, "Küresel Elit"in imparatorluğunu sağlamlaştırmak adına yürütülüyor.

Eğer biz, sınırlı olanaklar ve sınırlı kaynaklarla bu sonuçlara ulaşabiliyorsak, bir yerlerde, "kapalı kapılar ardında" oturan birileri, bilgiye ve kaynaklara sınırsız erişimleri ve ellerinin altındaki bilim adamları ordusuyla, "çok daha fazlasını" biliyor olmalı. Dünyanın son yıllarda yaşadıkları da, bunun kanıtı: Küresel Elit, bu gezegenin yalnızca varlığından değil, dönüş gününden de bütünüyle haberdar. Bu nedenle, kapalı kapılar ardında planlar yapılıyor, hazırlıklar organize ediliyor büyük olasılıkla. Kitlelereyse, "gereken zamana dek" hiçbir şey söylenmeyecek.

Çünkü, gezegenin yakın geçişlerinde yaşanan afetlerin oluşturduğu kaos ortamı çok iyi biliniyor. İ.Ö. 1649'da bu yörünge geçişi, güçlü Mısır'ı göçebe Hiksosların işgaline direnemeyecek hale getirmiş; Mezopotamya'nın "süper devleti" Babil'in Hititlerce yağmalanmasına yol açmış; büyük Minos uygarlığının kolunu kanadını kırmış ve Harappa'nın görkemli kentlerinin korkuyla terk edilmesi sonucunu doğurmuştu. Ancak, aradan 3650 yıl geçti ve dünya artık eski dünya değil. Kendi yerel imparatorluklarıyla yetinen eskiçağ krallarının yerinde bugün, küresel iktidarını "serbest pazar" ilkesi ve "marka fetişizmi"yle pekiştiren uluslararası Elitler var ve bunlar, görkemli imparatorluklarının egemenliğini sarsacak "modern Hiksos"lara en küçük bir şans bile tanımak istemiyorlar. O büyük kaos günleri geldiğinde, küresel egemenliğin hiçbir "pürüz"e göz yummayacak biçimde ellerinde olmasını istiyorlar ve bu konuda o denli kararlılar ki, yapamayacakları şey yok. 2001 yılının 11 Eylül'ünde dünyanın gözleri önünde olup bitenler, bunun en dehşet verici göstergelerinden biri. New York'ta yaşanan facia, hemen ardından Elit'in denetimindeki askeri güçlerin "potansiyel Hiksos"lara yönelik operasyonları başlatması sonucunu doğurdu. Bir yandan yeni küresel askeri ittifaklar ve zincirleme operasyonlar planlanıyor, bir yandan da "Yıldız Savaşları" projesi sessiz sedasız yeniden yaşama geçirilirken dünya yörüngesi abartılı nükleer silahlarla doldurulmaya başlıyor. Olan bitene, "gezegen çapında köklü bir askeri darbe" olarak bakmak çok abartılı sayılmamalı.

1999 yılının Ağustos ayında, "Satürn'ün halkalarını inceleme" amacını taşıdığı söylenen Cassini adlı uzay aracı, "enerji ihtiyacını karşılamak üzere" 30 kilo plutonyumla birlikte uzaya yollandı. Bağımsız bilim adamları bunun bir "nükleer tehlike" olduğuna dikkat çekerek protesto gösterileri düzenlediler; ne var ki Cassini, mükemmel bir zamanlamayla yollanmıştı: Dünya medyası bütün dikkatini 11 Ağustos'taki "Milenyumun son güneş tutulması"na çevirmişken, bilim adamlarının sesleri gürültü arasında boğuldu ve uzay aracı sessiz sedasız "küçük bir gezegeni havaya uçurabilecek" miktarda nükleer yükle Satürn'e doğru yola çıktı. İyi ama niçin ve en önemlisi, kime karşı?

Onuncu Gezegen'in üzerinde, Sitchin'in iddia ettiği gibi güçlü ve çok ileri bir "Anunnaki" uygarlığının yaşayıp yaşamadığını bilemiyoruz; şu an için birinci meselemiz de bu gezegende birilerinin olup olmadığından önce, onun dünyamızın yakınından ne zaman geçeceği. Eskiçağ toplumlarının mitolojilerinde anlatılan kimi olayların "gerçek uzaylı ziyaretleri"nden izler taşıyor olabileceğini asla göz ardı etmiyorum. Dünyayı yönetenlerin, kimseye fikir danışmaksızın ayrıntılı bir planı adım adım yaşama geçirmeleri de elbette "Bütün bunlar kime karşı?" sorusunu da haklı hale getiriyor. Mars'a gönderilen son yedi uzay aracından beşi, gizemli biçimde kayboldu. Bunlardan birinin, Sovyetler Birliği'nce 1988 Temmuz'unda yollanan Phobos 2'nin, bağlantı kopmadan önce yolladığı son resimde, üzerine doğru ilerleyen "puro biçiminde" dev bir gölge görülüyordu. Şimdiyse, bir yandan Cassini nükleer yakıtıyla Satürn'e doğru ilerlerken, bir yandan da NASA'nın yapısı "militarize" hale getiriliyor ve halka açıklanan bilgiler iyice daraltılmış süzgeçlerden geçirilirken, uzaya "nokta atışı yapabilecek" dev nükleer silahlar yerleştiriliyor. Bütün bunlar kimin için? Yoksa bir bildikleri mi var "kapalı kapılar ardında" oturan birilerinin?

Bunların hiçbirine yanıt veremiyor ve olası "uzaylı ziyaretçiler"le ilgili fikir yürütemiyoruz bunca az veriyle. Ancak, bildiğimiz bir tek şey var: Ünlü gökbilimci Patrick Moore'un da dediği gibi, "Gezegen X oralarda bir yerde". Üstelik, hızla bize doğru yaklaşıyor. Belki 2010, belki 2012'de büyük olasılıkla ortaya çıkacak. Bundan önceki iki yörünge geçişinde yeryüzünde ciddi sorunlar yarattığını biliyoruz bu gezegenin; bu geçişinde neler olacağı üzerineyse fikir yürütmek çok zor. Bilgisiz hale getirilme (disinformation) ve yanlış bilgilendirilme (misinformation) ilkeleri üzerinde kurulu Küresel Elit İmparatorluğu'nun bu gezegendeki sıradan insanları, figüranları olarak, elimizden şu aşamada başka bir şey gelmiyor ve Beckett'in Godot'suna nazire yaparcasına, Marduk'u bekliyoruz.

Ek: 1
Yahve adının Mısırlı orijini

İbranilerin "Mısır'dan Çıkış" (Exodus) mitlerini incelerken, eldeki jeolojik ve arkeolojik verilerle Eski Ahit'te anlatılanlar arasında kurduğumuz bağlantının merkezine, olası en sağlam dayanak durumundaki bir küresel afeti yerleştirmiştik. Buna göre, Nibiru/Marduk gezegeninin güneş sistemimiz içindeki yakın geçişine rastlayan İ.Ö. 1649 yılında, bütün eski dünyayı sarsan zincirleme depremler, volkanik patlamalar ve tsunamiler yaşanmıştı. Afetlerin Mısır ayağını incelerken, hem Eski Ahit'te anlatılan ayrıntılardan yararlandık (nehirlerin "kan" olması, gün ortasında havanın kararması) hem de Orta Krallık sonrasına ait olduğu izlenimi veren ünlü "Ipuwer Papirüsü"ndeki paralel noktalara dikkat çektik. Üstelik, Mısır folk birikimindeki kimi efsanelerin de bu tabloyu desteklediğini vurguladık.

Diğer yandan, İbrani tarihinin ilk yazılı metinlerine ve "kimlik tanımı"na doğrudan etkide bulunan bu olguların, afetler sırasında Mısır'dan uzaklaşmaya çalışan, çoğunluğunu Sami asıllı bedevilerin oluşturduğu bir karma topluluğun buğulu anıları arasına yerleşip, sözel gelenekle sonraki kuşaklara taşındığından söz ettik. Buna göre, panik halindeki topluluğu Mısır'dan uzaklaştırıp Sina çöllerinde güvenli bir alana yönlendiren lider, Musa mitine esin kaynağı oluşturan bir kahramandı ve varsayım düzeyinde bile olsa Mısır kökenli olduğunu kabul etmek mümkün görünüyordu. Her şeyden önce, birçok uzmanın da fikir birliği içinde olduğu gibi, bir Mısırlı adı taşıyordu bu lider büyük olasılıkla: Mos.

Söz konusu liderin Sina'daki inziva sırasında, topluluk bilincine sahip olmayan bu kitleyi bir arada tutabilmek için, yeni ve "bu gruba özgü" bir dinsel motifi empoze etmiş olabileceğini de, varsayımlar arasında sıralamıştık. Sonra da, bu topluluğa "yeni topraklar vaat eden" güçlü tanrının adıyla ilgili olarak, iki farklı yaklaşımdan söz etmiştik. Birincisi, uzunca bir süre yaygın biçimde kullanılan "El Şaday"dı bu adların ve İsa'dan önce yedinci yüzyılda Asurlular tarafından yıkılana dek kuzeydeki İsrail krallığında kavmin tanrısının adı bu olmuştu. Büyük olasılıkla Kenan dolaylarında en eski tanrı olarak bilinen "El" ile bağlantılı olarak bütün Sami toplulukların kültür birikiminde yaşayan bu ad "Şaday" sözcüğü ile birlikte kullanıldığında "Dağların Tanrısı" anlamına geliyordu ki, bu ad dinsel emirlerin Musa'ya Sina Dağı'nda iletildiği anımsandığında, daha da güçlü bir anlam kazanıyordu.

Ne var ki, bu kavmin din kültüründe merkezi noktaya oturan güçlü tanrının, El Şaday ile paralel kullanılan bir başka adı daha çıkıyordu ortaya Eski Ahit'te: Yahve ya da Yahova. Mısır'dan Çıkış ile ilgili mitler, bu kitapta birçok kez vurguladığımız gibi, sözlü kültürde söz konusu Sami halkın kimliğini oluşturan unsurlardan biri olarak yüzyıllarca taşınmış ve oldukça geç bir tarihte yazıya geçirilmeye başlamıştı. Bu dönemden itibaren kendi dilini yazılı olarak ifade etmeye başlayan İbrani halkının yazmalarında da El Şaday'dan çok Yahve ya da Yahova adı vurgulanıyordu artık. Babil Sürgünü sonrasında, evrenin yaratılışını da içerecek biçimde yeniden derlenen kutsal yazmalar, bu adın içeriğine ilişkin dikkat çekici bir açıklamayı da içermeye başlamıştı: Sesli harf kullanmayan ve yalnızca sessizlerle dili kayda geçiren İbrani alfabesinde YHVH harfleriyle vurgulanıyordu Tanrı'nın adı. İlgili bölümlerde belirttiğimiz gibi, Musa ilk kez karşılaştığı Tanrı'ya adını sormuş ve "Ben, ben olanım" ya da "Ben neysem oyum" yanıtını almıştı. Söz konusu ifadedeki sözcüklerin İbrani dilindeki baş harfleri de bu dört harfi içeriyordu. İlahiyat uzmanlarına göre İbrani din adamları bu dört sessiz harfin okunuşuyla ilgili olarak da zaman içinde bir yöntem önermişler ve "Efendimiz" ya da "Yüce Tanrım" anlamına gelen "Adonai" sözcüğünün sesli harflerine dikkat çekmişlerdi. Bu durumda Tanrı'nın adı, "Yahova" olarak okunmalıydı.

Ne var ki, belirsiz bir nokta kalıyordu Tanrı'ya verilen bu adda: İbrani dilinin yapısı içinde Yahova, anlamlı bir sözcük değildi ve aslında zaten bir cümledeki dört sözcüğün baş harflerinden oluşuyordu. Buna karşın, böylesi bir "akrostiş"in ne zaman kimin tarafından ilk kez belirlendiği bilinmemekle birlikte, Yahve ya da Yahova adının oldukça eski bir tarihte benimsenerek kullanıldığı, hatta kimi durumlarda ilk hece alınarak kısaltılmak üzere "Yah" biçiminde okunduğu kesindi: O kadar ki, bazı isimlerde "El" ile biten ekler "Yah" olarak değiştirilmişti. Bunun en çarpıcı örneklerinden biri de, Yusuf adıydı: Yosif-El, bilinmeyen bir zamandan beri Yosif-Yah olarak da kullanılıyordu.

Bu durum, Yahova adının Mısır'dan çıkış sırasında, hiç değilse Eski Ahit'e göre Musa zamanında kullanılmaya başladığı dikkate alındığında, ilginç bir soru işareti yaratıyordu: Acaba Musa'dan dört yüz yıl önce yaşayan, Yakup'un oğlu Yusuf da "Yosif-Yah" olarak adlandırılmış mıydı? İsmin orijinali Yosif-El olmakla birlikte, Mısır'da yaşamaya başladıktan sonra bu ad Yosif-Yah'a dönüşmüş olabilir miydi?

Eski Ahit'teki ataların çoğunun bir tek kişiyi vurgulamayıp, kompozit karakterler olarak yaratıldıklarını bildiğimize göre böylesi bir soru üzerine kafa yormanın fazla anlamı olmadığını düşünebiliriz. Ama en azından, şu soru varlığını koruyacaktır: "Yahova" adı, Mısırlı bir orijine sahip olabilir mi?

Mısır'da, Yunan ve Roma'da olduğu gibi nispeten düzenli bir panteon yapısının söz konusu olmadığından ve belli dönemlere ya da bölgelere yayılan farklı teolojilerin değişik zaman dilimlerinde baskın çıktığından söz etmiştik: Memphis teolojisi, Heliopolis (Annu) teolojisi gibi. Bu durumda, söz konusu sistemler içinde yer bulmamakla birlikte, farklı bölgelerde ya da farklı dönemlerde tapınılan, ancak bazıları zaman içinde unutulan tanrıların varlığından da söz edilebiliyordu. Bunlar arasında biri var ki, şu an üzerinde yoğunlaştığımız soruya oldukça ilginç biçimde ışık tutabilir: Işık Tanrısı "Yahû".

Sir Wallis Budge'ın Mısır diline ait eski çalışmalarında kar
şımıza çıkan, belki biraz da gölgede kalmış gibi görünen bir isim
Yahû. Hakkında fazla bilgi olmamakla birlikte, "Işığın Tanrısı"
olarak anılıyor Ölüler Kitabı'nda. Diğer yandan, modern Mısır
dili çalışmalarının öncülerinden James Allen'ın yapıtlarında da
rastladığımız, fonetik olarak oldukça benzer bir sözcük daha var
ki oldukça anlamlı bir yerlere varmamızı sağlayabilir: "Yah",
yani Ay. Üstelik bu sözcük, Ay ile bağlantılı düşünülen Thoth
için de kullanılıyor.

Yahû   -   Vâ

Yine Mısır dilinden bir başka ilginç sözcüğü "Yahû" ya da
"Yah" adına eklediğimizde, bir hayli dikkat çekici bir benzerlik
yakalıyoruz. Eski dilde "Vâ" ya da "Uâ" sözcüğü, fazlasıyla
dinsel motiflerle yüklü bir anlama sahip: "Bir ve Tek olan". Bu
niteleme, çoğu kez tanrı adlarıyla birlikte kullanılıyor. Bu durumda, sözcüğü "Yahû-Vâ" olarak Mısır dilinde yeniden yazdığımızda, "Bir ve Tek olan Işık Tanrısı" gibi son derece çarpıcı bir anlam kazanıyor. Acaba İbrani dilinde bir anlama sahip
olmayan ve dört kutsal harfin oluşturduğu akrostiş olarak dü
şünülen Yahova adının Mısırlı orijinine ulaşmış olabilir miyiz?
Bir başka deyişle Musa (ya da İbranileri Mısır'dan uzaklaştıran
lider) "Ben, ben olanım" diyen bir tanrının cümlesindeki sözcüklerin baş harflerinden değil de, zaten var olan Mısırca bir
isimden, yani "Bir ve Tek olan Işık Tanrısı Yahû-Vâ"dan yararlanmış olabilir mi halkına Tanrı'yı anlatırken?

İbrani toplumunun yaşam biçimi ve inançları düşünüldüğünde, vardığımız sonuç oldukça akla yakın görünür. Oldukça eski bir tarihten beri (neredeyse başlangıçtan itibaren) İbrani halkının Ay Takvimi kullandığını ve Ay'ın hareketlerine büyük önem verdiğini biliyoruz. Dahası, göçebe olarak yaşadıkları dönemde yakın ilişki içine girdikleri toplumların çoğunda var olan güçlü Ay (Sin) Kültü bir biçimde onların geleneklerinde de etkili olmuş. Bu etki o kadar kesin ki, Yahudi toplumu bugün bile yaygın biçimde Ay Takvimi'ni kullanıyor. "Işık Tanrısı" anlamına gelen "Yahû" adının, Thoth ile bağdaştırılan "Ay" anlamını dikkate aldığımızda, bu bağlantı daha da dikkat çekici hale geliyor. Bilindiği gibi Thoth, Mısırlılara yazıyı armağan eden tanrıydı. Musa'ya da Sina Dağı'nda, henüz kendi yazısı olmayan halkına iletmesi için üzerinde "On Emir"in yazılı olduğu levhaların verilmesi, çok çarpıcı bir benzerlik.

Yeniden başladığımız noktaya dönersek, İbrani inanç sisteminin, Mısır'dan Çıkış mitlerine esin kaynağı oluşturan İ.Ö. 1649 afetleri sonrasında belirlenmeye başladığı tezinin hiç de yabana atılmaması gerektiğini bir kez daha vurgulayabiliriz. Büyük olasılıkla Mısır kökenli bir lider (Mos) tarafından, yeni bir kimlik kazanmak üzere, Mısır dilinden ve kültüründen gelen (aslında oldukça eski) bir Tanrı (Yahû-Vâ) merkezinde oluşturulmuş bir inanç sistemidir bu. Yine Mısır geleneklerine benzer biçimde, Mısır'dan Çıkış sonrasında "sünnet" uygulaması ortaya çıkmış; ancak teolojinin tamamı, oldukça uzun bir süreç içinde Kenan bölgesi kültürlerinden etkilenerek gelişmiş; son biçiminiyse, Babil Sürgünü sırasında tanışılan Mezopotamya kültürünün etkisiyle almıştır.

Sözcük, Sümer dilinde temel olarak iki parçadan oluşuyor: NİB ve RU. Birinci hece, yani NİB de, temel olarak iki ayrı küçük "hececik"in bileşimi. "Nİ" hecesi "korku ve saygı", "İB" hecesi de "kızmak" anlamına geliyor. John Halloran'ın çoğu araştırmacıya ışık tutan "Sumerian Lexicon" adlı yapıtında bu iki hece, "Nİ + İB" bileşimiyle "NİB" biçimini alıyor ve doğrudan doğruya spesifik bir hayvanı nitelemekte kullanılıyor: Leopar!

Ek: 2
Nibiru ve "Jaguar Kültü"

Evrenin yaratılışı ve düzeninin sürdürülmesiyle ilgili Orta Amerika mitleri üzerinde fazlasıyla ayrıntılı olarak durmuştuk. Bu inceleme sırasında da bir nokta oldukça etkin bir işlev üstlenmişti tezimizde: "Tüylü Yılan" adında ifadesini bulan Venüs kültü ile "Jaguar" olarak adlandırılan Nibiru/Marduk kültü arasındaki etkileşim. Nihaî ürünü Maya Takvimi olan bu Orta Amerika kültleri koalisyonunda, Quetzalcoatl/Kukulkan figürünün karşısında yer alan ve dualizmi tamamlayan unsurun Tezcatlipoca/Hurakan olduğunun altını çizmiş ve Jaguar ile bağlantılandırılan söz konusu tanrının kozmolojik karşılığının Nibiru olduğunu vurgulamıştık.

Belki bu noktada, resme ilginç bir renk kazandırmak için, Orta Amerika'dan oldukça uzaklara gidip, beş bin yıl öncesinin Sümer'ine bir göz atmakta yarar olabilir. Onuncu Gezegen'in varlığını edebiyat ürünlerinde bile vurgulayan Mezopotamya uygarlıklarının bu gök cismine verdikleri ad, "Jaguar" ile oluşturduğumuz bağlantıya dikkat çekici dayanaklar oluşturabilir.

Babil'de Marduk'un adıyla anılmakla birlikte, bütün kutsal metinlerde ve yaratılış destanlarında Onuncu Gezegen'e Nİ.Bİ.RU adının verildiğini biliyoruz. "Ortadan Geçen" ya da "Ortayı Ele Geçiren" olarak çevrilen bu adı, Zecharia Sitchin başta olmak üzere kimi araştırmacılar "Geçiş Gezegeni" olarak yorumluyorlar. Acaba Eski Yakındoğu kültürlerinde benzerlerine sık sık rastladığımız "paralel anlam" kullanımlarından bir diğerini, Nİ.Bİ.RU'nun adında da bulabilir miyiz?

Sözcük, Sümer dilinde temel olarak iki parçadan oluşuyor: NİB ve RU. Birinci hece, yani NİB de, temel olarak iki ayrı küçük "hececik"in bileşimi. "Nİ" hecesi "korku ve saygı", "İB" hecesi de "kızmak" anlamına geliyor. John Halloran'ın çoğu araştırmacıya ışık tutan "Sumerian Lexicon" adlı yapıtında bu iki hece, "Nİ + İB" bileşimiyle "NİB" biçimini alıyor ve doğrudan doğruya spesifik bir hayvanı nitelemekte kullanılıyor: Leopar!

İkinci hece, yani "RU" ise, yine Halloran'ın verdiği karşılığa göre "başıyla darbe vurmak, tos atmak" gibi bir anlama sahip. Bu durumda "Geçiş Gezegeni" ya da "Ortadan Geçen" anlamlarının yanı sıra, Nİ.Bİ.RU'nun "Başıyla Vuran Leopar" gibi bir ikinci anlamı daha olduğunu görüyoruz.

Orta Amerika'da "Jaguar", binlerce kilometre uzağındaki Yakındoğu'daysa "Leopar". Ayrıntılarıyla incelediğimiz Yuhanna'nın vahyi'nde, "666 sayılı canavar" için "gövdesi, bir leoparın gövdesi gibi" deniyordu. Üzerinde durulması gerektiğine inandığım bu paralellikler, Onuncu Gezegen'in dünyaya yaklaştığı dönemdeki görünümünün "benekli bir leopar" çağrışımı yaptığına işaret ediyor olabilir mi acaba?

BİBLİYOGRAFYA

Basılı kitaplar

AKURGAL, EKREM "Anadolu Kültür Tarihi", Tübitak Yayınları, Ankara 1997

ALFORD, ALAN F. "Gods Of The New Millennium", New English Library, Londra 1998

----------------"When The Gods Came Down", New English Library, Londra 2000

ALLEN, JAMES P. "Middle Egyptian", Cambridge University Press, Cambridge 2000

ALP, SEDAT "Hitit Çağında Anadolu", Tübitak Yayınları, Ankara 2000

ASIMOV, ISAAC "Dünya Dışı Uygarlıklar", Cep Kitapları, Çeviren: Hulûsi Özaykın, İstanbul 1983

ATKINSON, STUART "Astronomi", Tübitak Yayınları, Çeviren: Murat Alev, Ankara 1997

AVENI, ANTHONY "Stairways To The Stars", Wiley, New York 1997

BAHN, PAUL "Arkeolojinin ABC'si", Kabalcı Yayınları, Çeviren: Banu Örenk, İstanbul 1999

BAUDEZ, CLAUDE – PICASSO, SYDNEY "Mayaların Kayıp Şehirleri", Yapı Kredi Yayınları, Çeviren: Berran Tözer, İstanbul 2001

BAUVAL, ROBERT – GILBERT, ADRIAN "The Orion Mystery", Wm Heinemann, Londra 1994

BAUVAL, ROBERT – HANCOCK, GRAHAM "The Keeper Of Genesis", Mandarin, Londra 1996

BLUNDEN, CAROLINE – ELVIN, MARK "Çin", İletişim Yayınları, Çeviren: Selçuk Esenbel – Levent Köker, İstanbul 1989

BONEWITZ, RONALD "Maya Mitolojisi", Gün Yayıncılık, Çeviren: Canan Eyi, İstanbul 2000

BREASTED, JAMES HENRY "Ancient Records Of Egypt, Vol. I - The First to the 17th Dynasties", University Of Chicago Press, Chicago 1906

BUDGE, E. A. WALLIS "Legends Of The Egyptian Gods", Kegan Paul, Trench, Trübner & Co., Londra 1912

CAMPBELL, JOSEPH "Tanrının Maskeleri: Doğu Mitolojisi", İmge Yayınları, Çeviren: Kudret Emiroğlu, İstanbul 1998

CAN, ŞEFİK "Klasik Yunan Mitolojisi", İnkılap Kitabevi, İstanbul 1997

CERAM, C. W. "Tanrılar, Mezarlar ve Bilginler", Remzi Kitabevi, Çeviren: Esat Nermi Erendor, İstanbul 1999

--------------- "Tanrıların Vatanı Anadolu", Remzi Kitabevi, Çeviren: Esat Nermi Erendor, İstanbul 1983

CHEYNE, T. K. – BLACK, J. SUTHERLAND "Encyclopedia Biblica - Vol. I", The Macmillan Company, New York 1899

--------------- "Encyclopedia Biblica - Vol. II", The Macmillan Company, New York 1899

--------------- "Encyclopedia Biblica - Vol. III", The Macmillan Company, New York 1899

--------------- "Encyclopedia Biblica - Vol. IV", The Macmillan Company, New York 1899

CHILDE, GORDON "Kendini Yaratan İnsan", Varlık Yayınları, Çeviren: Filiz Ofluoğlu, İstanbul 1978

COLLINS, ANDREW "Gods Of Eden", Headline, Londra 1998

ÇIĞ, MUAZZEZ İLMİYE "İbrahim Peygamber", Kaynak Yayınları, İstanbul 1997

DE LANGE, NICHOLAS "Yahudi Dünyası", İletişim Yayınları, Çeviren: Sevil – Akın Atauz, İstanbul 1987

DE VISSER, D. M. "The Dragon In China And Japan", Johannes Müller, Amsterdam 1913

ERMAN, ADOLF "A Handbook Of Egyptian Religion", Archibald Constable & Co. Ltd, Londra 1907

ESİN, EMEL "Türk Kozmolojisine Giriş", Kabalcı Yayınları, İstanbul 2001

FEUERSTEIN, GEORG – KAK, SHUBASH – FRAWLEY DAVID "In Search Of The Cradle Of Civilization", Quest Books, 1995

FRIEDRICH, JOHANNES "Kayıp Yazılar ve Diller", Arkeoloji ve Sanat Yayınları, Çeviren: Recai Tekoğlu, İstanbul 2000

GASTER, THEODOR H. "Thespis: Eski Yakındoğu'da Ritüel, Mit, Drama", Kabalcı Yayınları, Çeviren: Mehmet H. Doğan, İstanbul 2000

GILBERT, ADRIAN – COTTERELL, MAURICE "The Mayan Prophecies", Element, Dorset 1996

GIRARD, RAPHAIL "Popol Vuh: Maya – Kişe'lerin Kutsal Kitabı", Ruh ve Madde Yayınları, Çeviren: Suat Tahsuğ, İstanbul 1991

GURNEY, OLIVER R. "Hititler", Dost Kitabevi, Çeviren: Pınar Arpaçay, Ankara 1990

HANCOCK, GRAHAM "Fingerprints Of The Gods", Arrow Books, Reading 1995

HANCOCK, GRAHAM – BAUVAL, ROBERT – GRIGSBY, JOHN "The Mars Mystery", Penguin, Londra 1998

HANDCOCK, PERCY S. P. "Mesopotamian Archaeology", G. P. Putnam's Sons, New York 1912

HOPE, MURRY "Eski Mısır ve Sirius Bağlantısı", Ruh ve Madde Yayınları, Çeviren: Ercan Arısoy, İstanbul 1998

IFRAH, GEORGES "Rakamların Evrensel Tarihi II", Tübitak Yayınları, Çeviren: Kurtuluş Dinçer, Ankara 1995

––––––––––––––– "Rakamların Evrensel Tarihi III", Tübitak Yayınları, Çeviren: Kurtuluş Dinçer, Ankara 1995

––––––––––––––– "Rakamların Evrensel Tarihi IV", Tübitak Yayınları, Çeviren: Kurtuluş Dinçer, Ankara 1995

İNAN, AFET "Eski Mısır Tarihi ve Medeniyeti", Türk Tarih Kurumu Basımevi, Ankara 1992

JASTROW, MORRIS "The Religion Of Babylonia and Assyria", Ginn & Company, Boston 1898

JENKINS, JOHN MAJOR "Maya Cosmogenesis 2012", Bear & Co, Santa Fe 1998

KING, LEONARD W. "Seven Tablets Of Creation", Luzac & Co., Londra 1902

--------------- "Legends Of Babylon And Egypt In Relation To Hebrew Tradition", The Schweich Lectures, 1916

KNIGHT, CHRISTOPHER – LOMAS, ROBERT "The Hiram Key", Arrow Books, Londra 1997

KRAMER, SAMUEL NOAH "Sümer Mitolojisi", Kabalcı Yayınları, Çeviren: Hamide Koyukan, İstanbul 1999

--------------- "Tarih Sümer'de Başlar", Kabalcı Yayınları, Çeviren: Hamide Koyukan, İstanbul 1999

--------------- "Sümerlerin Kurnaz Tanrısı Enki", Kabalcı Yayınları, Çeviren: Hamide Koyukan, İstanbul 2000

KRICKEBERG, WALTER "Azteklerin ve Mayaların Dinleri", Okyanus Yayınları, Çeviren: Alev Kırım, İstanbul 1998

--------------- "Aztek Efsaneleri – Toltek Efsaneleri", Okyanus Yayınları, Çeviren: Alev Kırım, İstanbul 1998

--------------- "İnka ve Maya Efsaneleri", Okyanus Yayınları, Çeviren: Alev Kırım, İstanbul 1999

KRUPP, EDWIN C. "In Search Of Ancient Astronomies", Penguin, Middlesex 1984

--------------- "Skywatchers, Shamans & Kings", Wiley, New York 1997

LEGGE, JAMES "The Sacred Books Of China – The Texts of Confucianism", Sacred Books of The East Vol. III, Oxford 1879

LE PLONGEON, AUGUSTUS "Mısırlıların Kökeni", Ege Meta Yayınları, Çeviren: Rengin Ekiz, İstanbul 2000

LEWIN, ROGER "Modern İnsanın Kökeni", Tübitak Yayınları, Çeviren: Nazım Özüaydın, Ankara 1997

LIGHTMAN, ALAN "Yıldızların Zamanı", Tübitak Yayınları, Çeviren: Murat Alev, Ankara 1996

LLOYD, SETON "Türkiye'nin Tarihi", Tübitak Yayınları, Çeviren: Ender Varinlioğlu, Ankara 1997

MALEK, JAROMIR – BAINES, JOHN "Eski Mısır Kültür Atlası", İletişim Yayınları, Çeviren: Oruç – Zeynep Aruoba, İstanbul 1986

MCINTOSH, JANE "Arkeoloji", Tübitak Yayınları, Çeviren: Yaprak Eran, Ankara 1999

MACKENZIE, DONALD "Egyptian Myth And Legend", The Gresham Publishing Company, Londra 1907

--------------- "Indian Myth And Legend", The Gresham Publishing Company, Londra 1913

MCNEILL, WILLIAM H. "Dünya Tarihi", Kaynak Yayınları, Çeviren:Alaeddin Şenel, İstanbul 1985

MAUNDER, E. WALTER   "The Astronomy Of The Bible", Mitchell Kennerly, New York 1908

MESSADIE, GERALD "Şeytanın Genel Tarihi", Kabalcı Yayınları, Çeviren: Işık Ergüden, İstanbul 1998

--------------- "Musa: Mısır Prensi", Milliyet Yayınları, Çeviren: Gülseren Devrim, İstanbul 1998

MOORE, PATRICK "Gezegenler Klavuzu", Tübitak Yayınları, Çeviren: Özlem Özbal, Ankara 1993

NATIONAL MUSEUM OF ANTHROPOLOGY, Katalog, Mexico City, 1999

NIETZSCHE, FRIEDRICH "Deccal", Hil Yayın, Çeviren: Oruç Aruoba, İstanbul 1986

O'BRYAN, AILEEN "The Dîne: Origin Myths of the Navaho Indians", Bulletin 163 of the Bureau of American Ethnology of The Smithsonian Institute, Washington 1955

O'FLAHERTY, WENDY DONIGER "Hindu Mitolojisi", İmge Yayınları, Çeviren: Kudret Emiroğlu, 1996 Ankara

OPPENHEIM, LEO "Ancient Mesopotamia: Portrait Of A Dead Civilization", Chicago University Press, Chicago 1977

OSSERMANN, ROBERT "Evrenin Şiiri", Tübitak Yayınları, Çeviren: İsmet Birkan, Ankara 2000

OSTROGORSKY, GEORG "Bizans Devleti Tarihi", Türk Tarih Kurumu Basımevi, Çeviren: Prof. Fikret Işıltan, Ankara 1995

PELLEGRINO, CHARLES "Unearthing Atlantis: An Archaeological Odyssey", Avon Books, New York 2001

PETRIE, W. M. FLINDERS   "Hyksos and Israelite Cities", London School of Archaeology, Londra 1906

RIVERA, ADALBERTO "The Mysteries Of Chichen Itza", Universal Images Enterprises, 1995

ROAF, MICHAEL "Mezopotamya ve Eski Yakındoğu", İletişim Yayınları, Çeviren: Zülal Kılıç, İstanbul 1996

RUFUS, W. CARL – TIEN, HSING-CHIH "The Soochow Astronomical Charts", University of Michigan Press

RUSSELL, BERTRAND "Din ile Bilim", Say Yayınları, Çeviren: Akşit Göktürk, İstanbul 1983

SAGAN, CARL "Kozmos", Altın Kitaplar, Çeviren: Reşit Aşçıoğlu, İstanbul 1982

————————— "Karanlık Bir Dünyada Bilimin Mum Işığı", Tübitak Yayınları, Çeviren: Miyase Göktepeli, Ankara 1998

————————— "Kozmik Bağlantı", E Yayınları, Çeviren: Maktav Dinçer, İstanbul 1986

SANTILLANA, GIORGIO – VON DECHEND, HERTHA "Hamlet's Mill", Macmillan, Londra 1970

SCHIMMEL, ANNEMARIE "Sayıların Gizemi", Kabalcı Yayınları, İstanbul 1998

SELIGMANN, KURT "The History of Magic and the Occult", Gramercy, New York 1997

SILK, JOSEPH "Evrenin Kısa Tarihi", Tübitak Yayınları, Çeviren: Murat Alev, Ankara 1997

SITCHIN, ZECHARIA "12. Gezegen", Ruh ve Madde Yayınları, Çeviren: Yasemin Tokatlı İstanbul 1998

————————— "Stairway to Heaven", Avon Books, New York 1980

————————— "The Wars Of Gods And Men", Avon Books, New York 1985

————————— "The Lost Realms", Avon Books, New York 1990

————————— "When Time Began", Avon Books, New York 1993

————————— "The Cosmic Code", Avon Books, New York 1998

————————— "Genesis Revisited", Avon Books, New York 1990

--------------- "Divine Encounters", Avon Books, New York 1995

SMITH, G. ELLIOT   "The Evolution Of The Dragon", Longmans, Green & Company, New York 1919

STONE, MERLIN "Tanrılar Kadınken", Payel Yayınları, Çeviren: Nilgün Şarman, İstanbul 2000

TANİLLİ, SERVER "Yüzyılların Gerçeği ve Mirası: İnsanlık Tarihine Giriş I", Say Yayınları, İstanbul 1984

THOMSON, GEORGE "Tarih Öncesi Ege I", Payel Yayınları, Çeviren: Celal Üster, İstanbul 1988

TRIMBORN, HERMAN "İnkaların Dini", Okyanus Yayınları, Çeviren: Alev Kırım, İstanbul 1999

VELIKOVSKY, IMMANUEL "Worlds In Collision", BCA,1973

--------------- "Ages In Chaos", Abacus Books, Londra 1973

ZUBRITSKY, Y. – MITROPOLSKI, D. – KEROV, V. "İlkel Topluluk, Köleci Toplum, Feodal Toplum", Sol Yayınları, Çeviren: Sevim Belli, Ankara 1977

Yayımlanmış tezler ve sempozyum bildirileri

DRIESSEN, JAN   "Towards an Archaeology of Crisis: Defining the Long-Term Impact of the Bronze Age Santorini Eruption", World Archaeological Congress 4 - University of Cape Town, 10th - 14th January 1999, "Catastrophism, natural disasters and cultural change" başlıklı sempozyuma sunulan bildiri.

WILLIAMS, BRUCE "Archaeology And Historical Problems of the Second Intermediate Period", Doktora tezi (A dissertation submitted to the Faculty of the Division of the Humanities in candidacy for the degree of doctor of philosophy), The University Of Chicago.

Haber, makale, süreli yayın ve elektronik dokümanlar

BRITT, ROBERT ROY "Possible 10th and 11th planet-like objects orbiting the Sun", ExploreZone.com haberi, 7 Ekim 1999

CARPENTER, EDWARD   "Pagan and Christian Creeds: Their Origin and Meaning", Project Gutenberg E-text (http://www.gutenberg.org)

FAGAN, CYRIL "Astrological Origins", Elektronik doküman

FRAWLEY, DAVID "The Myth of the Aryan Invasion of India", Voice Of India, 19 Haziran 1994

GINZBERG, LOUIS "The Legends Of The Jews Vol. I", 1913, Project Gutenberg E-text (http://www.gutenberg.org)

HALLORAN, JOHN A. "Sumerian Lexicon" Elektronik doküman

HEISE, JOHN "Akkadian Language", Elektronik doküman
JASTROW, ROBERT "Hero or Heretic?", Science Digest, Eylül/Ekim 1980
MAURO, CRAIG Associated Press haberi, 24 Şubat 2002
MCCOY, FLOYD "Ground Truth Eartwatch Research Report"
PINCHES, THEOPHILUS G., "The Religion Of Babylonia And Assyria", 1906, Project Gutenberg E-text (http://www.gutenberg.org)
SUMNER, PAUL "Messianic Texts At Qumran", Elektronik doküman
"Suriye'de Kayıp Kent Bulundu" – 22 Mayıs 2000 tarihli Reuters haberi
Washington Post gazetesi, 30 Aralık 1983
Science News, 7 Nisan 2001

Kutsal kitap ve metinler

BOOK OF ENOCH (I ENOCH) – İngilizce Çeviri: R.H. Charles (Oxford, Clarendon Press, 1893)
BOOK OF JUBILEES
ENUMA ELISH
HOLY BIBLE – KING JAMES VERSION
IPUWER PAPİRÜSÜ – "Admonitions of Ipuwer" - (Papyrus Leiden 334)
KİTABI MUKADDES – Türkçe Çevirisi
MÜJDE – İNCİL'İN ÇAĞDAŞ TÜRKÇE ÇEVİRİSİ
OXFORD COMPANION TO THE BIBLE
ZEND AVESTA